후백제사 연구

후백제사 연구

2022년 2월 28일 초판 1쇄 발행

글쓴이   이도학
펴낸이   권혁재
편 집   조혜진
표 지   이정아

제 작   성광인쇄
펴낸곳   학연문화사
등 록   1988년 2월 26일 제2-501호
주 소   서울시 금천구 가산디지털1로 16 SKV1AP타워 1415호

전 화   02-6223-2301
팩 스   02-6223-2303
E-mail   hak7891@chol.com

ISBN 978-89-5508-459-7 93910

후백제사 연구

이도학 지음

1

후백제는 『삼국유사』에서 先後 2개의 백제를 구분하기 위한 목적에서 '전백제'에 상응한 표기였다. 당시의 국호는 응당 '백제'였다. 그러한 백제사 전공인 나와 후백제는 緣이 있었다. 가령 어렸을 때 잠자리에서 "우리 아버지가 그러는데 갈밭 사람이라고 하던데요"라는 말을 들었다. '우리 아버지'는 나의 외조부이고, 어머니가 아버지에게 한 말이었다. '갈밭 사람'은 가은읍 葛田里가 고향인 후백제 건국자를 가리킨다.

현재 후백제 건국자를 견훤으로 표기하고 일컫고 있지만 전혀 타당하지 않다. 전통시대 문헌에는 한결같이 '진훤'으로 표기했다. 그럼에도 '견훤'으로 읽은 데는 무슨 근거가 있는 것으로 생각하겠지만 전혀 근거는 없다. 甄에는 질그릇의 뜻에 음은 '견'과 '진'으로 나뉘어진다. 헷갈리지 않도록 순암 안정복은 『동사강목』에서 음가를 '眞'으로 적시했다. 저명한 시조시인 가람 이병기도 「동아일보」 연재물 제목을 '진훤'으로 표기하였다. 나도 몰랐다면 '견훤, 견훤' 하고 다녔을 것이다. 몇 년 전 문경 근암서원에서 특강할 때였다. "전통시대 문헌에서 '견훤'으로 읽어야 한다는 자료를 가지고 오면, 천 만원드리겠습니다"고 했었다. '견훤'은 근거가 없음을 알리고자 해서였다.

2

나는 지난 세기부터 진훤과 후백제 관련 저서와 논문을 상당히 집필했었다. 내가 학계에 기여한 바가 없지 않다. 우선 지난 세기에 신라 군인 진훤의 근무지를 순천만으로 밝힌 것이다. 요새는 누구나 순천만을 말하고 있지만, 기존의 나주 설이나 청해진 설 등을 뚫고 제기한 신설이었다. 아무나 순천만을 제기할 수 있는 것은 아니었다.

후백제의 존속 기간에 대해 여러 주장이 있지만, 후백제인 스스로의 기록과 인식에 따르면 889년이 기점이 된다. 후백제는 햇수로 48년 간 존속하였고, 중국의 隋 帝國 햇수 38년보다 장구하다는 사실을 역설했다. 단명한 수 제국이 과거제 실시와 運河 開鑿을 통해 중국사 발전에 기여했듯이, 후백제도 그렇게 볼 수 있었다. 진훤 왕은, 완고한 신분 질서 사회를 해체하고 기회와 참여의 폭이 훨씬 넓어진 사회로 넘어가게 하였다.

나는 892년 무진주 定都와 900년의 '전주 선언'이 지닌 의미 부여, 전주 천도의 동기 등을 새롭게 밝혔다. 궁예가 중부 지역 대호족 양길의 호족 연합군을 격파한 역사적인 비뇌성 전투의 현장을 안성 죽주산성으로 새롭게 구명했다. 이를 비롯해 새롭게 구명한 바가 적지는 않았지만 답답한 경우도 많았다. 가령 922년의 익산 미륵사 '開塔'은, 탑 안에 모셔진 불사리를 모셔오는 迎佛骨 의식이었다. 唐 제국 法門寺에서는 30년마다 대축제인 開塔이 있었다. 고려에서도 開塔 사례가 보였다. 그럼에도 미륵사 석탑은 구조상 탑을 열 수가 없고, 목탑은 불탔으니 열 수가 없으니 불교 퍼포먼스라고 둘러붙이고는 했다. 경주 황룡사 목조9층탑도 벼락을 숱하게 맞았지만 수리하였고, 또 내부를 열어 사리를 확인도 하였다. 마찬 가지로 미륵사 목탑도 설령 벼락을 맞았다고 하더라도 계속 수리하였기에 후백제 시기에 '開塔'이 가능한 것이다. 여기서 중요한 사실은 922년에 '開塔' 慶事에 발맞춰 선운산에서 選佛場을 개최했다는 것이다. 선불장은 승려 과거인데, 922년이 최초라는 기록이 없는데다가 일반 과거와 엮어진 시험이었다. 이러한 점에서 비춰 볼 때 후백제의 과거제 시행 가능성을 제기해 준다.

우리 역사에서 혈연과 지연에서 능력으로의 물꼬를 튼 劃期가 과거제 시행이었다. 진훤 왕은 여러 가지 혁신적인 시책을 펼쳐 신라 천년 역사의 적폐를 청산하고 기회의 폭을 넓혔다. 다른 이야기할 것도 없이 政敵이었던 후백제 제2대왕 신검의 다음 교서에 잘 응결되어 있다.

대왕의 神武는 보통 사람보다 빼어나게 뛰어 나셨고, 영특한 지혜는 만고에 으뜸이라, 말세에 태어나서서 스스로 세상을 건질 소임을 지고 三韓 지역을 徇行하시면서 백제라는 나라를 회복하셨고, 진구렁이나 숯불에 떨어진 것과 같은 고통을 쓸어버리니, 백성들이 평안하고 화목하게 되어 북을 치고 춤을 추었고, 광풍과 우레처럼 먼데나 가까운데나 준마처럼 달려, 功業이 거의 重

興에 이르렀습니다. …

수탈에 허덕이던 농민층의 환호와 빼어난 경제 시책을 읽을 수 있다. 진훤 왕 일대기를 더 빼고 보탤 것도 없이 완벽하게 재현한 글이었다. 나는 이러한 진훤 왕과 후백제사 복원에 심력을 보탰다.

3

본서에서는 많은 논문이 수록되어 있지만 기획 논문의 경우에는 중복된 내용이 없지 않았다. 誤譯이 심한 '전주 선언' 글귀를 바로잡는 일을 비롯해, '開塔' 의미를 비롯해 중첩된 내용이 많다. 그렇지만 논문 한 편 한 편이 완결성을 지닌터라 본서에서는 덜어버릴 수가 없었다.

본서의 집필과 관련해 북으로는 고려 수도 개경을 2회, 서로는 오월국 수도 항저우와 남으로는 일본의 대외관문 다자이후를 수차 다녀왔었다. 우리 국토 내의 후삼국 유적은 도서벽지를 포함해 단 한 곳도 빠짐없이 현장을 밟았다. 본서에는 이러한 현장 체험이 녹아 있다.

4

본서의 출간과 관련해 대학원 2학기 때부터 고귀한 인연을 맺게 된 김병모 총장님께 이 책을 바친다. 총장님께서는 아둔한 저를 과대 평가하여 "대성할 사람이다"고 주변 사람들에게 말씀하셨다고 들었지만, 기대에 미치지 못한 삶을 살고 말았다. 머리를 들 수가 없는 형편이지만, 총장님께서 언제나 건강하시고, 또 이 제자가 역량을 늦게 나마 발휘해 보고자 한다는 말로써 면피하고자 한다.

2022년 2월 3일
스타벅스에서
이도학

차　례

〈부록—영화 대본 같은 '후삼국사'〉

후삼국사 바른 읽기를 위하여

> 1. 머리말
> 2. 후삼국사 관련 기록의 검증
>   1) 왕건의 서남해 제패 공적 검증
>   2) 기록에서 지워진 왕건과 比等했던 장군들
> 3. 후삼국사, 그 절반의 역사 복원을 위해
> 4. 맺음말

1. 머리말

현재 전하는 전통시대 한국의 공식 역사서는 모두 勝者의 기록이다. 그런데다가 한국고대 史料의 貧困像은 극심하기 이를 데 없다. 이와 관련한 사료 빈곤의 사유를 다음과 같이 언급하기도 했다.

또 勝國(高麗를 가리킴: 필자) 이상으로서 증거할 만한 문헌이 없는 것들을 물었더니, 公은 탄식하면서, "唐 李勣이 고구려를 평정하고는 東方의 典籍을 平壤에다 모아놓고 우리나라의 文物이 중국에 뒤지지 않는 것을 시기하여 이것을 모두 불태워버렸으며, 신라 말에 甄萱이 完山에 웅거하여 三國의 남아 있는 서적을 실어와 두었는데, 그가 패하자 쓸어 없애져 불타 재가 되었으니, 이것이 3千年 이래 두 번의 큰 재앙이다"고 했다.[1]

위의 기사는 勝國 즉 高麗 이전의 문헌 기록이 남아 있지 않은 이유를 설명하였다. 여기서 '公'은 李萬運(1723~1797)이다. 그리고 묻는 이는 李德懋(1741~1793)를 가리킨다. 博學으로 정평이 난 이만운이 고구려사를 비롯한 삼국사와 후백제사가 온전히 계승되지 못한 이유를 밝힌 것이다. 이만운이

---

[1] 『雅亭遺稿』 권3, 紀年兒覽, 序. "又問勝國以上文献之無徵 公嘆曰 唐李績 旣平高句麗 聚東方典籍於平壤 忌其文物不讓中朝 擧而焚之 新羅之末 甄萱據完山 輪置三國之遺書 及其敗也 蕩爲灰燼 此三千年來二大厄也"

어떤 근거로써 단언했는지는 알 수 없다. 그러나 그가 필시 참고했던 문헌은 존재했다고 본다. 1796 년에 正祖가 그에게『文獻備考』增訂을 맡기면서 "蔭官 이만운이 우리나라 典故에 자못 밝다는 말을 듣고 마침내 모두를 그에게 넘겨주었다"[2]고 했다. 여러 명이 붙어서『文獻備考』작업을 했지만 오류 가 드러났다. 그러자 정조는 이만운 한 사람에게 增訂 작업을 모두 맡겼을 정도로 博覽强記로 정평 이 났었다. 따라서 상기한 이만운의 주장은 신뢰감을 높여준다. 이만운의 패망 焚書論은 단재 신채 호에게도 계승되었다.[3]

이만운은 고려 이전의 사서가 존재하지 않은 이유를 고구려와 후백제의 패망에서 찾았다. 승자에 의해 패자의 역사가 망가졌다는 것이다. 물론 이러한 주장의 근거는 뒷받침되지 않았다. 그랬기에 柳得恭은 韓致奫의 저작인『海東繹史』서문에서 한 마디로 "이 역시 터무니 없는 이야기이다. 우리 나라에 어찌 史籍이 있었던가?"[4]라고 일축했다. 그렇지만 이만운의 주장이 무근거하지 않다는 정황 은 보인다. 실제 다음 기사를 보면 고려가 신라의 문헌들을 인수받지 못했음을 알 수 있다.

이 해 敎書를 내려 말하기를 "秦始皇이 천하를 다스리면서 三代의 詩書를 불살라버렸지만, 漢帝가 기 회에 부응해 五倫에 관한 서적을 널리 퍼뜨렸다. (우리)나라가 처음 열리던 시작은 신라가 망하고 난 뒤 라 글자로 기록된 문서는 모조리 화롯불에 타버리고 귀중한 문헌은 진흙탕에 내팽개쳐졌다. (이에) 여러 朝廷 이래로 亡失된 서적을 다시 베끼게 하고 빠진 부분은 연이어 적어 넣게 하였다. 내가 왕위를 이어받 은 이후 더욱 儒學을 숭상하여, 지난날 편찬하던 책은 이어서 편찬하고 當年에 보충하던 것은 계속해서 보충하게 했다. 이에 따라 隱士 沈約의 책 20,000여 권은 베껴서 秘書省에 두고, 司空 張華의 책 30 수레 는 白虎觀에 보관하게 하였다. …[5]

고려가 이전 대의 역사 기록을 제대로 물려받지 못했다는 정황은 많다. 우선 고구려 역사 기록의 소략이다.『삼국사기』를 놓고 볼 때 고구려 전성기인 광개토왕과 장수왕대만 해도 기록이 너무나 빈 약하다. 장수왕대의 사적은 그 장구한 80년 치세에도 불구하고 기록의 영성함이 두드러진다. 때문 에 중국 사서의 朝貢 기사로『삼국사기』를 메우고 있다. 그리고『삼국사기』광개토왕기는 「광개토왕

---

2 『弘齋全書』권184, 群書標記6, 命撰2, 增訂文獻備考, 권246. "曾聞蔭官李萬運 頗嫻東國典故 遂擧而畀之"
3 申采浩,『朝鮮史研究艸』, 乙酉文化社, 1974, 74쪽.
4 『海東繹史』序. "此亦無稽之談 東方豈有史籍"
5 『高麗史』권3, 성종 9년 12월 조. "是歲 教曰 秦皇御宇 焚三代之詩書 漢帝應期 闡五常之載籍 國家草創之始 羅代喪 亡之餘 鳥跡玄文 燼乎原燎 龍圖瑞牒 委於泥途 累朝以來 續寫亡篇 連書闕典 寡人自從嗣位 益以崇儒 踵修曩日之 所修 繼補當年之所補 沈隱士二萬餘卷 寫在麟臺 張司空三十車書 藏在虎觀"

릉비문」과 부합하는 기사가 없다. 이렇듯 고구려 강성기의 관련 기록도 부실하기 이를 데 없다.

2. 후삼국사 관련 기록의 검증

전통시대의 공식적인 역사 기록은 어디까지나 승자의 전유물이라고 할 때 가장 불행한 대상은 궁예와 진훤이었다. 이들의 역사는 자신의 부하이자 숙적인 왕건의 측근들에 의해 쓰여졌기 때문이다. 이와 관련해 미국 캔사스대학 교수 허스트 3세(G. Cameroon Hurst III)가 집필한 「善人·惡人, 그리고 醜人―고려 왕조 창건기의 인물들의 특성에 대하여」[6]라는 논문 제목은 시사적이다. 우리나라에서도 상영되었던 '석양의 무법자(1966)'의 원 제목이다. 허스트 3세가 영화 제목을 논문 제목으로 삼은 이유는 고려 왕조 창건기의 역사는 배역이 정해진 드라마 대본 같다는 취지에서였다. 여기서 선인은 주인공 왕건, 악인은 진훤, 추인은 궁예였다. 허스트 3세는 대본같은 사서의 행간을 읽으면서 은폐 속의 진실을 찾고자 부심했다. 가령 王建과 그 아버지 龍建, 조부 作帝建의 이름은 너무 노골적이었다. 허스트 3세는 의심을 제기했다. 왕이 될 운명이라는 이러한 이름들을 정말 사용했을까? 과연 의심 많다는 궁예가 용인했을까? 궁예는 승려 생활 중 까마귀가 바릿대에 떨어뜨려준 '王'字 적힌 상아 막대를 품에 넣었다. 그는 내밀한 자부심을 가졌다.

궁예와는 달리 하늘의 점지가 보이지 않은 왕건은 自家發電할 수밖에 없었다. 그가 궁예를 축출한 직후 제정한 '하늘이 내려주었다'는 뜻을 지닌 연호 '天授'와, 앞에서 언급한 작위적인 3代 이름은 셀프(self) 암시에 불과했다. 허스트 3세의 논문을 구경도 못한 이들이 마치 원 논문을 읽은 것처럼 행세한 경우도 왜곡의 범주에 속하지 않을까? 이와 더불어 이만운이 언급했던 후백제의 사료 소각설도 뒷 장에서 살펴 보고자 한다.

1) 왕건의 서남해 제패 공적 검증

궁예는 신체적인 제약에도 불구하고 바닥에서 입신하여 고구려를 부활시켰다. 경이적인 그의 성공은 왕건의 후손인 충선왕도 부정할 수 없었다. 그랬기에 그는 "궁예가 삼한 땅의 3분의 2를 차지

---

6 G. Cameron Hurst III, "The Good, The Bad And The Ugly": Personalities in the Founding of the Koryo Dynasty *Korean Studies Forum*, No7, 1981, pp. 1~27.

했다"[7]고 단언했다. 삼한 땅은 통일신라 영역을 가리킨다. 왜곡된 기록이 넘치는 궁예이지만 무패의 신화를 기록에 남겼다. 그가 패한 기록 자체가 없기 때문이다.

그런데 궁예 치세 후반기에는 왕건의 눈부신 外征만 보인다. 궁예는 왕건이라는 걸출한 부하 덕에 서남해 도서를 개척한 것처럼 비쳐진다. 기록상 태생부터 평생 따라붙었던 피해망상증과 미륵불의 현신으로 여기는 과대망상증과 가학성 변태성욕으로 몸부림치던 궁예가 자멸로 치닫고 있을 무렵이었다. 이때 왕건은 외정을 통해 자신의 군사력 외에 정치·경제적 기반을 꾸준히 확대시켜 나간 것처럼 비친다. 그러나 이는 당치 않다. 다음의 강진 무위사 「선각대사비문」에 따르면 912년에 궁예가 직접 내려옴으로써 태봉의 나주 경략이 마무리되었기 때문이다.

(천우) 9년 8월에 이르러 前主께서 북쪽 지역을 오랫동안 평정하시다가 드디어 남쪽을 정벌하시려고 선박[舳艫]을 일으켜 몸소 행차하셨다. 이때 나주는 귀의하였으므로 강가나 섬 곁에 군대를 주둔시켰다. 武府는 거슬렀으므로 서울[郊畿]에서 무리를 동원하셨다. 이때 대왕께서는 대사가… 들으시고… 그 후 군대를 돌이킬 때에 특별히 (대사에게) 함께 돌아갈 것을 요청하셨고… 스님에게 올리는 공양물은 內庫에서 나왔다.… (천우) 14년… 일에 대왕께서 조서를 내려…[8]

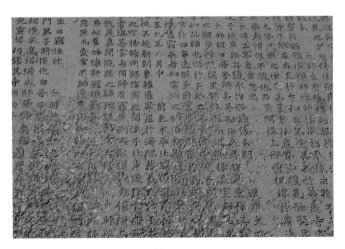

1-1 강진 무위사 「선각대사비문」의 궁예 관련 구절

1-2 동일한 비문의 관련 부분 탑본

7 『高麗史』권2, 태조세가, 第2. "李齊賢贊曰 忠宣王嘗言 我太祖 規模德量 生於中國 當不減 宋太祖 宋太祖事 周世宗 世宗賢主也 待 宋太祖甚厚 宋太祖 亦爲之盡力 及 恭帝幼冲 政出太后 迫于群情 而受周禪 盖出於不得已也 我 太祖 事 弓裔 猜暴之君 三韓之地 裔有其二 太祖之功也 以不世之功 處必疑之地 可謂危矣"
8 "九年八月中 前主永平北 △須△南征 所以△發舳艫 親馭車駕 此時羅州歸命 屯軍於浦嶼之傍 武府逆鱗 動衆於郊畿之場此時倏大王聞…其後班師之際特請同歸…供給之資出於內庫…以十四…日大王驟飛鳳筆…"

위의 기사에 보이는 천우 9년은 912년이고, 천우 14년은 917년이다. 비문의 이러한 시간적 범위는 왕건 즉위 전임을 알려준다. 따라서 '前主' 즉 '전 임금'과 '大王'은 궁예를 가리킨다.[9] 궁예가 몸소 나주를 제압한 사실이 확인된다.[10] 궁예의 서남해 親征은 다음 「법경대사비문」에서도 확인되었다.

天祐 5년 7월 武州의 會津에 도착했다. 이때 전란은 땅에 그득하고, 賊寇는 하늘에 닿을 만큼 넘쳐 흘렀고, 三鍾이 머무는 곳에는 사방에 진지가 많았다. … 先王이 곧바로 북쪽을 출발하여 오로지 南征만 하였다.[11]

위의 기사에 등장하는 '先王'은 궁예를 가리킨다. 法鏡大師 慶猷가 귀국하여 만난 임금은 궁예였다. 이때는 912년 8월에 궁예가 서남해를 공략하던 무렵이었다.[12] 이렇듯 「선각대사비문」과 「법경대사비문」을 통해 궁예의 서남해 친정이 확인되었다. 더욱이 「법경대사비문」에서는 '專事南征'이라고 하였다. 여기서 '專事'는 "오로지 어떤 일만 함"이라고 해석한다. 이 사실은 궁예가 南征에 심혈을 기울였기에 친정을 했음을 알려준다. 그러면 궁예의 서남해 친정은 史書에서 확인할 수 없는 것인가? 궁예의 서남해 친정은 『삼국사기』 진훤전의 다음 영암 덕진포 교전에서 확인된다.

건화 2년(912)에 진훤이 덕진포에서 궁예와 싸웠다.[13]

위의 짧은 기록에 대해 연구자들은 으레 궁예가 보낸 왕건과 진훤과의 교전으로 단정했다. 그러나 이 기록은 「선각대사비문」에서 궁예가 912년에 직접 군대를 이끌고 나주로 내려 온 사실과 연결된다. 그런데 중요한 사실은 진훤과 싸웠다는 궁예에 대해 승패를 서술하지 않았다. 史書에서는 왕건의 戰功만 늘어놓았을 뿐 궁예 親征에 대해서는 일체 언급이 없다.[14] 그런 관계로 서남해안 제패는 오로지 왕건의 戰功으로만 간주되었다.

---

9 '前主'를 궁예로 지목한 경우는 김인호, 「무위사 선각대사 편광탑비」 『譯註 羅末麗初金石文(下)』, 혜안, 1996, 237쪽에 보인다.

10 최연식, 「康津 無爲寺 先覺大師碑를 통해 본 弓裔 행적의 재검토」 『木簡과 文字 연구』 6, 주류성, 2011, 205~208쪽.

11 朝鮮總督府, 『朝鮮金石總覽(上)』 1919, 164쪽. "天祐五年七月 達于武州之會津 此時兵戎滿地 賊寇滔天 三佛所居四郊多壘… 先王直從北發 專事南征"

12 한국역사연구회, 『譯註 羅末麗初金石文(下)』, 혜안, 1996, 190쪽.
   최연식, 「康津 無爲寺 先覺大師碑를 통해 본 弓裔 행적의 재검토」 『木簡과 文字 연구』 6, 주류성, 2011, 215쪽.

13 『三國史記』 권50, 甄萱傳. "乾化二季, 萱與弓裔戰于德津浦"

14 이도학, 「궁예와 진훤 바로보기」 『대동문화』 99, 2017, 92쪽.

1-3 후백제와 태봉의 군대가 격돌했던 덕진포(전라남도 영암)

2) 기록에서 지워진 왕건과 比等했던 장군들

왕건이 쿠데타로 즉위한 직후 반란을 일으킨 마군장군 桓宣吉의 아내가 "당신의 재주와 능력은 남보다 훨씬 나으므로 사졸들이 복종하고 있지 않습니까. 또 大功이 있음에도 불구하고 정권은 다른 사람에게 있으니 부끄럽지 않습니까!"[15]라고 일갈했다. 환선길도 마음 속으로 그렇게 여겼다고 한다. 여기서 '다른 사람'은 왕건을 가리킨다. 왕건과 비등하거나 그 이상의 능력을 지닌 궁예의 부하 장군이 환선길임을 알려준다. 그럼에도 환선길의 '大功'은 고사하고 그의 행적은 전혀 소개된 바 없다. 다만 환선길의 반란 실패 기사가 다음과 같이 보인다.

하루는 태조가 궁전에 앉아 學士 몇 사람과 국정을 논의하고 있었다. 환선길이 무리 50여 인과 함께 무기를 지니고는 동쪽 곁채에서 內庭으로 돌입하여 곧바로 그를 해치려고 하였다. 태조가 지팡이를 짚고 서서 큰 소리로 꾸짖으며 말하기를, "짐이 비록 너희들의 힘으로 여기에 이르렀지만 어찌 천명이 아니겠는가? 天命이 이미 정해졌거늘 네가 감히 이럴 수 있느냐?"라고 하였다. 환선길이 태조의 말과 얼굴빛이 태연한 것을 보고 매복한 군사가 있는 것으로 의심하여 무리와 함께 달아났다. 호위병들이 毬庭까지 추격하여 이들을 모두 사로잡아 죽였다. 환향식이 뒤에 도착하고는 일이 실패했음을 알고 역시 도망하였

---

15 『高麗史』권127, 叛逆, 桓宣吉傳. "其妻謂曰 子才力過人 士卒服從 又有大功 而政柄在人 可不懊乎 宣吉心然之"

다. 병사들이 추격하여 이들을 죽였다.[16]

위의 기사에 따르면 환선길은 50여 명의 무장한 병력을 이끌고 內庭에 진입했다는 것이다. 이때 왕건은 비무장 상태로 학사들과 국정을 논의하던 중이라고 한다. 환선길은 왕건을 곧바로 찌르려다가 태연자약한 왕건의 호통에 놀라 달아났다는 것이다. 달아난 이유로서 복병이 있을지 두려웠기 때문이라고 했다. 그러나 이러한 행태는 상식적으로 이해되지 않는다. 설령 복병이 있다고 하더라도 왕건과 면전에서 맞딱뜨렸을 뿐 아니라 예하에 50여 명 무장 병력이 붙어 있었다. 그리고 환선길이 무장 병력을 이끌고 內庭까지 진입했다는 것은 궁정 내에 내응 세력이 존재했음을 뜻한다. 게다가 환선길의 아우인 향식이 지원 병력을 이끌고 도착했을 정도로 치밀하게 사전 모의가 이루어졌다. 그럼에도 왕건의 호통 한번에 달아났다는 것은 너무나 희화적이다. 다만 위의 기사를 통해 왕건의 즉위는 환선길 등의 지원에 힘입었음을 알 수 있다. 그렇지만 왕건이 "天命已定"이라고 했듯이 왕위는 이미 결정되었으니 넘보지 말라고 경고했다는 것이다. 이 기록의 진위를 떠나 왕건과 比等한 위치에 환선길이 존재했음을 알려준다. 추측을 한다면 궁예 축출 모의를 할 때 대안으로 왕건과 더불어 환선길도 물망에 올랐을 가능성이 높다.

궁예 정권에서 왕건과 위상이 비등했던 장군은 환선길 외에도 더 존재했던 것 같다. 모반 혐의로 체포된 마군대장군 伊昕巖을 가리켜 왕건 스스로 "나와 함께 어깨를 나란히 하고 임금을 섬겨 그 전부터 정분이 있으니"[17]라고 했다. 그런데 왕건과 어깨를 나란히 했다면서도 이흔암의 전공 기록은 일체 사서에서 보이지 않는다. 이흔암이 마군대장군이라는 고위직에 올랐다는 자체가 혁혁한 전공을 전제하고 있다.

이와 관련해 허스트 3세는 다음과 같이 논단했다. 즉 "왕건이 권력을 장악한 직후 적어도 그에 반대하는 최소 4차례의 반란이 있었는데 이는 그의 왕위 찬탈이 만장일치로 받아들여진 것이 아니라는 점을 나타낸다. … 그러나 궁예의 추종자들 중에도 그들 우두머리의 지위를 탐냈던 또 다른 인물들이 존재했을지도 모른다. 불행하게도 즉위 이전의 사료들은 왕건에 필적했을지도 모르는 지위를 지닌 군인들에 대해 충분한 정보를 제공해주지 않았다. 그런데 네 차례의 반란은 궁예에 대한 상당한 정도의 충성심이 있었거나, 혹은『삼국사기』나『삼국유사』를 통하여 우리가 믿고 있는 것 보

---

16 『高麗史』권127, 叛逆, 桓宣吉傳. "一日 太祖坐殿 與學士數人 商略國政 宣吉與其徒五十餘人持兵 自東廂突入內庭 直欲犯之 太祖策杖立 厲聲叱之曰 朕雖以汝輩之力至此 豈非天乎 天命已定 汝敢爾耶 宣吉見 太祖辭色自若 疑有伏甲 與衆走出 衛士追及毬庭 盡擒殺之 香寔後至 知事敗亦亡 追兵殺之"

17 『高麗史』권127, 叛逆, 伊昕巖傳. "然與我並肩事主 情分有素"

다도, 왕으로서 왕건의 지위를 한결같이 받아들이지 않았을 것 같다는 사실을 나타내준다"[18]고 설파하였다.

모두 "현재를 지배하는 자는 과거를 지배한다"는 명언을 연상시킨다. 스페인 내전의 승자인 프랑코 총통은 당초에는 국민 진영 최고 지도자가 될 후보자 4명 가운데 1명에 불과했다. 프랑코는 동등한 여럿 가운데 한 사람에 불과하였다.[19] 이와 관련해 상기시키고자 한다.

이 같은 단편적인 사실 확인을 통해 왕건 즉위 후, 기존의 역사 기록은 왕건 중심으로 재편되었음을 알 수 있다. 과거 구소련 스탈린 시대에는 숙청된 이들을 사진에서 포토샵처리하여 삭제한 경우가 많았다. 고려에서도 역사의 포토샵이 단행되었던 게 아닐까? 그랬기에 왕건과 어깨를 나란히 했던 환선길이나 이흔암 등은 지워졌을 것이다.[20] 그렇지 않고서는 이들의 기록이 반란 사건 외에는 전무한 이유를 설명할 수 없다.

3. 후삼국사, 그 절반의 역사 복원을 위해

후백제의 역사는 절반의 기록만 남아 있다. 왜냐하면 진훤은 패자가 되는 바람에 그에 관한 기록을 온전하게 승계시키지 못했기 때문이다. 가령 왕건에게는 29妃(夫人)의 존재가 기록에 보인다. 이는 주지하듯이 호족연합정권을 꾸리기 위한 정략결혼의 산물이었다. 그렇다면 진훤의 경우도 多妻를 상정할 수 있다. 즉 "진훤은 많이 아내를 취하여 아들이 10여 명이었다"[21]고 했다. 여기서 '多娶'의 존재는 진훤 역시 왕건과 마찬 가지로 호족들과 정략결혼했을 가능성을 제기해 준다.[22] 그러나 이 사실은 후백제 관련 기록에서는 전혀 확인되지 않았다. 『고려사』에 보이는 왕건의 사례처럼 진훤도 '多娶妻'와 관련한 숱한 일화들이 존재했을 것이다. 왕건이 그러했던 것처럼 진훤의 경우도 호족과의 관계에 대한 많은 기록들을 생산했을 법하다. 더욱이 진훤은 왕건보다 먼저 일어났기 때문에 보다 많은 기록을 남겼을 것이다. 그러나 이러한 기록들은 일체 남아 있지 않다. 요행히 남원 실상사 편운화상부도에서 후백제 '正開' 연호가 확인된다. 『扶桑略記』에 따르면 "全州王 진훤이 數十州를 격

---

18 G.Cameron Hurst Ⅲ, "The Good, The Bad And The Ugly": Personalities in the Founding of the Koryo Dynasty"(*Korean Studies Foru*m, No7, 1981), p.19.

19 앤터니 비버 著 · 김원중 譯, 『스페인 내전』, 교양인, 2009, 227쪽. 262쪽.

20 이도학, 「궁예와 진훤 바로보기」 『대동문화』 99, 2017, 92쪽.

21 『三國史記』 권50, 진훤전. "甄萱多娶妻 有子十餘人"

22 申虎澈, 『後百濟甄萱政權研究』, 一潮閣, 1993, 89쪽.

파해서 아우르고 대왕을 칭하였다"[23]는 기록이 보인다. 진훤이 왕건과 마찬 가지로 독자 연호와 '大王'을 칭한 사실이 확인되었다. 그러므로 기록에서 확인되지 않는다고 하여 그러한 사실 자체가 존재하지 않은 양 단정할 수 없다. 문헌의 영성함을 전제로 한 불완전한 史書의 존재를 상정하면서 논의를 진행하는 게 온당한 태도일 것이다.

다만 남아 있는 후백제 관련 기록들은 고려와의 전쟁 상대였기에 일종의 助役으로 남겨진 게 대부분이었다. 사실 왕건이 연호를 사용하고 황제 행세한 사실은 사서를 통해 확인된다. 그러나 진훤의 경우는 그러한 사실이 한국 문헌에서는 일체 확인되지 않았다. 이는 일본 자료나 금석문을 통해 확인된 것이다.

후백제 역사 왜곡은 역사 기록 자체 뿐 아니라 현대의 연구자들에 의해서도 자행되었다. 현재 교과서를 비롯한 모든 표기에서 '견훤'으로 적혀 있지만 '진훤'이 100% 맞다. 조선시대의 역사서를 비롯하여 구한말의 역사교과서, 심지어는 족보에 이르기까지 '진훤'으로 표기하였다. '견훤' 표기가 맞다는 어떠한 근거도 없다. 이는 필자의 저서에서 논거를 상세히 밝혔다.[24]

흔히들 파괴자나 약탈자로 간주하는 진훤이지만, 전주에 입성하면서 역사 바로잡기부터 선언하였다. 즉 "吾原三國之始 馬韓先起 後赫世勃興 故辰卞從之而興"[25]라고 一聲했다. 이 구절을 "내가 삼

---

23 『扶桑略記』권24, 延長 7년 5월 17일 조.
24 李道學, 『후백제 진훤대왕』, 주류성, 2015, 25~28쪽.
　　후백제사 연구자들이 犯한 오류 사례로서 金福順이 申虎澈, 『後百濟甄萱政權研究』, 一潮閣, 1993, 7~9쪽에서 가은현 호족 아질미를 진훤의 父인 아자개로 간주했다는 주장을 제시할 수 있다(金福順, 『崔致遠의 歷史認識과 新羅文化』, 경인문화사, 2016, 189쪽). 그러나 신호철은 김복순이 서술한 내용을 자신의 저서에서 언급한 바 없다. 김복순의 명백한 사실 왜곡이다.
25 『三國史記』권50, 甄萱傳.

국의 시작을 살펴 보니까 마한이 먼저 일어나고 그 후에 혁거세가 일어났다. 그런 까닭으로 진한과 변한이 뒤따라 일어났던 것이다"라고 해석했다. 그러나 이러한 종전의 해석은 잘못이다. 이는 "마한이 먼저 일어나 누대로 발흥한 까닭에, 진한과 변한이 (마한을) 좇아 흥기했다"고 재해석해야 맞다. 赫世公卿의 '赫世'라는 용어도 모르는 해석이었다. 진훤은 마한 즉 백제의 역사를 삼국의 첫머리에 올려놓고자 했다. 혹자는 922년의 '미륵사 開塔'을 석탑 修理로 해석했다. 그러나 이는 미륵사 中塔 즉 木塔을 열어 불사리를 맞이하는 迎佛骨 儀式이었다.[26]

그리고 930년 안동의 병산 패전 이후 후백제는 몰락의 길로 접어든 양 인식했다. 그러나 후백제는 여전히 웅강함을 잃지 않았다. 가령 다음 기사에서 보듯이 勃城 전투에서 朴守卿이 奮戰했기에 왕건은 간신히 빠져나올 수 있었다.

勃城의 싸움에서 太祖가 포위당하자, 박수경이 온힘을 다해 싸운 덕에 힘입어 (빠져) 나올 수 있었다.[27]

勃城은 개경의 왕궁을 이루는 勃禦塹城이었다. 932년에 후백제의 선단은 예성강을 통해 개경 왕궁을 포위했었다.[28] 후백제군이 물러간 직후 다음 기사에서 보듯이 박수경의 딸은 왕건의 第28妃가 되었다.

夢良院夫人 朴氏는 平州 사람으로 太師三重大匡 朴守卿의 딸이다.[29]

박수경의 딸이 왕건의 총 29妃 가운데 第28妃가 된 것은 報恩이 아니겠는가? 그런데 왕건의 권위를 실추시킬 수 있는 발성 패전은 편년 기록에 보이지 않는다. 충성한 부하들을 현양하기 위한 목적의 열전에서 우연히 드러났을 뿐이다. 그러니 편향된 기록으로써 후삼국사의 진실 복원이 얼마나 至難한 지를 실감하게 한다. 그리고 진훤의 사위 박영규가 자신의 아내에게 "대왕께서 근로한 지 40여 년에 功業이 거의 이루어지려 했는데 하루 아침에 집안의 禍로 나라를 잃고 고려에 가서 의탁하였소"[30]라고 한 구절이 있다. 이 역시 후백제가 멸망 시점까지도 여전히 강성했음과 더불어 정국의 주도권을 장악했음을 뜻한다. 이 글귀야 말로 현전하는 후백제 관련 기록의 왜곡을 웅변해준다.

---

26 李道學, 「後百濟의 全州 遷都와 彌勒寺 開塔」 『韓國史研究』 165, 2014, 16~24쪽.
27 『高麗史』 권92, 諸臣 朴守卿傳. "勃城之役 太祖被圍 賴守卿力戰 得出"
    『高麗史節要』 권2, 光宗 15년 8월 조. "勃城之役 太祖被圍 賴守卿力戰 得出"
28 李道學, 『후백제 진훤대왕』, 주류성, 2016, 509~510쪽.
29 『高麗史』 권88, 后妃傳. "夢良院夫人 朴氏 平州人 太尉 · 三重大匡 守卿之女"
30 『三國史記』 권50, 甄萱傳.

기존 연구에서는 933년에 후백제의 제2차 경주 진공 작전을 간과했다. 그리고 진훤의 농민 시책은 증거 없이 부정 일변도로만 서술했다. 비록 진훤 아들 신검의 교서이지만 "… 진구렁이나 숯불에 떨어진 것과 같은 고통을 쓸어버리니 백성들이 평안하고 화목하게 되어 북을 치고 춤을 추었고, 광풍과 우레처럼 먼데나 가까운데나 준마처럼 달려, 功業이 거의 重興에 이르렀습니다…"[31]고 평가했다. 그가 농민층의 열렬한 지지를 얻었음은 부인하기 어렵다. 농민층의 支持는 收稅의 輕減에서 비롯되었다. 왕건과는 달리 그의 屯田 시행과 唐津의 합덕방죽 조성 이야기 등은 농민 시책의 성공을 뜻한다.[32]

진훤은 말년에 자신의 군사가 북군 곧 고려 군대보다 갑절이나 더 많았다고 회고했다. 安鼎福도 俞棨의 글을 인용하여 "삼한을 침탈하기 40여 년 동안, 그 재력의 부유함과 甲兵의 막강함은 족히 신라와 고려보다 뛰어나서 먼저 드날렸다"[33]고 평가했다. 그의 웅대한 이상은 927년 공산 전투에서 고려군을 대패시킨 후 "기약하는 바는 활을 平壤의 門樓에 걸고, 말은 浿江의 물을 축이게 하는 데 있다"[34]고 한데서 잘 드러난다. 평양과 패강은 통일신라 영역의 北界였다. 성큼 다가 온 통일군주에 대한 진훤의 자신감이 화통하게 어려 있다.

그러면 이만운의 "신라 말에 甄萱이 完山에 웅거하여 三國의 모든 서적을 실어와 두었는데, 그가 패하자 쓸어 없애져 불타 재가 되었으니"라는 구절은 근거가 있는 것일까? 여기서 "三國의 모든 서적을 실어다 놓았다"는 기사는 실체가 있어 보인다. 이와 관련해 다음 기사를 살펴 보고자 한다.

> 왕의 族弟 金傅로 하여금 이어서 왕이 되게 하였다. 그런 후에 왕의 동생 孝廉과 재상 英景을 포로로 잡고, 또 국가 창고의 진귀한 보물과 병장기를 손에 넣고, (귀족의) 자녀들과 百工 중 솜씨가 있는 자들은 스스로 따르게 하여 돌아갔다.[35]

위의 기사를 놓고 볼 때 후백제군이 927년에 경주를 습격한 후 회군할 때 史書도 싣고 갈 수 있는 정황이었다. 진훤은 "내가 삼국의 시작을 살펴 보니까 마한이 먼저 일어나고"라고 하였듯이 역사에 깊은 관심을 지녔다. 그는 백제가 삼국 중 가장 먼저 건국되었다는 인식을 지니고 있었다. 또 그렇게 역사를 새롭게 편찬하려는 의지가 강하였다. 그러한 진훤이 신라의 史庫를 털었을 가능성은 지대한

---

31 『三國史記』권50, 甄萱傳. "廓清塗炭 而黎元安集 皷舞風雷 而邇遐駿奔 功業幾於重興"

32 李道學, 「後百濟 甄萱의 農民 施策에 관한 再檢討」『白山學報』62, 2002, 115~142쪽.

33 『東史綱目』第5下, 金傅 9년 조.

34 『三國史記』권50, 甄萱傳.

35 『三國史記』권50, 甄萱傳. "以王族弟金傅嗣立 然後虜王弟 孝廉·宰相 英景 又取國帑 珍寶·兵仗·子女·百工之 巧者 自隨以歸"

것이다.[36] 문제는『삼국사기』가 零星한 이유이다. 그 이유는 이때 진훤이 깡그리 수압해간 典籍들이 승계되지 못한데서 기인했을 수 있다. 정황상으로도 충분히 가능한 견해가 아닐까.

4. 맺음말

왕조시대의 역사 기록은 국가 권력의 전유물이다시피했다. 지금으로서는 기록의 독점은 상상할 수도 없다. 게다가 가능하지도 않다. 그러나 왕조시대에는 역사 기록의 독점에 따라 목적 지향적인 史書가 얼마든지 편찬될 수 있었다. 著例가 천황권의 승리를 역사적으로 정당화시키고 미화시키기 위해 편찬된『日本書紀』이다.

정권의 정당성과 지속성의 근거를 밝혀주는 기제가 歷史일 수 있다. 그런 관계로 이와 충돌하는 사안에 대해서는 왜곡이나 변형이 자행될 수 있었다. 조선왕조 개국의 명분으로 등장한 '廢假立眞'도 사실 여부에 대해서는 회의적인 시각이 많다. 게다가『宣祖修正實錄』등 두벌 짜리 實錄의 존재가 무엇을 나타내고 있는지는 너무나 자명하다. 노론이 편찬한『肅宗實錄』과 소론의 손을 거친『肅宗實錄補闕正誤』의 관계도 재언이 필요 없다.[37]

고려 전기에『舊三國史』가 편찬되었음에도 불구하고 다시금 삼국사인『삼국사기』가 편찬되었다.『舊唐書』의 편찬에도 불구하고 새로운 唐史가 편찬되어『新唐書』라는 이름으로 전해지고 있다. 이러한 사실은 일차적으로 기존 사서에 대한 불만에서 기인하였다. 기존의 史書가 현 정권의 존재 근거가 되기에는 미흡하다고 간주되거나 배치되었을 때였다. 혹은 처한 상황에 불리하다고 판단했을 때는 새로운 사서 편찬에 나설 수밖에 없었다고 본다. 영화 대본과 같은 잘 짜여진 각본에 불과하다는 평가까지 받았던 現傳하는 후삼국사였다. 후삼국사를 담고 있는『삼국사기』나『고려사』를 분석한 결과 왜곡과 은폐가 다수 확인되었다. 게다가 패자인 궁예나 진훤의 경우 그들의 내력이 온전하게 보존되지 못했다. 그러므로 현재 전해지고 있는 후삼국사는 어디까지나 반쪽 역사에 불과하다. 이 사실을 염두에 두면서 나머지 반쪽의 역사를 복원하는 데 여러 가능성을 열어 두어야 한다. 그리고 유연한 자세로 접근하는 게 긴요할 듯하다.

史書에서 갖은 奇行과 惡行의 소유자로 알려진 궁예의 축출 배경도 재검토가 가능하다. 궁예는

36　李道學,『후백제 진훤대왕』, 주류성, 2015, 354쪽.
37　홍덕,「〈숙종실록〉에 대한 서지학적 연구」『력사과학론문집』18, 과학백과사전종합출판사, 1995, 179~213쪽.

처음 제정했던 국호 '高麗'를 버렸다. 이는 고구려 계승주의에 대한 포기였다. 그랬기에 이에 반발한 고구려계 호족들에 의해 축출되었다. 궁예 축출 직후 부활된 '고려' 국호가 반증이 된다.[38] 진훤의 후백제는 시종 고려를 압도했다. 그는 능력 있는 아들에게 대권을 물려주려 했지만, 포스트 진훤을 노린 야심가들에 의해 좌절되고 말았다. 그렇지만 진훤은 자신의 모든 것을 버리고 왕건에게 귀부함으로써 대통합이 가능해졌다. 무엇이 진정한 용기인지를 생각하게 한다. 허스트 3세의 "운명의 뒤틀림이 없었다면, 10세기의 한국은 진훤에 의해 통일되었을 것이다"[39]는 말이 여운을 길게 남긴다.

그러나 史書에는 후백제의 패배에 맞춰서 멸망할 수밖에 없는 부정적인 방향으로 서술하는 경향이 보였다. 혹은 후백제와 진훤에 대해 미리 내려놓은 결론에 위배된 사실은 은폐조차 했다. 가령 932년에 후백제 수군이 예성강을 거슬러 올라가 개경 왕궁을 포위하여 왕건을 위태로운 지경에 빠뜨렸다. 그러나 이러한 사실은 보이지 않게 했다. 왕건으로서는 公山 패전에 이은 생애 두 번째로 맞은 절체절명의 위기였다. 이렇듯 사안의 막중함에도 불구하고 本紀나 世家도 아니고 왕건 부하 장군의 충성심을 현양하는 列傳 속에 겨우 보이고 있을 뿐이다. 이는 예기치 않게 실로 우연히 내민 진실이었다.

후백제의 갑작스런 몰락은 그들이 경주에서 수압한 사서의 승계를 어렵게 했다. 오늘 날 한국고대사 연구가 사료 빈곤의 늪에 빠지게 한 결정적인 요인으로 판단되었다.

「권력과 기록」『東아시아古代學』48, 2017.

---

38   金東仁, 「甄萱」『金東仁全集 3』, 三中堂, 1976, 268쪽.

39   G.Cameron Hurst Ⅲ, "The Good, The Bad And The Ugly": Personalities in the Founding of the Koryo Dynasty *Korean Studies Forum*, No7. p.23.

후백제사 연구의 쟁점과 과제

1. 머리말―후백제사의 黎明과 發花

내부적으로 서서히 금이 가고 있던 천년왕국 신라가 결정적으로 무너져내린 사건이 발생했다. 889년에 동시 다발적으로 경주의 서북에서 일어난 농민 반란과 서남에서 발생한 군사 반란 때문이었다. 신라 조정은 수습하지 못하고 방관자의 신세로 전락하였다. 이것을 포착한 群小 세력들이 신라 체제의 원심력에서 급속히 이탈해 갔다. 3년 후 백제가 재건되었다. 백제의 부활은 고구려의 재건에도 영향을 미쳤다.

진훤이 擧兵한 889년부터 936년까지의 48년 간이 후백제사였다. 후백제 반세기의 역사는 4시기로 구분된다. 첫째, 국가체제 정비기(889~900)이다. 진훤은 거병하여 892년에 무진주에서 백제를 재건하고, 900년에 전주로 천도하였다. 둘째, 옛 삼국의 영역 회복기(900~918)이다. 명실상부한 백제 故地에 대한 완전 장악을 시도했다. 그 결과 궁예에 의한 고구려 재건과 맞물려 예전의 삼국이 복원되었다. 셋째, 후삼국의 공존·정립기(918~925)이다. 왕건의 고려 건국과 더불어 盟約을 통한 삼국의 공존기였다. 이 기간 동안 후백제와 고려는 충돌을 피해 제3지대인 加耶故地에서 격돌하다가 신라 지역에서 대치했다. 넷째, 통일전쟁기(925~936)이다. 후백제는 신라로부터 禪讓을 받기 위한 전제로서 고려와 대격돌하였다. 후백제군은 고려 왕도인 개경까지 급습할 정도로 맹위를 떨쳤다.

이렇듯 거의 반세기에 걸쳐 한반도 서남부 지역에서 통일국가를 이루려했던 후백제였다. 그러한 후백제사는 많은 연구가 진행되었지만, 발굴 성과에 기반한 문화사적인 연구와는 달리 정치사 연구는 전진하지 못한 감이 있었다. 이와 관련해 국립전주박물관에서 기획한 특별전 도록과 관련 학술대회 논문집이 도움이 된다. 본고에서는 이를 토대로 후백제사 연구의 쟁점과 과제를 짚어보았다.

2. 진훤의 출신지와 신분

1) 甄萱의 음가와 출신지

진부한 논의지만 반드시 짚고 넘어가야할 사안은, 후백제 건국자의 이름에 대한 음가이다. 고유명사의 음가에는 정체성이 잘 배어 있기 때문에 제대로 발음해야만 본디의 의미를 만나게 된다. 가령 강화도 摩尼山의 경우 '마리산'으로 읽어야만 聖山이 지닌 의미가 살아난다. 뭇 산악의 우두머리인 '머리' 산악 의미를 담고 있기 때문이다. 漢字로는 '頭岳'으로 표기하였다. 현지에서도 '마리산'으로 읽고 있고, 원 표기도 '摩利山'이었다. 신라 마립간의 '마립'도 '머리'의 뜻이었다. 그러니 '마니산'이 아닌 '마리산'으로 읽는 게 맞다. 신라 奈勿王도 '나물왕'이 맞지만 교과서에는 '내물왕'으로 표기했다.

甄萱의 '甄'에 대한 음가는 '견'과 '진' 2가지였다. 현재 교과서 등에서는 '견훤'으로 표기하지만 근거는 없다. 반면 『동사강목』이나 『증보문헌비고』 등 조선조 문헌에서는 모두 '진훤'으로 음가를 달았다. 『전운옥편』에서도 甄을 姓으로 읽을 때는 '진'으로 적시했다. 『완산견씨세보』에서도 "처음 우리 姓字 甄音은 본래 '진'이었다"고 해 '진훤'으로 읽었다.[1] 구한말의 교과서 뿐 아니라 김동인의 소설 「제성대」를 비롯해 민족문화추진회 고전 국역본에도 모두 '진훤(헌)'으로 표기했다.[2] 일제하 잡지 『別乾坤』

---

1 『完山甄氏世譜』1961, 3쪽, 姓字說. "肇我姓字甄音本진也"
2 李道學, 「진훤과 후백제의 꿈과 영광」 『견훤, 새로운 시대를 열다』, 국립전주박물관, 2020, 15~16쪽.

과 「동아일보」 연재물에서도 '진훤'으로 표기하였다.[3] 병산 전투의 현장인 안동에서도 '진훤'으로 일컬었다.[4] 진훤 이름은 蚯蚓交婚 설화의 '지렁이'에서 연유했다고 한다.

진훤의 출신지에 대해서는 『삼국사기』와 『삼국유사』에서 '尙州 加恩縣'으로 밝혔다.[5] 과거에 고등학교 국정 교과서에서는 그를 '상주 지역 농민 출신'이라고 했다. 상주는 지금의 道에 해당하는 통일신라 9州의 하나였다. 상주 관내의 가은현은 지금의 경상북도 문경시 가은읍이다. 따라서 진훤은 '문경 지역 농민 출신'으로 적어야 맞다. 문제는 『삼국유사』에 一說로 적힌 진훤의 출생 설화에서 母의 거주지라는 '光州北村'에 방점을 찍는 경우이다.[6] 이 설화가 설령 진훤 母의 거주지를 알려준다치더라도 진훤의 출신지는 아니었다. 진훤의 父로 명백히 적혀 있는 아자개의 근거지는 지금의 상주요 출신지는 가은이었기 때문이다. 게다가 유력한 사서 기록과 배치된 설화가 사서의 증언을 무력화할 정도의 비중은 없다. 어디까지나 참고 자료일 뿐이다. 그 뿐 아니라 설화에서 지렁이가 살았다는 동굴은 문경시 가은읍 아채 마을에 금하굴 이름으로 전해온다. 그리고 가은읍과 이웃한 농암면 일대에도 진훤의 성장 설화와 관련 유적이 남아 있다. 그런데 광주 광역시 북구 '생룡 마을'에는 전해오는 진훤 관련 설화가 있던가?[7] 그러니 진훤의 출신지에 관한 더 이상의 논쟁은 소모적일 뿐이다.

2-1 『동사강목』에
적힌 甄萱의 음가.

3　壽春山人(車相瓚), 「4000년 史外史ㅡ泰封王弓裔秘史」『別乾坤』70, 1934, 8쪽.
　　「東亞日報」1938. 10. 23, 李秉岐, '어린이 역사 진훤(2)'; 「東亞日報」1938. 11. 6, 李秉岐, '어린이 역사 진훤(3)'
　　「東亞日報」1939. 8. 20, '紙上 修學旅行 ; 京釜線編 慶州行 (二五) 高句麗를 王建이 高麗로 곳쳐 後百濟王甄萱이는 악한 사람'
4　한국정신문화연구원, 『韓國口碑文學大系 7-9(안동시 편)』1982, 52쪽.
5　이와 관련해 『삼국사기』는 문경 출신, 『삼국유사』에서는 광주 출신으로 상이하게 적혀 있다는 인식은 재고되어야 한다. 마치 두 史書의 이견이 팽팽한 듯한 인상을 주지만, 광주설은 설화요 또 一說에 불과하기 때문이다. 『삼국유사』에서도 진훤을 가은현 출신으로 관련 조목 冒頭에 적어 놓았다.
6　진훤과 관련 맺은 이들이 昇州 출신이므로 尙州와 혼동을 빚었고, 토착 기반이 없는 상황에서 광주에서 開國할 수 없다는 논리였다. 그러나 진훤은 지금의 상주 출신이 아니다. 그는 9州의 하나인 상주에 속한 가은현 출신이다. 그러므로 州名 尙州와 郡名 昇州는 서로 비교 대상도 아니다. 게다가 가은현과 승주군은 당초부터 혼동 요인도 없다. 그 밖에 신라 왕자 출신인 궁예가 고구려를 재건했듯이 건국자의 연고지여야만 舊國 재건이 가능한 일만은 아니었다.
7　전통시대 문헌에는 진훤을 생룡동과 관련 지은 기록은 일체 없다. 그리고 생룡동에는 蚯蚓交婚 설화도 남아 있지 않다. 반면 문경시 가은읍의 금하굴 설화는 『삼국유사』 기록과 정확히 부합한다.

2) 진훤의 신분

진훤의 신분에 대해서는 세분된 논의가 있었지만 크게 보아 농민과 호족 중에서 분별하는 것이다.[8] 진훤의 신분을 짐작할 수 있는 기록은 다음이다.

a. 진훤은 尙州 加恩縣 사람이다. 본래 姓은 李인데, 뒤에 甄으로 氏를 삼았다. 父인 阿慈介는 농사지으며 자기 힘으로 살아가다가 뒤에 집안을 일으켜 將軍이 되었다. 처음에 진훤이 태어나 젖먹이로 포대기에 있을 때 父가 들에서 농사를 짓자 母가 남편에게 음식을 보내려고 아이를 수풀 밑에 두자 호랑이가 와서 그에게 젖을 먹여 주었다. 마을 사람들이 듣고는 기이해 하였다.[9]

b. 父인 阿慈个는 농사 지으며 자기 힘으로 살아가다가, 光啓 중에 沙弗城[지금 尙州]에 웅거하여 스스로 將軍이라고 칭했다. 4 아들이 모두 세상에 이름이 알려졌는데, 진훤이 傑出하다고 불려졌고, 智略이 많았다.[10]

위의 두 기사에 따르면 진훤의 父는 성씨가 있었고, 농사 짓다가 장군을 칭하는 호족이 되었다. 여기서 성씨를 지닌 점에 주목하면 호족인 사실과는 부자연스럽지 않다. 진훤은 호족 가문 출신이 되는 것이다. 그러나 "본래 姓은 李인데, 뒤에 甄으로 氏를 삼았다"는 기사대로라면 李氏에서 甄氏로 分枝한 것이다. 그렇지만 甄氏는 기존 성씨에서 연유하지 않았다. 王建처럼 甄萱도 이름 앞 글자가 氏가 되었다. 따라서 이씨에서 진씨로의 분지 주장은 타당하지 않다.[11]

아자개는 농사 짓는 신분이었기에 당초부터 姓을 갖지 않았다. 아자개가 성을 갖춘 것은 장군을 칭

---

8 통진대사 慶甫의 비문에는 진훤을 '生於將種' 즉 장군 집안 출신으로 적었다. 경보가 진훤을 접한 때는 921년이었다. 이때는 국왕으로서 진훤의 위세는 높았고, 父인 아자개는 장군을 칭한지 오래되었다. 그러므로 비문의 이러한 修辭가 과장만은 아닌 것이다. 문제는 아자개의 본디 출신에 관한 사안이다. 그는 『삼국사기』와 『삼국유사』에 함께 적혀 있듯이 농민에서 출발하여 어떤 계기를 맞아 장군으로 立身했다. 그러므로 비문의 '장군'은 잘못된 기록은 아니지만, 아자개가 현달한 후의 사회적 신분을 나타낼 뿐이다.

9 『三國史記』권50, 甄萱傳. "甄萱 尙州 加恩縣人也 本姓李 後以甄爲氏 父阿慈介 以農自活 後起家爲將軍 初萱生孺褓時 父耕于野 母餉之 以兒置于林下 虎來乳之 鄕黨聞者異焉"

10 『三國遺事』권2, 紀異, 後百濟甄萱 條. "父阿慈个以農自活 光啓中擄沙弗城[今尙州]自稱將軍 有四子皆知名扵世 萱號傑出多智略"

11 안정복이나 許穆은 진훤이 15세에 姓을 바꾸었다고 했지만, 제3의 자료를 토대로 한 것은 아니었다. 어디까지나 國役 연령에 『삼국사기』 기사를 접목시킨데 불과한 것이다.

한 호족이 되었을 때였다. 924년에 문경 봉암사의 지증대사비를 건립할 때 檀越인 소판 아질미는 아자개와의 연관성을 자아내는 데 역시 姓이 없었다. 게다가 15세 이후 진훤은 종군한 관계로 父인 아자개와 갈라지게 되었다. 이로 인해 父子의 성씨가 이씨와 진씨로 각각 구분된 것으로 보인다. 진훤의 父인 아자개가 이씨를 모칭하였기에, 훗날 이씨에서 진씨로 분지된 양 상상한 산물이 a의 글귀였다.

3) 아자개의 同名異人說

상주 호족 아자개는 고려 건국 직후에 왕건에게 귀부했다. 그가 진훤의 生父라면 상상할 수 없는 행위로 판단하였다. 그랬기에 안정복은 그를 진훤의 父 아자개와는 다른 동명이인설을 제기했다. 현상적으로 살피면 그렇게 판단할 여지는 있지만 세상사는 생각처럼 단순하지만은 않다.

아자개가 장군을 칭한 시점을 '光啓中(885~887)'이라고 했다. 그러면 아자개가 호족으로 입신하게 된 상황을 살펴 보아야 한다. 이와 관련해 碧珍郡 장군 李恩言의 경우 "신라 말에 벽진군을 지킬 때 群盜가 매우 많았는데, 이총언이 성을 견고하게 하고 굳게 지켜 백성들이 의지하여 편안하였다"[12]고 했다. 군도로부터 주민들을 지키기 위해 기존 성을 이용하여 장군이나 성주를 칭한 것이다. 아자개가 사벌성을 거점으로 장군을 칭하게 된 시점도 원종과 애노의 난이 발생한 889년 이후로 볼 수 있다. 이와 같이 추정할 수 있는 또 다른 근거는 영월 흥녕사의 징효대사 折中이 절이 兵火로 불타자 상주 남쪽으로 내려갔던 데서 찾을 수 있다.[13] 이 시점을 886년으로 지목한다면[14] 상주는 치안이 유지된 안전한 곳이었다. 그러므로 아자개가 自衛를 목적으로 사병을 거느리고 장군을 칭하였던 시점은, '광계중'이 아니라 원종과 애노의 난이 발생한 889년 이후가 합당하다.

원종과 애노의 난은 기세가 강하였고, 또 평정되지 않았다.[15] 그랬기에 관망하던 群小 세력들이 연쇄적으로 신라에서 이탈하는 계기가 되었다. 아자개 역시 전란 중에 지역을 장악하고 自衛한 것으로 보인다. 문제는 지역과 시점 뿐 아니라 신분까지 동일한 2명의 아자개가 함께 할거할 수 있었을까? 드러나지 않은 내면 세계에 대한 심도 있는 접근과 분석이 요망된다.

---

12 『高麗史』권92, 諸臣, 王順式 附 李恩言傳. "新羅季 保碧珍郡時 群盜充斥 恩言堅城固守 民賴以安"

13 「흥녕사 징효대사비문」의 "避地於尙州之南 暫栖鳥嶺"라는 구절을 "상주의 남쪽으로 피난 가서 조령에 잠시 머물렀다"고 해석하고는 한다. 그러나 이 구절은 "상주의 남쪽으로 피난하는 길에 잠시 조령에 머물렀다"고 해석해야 공간상으로 맞다.

14 한국역사연구회, 『譯註 羅末麗初金石文(下)』, 혜안, 1996, 211쪽 註 53.

15 사회과학원 력사연구소, 『조선전사5(발해 및 후기신라사)』, 과학백과사전종합출판사, 1991, 278쪽에서는 신라 정부군이 패하였고, 원종과 애노의 난은 진압되지 않았다고 했다.

3. 후백제의 통치와 문화

1) 진훤의 거병 지역과 직책

신라 군대에서 복무하게 된 진훤의 防戍處는 거병 지역과 당시 직책을 알려준다. 이에 대하여는 여러 견해가 있지만 그의 최측근과 관련지어 살피는 게 정곡에 닿을 수 있다. 진훤의 인가별감이었고 훗날 순천 김씨의 시조인 김총, 맏사위였던 순천 지역 호족 박영규를 볼 때 순천과의 연고가 포착된다. 그러나 이것만 놓고 진훤의 방수처를 단정할 수는 없다. 그의 防戍와 관련한 다음 기사를 주목해 본다.

> c. 서남해로 부임하여 수자리를 지켰는데, 창을 베고 적을 기다렸다. 그 용기가 항상 사졸의 으뜸이 되도록 일하였기에 비장이 되었다.[16]

진훤의 방수처가 서남해였기에 상대했던 '敵'은 해적이요, 수자리한 곳은 응당 항구였다. 그가 거병한 곳도 '서울 西南 州縣'[17]이라고 했다. 그러한 '서남해'에 속하는 항구나 海陣으로는 나주나 청해진이 설치된 將島 등을 꼽을 수 있다. 그러나 앞서 거론했던 순천 지역 인맥과의 연관성을 헤아릴 때 昇平港이 가장 적합하다. 실제 승평항의 거점인 해룡산성과 동일한 지형구인 광양만의 마로산성에서는 唐과 신라 그리고 일본을 잇는 교역품의 존재가 확인되었다. 따라서 진훤의 방수처는 지금의 순천인 승평항으로 지목된다.[18] 이 사실은 누구나 알 수 있는 게 아니라 필자가 최초로 구명했다.[19]

서남해에서 방수하며 숱한 전공을 세워 승승장구한 진훤의 최종 직위는 裨將이었다. 비장에 대해서는 보좌역으로 추정하는 등 여러 견해가 있지만 고위직으로 지목되지는 않았다. 이 경우는 "이 때 북원적 양길이 응강하여 궁예가 스스로 의지하여 가서 휘하가 되었다. 진훤이 이를 듣고 멀리 양길에게 벼슬을 주어 비장을 삼았다"[20]는 기사를 주목해야 한다. 北原(원주)의 양길은 897년~899년 당시 國原(충주) 등 30여 城 성주를 휘하에 두었던 대호족이었다. 그러한 양길을 자기 세력으로 당기기 위해 진훤이 제수한 비장이 하급직일 수는 없다. 따라서 진훤의 비장 직은 서남해 방수의 총사령관

---

16 『三國史記』권50, 甄萱傳. "赴西南海防戍 枕戈待敵 其勇氣恒爲士卒先 以勞爲裨將"

17 『三國史記』권50, 甄萱傳. "行擊京西南州縣 所至響應 旬月之間 衆至五千人"

18 李道學, 『진훤이라 불러다오』, 푸른역사, 1998, 85~87쪽.

19 이와 관련해서는 李道學, 「後百濟의 全州 遷都와 彌勒寺 開塔」『韓國史研究』165, 2014, 3~5쪽을 참고하기 바란다.

20 『三國史記』권50, 甄萱傳. "是時 北原賊梁吉雄強 弓裔自投為麾下 萱聞之 遙授梁吉職爲裨將"

2-2 해룡산성 원경

에 해당하는 파격적인 고위직이었다.[21]

2) 후백제의 시발점과 건국 시점

(1) 무진주 定都와 '自王' 의미

후백제사의 출발 시점을 무진주(광주)에 입성하여 도읍한 892년부터 936년까지의 45년 간으로 운위한다. 혹은 900년의 전주 立都를 開國으로 잡아 936년까지의 37년 간으로 잡기도 했다. 이러한 차

21　이와 관련해 "견훤은 '서남해방수군'의 일원으로 889년경에 신라의 서울 경주를 출발하였다.… 견훤은 진군하는 과정에서 저항하는 지방 호족들을 제압하며 혁혁한 전공을 세워 마침내 단위 부대를 지휘하는 '神將'의 지위에까지 올랐다. 그리고 견훤의 부대는 진군을 거듭하면서 얼마 안 되어 '서울 서남주현들'을 아울러서 5,000여 명의 무리를 거느리게 되었다고 한다. '서울 서남주현들'이란 康州(지금의 진주)를 중심으로 하는 지금의 경남 서부지역을 지칭하는 것으로 보인다(강봉룡, 「견훤의 해양패권 쟁탈전 始末」 『후백제와 견훤』, 국립전주박물관, 2021, 114~115쪽)"는 주장을 검토해 본다. 그는 견훤이 진군하는 과정에서 공을 세워 '神將'에 올랐다고 했지만, 동일한 논문 139쪽에서는 "문경 출신으로 京軍의 일원으로 복무하고 있던 견훤에게 절호의 기회가 온 것은 889년(진성여왕 3) 서남해지역 해양세력을 평정하기 위해 특별 편성된 '서남해방수군'의 부대장격인 '神將'으로 임명되어 파견되면서부터였다. 견훤은 진군의 과정에서 경유 지역의 호족들을 아우르면서 강주(지금의 진주)에 이르자, 따르는 병사들이 5,000여 명에 달하는 것을 보고 처음으로 '반심'을 품게 되었다"고 했다. 서로 충돌하는 서술을 하였다. 그런데 중요한 사실은 견훤은 호족 제압이 아니라 해적 소탕에 전공을 세워 비장에 올랐다. 그리고 견훤이 5천 명의 무리를 모은 것은 擧兵한 직후였고, '강주 입성'은 아무런 근거도 없다. 그 밖에도 고증상 허다한 오류가 보인다.

이는 후백제 건국 시점에 대한 상이한 인식에서 비롯되었다. 여기서 주목해야할 사실은 당대 후백제인들의 자국사 인식이다. 이들은 자국 역사의 시작을 거병한 889년에서 찾았다.[22] 따라서 후백제사는 햇수로 48년 간 반세기의 역사였다.

진훤이 892년에 무진주를 점령한 후의 정치체 성격과 관련해 다음 기사를 검토해 본다.

d. 完山賊 진훤이 州를 근거로 스스로 후백제를 일컫자 武州 동남 郡縣들이 降屬했다.[23]

e. 드디어 무진주를 습격하여 스스로 왕이라고 하였으나 오히려 감히 공공연히 왕을 칭하지는 못했고, 스스로 新羅 · 西面都統指揮兵馬制置 · 持節 · 都督全武公等州軍事 · 行全州刺史 兼 御史中丞 · 上柱國 · 漢南郡開國公 食邑二千戶라고 했을 뿐이다.[24]

f. 景福 壬子 : 진훤[壬子에 光州를 처음 도읍으로 하였다].[25]

2-3 무진고성

22 李道學,「진훤과 후백제의 꿈과 영광」『견훤, 새로운 시대를 열다』, 국립전주박물관, 2020, 14쪽.
23 『三國史記』권11, 진성왕 6년 조. "完山賊甄萱 攄州自稱後百濟 武州東南郡縣降屬"
24 『三國史記』권50, 甄萱傳. "遂襲武珍州 自王 猶不敢公然稱王 自署爲新羅 · 西面都統指揮兵馬制置 · 持節 · 都督全武公等州軍事 · 行全州刺史 兼 御史中丞 · 上柱國 · 漢南郡開國公 食邑二千戶"
25 『三國遺事』권1, 王曆, 景福 壬子. "甄萱[壬子 始都光州]"

2-4 무진고성 출토 봉황문 수막새

e에서 보듯이 진훤은 무진주에 입성한 후 '稱王'하였다. 그런데 국가 없는 王은 존재할 수 없고, 또 국가라면 응당 국호가 존재해야 한다. 따라서 '백제'라는 이름의 건국은 892년이었고, 첫 도읍지는 광주였음을 알 수 있다. 실제 후백제 거점으로 추정되는 광주 무진고성에서 출토된 '國城' 銘 기와도[26] 이를 뒷받침한다. '국성'의 '국'은 '國都'를 가리킨다. 그리고 무진고성에서 출토된 정교하게 새긴 봉황문 수막새는 고려 왕궁터인 만월대 · 조선 숭례문 · 조선 태조와 관련한 양주 회암사지에서 출토되었다.[27] 후백제 왕궁의 배후 산성으로 지목하는 전주 동고산성에서 출토된 암막새에는 쌍봉황문이 새겨져 있었다. 이렇듯 봉황문 기와를 올린 건축물은 왕궁의 존재를 암시한다. 이로써도 광주가 후백제의 첫 도읍지였음을 알 수 있다. 그 밖에 무진고성에서 출토된 귀면문 암막새 문양은 호족들의 城과는 달리 격조 높은 공간의 위용을 보여주었다.

그런데 e에서 '스스로 왕(自王)'이라고 하였으나 오히려 감히 공공연히 왕을 칭하지는 못하였다"는 구절을 의식하여 건국을 부정하는 논자들도 있다. 이와 관련해 개국한 지 3년째 되는 1394년에도 태조는 조선왕을 칭하지 못하였다. 조선 태조는 어디까지나 '(高麗)權知國事'였고, 감히 왕을 일컫지는 못하였다(不敢稱王).[28] 그렇다고 태조를 조선 국왕이 아니라고 할 수는 없다. 이는 진훤에게도 적용할 수 있다.[29] 모두 신라와 明을 각각 의식했기 때문에 나온 정치적 修辭였다.

(2) 전주 천도 배경

『삼국사기』진훤전에는 "진훤이 서쪽으로 순행하다가 완산주에 이르렀다"고 했다. '巡'은 왕이 자국 영토 안을 둘러볼 때 사용한다. 완산주에서 진훤은 州民들이 열렬히 맞이하자(迎勞), 백제 역사의 유구함, 백제 개국지 금마산, 의자왕의 숙분을 씻겠다는 복수 선언을 했다. 이러한 천명은 完山 즉 전주 천도의 동기였다. 그는 삼한 가운데 가장 오랜 역사를 지닌 백제의 개국지를 금마산에서 찾았

---

26 진정환, 「후백제 문화의 특성과 그 배경」『견훤, 새로운 시대를 열다』, 국립전주박물관, 2020, 282쪽 ; 차인국, 「후백제 기와의 특징과 사용 방식」『견훤, 새로운 시대를 열다』, 국립전주박물관, 2020, 339쪽.

27 김왕국, 「도록」『견훤, 새로운 시대를 열다』, 국립전주박물관, 2020, 132쪽.

28 『太祖實錄』3년 6월 7일 조.

29 李道學, 「後百濟의 全州 遷都와 彌勒寺 開塔」『韓國史研究』165, 2014, 9쪽.

다. 『삼국사기』 진훤전은 이 기사에 이어 "드디어 스스로 후백제 왕을 일컫고, 設官分職하였다. 이때가 唐 光化 3년이요, 신라 효공왕 4년이다"고 했다. 그러면 전주에서 900년에 천명한 진훤의 다음 발언을 살펴본다.

g. 내가 삼국의 시초를 살펴보니, 마한이 먼저 일어나고 후에 혁거세가 발흥하였으므로 진한과 변한이 따라서 일어났다. 이에 백제가 금마산에서 개국하여 600여 년이 되었다(吾原三國之始 馬韓先起 後赫世勃興 故辰卞從之而興 於是 百濟開國金馬山六百餘年).[30]

h. 내가 삼국의 시초를 살펴보니, 마한이 먼저 일어나 累代로 勃興한 까닭에, 진한과 변한이 (마한을) 좇아 흥기했다. 이에 백제가 금마산에서 개국하여 600여 년이었다.

위의 두 가지 해석 가운데 일반적인 번역에 보이는 g는 誤譯이었기에[31] 재언하지 않는다. 다만 한 가지만 덧 붙인다면 漢文에 능한 爲堂 鄭寅普도 "말한(마한을 가리킴: 필자) 以後 赫世勃興하던 王朝의 末葉의 委遇를 바든 것은 갑핫으니…[前回 二段 '赫居世'라 한 것은 모다 '赫世'의 誤]"[32]라고 했듯이 당초에는 '赫居世'로 번역했다가 '赫世'로 訂正하였다. 상식적으로 보더라도 혁거세가 발흥한 후에 어떻게 진한이 따라서 일어날 수 있겠는가? 선후 관계가 맞지 않기 때문이다. 그리고 '赫世'는 혁거세의 약자가 아니라 '累代' 즉 '代代로'를 가리킨다.[33] 대대로 顯貴한 高官을 가리키는 '赫世公卿'이라는 용어가 있다.[34]

진훤의 전주 천도 동기에 대하여는 여러 논의가 있었다. 이와 관련해 진훤이 전주에 순행했을 때 열렬히 환영을 받았다는 데 유의해야 한다. 백제 유민들로부터 부활한 국가에 대한 기대와 설렘을 읽을 수 있다. 전주에서는 광주에서보다 기대감의 강도가 훨씬 컸다는 것이다. 그 이유는 전주를 포함한 노령산맥 이북은 원 백제 영역이었던 데 반해, 영산강유역은 5세기 후반에 백제 영역이 되었기에 귀속 의식이 상대적으로 약했다. 이 점이 전주 천도의 주요한 동기가 된다.[35] 그리고 백제의 금마산 개국은 익산 王都에서 연유한 것이다. 유서 깊은 왕도의 장악은 정권의 정통성 확립과도 연계되

---

30 『三國史記』 권50, 甄萱傳.
31 李道學, 「後百濟의 全州 遷都와 彌勒寺 開塔」 『韓國史研究』 165, 2014, 16~18쪽.
32 鄭寅普, 「五千年間 朝鮮의 '얼' (95)」 『東亞日報』 1935. 7. 9.
33 신기철·신용철, 『새 우리말 큰사전(하)』, 三省出版社, 1975, 3706쪽.
34 이숭녕 監修, 『현대국어대사전』, 한서출판사, 1974, 925쪽.
35 李道學, 「弓裔와 甄萱의 比較檢討」 『弓裔와 泰封의 역사적 재조명』, 제3회 태봉학술제, 철원군, 2003, 20쪽.

| 2-5 전주 치명자산에서 보이는 익산 미륵산(금마산) | 2-6 동고산성 출토 확쇠 |

어 있었다. 전주 남고산성이나 동고산성에서는 우뚝 솟은 익산 미륵산 즉 금마산이 근접한 것처럼 보인다.[36] 백제의 개국지로 선포한 금마산 남쪽 전주에서 백제를 재건한 것은 지극히 자연스럽다.

진훤의 전주 천도는 백제 계승자로서의 입지와 정통성 문제, 그리고 남원경의 장악을 통한 정치적 입지의 확대, 운봉고원과 장계분지의 철과 같은 경제적 자산의 확보[37] 그리고 즉각적인 대야성 공격에서 알 수 있듯이 신라에 대한 압박을 강화할 수 있는 지름길 확보 차원이었다. 진훤이 대야성 공격에 심혈을 기울였던 이유는, 의자왕이 김춘추의 딸과 사위를 포획한 상징성이 큰 현장이었기 때문만은 아니었다.[38] 대야성은 삼국시대의 신라가 대야주를 설치했을 정도로 정치·군사적 비중이 큰 지역이었다. 후백제가 집요하게 이곳을 공격한 이유는 설명이 어렵지 않다. 대야성을 장악하게 되면, 남으로는 곧바로 康州(경상남도 진주 방면)로 직행할 수 있고, 북으로는 지금의 고령→대구 방면으로 해서 경상도 북부 지역으로 진출할 수 있는 전략적 교두보였다. 대야성은 후백제가 신라의 심장부인 경주 방면으로 진출하기 위해서는 양면에서 협공할 수 있는 분기점이 되는 요충지였기 때문이다.[39] 진훤은, 경주 장악을 최종 목표로 삼아 그 최단거리이자 상징성이 큰 대야성을 손에 넣고자 하였다. 이러한 복합적인 배경에서 전주 천도를 단행한 것으로 본다.

---

36 지금의 익산 금마면 동고도리 금마산은 왜소하여 국가 발상지의 상징으로서는 적합하지 않다. 현재의 미륵산을 금마산으로 일컬었다고 보아야 맞다.

37 李道學, 「가야와 백제 그리고 후백제 역사 속의 長水郡」 『장수 침령산성 성격과 가치』, 후백제학회 학술세미나, 2020, 28쪽.

38 李道學, 『후백제 진훤대왕』, 주류성, 2015, 161쪽.

39 李道學, 『후백제 진훤대왕』, 주류성, 2015, 305~306쪽.

(3) 전주 도성과 궁성의 소재지

후백제가 전주로 천도한 이래 도성 운영 기간은 햇수로 37년이다. 전주 도성은 西都(西安)에 東都(洛陽)까지 건설했던 隋(581~618)의 皇都보다도 장구했다. 그럼에도 전주 궁성의 소재지는 합의를 보지 못하였다. 현재 궁성의 소재지에 대하여 동고산성 · 물왕멀 · 전라감영 · 인봉리 등이 거론되었다.

이와 관련해 『完山誌』에서 "예로부터 전하는 말에 (전주의) 州治는 동쪽에 자리잡고 서향이었는데, 어느 때부터 고쳐져 남향이 되었는지는 모르겠다"[40]고 했다. 지금은 전주의 진산은 건지산이지만 원래는 기린봉이었다는 것이다. 이 기록은 후백제 궁성의 소재지를 가늠하는데 중요한 관건이 된다. 물론 西向한 궁성이나 도성은 극히 드문 사례에 속한다. 오히려 후백제 도성 기획과 관련한 사상적 배경을 찾는 데 유효할 듯싶다. 1688년(숙종 14)에 작성된 「全州城隍祠重創記」에 따르면 동고산성은 진훤의 옛 궁터라고 했다(世謂甄萱古宮墟也). 그렇다면 동고산성은 궁성의 배후 산성 격이 될 수 있다. 이와 연결된 軸線에서 궁성의 소재지를 찾는 것도 방법이다. 현재 후백제 왕궁지로서는 중노송동 인봉리 일대가 유력하게 지목된다.[41]

전주 도성은 나성 구조였던 것 같다. 『신증동국여지승람』에 따르면 "고토성은 전주부 북쪽 5리에 터가 있는데, 진훤이 쌓은 것이다(古土城在府北五里基址甄萱所築)"는 기록이 전한다. 실제 '고토성'은 남아 있는 유구를 통해 확인되었다.

2-7 전주천과 전주 시가지

---

40 『完山誌』卷上, 故事 條, 鄕里記言. "舊傳州治東坐西向 不知何時改爲南向"
41 곽장근, 「왕궁 터 위치 비정과 무릉 성격」 『전북고대문화 역동성』, 서경문화사, 2021, 252~266쪽.

이러한 문헌 기록과 지표조사 및 발굴 조사 성과를 토대로 중지를 모으면 궁성의 소재지는 구명될 것으로 낙관한다. 그 밖에 전라북도 동부 지역에서는 조사 발굴을 통해 후백제 시기의 산성들이 속속 확인되었다.[42] 차후에도 상당한 성과를 기대할 수 있을 것 같다.

3) 官에 의한 통치와 불교 시책

(1) 권위와 합법의 지표 '官' 지배의 재현

'官'에 의한 官的 秩序는 「광개토왕릉비문」에서 확인된 바 있다. 관적 질서는 신라에서도 율령 반포와 더불어 발효되었다.[43] 삼국의 건물지에서 무수히 출토되는 '官' 銘 기와는 관적 지배의 산물이었다. '官 중의 官'인 '大官' 명 기와는 후백제의 첫 왕성이었던 무진고성과 金馬 開國地인 익산 왕궁평성에서 출토되었다.[44] 지방의 각 행정단위는 '地名+官'으로 표기하였고, 중앙의 首府는 '大官'으로 일컬었던 것 같다. 왕궁평성 유적에서 출토된 '大官大寺' 명 기와는 후백제의 官寺制 운영을 알려준다. 이 점 앞으로 치밀하게 연구해야 할 과제로 남았다.

2-8 왕궁평성 출토 '大官' 명 기와

(2) 후백제의 불교와 미륵사 開塔

진훤의 불교 시책과 관련해 빼놓을 수 없는 기사가 미륵사 개탑이다. 「혜거국사비문」에 다음과 같이 적혀 있다.

> i. 龍德 2년(922) 여름 특별히 彌勒寺 開塔의 은혜를 입어, 이에 禪雲山의 選佛場에 나아가 壇에 올라 설법하였다(龍德二年夏 特被彌勒寺開塔之恩 仍赴禪雲選佛之場 登壇說法時).

미륵사 개탑의 '개탑'은 문자 그대로 탑을 여는 불교 儀式이었다. 탑 안의 불사리를 모시고 나와 會

---

42 조명일, 「후백제 산성의 특징」『견훤, 새로운 시대를 열다』, 국립전주박물관, 2020, 214~217쪽.

43 李道學, 「廣開土王陵碑文의 思想的 背景」『韓國學報』106, 2002, 3~7쪽.

44 진정환, 「후백제 문화의 특성과 그 비경」『견훤, 새로운 시대를 열다』, 국립전주박물관, 2020, 282쪽.

衆에게 親見시키는 불교계 최대의 이벤트였다. 소설 「법문사의 비밀」로 널리 알려진 唐都 西安에서 가까운 법문사의 불사리 신앙에서 알 수 있듯이 온 도성이 시끌벅적해지는 축제였다. 唐代에는 이로 인한 폐해가 극심했기에 韓愈(768~824)가 맹비난을 하기도 했다.

이러한 미륵사 '개탑'은 허물어진 탑을 수리하는 개축과는 아무런 관련이 없다. 그러면 迎佛骨 의식인 개탑 대상은 어떤 탑이었을까? 미륵사는 중앙의 목탑과 그 좌우의 석탑을 포함해 모두 3기의 탑으로 구성되었다. 이 가운데 석탑 2기는 구조적으로 '개탑'하여 불사리를 모셔올 수 없다. 응당 중앙의 목탑이 개탑 대상일 수밖에 없다. 그러나 논자들은 "가을 9월에 금마군 미륵사에 벼락이 쳤다"[45]는 기사에 근거하여 719년에 미륵사 목탑이 파괴되었을 것으로 추측했다. 그러면 유사 사례인 신라 황룡사 구층목탑이 벼락을 맞았던 다음 기사를 본다.

j. 1차 698년(효소왕 7)/ 2차 718년(성덕왕 17)/ 3차 868년(경문왕 8)/ 4차 1036년(靖宗 2)/ 5차 1095년(獻宗 1).

황룡사 구층목탑은 최소 5차례의 벼락을 맞았다. 심지어 구층목탑은 949년(광종 즉위년)과 1095년(獻宗 1)에는 불타기까지 했다. 그렇지만 구층목탑은 다음에서 보듯이 645년(선덕여왕 14)에 建立한 이래 꾸준히 수리하였다.

k. 720년(성덕왕 19) : 重成 / 868년(경문왕 8) : 重修 / 871년(경문왕 11) : 改造 / 1012년(현종 3) : 修 / 1095년(현종 1) : 修 / 1096년(숙종 1) : 重成 / 1106년(예종 1) : 修 / 1238년(고종 25) : 燒失.

2-9 미륵사지 3탑 가운데 중앙이 목탑지이다

45 『三國史記』권8, 성덕왕 18년 조. "秋九月 震金馬郡彌勒寺"

2-10 임실 진구사지 탑재와 우리나라에서 두 번째로 큰 석등(보물 제267호)

이러한 사례에 비추어 볼 때 미륵사탑도 벼락을 맞았다치더라도 重修되었을 것이다. 그랬기에 미륵사는 조선 전기까지 寺勢를 유지했다고 본다.

한편 사리 장치를 쉽게 열어볼 수 없으므로 '開塔'은 대대적인 改修 때나 가능하다고 추측한다. 그러나 황룡사 구층목탑의 경우 「황룡사찰주본기」에 따르면 "11월 6일에 여러 신하들을 거느리고 가서 기둥을 들게 해서 이것을 보았더니 柱礎의 구멍 안에 金銀으로 된 高座가 있었고, 그 위에 사리가 든 유리병이 안치되어 있었다. … 25일에 원래 두었던대로 해 놓고 또 사리 100매와 법사리 2種을 보태어 안치하였다"고 했듯이 開塔이 결코 어려운 일은 아니었다. 여기서 '기둥[柱]'은 心柱를 가리킨다. 심주를 들어 올려 사리를 확인한 것이다. 이러한 경우는 塔의 구조체에 무리를 주지 않고 심주를 들어 올리는 것이 가능한 방식으로 심주가 세워졌음을 뜻한다. 즉 心柱가 목조 구조체를 지지하지 않는 한편 그 형식상 여러 개의 短柱가 연결된 형태로 추정하고 있다.[46] 그렇다면 황룡사 구층목탑 조성에 직접 영향을 끼친 백제 미륵사 목탑의 경우도 이와 같은 心柱 형식을 상정하는 게 가능해진다. 따라서 미륵사 목탑의 '開塔'은 불사리를 맞는 의식임을 알 수 있다.[47]

미륵사 개탑과 엮어져 왕궁평성 오층석탑의 조성 시기가 관심을 모았다. 오층석탑 기단부 심주석에 부장된 10세기 초 금동불상도 922년의 개탑 의례 선상에서 해석하는 게 자연스럽다.[48]

---

46 權鍾湳, 『皇龍寺九層塔』, 미술문화, 2006, 194쪽.

47 李道學, 「後百濟의 全州 遷都와 彌勒寺 開塔」 『韓國史研究』 165, 2014, 19~25쪽.

48 김왕국, 「익산 왕궁리 사리장엄구는 누가 넣었을까?」 『견훤, 새로운 시대를 열다』, 국립전주박물관, 2020,

후백제 불교 미술 가운데 불상과 塔에 대한 연구에 맞추어 완주 봉림사지와 장수 개안사지 · 임실 珍丘寺址를 비롯한 숱한 후백제 사찰들이 확인되었다. 차후 보다 심도 있는 조사와 발굴이 긴요하다. 비록 후백제 멸망 직후에 왕건이 창건한 사찰이지만, 논산 탑정 호수에 수몰된 魚鱗寺址에 대한 조사도 요망된다. 후백제 영역 속의 사찰일 뿐 아니라 魚鱗陣의 실체를 확인시켜 주었기 때문이다.[49]

4) 초기 청자의 제작처와 '후백제 청자'

초기 청자의 유입 과정과 경로는 우리나라 청자사 연구에 중요한 과제였다. 일반적으로 초기 청자는 고려 건국 이후 제작되었다고 한다. 그랬기에 '고려 청자' 대신 '후백제 청자'로 부르지 않는 이유를 생각해 보라는 주문도 있었다.[50] 이와 관련해 진안 도통리 1호 가마는 초기 가마인 벽돌가마였다. 도통리 가마에서 구운 것으로 보이는 청자들이 동고산성 · 남원 만복사지 · 임실 진구사지 · 장수 합미산성과 침령산성 등지에서 숱하게 출토되었다.[51]

2-11 중국 항주 초입에 소재한 新羅礁와 舟山群島

170~171쪽.

　　진정환, 「후백제와 익산」『견훤, 새로운 시대를 열다』, 국립전주박물관, 2020, 181쪽.

49　李道學, 「後百濟의 降服 動線과 馬城」『동아시아문화연구』65, 한양대학교 동아시아문화연구소, 2016, 21~22. 24쪽.

50　서유리, 「우리나라 초기 청자 등장에 대하여」『견훤, 새로운 시대를 열다』, 국립전주박물관, 2020, 232쪽.

51　곽장근, 「고고학으로 찾아낸 후백제와 미래전략」『견훤, 새로운 시대를 열다』, 국립전주박물관, 2020, 269~274쪽.

우리나라 초기 청자의 유입로로서 오월국 지목은 합리적이다. 신라군에 복무하던 시절 진훤은 건국 전의 錢鏐와 교류하였다. 마로산성 출토 월주요 陶瓷의 존재도 그러한 線上에서 해석된다. 후백제와 오월국의 유착은 금석문상에서 오월국 연호인 '天寶'와 '寶正'이 확인된 데서도 엿볼 수 있다. 오월국 왕 전류 사망 이듬해인 933년에 후백제는 조문 사절을 파견하였다. 그리고 935년에 신검 정변이 발생했을 때 반신검계와 친금강계 호족들은 오월국으로 피신하기도 했다. 이때 친진훤 정책을 줄곧 견지해 온 오월국은 후백제 내정을 파악하고는 신검 정권을 승인하지 않았다. 이로 인해 신검 정권은 부득불 후당에 승인받는 길을 택했다.[52] 이러한 오월국과의 교류선상에서 초기 청자의 유입로를 상정하는 한편[53] '고려청자' 이전 '후백제 청자'의 존재를 상정할 수 있다.

5) 진훤과 해상 세력—갈등과 협조의 이중주

진훤은 서남해에서 방수할 때부터 海上과 익숙해져 있었다. 그의 사위 박영규는 순천 지역 호족으로서 海商으로 추정하고 있다. 진훤이 승평항(순천만)에서 거병할 때(889)는 23세였기에 박영규를 사위로 맞은 시점은 일러야 910년 경 이후였다. 그렇지만 진훤은 복무지인 승평에서 박영규 가문과 유대를 맺은 것은 분명하다.

진훤은 승평항을 본거지로 광양의 마로산성을 비롯한 남해안과 서해안 일부에 세력을 미쳤다. 진훤은 해적 소탕을 통해 항로의 안정적 확보를 마련해 교역을 활성화시키고자 했다. 그는 자신의 군함을 통해 商船을 보호할 수 있었다. 그 결과 진훤은 당과 신라 그리고 일본을 이어주는 삼각교역의 仲介者로서 상당한 富를 축적했다고 본다. 그런데 경제적 이득은 상대성을 지녔기에 이해 충돌 소지를 안고 있었다. 일단 海商들에게는 경제적 입지가 축소되었다. 남중국과의 교류상 중요한 항구인 會津을 끼고 있는 나주 세력들의 불만이 증폭될 수밖에 없었다. 나주의 군소 호족들은 해상들과 연계해 경제적 이익을 공유하는 위치였다. 그런데 진훤으로 인해 이익이 차단되는 상황에 직면하자 궁예에게 지원을 요청한 것으로 풀이된다. 궁예의 부하인 왕건이 나주 호족이나 해상들의 이익을 지켜주기 위해 후백제 수군과 격돌한 것이다. 그렇지 않고서는 궁예가 자국 영역에서 거리가 상당히 떨어진 남쪽 바다로 기를 쓰고 진출할 이유가 없었다.[54] 심지어 궁예까지 몸소 내려와 후백제 수군과의 격돌을 지휘하기까지 했다.

---

52 李道學, 「後百濟와 高麗의 吳越國 交流 研究와 爭點」 『한국고대사탐구』 22, 2016, 267~295쪽.
53 郭長根, 「진안고원 초기청자의 등장배경 연구」 『全北史學』 42, 2014, 107~132쪽.
54 李道學, 「新羅末 甄萱의 勢力 形成과 交易」 『新羅文化』 28, 2006, 217쪽.

물론 서남해 제해권 장악을 통해 중국 왕조로부터 후백제를 고립시키려는 궁예나 왕건의 전략적 측면도 고려해야 한다.

6) 후백제의 멸망 動線과 기록의 소멸

후삼국기 마지막 전장에 등장하는 馬城의 소재와 관련해『고려사』의 기사를 자의적으로 해석하여 왔다. 그러나 "我師追至黃山郡 踰炭嶺 駐營馬城"라는 구절은 "우리 군대가 추격하여 황산군에 이르러 탄령을 넘어 마성에 駐營하였다"고 해석해야 맞다. 이때 왕건의 本營은 황산에 주둔하였다. 반면 고려의 勁兵은 후백제 패잔병을 추격해 馬城까지 진격한 것이다. 그러나 기존 연구에서는 분리 해석을 못했다. 게다가「개태사화엄법회소」의 개태사 부지를 신검이 항복하러 온 고려군 駐營地인 마성과 동일시한 게 크나 큰 오판이었다. 고려군은 마성에서 항복하러 온 신검 일당을 대동하고 고려군 본영이 있는 황산으로 올라왔다. 황산의 魚鱗寺 부지에 주둔하고 있던 왕건은, 개태사 부지에서 후백제로부터 항복을 받았다. 항복하러 신검이 찾아온 마성과 항복 의식이 치러진 개태사 부지는 동일하지 않았다.[55]

馬城 소재 구명의 관건이 되는 炭嶺은, 황산군 즉 지금의 논산시 연산면 일대와 접한 전라북도 완주군 운주면 쑥고개로 비정된다. 고려군은 완주와 접한 탄령을 넘어 후백제 도성인 全州로 추격하는 동선상의 마성에 머물렀다. 馬城은 金馬城 혹은 金馬渚로 일컬어졌던 익산 지역 가운데, 후백제 멸망 관련한 왕건의 建塔說話가 남아 있는 왕궁평성으로 비정된다.[56]

후백제의 갑작스런 몰락은 일대 재앙이었다. 특히 "신라 말에 甄萱이 完山에 웅거하여 三國의 남아 있는 서적을 실어와 두었는데, 그가 패하자 쓸어 없애져 불타 재가 되었으니, 이것이 3千年 이래 두 번의 큰 재앙이다"[57]고 하였다. 927년에 경주에서 실어온 역사서 등이 全燒된 것이다. 계승되지 못한 역사로 인해 역사의 극심한 빈곤과 단층을 초래했다. 현재 전하는『삼국사기』가 소략한 이유였다.[58]

---

55 李道學,「後百濟의 降服 動線과 馬城」『동아시아문화연구』65, 한양대학교 동아시아문화연구소, 2016, 16~26쪽.
56 李道學,「後百濟의 降服 動線과 馬城」『동아시아문화연구』65, 한양대학교 동아시아문화연구소, 2016, 34~35쪽.
57 『雅亭遺稿』권3, 紀年兒覽, 序.
58 李道學,「권력과 기록」『東아시아古代學』48, 2017, 40쪽.

4. 敗者가 짊어진 몫―저항의 대가, 신분의 전락

왕건은 후백제 왕 신검의 항복을 받은 후 사면해주었다고 했다. 일설에는 그러나 신검과 용검과 양검 3형제 모두 伏誅되었다고 한다.『삼국사기』에 함께 적혀 있는 구절이다. 그로부터 며칠 후 진훤은 黃山에 소재한 절에서 서거했다. 후백제의 정점이 모두 소멸되었다. 왕건은 곧바로 후백제 지역 접수에 착수했다. 이와 관련해 다음 기사가 보인다.

l. 태조가 군령을 嚴明히 하자 士卒들이 秋毫도 범하지 않은 까닭에 州縣은 안도하였고, 노인과 어린이 모두 만세를 불렀다. 이에 (후백제) 將士들을 存問하여 능력을 헤아려 임용하였고, 小民들은 각자 그 하는 일에 안주하였다.[59]

물론 왕건과 기맥을 통했던 진훤의 사위와 딸인 박영규 부부는 극진한 대접을 받았고, 영화를 누렸다. 왕건은 仁政을 베풀었고, 후백제 주민들로부터 인심을 얻은 것처럼 비친다. 위에서 인용한 l 기사와는 달리 후백제의 몰락은 짙은 그림자를 드리웠다. 먼저 후백제 왕족들은 어떻게 되었을까?『세종실록』지리지에 따르면 黃澗縣의 土姓으로 甄氏가 존재하였다. 황간 甄氏는 一利川 전투에서 후백제군이 추풍령을 넘어 패주하는 動線과 관련 있는 듯하다. 그리고 평안도 安州牧의 入鎭姓인 甄氏의 본적은 全州였다. 이들은 전주에서 徙民된 것으로 보인다. 咸興府 定平都護府의 入姓인 甄氏의 본적은 康州였다. 강주에서 사민된 것이다. 康州는 진훤왕의 둘째 왕자 良劍이 도독이었다. 따라서 이들은 양검의 후손들로 보인다. 후백제 멸망 후 왕족들의 해체 단면을 읽을 수 있다. 그런데 왕건은 다음에서 보듯이 고려에서 흡수되지 못한 백성 아닌 백성으로 사는 계층을 양산했다.

m. 楊水尺은 태조가 백제를 공격할 때 제압하기 어려웠던 사람들의 후손들이다. 본래 貫籍과 賦役이 없었으며, 水草가 자라는 곳을 따라 일정한 거처가 없이 옮겨 다니면서 사냥만을 일삼고 柳器를 만들어 파는 것으로 생업을 삼았다.[60]

---

59 『三國史記』권50, 甄萱傳. "太祖軍令嚴明 士卒不犯秋毫 故州縣案堵 老幼皆呼萬歲 於是 存問將士 量材任用 小民各安其所業"

60 『高麗史』권129, 叛逆, 崔忠獻. "楊水尺 太祖攻百濟時 所難制者遺種也 素無貫籍賦役 好逐水草 遷徙無常 唯事畋獵 編柳器販鬻爲業"

n. 前朝의 五道 兩界의 驛子·津尺·部曲의 사람들은 모두 태조 때 逆命者들로서 모두 賤役을 맡게 했다.[61]

o. 선생의 선조는 신라 나물왕 때 內史令[이름은 自成]으로 漆原伯이 되었다. (후손들이) 그 작위를 세습했는데, 신라가 이미 멸망했으나 홀로 칠원에서 城에 들어가 굳게 지키며 굳센 절개로서 굽히지 않았다. 고려 태조가 대노하여 군대를 증원하여 포위 공격하기를 오래한 끝에 성을 함락시켰다. 그 支屬들을 옮겨 淮安[지금의 廣州 慶尙驛] 驛吏로 삼았다. 회안에서 복역한지 몇 대가 되었는지 모르겠으나 뛰어난 재주가 있어도 당시 역리에게는 과거를 보고 벼슬함이 허용되지 않았다.[62]

허스트 3세(G.Cameron Hurst Ⅲ)에 의하면 사료 속에 제시되어 있는 왕건의 중요한 장점 가운데 "관대함이다. 자신의 가혹한 적들에 대해서 조차도 자비롭게 용서해주는 성품이었기에, 양팔을 벌리며 적들을 맞이해 주었고, 폭력의 시대에 자비심과 평화의 典型으로서 나타나고 있다"[63]고 했다. 그러나 왕건은 결단코 자비로운 인물은 아니었다. 가령 "진훤이 勁卒을 뽑아 烏於谷城을 공격하여 빼앗고 戍卒 1천 명을 죽였다. 장군 楊志·明式 등 6인이 나와서 항복하자, 왕은 諸軍을 毬庭에 집결시키고 6인의 妻子를 모든 군사들 앞에서 조리돌리고 棄市했다"[64]고 한 냉혹한 인물이었다.

게다가 왕건의 이미지와는 달리 위의 인용을 놓고 보면 후삼국 통일 과정에서 '제압하기 어려웠던 사람들의 후손들'이나 '逆命者' 혹은 왕건에 끝까지 대적했던 이들은 賤役이나 고된 役에 종사시켰다. 여기서 '逆命者'는 통일전쟁 중 왕건에 반대했던 세력을 가리킨다. 이들에게는 통일 후 무거운 징벌이 가해졌다. 다음은 자신에 거역한 세력들에 대한 畜姓 부여까지 한 사례이다.

p. 姓氏, 本縣 : 牛·馬·象·豚·場·沈·申·王[세상에 전하기로는 고려 태조가 開國한 이래 木州人들이 누차 반란을 일으키자, 이것을 미워하여 그 邑에 姓을 내려주었는데, 모두 畜獸로 하였다. 후에 牛를 고쳐 于로 하였고, 象을 고쳐 尙으로 하였고, 豚을 고쳐 頓으로 했고, 場을 고쳐 張으로 하였다.][65]

61 『太祖實錄』권1, 태조 원년 8월 20일 조. "前朝五道兩界驛子 津尺 部曲之人 皆是太祖時逆命者 俱當賤役"
62 『遁村遺稿』권3, 附錄. "先生之先 在新羅奈勿王朝 以內史令[諱自成] 爲漆原伯 世襲其爵 羅旣亡 獨漆原嬰城固守 抗節不屈 麗祖大怒 增兵環攻久 而後屠其城 遷其支屬 定爲淮安[今廣州慶尙]驛吏 服役淮安不知幾代 而世有賢才 時則 驛吏不許赴擧通仕"
63 G.Cameron Hurst Ⅲ, "The Good, The Bad And The Ugly":Personalities in the Founding of the Koryo Dynasty Korean Studies Forum, No7. p.13.
64 『高麗史』권1, 태조 11년 11월 조. "甄萱選勁卒 攻拔烏於谷城 殺戍卒一千 將軍楊志·明式等六人出降 王命集諸軍于毬庭 以六人妻子 徇諸軍棄市"
65 『新增東國輿地勝覽』권16, 忠淸道 木川縣, 姓氏 條. "本縣 : 牛·馬·象·豚·場·沈·申·王[諺傳高麗太祖開國

왕건에게 순응하지 않은 목주 즉. 지금의 충청남도 천안시 목천면 지역 주민들이 집단 체벌로서
畜獸를 姓으로 부여받았다. 후백제인들이 가혹한 보복을 당한 것이다. 통일의 빛에 가리워진 어두
운 이면의 그림자들이었다.

5. 맺음말—후백제사가 지닌 문화 자산으로서의 의미

반세기 역사 후백제는, 획일성에서 다양성으로의 전기를 마련했다. 일례로 후백제 건국의 苗床인
광양 마로산성의 숫막새기와에서는, 기존의 연화문에서 벗어나 바람개비·마름모·구름무늬 등 무
려 33종의 다양한 문양이 나타난다.[66] 신라의 변방에서부터 획일을 극복한 시대 분위기를 반영한 증
좌였다. 이후 제작된 후백제 기와의 특징은 "제작 기법은 기존의 전통을 유지하되, 문양은 독창적인
것을 사용하는 것으로 볼 수 있다"[67]고 한다.

이와 관련해 논자들은 진훤이 신라의 17관등 체제를 수용하자, 사회 개혁 의지가 없는 것으로 단
정했다. 그러나 맞지 않은 억측에 불과하다. 진훤은 가장 이상적이요 평화적 정권 교체 방식인 受禪
이 목표였다. 그는 신라의 기존 질서를 존중하면서 경쟁자인 왕건 제압을 당면 과제로 삼았던 것이
다. 그리고 진훤은 남중국의 오월국, 후당과 북중국의 거란 그리고 남방의 일본과 교류했거나 시도
했다. 진훤은 중국 일변도에서 벗어나 다양성을 추구하였다.

후백제 문화는 '전통 속의 변화와 다양성'을 말하고 있다. 이와 연계해 후백제 유산에 대한 국가문
화재 등재 작업을 추진해야 한다. 후백제 '正開' 연호가 새겨진 편운화상부도가 우선 순위임은 분명하
다.[68] 논산 연무에 소재한 진훤왕릉은 국가사적 지정을 추진해야 한다. 그리고 후백제 문화 유산의 활
용 차원에서 진훤 왕의 전주 천도 행렬, 백제 유민들을 결집시켰던 '전주 선언' 재현 의식을 통한 축제
마당으로의 승화이다. 이렇듯 문화관광 자원으로서도 후백제는 未踏의 소중한 자산으로 남아있다.

「총론--후백제사 연구의 쟁점과 과제」 『후백제와 견훤』, 전주박물관, 2021.

以木州人屢叛嫉之 賜其邑姓 皆以畜獸 後改牛爲于 改象爲尙 改豚爲頓 改場爲張"

66　김왕국, 「도록」 『견훤, 새로운 시대를 열다』, 국립전주박물관, 2020, 90쪽.

67　차인국, 「후백제 기와의 특징과 사용 방식」 『견훤, 새로운 시대를 열다』, 국립전주박물관, 2020, 336쪽.

68　李道學, 「문화재 등급 재조정해야」, 『국민일보』 2005. 6.8.

후백제사 개설--진훤과 후백제의 꿈과 영광

1. 머리말—반세기 역사의 의미

후백제는 신라의 군사령관 甄萱이 거병한 889년부터 936년까지 존속했다.[1] 일반적으로 알려져 있는 진훤의 개국 시점을 892년으로 설정한다면 45년 간 역사였다. 여기서 중요한 것은 당시의 역사가나 후백제인 스스로의 자국사 인식이다. 『삼국유사』에서는 진훤 스스로 왕을 칭한 시점을 '龍化(龍紀의 誤記) 원년 己酉(889)'라고 하면서, '景福 원년 壬子(892)' 설도 수록했다. 『삼국사기』에는 경복 원년 설을 취한 관계로 대체로 이 설을 따르고 있다.

그렇지만 930년에 후백제의 안동(고창군) 공략 기사를 "42년 경인에 진훤이 고창군을 공격하려고 했다 四十二年庚寅 萱欲攻古昌郡(『삼국유사』)"고 하였다. 여기서 '42년 경인(930)'의 주체는 진훤이므로 930년에서 42년을 소급하면 889년(진성여왕 3)에 닿게 된다. '42년'의 기점인 889년은 群盜가 봉

---

1 진훤이 西南海를 防戍할 때 裨將까지 올랐다. 진훤이 무진주를 점령하고 稱王할 때였다. 그는 국원성 등 30여 성을 장악하여 雄强한 북원경의 대호족 梁吉을 비장으로 삼았다. 비장이 고위직임을 알 수 있다.

기하고 진훤 또한 거병한 때였다. 『삼국유사』에서 "드디어 무진주를 습격하여 스스로 왕이라고 했으나 감히 공공연히 왕을 일컫지는 못했다"[2]고 했지만, 이 때를 진훤 정권의 기점인 '용기 원년 기유' 즉 889년이라고 했다. 진훤이 거병한 889년이 개국 원년이었다.[3] 후백제인들의 자국사 인식에 따르면 후백제는 889년~936년 간 존속하였다. 행수로는 48년 간이다. 후백제는 거의 반세기에 걸쳐 한반도 서남부 지역을 무대로 한 웅강한 국가였다.

후백제 역사 48년은 중화제국 隋(581~618)의 행수 38년보다 길었다. 수 제국의 역사는 단명한데다가 煬帝로 인한 부정적인 이미지가 넘친다. 그러나 수 문제가 시행한 과거제를 비롯한 '開皇의 治'로 일컫는 볼만한 내정 개혁과, 양제의 대운하 건설 등은 唐 제국 300년 번성의 토대가 되었다.

후백제의 역사는 비록 반세기에 불과했지만, 혈연에 기반한 신라 사회를 해체하고 참여와 기회의 폭이 넓어진 중세 사회로 넘어가는 일대 動因을 마련했다. 889년에 조세 저항 성격을 지닌 상주 지역 농민 봉기와 동시에, 신라의 裨將 진훤은 잘 조직된 예하의 병력으로 궐기하였고, 급기야 백제를 재건했다. 그는 900년에 전주에 입성하여 백제 역사의 영광과 수난을 설파하면서 유민들을 결집시켰다. 빠른 속도로 회복시킨 백제의 재건은 주변 군소 세력에도 지대한 영향을 미쳤고, 궁예에 의한 고구려의 재건을 가속시켰다.

백제를 부활시킨 진훤의 생애는 신라와는 달리 자력에 의한 국토의 통일을 지향했다. 그가 백제를 재건함에 따라 백제 옛 땅 곳곳에는 백제 문화가 복구되어 갔다. 백제 유민들은 이제는 유민이 아닌 백제인으로서, 백제계 탑을 비롯한 자신들의 정체성을 회복시켰다.

본고에서는 진훤 왕과 백제 유민들이 일구었고, 또 구상했던 부활된 백제의 역사가 지닌 의의와 역할을 온전히 알리고자 한다. 그러나 물려받은 역사 기록이 가장 큰 장애물이 되었다. 전통시대의 독점적인 역사 소유는 "과거를 지배하는 자는 미래를 지배한다. 현재를 지배하는 자는 과거를 지배한다 He who controls the past controls the future. He who controls the present controls the past"[4]를 가능하게 했기 때문이다. 실제 중국에서는 국가에 의한 역사 서술의 독점과 강력한 통제가 확인되었다.[5] 권력으로부터 역사 서술이 결단코 자유롭지 못했음을 뜻한다. 이러한 '역사 통제'는 중

2　『三國遺事』권2, 紀異, 後百濟甄萱 條. "遂襲武珍州自王 猶不敢公然稱王 自署為新羅西南都統行全州刺史兼御史中丞上柱國漢南國開國公 龍化元年己酉也"

3　李丙燾, 『譯註 三國遺事』, 廣曺出版社, 1976, 275쪽.
　　三品彰英, 『三國遺事考證(中)』, 塙書房, 1979, 279쪽.

4　조지 오웰 著·정성희 譯, 『1984』, 민음사, 2016, 53쪽.

5　이성규, 「역사 서술의 권력, 권력의 서술」 『歷史學報』 224, 2014, 18쪽.

국뿐 아니라 한국에서도 나타난다.[6] 그로 인한 가장 큰 피해자는 후백제였다. 이와 관련해 미국 캔사스대학 교수 허스트 3세(G.Cameroon Hurst III)가 집필한 「선인·악인, 그리고 추인—고려 왕조 창건기의 인물들의 특성에 대하여」[7]라는 논문 제목은 시사적이다. 우리나라에서도 상영되었던 '석양의 무법자(1966)' 원 제목이었다. 허스트 3세가 영화 제목을 논문 제목으로 삼은 이유는 고려 왕조 창건기의 역사는 배역이 정해진 드라마 대본 같다는 취지에서였다. 여기서 선인은 주인공 왕건, 악인은 진훤, 추인은 궁예였다. 허스트 3세는 "운명의 뒤틀림이 없었다면 10세기의 한국은 진훤에 의해 통일되었을 것이다"[8]고 설파했었다.

후백제 왕국은 역사의 패자였기에 자기 변호권을 상실하고 말았다. 자신들이 지은 역사를 물려주지 못했기 때문이다. 그렇다고 진훤과 후백제가 꿈꾸었던 이상과 역사적 의의에 대한 평가마저 방기할 수는 없다. 본고에서는 후백제사를 체계적으로 살피기 위해 후삼국기를 4시기로 구분하였다. 첫째 국가체제 정비기(889~900), 둘째 옛 삼국의 영역 회복기(900~918), 셋째 후삼국의 공존·정립기(918~925), 넷째 통일전쟁기(925~936)이다.

2. 국가 체제 정비기(889~900)

1) 진훤의 이름과 출신지

후백제를 세운 甄萱의 이름을 현재 '견훤'으로 표기하고 있다. 옥편을 찾아 보면 '甄'에는 '견'과 '진' 2가지 발음이 나온다. 『전운옥편』에도 뜻은 질그릇[陶]이고, 음은 '진'과 '견', 2개 음가를 적시했다. 그렇지만 이 글자를 姓으로 읽을 때는 '진'임을 명기하였다. 『자치통감』의 胡三省 註에서 魏 明帝의 생모인 '甄夫人'에 대해 "甄, 之人의 翻(黃初 7년 조)"[9] 즉 '진'으로 읽는다고 했다. 반면 동일한 책의 주석에서 '甄城'은 "甄, 音은 絹(初平 4년 조)" 즉 '견'으로 읽었다.[10] 姓인 경우는 '진'으로 읽었던 것이다.

6 李道學, 「권력과 기록」 『東아시아古代學』 48, 2017, 9-46쪽.

7 G.Cameron Hurst III, "The Good, The Bad And The Ugly":Personalities in the Founding of the Koryo Dynasty *Korean Studies Forum*, No7, 1981, pp.1~27.

8 G.Cameron Hurst III, "The Good, The Bad And The Ugly":Personalities in the Founding of the Koryo Dynasty *Korean Studies Forum*, No7. p.23.

9 『資治通鑑』 권70, 文帝 黃初 7년 조. "癸未 追諡甄夫人曰 文昭皇后[甄 之人翻]"

10 『資治通鑑』 권52, 獻帝 初平 4년 조. "曹操軍甄城[甄城縣 … 甄 音絹]"

조선 후기의 역사학자인 순암 안정복(1712~1791)은 『동사강목』에서 '甄'에 대한 음을 모두 '眞'이라고 했다. 조선왕조에서 편찬한 백과사전인 『증보문헌비고』에서도 동일한 기록을 남겼다. 즉 『東史會綱』에 이르기를 甄萱[甄]의 音은 眞이다"[11]고 하였다. 『完山甄氏世譜』에도 "우리 姓 글자인 '甄'의 음은 본래 '진'에서 시작했었다"고 했다. 현채가 지은 구한 말(광무 11년: 1907년)의 국사 교과서인 『幼年必讀』에도 '진훤(헌)'으로 표기하였다. 김동인이 『朝光』에 연재했던(1938~1939) 소설 「帝城臺」에서도 '진훤(헌)'이었다. 그 밖에 역사학자인 이병도와 김상기 그리고 문경현의 저작을 비롯하여 민족문화추진회 국역본에 이르기까지 모두 '진훤'으로 표기했다. 안동 병산 전투의 현장에서 진훤과 관련된 모래 이름을 '진모래'라고 하였다. 그리고 논산 연무의 주민들은 자기 고장에 소재한 진훤의 묘소를 '진헌이 무덤'이라고 불렀다. 그럼에도 언제부터인지 교과서를 위시하여 모두 '견훤'으로 표기하고 있지만 근거 제시도 없고 근거도 존재하지 않는다.[12]

진훤의 출신지를 『삼국사기』와 『삼국유사』에서는 모두 '상주 가은현'이라고 했다. 여기서 '상주'는 지금의 경상북도 상주시가 아니라 통일신라의 9州 가운데 하나이다. 주는 지금으로 말하면 道에 해당하는 행정 구역인데, 그 안에 가은현이 속했다. 진훤은 지금의 경상북도 문경시 가은읍 아채 마을(갈전 2리)에서 출생하였다. 아채 마을은 마치 뭇 오리가 호수에 내려 앉는 형상(群鵝投湖形)이나 금비녀가 땅에 떨어진 형상(金釵落地形)이라는 명당으로 알려졌다.

3-1
『전운옥편』

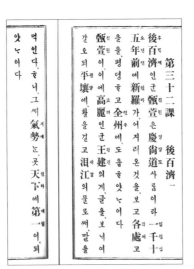

3-2 『유년필독』

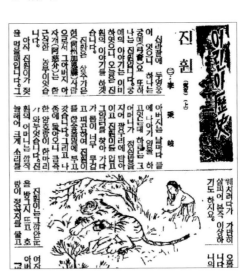

3-2 가람 이병기가 집필한 역사 연재물 제목 '진훤',
「동아일보」 1938년 10월 23일

11　『增補文獻備考』권14, 輿地考2, 歷代國系2, 後百濟國. "東史會綱曰 甄[音眞]萱尙州加恩縣人"
12　이도학, 「고려시대 문경의 인물」 『문경문화연구총서 제16집―고려시대의 문경』, 문경시, 2019, 236~237쪽.

3-2 옥봉서원 밑에서 촬영한 아채 마을 전경

이와 관련해『삼국유사』에서는 진훤의 출신이 상주 가은현이라는 기록을 소개했다. 그러면서 '古記'
를 인용해 '光州 北村' 출생설을 제기하였다. 그러나 이 기록은 설화에 불과한데다가 진훤의 어머니 거
처를 말하고 있을 뿐이다. 진훤의 외조부가 광주 북촌의 富人이라고 하더라도, 정작 중요한 진훤 아버
지의 출신지와는 아무런 관련이 없다. 이와 관련해 광주 광역시 북구 생룡 마을을 출생지로 지목하고
있다. 그러나 근거 역시 왕을 상징하는 龍이 출생한 곳이라는 믿음 외에는 없다. 더욱이 문경시 가은
지역과는 달리 설화에 등장하는 지렁이가 살았다는 동굴도 존재하지 않았다. 게다가『삼국유사』정덕
본에는 誤刻이 심하다. 그랬기에 '尙州北村'을 '光州北村'으로 잘못 새겼을 가능성마저 제기되었다.

가문을 가늠할 수 있는 진훤의 아버지 阿慈介의 신분을 일각에서는 호족으로 간주하고 있다. 그
러나 아자개는 당초부터 장군을 칭했던 호족은 아니었다. 그는 889년 이후의 대격동기에 일약 장군
을 칭했을 정도로 성장했다. 아자개가 들에 나가 밭갈이할 때 그 아내는 새참을 갖다 주면서 진훤을
수풀 아래에 내려 두었더니 호랑이가 와서 젖을 먹였다고 한다.[13] 로마제국의 시조인 로물루스와 레
무스 형제가 늑대젖을 먹고 자랐다는 비범한 설화와 비교되지만, 아자개가 농민이었다는 구체적인
증거였다. 혹자는 아자개의 성씨가 이씨였다는 점을 호족 근거로 제시하였다. 그러나 이는 아자개
의 이름 앞 글자인 '아'와 음이 닮은 기존의 성씨 가운데 이씨를 모칭한 데 불과하다. 왕건 정권의 개
국공신 중에도 기존 성씨를 모칭하여 得姓한 경우가 많았다.[14] 더욱이 924년에 세워진 문경시 가은

---

13 『三國史記』권50, 甄萱傳.
14 고려 무신 집권기의 李義旼의 父는 소금과 죽과 체[篩]를 팔았고 그 母는 寺婢였다. 이의민은 물론이고 그 父도
    이씨 성을 칭했지만 현달한 후에 得姓하였고, 父에게도 追姓한 것으로 보아야 한다.

3-2-1 의성 고운사 우화루 오른쪽 벽의 호랑이 벽화.
진훤의 용모와 용기가 호랑이에 필적하였기에 호랑이 젖을 먹었다는 설화가 만들어진 듯하다.

읍 봉암사 지중대사비의 단월 가운데 소판 阿叱彌는, 아자개와의 연관성이 보이지만 여전히 성씨는 없었다. 따라서 진훤은 농민의 아들로 출생한 것이 맞다.

진훤은 "장성하면서 체격과 용모가 뛰어나게 기이했고, 뜻과 기상이 빼어나서 평범하지 않았다(及 壯體貌雄奇 志氣倜儻不凡)"고 한다. 그러한 진훤은 "군대를 따라 왕경에 들어 갔다"고 했다. 국역을 지 는 丁男 연령 때였을 것이다. 그리고는 진훤은 "서남해로 부임하여 수자리를 지켰는데, 창을 베고 적 을 기다렸다. 그 용기가 항상 사졸의 으뜸이 되도록 일하였기에 비장이 되었다"[15]고 했다. 여기서 중 요한 사실은 진훤의 방수처이다.

진훤의 방수처는 '서남해'로만 적혀 있다. 그런데 진훤의 최측근인 박영규(사위)와 김총(인가별감)의 출신이 지금의 순천이었다. 이는 진훤의 초기 세력 기반과 거병 지역을 암시해 준다. 실제 진훤이 역사 의 전면에 등장할 때 武州 동남쪽의 郡縣이 마치 기다린 것처럼 일제히 진훤에게 降屬했다고 한다. 이 곳은 무주 관내의 동남쪽 군현을 가리킨다. 지금의 광주 광역시인 무주의 동남쪽은 순천과 여수를 포 함한 지역권이었다. 그 중심지인 순천은 해안을 끼고 있는 항구였다. 실제 승려 麗嚴이 당에서 신라로 귀국할 때인 909년에 무주의 昇平에 도달했다. 따라서 진훤은 승평 즉 순천만에서 방수한 것이다.[16]

진훤은 순천 해룡산성과 광양 마로산성을 거점으로 당과 일본을 잇는 삼각교역을 통해 경제 기반 을 축적하였다. 광양의 마로산성에서 출토된 당의 海獸葡萄方鏡과 越州窯에서 제작된 陶瓷가 말해

---

15 『三國史記』권50, 甄萱傳. "赴西南海防戍 枕戈待敵 其勇氣恒爲士卒先 以勞爲裨將"

16 李道學, 『진훤이라 불러다오』, 푸른역사, 1998, 85~87쪽.

준다. 진훤은 장보고 사후 50년만에 해적을 소탕하고 서남해의 강자로 등장하였다. 이후 서남해 제해권을 놓고 진훤은 궁예 부하 왕건과 세력을 양분했다.[17]

2) 거병과 국가 창건

진훤은 거병 후 '自王'과 '稱王'했다. 진훤 스스로 국가 최고 수반으로 여겼다는 것이다. 이 자체가 국가의 출범을 전제로 한다. 이와 관련한 『삼국사기』 진훤전의 다음 기사는 892년 1년만의 기사는 아니라고 본다. 여러 기간의 사건을 압축한 것으로 보아야 하는 이유를 살펴 본다.

a-1. 唐 昭宗 景福 원년(892)은 신라 진성왕 재위 6년인데, 총애하는 자들을 곁에 두고 정권을 멋대로 농락하니 기강이 문란하고 해이해졌다.

a-2. 이것에 보태져 기근 때문에 백성들이 떠돌아다니고, 뭇 도적들이 벌떼처럼 일어났다.

a-3. 이에 진훤이 몰래 분수 밖의 일을 넘겨다 보는 마음이 생겨 휘파람 불어 패거리를 모았다. 나가면서 서울 서남 州縣들을 치자 이르는 곳마다 메아리쳤다. 삽시간에 무리가 오천 인에 이르렀다.

a-4. 드디어 무진주를 습격하여 스스로 왕이라고 하였으나 오히려 감히 공공연히 왕을 칭하지는 못했다.[18]

위의 기사 모두(a-1)의 892년은 말미(a-4)의 '자왕'과 '칭왕'에 상응한 시점이다. 그 중간 구절(a-2. a-3)은 진훤이 칭왕하기까지의 과정을 적었다. 먼저 진성여왕대의 기강 문란과 뭇 도적들의 봉기는 다음 『삼국사기』 본기에 보인다.

b-1. 이후부터 몰래 소년 美丈夫 두세 명을 끌어들여 음란하였고, 인하여 그들을 요직에 임명하고 국정을 맡겼다. 아첨하고 총애하는 무리들이 제멋대로 방자하여 뇌물이 공공연히 행해졌으며 상벌이 공평하지 않아 기강이 무너졌다(진성왕 2: 888).

b-2. 나라 안의 모든 州郡에서 貢賦를 보내지 않아, 府庫가 텅텅 비어 나라 재정이 궁핍하였다. 왕이 사신을 보내 독촉하자, 이로 인해 도적이 벌떼처럼 일어났다. 이에 원종·애노 등이 사벌주를 근거지로 반

---

17 李道學, 「新羅末 甄萱의 勢力 基盤과 交易」 『新羅文化』 28, 2006, 224~226쪽.
18 『三國史記』 권50, 甄萱傳. "唐昭宗景福元季 是新羅眞聖王在位六季 嬖竪在側 竊弄政柄 綱紀紊弛 加之以饑饉百姓 流移 羣盜蜂起 於是 萱竊有覦心 嘯聚徒侶 行撃京西南州縣 所至響應 旬月之間 衆至五千人 遂襲武珍州 自王 猶 不敢公然稱王"

란을 일으켰다(진성왕 3: 889).

894년에 대마도에서 생포된 신라인 현춘의 진술에서도 "해마다 곡식이 영글지 않아서, 인민들이 기근으로 괴로우며, 창고가 다 비었다"[19]고 했다. 기근 기사는 888년(진성왕 2) "5월에 가뭄이 들었다"고 『삼국사기』에 보인다. 따라서 진성여왕 6년 조(a-1~a4) 기사는 888년~892년까지의 사건을 모두 포괄한 것이다. 889년은 진훤이 거병한 시점이요, 892년은 무진주에서 왕을 칭한 시점이 된다.

진훤이 왕국을 건설하고 빠른 시일 내에 정국의 주도권을 장악하게 된 배경은 다섯 가지로 꼽을 수 있다. 첫째, 진훤은 해적 토벌을 통해 실전 경험이 풍부한 국방군을 보유하였다. 둘째, 항만에 출입하는 상인들을 통해서는 경제적 기반을, 승려와 유학생들과의 교유를 통해서는 탄탄한 참모진을 확보하였다. 셋째, 빼어난 정치적 안목이다. 그는 일찍부터 세력을 규합하면서 냉철한 안목으로 사세를 주시하다가 원종과 애노의 난이 일어나자 즉시 거병하여 우뚝하게 지명도를 높였다. 이로써 그는 체제 불만 세력과 방황하는 주민들의 구심 역할을 하였다. 넷째, 백제 옛 땅에서 '백제의 재건'이라는 정치적 슬로건을 내걸어 주변 세력들을 휘하에 빠르게 포용하면서 정치 세력화시켰다. 다섯째, 인구와 물산이 풍부한 호남을 기반으로 했다. 그랬기에 후백제 병력이 고려보다 갑절이나 많았다.[20]

3. 옛 삼국의 영역 회복기(900~918)

신라 군사령관 진훤의 복무지는 통일신라의 국제항이었던 순천만(승평항)이었다.[21] 진훤은 무진주(광주)를 점령한 후 '新羅 · 西面都統指揮兵馬制置 · 持節 · 都督全武公等州軍事 · 行全州刺史 兼 御史中丞 · 上柱國 · 漢南郡開國公 食邑二千戶'라고 自署했다. 여기서 진훤은 전주 · 무주 · 공주에 대한 군정권 장악과 더불어 통치 거점으로 전주를 염두에 두었음을 알 수 있다. 통일신라에서 백제 영역으로 간주한 곳이 전주 · 무주 · 공주였다. 그리고 제일 끝에 적혀 있는 '한남군개국공'은 한수 이남의 백제 고지 전체를 망라하는 관념적 지명이었다. 한강 남쪽 백제 영역을 모두 제패하려는 진훤의 구상이 깔려 있었다. 그러한 진훤이 거병한 후 최초의 근거지인 광주는 도읍이었다. 『삼국유사』에서도 광주를 892년(壬子)의 시점에서 "처음 광주에 도읍했다(始都光州)"고 하였다. 그리고 진훤이 '칭왕'했다면

---

19 『扶桑略記』권22, 寬平 6년 9월 5일 조.
20 李道學, 『진훤이라 불러다오』, 푸른역사, 1998, 100~101쪽. 153쪽.
21 李道學, 『진훤이라 불러다오』, 푸른역사, 1998, 85-87쪽.

이와 연계된 국호 제정을 상정할 수 있다. 따라서 900년 후백제의 전주 立都는 천도였다.[22]

진훤이 광주에서 전주로 천도하게 된 배경은 영산강유역 주민들의 백제로의 귀속 의식이 취약한데서 찾을 수 있었다. 이곳은 5세기 후반에 백제 영역이 되었다. 그랬기에 백제 재건에 대한 응집력 또한 상대적으로 약하였다.[23] 정치적으로 보면 5소경의 하나인 남원소경의 장악, 경제적으로는 잠재적 국력의 척도인 운봉고원과 장계고원 철산지 확보 때문이었다.[24] 이러한 요인으로 인해 진훤은 백제를 재건한 자신을 열렬히 환대하는 전주로의 천도를 결행했다. 전주 지역은 369년에 백제가 복속시켜 기본영역으로 삼았던 곳이다. 진훤이 전주에 입성한 후의 발언을 다음과 같이 적었다.

c-1. 萱西巡至完山州 州民迎勞 萱喜得人心 謂左右曰

c-2. 吾原三國之始 馬韓先起 後赫世勃興 故辰卞從之而興 於是 百濟開國金馬山六白餘年

c-3. 摠章中唐高宗 以新羅之請 遣將軍蘇定方 以舩兵十三萬越海 新羅金庾信卷土 歷黃山至泗沘 與唐兵合攻 百濟滅之 今予敢不立都扵完山 以雪義慈宿憤乎[25]

위의 c-2에서 '赫世'를 박혁거세 즉 '赫居世'의 약칭으로 간주하여왔다. 그랬기에 "마한이 먼저 일어나고 그 후에 혁거세가 일어났다. 그런 까닭으로 진한과 변한이 뒤따라 일어났던 것이다"[26]는 식의 해석이 이어져 왔다. 그러나 '혁세'는 '累代' 즉 '대대로'를 가리킨다.[27] 가령 대대로 현귀한 고관을 가리키는 '赫世公卿'이 말해주고 있지 않은가.[28] 게다가 문리상 "마한이 먼저 일어나고"에 이어서 진한(신라)과 함께 변한이 마한(백제)을 좇아서 흥기했다고 하여야 맞다. 이렇듯 신라(진한)에 대한 분명한 언급이 있었다. 그럼에도 혁거세가 먼저 발흥한 까닭에 진한과 변한이 따라서 흥기했다는 서술과 해석은 어색하다. 이 구절을 바르게 해석하면 다음과 같고 또 문장도 자연스럽다.

d. 내가 삼국의 시초를 살펴보니, 마한이 먼저 일어나 누대로 발흥한 까닭에, 진한과 변한이 (마한을) 좇

22 李道學, 『후삼국시대 전쟁연구』, 주류성, 2015, 39-52쪽.

23 李道學, 「궁예와 진훤의 비교 검토」『궁예와 태봉의 역사적 재조명』, 제3회 태봉학술제, 철원군·철원문화원, 2003. 11. 28, 20쪽.

24 李道學, 「가야와 백제 그리고 후백제 역사 속의 長水郡」『장수 침령산성 성격과 가치』, 후백제학회 학술세미나, 2020. 6. 26, 28쪽.

25 『三國史記』 권50, 甄萱傳.

26 이재호 譯, 『삼국사기』, 솔, 1997, 506쪽.

27 신기철·신용철, 『새 우리말 큰사전(하)』, 三省出版社, 1975, 3706쪽.

28 이숭녕 監修, 『현대국어대사전』, 한서출판사, 1974, 925쪽.

아 흥기했다. 이에 백제는 금마산에서 개국하여 6백여 년이었다.[29]

진훤은 유민들을 결집시킬 목적에서 의자왕의 숙분을 씻겠다는 복수 선언을 했다(c-3). 이때 진훤은 삼국 중에서 백제가 가장 먼저 건국했고, 600여 년에 이르른 영광스러웠던 과거를 상기시켰다. 그리고 진훤은 영광의 유산과 함께 패망의 고통스러웠던 유산을 반추하였다. 그런데 '함께하는 고통'은 기쁨보다 훨씬 더 사람들을 결집시킨다고 한다. 르낭(Joseph Ernest Renan)은 "민족적인 추억이라는 점에서는 애도가 승리보다 낫습니다. 애도의 기억들은 의무를 부과하며, 공통의 노력을 요구하기 때문입니다. 그러므로 민족은 이미 치러진 희생과 여전히 치를 준비가 되어 있는 희생의 욕구에 의해 구성된 거대한 결속입니다"[30]고 설파했다. 공유된 고통스런 과거를 강조함으로써 유대민족의 경우에서처럼 영광보다는 수난과 회한의 과거에서 민족의 바이탈리티(vitality)는 터져 나온다고 한다. 진훤은 의자왕에 대한 애도 기억을 반추시킴으로써 '공통의 노력'인 복수심 발화에 성공했다.[31]

진훤은 영광스러운 백제의 재건과 관련해 전주 천도 이듬해에 독자 연호 '正開'를 반포했다. 정개에는 '바르게, 열고·펴고·깨우치고·시작한다'는 의미가 함축되었다. 그럼에도 진훤은 신라의 존재를 시종 인정하였다. 그가 신라의 官制를 받아들였고, 신라의 陪臣임을 자처했고, 중국에서 받은 관작에도 신라의 일개 지방관으로 기록했기 때문이다.[32] 그는 민심의 혼란을 막기 위한 현실적인 조치를 취하였다. 그러나 진훤은 일관되게 '百濟夢'을 구현하고자 했다.

4. 후삼국의 공존·정립기(918~925)

진훤은 918년에 궁예를 축출하고 등장한 고려의 왕건 정권을 인정해 주었다. 그런 한편, 왕건이 제시한 과거의 삼국을 복원하는 分割鼎立案을 수용했다. 이 때 結好를 통해 설정한 후백제의 北境은 내포와 금강이었다. 그런 관계로 과거 궁예 정권에 예속되었던 熊州와 運州 등 10여 州縣에 대한 영유권을 인정받았다. 결호로써 후백제와 고려 간에는 화평·공존이 7·8년간 지속되었다.[33] 그렇

---

29 李道學, 「後百濟의 全州 遷都와 彌勒寺 開塔」 『韓國史研究』 165, 2014, 16~17쪽.

30 에르네스트 르낭 著·신행선 譯, 『민족이란 무엇인가』, 책세상, 2002, 81쪽.

31 李道學, 『분석 고대한국사』, 학연문화사, 2019, 891~892쪽.

32 申虎澈, 『後百濟 甄萱政權研究』, 一潮閣, 1993, 144쪽.

33 李道學, 「後百濟의 加耶故地 進出에 관한 檢討」 『白山學報』 58, 2001, 47~49쪽.

지만 진훤은 신라 영역을 좌시하지 않았다.

신라 영역 가운데 加耶故地는 신라에 대한 예속 강도가 약하였다. 진훤은 이곳에 대한 옛 백제의 영향력 복원이라는 차원에서 전략적으로 중요한 進禮城(김해 진례면)을 비롯한 김해 일원을 장악하고자 했다. 결국 진훤은 합천(大良城)을 공함시킨 여세를 몰아 전격적으로 진격해 들어갔다. 후백제의 집요한 가야고지 진출은 김해는 물론이고 부산 앞바다의 목마장인 절영도까지 미쳤다. 그 결과 일본열도와의 교섭로를 확보하는 등 군사 · 경제적으로 다대한 성과를 올렸다. 진훤은 장보고 시절의 중국대륙과 한반도 그리고 일본열도를 잇는 3角 교역체계를 복원하고자 한 것이다.[34]

가야고지에 대한 교두보를 확보함으로써 924년과 925년에 후백제는 원신라 지역인 曹物城(경북 의성)에 진출할 수 있었다. 그럼에 따라 양국은 최초로 정면에서 격돌하였다. 후백제와 고려는 결호에 대한 정면 파기 명분이 없었다. 그랬기에 양국은 국경을 접하지도 않았고, 상대 국가의 영역도 아닌 제3 지대인 신라 지역으로 진출한 것이다. 이로 인해 원신라 지역과 가야고지가 戰場이 되었다. 그런데 양국 간의 결호 기간을 이용하여 지금의 경상남도 의령 지역을 기반으로 급속히 세력을 확장시킨 王逢規라는 호족이 강주를 장악하였다. 後唐으로부터 泉州節都使→權知康州事 · 懷化大將軍의 관작을 받았던 왕봉규는 927년 4월 이후 역사 기록에서 사라졌다. 왕봉규를 타멸하고 고려 세력이 침투한 강주 지역을 놓고 후백제와의 각축전은 치열한 양상을 띠었다. 결국 후백제는 927년 5월에 강주를 장악하였다. 진주 촉석루 앞의 義巖 부근에서 출토된 오월국의 '寶正'(926~931)명 기와는, 후백제의 강주 장악을 알려준다.

이 무렵 중국 대륙과의 교류에 이용되었던 항구 가운데 강주 덕안포는 섬진강 하구의 하동 多沙津이었다.[35]

5. 통일전쟁기(925~936)

진훤은 호족들과의 혼인을 통해 그들을 포섭하면서 세력을 신장시켜 나갔다. 그런 한편 호족들에 대한 견제와 통제에도 고삐를 늦추지 않았다. 주요한 호족의 영내에 관리와 군대를 파견하였다. 동시에 호족의 자제들을 상경시켜 볼모로 붙잡아 두었다. 국방상의 요충지에는 중앙군을 파견하였다. 그리고 현

34　李道學, 「後百濟의 加耶故地 進出에 관한 檢討」 『白山學報』 58, 2001, 66쪽.
35　李道學, 『후백제 진훤대왕』, 주류성, 2015, 90쪽 ; 李道學, 『후삼국시대 전쟁연구』, 주류성, 2015, 241쪽.

지 호족들의 지원 없이도 屯田을 통해 주둔이 가능하게 끔 했다.[36] 진훤은 지방 호족 뿐 아니라 영향력을 무시할 수 없는 선종 사원에 중국제 청자와 백자를 사여하여 정계와 사상계를 함께 포용하려고 했다.[37]

진훤은 인재 기용에도 비상한 수완을 발휘하여 우수한 참모들을 포진시켰다. 群鷄一鶴은 당에 유학 가서 3년만에 賓貢科에 급제하여 명성을 떨친 崔承祐였다. 그는 사회개혁 성향이 강한 6두품 출신의 최승우같은 걸출한 인재를 기용하여 국세를 떨쳤다.

진훤은 고려를 제압하고 국토를 통일하고자 진력했다. 그의 생애 대부분은 戰陣에서 보냈다. 그리고 후백제의 군사력은 고려를 갑절이나 앞질렀었다. 俞棨(1607~1664)는 "그 財力의 부유함과 甲兵의 강성함은 고려나 신라와 겨루어서 먼저 떨칠 수가 있었다"[38]고 평가했다. 여기서 '재력의 부유함'은 호남 지역의 농업생산력 뿐 아니라, 장수와 남원의 철산지 확보와 같은 경제적 기반을 염두에 두었을 것이다. 진훤은 가위 절대적으로 우세한 군사력을 토대로 고려 군대를 연파하며 정국을 주도해 갔다.

진훤은 70 평생, 일반 사병들과 고락을 같이 하였다. 또 갖은 위험을 무릅쓰면서도 전장의 선두를 지키며 포효하는 한 마리 타이거처럼 전진을 누볐다. 이러한 대왕 진훤의 희생적 수범과 씩씩한 웅자는, 부하 사병들에게 진한 감동을 주고도 남았다. 그는 병사들과 호흡을 같이 하였기에 강한 군사력을 자랑할 수 있었을 것이다.

진훤은 고려와의 전투에서 곳곳에서 승리했다. 그 절정이 927년의 경주 입성과 공산 전투였다. 이 때 진훤은 신라 경애왕을 생포·처단하였다. 자신이 선언한 의자왕의 숙분을 씻은 것이다. 더구나 진훤은 구원나온 고려 군대를 대구 공산에서 포위·궤멸시켰다. 왕건은 신숭겸이나 김락과 같은 막료들을 죄다 잃고 구사일생으로 탈출했다. 대구 광역시와 그 주변에는 반야월·안심·파군치·살내·해안 등과 같은 공산 전투 관련 지명들이 전한다. 공산 승전 직후 진훤은 왕건에게 다음 글귀가 적힌 편지를 보냈다.

3-3 전라북도 장수의 장계분지

36 李道學, 『진훤이라 불러다오』, 푸른역사, 1998, 154~155쪽.
37 李道學, 「後百濟와 高麗의 吳越國 交流 硏究와 爭點」『韓國古代史探究』22, 2016, 283~284쪽.
38 『麗史提綱』권2, 乙未 太祖 18년 조.

e. … 헌강왕의 외손을 받들어 왕위에 오르게 하여 위태한 나라를 다시 세우고 잃었던 임금을 다시 얻게 하였는데, 족하는 충고는 자세히 알려 하지 않고 공연히 떠도는 말만을 들어 온갖 술책으로 기회를 엿보며 여러 곳으로 침략을 하여 소란케 했으나 아직도 저의 말 머리도 보지 못하였고, 저의 소털[牛毛] 하나도 뽑지 못하였도다. … 강하고 약함이 이와 같으니 승패는 알만함이니, 기약하는 바는 평양 문루에 활을 걸어두고 패강(대동강)에 말의 목을 축이는 데 있도다.

진훤은 힘의 강약을 환기함으로써 왕건에게 항복을 권유하였다. 성큼 다가온 통일군주에 대한 진훤 왕의 자신감이 화통하게 어려 있다.

연전연승하던 후백제는 930년 정월 안동 병산 전투에서 뼈저린 패배를 맛 보았다. 그럼에도 후백제 왕국은 웅강함을 잃지 않았다. 이와 관련해 朴守卿이 力戰한 관계로 왕건이 간신히 탈출했던 勃城 전투를 주목해 본다. 발성의 위치는 문헌에서 확인되지 않는다. 이와 관련해 개경의 왕궁을 이루는 勃禦塹城의 '어참'은 문자 그대로 '방어하기 위한 참호' 즉 塹字가 있는 성의 구조를 반영한다. 그러니 발어참성의 고유명사는 '발성'이었다. 이에 대해 "궁성과 황성은 고려 국가가 세워지기 이전에 왕건이 쌓았던 발어참성의 원래 성벽을 거의 그대로 리용하였다"[39]고 하였다. 1029년(현종 20)에 축조한 개경 나성 가운데 왕성은 발어참성을 이용하여 조성했다.[40] 발성 전투가 발어참성이 소재한 고려 수도 개경의 왕궁 권역에서 발생했다면, 932년 9월에 후백제군의 선단이 일제히 개성에 상륙작전을 펼쳤음을 뜻한다. 이와 관련해 "진훤은 일길찬 상귀를 보내 수군으로 고려 예성강에 들어가 3일을 머무르면서 鹽ㆍ白ㆍ貞 3州의 배 1백 척을 불지르고, 猪山島 牧馬 3백 필을 붙잡아 돌아갔다"[41]고 했다. 이 때 후백제군의 상륙 부대가 고려 왕궁까지 진격해 온 것으로 보인다. 왕건이 발성 전투에서 포위되었다는 것은 이러한 정황을 반영한다. 또 다시 찾아온 왕건 일생 일대 위기였지만 부하 장수의 역전에 힘입어 겨우 탈출[得出]하였다. 왕건의 권위를 실추시킬 수 있는 패전은 공식 편년 기록에서는 보이지 않는다. 부하들의 충성과 관련한 다른 자료를 통해 우연찮게 드러났을 뿐이다. 이러니 편향된 기록을 통해 후삼국사의 진실된 복원이 얼마나 어려운 지를 실감하게 한다. 박수경의 딸이 왕건의 제28妃가 된 것은 발성 위기에 대한 보은이 분명하였다.[42] 발성 포위 1개월 후에 후백제

---

39 리창언,『고려 유적연구』, 사회과학출판사, 2002, 16~17쪽.
40 리창언,『고려 유적연구』, 사회과학출판사, 2002, 159쪽.
41 『三國史記』권50, 甄萱傳. "秋九月 萱遣一吉湌相貴 以舡兵入高麗禮成江 留三日 取鹽ㆍ白ㆍ貞三州舡一百艘焚之 捉猪山島牧馬三百匹而歸"
42 李道學,『후백제 진훤대왕』, 주류성, 2015, 509~510쪽.

3-4 만월대에서 바라본 발성 즉 발어참성 원경

군은 다시금 고려를 공격했다. 후백제 수군은 大牛島를 공격하였고, 왕건이 보낸 고려군을 패퇴시켰다. 이로 인해 왕건은 근심했다는 것이다.[43]

933년 5월에 후백제 신검 왕자는 고려의 허를 찌르며 阿弗鎭(경주시 서면 아화리)을 공략하였다. 왕건이 급히 투입시킨 유검필로 인해 비록 실패하기는 했지만, 후백제의 제2차 경주 진공 작전은 왕건과 신라를 사뭇 긴장시켰다.[44]

6. 분류사로 본 후백제

1) 대외 교류

후백제는 오월국과 각별한 교류를 가졌다. 우선 진훤이 신라군 비장으로 승평항인 순천만과 광양만에 屯營했던 데서 실마리를 찾을 수 있었다. 진훤은 월주 지역과의 교역을 통해 훗날 오월국을 건국하게 된 錢鏐와 교섭했을 가능성이 높다. 그렇지 않다면 900년에 진훤이 존재하지도 않았던 오월

---

43 『高麗史』권2, 太祖 15년 조. "冬十月 甄萱海軍將尙哀等攻掠大牛島 命大匡萬歲等救之 不利"

　　『高麗史』권92, 庾黔弼傳. "甄萱海軍將尙哀等 攻掠大牛島 太祖遣大匡萬歲等往救 不利 太祖憂之"

44 李道學, 『후삼국시대 전쟁연구』, 주류성, 2015, 381~387쪽.

국에 사신을 보낼 수는 없기 때문이다.[45] 후백제와 오월국 간의 오랜 유대의 결실로 선진 문물인 월주요의 청자 제작 기술이 새만금 해역을 통해 후백제에 전래 되었을 가능성이 짙어졌다. 진안 도통리와 외궁리의 무수한 초기 청자 窯址는 우리나라 청자 역사의 효시였다.[46] 후백제는 오월국왕 전류가 사망한 이듬해인 933년에 조문 사절을 파견하기도 했다.[47]

935년 왕위계승과 관련한 신검 정변으로 반신검계 내지 친금강계 호족들이 오월국으로 대거 망명하였다. 이때 친진훤 정책을 줄곧 견지해 온 오월국은 후백제 내정을 파악하고는 신검 정권을 승인하지 않았다. 그로 인해 신검 정권은 부득불 후당에 승인받는 길을 택했다. 고려는 후백제를 멸망시킨 936년에야 오월국과의 공식적인 교류를 시작하였다.[48] 이와 관련해 『세종실록』지리지 문경현 土姓 조에 적힌 錢氏의 존재가 환기된다. 아울러 문경 출신의 초대 사회부 장관이었던 錢鎭漢(1901~1972)을 상기할 수 있다. 오월국 王姓이 錢氏였다.

불교 사상과 관련해서는 후백제와 고려 모두 오월국의 天台敎法을 전수받았다. 이와 관련해 천안지역 절터에 건립되었던 보협인석탑은 오월국에 피신하였거나 거주한 바 있던 張儒나 崔行歸 등의 귀국과 관련 지을 수 있다. 보협인석탑의 속성은 아육왕 고사에서 연유했다. 그러므로 고려가 후백제 정벌의 시발점인 천안에서의 사찰 건립과 관련해 아육왕탑인 보협인석탑을 건립했거나, 중국에서 반입하여 건립했을 가능성도 함께 고려되어진다.[49]

후백제는 북중국의 後唐 뿐 아니라 지금의 요하 상류 부근인 시라무렌강유역에서 홍성한 거란, 그리고 일본과도 교섭을 가졌다. 당시 후백제는 지금의 김해와 부산 앞 바다까지 장악하고 있었다. 이를 매개로 후백제는 대마도와 통교하고 있었기에 일본측 문헌에 "全州王 진훤이 數十州를 격파하여 대왕이라 칭하였다"

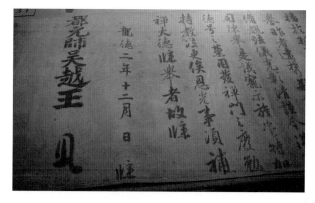

3-5 錢鏐 錢弘俶批牘合卷(복제)
오월국과 불교와의 관계에 대한 중요한 자료이다.

45 李道學, 「後百濟와 高麗의 吳越國 交流 硏究와 爭點」『韓國古代史探究』22, 2016, 276~277쪽.
46 郭長根, 「진안고원 초기청자의 등장배경 연구」『全北史學』42, 2014, 107~132쪽.
47 李道學, 「後百濟와 高麗의 吳越國 交流 硏究와 爭點」『韓國古代史探究』22, 2016, 278~279쪽.
48 李道學, 「後百濟의 加耶故地 進出에 관한 檢討」『白山學報』58, 2001, 65쪽.
49 李道學, 「後百濟와 高麗의 吳越國 交流 硏究와 爭點」『韓國古代史探究』22, 2016, 291쪽.

는 기록을 남기게 했다. 후백제는 고려에 대한 견제책으로 925년에 후당과 교류를 하면서 藩國을 칭했고, 除授도 받았다. 그러나 2년 후 후백제에 왔던 거란 사신들은 귀국길에 후당의 登州에 표착하는 바람에 모두 살해되고 말았다. 이후 후백제와 후당과의 교류는 확인되지 않지만, 신검 정변 이후에 후당의 淸泰 연호 사용이 밝혀졌다. 이 사실은 후삼국 각축전에서 중원대륙이 점하는 비중이 상징적 의미 이상이었음을 뜻한다.[50] 후백제의 대외 교섭에는 명운을 걸고 하는 절박함이 있었다. 일례로 대마도에 서는 후백제와의 교섭을 거절하자, 후백제 사신 수석은 진훤 왕이 거듭 사신을 보내는 노력을 기울였음과 더불어, 성과 없이 중간에 되돌아오면 "身命을 보존하기 어렵다"고 호소했다.[51]

2) 농민 시책

진훤과 농민의 관계에 대한 기존의 시각은 부정 일변도였다. 禾穀과 人戶를 약탈하거나 양곡 운송을 습격하여 불태운 사례들을 열거하면서 파괴자 이미지를 씌우고는 했다. 그런데 진훤이 농작물을 베어 간 것은 벽진군(성주군 벽진면)과 그 주변 지역에서만 나타난 현상이었다. 진훤의 신라계 호족 포섭을 방해하고 있던 친고려계 호족 이총언의 존립 원천인 資糧의 소멸 차원이었다. 즉 이총언의 지원으로 지금의 경상북도 방면에서 활동하는 고려군의 병참원 파괴 전략에서였다. 따라서 일반 농민에 대한 약탈과는 그 성격이 전혀 달랐다. 병참원 파괴는 고금의 일상적인 전쟁 양상이었다.[52]

진훤의 對民收取는 비록 政敵인 신검의 敎書이지만 "진구렁이나 숯불에 떨어진 것과 같은 고통을 쓸어버리니 백성들이 평안하고 화목하게 되어 북을 치고 춤을 추었고, 광풍과 우레처럼 먼데나 가까운데나 준마처럼 달려, 功業이 거의 重興에 이르렀습니다"라는 구절에서 엿볼 수 있다. 즉 농민들을 과중한 수탈과 질곡에서 해방시켰고, 그것을 가능하게 할 수 있는 제도적 장치의 마련을 뜻한다. 곧 屯田制의 시행과 灌漑 시설의 확충이었다. 「통진대사비문」에 따르면 진훤이 萬民堰이라는 제방에서 군대를 이끌고 있었다고 했다(粤有州尊都統甄太傅萱統戎于萬民堰也).[53] 이는 진훤 스스로 둔전과 관개에 힘 쓴 사실을 확인시켜 준다. 아울러 '모든 백성들의 방죽'이라는 만민언 제방 이름을 통해서도 그가 취한 일련의 시책이 농민과 관련한 농업경제의 증진에 두었음을 읽을 수 있다. 합덕방죽과 나주에서의 둔전은 그 편린이다.[54]

---

50 李道學, 「後百濟의 加耶故地 進出에 관한 檢討」 『白山學報』 58, 2001, 65쪽.

51 『扶桑略記』 권24, 延長 7년 5월 17일 조. "…空從中途歸法 身命難爲存"

52 李道學, 「後百濟 甄萱의 農民 施策에 대한 再檢討」 『白山學報』 62, 2002, 122~128쪽.

53 이 구절에 대한 해석본의 誤譯이 극심하다. 경보가 중국에서 귀국했을 때 만경강 하구 신창진에 상륙했다고 본다. 그렇다면 경보의 動線上 만민언은 만경읍에 소재한 菱堤 저수지로 비정할 수 있다.

54 李道學, 「後百濟 甄萱의 農民 施策에 대한 再檢討」 『白山學報』 62, 2002, 131~137쪽.

3) 불교

백제 왕권의 상징이요, 미륵신앙의 本處가 익산 미륵사였다. 진훤이 익산을 중시한 데는 미륵사가 지닌 비중 때문이었다. 이와 관련해 다음의 「혜거국사비문」을 주목해 본다.

f. 龍德 2년(922) 여름 특별히 彌勒寺 開塔의 은혜를 입어, 이에 禪雲山의 選佛場에 나아가 壇에 올라 설법하였다(龍德二年夏 特被彌勒寺開塔之恩 仍赴禪雲選佛之場登壇說法時).

위의 비문에 따르면 진훤은 미륵사에서 開塔했다. '개탑'은 "탑을 복구하고" 혹은 "전에 무너졌던 미륵사탑의 복구" 의미가 아니었다. '개탑'은 탑을 열었던 사실을 말한다. 주지하듯이 탑의 정체성은 무덤이다. 무덤을 연다는 것, 그것도 미륵신앙의 요람에 소재한 탑(무덤)을 열었음은 迎佛骨 儀式이었다. '미륵사 개탑'은 미륵사 중탑 즉 목탑을 열어 불골을 맞이하는 의식이었던 것이다.[55]

진훤이 미륵사탑을 열었음은 불사리를 통한 미륵불의 출현 내지는 부활 선언이었다. 이 때가 922년으로 미륵불을 자처한 궁예가 몰락한 지 4년 후였다. 진훤은 전륜성왕 사상에 입각해 미륵사탑 안의 미륵불을 迎禮하려 한 의식으로 보였다. 이러한 '개탑' 의례는 익산 금마산에서의 백제 '開國'과 짝을 이루는 일대 사건이었다. 후백제의 연호인 '正開'의 이념을 구현하는 행위이기도 했다.

당시 진훤은 전륜성왕을 자처할만한 배경을 구축했다. 920년에 진훤은 대야성(합천)을 함락시켰고, 구사성(창원)과 진례성(김해)까지 진격했을 정도로 위세는 낙동강유역에서 크게 떨치고 있었다. 921년에 진훤은 道詵의 제자인 慶甫를 맞아 왕사로 삼았다. 이렇듯 불교 종단에 대한 영향력 또한 절정을 구가했다.[56]

진훤과 왕건은 서로 유력한 사원 종파의 지지를 얻기 위해 각축전을 벌였다. 『均如傳』에는 당시 화엄 교단 내부의 분열과 대립·갈등 양상을 언급하면서 "옛날 신라 말 가야산 해인사에 2명의 華嚴司宗이 있었다. 한 분은 觀惠公으로 백제 渠魁인 진훤의 福田이었다. 또 한 분은 希朗公으로 우리 태조대왕의 복전이었다. … 그 門徒에 이르러서는 점점 물과 불처럼 되었으니 … 그 때 세상의 사람들이 관혜 공의 法門을 남악이라 했고, 희랑 공의 법문을 북악이라고 했다"고 하였다. 관혜는 진훤을 지지한데 반해, 희랑은 왕건을 지지했음을 알 수 있다.

그리고 9산선문 가운데 무려 4개 파가 후백제 영역에 소재하였다. 즉 실상산파(전라북도 남원 實相

55　李道學,「後百濟의 全州 遷都와 彌勒寺 開塔」『韓國史硏究』165, 2014, 19~24쪽.
56　李道學,「後百濟 甄萱 政權의 沒落過程에서 본 그 思想的 動向」『韓國思想史學』18, 2002, 282~285쪽.

3-6 성주사지

寺)와 동리산파(전라남도 곡성 泰安寺), 그리고 성주산파(충청남도 보령 聖住寺)와 가지산파(전라남도 장흥 寶林寺)가 되겠다. 이는 고려 영역에 확실하게 소재한 선문도량이 수미산파(황해도 해주 廣照寺) 1곳밖에 없었던 사실과 크게 비교된다.

이러한 선문도량 가운데 경보와 연결된 동리산파를 통해 진훤은, 唯識과 풍수지리사상을 포용하였다. 그는 또 4개 선문의 단월로서 그 사회·경제적 후원자 역할을 했을 것으로 보겠다. 특히 전주와 지리적으로 가장 가까웠던 실상산파의 경우 그 비중이 지대했을 것이다. 후백제의 연호 '정개'를 사용한 편운화상을 비롯한 그 제자들과의 관계도 짐작할 수 있다. 그리고 구례 화엄사를 비롯한 지리산 일대의 사찰들도 진훤과 깊은 관련을 맺었음이 분명하다.[57] 화엄종 계통의 사찰로서 만덕산 보광사를 빠뜨릴 수 없을 것 같다. 즉 "후백제의 진훤이 도읍한 곳이 지금은 전주가 되었다. 전주 남쪽 萬德山에 절이 있는데 普光이라고 했다. 이곳은 백제 때 세워진 대가람인데 華嚴의 교법을 강설하였다"[58]고 했다. 백제 때 화엄종파가 생겨나지 않았으니 보광사는 후백제 때 융창한 사찰이 분명하다. 진훤은 해인사를 비롯한 화엄종단에도 영향력을 미치고 있었는데, 그 본산이 국도였던 전주 부근의 보광사였던 것 같다. 그리고 진훤은 남원 실상사와 만복사 철불 제작에도 기여했다.[59]

이와 관련해 위에서 인용한 f의 '選佛場'은 僧科로 해석할 수 있다.[60] 그런데 후백제 선불장 1년 전에 고려가 시행한 海會와 叢林은 불교계 회유 목적이 더 컸고, 제도화한 승과로 발전하지도 않았다고 한다.[61] 반면

---

57   金杜珍, 『신라하대 선종사상사 연구』, 一潮閣, 2007, 45쪽. 324쪽. 447~448쪽.

58   『稼亭集』권3, 記, 重興大華嚴普光寺記. "後百濟甄萱所都 今爲全州 州之南萬德山有寺 曰普光 寔自百濟爲大伽藍 演華嚴法"

59   곽장근, 「호남 동부지역 가야문화유산 현황」 『경남발전』138, 경남발전연구원, 2017. 46~50쪽.
       李道學, 「가야와 백제 그리고 후백제 역사 속의 長水郡」 『장수 침령산성 성격과 가치』, 후백제학회 학술세미나, 2020.6.26, 28쪽.

60   許興植, 『高麗佛教史研究』, 一潮閣, 1986, 586쪽.

61   許興植, 『高麗佛教史研究』, 一潮閣, 1986, 365쪽.

후백제 選佛場은 공개 토론에 의한 선발로 추측이 되며, 훗날 고려 승과의 실시 방법과 상통하고 있다.[62] 후백제 승과 시행은, 승려 선발 과거제를 넘어 인재 등용과 관련한 국가 조직 전반의 체계화를 뜻한다.

진훤은 기근과 수탈로 인해 지칠대로 지쳤고 절망에 빠졌던 농민들을 위무하고, 정국을 빠르게 안정시키는 수단으로 불교 이데올로기를 이용했다. 특히 진훤의 신국가 건설의 궁극적 지향점으로서 미륵신앙이 한몫을 했을 것이다. 이무렵 후백제 지역에서 조성된 불교 조각의 공통점은 통일신라 9세기 조각의 다소 침울한 느낌을 주는 것과는 달리, 생기가 도는 밝은 미소의 온화하고 인간적인 佛顔이 표현되었다고 한다.[63] 이러한 지적은 확실히 주목할만 하다. 신흥 국가 후백제의 약동하는 힘과 여유를 함께 포착한 것으로 보인다.

7. 맺음말―대통합을 위한 용단, 그리고 새 시대를 열고 가다

후백제와 고려의 대결은 쉽게 승부가 나지 않았다. 전하는 기록과는 달리 후백제는 여전히 강성하였다. 신검의 교서에서 "功業이 거의 重興에 이르렀습니다"라고 하였고, 진훤의 사위 박영규는 "대왕께서 힘을 들여 부지런히 일한지 40여 년에 공업이 거의 이루어지려 했는데 하루 아침에 집안의 禍로 나라를 잃고"라고 했다. 후백제가 멸망 시점까지도 강성했음과 더불어 정국의 주도권을 장악했음을 뜻한다. 이러한 상황에서 진훤은 다음과 같은 중대한 결단을 내린다.

> g. 병신년 정월에 진훤이 아들에게 말하기를, "내가 신라 말에 백제 이름으로 뒤를 이은 지 지금에 이르기까지 여러 해가 되었다. 군대는 北軍보다 갑절인데도 하물며 불리하니, 반드시 하늘이 고려를 위하여 손을 빌려 준 것 같으니, 어찌 북왕에게 귀순하여 목숨을 보전하지 않으리요!" 그 아들 신검 · 용검 · 양검 등 3인은 모두 응하지 않았다.[64]

위의 기사는 936년 정월에 진훤이 아들에게 한 말이지만, 그 시점은 935년 乙未로 앞 당겨야 맞다. 진훤

---

62 許興植, 『高麗佛教史研究』, 一潮閣, 1986, 586쪽.

63 崔聖銀, 「後百濟地域 佛教彫刻 研究」 『美術史學研究』 204, 1994, 53쪽.
　　후백제의 불교 조각에 대한 연구 성과는 陳政煥, 「후백제와 오월의 불교 조각 교류」 『후백제와 오월』, 국립전주박물관, 2016, 166~189쪽을 참조하라.

64 『三國遺事』 권2, 紀異, 後百濟甄萱 條. "丙申正月萱謂子曰 老夫新羅之季立後百濟名 有年于今矣 兵倍於北軍尚爾不利 殆天假手為高麗 盖歸順於北王保首領矣 其子神劍 · 龍劍 · 良劍等三人皆不應"

의 발언은 고려 중심으로 윤색된 게 분명하다. 그러나 발언의 본질은 압도적 우세에도 불구하고 승부가 나지 않으니 끝없는 소모전을 청산하고 대통합을 위해 小我를 버리겠다는 선언이었다. 진훤의 이 같은 폭탄 선언은 돌출 발언이 아니었다. 오랜 기간 고심한 결론으로 보인다. 이와 관련해 미국 남북전쟁기에 남부연합 총사령관 로버트 에드워드 리(Robert Edward Lee) 장군이 하달한 '일반명령서 9호'를 살펴본다.

> ··· 내가 이 결과(항복)를 받아들인 것은 병사들을 믿지 못해서가 아니라 ··· 그들의 동포들에게 사랑받았고, 과거에 공로가 있던 이들에 대해 나는 쓸모 없는 희생을 피하려고 결심했습니다.[65]

로버트 리 장군은 항복을 거부하고 산악에서 게릴라전을 펼치자는 諸將들의 견해를 따르지 않았다. 그가 항복을 택한 이유는 '쓸모 없는 희생을 피하려고'였다. 진훤의 경우도 이와 동일하였다고 본다. 애꿎은 병사들의 더 이상 살상을 중단하고 대통합을 이루는 길은, 자신이 가진 모든 것을 포기하는 데 있었다고 결단했던 것 같다.

당시 진훤에게는 두 가지 현안이 있었다. 첫째 자신이 주도한 국토의 통일, 둘째 걸출한 능력을 지닌 넷째 금강 왕자에게 왕위를 넘겨주는 일이다. 그러나 모두 어려운 현실에 봉착했지만 난제를 한꺼번에 해결할 수 있는 차선책이 없지는 않았다. 진훤 자신이 고려에 들어감으로써 더 이상의 살육 없이 국토의 통일이 가능해지고, 골육상쟁도 피할 수 있다고 판단했다. 실제 936년 최후의 결전장인 일리천 전투에서 진훤이 왕건과 나란히 고려군 진영에 있었기에 후백제군은 일거에 무너졌다.[66] 진훤의 삶과 공적은 자신을 축출한 아들 신검의 다음 교서에 잘 응결되어 있다.

> h. 대왕의 神武는 보통 사람보다 빼어나게 뛰어 나셨고, 영특한 지혜는 만고에 으뜸이라, 말세에 태어나서서 스스로 세상을 건질 소임을 지고 三韓 지역을 徇行하시면서 백제라는 나라를 회복하셨고, 진구렁이나 숯불에 떨어진 것과 같은 고통을 쓸어버리니 백성들이 평안하고 화목하게 되어 북을 치고 춤을 추

---

65 Douglas Soutball Freeman, *Lee*, Touchstone, 1997, pp. 496-497. "··· that I have consented to this result from no distrust of them ··· I determined to avoid the useless sacrifice of those whose past services have endeared them to their countrymen."

66 『고려사』의 "我師追至黃山郡 蹛炭嶺 駐營馬城"라는 구절은 "우리 군대가 추격하여 황산군에 이르러 탄령을 넘어 마성에 駐營하였다"고 해석해야 맞다. 그리고 탄령은 전라북도 완주군 운주면 쑥고개, 馬城은 金馬城으로 일컬었던 익산 지역에서 왕궁평성으로 비정된다. 왕건은 이 때 魚鱗陣을 쳤던 논산시 부적면 탑정저수지 부지에 사찰을 창건했으니 魚鱗寺였다(李道學, 「後百濟의 降服 動線과 馬城」『동아시아문화연구』65, 한양대학교 동아시아문화연구소, 2016, 13~38쪽).

3-7 논산 연무의 진훤왕릉

없고. 광풍과 우레처럼 먼데나 가까운데나 준마처럼 달려, 功業이 거의 重興에 이르렀습니다.…[67]

후백제의 갑작스런 몰락은 엄청난 역사 손실을 가져온 일대 재앙이었다. 즉 "신라 말에 甄萱이 完山에 웅거하여 三國의 남아 있는 서적을 실어와 두었는데, 그가 패하자 쓸어 없애져 불타 재가 되었으니, 이것이 3千年 이래 두 번의 큰 재앙이다"[68]고 하였다. 927년에 경주에서 실어온 역사서 등이 전소된 것이다. 계승되지 못한 역사로 인해 역사의 극심한 빈곤을 초래했다. 현재 전하는『삼국사기』가 소략한 이유였다.[69]

후백제 멸망 직후 진훤은 70세를 일기로 지금의 논산 관내 사찰에서 영욕이 교차하는 파란만장한 생애를 접었다. 그의 능은 논산시 연무읍 금곡리의 야트막한 산에 소재하였다. 이제 승부에 승부를 거듭하는 전쟁으로 숨도 돌릴 수 없는 난세를 헤쳐가면서, 한 시대의 종지부를 찍어 역사의 일대 전환점을 마련한 혁명가 진훤 왕은 재평가되고 있다. 아자개와 진훤, 이들 부자에 의해 한 시대는 종언을 고했고, 참여의 폭과 기회가 일층 확대된 사회로 넘어갔다.

「진훤과 후백제의 꿈과 영광」『견훤, 새로운 시대를 열다』국립전주박물관, 2020.

---

67 『三國史記』권50, 甄萱傳. "恭惟大王神武超倫 英謀冠古 生丁衰季 自任經綸 徇地三韓 復邦百濟 廓淸塗炭 而黎元安集 皷舞風雷 而邇遐駿奔 功業幾於重興"

68 『雅亭遺稿』권3, 紀年兒覽, 序.

69 李道學, 「권력과 기록」『東아시아古代學』48, 2017, 40쪽.

전북 지역 후백제 연구의 쟁점과 지향점

1. 머리말

후백제사는 889년에 진훤이 擧兵한 시점부터 936년 멸망할 때까지 햇수로 48년, 거의 반세기의 역사를 지녔다. 이는 隋(581~618) 帝國의 역사 38년보다도 오래되었다. 후백제사 가운데 전주로 천도한 역사는 900년~936년까지 37년 간이다. 전주에서의 후백제사는 수 제국에 필적할만한 기간이었다. 존속 기간이 짧았다고 하여 후백제가 지닌 역사적 위상을 간과해서는 안 될 것 같다. 수 제국의 경우만 하더라도 중국사의 거대한 흐름에 비추어 볼 때는 40년도 존속하지 못한 기간은 미미해 보일 수 있다. 그러나 '開皇의 治'로 불리는 볼만한 내정 개혁과 과거제 실시를 통해 1,300년 이상 존속된 관료제 사회의 틀을 만들었다. 그리고 대운하 개설을 통해 隋를 이은 唐 제국 300년 홍성의 기반을 구축하였다.

그러면 전주를 수도로 한 기간 동안 후백제 진훤 왕은, 어떤 의미 있는 일을 하였는가? 비록 修辭

가 많은 정치적인 글귀이지만 당대인의 진훤 왕에 대한 평가가 전한다.『삼국사기』에서 "대왕의 神武는 보통 사람보다 빼어나게 뛰어나셨고, 영특한 지혜는 만고에 으뜸이라, 말세에 태어나서서 스스로 세상을 건질 소임을 지고 삼한 지역을 순행하시면서 백제라는 나라를 회복하셨으며, 진구렁이나 숯불에 떨어진 것과 같은 고통을 쓸어버리니 백성들이 평안하고 화목하게 되어 북을 치고 춤을 추었고, 광풍과 우레처럼 먼데나 가까운데나 준마처럼 달려, 功業이 거의 重興에 이르렀습니다"고 하지 않았던가? 이러한 진훤 왕의 치세에 대한 평가는 왜 눈에 들어오지 않았던가? 갖은 부정적인 매도에 附和雷同하지 않았는지 自省이 필요할 듯하다.

그러면 후백제가 당대와 후대에 끼친 영향을 상기해 본다. 이와 연동해 지금까지 후백제 연구의 누적된 쟁점과 해결해야할 과제, 지향점에 대해 논의해 보고자 한다. 즉 전주 천도 동기, 후백제 왕궁터 비정, 후백제 멸망과 연계된 기록의 단절과 단층이라는 막대한 손실, 진안 도통리 가마에서 생산된 청자의 성격과 命名 문제에 대해서는 중지를 모을 필요가 있다. 그리고 후백제 불교와 미륵사 開塔의 성격 구명, 후백제 미술품의 분류와 정체성 파악, 신라 말에 등장한 백제 지명 부활의 정체성 표출 여부에 대한 검증, 진훤의 對 신라 정책의 성격과 방향, 후백제의 농민 시책, 당시 풍미했던 풍수지리를 이용한 전주 도성의 파괴 의혹을 검증하였다. 이러한 작업을 통해 후백제에 대한 부정적 인식을 타개하고 전라북도의 정체성과 지향점으로서의 座標를 명료하게 설정하는 데 기여하고자 했다.

2. 전북 후백제 연구의 쟁점

1) 전주 천도의 동기

후백제 진훤 왕은 900년에 전주를 수도로 하였다. 광주에서 전주로 천도한 배경은 나주 세력이 진훤의 지배력 강화에 대한 불만으로 이반하자, 수도인 광주의 배후 지역이 취약성을 드러내게 되었다는 데서 찾았다.[1] 그러나 본질적인 동기는 나주 지역은 영산강유역으로서 백제에 복속된 시기가 늦을 뿐 아니라 국가회복운동에서도 그 응집력이 취약했을 정도로 백제로의 구심력이 상대적으로 약한 곳이었다. 반면 노령산맥 이북의 전주 지역은 原百濟 지역이었다는 점을 고려한 것 같다.[2] 이에 대해서

---

1 申虎澈,『後百濟 甄萱政權硏究』, 一潮閣, 1993, 51쪽.
2 李道學,「弓裔와 甄萱의 比較檢討」『弓裔와 泰封의 역사적 재조명』, 제3회 태봉학술제, 2003, 20쪽.

는 遷都냐? 定都냐?라는 논의가 제기될 수 있었다. 천도는 수도를 옮긴 것이고, 정도는 '수도를 정하다' 혹은 '나라의 도읍을 정함'의 뜻을 지녔다. 그러면 이와 관련한 다음의 기사를 살펴본다.

    a. 完山賊 진훤이 州를 근거로 스스로 후백제를 일컫자 武州 동남 郡縣들이 降屬했다.[3]

    b. 드디어 무진주를 습격하여 스스로 왕이라고 하였으나 오히려 감히 공공연히 왕을 칭하지는 못했고, 스스로 新羅·西面都統指揮兵馬制置·持節·都督全武公等州軍事·行全州刺史 兼 御史中丞·上柱國·漢南郡開國公 食邑二千戶라고 했을 뿐이다.[4]

    c. 景福 壬子 : 진훤[壬子에 光州를 처음 도읍으로 하였다].[5]

위의 기사 중 a를 보면 진성여왕 6년 즉 892년에 진훤이 무진주를 근거지로 '自稱後百濟'라고 했다. 이렇듯 국호를 제정한 것은 건국을 뜻한다. 그러자 과거 백제 영역이었던 '武州 동남 郡縣들이 降屬했다'는 것은 자연스러운 현상이었다. 여기서 '降屬'은 신라 조정의 입장에서 표현이요, 진훤의 입장에서는 '歸屬'을 가리킨다. 그리고 '自王 猶不敢公然稱王'라는 구절은 명분에 불과하였다. 개국한 지 3년째 되는 1394년에도 태조는 '조선 왕'을 칭하지 못하였다. 조선 태조는 어디까지나 '(高麗)權知國事'였고, 감히 왕을 일컫지는 못하였다(不敢稱王).[6] 그렇다고 태조가 조선 왕이 아닌 것은 아니지 않은가?

진훤은 국호를 정하였고, 왕을 칭했지만 명분상 신라의 지방관 행세를 하였다.[7] 여기서 진훤이 길게 적어놓은 관작 가운데 군정권을 장악한 지역으로 '都督全武公等州軍事'가 보인다. 그러나 진훤이 무진주를 거점으로 해 '칭왕'하고 건국할 당시 '全武公' 즉 全州·武州·公州에 대한 '軍事' 즉 군사권 장악을 표방했다. 892년 당시 진훤이 무주는 물론이고 전주와 공주까지 석권했는지 여부를 떠나 그가 염두에 둔 세력권을 가늠해 볼 수 있는 지표가 된다. 이어서 그는 '行全州刺史'를 표방했다. '行'을 붙여 놓았으니 임명권자인 신라 왕으로부터 인준을 남겨둔 것이다. 진훤은 全州·武州·公州는 군사권 장악 지역으로, 그리고 全州는 행정권까지 넣어 軍政權을 함께 장악한 지역으로 알렸다. 이렇게 분류해야만 전자의 '都督全武公等州軍事'와 후자의 '行全州刺史'는 구분이 된다. 여기서 주목할

---

3 『三國史記』권11, 진성왕 6년 조. "完山賊甄萱 據州自稱後百濟 武州東南郡縣降屬"

4 『三國史記』권50, 甄萱傳. "遂襲武珍州 自王 猶不敢公然稱王 自署爲新羅·西面都統指揮兵馬制置·持節·都督全武公等州軍事·行全州刺史 兼 御史中丞·上柱國·漢南郡開國公 食邑二千戶"

5 『三國遺事』권1, 王曆, 景福 壬子. "甄萱[壬子 始都光州]"

6 『太祖實錄』태조 3년 6월 7일 조.

7 申虎澈, 『後百濟甄萱政權研究』, 一潮閣, 1993, 107쪽.

사실은 진훤은 892년의 시점에서 전주를 행정 거점으로 염두에 두었다는 사실이다. 전주 천도가 결코 우연한 동기에서 비롯하지 않았음을 포착할 수 있다. 더 나아가 '漢南郡開國公'은 남한산성에 '漢南樓'가 소재하듯이 백제 발상지로 인식된 한강 이남 지역을 가리킨 호칭이었다. 이러한 점을 놓고 볼 때 진훤은 百濟故土 회복을 염두에 두었음을 알 수 있다. 한강 이남부터 전라남도 해변까지였다. 당시 한강 이북 즉 삼각산 이북은 고구려故土로 인식되었다.[8] 진훤은 당시 통일신라인들이 백제의 北界로 인식했던 한강 이남 지역을 회복 목표로 삼았던 것이다.

그리고 앞에서 인용했듯이 "景福 壬子 : 진훤[壬子에 처음 光州에 도읍하였다](c)"고 한 바, 광주는 후백제의 첫 수도였다. 그러면 앞에서 진훤이 당초 전주를 염두에 두었다고 하였지만, 외형상 천도 동기는 어떻게 나타나고 있을까? 이에 대해서는 다양한 견해가 제기되었다. 다음의 기사는 진훤의 완산 遷都 동기이다.

d-1. 萱西巡至完山州 州民迎勞 萱喜得人心 謂左右曰

d-2. 吾原三國之始 馬韓先起 後赫世勃興 故辰卞從之而興 於是 百濟開國金馬山六白餘年

d-3. 摠章中唐高宗 以新羅之請 遣將軍蘇定方 以舡兵十三萬越海 新羅金庾信卷土 歷黃山至泗沘 與唐兵合攻 百濟滅之 今予敢不立都扵完山 以雪義慈宿憤乎[9]

위에서 인용한 d-1에서 진훤이 완산주에 巡幸한 시기는 알 수 없다. 다만 전주 천도의 동기로 적혀 있는 것은 분명하다. 여기서 진훤의 완산주 순행을 '北巡'이 아니고 '西巡'이라고 하였다. 이로 볼 때 후백제는 전라도 동부 지역을 석권하여 상당한 영역을 확보했음을 뜻한다. 완산주 주민들은 진훤이 이르자 맞아 위로했다는 것이다. 이때 진훤은 인심을 얻은 것을 기뻐했다고 한다. 전후 문맥을 놓고 볼 때 완산주 주민들이 열렬하게 그를 맞았음을 뜻한다. 일반적으로 '迎勞'는 큰 공을 세운 이를 맞이할 때 사용하는 문구이기도 했다. 완산주 주민들은 백제를 재건한 진훤의 공적을 기리며 노고를 치하한 것이다. 그러자 진훤은 의미심장한 발언을 했다. 이 구절은 지금까지도 오역이 많았는데 제대로 번역하여 소개하면 다음과 같다.[10]

d-2. 내가 삼국의 시초를 살펴보니, 마한이 먼저 일어나 累代로 발흥한 까닭에, 진한과 변한이 (마한을)

---

8 이도학, 「고려 태조의 莊義寺齋文과 三角山」 『한국학논총』 54, 국민대학교 한국학연구소, 2020, 13~15쪽.

9 『三國史記』 권50, 甄萱傳.

10 李道學, 「後百濟의 全州 遷都와 彌勒寺 開塔」 『韓國史研究』 165, 2014, 16~18쪽.

좇아 흥기했다. 이에 백제가 금마산에서 개국하여 600여 년이 되었다.

백제 금마산 개국설은 전주 천도의 동기요 명분이었다. 물론 백제는 금마산에서 개국하지는 않았다. 그럼에도 진훤이 금마산 백제 개국설을 제기한 데는 이곳이 수도였다는 점일 것이다. 이는 자신의 정치적 입지를 정당화하려는 의도였음은 분명하다. 국가의 재건이나 부활과 관련해 舊都는 상징성이 지대하였기에 거론이 되었다. 궁예의 경우 "天復 원년 신유(901)에 선종은 스스로 왕이라 칭하고 사람들에게 말하기를 '지난날 신라가 당에 군대를 청하여 고구려를 격퇴하였기에 平壤 舊都는 묵어서 잡초만 무성하니 내가 반드시 그 원수를 갚겠다!'고 하였다"[11]고 했다. 왕건도 수도는 개경이었지만 평양을 西都라고 하여 수도로 지목하였다. 어떤 형태로든 舊都를 의식했음을 알 수 있다.

전주의 경우 남고산성과 동고산성에서 익산 미륵산(429.4m)이 보인다. 지금의 금마면 동고도리 금마산(115.6m)은 왜소하여 국가의 중심지와 같은 상징적인 장소가 될 수 없다. 당시 금마산은 익산 미륵산으로 지목하는 게 맞을 것이다. 남고산성 萬景臺에서 "서로는 群山島를 바라보며, 북으로는 箕準城에 이른다"[12]고 했다. 기준성은 미륵산에 소재한 산성을 가리킨다. 언제부터 미륵산성을 기준성으로 일컬었는지는 알 수 없다. 이와 관련해 다음의 기사를 본다.

e. 金馬郡은 본래 馬韓國이다[後朝鮮 王 箕準이 衛滿의 亂을 피해 바다를 통해 남으로 와 韓地에 이르러 開國했으니 馬韓이라 했다. 백제 시조 온조왕이 이곳을 아울러 이후부터는 金馬渚라 불렀다. 신라 경덕왕이 지금 이름으로 고쳤다. …[세상에 전해 오기로는 箕準이 처음 쌓은 까닭에 이를 箕準城이라 불렀다]. 또 後朝鮮 武康王 및 妃陵이 있다[세속에서는 末通大王陵으로 부르고, 또는 백제 武王 어릴 적 이름을 薯童이라고 한다].[13]

위의 인용과 동일한 인식은『제왕운기』에서도 "後朝鮮 시조는 箕子이다. … 41代孫 이름은 準이다. … 準은 곧 金馬郡으로 거처를 옮기고 立都하여 또 다시 임금이 되었다"[14]고 하여 보인다. 적어

---

11 『三國史記』권50, 弓裔傳.
12 『新增東國輿地勝覽』권33, 全羅道 全州府, 山川, 萬景臺. "西望群山島 北通箕準城"
13 『高麗史』권57, 地理2, 全羅道 全州牧 金馬郡. "金馬郡本馬韓國 [後朝鮮王箕準 避衛滿之亂 浮海而南 至韓地開國 號馬韓] 百濟始祖溫祖王幷之 自後 號金馬渚 新羅景德王 改今名 至高麗 來屬 忠惠王後五年 以元順帝奇皇后外鄕 陞爲益州 有彌勒山石城 [諺傳 箕準始築 故謂之箕準城] 又有後朝鮮武康王及妃陵 [俗號末通大王陵 一云 百濟武王 小名薯童]"
14 『帝王韻紀』卷下. "後朝鮮祖是箕子 周虎元年己卯春 遯來至此自立國 周虎遙封降命綸 禮難不謝乃入覲 洪範九疇

도 13세기 경에는 箕準의 금마 이주설이 전해 왔던 것이다.

익산은 後朝鮮 王 箕準의 南來地였고, 그가 쌓은 성을 箕準城으로 불렀다고 한다. 이러한 속전의 연원을 어느 시기까지 소급할 수 있는 지는 알 수 없다. 그런데 앞서 인용했지만 진훤은 "내가 삼국의 시초를 살펴보니, 마한이 먼저 일어나 累代로 발흥한 까닭에(d-2)"라고 하였듯이 삼한 가운데 마한이 가장 먼저 홍기했음을 알렸다. 위에서 인용한 기록(e)에 따르면 마한을 개국한 이가 箕準이었다. 미륵산의 城도 箕準이 쌓은 것으로 전해왔다고 한다. 기준성은 미륵산에 소재하였다. 미륵사의 主山이었기에 금마산을 미륵산으로 일컬었던 것 같다. 그렇다면 "백제가 금마산에서 개국하여"라고 했듯이 금마산을 축으로 마한과 백제가 연결되는 것이다. 마한과 백제를 접속시켜주는, 상징성이 지대한 공간이 금마산 즉 미륵산이었다. 그랬기에 전주를 수도로 삼은 것으로 보인다. 금마산 남쪽 전주에 도읍을 마련할 수 있는 근거가 되었다.

巨嶽 즉 雄岳은 종족이나 국가 발상지로서 상징적인 의미가 지대하였다. 백제의 뿌리가 되는 부여의 발상지 鹿山, 鮮卑와 烏桓의 발상지인 鮮卑山과 烏桓山이 저명한 사례에 속한다.[15] 그리고 都市名 完山도 전주의 山名에서 유래하였다.[16] 이렇듯 금마산 개국론에 입각한다면, 백제를 재건한 후백제의 왕궁 역시 금마산(미륵산)에 照應하는 산과 연계되었을 가능성이다. 후백제와 모두 연관된 남고산성이나 동고산성에서도 금마산이 보인다. 이 중 후백제 왕궁터와 연계된 동고산성의 경우 성 안의 건물지에서 보온과 관련한 구들 시설이나 조리와 관련한 부뚜막 시설이 발견되지 않았다. 일

4-1 전주 남고산성에서 바라 본 전주 시가지와 익산 미륵산(금마산)

問彝倫[尙書疏云 虎王 箕子之囚 箕子走之朝鮮立國 虎王聞之因封焉 箕子受封 不得無臣禮 因謝入覲 虎王問洪範
九疇 在周之十三年也 已下現於傳者 皆不注]四十一代孫名準 被人侵奪聊去民 九百二十八年理 遺風餘烈傳熙淳
準乃移居金馬郡 立都又復能君人"

15 이도학, 『백제고대국가연구』, 一志社, 1995, 56~57쪽.
16 이종철, 『黃方에 올라 完山을 보다』, 서경문화사, 2021, 43~53쪽.

반 생활 공간이 아님을 알 수 있다.[17] 오히려 동고산성은 제사 기능이 중심이었을 가능성이다.

2) 후백제 왕궁터 비정

후백제 왕궁터에 대해서는 동고산성·물왕멀·전라감영·인봉리 등이 거론되었다. 먼저 동고산성설은 발굴 성과에 힘입어 제기된 것이다.[18] 동고산성을 상성으로 지목하여 내성과 중성의 포곡식 산성이 구릉지를 에워싼 토축의 외성과 연결되는 구조로 상정했다. 그러나 동고산성설은 내성의 존재 여부를 비롯해 해결하지 못한 사안이 많았다.[19] 특히 "이경찬은 격자형 토지 구획의 출현은 신문왕 대로 이해하였으나, 견훤의 왕궁성 위치를 전영래의 견해를 따라 동고산성 아래의 구릉지 일대로 파악한 결과 통일신라 시대의 주치소도 역시 동고산성 아래의 구릉지로 파악하였으며, 오늘날 전주감영 일대를 단순히 하천변의 저습지에 격자형 토지 구획을 시행한 것으로 이해하였다(이경찬, 「전주의 도시 형성과 고대·중세의 도시 형태」『지도로 찾아가는 도시의 역사』, 전주역사박물관, 2004, 70~80쪽)"[20]고 했다. 그리고 물왕멀설은 이곳에 산재했던 1만 여개의 석재에 근거한 것이다. 그러나 석재의 용도가 꼭 왕성 초석으로 사용되었는지는 확실하지 않다.[21] 그 밖에 전라감영설은 당초 통일신라 격자형 도시 유구와 유물의 확인에[22] 근거하였다. 이에 힘입어 "후백제의 왕궁 역시 통일신라의 행정치소를 중심으로 건립되었던 것으로 보는 것이 자연스러울 것이다"[23]고 했다. 상당히 체계적이고 구체적인 논거를 제시한 것은 분명하다. 그러나 아쉽게도 전라감영 선화당 발굴에서 후백제 왕궁의 존재를 입증하는 물질 자료는 확인되지 않았다. 진훤은 도시화가 이루어진 완산주 州治에 비집고 들어가듯이

---

17 곽장근, 「왕궁 터 위치 비정과 무릉 성격」『전북고대문화 역동성』, 서경문화사, 2021, 253쪽.
18 전영래, 『전주, 동고산성(1·2차)발굴보고서』, 전주시 원광대학교 마한백제문화연구소, 1997, 30쪽.
    全榮來, 「後百濟와 全州」『후백제 견훤정권과 전주』, 주류성, 2001, 47~49쪽.
    조법종, 「後百濟 全州의 都城구성에 나타난 四靈체계」『한국고대사연구』29, 2003, 191~217쪽.
    이경찬, 「천년 전주 도시 형태의 기원과 발달」『전주의 땅과 인간―제8기 박물관아카데미 전주학시민강좌』, 전주역사박물관, 2009, 28~29쪽.
19 곽장근, 「왕궁 터 위치 비정과 무릉 성격」『전북고대문화 역동성』, 서경문화사, 2021, 253쪽.
20 김주성, 「견훤의 전주 천도와 왕궁 위치」『후백제 왕도 전주』, 전주역사박물관, 2013, 51쪽 註 13.
    그러나 이경찬은, 자설은 이러한 견해가 아니라 "백제시대 동고산성 일원 통일신라시대 격자형 토지구획 영역(중심영역)+동고산성 후백제 견훤도성=동고산성과 하부 구릉지(중심영역)+통일신라시대 격자형 영역(도성의 일반시가구역)으로의 전이 과정을 피력한 것입니다"고 밝혔다(2021. 10.16).
21 김주성, 「견훤의 전주 천도와 왕궁 위치」『후백제 왕도 전주』, 전주역사박물관, 2013, 53~54쪽.
22 이경찬, 「전주의 도시 형성과 고대·중세의 도시 형태」『지도로 찾아가는 도시의 역사』, 전주역사박물관, 2004, 45~103쪽.
23 김주성, 「후백제의 왕궁 위치와 도성 규모」『한국고대사연구』74, 2014, 103쪽.

하면서 굳이 왕궁을 조성할 이유가 없었다.[24] 물론 이곳은 통일신라에 이어 후백제의 行政治所일 가능성은 존재한다.[25] 이와 관련해 진훤은 당에서 귀국한 慶甫에게 '주의 남쪽 땅 남복선원(州之离地 南福禪院)'에 주석할 것을 권유했다.[26] 남복선원의 위치는 다음의 南福山과 관련 있을 것이다.

f. 完山 : 작은 산이다. 부의 남쪽 3리에 있다. 府의 이름은 이것에서 얻은 것으로 일명 南福山이라고도 한다.[27]

완산을 남복산이라고도 했다. 그러한 완산(남복산)에 남복선원이 소재했다면 지극히 자연스럽다. 지금의 전주 완산칠봉에 소재했던 남복선원을 '州의 남쪽 땅'이라고 했다. 州는 후백제의 전주 도성 治所 소재지를 말해주고 있다. 이러한 州治는 전라감영 터와 어긋나지 않는다. 완산(남복산)의 북쪽은 전라감영 터에 미치기 때문이다. 따라서 '州의 남쪽 땅 남복선원'은 왕궁 남쪽을 가리키는 게 아니다. 오히려 전라감영 터가 왕궁이 아니라는 반증이 된다.

전라감영설에서는 통일신라 때도 전주의 물길이 지금과 동일하다고 했다. 그렇다면『完山誌』에 적힌 '行舟形' 지형은 나올 수 없다. 전주가 行舟形이라면, 동일한 行舟形 지형인 평양처럼 물길이 도시 전체를 에워싼 형태로 나타나야만 한다. 원래 물길은『完山誌』에 적힌대로 한벽당에서 북상하여 오목대 곁을 지나 지금의 전주시청 동편에서 죽 올라가다가 검바위 밑의 沙川과 합류하여 서쪽으로 가다가 전주천과 합류하는 형상이 마땅하다. 그런데 전라감영설은 行舟形 지형설과 배치된다.

전라감영설에서는 물길이 도시 확장을 저해하는 요인으로 지목하고 있다. 물론 부적절한 견해는 아니지만, 저해 요인 극복 또한 문명의 저력이었다. 도심의 하천이 도시 발전의 저해 요인이 될 수 없음은 동일한 백제 왕도인 웅진성의 경우에서 확인된다. 공주의 도심을 東西로 양분하는 하천이 제민천이지만 왕도 경영 때부터 교량을 가설하여 통행과 이동에 불편이 없게 하였다. 제민천 東西로 고분군이 고르게 조성된 데서도 알 수 있다.[28] 고구려 평양성의 경우도 大橋를 설치했다는[29] 기록

24 곽장근, 「왕궁 터 위치 비정과 무릉 성격」『전북고대문화 역동성』, 서경문화사, 2021, 252~255쪽.
25 최흥선, 「古土城으로 본 後百濟 全州都城 一考察」『후백제와 견훤』, 서경문화사, 2021, 165쪽. 171쪽.
26 한국역사연구회,『譯註 羅末麗初金石文(上)』, 혜안, 1996, 232쪽. "… 遂請住州之离地 南福禪院 …"
27 『新增東國輿地勝覽』권33, 全羅道 全州府, 山川. "完山 小山也 在府南三里 府之得號以此 一名南福山" 한편 同書 譯院 조에 "南福院 : 在府南八里"라는 기사가 있지만 譯院 이름이므로 사찰 이름과 결부 짓기는 어렵다. 그렇더라도 전주부의 남쪽에 소재한 데는 일치한다.
28 이도학,『백제도성연구』, 서경문화사, 2018, 76~80쪽.
29 『三國遺事』권1, 第十一 實聖王 條.

4-2 치명자산에서 바라 본 전주 시가지.
한벽당 곁으로 북상하는 기린대로는 원래 물길이었기에,
전주천과 더불어 행주형 지형을 이루었지만 지금은 폐쇄되었다.

과 더불어 실제 청호동에서 휴암동 사이의 대동강을 건너는 고구려 때 木橋 유구가 발견되었다. 이 木橋는 안학궁 남문에서 남으로 뻗은 큰 길을 이어주기 위해 가설한 것인데, 길이 375m에 너비 9m에 이르고 있다.[30] 그리고 신라가 668년에 고구려 평양성을 공격했을 때의 戰功 기사 가운데 "사찬 求律은 사천 싸움에서 다리 아래로 내려가 물을 건너 진격하여 적과 싸워 크게 이겼는데"·"斧壤의 仇紀는 평양 南橋 싸움에서 공이 제일이었으므로"[31]라는 구절에 '사천교'와 '남교'라는 교량의 존재가 확인된다. 사천은 평양 동쪽의 대동강 支流인 합장강으로 비정하고 있다. 이렇듯 고구려에서는 중요한 江 뿐 아니라 支流에도 교량이 가설되었던 것이다. 이처럼 고구려는 王都 주변의 주요한 江마다 교량을 가설함으로써 육지의 도로망과 연계한 원활한 수송 체계를 확립하고자 했다.[32]

그러면『完山誌』에서 "예로부터 전하는 말에 전주부의 관아는 동쪽에 자리잡고 서향이었다고 하는데, 어느 때부터 고쳐져 남향이 되었는지는 알 수 없다"[33]는 기사를 주목해 본다. 현재 전주의 진산은 건지산이지만 원래는 기린봉이었다는 것이다.[34] 이 기록은 후백제 궁성의 소재지를 가늠하는데 중요

---

30 과학백과사전 종합출판사,『조선전사 3(고구려사)』1991, 136~137쪽.
　　안병찬,「새로 발굴한 고구려의 다리」『력사과학』1982-3, 46~48쪽.

31 『三國史記』권6, 文武王 8年 條.

32 이도학,『백제도성연구』서경문화사, 2018, 76~81쪽.

33 『完山誌』卷上, 故事 條, 鄕里記言. "舊傳州治東坐西向 不知何時改爲南向"

34 곽장근,「왕궁 터 위치 비정과 무릉 성격」『전북고대문화 역동성』서경문화사, 2021, 237~238쪽.

한 관건이 된다. 물론 西向한 궁성이나 도성은 극히 드문 사례에 속한다. 그렇지만 후백제 도성 기획과 관련한 사상적 배경을 찾는 데 유효할 듯싶다. 1688년(숙종 14)에 작성된「全州城隍祠重創記」에 따르면 동고산성은 진훤의 옛 궁터라고 했다(世謂甄萱古宮墟也). 그렇다면 동고산성은 궁성의 배후 산성격이 될 수 있다. 이와 연결된 軸線에서 궁성의 소재지를 찾는 것도 방법이다. 현재 후백제 왕궁지로는 중노송동 인봉리 일대가 유력하게 지목된다.[35] 진훤과 연관이 깊었기에 중창설까지 제기된 김제 금산사의 미륵전도 서향이다. 백제 수도 외곽에 소재한 거대한 청마산성도 서향이었다.

전주 도성은 반월형 나성 구조였던 것 같다.『신증동국여지승람』에 따르면 "고토성은 전주부 북쪽 5리에 터가 있는데, 진훤이 쌓은 것이다"[36]는 기록이 전한다. 실제 '고토성'은 남아 있는 유구를 통해 확인되었다. 육당 崔南善이 1925년에 발표한 유명한 국토순례기인「심춘순례」에도 "반대산 밑 철로 쪽으로 논두렁처럼 울묵줄묵하게 약간 일자로 남아 있는 것이 후백제의 성터라 한다"[37]라고 하여 이미 살펴졌다. 그런데 후백제 도성벽인 고토성의 서쪽과 남쪽은 전주천을 이용했기에 축조하지 않았다는 견해도 있다. 그러나 논거로 제시한 사비도성의 백마강과 접한 서나성과 남나성은 당초 축조되어 있었다.[38] 대동강과 접한 고구려 장안성도 南壁이 존재하였다. 고구려 황주성도 황주천과 접한 남벽도 축조되었다. 이렇듯 강과 접한 관계로 축성하지 않은 경우는 없었다. 강과 접한 지역에 축성을 반드시 할 수밖에 없는 이유는 홍수를 막기위한 목적까지 겸했다. 게다가『완산지』에 따르면 전주천의 물길이 지금과는 달랐다고 한다. 후백제 때 전주천은 지금의 전주시청을 지나 기린대로를 따라 북쪽으로 금암광장까지 흘렀을 것으로 추정하고 있다.[39] 이와 같이 설정하면 전주의 본래 지형인 行舟形이 된다. 따라서 고토성에 근거한 앞의 후백제 도성 구조는 새로 설정해야 마땅할 듯싶다.

그리고 도성의 배후 산성 문제이다. 현재 남아 있는 南固鎭事蹟碑에서 "州의 남쪽에 산이 잇달아 솟아 있어 포개진 것 같은데 진훤 성의 옛터이다(州之南 有山崩屴 如疊 甄城古址也)"고 했다. 이를 앞서 언급한「전주성황사중창기」에서 동고산성을 "세상에서 진훤의 옛 궁터라고 한다"는 기록과 결부지어 본다. 게다가 동고산성에서는 '全州城' 명문 기와가 출토되었다. 이는 후백제 도성의 일원으로 중요한 기능을 수행했음을 뜻하는 것이다.[40] 그 기능은 왕궁을 포함한 도성제의 배후산성 즉 避亂

35 곽장근,「왕궁 터 위치 비정과 무릉 성격」『전북고대문화 역동성』, 서경문화사, 2021, 252~266쪽.

36 『新增東國輿地勝覽』권33, 全羅道 全州府, 古跡 條. "古土城 在府北五里基址 甄萱所築"

37 崔南善,『尋春巡禮』, 白雲社, 1926 ;『六堂崔南善全集 6』, 玄岩社, 1973, 262~263쪽.

38 이도학,『백제도성연구』, 서경문화사, 2018, 122~131쪽.

39 곽장근,『전북고대문화 역동성』, 서경문화사, 2021, 240쪽.

40 강원종,「전주 동고산성」『후백제 왕도 전주』, 전주역사박물관, 2013, 109쪽.

4-3 동고산성 안의 건물지

入保城으로 지목하는 게 자연스럽다.[41] 그리고 익산의 금마산에 축선을 맞춘 儀禮 공간으로서의 기능을 상정할 수 있다. 동고산성 자체가 왕궁의 본체일 수는 없다. 따라서 남고산성과 동고산성은 그 북방에 소재한 후백제 왕궁과 연계된 배후 산성임은 의심할 나위 없다. 웅진·사비기 백제 왕성이 평지성+산성(공산성·부소산성)인 경우와 마찬 가지로[42] 인봉리 평지성+남고산성·동고산성 구조일 가능성이 제기된다.

3) '全州史庫' 최후의 날

주지하듯이 조선왕조의 사고는 당초 서울 춘추관과 충주·전주·星州史庫, 바로 이 4곳에 보전되었다. 임진왜란 초기에 급히 옮겨진 전주사고본을 토대로 전후에 소실된 3곳의 실록을 복원하였다. 최종적으로 조선왕조실록은 강화도 정족산·무주 적상산·봉화 태백산·평창 오대산에 보존되었다. 전주사고는 1597년 정유재란 때 소실되고 말았다. 그렇지만 전주사고본을 통해 실록이 이어질 수 있었다. 이러한 점에서 전주는 역사 기록 보전의 聖地였던 것이다.

전주의 역사 보전은 조선 왕조 이전으로 거슬러 올라간다. 이와 관련해 후백제 진훤 왕이 927년에

41　최흥선,「古土城으로 본 後百濟 全州都城 一考察」『후백제와 견훤』, 서경문화사, 2021, 166쪽. 176쪽.
42　이도학,『백제도성연구』, 서경문화사, 2018, 100쪽. 118쪽.

경주를 습격한 사건을 주목해 본다. 이때 "궁중의 미녀들을 빼앗아 수레에 같이 타고 진귀한 보물들을 약탈하여 가득히 싣고 갔으니"[43]라고 약탈을 적었다. 진훤은 경애왕을 잡으러 入宮하기 전에 "진훤이 또 그 부하들을 풀어 公私財物을 모두 약탈했다"[44]고 하였다. 이 기록대로라면 진훤은 '姬姜'와 '珍寶' 그리고 '公私財物'만 약탈한 것이다. 그러나 이는 어디까지나 진훤을 비방할 목적의 지극히 현상적이요 감성적인 서술에 불과하였다. 진훤이 이때 가장 주목했던 것은 미녀나 재물이 아니었다. 역사 기록이었다. 백제를 이었다고 하지만 신생국가 후백제는 전대의 역사 기록을 물려받지 못하였다. 진훤은 전주에서 마한이 가장 먼저 탄생했음을 설파했었다(d-2). 이는 나름의 근거를 지니고 한 발언으로 판단된다. 문제는 이 발언에 대한 후속 작업이 이어졌을 것이다. 가령 마한과 백제를 연결짓고, 금마산 개국설을 정당화하는 근거 제시가 구체적으로 뒤따라야 했다. 그러기 위해서는 역사 保全處를 확보하는 일이 선결되어야 했다. 그곳은 말할 나위없이 신라 수도 경주였다. 천년왕도 경주는 외침을 받아 수도 전체가 함락된 적은 없었다. 그러니 천년 동안의 사유와 가치가 보존되어 있었다. 가령 왕건이 확보한 진평왕의 천사옥대를 비롯해 신라 상징물이 고스란히 남아 있는 곳이었다. 이 보다 주목할 대상은 다음에 보이는 바처럼 역사 기록의 확보였다.

g. … 신라 말에 甄萱이 完山에 웅거하여 三國의 남아 있는 서적을 실어와 두었는데, 그가 패하자 쓸어 없애져 불타 재가 되었으니, 이것이 3千年 이래 두 번의 큰 재앙이다.[45]

李萬運(1723~1797)은 고려 이전의 사서가 존재하지 않은 이유를 고구려와 더불어 후백제의 패망에서도 찾았다. 승자에 의해 패자의 역사가 망가졌다는 것이다. 이만운은 앞서 唐將 李勣은 평양성 함락 직후 고구려 서적을 죄다 모아 놓고 불태웠다고 했다. 이러한 기록이 타당하다면 고구려사와 그 이전의 역사가 모두 소실된 것이다. 그런데 후백제의 경우는 '三國의 남아 있는 서적'이라고 했다. 그러니 고구려와 백제 및 신라의 사서를 전주로 실어 왔다는 것이다. 진훤이 삼국의 서적을 확보할 수 있는 대상은 경주가 분명하였다. 진훤이 927년에 회군할 때 "子女·百工·兵仗·珍寶를 죄다 취하여 돌아갔다"[46]고 했다. 여기서 맨 앞에 적혀 있는 '子女'를 '백성'의 뜻으로 번역하고 있다. 그러나 동일한 사안에 '姬姜'도 적혀 있었다. 故事 용어인 姬姜은 '여자'와 '미녀'에 대한 통칭으로도 사

---

43 『三國史記』권50, 甄萱傳. "姬姜則取以同車 珍寶則奪之稇載"
44 『三國史記』권12, 경애왕 4년 조. "萱又縱其兵 剽掠公私財物略盡"
45 『雅亭遺稿』권3, 紀年兒覽, 序. "… 新羅之末 甄萱據完山 輸置三國之遺書 及其敗也 蕩爲灰燼 此三千年來二大厄也"
46 『高麗史』권1, 태조 10년 조. "盡取子女百工兵仗珍寶以歸"

4-4 화창한 봄날 첨성대와 주변의 유채꽃.
첨성대는 말없이 후백제군의 행적을 지켜 보았다.

용되었다. 이로 볼 때 '子女'는 '女子'의 倒置로 보인다. 이어서 적힌 '兵仗'은 전쟁에 사용되는 모든 무기를 가리킨다. 신라를 무장 해제시킬 목적이었다. 그리고 '百工'은 각 방면의 기술자들을 가리킨다. 천년의 노하우를 비축한 신라 못지 않은 국가로 후백제를 일신시키려는 의도였다. 마지막으로 '珍寶'에는 재물만 포함된 게 아니었다. 천년의 由緖을 담고 있는 史書類도 이 범주에 속하는 것이다. 이때 실어 온 사서를 놓고 후백제에서는 새로운 사서 편찬을 단행했던 것으로 보인다. 그러나 후백제 멸망과 동시에 잿더미가 되었다는 것이다.

후백제의 史庫는 수도 전주 왕궁에 소재했을 것이다. 쉬운 이름으로 '全州史庫'로 일컬을 수 있다. 그런데 전주사고는 후백제 멸망과 동시에 잿더미로 변했을 가능성이 높다. 고려는 후백제를 멸망시킨 후 전주에 安南都護府를 설치했다. 軍政을 실시한 것이다. 이를 통해 인봉천을 끌어들여 왕궁터를 수장한 흔적이 인봉리 방죽이고, 동고산성 수장을 위한 인위적인 폐쇄 방법을 동원하였다.[47] 그리고 인봉리에서 확인된 燒土層은 후백제 멸망과 관련한 대규모 화재를 상정할 수 있다. 중노송동 일대에서 출토된 후백제 기와편들은 죄다 酸化되었다고 한다.[48] 이러한 흐름에서 볼 때 '전주사고'는 이만운이 "진훤이 完山에 웅거하여 三國의 남아 있는 서적을 실어와 두었는데, 그가 패하자 쓸어 없

---

47 전영래는 동고산성 주건물지의 규암 초석은 불에 탔고, 기와편도 거의 붉게 산화되었다고 하였다. 주건물지가 화재로 불탄 흔적으로 파악했다(全榮來, 「後百濟와 全州」『후백제 견훤정권과 전주』, 주류성, 2001, 45쪽).
48 곽장근, 「왕궁 터 위치 비정과 무릉 성격」『전북고대문화 역동성』, 서경문화사, 2021, 261~266쪽.

애져 불타 재가 되었으니(g)"라는 말과 정확히 부합하는 것이다. 가슴 저린 '전주사고 최후의 날'이 아닐 수 없다. 12세기 중엽에 편찬된 『삼국사기』가 극히 소략한 이유에 대한 해답이다.[49] '전주사고'에 보존되었던 역사서를 물려받지 못해서였다.

4) 고려청자인가? 후백제청자인가?

우리나라 청자 제작 기술의 도입과 관련해 고려가 주도적으로 오월국 청자 장인을 데려와 개경 부근에서 가마를 만들어 청자를 생산했다는 견해가 일반적이다. 경기도 시흥의 방산동 등을 비롯한 한반도 중부 지역을 우리나라 청자 제작의 선행지로 간주해 왔다.[50] 그러나 이와는 달리 전라북도 진안 도통리(사적 제551호)와 외궁리 가마는 유일하게 후백제 영역에 속한다. 이곳에서는 고려와 後周 외교의 산물인 초기 백자가 출토되지 않았다. 초기 청자는 전주 동고산성 · 익산 미륵사지 · 남원 실상사지와 만복사지 · 임실 진구사지 · 완주 봉림사지 · 정읍 고사부리성 · 정읍 천곡사지 · 장수 침령산성와 합미산성 · 광양 마로산성과 옥룡사지 등에서 출토되었다.[51]

그러면 후백제 영역에서 출토된 청자는 '고려청자'인가? 아니면 '후백제청자'로 호칭해야 하는가?라는 문제에 봉착한다. 우리나라 靑磁史를 새로 집필해야 하는 엄청난 과제인 것이다. 우리나라에서 제일 규모가 큰 도통리 1호 벽돌가마의 설치와 운용 주체는 여러 면에서 후백제일 가능성이 높다.[52] 또 그렇게 지목하는 게 자연스럽다. 이와 관련해 건설적이고도 허심한 논의가 지속적으로 이어지기를 바란다.

5) 진훤과 불교

왕건은 「훈요십조」에서 신라의 많은 佛寺 창건이 地德을 쇠하게 했다고 하였다. 崔承老도 신라 불교의 폐해에 대해 적시한 바 있었다. 그럼에도 고려는 「훈요십조」에서 왕건이 佛德의 힘으로 삼한을 통일했다고 하였다. 그리고 현전하는 왕건의 친제문 3건 모두 佛刹이나 佛僧과 관련한 것이다.[53] 이와 비교되는 후백제의 불교 시책에 대해 과거 고등학교 『역사부도』에서는 진훤은 "불교에 관용적 태도"[54]

49 李道學, 『후백제 진훤대왕』, 주류성, 2015, 354쪽.

50 서유리, 「우리나라 초기 청자 등장에 대하여」 『견훤, 새로운 시대를 열다』, 국립전주박물관, 2020, 232쪽.

51 곽장근, 『전북고대문화 역동성』, 서경문화사, 2021, 270~275쪽.

52 곽장근, 『전북고대문화 역동성』, 서경문화사, 2021, 285쪽.

53 이도학, 「고려 태조의 莊義寺齋文과 三角山」 『한국학논총』 54, 국민대학교 한국학연구소, 2020, 25쪽.

54 김유철 · 윤희면 · 최병도 · 승용기 · 최재삼, 『고등학교 역사부도』, ㈜천재교육, 2002, 13쪽.

4-5 진안 도통리 청자 가마터

라고 했다. '관용'의 사전적 의미는 "1. 남의 잘못 따위를 너그럽게 받아들이거나 용서함 2. 너그럽게 받아들이거나 용서하다"이다. 이 뜻대로 한다면 내키지 않았지만 진훤은 불교를 수용했다는 의미가 된다. 그러나 이러한 평가는 전혀 사실과 무관하다.

진훤은 禪僧을 비롯한 高僧들과 돈독한 관계를 유지했을 뿐 아니라 적극적으로 포용하였다. 이는 다음과 같은 통진대사 慶甫(868~948)의 비문에 적힌 글귀를 통해서도 알 수 있다.

h. 太傅는 본래 스스로 善根을 가졌고, 장군 집안[將種]에서 태어나서서 바야흐로 우람한 뜻[壯志]을 펴고자 했다. 비록 사로잡는 것과 놓아주는 지략[擒縱之謀]을 우선으로 여겼으나, (대사의) 인자한 얼굴을 우러러 뵙고는 첨앙하고 의지하는 뜻이 배나 더해졌다. 이에 탄식하며 말하기를 "우리 스승을 만남이 비록 늦었지만 제자 됨을 어찌 늦추겠는가"라고 하면서, 자리에서 일어나 받들었으며 (잊지 않기 위해) 큰 띠[帶]에 적기를 진실히 했다. 드디어 州 남쪽 땅에 소재한 南福禪院에 거처할 것을 청하자, 대사가 말하기를 "새도 나무를 가리거늘 내가 어찌 꼭지 달린 박과 외처럼 (한 군데만) 얽매여 머물 수 있겠습니까"하였다.

白鷄山 玉龍寺는 돌아가신 스승께서 도를 즐기시던 맑은 집[淸齋]으로서 禪을 행하기에는 알맞은 형승이라 구름 덮인 시내가 허공에 떠 있는 듯하여 경치가 가장 좋은 곳이었다. 드디어 태보에게 말하니 이를 허락하여 그곳에 옮겨 거처하였다.[55]

---

55 한국역사연구회, 『譯註 羅末麗初金石文(上)』, 혜안, 1996, 231~232쪽. "太傅本自善根 生於將種 方申壯志 雖先擒

위의 비문에서 후백제 왕도인 전주에 소재한 남복선원과 우리나라 풍수의 鼻祖인 道詵이 주석했던 광양의 옥룡사가 보인다. 그리고 진훤은 화엄종 사찰인 해인사를 福田(공양을 받을 만한 법력을 갖춘 이에게 공양하고 선행을 쌓음)으로 삼았다. 이는 다음 『均如傳』 기사를 통해 확인이 가능하다.

> i. 師는 北岳의 法孫이다. 옛날 신라말 가야산 해인사에 2명의 華嚴司宗이 있었다. 한 분은 觀惠公으로 백제 괴수[渠魁]인 진훤의 福田이었다. 또 한 분은 希朗公으로 우리 태조대왕의 복전이었다. 두 분은 信心을 받아서 香火의 願 맺기를 청하였지만 願이 이미 달랐으니 마음이 어찌 하나이랴. 내려와 그 門徒에 이르러서는 점점 물과 불처럼 되었으니 하물며 法味에서야. 각각 시고 짠 맛을 받았으니 이러한 폐단을 제거하기가 어려웠다. 유래가 이미 오래 되어서 그 때 세상의 사람들이 관혜공의 法門을 남악이라 했고, 희랑공의 법문을 북악이라고 했다. 師께서는 매번 남북의 宗旨가 모순되어 분간하지 못한 것을 탄식하시고 많은 갈래를 막아 한 길로 돌아 오게 하셨다.[56]

화엄종단이 진훤과 왕건 계열로 양분된 상황을 알려준다. 그러므로 진훤이 불교에 대한 배타성을 배제하는 듯한 인식과는 전혀 다른 상황인 것이다. 화엄종 계통의 사찰로서 만덕산 보광사를 빠뜨릴 수 없을 것 같다. 즉 "후백제의 진훤이 도읍한 곳이 지금은 전주가 되었다. 전주 남쪽 萬德山에 절이 있는데 普光이라고 했다. 이곳은 백제 때 세워진 대가람인데 華嚴의 교법을 강설하였다"[57]고 했다. 백제 때 화엄종파가 생겨나지 않았으니 보광사는 후백제 때 융창한 사찰이 분명하다. 진훤은 해인사를 비롯한 화엄종단에도 영향력을 미치고 있었는데, 그 본산이 수도였던 전주 부근의 보광사였던 것 같다.

그리고 앞서 언급한 전주 완산칠봉에 소재했던 南福禪院과 광양의 玉龍寺도 꼽을 수 있다. 고구려 말기에 飛來方丈한 普德이 거처했던 高達山 景福寺(완주군 구이면)도 상기된다. 그 밖에 진훤은 "寺刹: 龍藏寺는 雲住山에 있는데 혹은 雲住寺로 일컫기도 한다. … 서로 전해 오기를 甄萱 때 승려

縱之謀 曁謁慈顏 倍勵瞻依之志 乃歎曰 遇吾師而雖晚 爲弟子以何遲 避席拳拳 書紳惱惱 遂請住州之离地 南福禪院 大師曰 鳥能擇木 吾豈匏爪 迺以白鷄山玉龍寺者 是故師爲樂道之淸齋 乃安禪之勝踐 雲溪空在 枕漱最宜 遂言於太傅許之 移而住焉"

56 『均如傳』第四 立義定宗分者. "師北岳法孫也 昔新羅之季 伽耶山海印寺 有二華嚴司宗 一日觀惠公 百濟渠魁甄萱之福田 二曰希朗公 我太祖大王之福田也 二公受信心 請結香火願 願旣別矣 心何一焉 降及門徒 浸成水火 况於法味 各禀酸醎 此弊難除 由來已久 時世之輩 號惠公法門爲南岳 號朗公法門爲北岳 師每嘆南北宗趣矛盾未分 庶塞多歧 指歸一轍"

57 『稼亭集』권3, 記, 重興大華嚴普光寺記. "後百濟甄萱所都 今爲全州 州之南萬德山有寺 曰普光 寔自百濟爲大伽藍演華嚴法"

照通이 創建했다고 한다"[58]고 했듯이 정읍 태인의 용장사 창건과도 관련되었다. 아울러 진훤은 승려 照通과도 긴밀한 관계였음을 알려준다. 조통이 의상이 창건한 경상북도 의성의 고운사를 중창한 것을 볼 때 용장사는 화엄종 사찰로 보인다.

후백제 사찰 가운데 백제 왕권의 상징이요, 미륵신앙의 本處인 익산 미륵사를 간과할 수 없다. 진훤이 익산을 중시한 데는 미륵사가 지닌 지대한 비중 때문으로 보인다. 다음 「惠居國師碑文」을 주목하지 않을 수 없다.

j. 3년이 지나 金山寺 義靜律師의 戒壇에 나아가 具足戒를 받았다. … 龍德 2년(922) 여름 특별히 彌勒寺開塔의 은혜를 입어 이에 禪雲山의 選佛場에 나아가 壇에 올라 說法하였다.[59]

위에서 진훤의 미륵사 開塔이 언급되었다. 開塔의 의미에 대해 "塔을 복구하고"[60] 혹은 "전에 무너졌던 미륵사탑의 복구"[61] 등으로 해석하였다. 여기서 '開塔'은 어렵게 생각할 것 없이 탑을 열었던 사실을 말한다. 주지하듯이 탑의 기본 성격은 무덤인 것이다. 무덤을 연다는 것, 그것도 미륵신앙의 요람에 소재한 탑(무덤)을 열었음은, 佛骨을 맞이하는 迎佛骨 儀式이었다. 따라서 '개탑의 은혜(開塔之恩)'는, 탑을 여는 국가적 慶事를 통해 특별히 베풀어주는 僧科 시험 選佛場이 열렸음을 뜻한다. 국가의 경사 때 치른 특별 승과 시험이었다. 후백제에서 승과 시험이 시행되었다는 것은 敎團의 정비를 뜻한다.

이러한 開塔 의례는, 陝西省 寶鷄市 扶風縣 法門鎭에 소재한 唐代의 法門寺 迎佛骨 의식을 통해서도 알 수 있다. 법문사는 唐代 皇宮의 外的 道場으로서 皇家의 기원과 공양의 장소였다. 그리고 법문사는 역대 황제들이 불골을 맞이해서 받든 護國의 總道場이기도 했다. 그러니 당대 佛事 융성의 가장 중요한 표현으로는 법문사 佛骨舍利의 迎送이나 공양보다 더한 것은 없었다. 법문사에서 30년마다의 開塔을 통한 迎佛骨 의식을 통해 풍년과 태평성대를 기원한 것은 불법의 힘을 빌어 주민들에 대한 통치를 이루고자 하는 목적이었다.[62] 高麗에서도 이러한 迎佛骨 儀式이 이어져 왔다. 즉 "여

58 『輿地志』권5上, 全羅道 泰仁縣, 寺刹 條. "龍藏寺 在雲住山 或稱雲住寺 … 相傳甄萱時僧照通創建"

59 李能和 主幹, 『朝鮮佛敎叢報』, 三十本山聯合事務所, 1917, 23~26쪽 ; 許興植, 「惠居國師의 生涯와 行績」『韓國史研究』 52, 1986 ; 「葛陽 惠居國師碑」『高麗佛敎史硏究』, 一潮閣, 1986, 582쪽.
　 한국역사연구회, 「葛陽寺惠居國師碑」『譯註 羅末麗初金石文(上)』, 혜안, 1996, 342~343쪽 ; 한국역사연구회, 『譯註 羅末麗初金石文(下)』, 혜안, 459~460쪽. "越三年 就金山寺義靜律師戒壇受具於是 龍德二年夏 特被彌勒寺開塔之恩 仍赴禪雲山選佛之場"

60 許興植, 『高麗佛敎史硏究』, 一潮閣, 1986, 586쪽.

61 趙仁成, 「弓裔의 勢力形成과 建國」『震檀學報』 75, 1993, 46쪽.

62 王偉, 『法門寺文物圖飾』, 文物出版社, 2009, 14~15쪽.

름 4월에 佛骨을 大安寺에서 맞아들여 仁德宮에 안치하였다"[63]는 사례가 보인다. 唐代에는 이와 연계해 唐 懿宗이 반포한 「迎佛骨赦文」에서 보듯이 迎佛骨 大赦免을 단행하였다. 그럼으로써 인심의 안정과 천하의 안녕을 얻고자 한 것이다.[64]

후백제의 경우도 이와 크게 다르지 않았을 것이다. 일단 開塔 장소인 미륵사는 백제 이래 최대의 가람으로서 미륵신앙의 중심 道場이었다. 3院 1伽藍인 미륵사에는 3處에 탑파가 소재하였다. 이 중 중심에 소재한 목탑이 가장 규모가 컸을 뿐 아니라 위상도 높았을 것으로 보인다. 실제 미륵사 3탑 가운데 中塔이 제일 먼저 조성되기까지 했다. 그렇다고 할 때 진훤은 미륵사 3塔 가운데 木塔인 中塔을 열었을 것이다. 석탑 2기는 열 수 없는 구조였다.[65]

진훤은 미륵사에서 개탑 의식을 성대하게 하였다. 직접 미륵사에서 佛骨을 맞이하는 동시에 공양도 하였을 것이다. 이렇듯 진훤이 미륵사탑을 열었던 '開塔'은 후백제의 연호인 正開와도 관련 있어 보인다. 나아가 백제의 금마산 '開國'과 엮어진 全州 천도를 軸으로 한 일련의 儀式이었다. 우선 이 때의 佛骨 迎禮는 화평한 미륵의 세상 구현을 선언하는 의식이었다고 본다. 즉 미륵사탑 안에서 때를 기다리던 미륵불이 세상에 출현함으로써 전란을 종식시키고 태평한 세상을 만들겠다는 의지의 표출로써 兵亂에 지친 민심을 안무하기 위한 차원이었다.

미륵사와 쌍벽을 이루는 백제 미륵 신앙의 또 하나의 본처가 금산사였다. 금산사에는 766년(혜공왕 2)에 진표가 주조한 미륵장육상의 존재가[66] 그 성격을 웅변해 준다. 진훤이 말년에 유폐된 금산사는 진훤이 창건한 사찰로 전해졌다.[67] 이는 물론 사실은 아니지만, 그렇게 여길 정도로 진훤이 관심을 쏟았거나 중창했음을 반증한다.

미륵신앙은 조선 후기까지도 면면히 내려왔고, 민족종교로까지 발전하였다. 그러한 미륵신앙의 본산이 미륵사와 금산사였다. 미륵사 開塔 의식과 사리 봉안 행렬을 재현하여 축제화하는 작업이

---

63 『高麗史』 권16, 인종 7년 조.

64 冉万里, 『中國古代舍利瘞埋制度硏究』, 文物出版社, 2013, 219쪽.

65 혹자는 미륵사탑은 보수 기록이 없으므로 719년에 벼락을 맞고 소진했다고 단정한다. 황룡사 목조구층탑은 新羅 3寶의 하나로서 국민적 관심을 받는 대상이었기에 기록에 남겨 질 수 있었다. 게다가 그 소재지도 신라 수도인 경주였다. 그런데 반해 과거 백제 지역 익산에 소재한 미륵사탑의 복구 사실은 기록에 남겨질 개연성은 희박했다. 그러니 기록에 보이지 않는다고 하여 복구가 없었다고 단정하는 것은 이불성설이다. 또 혹자는 '開塔'을 탑을 수리한 것으로 단정하는데 수리의 경우는 '修'라고 표기하였다. 혹은 개탑을 막연히 국가의식을 가리키는 것이라고 말하는데, 생각나는대로 쏟아내는 것이다. 중국 당에서는 '開塔'은 迎佛骨 의식이었다. 그럼에도 이 사실을 부인하려면 중국 문화의 영향을 많이 받은 후백제에서는 '開塔'을 다른 용례로 사용한 사례를 적시해야 한다. 그럼에도 단어가 지닌 '用例'를 무시한 자의적인 해석들이 실로 많다. 답답한 일로서 벽창호라고 할 수밖에 없다.

66 趙法鍾, 「南北國時代와 後百濟」 『전북의 역사와 문화』, 서경문화사, 1999, 120쪽.

67 『新增東國輿地勝覽』 권34, 全羅道 金溝縣, 佛宇 條. "金山寺 在母嶽山 後百濟甄萱所創"

4-6 금산사 미륵전(국보 제62호)과 석등(보물 제828호)

필요할 것 같다. 초파일 연등 의식 이상으로 전라북도 내지 익산 지역의 축제로 승화시킬 필요가 있다. 미래 비전을 제시한 후백제의 이상을 알리는 수단으로 활용해야 할 것 같다.

후백제 불교 미술품은 극소수만 확인이 가능하다. 이와 관련해 후백제 미술의 획기를 927년 경주에서 데려온 장인들에게서 찾기도 한다. 가령 전주에서 출토된 우수한 문양전을 살피면서 "전주 땅에서 우수한 瓦塼이 제작된 것은 후백제 진훤 왕이 신라의 경주에서 숙련된 기술자들을 移入시켜 이것이 진전을 이루기 위한 의도라고 믿을 수 있다"[68]고 해석했다.

그리고 후백제 중심 사찰로서 역할을 했던 미륵사와 금산사 경내의 불교미술품이나 출토품 가운데 '후백제'가 분명 존재했을 것이다. 차후 면밀한 조사와 연구가 필요하다. 가령 미륵사지에서 출토된 정교한 통일신라 향로(보물 제1753호)는 후백제 시기 작품일 가능성이 몹시 높다. 그리고 전주 승의사(현 한국전통문화전당) 터에서 발견된 정교한 雙獅子塼은 신라 말~고려 초의 작품으로 추정되고 있다.[69] 이 역시 후백제 작품으로 보인다. 이 문양에 대해서는 '두 사자가 雌雄을 겨룸'이라고 했다.[70] 동고산성에서 출토된 '전주성' 명문 기와에도 두 명의 무사가 마주보며 서로 긴 창을 겨누고 있다.[71] 모

---

68 大曲美太郎, 「全州出土の古瓦を眺めて」『朝鮮』1930-5月號, 137쪽.

69 全州府, 『全州府史』1942 ; 전주시 · 전주부사국역편찬위원회, 『국역 全州府史』2009, 844쪽.

70 이와는 달리 "2마리의 白虎가 놀고 있는 거와 같은 진귀한 문양이다(大曲美太郎, 「全州出土の古瓦を眺めて」
    『朝鮮』1930-5月號, 137쪽)"는 묘사도 있다.

71 이 암막새 기와에 대해서는 "유례를 볼 수 없는 독창적인 것이다(全榮來, 「後百濟와 全州」『후백제 견훤정권과
    전주』, 주류성, 2001, 45쪽)"는 평가가 붙었다.

4-7 雙獅子塼

4-8 미륵사지 출토 향로(보물 제1753호)

두 동일한 후백제 기와로 판단된다. 그리고 무진고성에서 출토된 봉황 문양의 화려한 수막새 기와는 절정에 이른 후백제 미술의 진수를 보여준다. 무진고성은 무진도독고성인데,[72] 진훤 왕의 셋째 아들 용검이 무주도독으로 있던 그 현장이다. 따라서 후백제 최고의 미술품이 남겨질 수 있는 공간이었다.

6) 백제 지명은 부활인가? 연속하여 사용한 지명인가?

후백제 지역에서 출토된 문자 자료를 놓고 백제 때 지명이 부활한 것으로 간주하는 경향이 있었다. 지역의 정체성 확인으로 인식을 해 왔었다. 이와 관련해 757(경덕왕 16)년 신라는 한화정책에 따라 행정지명을 전면적으로 漢譯하여 고쳤다. 漢譯에 불과했으므로 행정지명의 본질적인 변화는 없었다. 물론 안강현과 같은 신라 수도 경주 외곽의 행정지명은 판이하게 고쳤다. 즉 比火縣을 安康縣으로 고쳤는데 양자 간의 상호 연관성은 없다.[73] 그러나 신라가 정작 점령한 지역인 백제와 고구려 지명은 漢譯에 불과하였다. 본질적으로는 고친 게 아니었다.

혹자는 신라가 776년(혜공왕 12)에 759년(경덕왕 18)에 시행한 百官의 호칭을 전부 고쳤다는 기록에 근거하여 지명의 복구 가능성을 열어두었다. 즉 "여하튼 옛 백제 지명의 개명과 복구는 해당 지역 주민들로 하여금 백제에 대한 기억을 다시 새롭게 하고, 그것을 간직하도록 하였을 것이다"고 했다. 그러나 신라가 이제는 자국민이 된 망국 유민들에게 통합은커녕 분열의 씨앗인 향수심을 촉발시켜 줄 이유가 없었다. 그리고 『삼국사기』에서 지명 개정은 경덕왕 16년 조에 적혀 있는 반면, 백관 개정

---

72 『新增東國輿地勝覽』권35, 全羅道 光山縣, 古跡 條. "武珍都督古城 : 在縣北五里 土築 周三萬二千四百四十八尺"
73 『三國史記』권34, 地理1, 신라 義昌郡. "安康縣 本比火縣 景德王改名 今因之"

4-9 마로산성 출토 '馬老官' 명 기와

은 그 2년 후인 경덕왕 18년 조에 적혀 있다. 양자는 서로 성격이 동일하지 않았다. 실제 886년에 세워진 강원도 양양 선림원지 홍각선사탑비에 따르면 고구려 때 지명인 '上(車)忽'이 아닌 756년에 개정한 '車城' 지명으로 적혀 있다. 890년에 세워진 제천 월광사지 원랑선사탑비에도 백제 때 '發羅郡'이 아닌 756년에 개정된 '錦城郡'의 太守로 표기되었다. 이러한 사례는 872년에 세워진 곡성 대안사 적인 선사탑비를 비롯하여 858년에 작성된 장흥 보림사 비로자나불좌상 명문, 855년에 만들어진 「경주 창림사 무구정탑지」 등에 이르기까지 허다하게 확인된다. 따라서 혹자가 제기한 지명 복구설은 허구로 드러났다.

행정지명을 757년에 전면적으로 고쳤다고 했지만, 기존 백제와 고구려 지명을 여전히 사용하는 경우가 나타난다. 가령 804년(애장왕 5)에 주조된 襄陽 禪林院址 鐘銘을 보면 '管城郡' 대신 '古尸山郡'이라는 백제 지명을 여전히 사용하고 있다. 광양에 소재한 마로산성에서는 신라 행정지명인 '晞陽縣' 명문 기와는 단 한 점도 출토된 바 없다. 반면 '馬老官' 명문 기와만 출토되었다. 백제 때 행정지명인 '馬老'가 신라의 공용관청격인 마로산성에서 공공연히 사용된 것이다. 이는 어떤 형태로든 멸망시킨 국가의 정체성 파괴를 하지 않은 신라의 정치적 무능에 기인한 바였다.[74] 804년에도 백제 지명이 鐘銘에 등장하였다. 이로 볼 때 '마로관' 명문 기와 등은, 후백제 등장에 따른 복고풍이나 정체성과 직접 관련 짓기는 어렵다.

3. 근거 없는 악의적 인식 타개를 위한 방안

1) 악인으로 命名된 진훤의 眞面目

후백제를 건국한 진훤에 대한 평가는 다음에 보이는 『삼국사기』 사론에서 확정되었다. 김부식은 궁예와 진훤을 大惡人으로 규정하였다. 이러한 평가는 후인들에게 실로 지대한 영향을 미쳤다.

---

74 이도학, 『분석고대한국사』, 학연문화사, 2019, 871~873쪽.

k. 진훤은 신라의 백성에서 일어나, 신라의 祿을 먹었으면서도 禍心을 품고 나라의 위태로움을 다행으로 여겨, 도읍을 침범하여 임금과 신하를 마구 죽이기를 마치 짐승 사냥하듯이, 풀 베듯이 하였으니 실로 천하에서 가장 흉악한 자였다.[75]

진훤은 신라인이고, 게다가 신라의 祿을 먹은 처지에서 반역하였고, "임금과 신하를 마구 죽이기를 마치 짐승 사냥하듯이, 풀 베듯이 하였으니"라고 했다. 927년에 후백제군의 경주 습격을 일러서 도륙을 말하고 있다. 진훤전의 말미 生評에 적혀 있는 글귀다 보니까 그가 평생 신라인들을 적대시한 것으로 비칠 수 있었다. 더욱이 김부식은 "신라는 운수가 다하고 道를 잃어 하늘이 돕는 바가 없고 백성이 돌아갈 바가 없었다. 이에 群盜들이 틈을 타서 일어났는데, 마치 고슴도치 털 같았다"[76]고 했다. 신라의 멸망은 진훤에 의해서만은 아니었다. 신라 스스로가 '道를 잃어'라고 했듯이 누구를 원망할 계제가 되지 못했다. 그럼에도 진훤과 궁예만을 표적삼아 비난한다는 인상을 지울 수 없었다.

진훤은 擧兵하여 무진주를 점령한 후 공공연하게 왕을 칭하지 못한 이유는, 신라를 의식해서였다. 그가 927년에 경주를 장악하고, 공산에서 대승을 거둔 직후 왕건에게 보낸 국서에서 신라의 陪臣임을 분명히 했다. 진훤은 궁예와는 달리 줄곧 신라 관제를 사용했다. 심지어 900년에 그는 "드디어 스스로 후백제왕을 칭하면서 官을 두고 職을 나누었다"[77]고 했지만 신라 관제에서 벗어나지 않았다. 진훤은 평생 신라를 적대시하지는 않았다. 신라에 대한 무자비한 살육자도 아니었다. 그는 어디까지나 신라의 기존 질서를 받아들이면서 受禪하려고 하였다.[78] 힘으로 굴복시키는 파괴자가 아니었다. 평화적인 정권교체를 염두에 두었던 것이다.

그럼에도 김부식은 "… 진훤이 자신의 자식들에게서 禍를 당한 것은 모두 자신이 취한 것이니 또 누구를 탓하겠는가? … 하물며 궁예와 진훤 같은 凶人이 어떻게 우리 태조와 대적할 수 있으리요? 단지 그를 위해 백성을 몰아다 준 자일 뿐이었다"[79]고 평했다.

이러한 김부식의 평가에 左袒하는 이들이 많다. 그런데 김부식은 일어나지 않은 일을 예측하기

---

75 『三國史記』권50, 甄萱傳. "甄萱起自新羅之民 食新羅之祿 而包藏禍心 幸國之危 侵軼都邑 虔劉君臣 若禽獮而草薙之 實天下之元惡大懟"
이 구절의 '元惡'은 진훤을 가리키는 "先銷元惡 似魏皇滅蜀之時(『瑞雲寺了悟和尙碑銘』)"에서도 보인다.

76 『三國史記』권50, 甄萱傳. "新羅數窮道喪 天無所助 民無所歸 於是 羣盜投隙而作 若猬毛然"

77 『三國史記』권50, 甄萱傳. "恭惟大王神武超倫 英謀冠古 生丁衰季 自任經綸 徇地三韓 復邦百濟 廓淸塗炭 而黎元安集 皷舞風雷 而邇遐駿奔 功業幾於重興"

78 이도학, 「후백제 진훤의 受禪 전략」『민족문화논총』78, 영남대학교 민족문화연구소, 2021, 409~441쪽.

79 『三國史記』권50, 甄萱傳. "故弓裔見棄於其臣,甄萱產禍於其子 皆自取之也 又誰咎也 雖項羽‧李密之雄才 不能敵漢‧唐之興 而況裔‧萱之凶人 豈可與我太祖相抗歟 但爲之敺民者也"

보다는 이미 일어난 결과를 놓고 원인을 찾은 것이다. 이러한 평가는 그리 어렵지 않다. 진훤의 경우는 '그럴 줄 알았다'는 식의 후견편파(hindsight bias)인 결과론적인 평가를 받고 있다. 그가 최종 승자였다면 내밀지도 못했을 멸망 원인들이었다. 육당 최남선이 직설적 화법으로 '千古의 陰謀家 王建'[80]이라고 단언한 데는 이유가 있었다. 속지 말라는 말이 아니겠는가?

사실 김부식이 지은 『삼국사기』에서도 927년에 후백제군이 경주에서 회군할 때 "又取國帑·珍寶·兵仗 子女·百工之巧者 自隨以歸"라고 하였다. 진훤의 인적 자원에 대한 확보를 "스스로 따르게 하여 돌아갔다"고 적었다. 그러나 왕건은 이를 "姬妾則取以同車 珍寶則奪之稛載"라고 기록했다. 즉 진훤이 미인이나 여자를 가리키는 '姬妾'과 '珍寶'만 약탈한 것으로 적었다. 진훤은 '兵仗'도 취했지만, 확보한 '子女·百工之巧者'를 강제로 데려 온 게 아니었다. 자발적으로 따라오게 했다고 김부식은 적어놓았다. 그럼에도 많은 이들은 '千古의 陰謀家 王建'의 말에 속고 있는 것이다. 이 밖에 후삼국기를 대상으로 한 사서 기록의 不偏과 왜곡은 이미 정리되어 제시된 바 있다.[81]

2) 누가 농민을 위한 길을 걸었는가?

진훤과 농민과의 관계에서 收稅에 관한 기록이 전혀 남아 있지 않고, 비록 修辭가 많은 진훤 아들 神劒의 敎書에 적혀 있는 내용이지만 "대왕의 神武는 보통 사람보다 빼어나게 뛰어나셨고, 영특한 지혜는 만고에 으뜸이라, 말세에 태어나셔서 스스로 세상을 건질 소임을 지고 삼한 지역을 순행하시면서 백제라는 나라를 회복하셨으며, 진구렁이나 숯불에 떨어진 것과 같은 고통을 쓸어버리니 백성들이 평안하고 화목하게 되어 북을 치고 춤을 추었고, 광풍과 우레처럼 먼데나 가까운데나 준마처럼 달려, 功業이 거의 重興에 이르렀습니다[82]"라고 하였던 만큼, 농민층의 열렬한 지지를 얻었음은 부인하기 어렵다. 농민층의 지지는 진훤이 국가 창건에 성공하게 된 배경으로서 지역 정서인 백제의 부활과 더불어 그 한 軸을 이루는 요소였다. 여기서 농민층의 지지라는 것은 收稅의 輕減에 있었음은 말할 나위 없을 것이다. 즉 그는 농민들을 과중한 수탈과 질곡에서 해방시켰다.

921년 여름에 진훤은 통진대사 경보를 만나게 된다. 즉 "이때 州의 都統인 太傅 甄萱이 萬民堰에서 군대를 이끌고 있었다(有州尊都統甄太傅萱統戎于萬民堰也)"라고 하였다. 이 구절에 대한 해석본의

---

80 崔南善, 『尋春巡禮』, 白雲社, 1926 ; 『六堂崔南善全集 6』, 玄岩社, 1973, 274쪽.
81 이도학, 「권력과 기록」 『東아시아古代學』 48, 2017, 31~40쪽.
82 『三國史記』 권50, 甄萱傳.

誤譯이 극심하다.[83] 경보가 중국에서 귀국했을 때 만경강 하구 신창진에 상륙했다고 본다. 그렇다면 경보의 動線 上 만민언은 만경읍에 소재한 菱堤 저수지로 비정할 수 있다. 만민언이라는 제방의 존재와 관련해 군대가 언급되었다. 이는 제방과 관련한 일련의 토목 공사에 군대가 동원되었음을 암시해 준다. 그것도 진훤이 몸소 군대를 동원

4-10 통진대사 비편

하여 만민언이라는 제방을 축조·증축하는 모습을 그려 볼 수 있다. 제방과 군대가 함께 등장하는 이 기사는 屯田의 시행을 뜻하는 것이다. 둔전은 싸우면서 농사 짓는[且戰且耕] 군량 조달 방법이었다.[84] 군대 스스로가 식량을 생산함으로써 국가 경비 지출을 줄이는 동시에 보급·병참 문제를 해결하는 방책이다. 이는 중국의 後漢末 曹操가 시행하여 크게 효과를 본 제도였다.[85] 요컨대 이는 진훤이 둔전이나 灌漑를 통하여 백성들의 생활 향상을 위한 농업경제의 증진에 비상하게 심혈을 쏟았음을 躍如하게 알려준다. 유명한 당진의 합덕방죽을 비롯해 진훤이 조성한 농경시설이 전해온다.[86] 이러한 경제적 안목이 그가 웅강한 국가를 만들 수 있었던 배경이었을 것이다. 이와 관련해 조선 정조 때 경기도 수원에 축조한 3개의 인공 저수지인 萬石渠·萬年堤·祝萬堤라는 이름에서 한결같이 '萬' 자가 보이는 점이 주목된다. 이와 후백제의 제방인 '萬民堰'은 상호 연결되므로 어떤 공통점을 생각하게 한다.

3) 굽혀진 역사를 바로 펴기 위해

사료 속에 제시되어 있는 왕건의 중요한 장점 가운데 "관대함이다. 자신의 가혹한 적들에 대해서

---

83 이도학, 「진훤과 후백제의 꿈과 영광」 『견훤, 새로운 시대를 열다』, 국립전주박물관, 2020, 23쪽.

84 『朝鮮經國典(下)』, 政典 屯田.

85 宮崎市定 著·조병한 譯, 『중국사』, 역민사, 1983, 168~169쪽.
　　『三國志』 권1, 魏書, 建安 원년 조. "是歲用棗祗 韓浩等議 始興屯田"
　　우리나라에서 屯田의 기원은 삼국시대까지 소급시킬 수 있는 여지가 없지도 않다. 서울 아차산의 고려군 보루에서 출토된 농기구들이 둔전 가능성을 엿보여 주기 때문이다.

86 李道學, 「後百濟 甄萱의 農民 施策에 대한 再檢討」 『白山學報』 62, 2002, 131~137쪽.

조차도 자비롭게 용서해주는 성품이었기에, 양팔을 벌리며 적들을 맞이해 주었고, 폭력의 시대에 자비심과 평화의 典型으로서 나타나고 있다"[87]고 했다. 후백제 항복 직후 고려군이 전주에 입성한 기사가 다음에 보인다.

　ㅣ. 태조가 군령을 嚴明히 하자 士卒들이 秋毫도 범하지 않은 까닭에 州縣은 안도하였고, 노인과 어린이
　모두 만세를 불렀다. 이에 (후백제) 將士들을 存問하여 능력을 헤아려 임용하였고, 小民들은 각자 그 하는
　일에 안주하였다.[88]

위의 기사에 따르면 왕건은 仁政을 베풀었고, 후백제 주민들로부터 열렬한 환영과 인심을 얻은 것처럼 비친다. 그러나 이는 명분적인 지극히 원론적인 언사에 불과한 것이다. 왕건은 결단코 자비로운 인물은 아니었다. 가령 "진훤이 勁卒을 뽑아 烏於谷城을 공격하여 빼앗고 戍卒 1천 명을 죽였다. 장군 楊志・明式 등 6인이 나와서 항복하자, 왕은 諸軍을 毬庭에 집결시키고 6인의 妻子를 모든 군사들 앞에서 조리돌리고 棄市했다"[89]고 한 냉혹한 인물이었다.

구체적으로 살피면 왕건은 세간의 이미지와는 달리 후삼국 통일 과정에서 '제압하기 어려웠던 사람들의 후손들'이나 '逆命者' 혹은 왕건에 끝까지 대적했던 이들은 賤役이나 고된 役에 종사시켰다. 여기서 '逆命者'는 통일전쟁 중 왕건에 반대했던 세력을 가리킨다. 이들에게는 통일 후 무거운 징벌이 가해졌다.[90] 왕건은 자신에 거역한 세력들에게는 畜姓까지 부여했다.[91] 그랬기에 육당 최남선은 왕건을 딱 잘라 '千古의 陰謀家'로 규정하였다.[92] 천고에는 '오랜세월을 통하여 유례가 없을 정도로 드묾'이라는 의미가 포함되었다. 음모가는 '흉악한 음모를 꾸미는 것을 일삼는 자'라는 뜻만 남아 있다.

이러한 맥락에서 볼 때 후백제 전주 도성은 당초의 도시 기획과는 딴 판으로 후대에 남겨졌다고 본다. 고려는 후백제를 영구히 소멸시킬 심사였다. 왕건이 후계 왕들에게만 극비로 전한 지침인 「훈

87　G.Cameron HurstⅢ, "The Good, The Bad And The Ugly" :Personalities in the Founding of the Koryo Dynasty *Korean Studies Forum*, No7, 1981, p.13.

88　『三國史記』권50, 甄萱傳. "太祖軍令嚴明 士卒不犯秋毫 故州縣案堵 老幼皆呼萬歲 於是 存問將士 量材任用 小民各安其所業"

89　『高麗史』권1, 태조 11년 11월 조. "甄萱選勁卒 攻拔烏於谷城 殺戍卒一千 將軍楊志・明式等六人出降 王命集諸軍于毬庭 以六人妻子 徇諸軍棄市"

90　박종기,『고려의 부곡인, 〈경계인〉으로 살다』, 푸른역사, 2012, 74~75쪽.

91　『新增東國輿地勝覽』권16, 忠淸道 木川縣, 姓氏 條. "本縣 : 牛・馬・象・豚・場・沈・申・王[諺傳高麗太祖開國 以木州人屢叛嫉之 賜其邑姓 皆以畜獸 後改牛爲于 改象爲尙 改豚爲頓 改場爲張"

92　崔南善,『尋春巡禮』, 白雲社, 1926 ;『六堂崔南善全集 6』, 玄岩社, 1973, 274쪽.

요십조」에서 드러난다. 그는 풍수지리를 이용해 "車峴以南 公州江外" 사람들에 대해 "山形과 地勢 또한 背逆으로 뻗었는데, 人心 또한 그러하다"는 이유로 '그 아랫 州郡人'들의 기용을 막았다. 그 이유는 "통합당한 원한을 품고 왕실을 침범하며 난을 일으킬 수도 있다"[93]는 데 있었다. 실제 현종이 거란의 침략을 받아 參禮驛에 이르렀을 때였다. 현종은 "전주는 곧 옛 백제로서 聖祖께서도 이곳을 미워하셨으니 주상께서는 행차하지 마소서"[94]라는 말을 듣고 전주에 들어가지 않았다. 여기서 "聖祖께서도 이곳을 미워하셨으니"는 왕건을 가리키는 것이다. 이는 「훈요십조」의 8조와 부합한 언행이 아닌가? 이를 염두에 두고 전주에 대한 왕건의 처리 방안을 상정해 보아야 한다.[95]

『완산지』에 따르면 전주천의 水路는 지금과는 달랐다. 전주는 풍수상 行舟形 지형이었기에 전라 감영지 동서로 두 갈래 물줄기가 있었다. 그런데 고려가 한벽당 서쪽에 제방을 축조하여 전주천 물줄기 흐름을 서쪽으로 틀었다. 동쪽의 물줄기를 차단한 것이다.[96] 이러한 행위는 풍수지리를 이용해 전주를 영구적으로 망가뜨리려는 의도 외에는 달리 생각할 수 없다. 『완산지』의 관련 기사를 다음에서 전문 인용하였다.

　　m. 예로부터 전하는 말에 (전주의) 州治는 동쪽에 자리잡고 서쪽을 향하였는데, 어느 때부터 고쳐져 남

　　향이 되었는지는 모르겠다. 말하는 사람들은 (전주가) 앞이 높고 뒤가 이지러져서 흠이라고 한다. 그러

　　나 풍수가들 말로는, 이곳은 바로 배[舟]가 가는 형상이라고 하는데, (현재는 막혀서) 통하지 않는다. (그럼

　　에도) 그 흐름을 이끌어 옴이 없고, 말라 아무 것도 없는 늪[乾虛藪]에 이르도록 빈 곳을 막은 것이 재앙이

　　되었다고 하는데, 그러한지 아닌지는 모르겠다. 남대천이 옛날에는 오목대 밑을 따라 흘러갔으므로 물

　　길이 지금까지도 아직도 남아 있어서 민가의 땅을 깊이 한 자만 파도 간혹 죄다 모래와 자갈이다. 생각해

　　보니 이곳은 옛날 물이 흐르던 곳이었으니 푸른 바다가 뽕나무 밭이 되고 높은 언덕이 깊은 골짜기가 되

　　는 변화가 참으로 헛말이 아니다. 아! 산천의 바뀜도 또한 이와 같은 데 古今 풍속이 같지 않으니, 또 어

93　『高麗史』권2, 태조 26년 4월 조. "其八日 車峴以南 公州江外 山形地勢 並趨背逆 人心亦然 彼下州郡人 參與朝廷 與王侯國威婚姻 得秉國政 則或變亂國家 或銜統合之怨 犯蹕生亂 且其曾官寺奴婢 津驛雜尺 或投勢移免 或附王侯宮院 姦巧言語 弄權亂政 以致災變者 必有之矣 雖其良民 不宜使在位用事"

94　『高麗史節要』권3, 현종 2년 1월 조. "壬午 至參禮驛 全州節度使趙容謙以野服迎駕 朴暹奏曰 全州卽古百濟 聖祖亦惡之 請上勿幸 王然之 直至長谷驛 宿焉"

95　조법종, 「後百濟 全州의 都城구성에 나타난 四靈체계」 『한국고대사연구』 29, 2003에서 "한편, 고려 태조의 訓要十條에 나타난 풍수지리에 힘입어 고려가 건국하였다는 인식과 연결되어 기존 후백제적 통치 이념과 연결되었던 전주의 도성 구조와 체계를 변화시켰을 가능성이 높다고 생각된다(210쪽)", "후백제 왕도 전주의 도시 구조를 의도적으로 재편하고(215쪽)"라고 한 바 있다.

96　곽장근, 『전북고대문화 역동성』 서경문화사, 2021, 242쪽.

찌 전하는 것도 그렇지 않으리요?[97]

行舟形 지형인 전주에는 응당 배가 가는 물길이 있어야 하는데 막혀 있다는 것이다. 乾虛藪에 이르기까지 물길을 막은 것이 재앙이었다는 속설을 소개하였다. 여기서 乾虛藪는 『完山誌』에서 "鎭北寺 : 乾虛藪에 있었는데, 府의 북쪽 5리이다. 지금은 廢하였다"[98]고 했다. 20세기에 중창된 진북사는 지금의 진북동 진북터널과 서신교 사이의 산자락에 자리하였다. 문제는 진북사가 소재한 곳을 건허수로 일컬었다는 것이다. 『완산지』에 등재된 '全州地圖'에도 鎭北亭과 乾虛藪가 좌우로 나란히 표시되었다. 일제 때 출간된 『全州府史』에도 '藪里'라는 지명으로 남아 있다. 그러므로 건허수는 고유명사로 보인다. 이와 관련해 "至以乾虛藪之 障空爲咎"라는 구절은, "북쪽이 비었기에 이곳에 숲을 만듦으로써, 빈 곳을 막은 것이 허물이 되었다"[99]는 해석도 가능해진다. 실제 건허수 지역은, 雜木地로서 현재 진북동 우성아파트에서 금암동 KBS전주총국에 이르는 곳을 가리킨다. 乾方의 공결을 막기 위해 잡목을 심어 놓았다.[100] 그로 인해 乾虛藪는 고유명사로 굳어진 것이다.

風水地理에서 행주형 지형은 사람과 재물을 가득 싣고 배가 떠나는 형세를 가리킨다. 그러므로 도읍이 번영할 것이라는 예언을 받았다. 고구려 도성이었던 평양도 대표적인 행주형 지형에 속한다.[101] 이와 관련해 "전주천 河床의 변천을 검토해 보면, 옛날에는 그 줄기가 한벽당 밑에서 이목대 · 오목대 밑을 휘돌아 지금의 철도 노선과 대략 비슷한 길을 따라 똑바로 뻗어나가 德津池가 있는 곳에서 楸川으로 흘러들었던 시대가 있었을 것으로 추정된다"[102]는 기술이 주목된다. 당초 전주 시가지를 에워싼 반월형 물길 가운데 한벽당 부근에서 북상하는 물길이 막혔다는 것이다.[103] 막힌 시

---

97 『完山誌』卷上, 故事, 鄕里記言. "舊傳 州治坐東向西 不知何時改爲南向 論者以前高後缺爲欠 而堪輿家云云 此乃行舟形 不通 無以導其流 至以乾虛藪之障空爲咎 未知然否 南大川舊從梧木臺下流去 川道至今尙存 閭閻之中掘地深尺 則往往皆沙礫 想是舊日水流處 滄田陵谷之變 信不虛矣 噫山川之移易 尙復如此 古今風俗之不同 又安傳不然耶"

98 『完山誌』卷上, 佛宇. "鎭北寺 : 在乾虛藪 府北五里 今廢"

99 全州府, 『全州府史』1942 ; 전주시 · 전주부사국역편찬위원회, 『국역 全州府史』2009, 36쪽 참조.

100 全州府, 『全州府史』1942 ; 전주시 · 전주부사국역편찬위원회, 『국역 全州府史』2009, 169쪽. 254쪽.
    崔南善도 "이 德池는 건너편 '숲亭'과 한가지로 西北 空缺한 府의 地勢를 補足하기 위하는 施設이던 것이라는데, 유명하던 '숲亭'도 이제 와서는 數十株 고목에 舊意가 略存할 뿐인즉"(崔南善, 『尋春巡禮』, 白雲社, 1926 ;『六堂崔南善全集 6』, 玄岩社, 1973, 262쪽)라고 언급한 바 있다.

101 村山智順, 『朝鮮の風水』, 朝鮮總督府, 1931, 751~752쪽.

102 全州府, 『全州府史』1942 ; 전주시 · 전주부사국역편찬위원회, 『국역 全州府史』2009, 167쪽.

103 이 물길에 대한 구체적인 확인 사례는 全州府, 『全州府史』1942 ; 전주시 · 전주부사국역편찬위원회, 『국역 全州府史』2009, 168~171쪽이 참고된다.

점은 "그런데 후백제의 멸망을 전기로 … 분지 일대가 대략 지금과 비슷한 지형이 되었으며"[104]라고 했다. 이처럼 풍수상 배가 나가지 못하도록 가둬 둔 형상을 만들었으니, 풍수지리에 입각한 인위적인 차단인 것이다.

게다가 다음 가련산 전설은 건지산과 이어질만한 곳인데 끊어졌기에 그러한 山名이 생겨났고, 전주부의 북쪽 방향이 푹 꺼진 듯해서 기맥이 새나가는 것을 막기 위해 다음과 같은 큰 제방 德津池를 축조했다고 한다.

n. 可連山 : 府의 서쪽 10리에 있으며, 乾止山의 산세가 여기에 와서 끊어졌는데, 사람들의 말이 이어져야 할 곳에서 끊어졌다고 하여 가련이라 이름한 것이라고 한다.[105]

o. 德津池 : 부의 북쪽 10리에 있다. 부의 지세는 서북방이 비어 있어 전주의 氣脈이 이쪽으로 새어 버린다. 그러므로 서쪽으로는 가련산으로부터 동으로 乾止山까지 큰 둑을 쌓아 기운을 멈추게 하고 이름을 德眞이라 하였으니, 둘레가 9천 73자이다.[106]

德津池의 조성 배경을 설명하고 있다. 德津池 조성 이전에는 가련산~건지산 사이는 터져 있었다고 한다. 풍수상 당초 두 개 산은 서로 이어졌거나 어떤 형태로든 연결시켰어야 했다. 관련해 후백제 시기의 '古土城'을 북방의 空缺에 대한 사상적 방위 조치로 해석하였다.[107] 결국 후백제 멸망 직후 '古土城'의 훼손에 따라 풍수상 가련산~건지산 사이의 끊어진 부분은 노출되었다. 그리고 반월형을 이루는 행주형 지형의 물길 한 곳은 막았던 것 같다. 따라서 풍수상 전주는 몹시 불리한 국면에 처한 것이다.

그러면 이제는 전주 鎭山의 이동을 살펴 본다. 『신증동국여지승람』을 비롯한 지리서에는 전주의 鎭山을 건지산이라고 했다. 원래는 기린봉이 主山이었지만, 기린봉의 王 기운을 누르기 위해 주산을 건지산으로 잡았다는 것이다. 고려에 접어들어서 이와 같이 바뀐 것으로 간주하고 있다. 그러나 조선 왕조의 관향이 전주인데다가 현재 왕조를 이어가고 있는 상황이었다. 조선이 전주를 눌러야할 이유는 없었다. 풍수지리를 이용한 왕건의 전주 지역 제압으로 보는 게 온당하다. 그리고 인봉리에

104 　全州府, 『全州府史』 1942 ; 전주시·전주부사국역편찬위원회, 『국역 全州府史』 2009, 168~169쪽.

105 　『新增東國輿地勝覽』 권33, 全羅道 全州府, 山川. "可連山 在府西十里 乾止山勢至此而絶 俗以可連而絶 故名"

106 　『新增東國輿地勝覽』 권33, 全羅道 全州府, 山川. "德津池 在府北十里 府之地勢 乾維空缺 氣脈泄焉 故西自可連山東屬乾止山 築大堤以止之 名德眞 周九千七十三尺"

107 　全州府, 『全州府史』 1942 ; 전주시·전주부사국역편찬위원회, 『국역 全州府史』 2009, 41쪽.

서 대규모 화재를 상정하는 燒土層은, 이곳에 소재했던 화려한 후백제 왕궁의 소각을 뜻한다.[108] 이와 더불어 "아마도 동고산성에 건립되었던 여러 건축물들도 고려에 의해 의도적으로 파괴되었을 가능성도 있다. 역시 후백제의 도성 건물 역시 고려의 통일과 함께 파괴되었을 것은 거의 분명하다. … 후백제의 도성으로서의 기능을 분쇄시키는 것은 후백제 인민들의 결집력을 약화시키는 것으로 당연한 일이었을 것이다"[109]고 단언했다. 이와 더불어 전주의 別號로서 "혹은 甄城으로 일컫는다[淳化 연간에 정했다]"[110]고 한 '견성'이다.[111] 순화 연간(990~994년)은 고려 성종 9년~13년에 해당한다. 이때 제정한 別號 甄城은 '甄萱城'의 略記이자 후백제 수도에 대한 卑稱이었다. 敵讎 진훤의 거점이었음을 환기시켜 警覺을 촉발하려는 의도였다.

이렇듯 철저히 파괴되어 망실된 역사가 후백제 전주 도성의 역사였다. 그렇다고 여기서 비관만하고 멈춘다면 역사를 배우는 의미가 없다. 이루지 못한 후백제의 나머지 영광과 이상을 구현하기 위해서는 道民을 결집할 수 있는 축제로 승화된 재현 의식이 효과적이다.

唐에서 대략 30년만에 1회하였던 開塔 의식을 922년에 미륵사에서 처음 개최하였다. 開塔은 당의 法門寺가 저명한 사례로 전한다. 그러니 일부 허물어진 석탑재를 개축하는 불교 의식따위는 아니었다. 불탑 수리를 일컬어 '개탑'이라고 한 경우는 없었다. 요컨대 태평성대와 화락을 상징하는 개탑 의식 재현을 통해 미래 세계로 가는 비전을 제시하는 것이다. 2022년은 미륵사 개탑 1100주년이 아닌가? 기념이 필요할 것 같다.

이와 더불어 전주의 뿌리인 후백제 상징물을 찾는 작업이 필요하다. 후백제 문화는 '전통 속의 변화와 다양성'을 말하고 있다.[112] 현재 확실하게 지목할 수 있는 후백제 미술품은 완주 봉림사지 석조 삼존불과 오층석탑, 석등 그리고 오월국 연호인 '天寶' 명문이 새겨진 남원 개령암지 마애불좌상, 후백제 正開 연호가 새겨진 실상사 편운화상부도이다. 편운화상부도는 "한국이나 중국에서 모두 찾아보기 어려운 형식"[113]이라는 평가를 받고 있다. 그렇다면 후백제 양식이라는 말을 해도 지나치지 않을 것 같다. 실제 통일신라의 八角堂形과는 달리 "片雲和尙 浮屠의 전체적인 구조와 외관은 香垸을

108 곽장근,『전북고대문화 역동성』, 서경문화사, 2021, 266쪽.

109 김주성,「후백제의 왕궁 위치와 도성 규모」『한국고대사연구』74, 2014, 101쪽.

110 『世宗實錄』地理志, 全羅道 全州府. "或稱甄城[淳化 所定]"

111 『資治通鑑』의 胡三省 註에서 魏 明帝의 생모인 '甄夫人'에 대해 "甄, 之人의 翻(黃初 7년 조)" 즉 '진'으로 읽는다고 했다. 반면 동일한 책에서 '曹操軍甄城'라는 구절의 주석에서 '甄城'은 "甄, 音은 絹(初平 4년 조)" 즉 '견'으로 읽었다. 姓인 경우는 '진'으로 읽었던 것이다.

112 이도학,「총론--후백제사 연구의 쟁점과 과제」『후백제와 견훤』, 서경문화사, 2021, 35~36쪽.

113 주경미,「吳越國과 韓半島의 佛敎文化 交流 新論」『역사와 경계』106, 2018, 228쪽.

4-11 실상사 조계암 터의 편운화상부도

4-12 봉림사지 석등 간주석과 하대석 부분

거의 그대로 飜案하였다고 볼 수 있을 만큼 동일하다. … 香坑을 浮屠로 성공적으로 飜案했음을 알 수 있다. … 기발한 착상과 창의성을 엿볼 수 있게 한다"[114]는 평가를 받았다. 가장 확실하고 분명한 후백제 미술품인 편운화상부도에 대한 평가는 주목된다. 후백제 문화의 특징인 '전통 속의 변화와 다양성' 그리고 창의성에 부합하기 때문이다.

그리고 봉림사지 석등(보물 제234호)에 대한 평가도 살펴 본다. 현장의 안내판에는 "하대석에는 여덟장의 연꽃잎을 두장씩 겹쳐 새겨 놓았으며, 사각의 네 모서리를 둥글게 다듬은 기둥돌 전면에는 구름 속에서 승천하는 용의 모습이 정교하게 새겨져 있다. 석등의 기둥돌에 이러한 조각이 있는 예는 극히 드문 경우로 예술적 가치가 높다. … 예술성과 양식적인 측면에서 우리나라 석등 중 특이한 예로서 그 미술사적 가치가 높다"고 적혀 있다. 봉림사지 석등은 통일신라 전통을 살리고 있지만 변화를 추구한 미술품들이다. 잘 활용할 필요가 있다.

4. 맺음말

전주를 심장부로 하여 지금의 전라북도를 중심 영역으로 한 국가가 후백제였다. 그런데 역사의 패자가 된 진훤과 후백제에 대한 부정적인 인식은 고려를 지나 조선과 현재까지도 이어져 도합 1천 100년 동안이나 지속해 왔다. 가령 조선 성종과 대화를 나누던 李孟賢(1436~1487)은 "'전라도는 인심이 각박하고 악하여 도둑이 무리져서 일어나고 아랫 사람이 웃사람을 능멸하는 일이 흔히 있습니

114　엄기표, 「實相寺 片雲和尙 浮屠의 銘文과 樣式에 대한 고찰」 『전북사학』 49, 2016, 47~53쪽.

다. 풍속은 백년 동안 교화하지 않으면 고칠 수 없으므로, 임금으로서는 마땅히 염려해야 하니 무릇 綱常에 관계되는 죄를 범하는 일이 있으면 작은 일이라도 용서하지 말고 이런 풍속을 엄하게 징계하는 것이 적당합니다'고 말하였다. 그러자 임금은 '전라도는 옛 백제의 땅인데, 백성들이 진훤이 남긴 풍습을 이제껏 모두 고치지 못하였으므로, 그 풍습이 이와 같은 것이다'고 말했다. 이 말을 받아 李克基(?~1489)가 '진훤 이후로 前朝 500년을 지내고 우리 조정에 이르러서도 거의 100년이 되었으나 남은 풍속이 아직 없어지지 않아서 사람들이 모두 頑惡하니 명심하고 교화하지 않으면 고칠 수 없을 것입니다'고 하자, 임금이 가상히 여겨 받아들였다"[115]고 한다. 강상을 무너뜨린 逆鄕이요 여전히 敎化 대상으로 지목한 후백제 유민들이었다.

40년 전, 미국 캔사스대학 교수 허스트 3세(G. Cameroon Hurst III)는 "운명의 뒤틀림이 없었다면, 10세기의 한국은 진훤에 의해 통일되었을 것이다. 옛 백제의 중심 지역으로부터 한반도를 통치하는 새 왕조는 정복을 합법화시키기 위해 '백제 계승자'로서의 역사를 선전했을 왕조가 생겨났을 수 있었다"[116]고 했다. 그는 "진훤 역시 그가 '악인'이라는 이미지로부터 상당한 회복을 필요로 한다. 그는 쇠퇴하는 힘에 대항하여 맹렬히 공격한 한반도의 남서부 지역 인물이었으나, 아직도 천명을 소유하고 있는 신라 왕조와 함께 상당한 군사적·도덕적 힘을 지니고 있던 백제인이었는데, 진훤의 왕국은 거의 반세기 동안이나 존재했으며 실제로 번성했었다. 다만 지지한 사람들과 그 이유는 분명하지 않지만, 그러나 나는 그도 역시 상당한 지도력과 군사적인 자질을 소유하고 있던 인물이었음은 틀림없다고 생각하는데"[117]라며 진훤에 대한 정당한 평가를 요구했다.

후백제 문화 유산의 활용 차원에서 백제 유민들을 결집시켰던 진훤 왕의 '전주 선언', 진훤 왕의 전주 천도 행렬, '正開' 연호 반포, 성대한 미륵사 '開塔' 의례 재현 의식을 통해 전북 도민들을 결집시키고, 지역 정체성에 대한 자긍심을 배양시켜야 한다. 未踏의 소중한 후백제 유산을 축제 마당으로 승화시키고, 또 문화관광 자원으로 활용해야 하는 가슴 뛰게 하는 과제가 남았다.

---

115 『成宗實錄』성종 6년 5월 17일 조. 乙丑. "孟賢曰 全羅道 人心薄惡 盜賊群起 以下陵上者 比比有之 風俗非百年 敎化 則不能移易 在君上 所當軫念 凡有犯係關綱常 則雖小勿赦 痛懲此風爲便 上曰 全羅道古百濟地也 民染甄 萱餘習 至今未能盡變 故其俗如是 克基曰 甄萱之後 歷前朝五百年 及我朝 亦幾百年 然遺風未殄 人皆頑惡 非存 心敎化 不能變之也 上嘉納"

116 G. Cameron Hurst III, "The Good, The Bad And The Ugly":Personalities in the Founding of the Koryo Dynasty Korean Studies Forum, No7, 1981, p. 23.

117 G. Cameron Hurst III, "The Good, The Bad And The Ugly":Personalities in the Founding of the Koryo Dynasty Korean Studies Forum, No7, 1981, p. 18.

진훤의 출신지와 초기 세력 기반

1. 머리말

國家史 연구에서 백제사를 史料 부족과 연관지어 그 연구의 어려움을 토로하는 경우가 적지 않았다. 그러나 기실 후백제사만큼 연구가 온축되어 있지 않거니와 왜곡된 역사도 없을 것 같다. 후백제와 창건자인 진훤처럼 편견 속에 갇혀 있는 경우는 드물다고 본다. 가령 진훤이 군대를 이끌고 습격한『삼국사기』해당 기사의 표현을 그대로 따라서 '약탈을 자행했다'고 한다. 혹은 그가 신라 조정으로부터 이탈 · 독립하는 과정을 언급하면서 '叛心'이나 '반란'이라는 용어를 구사하는 것이다. 물론 이것은 신라→고려로 이어지는 역사 체계 속에서 서술된『삼국사기』의 용법으로는 적합할지 모른다.

진훤이 신라의 권위와 그 한계를 극복하지 못했다고 질타를 가하고 있는 게 이 방면 연구자들이다. 그럼에도 그러한 용어를 스스럼없이 사용한다는 것은 신라 중심 사관에서 벗어나지 못한 자기 모순과 자가당착에 빠져 있음을 실토하고 있는 게 아니랴. 이들은 진훤에게는 신라의 한계를 극복하지 못했다는 엄혹한 평가를 어김없이 내리고는 했다. 그렇지만 본고에서는 이러한 평가의 정당성 여부에 개입할 생각은 없다. 본고의 주제와는 거리가 있기 때문이다. 그러나 분명한 것은 있다. '반심'이니 '반란'이니 '약탈'이니 하는 용어를 거리낌없이 사용한다는 자체가 연구자 스스로 신라를 기준해서 역사적 현상을 평가하고 있음을 자인한 것이다. 이러니 후백제사와 진훤에 대한 편견의 벽

이 높다는 느낌을 받지 않을 수 없다.[1]

본고에서는 후백제를 창건한 진훤과 그 정권의 성격을 온전히 이해하기 위한 작업의 일환으로서 먼저 진훤의 출신지와 그 초기 세력 기반에 대한 검토를 시도했다. 가령 甄萱의 이름을 '진훤'으로 읽어야하는 이유, 진훤의 출신지, 그 초기 세력 형성지와 국가 창건에 성공할 수 있었던 요인 등을 다각도로 검토했다. 아울러 기존 견해의 문제점과 한계들을 적출해 보았다.[2]

2. 甄萱의 이름과 家系

甄萱의 이름은 통상 '견훤'으로 읽혀진다. 그러나 옥편을 찾아 보면 '질그릇·甄'에는 '견' 혹은 '진'으로 발음이 적혀 있다.[3] 따라서 '견훤'이나 '진훤'으로 읽을 수는 있지만, 고유명사 인명으로서는 '진훤'으로 읽어야 한다. 이는 '길'을 '질'이라고 부르듯이 'ㄱ'과 'ㅈ'은 음이 넘나들고 있는 구개음화 차원이 아니었다.

조선 후기의 대표적 역사학자인 홍여하(1621~1678)와 순암 안정복(1712~1791)은 자신들이 저술한

---

1 이에 대해서는 다음의 논문을 참고하기 바란다.
   G. 캐머론 허스트3세 著·李道學 譯, 「善人 惡人 그리고 醜人─고려 왕조 창건 속의 인물들」『고대문화산책』, 서문문화사, 1999, 319~354쪽.
2 본고는 다음과 같은 기존의 논고들을 토대로 서술하였다.
   李道學, 『진훤이라 불러다오』, 푸른역사, 1998.
   李道學, 『궁예 진훤 왕건과 열정의 시대』, 김영사, 2000.
   李道學, 「역사에서 배운다─꿈과 이상의 상징, 진훤」『태평양』, 태평양화학주식회사, 1998년 11월호. 李道學, 「백제를 부활시킨 '진훤대왕'의 생애」『견훤대왕』, 전주시립극단, 1998년 12월.
   李道學, 「문경이 낳은 혁명가, 진훤 임금」『영강문화』 46, 영강문화후원회, 1998.
   李道學, 「문경이 낳은 민족사의 영웅, 진훤에 대한 몇 가지 오해」『문경문화』 44, 문경문화원, 1999년 1월호.
   李道學, 「백제의 해양문화유적, 수성당을 찾아서」『해양과 문화』 창간호, 한국해양문화연구재단, 1999.
   李道學, 「역사 속에서 영웅의 변천」『이대대학원신문』 22, 이화여자대학교 총학생회, 2000. 12.12.
   李道學, 「새로 쓰는 한국고대사─고대체제 붕괴는 '3雄'의 공로」『뉴스피플』 449호, 서울신문사, 2000. 12.28.
3 현재 어떤 玉篇이든 '견' 音이 먼저 적혀 있다. 그런 관계로 '견훤'은 앞에 적혀 있는 음가를 취한데 불과할 뿐 특별한 이유가 있었던 것 같지도 않다. 이와 유사한 사례로서『삼국사기』백제본기의 건국 기사를 꼽을 수 있다. 여기에서는 2종류 기사를 소개하고 있는데, 본문의 온조 기사를 취신하는 경우가 많다. 그러나 김부식은 어느 기사가 옳은지를 분간할 수 없었기에 함께 수록하였을 뿐이고, 또 그랬기에 '未知孰是' 즉 '어느 것이 옳은지 모르겠다'고 하였다. 그럼에도 온조 기사를 취신하는 배경은 무엇일까? 그 기사가 본문에 우선 수록된 데 반해, 비류 기사는 割註에 작은 글씨로 수록된 데 따른 배치상의 이유가 크게 작용했음은 부인하기 어렵다.

『동사제강』과 『동사강목』에서 '진훤'으로 읽어야 한다고 각각 밝혀 놓았다.[4] 많은 典籍을 토대로 저술한 일종의 백과사전인 『증보문헌비고』에서도 甄萱의 앞 글자 音이 '眞'임을 밝혔다.[5] 또 古昌(경북 안동) 병산전투와 관련한 현지 전설에서 진훤이 지렁이로 변하여 숨었던 모래밭을 '진모래'로 일컫는다. '견모래'가 아닌 '진모래'였다. 당시 그를 '진훤'으로 불렀음을 알려준다. 이는 『完山甄氏世譜』 서문에 적혀 있는 다음 글귀를 통해서도 뒷받침된다.[6]

우리 姓 글자인 '甄'의 音은 본래 '진'에서 시작되었다. 그러나 후백제의 진훤왕이 나라를 잃은 이후, 고려 왕조에서 우리 진씨가 再起復興할 것을 두려워하고 염려하여 힘으로 항시 侮蔑의 害를 가하고자 했다. 그런 까닭에 우리 선조들은 다시는 세력을 규합하지 못하고 끝내는 나라를 일으켜 재건하지 못하였다. 이로부터 우리 가문은 점점 이름을 내는 것 없이 세상을 피하여 숨어서 삶을 도모했기에 '진' 音을 '견' 音으로 바꾸어 읽었다. 그 '甄' 音은 시종 한 글자였으나 변화되었으니 모두 견씨 가문의 盛衰의 運에 기인한 것이었다. 무릇 우리 후손들은 이에 의심없이 깨달아야 한다.

즉 甄氏 가문의 성씨는 본래 '진'으로 읽었지만, 탄압을 피해 '견'으로 읽게 되었다는 것이다. 그러므로 견훤이 아닌 진훤으로 읽는 게 백번 타당함을 알 수 있다.[7] 甄氏 가문에서 '진'으로 읽었다고 하니 더 이상 무슨 말이 필요하겠는가? 게다가 '견훤'으로 읽는 게 옳다는 주장도 없다. 姓으로 읽을 때는 '진'으로 불러야 하기에 '진훤' 발음이 옳다는 견해도 있다.[8] 실제 『全韻玉篇』에서도 姓으로 읽을 때는 '진'이라고 했다. 『자치통감』 胡三省(1230년 - 1302) 音注에도 성씨로서 甄을 '진'으로 읽었다. 물론 현재 소수 성씨 甄氏는 '견씨'로 읽고 있지만, 언제부터 그렇게 읽었는지는 알 수 없다. 분명한 것은 甄萱의 경우 '진훤'으로 읽었다는 사실이다.

---

4 『東史綱目』 第五上, 壬子, (眞聖女主) 6年 條. "南海戌卒甄[音眞]萱叛"
5 論據는 다르지만 金庠基도 '진훤'으로 읽었다(金庠基, 「甄萱의 家鄕에 對하여」 『東方史論叢』, 서울대학교 출판부, 1984, 199쪽). 文暻鉉도 이와 같은 입장이다(文暻鉉, 『高麗太祖의 後三國統一硏究』, 형설출판사, 1987, 48~49쪽). 李丙燾도 '진훤'으로 읽었음을 언급하였다(李丙燾, 『譯註 · 原文 三國遺事』, 明文堂, 1986, 273쪽). 민족문화추진회, 『국역 동사강목 Ⅲ』 1978에서도 國譯 時 죄다 '진훤'으로 표기하였다.
6 1999년 3월에 당시 경북고등학교 甄一英 교장께서 관련 족보 서문을 보내주었다.
7 李道學, 『궁예 진훤 왕건과 열정의 시대』, 김영사, 2000, 86~87쪽.
8 이이화, 『한국사 이야기 4』, 한길사, 1998, 248쪽.

저자	근거	표기
홍여하(1621~1678)	東史提綱	진훤
안정복(1712~1791)	東史綱目	진훤
조선왕조	增補文獻備考	진훤
규장각	全韻玉篇	진훤
완산견씨문중	完山甄氏世譜	진훤
현채(1907)	幼年必讀	진헌
김동인(1938~1939)	帝星臺(朝光)	진헌
민족문화추진회	국역본	진훤
문교부 등	중고교국사교과서	견훤

그러면 '진훤'이라는 이름에는 어떤 의미가 담겨 있을까? 진훤을 경상도 억양에 따라 읽게 되면 '진 훠이'가 된다. 이는 그를 지렁이의 아들로 적고 있는『삼국유사』의 출생설화와 관련 있는 것 같다. 왜 냐하면 '진훠이'는 경상도에서 지렁이에 대한 방언 '지러이'와 통하기 때문이다. 따라서 진훤은 지렁이 를 가리킴에 다름 아닌 듯하다. 비록 전설이기는 하지만 진훤과 왕건의 군대가 강을 사이에 두고 대치 하고 있을 때였다. 진훤이 渡江하자, 왕건측에서는 그가 지렁이의 아들임을 알고는 소금을 물에 풀어 죽였다고 한다. 물론 이는 허황된 설화에 불과하지만, 진훤의 이름에서 연유한 이야기로 보인다.[9]

진훤의 家系와 관련해 그의 성씨가 본래는 李氏였다는 기록이『삼국사기』와『삼국유사』에 각각 전 한다. 그리고 「李磾家記」에 의하면 "진흥대왕의 妃인 思刀의 시호는 白융夫人이며, 그의 셋째 아들 仇輪公의 아들인 波珍干 善品의 아들 角干 酌珍이 妻 王咬巴里를 아내로 맞아 각간 元善을 낳으니 이가 阿慈个였다. 아자개의 제1妻는 上院夫人이고, 제2妻는 南院夫人이니 아들 다섯에 딸 하나를 낳았다. 큰 아들이 尙父 진훤이다"[10]고 적혀 있다.

이 계보대로 한다면 진훤의 遠系는 신라 진흥왕과 관련된 김씨 혈통이라는 이야기가 된다. 진흥 왕→구륜공→선품→작진→아자개→진훤으로 이어지는 계보이다. 진흥왕은 534년에 출생한 것으로

---

9 '진훤'은 지렁이를 가리키는 地龍에서 비롯되었다는 견해도 있다. 한편 필자는 1982년 1학기말 연세대학교 대학 원 석사 과정 수업에서 하현강 교수에게 제출한 레포트에서 진훤이라는 이름은 지렁이를 뜻하는데, 그것으로 이 름을 삼는 이유로서, 얼마 전까지만 하더라도 개나 돼지와 같은 짐승 이름을 兒名으로 사용한 경우가 흔하였음 을 제기하였다. 진훤의 경우는 그러한 兒名 '지렁이'를 성인이 된 후에도 그대로 사용한 데서 연유한 것으로 보았 다. 그러나 "年十五 自稱甄萱"이라고 한 것을 볼 때, '甄萱'은 兒名에서 벗어나 어떤 비범함을 나타내는 의미가 담 겨 있는 듯하다. 즉 '年十五'는 國役을 지는 성인 반열의 연령이므로 入隊를 통한 脫鄕의 분기점에서 독립을 뜻하 는 것으로 보인다(李道學,『진훤이라 불러다오』, 푸른역사, 1998, 43쪽). 이러한 自號 사례로서는 "自號善宗(『三 國史記』권50, 弓裔傳)"과 "自稱後百濟王(『三國遺事』권2, 紀異, 後百濟甄萱 條)"이 참고된다.

10 『三國遺事』권2, 紀異, 後百濟甄萱 條.

보인다. 이것을 기준으로 1세대 30년씩 잡는다면 684년 경에 진훤이 출생해야만 한다. 그러나 이는 진훤이 태어난 867년과는[11] 무려 180년, 6세대의 시차인 것이다.[12]

이러한 문제점은 차치하더라도 진훤의 가계가 신라 왕실과 연결되었을 가능성은 전혀 없다. 李氏 집안의 계보에 신라 金氏 王家의 계보가 서술되어 있다는 자체가 선뜻 이해되지 않기 때문이다. 따라서 이 계보는 어떠한 정치적 의도에서 생겨난 것으로 보여진다. 이와 관련해『고려사』에 보이는 고려 태조 왕건의 가계 설화 모두에서 왕건의 遠祖로 '聖骨將軍 虎景'이 등장하고 있는 점과 연관 있는 듯하다. 신라 왕실에서도 이미 7세기 전반에 사라진 성골 신분이, 왕건의 가계 속에서 부활하여 등장한 것이다. 주지하듯이 이는 신라 정서랄까 전통의 계승이라는 차원에서 생겨난 것으로 보인다. 진훤의 가계 역시 그가 신라계 호족들을 포섭해 가는 과정에서 생겨난 것으로 간주한다면 가능할까? 그러나 이보다는 이씨를 칭한 아자개의 후손들이 가계의 연원을 신라 진흥왕에서 찾았던 결과로 보인다. 아자개의 혈통 역시 왕건의 遠祖와 마찬 가지로 신라 성골왕과 만난다. 차후 심도 있는 연구가 요망된다.

흥미있는 사실은 진훤의 출생지인 문경시 가은읍 현지에서는 진훤의 집안을 백제계로 연결짓는 전승이 남아 있다. 나라가 망한 후 백제인들은 풍비박산이 되었는데, 힘깨나 썼던 세력가들은 일본으로 대거 몰려 갔다고 한다. 국내에 남아 있던 군인들은 전장에 나가지 않고 백성들은 신라에 붙들려 가서 노예생활을 하지 않으려고 사방으로 흩어졌다는 것이다. 그 가운데 경제적 기반이 있는 백제인들이 산간오지인 가은읍의 아채 마을로 피란해 와 살았다고 한다.[13] 이 전설은 문헌상의 근거야 없지만 진훤이 백제 재건을 내세울 수 있던 동기 요인은 될 수 있다는 점에서 어떤 실마리를 제공해 준다는 점에서[14] 확실히 유의해 볼만하다.[15]

또 하나의 문제는 "본래 姓은 李였는데, 뒤에 甄으로 氏를 삼았다"[16]고 했듯이, 진훤의 성씨가 당초 이씨로 알려졌다는 점이다. 이씨는 신라 때부터 귀족 신분으로 분명하게 등장하고 있다. 만약 진훤

---

11 『三國遺事』권2, 紀異, 後百濟甄萱 條에 보면 "咸通八年丁亥生"이라고 하였다. 이 해는 867년이다.

12 李道學,『진훤이라 불러다오』, 푸른역사, 1998, 25쪽.

13 문경시,『甄萱의 出生과 遺蹟』1996, 80쪽.

14 이와 더불어 비록 사료적 신빙성은 없지만 참고로『完山甄氏世譜』에서 진훤의 아버지인 아자개의 성씨를 扶餘氏라고 하면서 의자왕의 태자였던 扶餘隆의 直系 8世孫이라고 했다는 사실과 연결된다는 점에서 주목을 요하고 있다. 김동인이 지은 역사소설「제성대」도 이 기록을 원용하여 건국 동기를 구축했다.

15 이와 관련해 다음과 같은 지적을 언급해 보고자 한다. "백제를 부활시킨 진훤은 지금의 경상도 땅에서 출생했지만 기실은 백제인의 후예였다. 유대인들은 2천년 간 유랑생활을 했지만 모국어와 國敎 · 國史를 지키고 있었기에 나라를 되찾을 수 있었다. 백제인들도 자신들의 정체성을 잃지 않고 있었다. 8세기 중반에 김제 만경 출신의 진표 율사가 잠들어 있던 백제의 혼을 깨워 주었다. 그 정신사적인 바탕 위에서 진훤이 백제를 부활시킨 것이다(李道學,「새로 쓰는 한국고대사--백제 멸망, 수수께끼 많다」『뉴스피플』, 서울신문사, 제430호, 2000. 8.4, 61쪽)."

16 『三國史記』권50, 甄萱傳. "本姓李 後以甄爲氏"

가문이 성씨를 지니고 있었다면 지배계급에 속하는 것이다. 아자개가 2명의 妻를 거느렸다는 사실도 이것을 뒷받침해 주는 듯하다. 그러나 진훤 가문은 귀족 신분도 아니었고, 몰락한 귀족도 아니었던 것 같다. 아자개가 2명의 처를 거느렸던 것은 그가 장군을 칭하면서 세력을 얻은 이후의 일일 것이다. 또 한편으로는 가난한 농민 출신이 장군이 되기 어렵다는 점에서 아자개의 신분을 호족 출신으로 간주하기도 한다. 그러나 이것도 편견이 아닐까 생각된다. 궁예는 밑바닥에서 立身하지 않았던가. 때가 때이니 만큼 아자개 역시 가난한 농민에서 호족으로 성장하지 말라는 법은 없는 것이다. 그러한 계기가 되었던 사건은 889년 尙州에서 발생한 元宗과 哀奴의 農民抗爭이 되겠다. 농민항쟁의 와중에서 그 지도층의 변화가 수반되게 마련이다. 또 그러한 선상에서 상주 가은현 농민 출신의 아자개는 이곳을 장악한 후 將軍을 稱한 것으로 추정하는 게 사세에 부합된다.[17]

진훤의 아버지 아자개는 "以農自活"[18]이라고 했듯이 농사를 생업으로 삼았던 가난한 농민이었다. 여기서 '自活'은 "자기 힘으로 살아 감"을 뜻한다. 그러므로 아자개를 주변에 영향력을 행사할만한 富를 축적한 인물로 간주하는 것은 지나친 상상이라고 하겠다. 또 이 기록은 아자개가 몸소 밭갈이를 하고 있을 때 그의 아내가 음식을 가지고 갔던 현장감 있는 이야기와 무리없이 연결되고 있다. 이로 볼 때 그가 농민 신분이었음은 맞는 것 같다.[19]

진훤 가문은 당초부터 성씨가 없었다고 보여진다. 그러면 왜 李氏와 관련된 기록이 남게 되었을까? 진훤이 중국대륙과 교섭을 할 때 국왕의 성씨가 필요해 이씨 성을 칭했을 수 있다. 그러나 이 보다는 그의 아버지인 아자개가 장군을 칭하는 호족으로 성장하면서 李氏 姓을 冒稱하였을 가능성이 더 크다고 본다. 즉 阿慈介의 '阿'와 音似한 기존의 성씨 가운데 이씨를 취한 것으로 생각된다. 舊韓末 서양에서 한국으로 귀화한 외국인 가운데 자신의 이름 발음에 근사한 기존의 한국어 성에 따라 이름을 짓는 경우들이 적지 않았다. 언더우드를 '元杜尤'로 표기한 것이 대표적인 예가 된다. 이름 앞 글자인 '언'과 음이 가까운 기존의 '원'씨를 성으로 삼았던 것이다. 아자개의 李氏 성도 이러한 사례에 해당되는 것으로 보인다.[20]

17　金庠基는 아자개를 원종과 애노 등의 一派로 지목한 바 있는데(金庠基,「甄萱의 家郷에 對하여」『東方史論叢』, 서울대학교 출판부, 1984, 198쪽) 주목할만한 지적으로 보인다.

18　『三國史記』권50, 甄萱傳.
　　『三國遺事』권2, 紀異, 後百濟甄萱 條.

19　진훤의 출신을 농민으로 언급한 著述로는 다음이 대표적이다.
　　朴龍雲, 『高麗時代史(上)』, 一志社, 1985, 36쪽.
　　邊太燮, 『韓國史通論』, 三英社, 1986, 148쪽.
　　韓佑劤, 『韓國史通史』, 乙酉文化社, 1970, 124쪽.

20　이름의 첫 자로 성씨를 취하게 된 예로는 고려 태조 王建의 막료들 이름을 통해서 뒷받침된다. 가령 洪儒의 '洪'

5-1 아채 마을 뒤편에서 본 마을 전경. 오른쪽 산은 옥녀봉

3. 진훤의 출생지와 전설

진훤의 출신지에 관해서는 『삼국사기』와 『삼국유사』에서 모두 '尙州 加恩縣'이라고 했다. '상주 가은현'은 지금의 경상북도 문경시 가은읍이다. 그런데 현행 국사 개설서는 물론이고[21], 중·고등학교 국사 교과서에서도 진훤의 출신지와 관련해 "본래 상주 지방 농민의 아들로서"[22]·"본래 상주의 농민 출신으로"[23] 각각 서술하였다. 진훤의 출신지를 모두 상주로 적어 놓았다. 이러한 오류는 '상주 가은현'의 '상주'가 신라 전역을 구획해 놓은 지금의 道에 해당하는 9개의 州 가운데 하나임을 간과한 채 협의의 일개 도시 이름으로 간주한 데서 비롯된 것이다. 진훤의 출신지는 상주라는 州 안에 소속된 가은현이었다. 가은현은 말할 나위없이 지금의 문경시 관내의 가은읍을 가리키는 통일신라 때 지명이다.

국사 교과서의 기재는 옛 문헌에서 진훤의 출신지를 이를테면 '경상북도 가은읍'식으로 기록한 것을 가지고, 경상북도 출신이라고 이야기하는 것과 진배 없다. 문제는 '경상북도'가 상주처럼 현재 도

씨는 어릴 적 이름인 弘述의 이름 앞 글자에서, 裵玄慶의 裵氏 또한 어릴적 이름인 白玉衫의 이름 앞 글자인 '白'에서 유래한 것이었다(文暻鉉, 『高麗太祖의 後三國統一硏究』, 형설출판사, 1987, 104쪽). 張保皐의 張氏는 본명인 弓福의 앞 글자의 '弓' 변이 달린 성씨 가운데 '張'氏를 취한데서 유래했다고 한다.

21 李基白은 『韓國史新論』, 一潮閣, 1990, 141쪽에서 "견훤은 尙州 지방의 호족 출신으로 생각되는데"라고 하였다. 그러나 同書 143쪽에서는 "궁예나 견훤과 달리 그가(왕건 : 필자) 호족이었다는 것은 그를 뒷받침해주는 토착세력이 있었으며"라고 하여 진훤이 호족이 아닌 농민 출신임을 시사하는 상호 모순된 서술을 보이고 있다.

22 교육부, 『중학교 국사』 1997, 92쪽.

23 교육부, 『고등학교 국사(상)』 1996, 108쪽.

5-2 통일신라 행정 구역도
(교육인적자원부, 『고등학교 국사』 2002)

5-3 지금의 가은역

시 이름으로 남아 있다고 할 때 진훤은 엉뚱하게도 경상북도市 출신이 되는 것이다. 그러므로 이러한 오류는 하루 빨리 시정되어야 마땅하다. 혹은 진훤의 출신지를 '경북 상주군 가은현'이라고 기재한 연구자도 있다. 그러나 가은현이 아닌 가은읍은 상주시가 아니라 문경시 관내의 邑이다. 더구나 市·郡 밑에 縣을 사용하는 행정 구역은 현재 존재하지도 않는다. 縣은 조선 왕조의 몰락과 함께 역사에서 사라진 행정 단위였다. 그럼에도 '상주군 가은현'타령을 하고 있다. 내용도 모른채 겉핥기 식으로 살펴왔음을 반증한다.

그런데 『삼국사기』의 '尙州加恩縣人也'와 같은 '尙州△△' 사례는, 통일신라 말 慧昭의 출신지를 "全州金馬人也(「眞鑑禪師碑文」)" 즉 9주의 하나인 전주의 金馬, 즉 지금의 전주가 아니라 익산이라고 한 사례와 동일하다. 그리고 "全州南原人也(「淨土寺法鏡大師碑文」)"라는 구절도 동일한 사례이다. 그 밖에 "尙州公山三郞寺(「元宗大師碑文」)"에 보이는 '公山'은 현재의 상주가 아니라 대구의 팔공산을 가리킨다. 아울러 "尙州深妙寺(「朗慧和尙碑文」)"의 '深妙寺' 역시 현재의 상주가 아니라 충북 영동군 황간에 소재했었다. 따라서 '尙州加恩縣人也'의 '尙州'는 통일신라 9州의 하나를 가리킨다.

또는 『삼국유사』에 다음과 같이 수록된 지렁이 설화에서 진훤의 母가 '光州北村' 富人의 딸로 기록된 데 근거해 그의 고향을 지금의 광주 광역시로 단정하기도 했다.

또 古記에 이르기를 옛날 한 富人이 光州 北村에 살고 있었다. (그에게는) 한 딸이 있었는데 자용이 단정하였다. 아버지에게 말하기를 "자주색 옷을 입은 남자가 밤마다 와서 잠자리를 치릅니다"고 하였다. 그 아버지가 말하기를 "네가 긴 실을 바늘에 꿰어 그 옷에 찔러 놓아라"라고 하였더니 그대로 따랐다. 이튿

날 실끝을 북쪽 담장 밑에서 찾게 되었는데, 바늘은 큰 지렁이의 허리에 찔려 있었다. 이로 인해 임신하여 한 사내를 낳았는데, 나이 15세에 자칭 진훤이라 했다.[24]

위와 같은 진훤의 출생 설화가 이른바 夜來者 설화이다.[25] 그 줄거리는 대체로 "한 마을에 처녀가 살았는데 밤마다 남자와 동침하였지만 그 남자가 어디에서 온 이였는지는 몰랐다. 이 사내의 도포 자락에 바늘을 꽂아서 따라가 보았더니 동굴에 있는 지렁이였다. 그래서 낳은 이가 나라를 세운 혹은 유명한 누구였다"라는 구성을 가지고 있다. 이 설화는 우리나라 뿐 아니라 중국과 일본 그리고 西歐에 까지 분포하였다. 서구의 '큐핏-사이킷(Cupid and Psyche)' 형 설화가 그것이다. 그 밖에 함경북도 회령 지역에 전해오는 청태조 누루하치 아버지의 출생 설화 등을 꼽을 수 있다. 이렇듯 전 세계적인 분포 양상을 보이고 있는 설화였다. 일본의 역사책인『古事記』와『日本書紀』에도 이 유형의 설화가 전한다.[26]

이 설화에서 진훤의 母가 '광주' 사람으로 되어 있다. 그런 관계로 그의 출신지를 호남 쪽으로 보는 견해가 제기되었다.[27] 그러나 진훤의 출신지는 분명하고도 구체적으로 역사책에 명시되어 있다. 그러므로 '光州 北村'은 글자 형태가 비슷한 도회 이름으로서 '尙州 北村'의 잘못이라고 보겠다. 실제 진훤이 출생한 아차 마을은 상주 북쪽에 잇대어 있는 동리였다. 따라서 이는『삼국유사』에서 더러 발견되듯이 '光州'와 글자 형태가 비슷한 '尙州'를 誤刻한 것으로 단정된다. 誤刻의 사례는 정덕본『삼국유사』에서 제법 확인된다. 가령 후백제 진훤 條만 보더라도 '完山'의 '完'을 字形이 닮은 '兒'로 誤刻하였다. 진훤의 家系와 관련하여 동일한 조목에 2차례나 등장하는「李磾家記」는「李碑家記」로도 판각되었다. 게다가「古記」의 진훤 출생설화에 이어진 景福 元年 壬子(892)의 完山郡 도읍 기사와, 진훤의 넷째 아들 金剛이 즉위하여 일리천 전투를 지휘했다는 기사는「古記」의 신뢰성을 크게 떨어뜨린다.[28] 이러한 여러 정황에 비추어 볼 때「古記」에 수록된 '光州 北村'은 '尙州 北村'의 誤刻 가능성을 한층 짙게 해 준다.

물론 광주 광역시에는 진훤의 출생지로 지목하는 '生龍洞'을 비롯하여 '甄萱臺'라는 유적이 전한다. 그런데 북구의 '생룡동'은 진훤의 출생과 관련한 구체적인 전승이 없다. '진훤대' 지명은 진훤의

24 『三國遺事』권2, 紀異, 後百濟甄萱 條.
25 이에 관해서는 다음의 논문을 참조하기 바란다.
　　徐大錫,「百濟神話硏究」『百濟論叢』1, 백제문화개발연구원, 1985.
　　金和經「百濟文化와 夜來者 說話硏究」『百濟論叢』1, 백제문화개발연구원, 1985.
26 李道學,『진훤이라 불러다오』, 푸른역사, 1998, 35~36쪽.
27 金庠基,「甄萱의 家鄕에 對하여」『東方史論叢』, 서울대학교 출판부, 1984, 200~203쪽.
　　朴敬子,「甄萱의 勢力과 對王建 關係」『淑大史論』11·12, 1982, 132~134쪽.
28 姜鳳龍,「甄萱의 勢力基盤 擴大와 全州 定都」『후백제 견훤정권과 전주』, 전북전통문화연구소, 1999, 41쪽.

출생지여서가 아니었다. 그의 초기 근거지였던데서 유래한 것이다. 따라서 후백제를 세운 진훤의 출생지가 문경시 가은읍 일대임은 너무도 분명하다. 문헌 기록과 더불어 현지의 무수한 전설과 관련 유적이 뒷받침하기 때문이다.[29]

혹자는 진훤의 출생과 관련된『삼국유사』설화를, 진훤이 무진주 즉 광주 지역 호족의 딸과의 혼인을 암시하는 것으로 간주하기도 했다.[30] 그러나 이 설화는 진훤의 母와 관련된 것이므로 그 妻系와 곧바로 연결시킬 수는 없다. 이 설화는 '진훤' 이름의 유래를 알려주는 출생설화이지 혼인설화는 전혀 아니기 때문이다. 만약 이 설화가 광주 지역과 연관된 것이라고 하자. 그렇다면『삼국유사』에 수록된 진훤 관련 전설과 유적이 문경 지역에 남겨지게 된 이유에 대한 해명이 필요하다. 그렇지 않고 넘어간다면 논리의 궁핍을 자인하는 게 된다.

그 밖에 진훤은 처음에는 "父를 위시한 선대 조상들의 계보를 진흥왕에 댐으로써 신라 왕족 출신임을 표방"하였으나 뒤에는 진훤 자신이 광주 출생설을 조작해서 유포시켰다는 견해도 있다.[31] 이러한 논리라면 聖骨將軍을 칭했던 왕건 선대설화의 경우도 신라 왕족 출신임을 표방하면서 왕건이 조작·유포시켰어야만 하지 않았을까? 그리고 진훤의 광주 출생설은 무진주를 점령한 892년 이후 전주 천도가 있던 900년 이전에 조작되었다는 것이다. 그렇다면 진훤의 신라 왕족 출신설은 그가 거병하던 889년에서 892년 사이에 조작한 게 된다. 그러나 이 같은 공개적인 '호적'의 잇따른 변개 내지는 날조가 어떻게 가능할 수 있을까? 물론 "견훤은 신라에 대한 적대적 감정과 부모와 고향 마저도 부정하는 유아독존적 심성을 강화해 갔을 것이다"라는 氏의 표현대로라면 가능한 것일까? 그럼에도『삼국사기』와『삼국유사』에서 진훤의 출신지를 모두 상주 가은현이라고 한 기록이 남게 된 배경은 무엇일까? 그에 대한 해명이 역시 필요할 것 같다. 그러나 무엇보다 진훤이 신라 왕족 출신설에서 갑자기 광주 호족 출신설로 변개시켜 내세웠다면 과연 호소력을 얻을 수 있었겠냐는 문제가 따른

---

29 이에 관한 정리·소개는 문경시,『甄萱의 出生과 遺蹟』1996을 참조하기 바란다.

30 申虎澈,『後百濟甄萱政權硏究』,一潮閣, 1993, 90쪽.
    그러나 이는 虛心하지 않는 지나친 상상이라고 하겠다.

31 姜鳳龍,「甄萱의 勢力基盤 擴大와 全州 定都」『후백제 견훤정권과 전주』, 전북전통문화연구소, 1999, 42쪽.
    물론 정치적인 의도에서 진훤의 光州出生說이 유포되었음은 文暻鉉,『高麗太祖의 後三國統一硏究』, 형설출판사, 1987, 51~52쪽과 김갑동,「후백제 영역의 변천과 멸망 원인」『후백제 견훤정권과 전주』, 전북전통문화연구소, 1999, 57~58쪽에서 이미 언급된 바 있다.
    한편 姜鳳龍은 同論文 54쪽에서 "광주를 야망 실현의 주요 거점으로 인식하여 견훤은 설화의 조작과 유포를 통해서 자신이 광주의 용과 광주 호족의 딸 사이에서 태어난 광주 최고의 호족임을 표방하였다. 이는 곧 자신의 고향(가은현)과 아버지(아자개)를 모두 부정했던 것을 의미하는 것이며, 그만큼 견훤의 의지는 확고했던 것으로 보았다"라고 했다. 그러나 이러한 견해들이 성립될 수 없음은 李道學,『궁예 진훤 왕건과 열정의 시대』, 김영사, 2000, 85~86쪽에서 구체적으로 지적하였다.

다. 이는 지극히 상식적인 의문이지만 반드시 짚고 넘어 가야 할 사안이 아닐까?

4. 진훤의 초기 세력 형성 요인과 그 세력 형성지

진훤의 초기 세력 기반을 살필 수 있는 일차적인 자료는 보이지 않는다. 그러므로 여러 가지 가능성을 열어두면서 살펴 보아야만 한다. 일단 『삼국사기』 진훤전에 따르면 "군대를 따라 왕경에 들어 갔다. 서남해로 부임하여 수자리를 지켰는데"라고 하였다. 군인으로서의 진훤은 발군의 武勇을 지녔던 것 같다. 진훤의 아들 신검이 반포한 教書에서 "대왕의 神武는 보통 사람보다 빼어나게 뛰어 나셨다"고 칭송하였기 때문이다. 그는 창을 베고 적을 대기했을 정도로 용기는 단연 다른 사병들을 앞질렀고, 해적들을 소탕하는 데 전공을 많이 세웠기에 裨將으로까지 승진하였다.[32]

그러한 진훤이 세력을 결집할 수 있었던 첫째 요인은 개인의 빼어난 武勇과 정치적 안목을 꼽을 수 있다. 이것이 예하의 軍兵을 일사불란하게 領率할 수 있었던 일종의 카리스마를 형성했다고 본다. 『제왕운기』에서 "큰 뜻을 속에 품고 때 오기만 엿보면서/ 선비 백성 모으기에 마음을 기울였다"[33]라고 한 구절이 그것을 시사해준다.

둘째는 그가 휘하에 둔 병력은 도적떼 출신의 어설픈 칼잡이들이 아니라 전문적 군사훈련을 받은 정비된 무력이었다. 즉 정규군인 국방군의 장악을 꼽을 수 있다.[34] 이 점이 삽시간에 주변의 群盜 집단을 압도하면서 세력을 크게 떨칠 수 있었던 요인으로 보인다.

셋째는 해변가에서 防戍 시절의 광대한 바다 체험은 그의 세계관 형성에 지대한 영향을 미쳤을 것으로 믿어진다. 훗날 그가 북중국의 後唐이나 거란, 남중국의 오월국, 그리고 일본과 외교 관계를 맺거나 시도하는 큰 틀 속에서 한반도 내의 주도권을 차곡 차곡 장악해 갔던 정치적 토대는 이 무렵 형성되었던 것으로 보인다. 즉 진훤의 해안 방수 시절은 당시 사회의 엘리트 계층인 유학생이나 유학승들과 접촉할 수 있는 계기를 마련해 주었다. 따라서 그들을 자신의 참모로 활용할 수 있는 전기를 구축하였다. 또 상인들의 대륙 내왕에 선박 호위와 같은 역할을 제공해주는 대가로 경제적인 富를 축적해 나갔을 수 있다. 그리고 보다 중요한 바다의 이용을 자각하는 계기가 되었다는 것이다. 그가

---

32 『三國史記』 권50, 甄萱傳.

33 『帝王韻紀』 권下, 後百濟紀.

34 申虎澈은 『後百濟甄萱政權研究』, 一潮閣, 1993, 29쪽에서 진훤 군대가 왕건 군대 보다 월등히 우세했던 이유를, 신라의 정규군을 배경으로 한 데 있었다고 보았다.

왕건 못지 않게 해상전에 능했던 요인과 대외관계를 중시한 데는 이때의 경험이 주효했던 것 같다.

이것을 토대로 하여 진훤의 초기 세력 형성지와 형성 과정을 살펴본다. 먼저 다음의 기록을 검토해 보고자 한다.

    a. 唐 昭宗 景福 원년(892)은 신라 진성왕 재위 6년인데, 총애하는 자들을 곁에 두고 정권을 멋대로 농락하니 기강이 문란하고 해이해졌다. 이것에 보태져 기근 때문에 백성들이 떠돌아다니고, 뭇 도적들이 벌떼처럼 일어났다. 이에 진훤이 몰래 분수 밖의 일을 넘겨다 보는 마음이 생겨 휘파람 불어 패거리를 모았다. 나가면서 서울 서남 州縣들을 치자 이르는 곳마다 메아리쳤다. 삽시간에 무리가 오천인에 이르렀다. 드디어 무진주를 습격하여 스스로 왕이라고 하였으나 오히려 감히 공공연히 왕을 칭하지는 못했고 스스로 新羅 西面都統指揮兵馬制置持節都督 全武公等 州軍事 行全州刺史兼 御史中丞 上柱國 漢南郡 開國公 食邑二千戶라고 했을 뿐이다.[35]

    b. 完山賊 진훤이 州에 웅거하여 스스로 후백제를 일컫자 武州 동남쪽 郡縣들이 降屬했다.[36]

위에서 인용한 a와 b 기사에 따르면 진훤은 892년(진성여왕 6)에 휘하의 병력을 이끌고 독립한 것으로 되어 있다. 그런데 진훤의 稱王 시점을『삼국사기』의 '景福元年壬子(892)' 설과는 달리『삼국유사』에는 '龍化(필자: 龍紀의 誤記임)元年己酉(889)' 설을 남겼다.[37] 이와 관련해『삼국유사』는 同 條에서 古昌戰鬪 기사를 '四十二年庚寅(930)'으로 적었다. 여기서 '四十二年庚寅'은 '진훤왕 42년'이 된다. 경인년인 930년에서 42년을 역산하면 群盜가 봉기하던 889년(진성여왕 3)이 후백제의 기점임을 알 수 있다.[38] 이 기록대로라면 a · b 기사와는 달리 상주에서 원종과 애노의 난이 일어나자 진훤은 즉각 예하의 병력을 이끌고 무진주를 점령한 것이다. 따라서 그의 매우 민첩한 擧兵이 여타의 군도 세력

---

35 『三國史記』권50, 甄萱傳. "唐昭宗景福元年 是新羅眞聖王在位六年 嬖竪在側 竊弄政柄 綱紀紊弛 加之以饑饉 百
    姓流移 群盜蜂起 於是萱竊有覦心 嘯聚徒侶 行擊京西南州縣 所至響應 旬月之間 衆至五千人 遂襲武珍州自王 猶
    不敢公然稱王 自署爲新羅西面都統指揮兵馬制置持節都督全武公等州軍事行全州刺史兼御史中丞上柱國漢南郡
    開國公食邑二千戶"

36 『三國史記』권11, 진성왕 6년 조. "完山賊甄萱 據州自稱後百濟 武州東南郡縣降屬"

37 『三國遺事』권2, 紀異, 後百濟甄萱 條.

38 이에 관한 지적은 다음과 같다.
    三品彰英,『三國遺事考證(中)』, 塙書房, 1979. 278~279쪽.
    李丙燾,『譯註 · 原文 三國遺事』, 明文堂, 1986, 275쪽.
    申虎澈,『後百濟甄萱政權硏究』, 一潮閣, 1993, 42쪽.

가운데서 일찌감치 정국의 주도권을 장악한 요인으로 보인다.

그러나 이러한 추정은 사세의 흐름에 비추어 볼 때 설득력이 약하므로 다음과 같이 해석하는 게 좋을 것 같다. 889년에 진훤은 독립을 하였고, 그로부터 3년 후인 892년에 이르러서야 무진주를 점령하고 '칭왕'한 것으로 보겠다. 그래야만 시간과 문헌 기록상의 모순이 없어지게 된다. 『삼국유사』王曆에서 "壬子에 처음으로 光州에 도읍했다(壬子 始都光州)"라고 한 기사의 壬子는, 892년이기 때문이다. 그리고 b에서 "완산적 진훤이 州에 웅거하여 스스로 후백제를 일컫자"는 기사는, 이때 완산주를 점령했다는 게 아니다. 주지하듯이 그의 근거지가 훗날 전주인데서 연유한 호칭이었다. 그러므로 위의 기사에 너무 큰 의미를 부여할 필요는 없을 것 같다.[39] 요컨대 892년은 진훤이 自署한 시점이므로, a는 自署할 때까지의 과정이 일괄 기재된 것으로 보면 무리가 없다.[40]

이와 같은 분석에 따른다면 진훤은 889년(진성여왕 3)에 휘하의 병력을 이끌고 서울 서남쪽의 州縣[京西南州縣]을 공략하였다. 그의 대열은 짧은 기간에 5,000명에 이르는 무리로 불어났다. 진훤은 백제 유민들을 흡수하고 무장세력을 조직화했던 것이다. 이를 기반으로 진훤은 892년에는 '全羅巨邑'·'南國雄藩'·'一道之衝'으로 일컬어졌던[41] 지금의 광주 광역시인 武珍州를 공략하여 장악하고는 스스로 '왕'이 되었다. 그러나 공공연하게 왕이라 일컫지는 못하고 스스로 新羅西面都統指揮兵馬制置持節都督全武公等州軍事行全州刺史兼御史中丞上柱國漢南郡開國公食邑二千戶라고 했을 뿐이다. 이 호칭은 신라 조정이 진훤의 현실적인 세력을 인정하고 부여한 것일 가능성도 있다. 그러나 그의 관작 이름에 보이는 전주·무주·공주(웅주)를 이때 석권하지는 않았으므로 자칭이라는 해석이 맞다.

그러면 진훤의 초기 세력 형성지는 어느 곳일까? 기록에 명확히 보이지는 않지만 그의 人脈 관계를 놓고 볼 때 어느 정도 유추가 가능해진다. 우선 진훤의 사위인 무진주 성주 池萱은 지금의 광주 출신 호족이 분명하다.[42] 그리고 지금의 순천 출신인 진훤의 사위 朴英規는 말할 것도 없고[43], 진훤의 御駕

39 이상의 서술은 李道學, 『진훤이라 불러다오』, 푸른역사, 1998, 83~84쪽에 의함.

40 申虎澈, 『後百濟甄萱政權研究』, 一潮閣, 1993, 37쪽.

41 『新增東國輿地勝覽』권35, 光山縣 形勝 條.

42 『世宗實錄』地理志, 茂珍郡 條.
    『新增東國輿地勝覽』권35, 光山縣 建置沿革 條.

43 姜鳳龍은 889년에 康州(경남 진주)에서 독립한 진훤이 서부 지역으로 진출하면서 순천 지역 호족인 박영규를 사위로 삼았다고 했다(姜鳳龍, 「甄萱의 勢力基盤 擴大와 全州 定都」『후백제 견훤정권과 전주』, 전북전통문화연구소, 1999, 38쪽). 이에 대해 강봉룡은 결론에서 "승주의 대호족 박영규는 파죽지세와 같은 견훤군의 진격 추세에 압도되었고, 결국 그의 사위가 되어 그 휘하에 들어가는 타협을 수용할 수밖에 없었을 것으로 보았다(姜鳳龍, 「甄萱의 勢力基盤 擴大와 全州 定都」『후백제 견훤정권과 전주』, 전북전통문화연구소, 1999, 54쪽)"고 했다. 이 논리에 의하면 박영규가 진훤의 사위가 된 시점은 889년~892년 사이가 된다. 그러나 이때 진훤의 나이는 23세~26세에 불과했으므로 사위를 삼을 수 있는 상황이 되지 못한다. 반면 진훤은 이무렵 순천 지역 호족의 딸과 혼인했을 가능성은 높다.

5-4 인가별감이었던 김총의 민화풍 초상화

行次를 맡았던 引駕別監 金摠도 순천 출신이었다. 인가별감은 御駕行次와 관련한 임무를 맡았던 만큼 진훤의 최측근이었다. 김총은 죽어서 순천의 城隍神으로 받들여졌고, 그를 제사지내는 사당이 18세기 말까지만 하더라도 進禮山(여수시 상암동)에 존재했을 정도로 위세 있는 인물이었다. 순천 김씨의 시조이기도 한 그의 묘와 사당인 同源齋는 순천시 주암면 주암리 방축동에 남아 있다.[44]

이처럼 진훤의 최측근 인맥이 지금의 광주와 순천쪽이었음은 무엇을 뜻할까? 그의 초기 세력 기반과 거병 지역을 암시해 준다. 가령 b에 보면 진훤이 역사의 전면에 등장할 때 무주 동남쪽의 郡縣이 일제히 진훤에게 降屬했다고 한다. 여기서 '武州東南郡縣'은 a의 '京西南州縣'과 동일한 지역을 가리킨다.[45] 또 '京西南州縣'은 진훤이 처음 부임해서 방수했던 '서남해'와 부합되는 곳이다. 따라서 진훤은 자신이 防戍하던 곳에서 거병했음을 짐작하게 한다.[46] 여기서 무주(광주 광역시) 동남쪽은 순천과 여수를 포함한 지역권(예전의 2市 東部 6郡 지역)으로서 그 중심지는 순천이었다. 순천은 해안을 끼고 있다.

이와 관련해 939년에 세워진 大鏡大師碑에 의하면 승려 麗嚴이 唐에서 신라로 귀국할 때인 909년에 武州의 昇平에 도달했다(此時天祐六年七月 達于武州之昇平)[47]는 기록이 주목된다. 승평은 승주 그

진훤이 박영규를 사위로 삼은 것은 순천 지역이 그가 최초로 거병했던 초기 세력 기반이었던만큼, 이와 연관된 양자 간의 강인하고도 지속적인 유대가 결국 이곳 호족과의 장인·사위 관계를 맺게 한 배경으로 보겠다. 참고로 혹자가 892년에 진훤의 연령을 27세로 파악한 관계로 이 것을 따르는 잘못이 거듭되고 있다. 진훤은 867년에 출생했으므로, 892년에는 만 25세요, 우리나이로는 26세였다.

44 金摠과 朴英規에 관한 기록은『新增東國輿地勝覽』권40, 順天都護府 人物·祠廟 條에 보인다.

45 강봉룡은 '京西南州縣'을 '경남 서부의 주현'들로 지목했지만(姜鳳龍,「甄萱의 勢力基盤 擴大와 全州 定都」『후백제 견훤정권과 전주』 전북전통문화연구소, 1999, 37쪽), 이곳은 '武州東南郡縣'과 동일한 지역을 가리킨다는 사실을 看過한데서 기인한 명백한 誤判이다.

46 진훤의 '西南海' 防戍處를 申虎澈은 영산강 하류 일대로(申虎澈,『後百濟甄萱政權硏究』一潮閣, 1993, 28쪽), 鄭清柱는 나주로 각각 추정하였다(鄭清柱,『新羅末 高麗初 豪族硏究』, 一潮閣, 1996, 193쪽).

47 朝鮮總督府,『朝鮮金石總覽(上)』1919, 132쪽.

러니까 지금의 전라남도 순천을 가리킨다. 이 사실은 기존의 인식과는 달리 남단 내륙 교통의 요충지인 순천 또한 對中國 항로와 관련한 항구였음을 알려준다.

사실 현재의 순천은 광주 광역시로 이어지는 철로와, 여수로 연결되는 철로의 분기점인 동시에 광양→하동→진주→창원→삼랑진으로 뻗어가는 경전선의 시발이요 종착역이었다. 그런 관계로 순천에는 현재 철도국이 설치되어 있을 정도로 교통의 요충지였다. 이렇듯 순천은 광주 광역시 및 나주·목포 지역과 지금의 경상남도 연안 지역을 연결하는 위치에 있었다. 지금의 광주 광역시에서 신라 수도인 경주에 이르려면 통과해야 하는 땅이 순천이었다. 그런데다가 순천만에서 중국 대륙을 왕래하는 선박이 정박한다고 해 보자. 그것을 둘러싼 해적 집단의 횡행과 이들을 소탕하기 위한 군대의 주둔을 상정하지 않을 수 없다. 실제로 南秀文(1408~1443)의 記에 보면 순천은 "남쪽으로 큰 바다에 연했으므로 곧 海寇들이 왕래하던 요충지이다"[48]고 하였다. 바로 해적 소탕 임무를 띠고 주둔했던 진훤의 신라 軍營이 순천 해안가였다. 이러한 가운데서 자연스럽게 진훤의 초기 세력과 인맥이 구축된 것으로 보인다.[49]

진훤의 초기 세력은 예하의 잘 훈련된 병력에다가 순천 지역 호족과의 혼인 관계를 통한 지역세력의 흡수, 나아가 순천만을 중심으로 횡행하던 해적 집단의 규합을 통하여 이루어진 것이다. 그러면 진훤이 왕을 칭할 정도로 급성장하게 된 요인은 무엇일까? 약탈과 파괴를 일삼는 도적떼들과는 달리 정치적인 구호를 걸고 있었기 때문일 것이다. 그것은 선동적인 색채를 강하게 띠었겠지만 차별 대우를 받고 있는 옛 백제 지역 주민들의 잠들었던 혼을 일깨우는 정신적 각성을 촉구한 듯하다. 그 지역 주민들이라면 누구도 부인할 수 없는 일종의 공감대를 형성하는 '백제의 재건'이라는 대명제 속에 주변 세력들을 하나로 규합시켜 나간 것으로 보인다.[50] 즉 명분의 선점이 진훤의 세력 급성장의 한 배경이었을 것이다. 이는 그의 정치적 안목이 빼어났음을 알려주는 동시에, 오랜 기간에 걸쳐 거병을 준비했음을 뜻한다.

그러면 진훤이 정국의 주도권을 장악할 수 있었던 요인은, 어떻게 정리할 수 있을까? 앞서 거론한 바와 중복된 면도 있지만 다음과 같이 정리된다. 첫째, 해적 소탕을 통하여 실전 경험이 풍부한 전문

韓基汶은 麗嚴의 歸國場所를 '武州의 會津(光州)'이라고 하였다(韓基汶, 『高麗 寺院의 構造와 機能』, 民族社, 1998, 24쪽).

48 『新增東國輿地勝覽』권40, 順天都護府, 形勝 條.

49 진훤의 초기 세력 근거지가 순천만 일대였음은 李道學, 『진훤이라 불러다오』, 푸른역사, 1998, 83~87쪽에 의하였다.

50 후백제의 건국 이전부터 백제를 표방하는 세력들이 散在했음은 李道學, 『꿈이 담긴 한국고대사 노트(하)』, 一志社, 1996, 124~125쪽과 李道學, 『새로 쓰는 백제사』, 푸른역사, 1997, 585쪽에서 언급한 바 있다.

적 군사력을 보유하고 있었다. 둘째, 항구에 근무하면서 유학생이나 유학승들과 교류하면서 탄탄한 참모층을 확보하는 동시에, 상인들을 통해 경제적 기반을 축적하였다. 셋째, 빼어난 정치적 안목을 지녔기에 옛 백제 땅에서 '백제의 재건'이라는 슬로건을 내걸어 주변 세력들을 휘하에 빠르게 포용하면서 정치 세력화시켰다. 넷째, 인구와 물산이 풍부한 호남 지역을 기반으로 하였다.[51]

5. 맺음말―전주 천도의 배경과 결부지어

지금까지 검토해 본 바에 따라 본고의 내용을 다음과 같이 정리할 수 있게 되었다. 많은 典籍을 원용하여 甄萱은 '진훤'으로 읽는 게 지극히 온당함을 고증하였다. 사실 '진훤'이냐 '견훤'이냐는 토론 대상조차 되지 않을 정도로 명백한 사안이었다.

진훤은 原新羅 지역에서 출생했지만 조상은 백제인으로 전해온다. 이러한 전승이 맞다면 자신의 정체성을 확인한 진훤은 백제 옛 땅에서 백제를 재건한 것이다. 그가 백제 유민들로부터 호응을 얻는 데 성공한 배경은, 본시 백제인이었던 데서 호소력이 倍加되었을 법하다.

백제 국호는 12세기와 14세기에도 등장할 정도였다.[52] 이렇듯 각별하고도 강인한 백제인들의 자기 정체성의 유지라는 맥락에서 후백제의 성립을 살펴 볼 수 있었다. 일각에서는 진훤이 호응을 얻기 위해 광주 출생설을 유포시켰다고 하지만 설득력이 없다. 이 설의 근거는 『삼국유사』에 인용된 「古記」였지만, 전체적으로 사료적 신빙성이 극히 떨어지는 내용으로 평가받았다. 게다가 진훤의 출생지라는 '光州 北村'은 '尙州 北村'의 誤刻 가능성까지 제기되었다. 따라서 「古記」에 기대어 의미를 부여하려는 시도는 어불성설이다.

진훤은 889년에 발생한 상주 지역 농민봉기인 '원종과 애노의 난'을 계기로 신라 권력 체계로부터 이탈·독립했다. 또 이 봉기는 농민 출신인 진훤의 아버지 아자개가 호족으로 성장하는 계기가 되

---

51 이와 관련해 진훤이 후백제를 건국한 후 구축한 경제적 기반의 확충 작업을 언급하지 않을 수 없다. 진훤은 우리나라 역사상 屯田制를 본격적으로 도입하였다. 이는 정복 전쟁시 호족들로부터 군량미를 차출한 왕건의 방식과는 판이하게 차이가 나는 것이다. 게다가 진훤은 合德池를 비롯한 많은 제방을 축조했다. 특히 '모든 백성들의 방죽'이라는 뜻을 지닌 '萬民堰'을 통해서도 그 受惠者인 일반 백성들을 위한 시책임을 느낄 수 있다. 그랬기에 진훤은 "도탄에서 구해주셨으니 백성들이 편안하게 살게 되고"라는 칭송을 얻을 수 있지 않을까? 또 이러한 경제 시책이 고려군 보다 갑절이나 많은 후백제군을 유지할 수 있었던 기반이 되었다고 보겠다(李道學, 『진훤이라 불리다오』, 푸른역사, 1998, 174~178쪽 ; 『궁예 진훤 왕건과 열정의 시대』, 김영사, 2000, 34~236쪽).

52 李道學, 「사라진 백제를 찾아서―미스터리의 백제」 『圓大新聞』, 원광대학교 신문사, 1998. 11. 23.

었다. 이후 아자개는 李氏 姓을 모칭하였다.

　진훤의 초기 세력 형성지는 지금의 순천만 일대였다. 신라군 청년 장교를 넘어 청년장군이었던 진훤은 이곳을 근거지로 독립한 후 무진주(광주 광역시)에서 개국에 성공했다. 진훤의 최측근 인맥이 순천 지역에 집중된 것은, 순천과의 관계가 일조일석에 이루어진 게 아니었음을 반증한다. 순천은 그가 부임하여 海賊을 소탕하면서 근무했던 곳이었다.

　진훤은 세력의 성장과 확대에 따라 백제로부터의 역사적 법통 계승을 천명하고자 했다. 그 결과 백제의 옛 수도에서 공간적으로 가까운 전주 땅으로 천도하여 백제에 의해 한반도 전체를 호령하는 통일국가의 완성을 꿈 꾸었다.[53] 게다가 후백제의 역사 인식은 고조선과 연관 짓는 체계를 확립하고자 했었다. 즉 고조선(단군)→북부여(해부루)→백제(비류)→후백제(진훤)이었다. 백제의 역사적 계통이 우리 역사 최초의 국가인 고조선과, 동북아시아의 老大國 夫餘로 이어지는 웅대한 모습으로 드러났다고 한다.[54] 그런 점에서도 부활한 백제의 심장부였던 全州 땅이 점하는 역사적 의미는 실로 지

53　진훤의 全州 遷都 배경과 관련해 다음과 같은 기존의 글을 소개하고자 한다.
　　"전주로 천도한 후 진훤은 좌우의 측근들에게 다음과 같은 말을 했다. '내가 삼국의 시작을 상고해 보니 마한이 먼저 일어난 후에 … 진한과 변한이 이것을 따라서 일어났다. 이때 백제는 나라를 金馬山에서 개국하여 600여 년이 되었는데, 摠章 연간(668~669)에 唐 高宗이 신라의 요청에 따라 장군 소정방을 보내어 수군 13만을 거느리고 바다를 건너왔고, 신라 김유신이 卷土하여 황산을 지나 사비에 이르러 唐軍과 함께 백제를 공격하여 멸망시켰다. 지금 내가 감히 완산에 도읍하여 의자왕의 宿憤을 씻지 않겠는가!'
　　이 말은 자신의 정치적 이상과 현실적 목표가 담겨 있는 것이다. 게다가 옛 백제 주민들에 대한 위무의 차원을 넘어선 다분히 선동적인 색채를 띠고 있다. 진훤의 말에서 '摠章 연간'은 '顯慶 연간'이 맞을 것이다. 그리고 백제의 건국지를 금마산이라고 한 것은 물론 사실은 아니다. 이는 『동문선』에 수록된 '扶餘懷古'라는 古詩의 한 구절을 연상시킨다. 즉 '온조왕이 동명왕의 가문에서 태어나 / 부소산 밑으로 옮겨와 나라를 세울 제(溫王生自東明家 扶蘇山下徙立國)'라고 하여 충청남도 부여가 백제의 개국지로 인식된 거와 같은 맥락에서 볼 수 있다. 부여와 익산 금마는 백제 때 모두 수도였기에 開國論이 제기된 것이다.
　　하여간 이 말은 진훤이 자신의 거점을 완산에 설정하게 된 근거를 말한 것이다. 또 마한으로 표방되는 백제의 건국이 신라보다 일렀음을 주장함으로써 백제의 영광을 재현하겠다는 열망과 의지를 천명하고 있다. 여기서 금마산은 전주 북쪽의 익산에 소재한 雄岳이다. 그 일대에는 衛滿에게 밀려내려온 準王과 관련한 전설과 유적이 곳곳에 남아 있는 유서 깊은 지역이었다. 고대 한국인에게 문명의 교화를 안겨준 箕子朝鮮의 법통을 이은 준왕이 세운 마한, 삼한 중 가장 오래되었고 맹주였던 마한의 땅, 그러한 인식을 하였기에 진훤은 그 법통을 계승하였다는 의미로 이와 관련 된 곳에 건국을 선포한 것이다.
　　게다가 백제 미륵신앙의 메카인 익산을 백제의 開國地로 간주한 데는 특별한 종교적 의미마저 스며 있었다. 그러한 메카의 남쪽인 전주에 백제를 개국시켰으니, 이 땅이 미륵 불국토의 중심이요 그 한복판에 좌정한 자신이 미륵불처럼 세상을 구하겠노라는 장대한 포부가 담겨 있는 것이다. 물론 현실적인 이유로서는 자신의 거점을 북상시킴으로써 지역 패자가 아니라 한반도 전체를 장악하는 통일 군주를 염두에 두었기 때문일 것이다. 해서 교통과 군사적 요충지인 익산의 남쪽 분지인 전주로 옮겼다고 보겠다. 익산은 넓은 평야를 끼고 있지만 확 트여진 지역이라서 동란의 시기일수록 비중이 큰 방어기능이 취약하였다. 이런 이유로 익산이 수도로 선정되지는 못했던 것 같다(李道學, 『진훤이라 불러다오』, 푸른역사, 1998, 88~91쪽)."
54　李道學, 『진훤이라 불러다오』, 푸른역사, 1998, 309쪽.

대했던 것이다.[55] 후백제의 전주 천도는 전주 지역 호족 세력의 협조 속에서 이루어졌다고 할 때 金剛 왕자에 대한 언급을 하지 않을 수 없다.[56]

한편 진훤은 屯田制를 한국 역사상 공식적으로 최초 시행했으며, 合德池와 같은 방죽의 축조를 통해 농민들의 생활을 크게 개선시켰다. 아울러 그는 국가의 경제적 기반을 확대시킬 수 있었다. 진훤이 웅강한 국가를 건설할 수 있었던 배경은 빼어난 경제적 시책에 힘입은 바 실로 컸었다.

「진훤의 출신지와 초기 세력 기반」『후백제 견훤정권과 전주』, 주류성, 2001.

---

55 이와 관련해 다음과 같은 서술로써 그 의미를 환기시키고자 한다.
"후백제 왕국의 수도였던 全州 땅에서 진훤 대왕과 후백제의 역사를 재조명하는 학술 심포지움을 갖게 된 것은 만시지탄의 감이 없지 않다. 전주의 정체성 확립과 관련해 1998년 12월에는 전주시립극단에서 '견훤대왕'을 뜨거운 열기 속에서 공연한 바 있었다. 물론 민초들로만 가득찼었지만… 이제 후백제왕 진훤에 대한 재평가 작업과 더불어, 국립전주박물관에는 필히 후백제 유물 전시 코너를 마련해야 할 것이다. 또 백제사의 일원으로서 후백제사에 대한 '시민권'을 부여하지 않는다면, 고려 왕조 출범을 극적으로 장식해 주기 위한 들러리에 불과해진다.
사실 후백제 수도였던 전주에서 진훤 임금을 온당하게 평가해 주지 않는다면 누가 후백제 왕국을 언급해 주겠는가? 전주를 古都라고 하는 것은 단순히 '오래된 도시'라는 뜻이 아니라 통일국가의 염원을 담았던 '마지막 백제'의 수도였기 때문이다.
전주의 정체성은 전국에 8개나 되었던 조선시대 監營이 소재했던 곳이라서 보다는, 장대한 이상과 꿈을 지녔던 一國의 수도였던 사실에서 찾아야 마땅할 것이다. 그것이야 말로 전주 시민들에게 긍지를 함양하는 길이 아닐까? 다른 날도 아니고 '전주 시민의 날'에 수탈과 억압으로 상징되는 지나간 시대의 전라감사 행차를 재현하려는 발상은 그야말로 시대착오적인 발상이 아닐 수 없다. 이 모든 것들은 금세기의 종언과 더불어 반드시 청산되어야 대상들이다. 그러한 대안으로 '전주 정신'의 발견과 '완산 문화권'에 대한 이론적 정립이 시급히 요청된다고 보겠다(李道學, 「진훤의 출신지와 초기 세력 기반」『후백제 견훤정권과 전주』, 전북전통문화연구소, 1999, 9~10쪽)".
56 진훤의 넷째 아들이 金剛이었다. 신검이 진훤을 유폐시키고 금강을 살해한 정변이 발생했을 때 그의 연령은 30대 후반은 족히 되었다. 신검의 교서에서 금강을 일컬어 '幼子' 혹은 '頑童'이라고 했으므로 '어린 아이'로 간주하는 견해가 있다(申虎澈, 『後百濟甄萱政權研究』, 一潮閣, 1993, 152쪽. 155쪽). 그러나 신검의 교서는 古수에 흔히 보이는 바처럼 상대를 폄훼하는 어투일 뿐 실제 나이가 어렸음을 뜻하는 문자는 아니다. 비근한 예로 472년에 개로왕이 北魏에 보낸 국서에 의하면 장수왕을 가리켜 '小竪'라고 하였다. '소수'는 '어린애'의 뜻을 지닌 비칭이었지만, 당시 장수왕은 78세의 고령이었다. 그러니까 '어린애'니 '口尙乳臭' 등등의 말은 적대자를 폄훼시키는 상투적인 말에 불과한 것이다. 게다가 금강은 40줄의 세 형들에 이은 넷째였을 뿐 아니라 "키가 컸고 지략이 많았다"고 한다. 그러므로 금강을 소년으로 취급해서는 도저히 안될 것이다.
政變 後 신검은 대왕으로 즉각 즉위하지는 못했다. 신검은 935년 10월 17일에 維新을 표방한 대사면을 단행하였다. 이 날에서 멀지 않은 시점이 그가 대왕으로 즉위한 날임을 알 수 있다. 신검은 민심 수습에 나선 것이다. 그때 반포한 敎書의 내용을 통해 볼 때 신검은 3월에 정변을 단행하여 진훤을 실각시켰지만 10월에야 즉위하였다. 7개월 간의 공백이 생기는 것이다. 그 배경으로서는 40여년 간 구축해온 진훤 친위세력의 반격 역시 만만치 않았기 때문이었다. 그런 관계로 신검은 진훤이 고려로 탈출한 직후에야 후백제의 대왕임을 선포할 수 있지 않았을까 한다. 『삼국유사』에 보면 신검이 즉위했다는 것이 아니라 임금의 지위를 '攝', 즉 대신한다고 했다. 신검은 정변을 통해 대권을 장악하기는 했지만 즉각 즉위를 선포할 수 없는 형국이었다(李道學, 『진훤이라 불러다오』, 푸른역사, 1998, 258~265쪽).

신라말 진훤의 세력 형성과 교역
--장보고 이후 50년

1. 머리말

張保皐의 淸海鎭이 9세기 전반에 동북 아시아의 해상왕국으로서 맹위를 떨쳤음은 주지의 사실이다. 그런데 그가 841년에 암살된 후 청해진이 해체됨에 따라 막혔던 봇물 터지듯 한반도 서남해 지방의 해상 활동은 活況을 띠었다.[1] 이와 관련해 海商과 그에 필연적으로 따라 붙는 해적 집단의 횡행이 극성하였다. 국가 권력이 현저히 약화된 9세기 후반의 신라 조정은 해적 세력들을 소탕하기에는 역부족이었다. 신라 조정의 對唐 해상 교통로가 위협받을 정도로 기승을 부렸던 해적 소탕에 발군의 기량을 발휘하면서 두각을 나타낸 이가 진훤이었다. 진훤은 한미한 농민 출신이었다. 그러나 그는 신라 조정의 두통거리였던 해적 소탕에 지대한 전공을 거듭 세웠기에 파격적인 승진을 계속했던 것으로 보인다.

그런데 신라말 서남해에서 해적을 소탕하며 防戍하다가 神將 職까지 승진했던 진훤의 방수처와 세력 기반에 대해서는 연구 성과가 없지 않아 있었다. 그러나 그 방수처를 비롯해서 진훤의 세력 기

---

[1] 李基東, 「후삼국ㆍ고려초기 한ㆍ중 해상교역의 개황」 『장보고와 21세기』, 혜안, 1999, 158쪽.

반에 대해서는 밀도 있는 성과가 제출되지는 않았다. 본고에서는 먼저 신라말 對唐 항구의 변천 과정을 고찰하면서 진훤의 방수처를 당초 순천만 일대로 간주했던 견해를 더욱 보강하고자 하였다. 즉 지금까지의 순천만과 광양만 일대의 산성에 대한 발굴 성과를 토대로 진훤의 방수처를 순천만 일대로 비정했던[2] 필자의 견해가 타당하다는 것을 입증하려고 한다. 이와 관련해 광양만의 마로산성에서 출토된 對日 수출용 신라제 銅鏡과 더불어 唐製 海獸葡萄方鏡을 비롯한 白磁와 같은 瓷器類의 존재를 주목하였다. 즉 이러한 물적 증거물을 통해 순천만과 광양만 일대가 통일신라 말기 교역과 연계된 진훤의 경제적 거점이었음을 증명하려고 했다. 동시에 이것을 진훤의 세력 형성 배경과 결부지어 살펴 보고자 하였다. 그럼으로써 장보고 이후 50년이 지난 9세기 말경의 한반도 서남해 해상권에 대한 윤곽이 드러날 것으로 보인다.

2. 對唐 港口의 변천

문헌과 금석문 자료를 놓고 볼 때 신라인들이 入唐하는 항구로는 경기도 화성의 唐恩浦와 당진의 大津·변산의 喜安縣·옥구의 鎭浦와 나주 會津·순천·경상남도 德安浦가 드러나고 있다.[3] 그 밖에도 더 많은 對唐 항구가 존재했을 것이다. 그러나 이상 6 곳 항구는 신라 王京인 경주와 연결되는 위치에 있었기에 遣唐使나 高僧들의 내왕과 관련하여 기록에 남겨진 것이다. 이 중 경주→상주→충주→죽산→당은포로 이어지는 루트와 경주→대구→남원→광주→회진으로 이어지는 양대 교통로가 가장 일반적인 對唐 루트였다. 이곳에서 한반도의 서해 연안으로 북상하여 요동반도를 지나 산동반도로 내려오는 北路가 있었다. 그리고 산동반도 끝의 登州를 비롯해서 淮水 하류의 楚州, 양자강 하구의 揚州, 浙江 하구의 杭州나 明州로 향했던 南路가 존재했던 것으로 밝혀지고 있다.[4] 896년에 利嚴이 浙江省 錢塘으로 들어 가는 入浙使 崔藝熙를 따라 입당하였다.[5] 이를 통해서도 신라 사신들이 南路를 이용했으며, 그에 동승하여 승려들이 입당한 경우가 밝혀진다. 그리고 慶猷도 入唐使를 따라

---

2 李道學, 『진훤이라 불러다오』, 푸른역사, 1998, 86~87쪽.
   李道學, 「진훤의 출신지와 초기 세력 기반」 『후백제 견훤 정권과 全州』, 전북전통문화연구소, 1999, 8~9쪽. ; 同論文, 주류성, 2001, 69~72쪽.
3 權悳永, 「新羅 遣唐使의 羅唐間 往復行路에 對한 考察」 『歷史學報』 149, 1996, 30쪽 참조.
4 權悳永, 「新羅 遣唐使의 羅唐間 往復行路에 對한 考察」 『歷史學報』 149, 1996, 32~33쪽.
5 한국역사연구회, 『譯註 羅末麗初金石文(下)』, 혜안, 1996, 21쪽.

건너 갔다.[6] 정진대사 긍양도 900년에 입당하여 江淮에 도달하고 있다.[7] 981년에 형미도 入朝使를 따라 입당했던 것이다.[8] 낭공대사 行寂도 870년에 朝貢使 金緊榮을 따라 입당하였다.[9]

극히 단편적인 기록이기는 하지만 唐에서 귀국하는 선사들의 입항처를 주목할 필요가 있을 것 같다. 비록 불완전한 자료이기는 하지만 오히려 당시의 보편적인 입국 루트와 항구를 말해 주는 자료라고 생각되기 때문이다. 그러면 9세기 말~10세기 초의 비문에 보이는 당에서 귀국하는 선박이 입항했던 항구를 살펴 보자. 905년에 선각대사 형미는 영산강 하구의 會津에 입항하였다. 908년에는 법경대사 慶猷 역시 회진으로 입항했다. 그런데 909년에 麗嚴은 昇平으로 입국하였다. 즉 939년에 세워진 大鏡大師碑에 의하면 승려 麗嚴이 당에서 신라로의 귀국 시기와 장소를 언급하면서 909년(天祐 6) 7월에 武州의 昇平에 당도했다고 한다.[10] 여기서 승평은 승주 즉 지금의 전라남도 순천을 가리킨다. 『신증동국여지승람』 순천도호부 조에 의하면 "본래 백제 欿平郡이다[欿은 沙라고도 쓰고, 또 武라고도 쓴다]. 신라 때 昇平郡으로 고쳤다"[11]고 하였기 때문이다. 이 사실은 기존의 인식과는 달리 南端 내륙 교통의 요충지인 승평 또한 대중국 출항 관련한 항구가 소재했음을 알려준다. 그리고 921년에 경보는 임피 즉 옥구항으로, 동일한 해에 璨幽는 강주 덕안포로 각각 입국하였다. 908년 무렵까지는 당에서 귀국하는 선박들이 회진항에 입항했는데, 909년에는 승평항으로 입항하는 것이다. 그리고 921년에는 선승들이 임피와 덕안포로 각각 입항한 사실이 확인된다. 이것을 표로 작성해 보면 다음과 같다.

〈선사들의 入港口 기록〉

출국/입국 연대	선사 이름	귀국 항구
891년 / 905년	형미	무주 회진
? / 908년	경유	무주 회진
? / 909년	여엄	무주 승평
896년 / 911년	이엄	나주 회진
892년 / 921년	경보	전주 임피
892년 / 921년	찬유	강주 덕안포
900년 / 924년	긍양	전주 회안

---

6 한국역사연구회, 『譯註 羅末麗初金石文(下)』, 혜안, 1996, 186쪽.
7 한국역사연구회, 『譯註 羅末麗初金石文(下)』, 혜안, 1996, 343쪽.
8 朝鮮總督府, 『朝鮮金石總覽(上)』 1919, 171쪽.
9 한국역사연구회, 『譯註 羅末麗初金石文(下)』, 혜안, 1996, 274~275쪽.
10 朝鮮總督府, 『朝鮮金石總覽(上)』 1919, 132쪽. "此時天祐六年七月 達于武州之昇平"
11 『新增東國輿地勝覽』 권40, 順天都護府, 建置沿革 條.

그러면 왜 唐에서 귀국하는 선박들이 911년 이엄의 경우를 제외하고는 남중국에서 가까운 항구이자 그간 줄곧 이용해 왔던 회진항을 돌아서 승평이나 임피 혹은 덕안포를 이용한 것일까? 908년에 법경대사 慶猷가 회진으로 입항하는 기사에 잇대어서 "이때 兵戎은 땅에 그득하고, 賊寇는 하늘에 닿을 만큼 넘쳐 흘렀다"[12]고 하였다. 이 구절은 경유의 회진 입항이 순탄하지 않았음을 암시하는 문자로 해석될 수도 있다. 이 문제를 회진에 입항하지 못한 채 처음으로 승평으로 입항한 909년의 시점과 결부지어 살펴 보자. 먼저 그 이유로서는 兵禍나 통제 불능 상태의 혼란이 가속되어 909년이나 그 직전에 회진항을 이용할 수 없는 사건이 발생했다고 보아진다. 이와 관련해 903년에 왕건이 나주를 공략한 바 있지만 이곳을 확실하게 장악한 것 같지는 않다. 그랬기에 비록 왕건의 수군에게 나포되기는 했지만 909년에 후백제측에서 오월국에 보내는 선박이 지금의 영광군 관내인 鹽海縣 앞바다를 항해할 수 있었던 것으로 보인다. 이때 왕건의 수군은 진도를 비롯하여 영암군 앞바다에 소재한 고이도를 점령하였다. 이곳을 사수하기 위해서 후백제군과 왕건의 군대가 영암 북쪽의 덕진포에서 해전을 벌인 적이 있었다.[13] 그리고 왕건은 지금의 신안군 압해도와 가란도인 갈초도를 누비고 다닌 능창이라는 해적 두목을 생포하기까지 하였다. 그 이듬 해인 910년에 후백제군이 나주성을 포위했다가 퇴각한 적이 있었다.[14] 이러한 후삼국의 전장이 된 관계로 당에서 귀국하는 선박들이 회진항을 이용할 수 없었던 것 같다. 그 이후로는 임피항과 강주 덕안포를 이용한 사실이 포착된다.

그리고 위의 도표를 통해 주목할 사안은 905년부터 911년까지 형미와 경유 그리고 이엄의 귀국처인 會津의 소속 州名이 바뀌고 있다는 것이다. 905년과 908년에 형미와 경유의 입국시에는 '武州 會津'으로 적혀 있다. 그러나 911년에 이엄이 입국할 때는 '羅州 會津'인 것이다. 利嚴의 탑비문인 「무위사 선각대사 편광탑비문」에 보면 "이때 나주가 귀순하니 개펄과 섬 옆에 군대를 주둔시켰고, 武州가 왕의 뜻을 거역하니"[15]라는 구절이 있다. 이 문장에서의 '武州'는 후백제 내지는 진훤을 가리킨다. 여기서 주목할 사안은 武州가 會津의 소관 지역을 가리키는 문자로 사용되어 왔다는 것이다. 그런데 선사들의 비문에서 會津의 소관을 줄곧 武州라고 표기하다가 911년 시점에서 '羅州 會津'으로 기재하였다. 이는 「무위사 선각대사 편광탑비문」에 적혀 있듯이 나주의 관할이 왕건의 수중에 떨어졌음을 뜻한다.

따라서 당에서 귀국하는 선박들이 궁예가 장악한 나주 회진항을 피하게 된 이유는, 귀국선에 승선한 이들이 후백제 성향이었기 때문으로 지목된다. 921년에 각각 귀국한 경보와 찬유는 모두

12　朝鮮總督府, 『朝鮮金石總覽(上)』 1919, 164쪽. "此時 兵戎滿地 賊寇滔天"
13　『高麗史』 권1, 태조 즉위전기.
14　『高麗史』 권1, 태조 즉위전기.
15　한국역사연구회, 『譯註 羅末麗初金石文(下)』, 혜안, 1996, 237쪽.

6-1 隋~宋代 揚州城址   6-2 나주 회진

892년에 입당하였다. 이 가운데 경보는 귀국 후 진훤과 연관을 맺게 된다.[16] 892년은 진훤이 무진주를 점령하고 왕을 칭하면서 기세등등하던 시점이었다. 바로 이때 출국하게 된 경보는 후백제 관련 항구를 이용하였거나 혹은 그 보호를 받으며 입당하지 않았을까 싶다. 특히 찬유의 경우 상선을 타고 입당하였다. 그러한 상선은 기본적으로 해적들에게 노출된 포획 대상이기도 했다. 그럼에도 아무 일 없이 그가 입당할 수 있었던 것은 후백제측의 엄호가 있었기에 가능했던 것으로 보인다. 그러한 연고로 인해 귀국시에도 찬유는 후백제 땅에 입항할 수 있는 선박에 승선했던 것으로 생각된다.

이와 더불어 주목할 점은 唐으로부터의 귀항 항구로서 909년과 921년에 승평과 덕안포가 각각 처음으로 등장한다는 것이다. 덕안포는 강주 관내로 적혀 있으므로, 지금의 경상남도 해안가에 소재

---

16 「光陽 玉龍寺 洞眞大師寶雲塔碑文」에 보면 慶甫가 후백제 영역에 이르고 후백제 교단에 編籍되는 과정을 읽을 수가 있다. 관련 비문의 내용은 다음과 같다.
 "마침 귀국하는 선박을 만나 동쪽으로 돌아 왔다. 天祐 18년 여름에 전주 臨陂郡에 도달했는데, 道가 헛되이 행해지는 때였고 불리한 시절의 초기였다. 州의 都統인 甄 太傅 萱이 萬民堰에서 군대를 거느리고 있었다. 태보는 본래 스스로 善根을 가졌고, 장군 집안에서 태어나서서 바야흐로 우람한 뜻을 펴고자 했다. 비록 사로잡는 것과 놓아주는 지략을 우선으로 여겼으나, (대사의) 인자한 얼굴을 우러러 뵙고는 첨앙하고 의지하는 뜻이 배나 더해졌다. 이에 탄식하며 말하기를 '우리 스승을 만남이 비록 늦었지만 제자 됨을 어찌 늦추겠는가'라고 하면서, 자리를 피하기를 진실히 하고 띠에 적기를 독실히 했다. 드디어 州 안의 남쪽에 소재한 南福禪院에 거처할 것을 청하자, 대사가 말하기를 '새도 나무를 가리거늘 내가 어찌 꼭지 달린박과 외처럼 (한 군데만) 얽매여 머물 수 있겠습니까'하였다. 白鷄山 玉龍寺는 돌아가신 스승께서 도를 즐기시던 맑은 집으로서 禪을 행하기에는 알맞은 형승이라 구름 덮인 시내가 허공에 떠 있는 듯하여 경치가 가장 좋은 곳이었다. 드디어 태보에게 말하니 이를 허락하여 그곳에 옮겨 거처하였다(朝鮮總督府,『朝鮮金石總覽(上)』1919, 191쪽)".

한 항구로 볼 수 있다. 구체적으로는 하동의 多沙津으로 비정된다. 그리고 승평항은 순천만에 소재한 항구가 되는 것이다. 여기서 강주 덕안포는 후백제의 대중국 교역항으로서 기능하였다. 그 시점은 나주를 비롯한 영암과 진도 일원이 고려 영역이 된 관계로 남해상에서 동쪽으로 크게 물러선 지역에 소재한 덕안포가 신라 王京인 경주 일원을 왕래하는 인사들이 드나드는 항구로서 기능했던 것 같다. 덕안포는 비록 찬유가 귀국한 때로부터 3년 뒤이기는 하지만 924년에 泉州節度使를 칭하면서 역사의 전면에 등장한 왕봉규[17] 관하에서 주로 활용되었던 항구로 보인다.[18]

3. 昇平港의 開港과 진훤의 세력 형성

1) 진훤의 '西南海' 방수처

그러면 昇平은 언제부터 국제항으로서 기능한 것일까? 이 문제는 지금의 전라남도 지역을 기반으로 하여 거병한 진훤의 초기 세력 형성지와 무관하지 않을 것 같다. 왜냐하면 그는 해변에서 해적들을 소탕하는 데 발군의 역량을 과시하면서 출세하였기 때문이다. 다음 기사가 그것을 말해 주고 있다.

> a. 장성하면서 체격과 용모가 뛰어나게 기이했고, 뜻과 기상이 빼어나서 평범하지 않았다. 군대를 따라 王京에 들어 갔다. 서남해로 부임하여 수자리를 지켰는데, 창을 베고 적을 기다렸다. 그 용기가 항상 사졸의 으뜸이 되도록 일하였기에 비장이 되었다[19]

진훤이 방수했던 '서남해'는 신라 왕경을 기준으로 한 공간적 범위가 된다. 서해나 남해도 아니고 서남해라고 했으므로, 대략 완도에서 마산 사이의 바다가 이 범주에 속한다. 진훤이 이 곳에서 방수한 대상은 '敵'이라고만 적혀 있다. 그러나 그가 "서남해로 부임하여 수자리를 지켰는데"라고 하였듯이 '서남해'라는 바다에서 방수한 '敵'은 해적을 가리킨다. 해적들은 주로 재물을 가득 실은 商船을 약탈 대상으로 삼기 마련이다. 그런데 당시 신라 상인들이 물품을 구입해 오는 국가는 唐이었다. 해적

17　『三國史記』권12, 경명왕 8년 조.
18　927년 4월 이후 왕봉규 세력은 소멸 되고 말았다. 왕봉규 세력을 소멸시킨 대상에 대해서는 종전에는 水戰에 능한 진훤으로 간주하는 견해가 있었지만, 왕건에 의해 소멸되었다. 이에 대해서는 李道學, 「後百濟의 加耶故地 進出에 관한 檢討」『白山學報』58, 2001, 61~62쪽을 참조하기 바란다.
19　『三國史記』권50, 甄萱傳.

들은 唐의 상선이나 신라에서 唐으로 항해하거나 당에서 신라로 귀환하는 상선들을 주로 노렸던 것으로 보인다. 그렇다고 할 때 완도와 마산 사이의 연해에는 항구가 존재한다고 보아야 한다. 아울러 이러한 상선들을 보호하기 위한 목적의 수군 병영도 인근에 소재했다고 보아야 자연스럽다. 이와 관련해 강주의 덕안포가 이러한 공간적 범주에 소재하고 있었을 것이다. 그렇다고 할 때 그 나머지 한 곳의 항구는 자연 昇平의 순천만이 될 수밖에 없다.

진훤은 승평의 순천만이나 강주 덕안포 가운데 한 곳의 항구에서 방수했던 것으로 보인다. 진훤이 방수했던 곳은 기록에 명확히 보이지는 않지만 意外로 진훤의 人脈 관계를 놓고 볼 때 쉽게 풀릴 수 있다. 우선 진훤의 사위인 무진주 성주 池萱은 주지하듯이 지금의 광주 출신 호족이 분명하다.[20] 그리고 지금의 순천 출신인 진훤의 사위 朴英規는 말할 것도 없다.[21] 그에 대해서 "박영규는 후백제 왕 진훤의 사위이다. … 죽어서 해룡산신이 되었다"[22]·"박영규는 江南君의 후손이다. 진훤의 사위였고, 이 땅의 軍長이었다. 해룡산 아래 홍안동에 웅거하고 있었다. 나중에 고려에 투항하여 佐丞 벼슬을 받았다. 죽어서 해룡산 산신이 되었고[옛날에는 사당이 있었으나 지금은 없어졌다]. 순천 박씨의 중시조가 되었다"[23]고 하였다. 진훤의 御駕行次를 맡았던 引駕別監 金摠도 순천과 관련하여 등장한다. 인가별감은 御駕行次와 관련한 임무를 맡았던 만큼 진훤의 최측근이라고 하겠다. 김총은 죽어서 순천의 城隍神으로 받들여졌고, 그를 제사지내는 사당이 18세기 말까지만 하더라도 進禮山(여수시 상암동)에 존재하였을 정도로 위세 있는 인물이었다. 순천 김씨의 시조이기도 한 그의 묘와 사당인 同源齋는 순천시 주암면 주암리 방축동에 남아 있다.[24] 이와 관련된 김총에 관한 대표적인 기록을 전

---

20 『世宗實錄』地理志, 茂珍郡 條.
    『新增東國輿地勝覽』권35, 光山縣, 建置沿革 條.

21 姜鳳龍은 889년에 康州(경남 진주)에서 독립한 진훤이 서부 지역으로 진출하면서 순천 지역 호족인 박영규를 사위로 삼았다고 했다(姜鳳龍,「甄萱의 勢力基盤 擴大와 全州 定都」『후백제 견훤정권과 전주』, 주류성, 2001, 88쪽). 이에 대해 강봉룡은 결론에서 "승주의 대호족 박영규는 파죽지세와 같은 견훤의 진군 추세에 압도되었고, 결국 그의 사위가 되어 그 휘하에 들어가는 타협을 수용할 수밖에 없었을 것으로 보았다(姜鳳龍,「甄萱의 勢力基盤 擴大와 全州 定都」『후백제 견훤정권과 전주』, 주류성, 2001, 117쪽)"라고 했다. 이 논리에 의하면 박영규가 진훤의 사위가 된 시점은 889년~892년 사이가 된다. 그러나 이 때 진훤의 나이는 23세~26세에 불과했으므로 박영규를 사위로 삼을 수 있는 상황이 되지 못한다. 그 반면 진훤은 이무렵 순천 지역 호족의 딸과 혼인했을 가능성은 높다.
    진훤이 박영규를 사위로 삼은 것은 순천 지역이 그가 최초로 擧兵했던 초기 세력 기반이었던 사실과 관련이 있다. 이와 연관된 진훤과 박영규 가문 간의 강인하고도 지속적인 유대가 결국 이곳 호족과의 장인·사위 관계를 맺게 한 배경으로 보겠다. 참고로 或者가 892년에 진훤의 연령을 27세로 파악한 관계로 이 것을 따르는 잘못이 거듭되고 있다. 진훤은 867년에 출생했으므로, 892년에는 滿 25세요, 우리 나이로는 26세인 것이다. 그리고 姜鳳龍은 진훤이 지금의 晉州에서 擧兵했다고 하였지만 근거가 없다.

22 『新增東國輿地勝覽』권40, 順天都護府, 人物 條.

23 『江南樂府』麟蹄山 條.

24 金摠과 朴英規에 관한 기록은 『新增東國輿地勝覽』권40, 順天都護府, 人物·祠廟 條에 보인다.

재하면 다음과 같다. "김총은 진훤을 섬겨 벼슬이 인가별감에 이르렀다. 죽어서는 府의 성황신이 되었다"25 · "후백제의 김총은 진훤을 섬겨 벼슬이 인가별감에 이르렀고, 죽어서는 고을의 성황신이 되었다고 한다.… 金別駕는 뛰어난 사람이라네. 살아서 平陽의 軍長이 되지는 못했어도 죽어서 성황신이 되었다네.… [사당은 진례산에 있다. 유생들을 보내어 봄 · 가을에 제사지낸다]."26

이처럼 진훤의 최측근 인맥이 지금의 광주와 순천쪽이었음은 무엇을 뜻할까? 그의 초기 세력 기반과 거병 지역을 암시해 준다. 이와 관련해 진훤의 거병 관련 기사를 옮겨 보면 다음과 같다.

b. 唐 昭宗 景福 원년(892)은 신라 진성왕 재위 6년인데, 총애하는 자들을 곁에 두고 정권을 멋대로 농락하니 기강이 문란하고 해이해졌다. 이것에 보태져 기근 때문에 백성들이 떠돌아다니고, 뭇 도적들이 벌떼처럼 일어났다. 이에 진훤이 몰래 분수 밖의 일을 넘겨다 보는 마음이 생겨 휘파람 불어 패거리를 모았다. 나가면서 서울 서남 州縣들을 치자 이르는 곳마다 메아리쳤다. 삽시간에 무리가 오천인에 이르렀다. 드디어 무진주를 습격하여 스스로 왕이라고 하였으나 오히려 감히 공공연히 왕을 칭하지는 못했고, 新羅西面都統指揮兵馬制置持節都督全武公等州軍事行全州刺使 兼 御史中丞上柱國 漢南郡開國公 食邑 二千戶라고 스스로 칭하였다.27

c. 6년에 完山賊 진훤이 그 州에 근거하여 스스로 後百濟라 칭하였는데, 武州 동남쪽의 郡 · 縣이 항복하여 속했다.28

가령 c에 보면 진훤이 역사의 전면에 등장할 때 武州東南쪽의 郡 · 縣이 일제히 진훤에게 降屬했다고 한다. 여기서 '武州東南郡縣'은 b의 '京西南州縣'과 동일한 지역을 가리킨다.29 또 '京西南州縣'은 진

---

25 『新增東國輿地勝覽』권40, 順天都護府, 人物 條.

26 『江南樂府』金別 駕 條.

27 『三國史記』권50, 甄萱傳. "唐昭宗景福元年 是新羅眞聖王在位六年 嬖竪在側 竊弄政柄 綱紀紊弛 加之 以饑饉 百姓流移 群盜蜂起 於是萱竊有覦心 嘯聚徒侶 行擊京西南州縣 所至響應 旬月之間 衆至五千人 遂襲 武珍州自王 猶不敢公然稱王 自署爲新羅西面都統指揮兵馬制置持節都督全武公等州軍事行全州刺史兼御史中丞 上柱國漢南郡開國公食邑二千戶"

28 『三國史記』권11, 진성왕 6년 조. "完山賊甄萱 據州自稱後百濟 武州東南郡縣降屬"

29 姜鳳龍은 '京西南州縣'을 '경남 서부의 주현'들로 지목했지만(姜鳳龍, 「甄萱의 勢力基盤 擴大와 全州 定都」『후백제 견훤정권과 전주』, 주류성, 2001, 87쪽), 이곳은 '武州東南郡縣'과 동일한 지역을 가리킨다는 사실을 看過한데서 기인한 명백한 誤判이다. 동일한 지역을 a는 王京인 경주를, b는 무진주인 광주를 기준으로 하여 방향을 설정한 데서 기인한 것이었다.

훤이 처음 왕경인 경주에서 부임하여 防戍했던 '西南海'와 부합되는 곳이다. 따라서 진훤은 자신이 방수하던 곳에서 거병했음을 짐작할 수 있다.[30] 여기서 武州(광주 광역시) 동남쪽은 순천과 여수를 포함한 지역권(예전의 2시 동부 6군 지역)으로서 그 중심지는 순천이었다. 순천은 해안을 끼고 있는 곳이다. 게다가 「대경대사비문」에서 알 수 있듯이 승평 곧 순천만은 對唐 항구였다. 바로 해적 소탕 임무를 띠고 주둔했던 진훤의 軍營이 순천 해안가였다. 그러한 가운데서 자연스럽게 진훤의 초기 세력과 그 인맥이 구축되어진 것으로 보겠다.[31] 요컨대 신라 비장 출신인 진훤이 처음 거병했던 곳이 순천만 일대였다. 바꿔 말해 이는 승평항이 통일신라시대에 국제항으로 기능하였음을 반증해준다.[32]

한편 "견훤이 서울을 떠난 지 한 달여 만에 '서울 西南의 州縣[京西南州縣]'으로 진격하면서 휘하의 중앙군과 새로 편입한 호족군이 5,000여 명으로 불어나자 신라에 대한 독립 세력임을 표방…"[33]한 견해가 있다. 즉 진훤의 세력이 경주에서 출발하여 진주→순천→무주→전주로 확대되었다는 것이다.[34] 그러나 a에서 보듯이 진훤이 복무했던 현장은 해적을 소탕하며 전공을 세웠던 '서남해'였을 뿐 왕경은 아니었다. 그러므로 "서울을 떠난 지 한 달여 만에" 운운하는 서술은 성립하기 어렵다. 그리고 진훤이 무리를 불러 모아 봉기한 장소가 왕경의 서남쪽이라는 것이다. 그가 王京에서 '서울 서남의 州縣으로 진격'한 것은 아니었다. 게다가 진훤이 晉州에서 독립 세력을 표방했다는 주장은 아무런 근거가 없다. 이 점은 그 스스로도 "이를 뒷받침할 직접적인 기사나 현지의 전승 자료가 전혀 없다는 것이 마음에 걸린다"[35]고 고백하기까지 한 바 있다. 그리고 889년에 진훤이 신라 진흥왕의 후예로 내세움으로써 독립 세력 표방의 명분으로 삼았다는 것이다. 그런데 892년에 진훤이 무주를 접수한 후에는 유력한 광주 호족의 자식임을 표방했다고 했다.[36] 이러한 주장은 진훤이 편의에 따라 주민들을 우롱했다는 말이 된다. 그렇게 속을 정도로 현지 주민들이 어리석었다는 것인가?[37]

---

30 진훤의 '西南海' 防戍處를 申虎澈은 영산강 하류 일대나 청해진으로(申虎澈, 『後百濟甄萱政權硏究』, 一潮閣, 1993, 28쪽), 鄭淸柱는 나주로 각각 추정하였다(『新羅末 高麗初 豪族硏究』, 一潮閣, 1996, 193쪽).

31 진훤의 초기 세력 근거지가 순천만 일대였음은 李道學, 『진훤이라 불러다오』, 푸른역사, 1998, 83~87쪽에서 처음으로 지목하였다.

32 李道學, 『진훤이라 불러다오』, 푸른역사, 1998, 86~87쪽 ; 「진훤의 출신지와 초기 세력 기반」『후백제 견훤 정권과 全州』, 전북전통문화연구소, 1999, 8~9쪽 ; 同論文, 주류성, 2001, 69~72쪽.
    한편 邊東明도 같은 견해를 취하고 있지만(邊東明, 「甄萱의 出身地 再論」『震檀學報』90, 2000, 41쪽), 필자의 논고를 引用하고 있고 논지도 동일하다.

33 姜鳳龍, 「後百濟 甄萱과 海洋勢力」『후백제의 대외 교류와 문화』, 신아출판사, 2004, 226쪽.

34 姜鳳龍, 「後百濟 甄萱과 海洋勢力」『후백제의 대외 교류와 문화』, 신아출판사, 2004, 246쪽.

35 姜鳳龍, 「後百濟 甄萱과 海洋勢力」『후백제의 대외 교류와 문화』, 신아출판사, 2004, 229쪽 註 55.

36 姜鳳龍, 「後百濟 甄萱과 海洋勢力」『후백제의 대외 교류와 문화』, 신아출판사, 2004, 226쪽.

37 이러한 주장은 사실 유치한 느낌마저 준다. 이러한 류의 주장은 姜鳳龍 이전에 '先學'이 제기한 바 있다. 이에 대

2. 국제항으로서의 昇平港

신라 조정이 순천만과 그 주변 일원에 새로운 국제항을 조성한 목적은 무엇일까. 841년 장보고 사후에 해적들에 의해 한반도 서남해변이 장악됨에 따라 전통적인 항구였던 당은포와 회진이 위협을 받게 되었다. 더욱이 대중국 항구였던 회진의 경우는, 진훤이 거병한 889년 무렵부터 신라 조정에서는 이용이 용이하지 않았다. 진성여왕대 거타지 설화도 그러한 정황을 말해준다.[38] 이 사건은 진성여왕대 이전부터 신라가 대중국 항로의 안전을 확보하지 못했음을 뜻하는 증좌이다. 게다가 893년에 신라 조정에서는 槧城郡(당진) 태수 金峻과 富城郡(서산) 태수 최치원을 賀正使로 삼아 唐에 보내려고 했으나 해적들이 출몰한데다가 길이 막혀 가지 못하였다.[39] 신라 조정이 희망을 걸었던 당진이나 서산을 통한 對唐 교통로마저 막혔음을 뜻한다. 비록 후대인 909년의 상황에서 포착되고 있지만, 회진을 비롯한 영암 일대의 바다에는 能昌이라는 해적이 장악하고 있었다. 押海縣의 해적인 능창이 인근 葛草島의 해적들과 연합하여 왕건의 진격을 방해하고자 하였던 사실이 주목된다.[40] 이 사실은 회진 근방에 群小 해적 집단들이 할거하고 있는 상황이었음을 뜻한다. 압해현의 해적인 능창과 갈초도의 해적들이 왕건의 진격을 방해한 이유는 무엇일까? 이들이 진훤의 영향권 내에 있었던 때문만은 아니었다고 생각된다. 이들은 왕건에 의해 자신들의 해상권이 위협받게 되자 서로 뭉쳐서 저항한 것일 뿐 진훤편이었기에 왕건을 상대로 싸웠다고 보기는 어렵다. 당시 후백제가 나주 일원을 장악했다는 증거도 없으므로 더욱 그렇게 생각되어진다. 주지하듯이 후백제는 이때 나주 지역을 장악하지 못하고 있었다.

909년에 여엄이 탑승한 선박이 기존에 이용하던 회진항에 당도하지 않은 일차적 요인은 압해도의 능창이나 갈초도의 해적 세력을 무서워했기 때문일 것이다. 또 이들은 진훤에게 제압되지 않은 독립된 세력으로서 해상을 무대로 할거하고 있었기 때문에 여엄은 이들을 피하여 승평항으로 입항했다고 본다. 능창이 진훤의 휘하 세력이었다면 여엄이 둘러서 승평으로 입항할 이유가 없지 않았을

한 비판은 李道學, 『궁예 진훤 왕건과 열정의 시대』, 김영사, 2000, 85~86쪽에서 언급하였으니 참고하기 바란다. 그리고 이와 관련된 姜鳳龍의 주장에 대한 비판은 李道學, 「甄萱의 出身地와 그 初期 勢力 基盤」『후백제 견훤정권과 전주』, 주류성, 2001, 64~65쪽을 참조하라. 참고로 姜鳳龍은 "견훤은 신라에 대한 적대 감정과 부모의 고향마저도 부정하는 유아독존적 심성을 강화해 갔을 것이다(姜鳳龍, 「甄萱의 勢力 基盤 擴大와 全州 定都」『후백제 견훤정권과 전주』, 전북전통문화연구소, 1999, 96쪽)"고까지 했다. 참 재미 있는 표현을 구사하고 있다는 느낌이 든다.

38 『三國遺事』권2, 紀異, 진성여대왕 거타지 조.
39 『三國史記』권46, 崔致遠傳.
40 『高麗史』권1, 태조 즉위전기.

6-3 압해도와 압해대교

까 싶다. 이렇듯 신라 조정은 기존의 항구 주변을 끼고서 할거하고 있는 해적 집단들을 통제하지 못한 지가 오래 되었다.

반면 그에 대한 대안으로 신라 조정은 일단 왕도에 가깝고 내륙의 灣쪽에 깊숙이 자리잡은 승평항을 개척했던 것으로 보인다. 그 시점을 진훤이 군역으로써 종군하여 왕경에서 서남해로 파견된 사실과 결부 지어 보지 않을 수 없다. 진훤이 丁男 곧 15세 되던 해는 881년이므로, 적어도 이 무렵에는 승평항이 개항된 것으로 보인다. 농민 출신의 진훤이 裨將 職까지 승진한 데다가 23세 되던 해인 889년에 독립한 점을 고려해 볼 때 순천만에서 적지 않은 기간이 소요된 것으로 보아야 할 것 같다. 한편 현재의 순천은 익산→광주 광역시→여수로 이어지는 전라선과 송정리→순천→광양→하동→진주→창원→삼랑진으로 뻗어가는 경전선의 교차점이다. 그런 관계로 순천에는 현재 철도국이 설치되어 있을 정도로 교통의 요충지였다. 그리고 순천은 전주에서 여수로 이어지는 17번 국도와 목포에서 진주→마산→부산으로 이어지는 2번 국도의 교차점이다. 또 호남 · 남해 고속도로가 동서로 관통하고 있어서 지리적으로 결절점에 위치한 교통의 요지였다. 요컨대 순천은 광주 광역시 및 나주 · 목포 지역과 지금의 경상남도 연안 지역을 연결하는 위치에 있었다. 지금의 광주 광역시에서 신라 수도인 경주로 가려면 통과해야 하는 땅이 순천이었다.[41]

---

41 경주에서 지방으로 연결되는 간선도로 가운데 海南通이 경주→晉州→순천으로 이어지는 통로로 추정된다(李道學, 「古代國家의 成長과 交通路」 『國史館論叢』 74, 1997, 175쪽 註 153).

6-4 압해도 송공산성

　게다가 순천만과 광양만을 통하여 남해와도 접하고 있어서 해상 교통도 편리하였다. 그런데다가 순천만이나 인근 광양만 일원에서 중국 대륙을 왕래하는 선박이 정박한다고 해 보자. 그것을 둘러싼 해적 집단의 횡행과 이들을 소탕하기 위한 군대의 주둔을 상정하지 않을 수 없다. 실제로 南秀文(1408~1443)의 記에 보면 순천은 "남쪽으로 큰 바다에 연했으므로 곧 海寇들이 왕래하던 요충지이다"[42]고 한 바 있다. 바로 해적 소탕 임무를 띠고 주둔했던 진훤의 군영이 순천 해안가였다. 그러한 가운데서 자연스럽게 진훤의 초기 세력과 인맥이 구축되어진 것으로 보겠다.

　당시 신라 해적들은 조직적으로 때로는 대규모로 대마도나 일본열도 해변을 공격하였다.[43] 그런데 신라 조정의 관심은 이들보다는 당으로 항해하는 선박의 안전이 급선무였다. 그러한 차원에서 승평항의 비중이 증대되었을 것으로 보인다.

3) 진훤의 교역 거점 마로산성

　여수반도를 사이에 두고 순천만과 광양만으로 나뉘어지지만 兩灣은 물으로 서로 연계된 港灣이다. 그리고 순천만과 동일한 지형구에 속한 그 인근의 광양만 부근에는 백제 때 축조된 산성들이 해

42　『新增東國輿地勝覽』권40, 順天都護府, 形勝 條.
43　이에 대해서는 권덕영, 『재당 신라인사회 연구』, 一潮閣, 2005, 291쪽을 참조하기 바란다.

안가에 포진하고 있다. 이러한 사실은 백제 때 이래 광양만이 중요한 기능을 담당한 항구였음을 시사해 준다. 그런데 순천만과 직접 연결되는 산성인 홍내동 일대의 해룡산성은 규모가 2km가 넘는 대규모일 뿐 아니라 통일신라 때 주로 활용되었던 방어 거점으로 밝혀지고 있다. 이곳의 해안선은 굴곡이 심하고 바다가 잔잔하며 포구가 발달되어 있고, 조수 간만의 차도 심하지 않다.[44]

비록 후대인 고려시대의 상황이기는 하지만 또 해룡산성 밑에는 漕倉이 설치되어 있었다. 租稅와 貢物을 선박을 이용하여 수도로 운송하는 浦口를 끼고 있는 곳에 조창이 설치되었다. 고려 초에 설치된 南道水郡에 倉을 설치한 12곳 가운데 하나가 해룡창이었다.[45] 이 사실은 포구를 끼고 있는 순천만의 해룡산성 주변이 교통이 편리한 관계로 일찍부터 그 주변의 물산이 집중되는 커다란 항구였음을 암시해준다. 이러한 곳에 소재한 해룡산성은 浦口를 방비하기 위해 축조한 성인데다가 성에서는 '官造' 등과 같은 명문 기와가 출토되었다.[46] '官造' 명문와는 해룡산성이 官과 연계된 산성이라는 사실과 더불어 진훤이 속한 신라 관군이 주둔한 곳임을 시사해 준다. 다시 말해 '官造' 명문와는 일개

6-5 순천만과 광양만 지도

---

44 順天大學校 博物館,『順天 海龍山城』2002, 30쪽.
45 『高麗史』권79, 食貨2, 漕運 序.
46 順天大學校 博物館,『順天 海龍山城』2002, 105쪽.

호족의 성이 아니라 官에서 축성하고 官軍이 주둔한 사실을 암시해 주고 있다. 게다가 진훤과 관련한 전승이 이곳에 남아 있는데 다음과 같은 내용이다.

d. 신라 때 견훤이라는 이가 여기 와서 도읍을 했다고 그래. 여기 성터가 다 있어. 석성도 아니고 토성인디, 요리 산몰랑으로 저리 해서 간골이란 디기 있는디, 옛날 견훤이라고 그 이가 여그 와서 도읍을 해서 토성을 쌓아 갖고, 조리 산몰랑으로 저리 내동 뒤로 간대바구라고 금성 뒷산 그리 토성이 조르르니 있거든. 그란디 시방도 거기를 파보면 기와가 나와. 그 때 기와는 시방 기와하고는 틀려. 시방도 가면 있을거여. 궁글어댕기는 것이 있어. 그 때 견훤이라고 하는 이가 여그 와서 도읍을 해 갖고 있다가 서울로 올라 갔어.[47]

위의 전승에서 말하는 토성은 해룡산성을 가리킨다.[48] 즉 진훤이 방수했던 鎭城이 해룡산성임을 가리키는 동시에 이곳을 기반으로 신라에 반기를 든 후 무진주로 옮겨 간 사실을 뜻한다고 하겠다. 순천만을 끼고 있는 해룡산성은 인근의 광양만 등지의 마로산성이나 검단산성을 관하 鎭城으로 예하에 두었던 것으로 보인다. 마로산성에서 '馬老官' 명문와가 출토된 관계로 마로현과 관련지어 살피기도 한다. 주지하듯이 마로산성은 백제 이래 마로현의 縣治였고, 통일신라 때 晞陽縣에 속하였다. 그런데 신라 조정은 광양만 주변의 해적 소탕을 위해 강력한 군영을 그 인근의 승평항에 새로 설

6-6 해룡산성에서 바라본 순천만 부지

---

47 順天大學校 博物館,『順天 海龍山城』2002, 188쪽.
48 順天大學校 博物館,『順天 海龍山城』2002, 188쪽.

치할 필요를 느끼게 되었다. 그러한 목적에서 축조된 산성이 해룡산성으로 볼 수 있다.

해룡산성에 주둔하고 있던 진훤은 해적들을 소탕하는 데 발군의 전공을 세웠기에 裨將 職까지 오르게 되었다. 그러한 그가 麗嚴과 같은 승려들이 신라에 상륙하거나 唐으로 갈 때 호위해 주는 역할을 함으로써 자연스럽게 인맥을 구축할 수 있었을 것이다. 최승우와 같은 유학생들의 경우도 동일한 맥락에서 살필 수 있다. 그러나 보다 중요한 사실은 진훤과 商人들과의 관계라고 하겠다. 해적들의 주된 약탈 대상이 되었을 商船과 商人들의 보호는 진훤의 주된 업무 가운데 하나인 동시에 세력 기반 구축의 관건이 되었을 것이다.

그런데 해룡산성과 연계된 지형구에 속한 마로산성에서는 산성에서는 드문 사례인 銅鏡이 3점이나 출토되었다. 2점은 직경 16.5 · 18.5cm 크기의 원형이고, 1점은 9×9cm 크기의 방형 동경이다. 원형 동경 가운데 1점은 '王家造鏡' 명문이 담겨 있다.[49] 이 거울은 王家 즉 왕씨 집안에서 만든 거울이라는 뜻으로 해석하면서, 王家를 중국인으로 간주하기도 한다. 그러나 일본 正倉院에 소장된 墨 가운데 '新羅楊家上墨' · '新羅武家上墨' 명문을 가진 墨이 있다. 신라의 楊家와 武家에서 만든 上等品 墨이라는[50] 의미인 동시에, 당시 통일신라에서는 '家'를 중심으로 墨이나 鏡을 제작 · 생산했다는 사실을 알려준다.[51] 동시에 이들 물품은 일본 등과 같은 외국으로의 수출품이었다는 사실까지 확인시켜주고 있다. 이러한 맥락에서 볼 때 마로산성 출토 '王家造鏡' 銘 鏡은 신라에서 제작하여 일본에 수출했던 품목임을 알 게 한다. 또 그러한 물품이 마로산성에서 출토되었다는 것은 이곳이 대외 교역항이었기에 가능한 현상이라고 본다. 그리고 마로산성에서는 海獸葡萄方鏡이 출토되었다. 보고서에 적혀 있는 해수포도방경에 대한 설명을 인용하면 다음과 같다.

건물지 내부 초석 측면의 상층에서 출토되었다. 거울의 뒷면에는 포도 또는 포도 당초와 해수를 배치하고 있다. 형태는 방형이며, 중앙에는 머리를 숙인 짐승 모양의 꼭지가 1개 있다. 이 짐승은 입이 돌출되어

---

49 順天大學校博物館,『광양 마로산성 발굴조사 약보고』 2002.

50 李成市,『東アジアの王權と交易』, 靑木書店, 1997, 19~20쪽 ; 李成市 著 · 김창석 譯,『동아시아의 왕권과 교역』, 청년사, 1999, 25~26쪽.

51 '咸通六年' 즉 865년의 시점을 가리키는 명문이 새겨진 이천 설봉산성 출토 벼루 바닥에서 '寺下家墨'라는 명문이 확인되었다. 먹의 제작처를 가리키는 이 명문은 "절의 下家에서 만든 먹"이라는 뜻으로 해석된다. 문자 생활이 많은 사찰에 공급하는 먹을 제작하는 工房을 역시 '家'로 표시했음을 알 수 있다. 비록 13세기 경의 명문이기는 하지만 1252년에 제작한 고성 옥천사 飯子 명문에 따르면 "京師工人家中鑄成 知異山安養社之飯子"라는 구절이 있다. 여기서 반자를 제작한 工房을 '(工人)家'로 표기한 사실이 확인된다. 이는 앞서 언급한 王家 · 楊家 · 武家로 표기한 사례와 연결된다. 그리고 황룡사지에서 출토된 토기편에 "三十日造得林家入"라는 글귀가 새겨져 있다. 이는 "30일에 林家에서 造得하여 납입함"으로 해석된다. 林家의 '家' 역시 工所를 가리키는 것으로 볼 수 있다.

있고, 등에는 점열문이 있으며, 길쭉한 꼬리의 끝은 가느다란 털을 표현하였다. 내구에는 양발을 앞으로 내 딛고 몸체를 돌려 머리를 들어올린 짐승 네 마리를 생동감 있게 배치하였다. 동물 사이에는 포도넝쿨과 잎, 탐스럽게 익은 듯한 포도가 풍성하게 매달려 있다. 외구의 각 모서리에는 밖을 향해 날개를 펼친 새를 배치하였고, 포도송이에 앉은 새와 포도를 향해 날아드는 잠자리, 포도송이 넝쿨 잎 등을 표현하였다.[52]

이와 관련해 일본 正倉院 南倉에 소장된 5점의 海獸葡萄鏡 가운데 4점은 원형인데 반해 나머지 1점은 방형인 점을 주목해 본다.[53] 그런데 마로산성에서 출토된 海獸葡萄方鏡은 정창원에 소장된 방형 해수포도경과[54] 동일한 모티브로 파악된다. 게다가 마로산성 출토품과 동일한 海獸葡萄方鏡이 일본에서 확인된 바 있다.[55] 따라서 唐에서 제작된 해수포도방경이 일본열도와 신라 마로산성에 각각 유입되었음을 알려준다. 이 사실은 唐과 신라 및 일본을 연결하는 海商의 존재를 생각하게 한다. 특히 마로산성에서 일본에 수출하는 신라제 동경과 唐에서 수입한 해수포도방경이 출토되었다. 이 사실은 마로산성이 對唐 및 對日本 교역과 긴밀히 관련된 장소임을 알려준다. 이러한 海獸葡萄鏡은 唐 玄宗代(712~756) 전후로 제작의 전성기를 맞았다고 한다.[56] 그리고 이러한 唐鏡을 주로 제작한 곳은 揚州로 알려져 있다.[57]

6-7 마로산성 출토 '馬老官' 명 기와

6-8 해수포도방경

6-9 '王家造鏡' 명 동경

52 順天大學校 博物館,『光陽 馬老山城 I -건물지 I -』2005, 39쪽.
53 孔祥星・劉一曼 著・安京淑 譯,『中國古代銅鏡』, 주류성, 2003, 350~352쪽.
54 孔祥星・劉一曼,『圖說 中國古代銅鏡史』, 海鳥社, 1991, 194쪽.
55 奈良文化財研究所・飛鳥資料館,『含水居藏鏡圖錄』2002, 42쪽.
     마로산성 출토 해수포도방경은 길이가 9.1cm인데(順天大學校 博物館,『光陽 馬老山城 I -건물지 I -』2005, 39쪽) 반해 일본 소장품은 길이가 8.872cm로 밝혀졌다. 양자 간의 길이의 차이는 아마도 마로산성 해수포도방경의 보존 처리 문제와 관련해서 생겨난 誤測일 것으로 짐작된다.
56 孔祥星・劉一曼 著・安京淑 譯,『中國古代銅鏡』, 주류성, 2003, 292쪽.
57 孔祥星・劉一曼 著・安京淑 譯,『中國古代銅鏡』, 주류성, 2003, 346~349쪽.

江淮 지방인 揚州는 국제 무역항으로서 외국인에게 매매가 금지된 물품의 구매가 長安보다 용이했다고 한다.[58] 그러한 揚州에서 제작된 해수포도경이 마로산성에서 출토된 것이다. 그리고 남중국의 월주요와 형주요에서 제작한 도자기들이 마로산성에서 출토되었다. 이는 순천만이나 광양만 주변에 출입하는 상선들의 주된 행선지가 唐의 揚州였음을 시사해 준다. 진훤이 순천만 일대를 장악하고 있던 892년 봄에 원종대사 찬유가 入唐 길에 이용한 선편이 商船이었다.[59] 이 商船의 출항지는 알려져 있지 않지만 남해안에서 출항했을 가능성이 높은 만큼 진훤의 통제권에 속했을 것이다. 이로써 해적들의 침탈 위협에도 불구하고 꾸준히 이어지는 교역 활동의 한 편린을 엿볼 수 있다. 그러한 교역 루트에서 상인들의 안전과 관련한 해적 소탕을 통해 진훤은 자연스럽게 경제적 기반까지 구축한 것으로 보인다. 또 그러한 해수포도방경이 일본열도에서도 확인되었다. 물론 일본열도에서 확인된 그것은 다른 경로를 통해 유입되었을 수도 있다. 그렇다치더라도 이는 揚州와 순천만 및 광양만 일원과 大宰府를 잇는 교역로의 존재를 상정해 볼 수 있지 않을까. 이와 관련한 진훤의 역할과 힘이 미쳤을 가능성을 얼마든지 상정할 수 있지 않을까 싶다.

마로산성에서는 그 밖에 모두 중국제인 월주요 계통의 청자·백자 해무리굽 완편 등이 출토되었다. 형주요 가마에서 생산된 백자도 마로산성에서 출토되었다고 한다. 이러한 자기류의 구연부 형태 가운데 구연을 밖으로 말아붙인 형태인 옥란형은 완도 청해진 유적 등지에서 출토되었다. 마로산성 출토품은 구연부가 도톰하지 않고 가늘어지는 단계로 9세기대로 편년할 수 있다고 한다. 그리고 해무리 굽은 역시 완도 청해진 유적 출토품과 계통적으로 연결된다는 것이다.[60] 요컨대 해수포도방경과 중국제 자기류가 출토된 마로산성은 대당 및 대일본 삼각 교역과 긴밀히 관련된 거점이었음을 시사해준다.

백제 때 이래 馬老縣의 治所이기도 하였던 마로산성은 통일신라 때 활발하게 사용되었다고 한다. 게다가 이곳에서 출토된 중국제 도자기를 놓고 볼 때 9세기대가 마로산성의 盛期였음을 알 수 있다.[61] 그리고 마로산성 출토 도자기와 청해진 출토 그것과의 연계성은 장보고 시대 이래로 마로산성이 교역 거점 역할을 했음을 암시해준다. 실제 이러한 중국제 도자기는 일본의 大宰府 등에서 확인되고 있다. 게다가 마로산성에서 출토된 '王家造鏡' 銘 銅鏡은 신라에서 일본으로 수출하는 제품이었다. 이러한 점을 놓고 볼 때 승평항은 唐과 北九州로 이어지는 교역로의 중간 거점이었던 것으로 드러난

---

58 권덕영, 「新羅遣唐使의 羅唐間 往復行路에 對한 考察」『歷史學報』149, 1996, 31쪽.
59 한국역사연구회, 『譯註 羅末麗初金石文(下)』, 혜안, 1996, 379쪽.
60 順天大學校 博物館, 『光陽 馬老山城 I -건물지 I -』2005, 260~261쪽.
61 順天大學校 博物館, 『光陽 馬老山城 I -건물지 I -』2005, 261쪽.

6-10 절강성 박물관 전시 오월국의 자기류들

다. 요컨대 마로산성이 당과 일본과의 교역을 담당했던 要鎭이었음을 다시금 일깨워 준다. 이는 장보고 시대의 중국 도자기가 출토된 교역항이 청해진과 마로산성에 불과한 점에서도 뒷받침된다.[62]

4) 진훤의 세력 기반--朴英規 가문과의 제휴

순천만에 인접한 광양만 일대는 순천 지역 호족인 박영규 가문의 거점이기도 하였다. 그런 관계로 이곳에는 박영규와 관련한 전설이 남아 있다.[63] 여기서 박영규가 아니라 '박영규 가문'이라고 한 이유를 설명할 필요가 있을 것 같다. 우선 양자 간의 연령 관계를 살펴 보자. 진훤이 화병으로 황산 불사에서 생을 마감할 때 나이가 70세였다.[64] 이 연령은 당시로서는 상당히 高齡에 속한다. 그런데 박영규는 936년에 왕건에게 귀부할 때 받은 벼슬인 佐丞에서 "훗날 벼슬이 三重大匡에 이르렀다"[65]고 했을 정도로 진훤보다 더 오래 생존하였다. 그런 만큼 박영규는 진훤의 사위였다는 것을 떠나 그보다는 훨씬 연하였다고 보는 게 온당하다. 진훤이 889년에 擧兵할 때 23세였다. 박영규는 그 때 연

---

62 국립해양유물전시관, 『신라인 장보고』 2005, 35쪽.

63 順天大學校 博物館, 『順天 海龍山城』 2002, 187~191쪽.

64 『三國遺事』 권2, 紀異, 後百濟甄萱 條에 의하면 "진훤은 尙州 加恩縣人이다. 咸通 8년 丁亥生이다"고 하였다. 咸通 8년은 867년이며, 진훤이 936년에 생을 마감할 때 연령은 70세가 된다.

65 『高麗史』 권92, 朴英規傳.

령이 10대나 그 이하의 연령이었음이 분명하다. 진훤이 20세 되던 해인 886년에 결혼했다고 하자. 그렇더라도 그가 성년의 딸을 혼인시키기까지는 그 후 20년 가량의 시간이 필요했을 것이다. 그렇다고 할 때 진훤이 박영규를 사위로 맞아들이는 시점은 일러야 全州에 定都한 906년 경이라야 된다. 따라서 진훤이 순천만에서 거병할 때 협조한 현지의 토착 세력은 박영규라기 보다는 박영규 가문이라고 해야 맞다. 이러한 박영규 가문과 진훤이 승평항에서부터 유대를 맺었을 가능성은 무엇보다 지대하였다. 그러하였기에 시기적으로 전주에 도읍한 후에 진훤의 딸과 박영규와의 혼인이 이루어질 수 있었을 것이다. 이는 진훤의 對豪族 시책과 관련한 일종의 정략 결혼이 되겠다.

바다와 인접한 지역에 기반을 두고 있던 해상 호족이었을 박영규 가문은[66] 상인이나 일반 주민들의 재물과 인명을 빼앗는 해적 토벌이 무엇보다 중요한 사안이었을 것이다. 해적 소탕은 박영규 가문의 경제적 기반과 사회적 지위를 유지하는 길이기도 했다. 박영규 가문의 당초 근거지는 순천만 일대라기 보다는 이곳과 연계된 지형구이자 대당 교역품이 출토된 광양만의 마로산성 일원으로 비정하는 게 맞을 것 같다. 비록 官城이지만 마로산성의 둘레가 550m에 불과한 것도 이곳 호족의 근거지로 이용되기에는 걸맞았다. 그에 반해 규모가 월등히 큰 해룡산성은 국가의 공적 무력을 기반으로 한 진훤이 방수하던 곳으로 보인다. 실제 이는 d의 전설을 통해서도 뒷받침되었다. 신라군 비장인 진훤의 임무는 해적들을 소탕해서 항해의 안전을 지켜주는 일이었다. 그런 관계로 진훤과 박영규 가문은 자연스럽게 정치적으로 제휴할 수 있지 않았을까 싶다. 양자 간에는 근거지가 지리적으로 서로 인접하였을 뿐 아니라 목표와 이해까지도 맞아 떨어졌기 때문이다.

진훤은 승평항에서 방수하면서 상인들 뿐 아니라 유학생이나 유학승들과도 자연스럽게 연을 맺을 수 있는 기회가 조성되었다. 일례로 會昌(841~846) 연간 당에 머물고 있던 신라 승려 수는 수백명에 달했고, 837년 3월 당시 당의 국자감에서 수학하고 있던 신라 학생 숫자만 216명에 이르고 있던[67] 점에서도 그러한 관계를 상정할 수 있다.

889년에 진훤이 거병하여 武州 동남 州縣을 장악하였다. 그럼에 따라 승평항도 자연스럽게 후백제의 수중에 떨어지게 되었다. 아니 승평은 그 본거지 역할을 하게 된 것이다. 이러한 상황에서 신라 조정의 대당 교통로는 태안반도쪽을 물색할 수밖에 없었다. 893년에 병부시랑 金處誨를 당에 파견했으나 입당 도중에 익사하였고, 富城郡(서산) 태수 최치원 등을 당에 파견하고자 하였으나 "도적

---

66 '박영규'를 해상 세력으로 파악한 견해는 鄭淸柱, 「신라말 고려초 순천의 지방 세력」 『순천시사-정치 사회편』 1997, 173~183쪽에 보인다.

67 권덕영, 『재당 신라인사회 연구』, 一潮閣, 2005, 127쪽.

들이 창궐하여 길을 막고 있어 가지 못하였다"[68]고 했다. 아찬 良貝가 당에 가려고 할 때 백제 해적이 나루와 섬을 가로 막고 있다는 말을 듣고 弓士 50명을 뽑아 따라가게 했다고 한다.[69] 여기서 신라 조정이 두려워했던 '백제 해적'은 후백제와 관련된 세력임이 분명하다. 참고로 가난한 경주 주민 손순이 어린 아들을 묻기 위해 땅을 파다가 얻었던 石鐘을 탈취해 간 세력을 '眞聖王代 百濟 橫賊'[70]이라고 했다. 이처럼 후백제가 한반도 서남해변을 장악함에 따라 신라는 점차 국제적으로도 고립의 길을 면하기 어려웠다. 견당사의 실패는 바로 그러한 상황을 반영한다고 하겠다. 신라의 몰락은 진훤에 의한 해안과 해양의 봉쇄에 말미암은 바 크다고 본다.

이와 관련해 894년에 2,500명의 신라인이 100척의 작은 선박에 분승하여 대마도를 습격하였다가 패주한 사건이 주목된다. 이 싸움에서 신라측 대장군 3명과 부장군 11명을 비롯한 총 302명의 신라인이 전사했다. 일본은 신라측 배 11척과 활 100장, 太刀 50 자루, 창 1,000 자루, 방패 312매 등 다량의 무기를 노획하였다. 이때 생포된 賢春이라는 신라인의 말에 따르면 연이은 흉년으로 백성들이 굶주리고 창고가 텅 비게 되자 왕이 곡식과 비단을 탈취해 오라고 해서 배를 타고 일본을 습격하게 되었다고 한다.[71] 그러나 이들이 신라 왕의 명을 받고 대마도를 습격했을 가능성은 별로 없는 것으로 판단하고 있다. 그러한 근거로서는 첫째 890년대 신라에서는 누적된 모순이 폭발하여 각지에서 도적과 반란이 연이어 터지는 상황을 수습 못하고 있는터에 대규모 병력을 동원한 원정은 가능하지 않다는 것이다. 둘째는 이 사건 이후 신라와 일본 간에 어떠한 외교적 분쟁도 일어나지 않았다는 데 있다.[72] 대체로 이 사건을 신라 호족의 소행으로 규정하는 경향이 많았다.

그러나 이 사건은 간단하게 단정하기 어려운 구석이 적지 않다. 894년 단계에서 후백제나 궁예 세력을 제외하고 이 정도 규모의 조직력을 갖춘 호족이 등장했다고 보기는 어렵기 때문이다. 더욱이 대마도를 습격한 것을 볼 때 내륙 세력이기 보다는 경상남도 해안을 끼고 있는 세력으로 간주한다고 할 때 더욱 그러하다. 진훤이나 궁예 세력은 이 사건과는 무관한 것으로 보인다. 그리고 894년 시점에서 경상남도쪽 호족으로 이 정도의 규모를 갖춘 세력을 상기하기는 어렵다. 게다가 그러한 호족세력이 굳이 척박한 지역인 대마도를 공격해야할 특별한 동기도 확인되지 않는다. 그러므로 894년의 대마도 습격 사건의 주체는 생포된 신라인 현춘의 진술도 있을 뿐 아니라 습격의 규모나 조직

---

68 『三國史記』권46, 최치원전.

69 『三國遺事』권2, 紀異, 진성여대왕 거타지 조.

70 『三國遺事』권5, 孝善, 孫順埋兒 條.

71 『扶桑略記』권22, 寬平 6년 9월 5일 조.
   권덕영, 『재당 신라인사회 연구』, 一潮閣, 2005, 292~293쪽.

72 권덕영, 『재당 신라인사회 연구』, 一潮閣, 2005, 301쪽.

성을 놓고 볼 때 신라 조정일 가능성이 높다. 신라 조정은 해안 봉쇄와 기근에다가 貢賦의 단절에 따른 급격한 재정 위기에 봉착했기 때문이다. 貢賦의 단절은 진성여왕 3년인 889년에 "나라 안의 여러 州郡에서 貢賦를 보내오지 않아, 나라의 창고가 텅 비어 나라의 씀씀이가 궁핍하게 되었으므로 왕이 사자를 보내 독촉하였다. 이로 말미암아 도적들이 곳곳에서 벌떼처럼 일어났다"[73]라고 하여 시작된 이래 국가 경영을 최대 위기로 몰아 넣었던 것이다. 893년에 신라 조정은 최치원을 賀正使로 삼아 唐에 파견하려고 했지만 실패하였다. 그 배경을 서술하는 문구 가운데 "해마다 흉년이 들어 기근에 시달렸고, 그로 말미암아 도적이 횡행하여"[74]라고 하였듯이 해마다 흉년이 들어 기근에 시달리고 있었다. 이러한 난국을 타개하기 위한 궁여지책으로 신라 조정이 대마도를 습격할 수 있는 상황은 충분히 된다.

그러면 다시금 화제를 원래대로 돌려 보자. 진훤은 무진주에 도읍하면서 자신의 근거지였던 해룡산성 일대를 박영규 가문에게 맡겼던 것으로 보인다. 이는 진훤이 지훤이라는 사위를 무진주 성주로 맡긴 것과 동일한 사례라고 할 수 있다. 박영규를 軍長이라고 한 것은 해룡산성을 중심한 순천만 일대를 지키는 성주였음을 뜻한다고 하겠다. 반면 동일한 순천과 연관된 인물로서 후대 기록에 등장하는 김총은 "살아서 平陽의 軍長이 되지 못했다"고 했다. 平陽은 순천의 別號였다. 그러므로 김총은 박영규와는 달리 순천 땅에 군림하지 못했음을 암시해준다. 즉 그는 진훤을 수행하며 그 측근에 있었음을 뜻한다. 인가별감이라는 벼슬이 진훤을 호종하는 직책이었던 만큼 김총은 순천을 일찍부터 떠나 있게 되었던 것이다. 그리고 김총의 신위를 봉안한 성황사가 소재한 진례산은 지금의 여수시 상암동에 해당한다. 이러한 김총의 성황사는 여타 성황사와는 달리 생활 근거지에서 너무나 떨어진 곳에 소재하였다. 그 이유로서는 김총이 비록 순천 출신이기는 했지만 지역적 기반이 취약했을 가능성이다. 아니면 그가 진훤의 부하로서 순천 해룡산성에서 근무한 인연에다가 인가별감이라는 진훤의 최측근 인물인 관계로 순천 김씨의 시조가 되었을 수 있다. 혹은 그가 순천 지역 토착호족 출신은 아니었기에 지역적 연고가 없는 여수 땅에 성황당이 건립된 것으로 해석해 볼 수 있지 않을까.

이러한 점에 비추어 볼 때 김총을 순천 지역의 해상 세력으로 간주하는 견해는 근거가 박약해졌다고 보겠다. 오히려 김총을 신라의 방수군 출신으로서 진훤 휘하의 군인으로 추정하기도 한다.[75] 이는 적절한 추측으로 보인다. 따라서 김총을 순천 지역의 해상 호족으로 간주하는 견해는 설득력이

---

73 『三國史記』권11, 진성왕 3년 조.
74 『三國史記』권46, 최치원전.
75 鄭淸柱, 「신라말 고려초 순천의 지방 세력」『순천시사-정치 사회편』, 순천시, 1997, 181쪽.

떨어진다고 하겠다. 어쨌든 해룡산성에는 진훤이 방수했던 기간보다 박영규 가문과 박영규가 군장으로 지키고 있던 기간이 월등히 길었다. 또 그 후손들이 순천 지역에 世住했던 관계로 박영규 관련 전설이 후대까지 이곳에 회자될 수 있었다고 하겠다.

5. 맺음말

통일신라에서 정치적으로나 경제적으로 가장 큰 비중을 점하고 있던 국가가 唐이었다. 신라의 對唐 교섭은 사신 파견과 같은 공적인 교류는 말할 것도 없고 민간인들의 내왕과 같은 사적인 차원에서 한층 활기를 띠었다. 이때 신라에서 入唐하는 루트와 관련된 항구로서는 당은포(경기도 화성)와 會津(전라남도 나주)이 가장 비중이 컸다. 그런데 841년 장보고가 피살된 지 반세기가 지난 9세기 말부터는 해적들이 橫行함으로써 당은포보다는 영산강 하구의 회진쪽으로 출항이 많아졌다. 그러는 가운데 내륙에서는 도적떼들이 곳곳에서 창궐하는 실정이었다. 이로 인해 경주에서 내륙으로 회진항까지 가는 루트마저도 안전하지 못하였다. 신라 조정은 王京에서 가깝고 또 그로 인해 비교적 해적들의 약탈이 상대적으로 적은 관계로 안전한 승평 즉 지금의 순천만 일대를 국제적 항구로 開港시켰다. 이와 짝하여 해룡산성이 승평항을 방수해주는 要鎭으로서 기능하였다. 진훤은 이곳에서 해적들을 소탕하는데 발군의 전공을 세운 관계로 裨將으로까지 속속 승진할 수 있었다. 한미한 농민 출신인 진훤이 비장까지 승진할 수 있었다는 것은 가위 파격적인 일이었다. 이는 그 만큼 신라 조정이 그에게 걸었던 기대가 지대했음을 뜻한다. 동시에 이를 통해 항로상의 四面楚歌를 뚫고자 하는 신라 조정의 절박한 입장을 읽을 수 있다.

순천만과 이웃하면서 하나의 지형구 속에 자리잡은 광양만에는 마로산성이 소재하였다. 마로산성은 당초 마로현의 治所 城이기도 했다. 그러나 신라말 중앙 통제력의 이완을 틈타 이곳을 실질적으로 점거한 이가 순천 지역 호족 박영규 가문이었다. 마로산성에서 청해진에서와 동일한 唐製 도자기가 출토된 사실은 장보고 시대 이래로 이곳이 對唐·對日本 교역의 삼각 거점이었음을 뜻한다. 박영규 가문은 대당·대일본 교역을 통해 성장하고 있던 海商이기도 하였다. 그러한 박영규 가문의 교역 활동을 보호해 주었던 이가 신라 비장 직의 진훤이었다. 마로산성에서 출토된 해수문포도방경이나 중국제 도자기의 존재는 이곳이 대당 교역의 거점으로서 기능했음을 뜻한다. 진훤은 박영규 가문과의 세력 제휴를 통해 경제적 기반을 서서히 구축할 수 있었다. 아울러 박영규 가문의 상선이 入唐하면서 유학생이나 유학승들을 태우고 갔다. 그러는 가운데 진훤은 이들을 자연스럽게 자신의 인맥으로 구축할 수 있었던 것으로 보인다.

종전에는 진훤의 세력 기반을 그 휘하의 공적 무력에만 국한시킨다든지 혹은 해적 소탕에서 발휘한 능력만으로 막연히 추측하였다. 그러나 진훤은 중국제 물품이 출토된 마로산성을 비롯한 그 일대를 세력권에 넣고 있었다. 신라가 일본에 수출하던 銅鏡의 존재까지 이곳에서 출토되었다. 따라서 진훤의 경제적 기반은 대당·대일본 교역이나 그러한 해상들의 교역을 엄호해 주면서 구축된 것으로 볼 수 있다.

진훤은 서남해안의 군소 해상세력들을 제압·통제하는 한편, 해적들을 소탕하여 해상 무역의 막대한 이익을 독점하였다. 요컨대 장보고 이후 50년만에 진훤은 서남해안의 해상권을 장악한 가장 강력한 세력가로 등장한 것이다. 진훤이 全州로 定都한 900년에 신라의 對中國 寄港地인 杭州에 도읍한 중원의 약소국인 오월국에 신속하게 사신을 파견한[76] 것도 순전히 해상제해권 장악에 대한 열망에서 기인한 것으로 보여진다. 그러나 진훤의 등장으로 해상권이 크게 위협 받게 된 나주 세력이 왕건과 제휴하였다. 그럼으로써 서남해안 제해권은 결국 진훤과 왕건이 양분하는 추세가 되고 말았다.

「新羅末 甄萱의 勢力 基盤과 交易」『新羅文化』 28, 신라문화연구소, 2006.

---

76 『三國史記』 권50, 甄萱傳.

후백제의 全州 천도와 彌勒寺 開塔

1. 머리말

신라군 裨將 職에 있던 甄萱은 擧兵하여 후백제를 건국하였다. 이어서 진훤은 全州로 遷都하여 통일을 지향한 국가의 王都로 삼았다. 이러한 전주 천도와 백제 金馬山 開國說, 그리고 익산 彌勒寺 開塔은 상호 유기적인 관련을 맺고 있는 듯하다. 이와 관련해 본고에서는 몇 가지 사실을 다음과 같이 정리하고자 했다.

첫째, 진훤이 신라군에 입대하여 복무한 지역에 대한 究明이다. 지금까지는 羅州나 청해진 등을 지목하여 왔다. 그런데 이와는 달리 필자는 신라 서남부 지역인 지금의 순천만과 광양만을 기반으로 하여 건국에 성공했음을 처음으로 밝혔다. 순천만이 통일신라의 국제 항구였음을 찾아내었다. 진훤은 이곳에서 해적들을 소탕하면서 戰功을 세워 비장 직까지 올라갔던 것이다. 그럼에도 불구하고 본 說를 최초로 주창한 이에 대해 왜곡된 인용이 제기되었다. 본고에서는 이 사안을 바로잡고자 하였다.

둘째, 진훤은 '新羅 西面都統指揮兵馬制置 持節 都督全武公等州軍事 行全州刺史 兼 御史中丞 上柱國 漢南郡開國公 食邑二千戶'라고 自署하였다. 문제는 官爵名의 제일 끝에 적힌 '漢南郡開國公'에 대한 해석이다. 종전에는 官爵名 가운데 중간에 적힌 '全州刺史'에만 의미 부여를 했을 뿐 終點에 적힌 '漢南郡開國公'에 대한 해석을 건너 뛰었다. 진훤의 관작명은 뒤로 갈수록 목표치가 커지고 있음을 발견하게 된다. 본고에서는 '漢南郡開國公'이 지닌 의미를 구명함으로써 그간 주목해 왔던 '全州刺史'의 全州가 궁극적인 목표가 아님을 밝히고자 했다.

셋째, 900년 진훤이 단행한 전주에서의 立都가 遷都냐 定都냐하는 문제이다. 백제를 재건한 진훤의 최초 거점은 무진주로 알려졌다. 그런데 진훤은 900년에 全州로 옮겨와서 새로운 도읍지로 삼았다. 문제는 그 성격에 대한 논의가 제기되고 있다. 일반적으로 定都로 간주하는 시각이 많다. 그 이유는 진훤이 공공연히 稱王하지 못했다는 데 두고 있다. 그러나 진훤은 강성한 이후에도 신라에 대해서는 稱臣하는 상황이었다. 그렇다고 왕이나 국가의 존재를 부정할 수 없는 일이다. 더욱이 진훤이 전주에 입성하기 전후의 사실을 묘사할 때 '巡'이라고 했다. 전주 입성 이전에 진훤이 칭왕했음을 웅변해준다. 이러한 사실을 토대로 본고에서는 遷都라는 관점에서 光州 初都說의 근거를 제시하고자 했다.

넷째, 전주 천도의 배경에 대해서 새롭게 구명하고자 하였다. 이와 관련해 과거에 필자가 제기한 지론이 있다. 그럼에도 불구하고 '自說'로 둔갑시킨 경우가 있었다. 더구나 후학이 그 '자설'을 맹신하는 사실을 목도하였다. 그러한 관계로 역시 비정상의 정상화 차원에서 사실 여부를 명백히 밝히고자 했다.

다섯째, 진훤이 전주에서 한 발언 가운데 "吾原三國之始 馬韓先起 後赫世勃興 故辰卞從之而興"라고 한 구절에 대한 재해석이다. 지금까지는 '赫世'를 朴赫居世를 가리키는 '赫居世'의 略記 정도로 간주해 왔다. 그러나 이러한 해석은 문맥에도 맞지 않을뿐더러 용례를 모르고 한 견강부회식 해석이었다. 이 점 바로잡고자 하였다.

여섯째, 진훤이 선언한 백제의 금마산 개국설에 대해서는 사리에 맞지 않는 내용으로 치부하는 경우가 많았다. 그러나 여기에는 역사적 배경은 물론이고 진훤이 처한 당시의 정치 환경적 요인에서 새롭게 구명하고자 했다.

일곱째, 백제의 금마산 개국과 짝을 이루는 미륵사 '開塔'이 지닌 사상적 의미와 정치적 배경을 환기시키고자 했다. 이에 대해서는 종전에는 開塔을 탑을 修理하는 행위 정도로 여기면서 상징성만 찾는 선에서 얼버무리는 경향이 있었다. 이는 사리신앙에 대한 용례와 더불어 중국의 開塔 사례에 대한 이해가 전혀 없었던 데서 기인한 해석이었다. 본고에서는 신라 말기 불교에 직접 영향을 미쳤던 唐代의 法門寺 開塔 사례를 통해 불사리 신앙의 실체를 환기시키고자 하였다. 그럼으로써 922년에 미륵신앙의 중심 도량인 미륵사에서의 開塔이 지닌 역사적 의미가 되살아날 것으로 본다.

마지막으로 후백제 전주 천도의 경제적 배경을 추가하였다.

2. 진훤의 擧兵地와 '始都光州' 확인

진훤은 군대를 따라 신라의 수도였던 경주에 들어 간 후 해안 지역을 지키는 일에 복무하게 되었다. 그가 복무했던 곳은 지금의 전라남도 順天灣 일대로 필자가 최초로 새롭게 밝혔다. 그러한 사실은 다음의 인용과 같다.

　　a. 진훤의 사위인 무진주 성주 지훤(池萱)은 지금의 광주 출신 호족이 분명하다. 그리고 지금의 순천 출신인 박영규(朴英規)는 말할 것도 없고, 진훤의 어가행차(御駕行次)를 맡았던 인가별감(引駕別監) 김총(金摠)도 순천 출신이었다. 인가별감은 어가행차와 관련한 임무를 맡았던 만큼, 경호의 총책임자인 지금의 대통령 경호실장에 해당되는 직책이었다. 김총은 죽어서 순천의 성황신(城隍神)으로 받들여졌다. 그를 제사지내는 사당이 18세기 말까지만 하더라도 진례산(進禮山; 여수시 상암동)에 존재하였다. 그러하였을 정도로 김총은 위세 있는 인물이었다. 순천 김씨의 시조이기도 한김총의 묘와 사당인 동원재(同源齋)는 순천시 주암면 주암리 방축동에 남아 있다.

　　이처럼 진훤의 최측근 인맥이 지금의 광주와 순천쪽이었다. 이 사실은 진훤의 초기 세력 기반과 거병 지역을 암시해 준다. 892년에 진훤이 역사의 전면에 등장할 때 무주(武州) 동남쪽의 군현(郡縣)이 일제히 진훤에게 항속(降屬)하였다고 한다. 지금의 광주인 무주의 동남쪽은 순천과 여수를 포함한 지역권으로서 그 중심지는 순천이었다. 순천은 해안을 끼고 있는 곳이 아닌가. 이 점 유의하지 않을 수 없다. 이와 관련해 939년에 세워진 대경대사비(大鏡大師碑)에 의하면 승려 여엄(麗嚴)이 당나라에서 신라로 귀국할 때인 909년에 무주(武州)의 승평(昇平)에 도달했다(此時天祐六年七月 達于武州之昇平)는 기록이 주목된다. 승평은 승주 그러니까 지금의 전라남도 순천을 가리킨다. 이 사실은 기존의 인식과는 달리 남단(南端) 내륙 교통의 요충지인 순천 또한 대중국 항로와 관련한 항구였음을 알려준다.

　　즉 현재의 순천은 광주로 이어지는 철로와, 여수로 연결되는 철로의 분기점인 동시에 광양→하동→진주→창원→삼랑진으로 뻗어가는 경전선의 시발이요 종착역이었다. 그러한 관계로 순천에는현재 철도국이 설치되어 있을 정도로 교통의 요충지였다. 그러니까 순천은 광주 및 나주ㆍ목포 지역과 지금의 경상남도 연안 지역을 연결하는 위치에 있었다. 지금의 광주에서 신라 수도인 경주로가기 위해서는 통과해야 하는 땅이기도 했다. 그런데다가 순천만(灣)에서 중국 대륙을 왕래하는 선박이 정박한다고 해 보자. 그것을 둘러싼 해적 집단의 횡행과 이들을 제압하기 위한 군대의 주둔을 생각하지 않을 수 없다. 바로 해적 소탕 임무를 띠고 주둔했던 진훤의 군영(軍營)이 순천 해안가였고, 그러한 가운데서 자연스럽게 그의 초기 세력 인맥이 형성된 것으로 여겨진다.[1]

1　李道學, 『진훤이라 불러다오』, 푸른역사, 1998, 85~87쪽.

위의 인용 a에 따르면 진훤의 擧兵 지역이 지금의 순천 일대임을 알 수 있다.[2] 진훤의 방수처로 순천을 지목하는 유일한 논거인 인맥 문제는 앞서 거론했듯이 필자가 이미 언급했던 바이다. 이로써도 진훤의 방수처로 지목한 순천만 설의 타당성이 높다는 증좌일 수 있다. 그리고 진훤이 건국에 성공할 수 있었던 배경과 관련해 다음과 같은 견해를 제기하였다.

b. 그리고 진훤은 일반 농민들의 생활을 향상시켜 주었다. 농민 출신이었기에 그는 촌락의 열악한 실정을 누구 보다 잘 알고 있었다. 그랬기에 그는 농민들을 과중한 부세와 수탈과 질곡에서 해방 시켰다. 이러한 진훤의 조치가 민심을 얻을 수 있었던 요인이라고 보겠다. 비록 수사(修辭)가 많은 진훤의 아들 신검(神劍)의 교서(敎書)이지만 "도탄에서 구해주셨으니 백성들이 편안히 살게 되고"라는 구절은 이것을 말할 것이다. 촌락 공동체를 뛰쳐나와 미아처럼 방황하는 유민들을 수습하여 농토에 묶어 두면서 사회의 안정과 경제 기반의 확대를 가져 왔음을 뜻한다고 보겠다. 그리고 호족들에 의한 강제 수탈로부터 농민들을 해방시켰음을 함축하고 있다.

진훤은 한반도에서 인구와 물산이 가장 풍부한 호남·만경평야 일대를 장악하였던 것이다. 그랬기에 가장 강대한 세력을 형성할 수 있었다. 진훤이 말년에 자신의 군사가 북군 곧 고려 군대보다 갑절이나 더 많았다고 회고하였듯이, 경제적 배경이 그가 웅강(雄强)한 국가를 창건할 수 있었던 토대였다고 본다. 실제로 『동사강목』에서도 "진훤이 무리를 불러 모아 일어나서 영토를 넓히고 경계를 개척하여, 백제의 옛

---

2 이와 유사한 견해가 다음의 인용에 보인다.
"…甄萱 政權下에서 引駕別監을 역임하였던 金惣은, 견훤이 西南海를 防戍하던 시절부터 일찍이 그 측근에서 활약하였던 것으로 알려져 있는 인물이다(註43). 그런데 그러한 金惣이 또한 順天 출신이었다고 한다(註44). 견훤이 처음 방수하였다고 하는 서남해가 어느 지역이었는지를 암시하는 증거가 아닐 수 없다고 생각되거니와, 이로써 문제의 西南海가 현재의 順天灣과 光陽灣을 끼고 있는 順天(昇州) 지역이라는 것은 거의 움직일 수 없는 사실이 되었다고 하여 지나치지 않을 줄 믿는다(註45)(邊東明, 「甄萱의 出身地再論」『震檀學報』90, 2000, 42쪽)."
위의 인용 '註45'에 따르면 "근래에 이도학, 『진훤이라 불러다오』, 푸른역사, 1998, 83~85쪽에서도, 견훤이 방수하였던 서남해를 順天灣 지역으로 보고 있다"고 하면서 진훤의 擧兵 지역을 順天으로 지목한 이도학의 견해를 취하고 있음을 밝혔다. 그러나 邊東明은 出典의 年度를 누락시켰다. 이와 관련해 "견훤이 주둔한 곳은 순천의 해룡산성과 광양의 마로산성 등으로 추정된다…견훤은 해룡산성과 광양 마로산성 등의 해안 요새에 파견된 후 군인으로서 솔선수범하는 모범적인 자세를 보였다(문안식, 『후백제 전쟁사 연구』, 혜안, 2008, 29~30쪽)"는 주장도 있다. 그러나 이러한 주장은 다음의 견해에서 보듯이 이도학에 의해 이미 제기되었다.
"해룡산성에 주둔하고 있던 진훤은 해적들을 소탕하는 데 발군의 전공을 세웠기에 神將 職까지 오르게 되었다.…순천만과 이웃하면서 하나의 지형구 속에 자리잡은 광양만에는 마로산성이 소재하였다. 마로산성은 당초 마로현의 治所 城이기도 했다. 그러나 신라말 중앙 통제력의 이완을 틈타 이곳을 실질적으로 점거한 이가 순천 지역 호족 박영규 가문이었다. 마로산성에서 청해진에서와 동일한 唐製 도자기가 출토된 사실은 장보고 시대 이래로 이곳이 對唐·對日本 교역의 삼각 거점이었음을 뜻한다.…그러나 진훤은 중국제 물품이 출토된 마로산성을 비롯한 그 일대를 세력권에 넣고 있었다(李道學, 「新羅末 甄萱의 勢力 形成과 交易」『新羅文化』28, 2006, 230~231쪽)."

땅을 남김없이 차지했다. 삼한을 침탈하기 40여 년 동안, 그 재력의 부유함과 갑병(甲兵)의 막강함은 족히 신라와 고려보다 뛰어나서 먼저 드날렸던 것이다'라고 평가하지 않았던가!

　… 진훤이 왕국을 건설하고 빠른 시일내에 정국의 주도권을 장악하게 된 배경은 몇 가지로 나누어진다. 첫째, 진훤은 예하에 해적 토벌을 통한 실전 경험이 풍부한 전문적인 군사력을 보유하고 있었다는 점이다. 둘째, 그는 항만에 주둔하면서 그곳을 드나드는 상인들과의 관계를 통해서는 경제적 기반을, 승려와 유학생들과의 교유를 통해서는 탄탄한 정치적 브레인층을 확보하게 되었다. 셋째, 그의 뛰어난 정치적 안목이다. 그는 일찍부터 세력을 규합하면서 냉철한 안목으로 사세를 주시하다가 원종과 애노의 난이 일어나자 즉시 거병하여 우뚝하게 지명도를 높였다. 이로써 그는 체제 불만 세력과 주민들에 대한 구심 역할을 하였다. 넷째, 옛 백제 땅에서 '백제의 재건'이라는 정치적 슬로건의 사용을 통하여, 주변 세력들을 그 휘하에 빠르게 포용하면서 정치 세력화시켰다. 다섯째, 진훤의 세력 기반이 인구와 물산이 풍부한 호남 지역이었다는 점이다. 후백제의 병력수가 고려의 그것보다 갑절이나 많았음은 이와 무관하지 않다.[3]

위의 인용에서 보듯이 진훤이 후삼국의 주도권을 쥐게 된 배경으로서 호남 지역의 경제적 기반을 언급하고 있다. 그런데 900년에 진훤의 全州 遷都를 定都로 간주하는 이들이 많다. 이러한 시각은 全州 이전 진훤의 근거지였던 무진주를 왕도로 인정하지 않겠다는 심사가 된다. 그러면 다음의 기사를 통해 이 문제를 검증해 보고자 한다.

　c. 唐 昭宗 景福 원년(892)은 신라 진성왕 재위 6년인데, 총애하는 자들을 곁에 두고 정권을 멋대로 농락하니 기강이 문란하고 해이해졌다. 이것에 보태져 기근 때문에 백성들이 떠돌아다니고, 뭇 도적들이 벌떼처럼 일어났다. 이에 진훤이 몰래 분수 밖의 일을 넘겨다 보는 마음이 생겨 휘파람 불어 패거리를 모았다.

3　이도학, 『진훤이라 불러다오』, 푸른역사, 1998, 100~101쪽. 153쪽.
　　한편 진훤이 건국에 성공할 수 있었던 배경과 관련해 다음과 같은 견해가 제기되었다.

　　"이와 같은 전라남도 지역의 불만농민들의 적극적인 호응을 등에 엎고 견훤은 반란을 성공으로 이끌고 후백제를 건국하였다. 그리고 그 결과로 우리나라 최고 곡창지대의 하나에 속하는 지역에 대한 조세수취권도 손에 넣게 되었다. 이것이 후백제의 경제적 기반을 군건히 하는 데 크게 이바지했음은 말할 나위도 없다. 더 나아가 후삼국시대 초기부터 후백제가 궁예의 泰封이나 王建의 高麗보다도 강력한 국가로 부상할 수 있었던 중요한 원인 가운데 하나도 바로 여기에 있다고 믿는 것이다(이희관, 「甄萱의 後百濟 建國過程上의 몇 가지 問題」 『후백제와 견훤』, 서경문화사, 2000, 52쪽)."

　　그러나 위에 보이는 내용도 이미 인용된 본문 b에서 언급된 바 있다. 즉 진훤이 건국에 성공한 배경으로서 호남 지역의 경제적 기반을 이미 언급하였던 것이다.

나가면서 서울 서남 州縣들을 치자 이르는 곳마다 메아리쳤다. 삽시간에 무리가 오천 인에 이르렀다. 드디어 무진주를 습격하여 스스로 왕이라고 하였으나 오히려 감히 공공연히 왕을 칭하지는 못했고 스스로 新羅 西面都統指揮兵馬制置持節都督 全武公等 州軍事 行全州刺史 兼 御史中丞 上柱國 漢南郡 開國公 食邑二千戶라고 했을 뿐이다.[4]

위의 c를 보면 진훤은 "왕경의 서남쪽 州縣을 치자 이르는 곳마다 메아리처럼 호응하였다"고 했다. 신라 비장 직의 진훤이 처음 거병한 곳이 경주의 서남쪽임을 말하고 있다. 통일신라 때 승평항이 었던 지금의 순천만과 광양만 일대를 거점으로 하였던 진훤은 이곳을 기반으로 주변 지역을 석권했음을 가리킨다. 그런 후에 진훤이 "드디어 무진주를 습격하여 스스로 왕[自王]이 되었으나"라고 했다. 진훤은 서남해안 일대를 장악하면서 휘하가 5천 명에 이르자 무진주를 점령한 후 '自王' 즉 稱王하였다. 진훤이 칭왕한 장소인 무진주는 왕도인 것이다.

문제는 당시 진훤의 '自王'을 "감히 공공연히 왕을 칭하지 못하고"라고 하였기에 국가로 인정할 수 없다는 주장이다. 마치 국가의 충족 요건이나 인류학적 발전 단계를 검증하는 듯한 인상을 받게 된다. 그러나 이는 어디까지나 검증하기 어려운 속성을 지녔다. 진훤 스스로 '自王'한 것인 만큼 주관적인 성격이 강하다. 그렇기는 하지만 진훤의 自署에 보면 '新羅 西面都統指揮兵馬制置'라고 하였으므로 신라를 의식하고 있음은 분명하다. 즉 자신을 신라왕의 臣下로 인식한 것이다. 그러나 927년에 경주를 습격하여 경애왕을 처단하고 김부를 새로운 왕으로 옹립한 후에도 진훤은 신라의 신하로 여겼다. 즉 진훤은 왕건에게 보낸 국서에서 "나는 尊王의 義를 두터이 하고 事大의 情을 깊이 하였다"고 했다. 가장 강성했을 때도 진훤은 자신을 신라왕의 신하로 간주했던 것이다. 그리고 진훤은 '都統'이나 '太傅' 등의 직함을 사용했는데, 신라의 지방관임을 자처한 것이라고 한다.[5] 그러므로 이러한 표현이나 직함은 어디까지나 對外의인 宣言에 불과할 뿐이었다.

진훤이 稱한 '自王'의 용례는 孫權의 경우에서도 보인다. 즉 "겨울 10월 乙卯에 황제가 位를 물려주자 魏王 조가 天子를 칭했다. 이듬해(221)에 유비가 蜀에서 황제라고 칭하고, 손권 역시 吳에서 스스로 왕이라 칭하니 이에 천하는 드디어 셋으로 나뉘어졌다"[6]고 했다. 孫權은 주지하듯이 '自王'한 221년 이전에 이미 국가를 경영하고 있었다. 또 손권은 '自王'했지만 '吳'라는 국호를 사용하였다. 이와

---

4 『三國史記』권50, 甄萱傳.
5 申虎澈, 『後百濟甄萱政權研究』, 一潮閣, 1993, 107쪽
6 『後漢書』권9, 孝獻帝 25년 조. "冬十月乙卯 皇帝遜位 魏王丕稱天子 明年 劉備稱帝于蜀 孫權亦自王於吳 於是天下遂三分矣"

마찬 가지로 진훤의 '自王'도 국가 경영과 국호 사용을 전제하고 있다고 보아야 한다. 朝鮮은 1392년에 개국했지만 1394년에도 태조는 朝鮮王을 칭하지 못하였다. 즉 조선 태조는 '權知國事'라고 하였고, 감히 왕을 일컫지는 못하였다(不敢稱王).[7] 이러한 맥락에서 볼 때 진훤 스스로 "공공연히 왕을 칭하지 못하고"라고 했다고 해서 왕 행세를 못한 것은 아니었다. 진훤은 901년에 正開라는 독자 연호를 반포했고, 王 中의 王인 大王까지 칭했다. 이 사실은 그 이전에 이미 진훤이 稱王했음을 뜻한다. 더구나 『삼국유사』에서는 진훤의 근거지였던 光州를 "壬子 始都光州"[8]라고 하였다. 光州가 후백제 최초의 왕도였음을 분명히 했다. 이는 다음과 같은 정황에서도 유추된다.

진훤이 순천만에서 擧兵한 시점을 889년으로 지목한 견해를 취한다면, 892년에 와서야 光州를 근거지로 삼은 것이다. 진훤이 順天에서 光州로 진출하는 데 3년이라는 기간이 소요되었음을 알 수 있다. 擧兵한 지 3년 동안 진훤은 한반도 서남해안 지역을 석권하였다. 이때 진훤은 자신이 장악한 지역 가운데 대도회인 光州를 점령한 후 이곳을 근거지로 '自王'한 것이다. 진훤은 '自王'과 동시에 백제의 부활과 재건을 光州에서 선포했다고 보여진다. 그러므로 광주는 국가로서 백제가 부활된 시발지인 것이다. 이는 전주에 입성하기 전 진훤의 행차를 왕의 행차를 가리키는 '巡'이라고 한 데서도 알 수 있다. 그리고 진훤은 全州로 천도한 다음해인 901년에 正開 연호를 선포했다.[9] 전주 천도와 짝하여 正開 연호를 제정한 것은 아니었다. 바꿔 말해 진훤이 全州로 遷都한 해인 900년까지 이미 사용한 연호의 존재 가능성을 심어준다. 그렇다면 진훤이 光州에 도읍하면서 국호와 연호를 제정했을 가능성이 높아진다. 또 그것을 주재한 진훤은 명백히 국왕인 것이다.

國王權 행사로서 꼽을 수 있는 게 관직 하사이다. 이와 관련해 "이 때 北原賊 良吉이 웅강하여 궁예가 스스로 의지하여 가서 휘하가 되었다. 진훤이 이 소식을 듣고 멀리 양길에게 관직을 주어 裨將으로 삼았다"[10]는 기사가 주목된다. 무진주의 진훤은 궁예까지 포용했을 정도로 강성한 北原의 양길에게 裨將 職을 수여한 것이다. 비장은 당초 진훤이 신라 군대에서 거듭된 전공을 통해 받았던 최종 관직이었다. 게다가 대호족인 양길의 위세에 비추어 볼 때 비장은 단위 부대장 정도의 위상이 아니라 몇 개 부대를 거느린 총사령관직임을 알게 된다. 진훤은 당초 신라왕으로부터 비장 직을 수여받았다. 그러나 이제는 진훤이 양길에게 비장 직을 수여했다. 이 자체는 진훤이 자신의 위상을 '王'

---

7 『太祖實錄』 태조 3년 6월 7일 조.
8 『三國遺事』 권1, 王曆, 後百濟 條.
9 남원 실상사 편운화상부도에 적힌 '正開十年庚午'라는 문구에 따른다면 正開 元年은 901년이다.
10 『三國史記』 권50, 甄萱傳. "是時 北原賊良吉雄强 弓裔自投爲麾下 萱聞之 遙授良吉職爲裨將 萱西巡至完山州 州民迎勞 萱喜得人心 謂左右日"

으로 간주했기에 가능한 일이었다. 진훤은 자신의 예하에 양길을 정치적으로 가두기 위한 조치로서 비장 직을 내려주었다. 또 그럼으로써 자신의 위상을 전국적으로 확대시키고자 하였다. 관직 제수는 궁예가 "開國稱君" 시점에서 왕건을 철원군 태수로 임명한데서도 보인다.[11]

진훤의 '自王'이 국가의 창건을 가리킴은 다음과 같은 궁예의 사례와 비교해 볼 때 보다 분명해진다.

〈거병~국가 선포까지의 궁예와 진훤 비교〉

		궁예				진훤	
1단계	894년	거병시 관직	將軍 可以開國稱君 始設內外官職	889년	거병시 관직	裨將
		독립시 병력	3,500명		독립시 병력	5,000명
2단계	901년	自稱王		892년	自王	
3단계	904년	立國 號爲摩震		900년	自稱後百濟王 設官分職	

주지하듯이 궁예의 세력을 국가로 인정해 주는 시점은 2단계인 901년의 '自稱王'부터이다. 궁예의 경우를 진훤에게 대입시킨다면 1단계는 889년에 裨將으로서 무리 5,000명을 거느리고 서남부 지역을 장악해 가는 상황이다. 2단계는 진훤이 무진주를 점령하고 '自王'한 892년에 해당된다. 따라서 진훤의 '始都光州'는 開國과 관련 지어 충분히 존중할 필요가 있다고 본다. 궁예의 건국은 "立國 號爲摩震"라고 한 904년이 아니라 '自稱王'하였던 901년으로 인정하고 있기 때문이다. 이는 "… 고구려의 부흥을 구호 삼아 後高句麗를 건국하였다(효공왕 5, 901)"[12]라는 인식에서도 확인된다. 이와 관련해 다음과 같은 진훤의 擧兵과 국가제도 정비에 이르는 과정에 대한 평가와 인식을 살펴 보자.

d. 각지에서 반란이 일어나자 그는 무리를 이끌고 武珍州(광주)를 점령하고 실질적으로 건국하기에 이르렀다(진성여왕 3년, 889). 그리고 義慈王의 원한을 갚는다는 구호 아래 스스로 王이라 칭하더니(진성여왕 6년, 892), 나아가 완산주(전주)로 근거를 삼고 국호를 後百濟라 하고 정치제도를 정비하기에 이르렀다(효공왕 4년, 900).[13]

---

11 『三國史記』 권50, 弓裔傳.
12 李基白, 『新修版 韓國史新論』, 一潮閣, 1995, 142쪽.
13 李基白, 『新修版 韓國史新論』, 一潮閣, 1995, 141쪽.

위에서 보듯이 李基白은 무진주 점령 시점을 889년으로 간주하면서 '실질적으로 건국'이라고 했다. 무진주 점령을 892년으로 지목하든 간에 이 시점을 건국으로 간주하는데는 일치하고 있다. 따라서 진훤의 경우 892년의 '自王' 시점을 건국으로 설정하는 게 가능하다. 결국 光州는 후백제의 初都地가 되는 것이다. 나아가 다음과 같이 摘示한 892년의 '自王'과 900년의 '自稱後百濟王'은 본질적으로 동일하다고 하겠다.

> e-1. 遂襲武珍州自王 猶不敢公然稱王(892년)
> e-2. 遂自稱後百濟王(900년)

光州에 도읍한 진훤의 포부는 自署에서도 유추할 수 있다. 지역과 관련하여 제일 앞에 적혀 있는 '持節 都督全武公等州軍事'에 보이는 全州·武州·公州는 지금의 충청남도와 전라남·북도를 아우르고 있다. 이 지역은 백제 故地를 가리키고 있는 곳이다.[14] 이에 덧붙여서 진훤은 무진주에서부터 '全州刺史'를 칭하였으니 이미 全州 지역에 의미를 부여했음을 알려준다. 그러나 다음의 인용에서 보듯이 순암 안정복은 진훤의 自署 중에서 '漢南郡 開國公'을 대표 官爵으로 언급했다.

> f. 南海의 戍卒 甄[甄의 音은 眞] 萱이 반란을 일으켜 武州를 근거로 하고 스스로 漢南郡 開國公이라 칭하였다.[15]

위의 인용에서 보듯이 안정복은 진훤의 내력을 서술해 나갔다. 그런데 안정복은 기존 학계의 인식대로 '行全州刺史'가 아니라 그것을 뛰어 넘어서 '漢南郡 開國公'을 더 중요한 관작으로 생각했다는 것이다. 문제는 '漢南郡開國公 食邑二千戶'의 '漢南郡'의 존재 여부가 된다. 漢南郡은 "水州 : 別號가 漢南이다[成宗이 정한 것이다]. 또 隋城이라고도 부르는데 屬縣은 7개이다"[16]고 했다. 즉 漢南郡은 고려 成宗 이전인 신라 말기에는 존재하지 않았던 郡名이었다. 그러니 漢南郡은 어떤 관념이 투영된 地名이라고 볼 수 있다. 字意上으로 '漢南'은 漢水의 북쪽을 가리키는 漢陽과는 달리 漢水의 남쪽을 가리킨다.[17] 漢陽郡은 "본래 고구려의 漢山郡 [또는 平壤이라고도 함]을 진흥왕이 州로 만들어 軍

---

14 박한설, 「후삼국의 성립」 『한국사 3』, 국사편찬위원회, 1977, 619~620쪽.

15 『東史綱目』 第5上, 壬子年 眞聖女主 6년 조.

16 『高麗史』 권56, 地理志, 水州 條.

17 단국대학교 동양학연구소, 『漢韓大辭典 8』, 2005, 853쪽.

主를 두었고, 경덕왕이 개명하였는데 지금 楊州 舊虛이다"[18]고 했다. 이렇듯 고구려 영역으로 인식했던 한양군 즉 漢北과는 달리, 漢南은 백제 영역을 가리키고 있다. 비록 후대 기록이기는 하지만 다음과 같은 漢南에 대한 인식에서도 확인된다.

> g. 古初에 漢南의 땅이 三韓이었다.[19]
>
> h. 沸流가 바닷가에 살고자 하니 10臣이 諫하기를 "오직 이 漢南의 땅은 북쪽으로는 漢水를 띠고 동쪽으로는 高岳에 의지하고…"고 하였다.[20]
>
> i. …온조가 漢水의 북쪽에 나라를 세웠다. 그 14년 뒤에 漢南으로 도읍을 옮겼으니 지금의 廣州이다.[21]
>
> j. 京畿 漢北 지역 : 고려에 들어와서는 關內道가 되고, 우리 태종 때는 漢南과 합하여 京畿가 되었다.[22]

위의 h에 보이는 '漢南'은 『삼국사기』 동일 기사에서 '河南'으로 표기되었다.[23] 漢南은 한강 남쪽을 가리키는 것이다. 그리고 i에서 漢南을 경기도 廣州라고 한 것을 볼 때 백제 王都를 가리킴을 알 수 있다.

그리고 앞의 c에서 보였던 '全武公等州'가 百濟故地를 가리키고 있다. 그렇다면 '漢南郡'은 한수 이남의 백제 王都를 포괄하는 백제 故地 전체를 망라하는 관념적인 지명이라고 하겠다. 진훤의 관작 말미에 적힌 한남군에는 한강 남쪽 백제 영역을 모두 제패하려는 의도가 깔려 있는 것이다. 이와 관련해 다음과 같은 관작이 참고가 될 것 같다.

> k. 都督遼海諸軍事征東將軍領護東夷中郞將 遼東郡開國公高句麗王(장수왕 23년 조)
>
> l. 奉常正卿 平壤郡開國公 食邑二千戶(김유신전 下)

장수왕 이래 고구려왕들이 '遼東郡開國公'에 봉해졌다. 이는 遼東 지역에 대한 지배권을 인정해 주는 의미가 담겨 있다고 하겠다. 김유신이 받은 '平壤郡開國公'의 평양은 고구려 王都 名으로서 고구려 영역에 대한 지배권을 인정해준다는 의미가 부여된 것 같다.

---

18 『三國史記』권35, 地理2.
19 『東史綱目』附錄 上卷 下, 雜說, 辰國三韓說.
20 『新增東國輿地勝覽』권9, 仁川都護府 古跡 條.
21 『林下筆記』권11, 文獻指掌編.
22 『林下筆記』권11, 文獻指掌編, 八道 沿革 條.
23 『三國史記』권23, 백제 시조왕 즉위년 조.

3. 전주 천도 배경

1) 정치적 배경

진훤이 무진주에서 전주로 遷都하게 된 이유는 무엇일까? 먼저 다음 기사를 살펴 보도록한다.

> m. 진훤이 서쪽으로 순행하여 완산주에 이르니 그 백성들이 환영하고 위로하였다. 진훤이 인심을 얻은 것을 기뻐하여 좌우에게 말하였다. …[24]

위의 기사를 통해 진훤은 민심 수습과 위무 차원에서 서부 지역 각 고을에 대한 순행을 했음을 알 수 있다. 이러한 순행은 민심의 반응과 각 지역의 역사적 내력이나 자연환경을 살피기 위한 목적을 지녔다. 결국 진훤은 '西巡'을 통해 900년에 全州 천도를 결행하였다. 진훤이 全州로 遷都한 배경은 다음과 같이 살펴 볼 수 있다.

첫째, 진훤이 '西巡'한 어느 지역 보다도 열렬히 환영을 받은 곳이 완산주였다. 진훤은 인심을 얻었음을 알았다. 또 인심을 지속적으로 얻기 위해서는 자신을 적극적으로 지지하는 지역을 首府로 삼는 것도 한 방법이었다. 진훤이 무진주에서 완산주 즉 全州로 천도하게 된 데는 주민들의 지지에 대한 체감도의 차이를 느꼈기 때문이었다. 全州는 光州보다 백제 재건에 대한 응집력이 강한 지역이었음을 알 수 있다. 그러면 무슨 이유로 백제를 부활한 진훤 정권에 대한 支持度上 체감도의 差가 나타났을까? 이와 관련해 다음과 같은 견해가 제기된 바 있다.

> n. 진훤의 경우는 광주에서 전주로 천도하였다. 그 천도의 배경은 나주 지역이 궁에 세력의 위협을 받는 등 몇 가지 견해가 제기된 바 있다. 그러나 본질적인 동기는 나주 지역은 영산강 유역으로서 백제에 복속된 시기가 늦을 뿐 아니라 백제 부흥운동에서도 그 응집력이 취약했을 정도로 백제적인 구심력이 상대적으로 약한 곳이었다. 반면 노령산맥 이북의 전주 지역은 原백제 지역이었다는 점을 고려했던 것 같다.[25]

---

24 『三國史記』 권50, 甄萱傳. "萱西巡至完山州 州民迎勞 萱喜得人心 謂左右曰"

25 李道學, 「弓裔와 甄萱의 比較檢討」『弓裔와 泰封의 역사적 재조명』, 제3회 태봉학술제, 철원군, 2003, 20쪽.
위의 인용 n과 관련해 다음과 같은 인용을 검토해 본다.
"전남지역은 백제의 멸망과 부흥운동 과정에서도 전북이나 충남과는 달리 파고가 높지 않았다. 전남지역의 토착세력은 마한의 전통에 대한 계승의식이 남아 있었고, 백제인이라는 귀속의식이 부족하였기 때문에 부흥운동에 적극적으로 가담하지 않았던 것이다(문안식, 『후백제 전쟁사연구』, 혜안, 2008, 48~49쪽)."

둘째, 全州 遷都와 맞물려서 흔히 언급되는 다음 구절에 대한 해석을 검증해 본다.[26]

O. 내가 삼국의 시초를 살펴보니, 마한이 먼저 일어나고 후에 혁거세가 발흥하였으므로 진한과 변한이 따라서 일어났다. 이에 백제가 금마산에서 개국하여 600여 년이었다…(吾原三國之始 馬韓先起 後赫世勃興 故辰卞從之而興 於是 百濟開國金馬山六白餘年).[27]

위에서 "吾原三國之始 馬韓先起 後赫世勃興 故辰卞從之而興"라고 한 구절의 '赫世'를 朴赫居世를 가리키는 '赫居世'의 略記 정도로 간주해 왔다. 그랬기에 "마한이 먼저 일어나고 그 후에 혁거세가 일어났다. 그런 까닭으로 진한과 변한이 뒤따라 일어났던 것이다"[28]라는 식의 해석이 이어져 왔다. 그러나 '赫世'는 '累代' 즉 '代代로'를 가리킨다.[29] 가령 대대로 顯貴한 高官을 가리키는 '赫世公卿'이라는 용어가 말해주고 있다.[30] 게다가 문리상 "마한이 먼저 일어나고"에 이어서는 신라를 가리키는 진한과 함께 변한이 마한(백제)을 좇아서 흥기했다는 내용이 되어야만 한다. 이렇듯 新羅(辰韓)에 대한 분명한 언급이 있다. 그럼에도 불구하고 그에 앞서 미리 혁거세가 발흥한 까닭에 진한과 변한이 따

위의 인용문은 문안식·이대석, 『한국고대의 지방사회』, 혜안, 2004, 248쪽을 인용하고 있다. 그러나 해당 저서의 쪽수 뿐 아니라 그 책자에는 인용한 내용이 적혀 있지 않았다. 그럼에도 불구하고 위의 내용은 인용되고 있다(송화섭, 「후백제의 대외교류와 문화」 『후백제 왕도 전주』, 전주역사박물관, 2013, 59쪽). 다만 해당 책자에는 전주 천도의 동기에 대해 다음과 같은 서술이 보인다.

"이와 같이 후백제는 전주 천도 이후 전남의 내륙지역과 동부지역 및 남해안 일대를 차지하였으며, 서남해지역은 해상세력이 견훤에 맞서면서 토착질서를 유지하였다. 후백제는 나주를 비롯한 서남해지역의 호족들이 저항을 꾀하자, 무주의 배후지역이 취약성을 보이게 되었다. 이 때문에 견훤은 전주로 수도를 옮기게 되었다. 또한 견훤은 내륙의 교통 군사적인 요충지로 옮겨 지배영역을 확대할 목적으로 전주 천도를 단행하였다[申虎澈, 『後百濟甄萱政權研究』, 一潮閣, 1993, 48~51쪽; 정청주, 1996, 앞의 책, 170쪽(문안식·이대석, 『한국고대의 지방사회』, 혜안, 2004, 329쪽)."

위의 인용을 통해 볼 때 문안식은 다른 이의 논지를 인용했을 뿐이다. 게다가 전라남도 지역의 백제에 대한 귀속의식의 취약성을 언급하지도 않았다. 따라서 이에 대한 논의는 필자가 제일 먼저 언급했음을 알 수 있다.

26 이러한 구절에 대한 최근의 번역은 노중국 外, 『개정 증보 역주 삼국사기(2-번역편)』, 한국학중앙연구원 출판부, 2012, 833쪽에 의하였다.

27 이 구절의 해석에 대해서는 다음과 같은 평가가 제기되었다. "李丙燾氏가 『國譯三國史記』에서 '내가 三國의 起源을 상고해 보면 마한이 먼저 일어나고 후에 赫世(赫居世)가 勃興하였으므로 辰(韓), 卞(韓)이 따라 일어났다'고 해석한 것에 따르고 있다. 그러나 나는 이 해석이 誤譯이라고 생각한다. 나는 이를 '내가 삼국의 기원을 생각할 때 馬韓이 먼저 일어나서 뒤에는 빛나는 시대가 일어났다. 그러므로 해서 진한, 변한이 따라서 일어나게 되었다'고 해석한다. 赫世는 빛나는 세상, 시대 치세를 의미하지 赫世가 朴赫居世의 略語가 아니다(文暻鉉, 『高麗史研究』, 경북대학교 출판부, 2000, 51쪽 註 13)."

28 이재호 譯, 『삼국사기』, 솔, 1997, 506쪽.

29 신기철·신용철, 『새 우리말 큰사전 (하)』, 三省出版社, 1975, 3706쪽

30 이숭녕 監修, 『현대국어대사전』, 한서출판사, 1974, 925쪽

7-1 동고산성에서 바라 본 익산 미륵산(금마산)

라서 흥기했다는 서술과 해석은 어색한 것이다. 여기서 "後赫世勃興"라는 구절의 '後'는 衍字이므로 삭제하는 게 낫다. 그렇게 한다면 "마한이 먼저 일어나 누대로 발흥한 까닭에, 진한과 변한이 (마한을) 좇아 흥기했다"는 해석이 된다. 그러면 문장이 자연스러워진다.

실제 『신증동국여지승람』 益山郡 古跡 金馬山 項에 따르면 "昔馬韓先起 赫世勃興 辰卞從之而興" 라고 하였다. 분명히 여기서는 "赫世勃興" 앞의 '後' 字를 삭제했다. 게다가 다음과 같이 해석하였다. 즉 "옛날에 마한이 먼저 일어나 대대로 발흥하였고, 진한과 변한이 뒤이어 일어났다"[31]라고 했다. 이와 관련해 漢文에 능한 爲堂 鄭寅普도 "말한 以後 赫世勃興하던 王朝의 末葉의 委遇를 바든 것은 갑핫으니…[前回 二段 '赫居世'라 한 것은 모다 '赫世'의 誤]"[32]라고 하였듯이 당초에는 '赫居世'로 해석했다가 '赫世'로 訂正하였다. 그럼에도 불구하고 이 글을 게재한 鄭寅普의 『朝鮮史研究(上)』, 서울신문사(1946) 뿐 아니라 文成哉 譯註本(2012)에서도 정정되지 않은채 여전히 '赫居世'로 적혀 있다.

셋째, 전주 천도와 맞물려 진훤은 백제의 금마산 개국설을 주장하였다. 물론 이는 사실은 아니었기에 어떤 배경이 있었을 것으로 보인다. 물론 진훤 자신이 잘못 알고 있었을 가능성도 배제할 수야 없다. 가령 고려 말 李穀(1298~1351)의 七言古詩 「扶餘懷古」에 보면 "온조왕이 東明家에서 태어나 부소산 밑으로 옮겨와 나라를 세웠다"[33]라고 했다. 이곡은 백제의 건국지를 扶蘇山下로 잘못 알고 있었기 때문이다.

그러나 진훤이 自署한 관작에 보이는 '漢南郡'이 漢水 이남을 가리킨다고 할 때 백제의 영역을 정확히 간파했다고 본다. 특히 '漢南郡'은 고구려 영역으로 인식한 한강 이북 서울 북부 지역을 가리키는

---

31 민족문화추진회, 『국역 신증동국여지승람(IV)』 1978, 424쪽.

32 鄭寅普, 「五千年間 朝鮮의 '얼'(95)」 『東亞日報』 1935. 7. 9.

33 『稼亭集』 권14, 「扶餘懷古」; 『東文選』 권6, 七言古詩, 「扶餘懷古」 "溫王生自東明家 扶蘇山下徙立國"

漢陽郡에 대응하는 지역이다. 그렇다면 한남군은 한강 이남의 서울 남부 지역을 가리킬 수 있다. 진 훤은 백제의 개국지를 남한산 일대로 정확히 인지하였을 가능성이다. 그럼에도 불구하고 그가 금마 산 개국설을 선언한 데는 복잡한 사정이 놓여 있었을 것으로 보인다. 가령 900년을 전후하여 百濟故 地에서는 백제 재건을 선언한 여러 세력이 할거했을 가능성이다. 한강유역을 비롯하여 廣州 지역 호 족 王規나 竹州의 箕萱, 公州將軍 弘奇처럼 백제 古都에서 일어난 세력도 존재하였다. 백제 개국지나 고도의 선점은 정통성의 後光을 입을 수 있는 요체이기도 했다. 이때 진훤의 현실적 기반은 한강유역 과는 거리가 멀었다. 더구나 公州 지역에도 홍기라는 호족이 웅거하고 있었다. 이러한 상황에서 진훤 은 사비성 도읍기 백제의 兩都 가운데 하나인 금마저를[34] 주목했던 것 같다. 진훤은 그것을 연줄로 하 여 백제의 개국지를 익산으로 남하시켰다. 그럼으로써 자신이 그 本流임을 선언하고자 한 것이다.

2) 경제적 배경

진훤은 광주에서 백제를 재건한 직후 오월국에 사신을 보냈다. 자신의 정치적 지위를 공인받고자 한 의도였다. 동시에 교류와 교역을 활성화시키려는 목적을 지녔다. 900년에 단행된 진훤의 전주 입도에 는 백제 계승자로서의 정당성을 확보하려는 의도가 강했다. 901년 8월에 진훤은 합천의 대야성을 공 격하였다. 이 사실은 적어도 901년 8월 이전에 진훤이 전라북도 동부 지역을 석권하지 않고서는 가능 하지 않았다. 진훤이 전주로 천도하려고 했을 때는 정치적으로는 5소경 가운데 하나인 남원소경의 장 악과, 경제적으로는 잠재적 국력의 척도인 장수의 鐵産地 확보에 두었던 것 같다. 그렇지 않고서는 후 백제가 합천의 대야성으로 이어지는 통로를 立都와 동시에 신속하게 장악할 수는 없었을 것이다.

俞棨는 『麗史提綱』에서 "그 財力의 부유함과 甲兵의 강성함은 고려나 신라와 겨루어서 먼저 떨칠 수가 있었다"[35]라고 평가한 바 있다. 여기서 '財力의 부유함'은 호남 지역의 농업생산력 뿐 아니라, 장수의 철산지 확보와 같은 경제적 기반을 염두에 두었을 것이다. 그러면 이와 관련해 진훤이 나주 세력과 충돌하는 다음 사건을 음미해 본다.

가을 8월, 후백제 왕 진훤이 대야성을 공격했으나 승리하지 못하고, 금성 남쪽으로 군사를 옮기면서 부 근의 부락을 약탈하고 돌아갔다.[36]

---

34 李道學,「百濟 武王代 益山 遷都說의 再解釋」『馬韓·百濟文化』16, 2004, 96~97쪽.
35 『麗史提綱』권2, 乙未 太祖 18년 조.
36 『三國史記』권12, 孝恭王 5년 조. "秋八月 後百濟王甄萱 攻大耶城 不下 移軍錦城之南 奪掠沿邊部落而歸"

이 사건은 901년 8월에 진훤이 대야성을 공격한 직후에 발생했다. 전후 정황을 놓고 볼 때 후미에서 금성 즉 나주 세력이 진훤에게 반기를 든 사건으로 파악된다. 이 사건이 직간접적으로 영향을 미친 관계로 진훤의 대야성 공격은 실패로 끝나고 말았다. 이를 좌시할 수 없었기에 진훤은 말머리를 급히 돌려 퇴각했다고 본다.

901년에 진훤이 합천 대야성을 공격하기 이전부터 장수와 남원 일대는 후백제 영역이었다. 이 점을 901년 대야성 공격 기사가 말해주었다. 그리고 고려 말에 생원시에 장원급제한 鄭龜晉의 시에서 "경계는 멀리 진훤국에 접하였고(封疆遙接甄萱國), 風月은 方丈山과 이어졌네"[37]라고 하였다. 여기서 甄萱國은 후백제 수도 전주를 가리킨다. 國에는 수도의 뜻이 담겼기 때문이다. 곧 남원은 후백제의 공간이었음을 뜻한다.

그러면 경제적 배경과 관련한 佛事를 살펴 본다. 장수군의 신라 말 절터로는 탑재와 석등재, 부도재가 남아 있는 개안사 혹은 정토사로 전해지는 장계면 탑동안길을 지목할 수 있다. 최근 장수 대적골 유적에서 후백제 시기에 제작한 梵鐘 형태의 동종이 출토되었다. 그리고 남원 勝蓮寺의 유래를 목은 李穡은 1364년(至正 24) 6월에 지은 글에서 "승련사는 그 중에도 으뜸이 된다고 … 절이 府中과는 동북편 30리 거리인데 옛 이름은 金剛이었다. 어느 시대에 창건되었는지는 알 수 없다"[38]고 했다.

고려시대 남원부 勝蓮寺의 옛 이름이 金剛寺였다고 한다. 금강사 이름은 후백제 금강 왕자 이름을 연상시킨다. 人名 관련하여 寺名으로 삼은 사례는 충주 金生寺·의성 孤雲寺·금강산 普德庵·금강산 表訓寺·元曉寺·義湘寺 등이 대표적이다.[39] 그 밖에 "能如菴: 直旨寺 서쪽에 있다. 新羅末 高僧 能如가 거처했던 곳이다"[40]라는 기사도 보인다. 물론 금강사는 많은 곳에 소재하였지만, 勝蓮寺의 경우는 후백제 왕자와 연관 지을 소지를 생각해 본다. 금강 왕자가 발원하여 창건했거나 연관 있는 사찰일 가능성이다.

그리고 九山禪門의 한 곳인 남원 實相寺의 曹溪庵 터 片雲和尙浮屠에는 후백제 '正開' 연호가 새겨져 있다. 실상사 약사전에는 상체가 풍만한 2.7m의 철조여래좌상(보물 제41호)이 소재하였다. 사실 운봉고원 내에는 실상사 철조여래좌상을 비롯하여 72구의 철불이 남아있다. 실상사 철조여래좌상은 높이 273.59cm의 대형 불상으로 통일신라 선종불교의 기념비적인 불상으로 평가받고 있다.

그런데 운봉고원은 30여 개소의 제철유적으로 상징되는 대규모 철산지였다. 철의 테크노밸리로

---

37 『新增東國輿地勝覽』권39, 全羅道 南原都護府, 題詠 條.

38 『東文選』권72, 記, 勝蓮寺記. "而勝蓮寺又爲之冠 … 寺距府理東北一舍 舊名金剛 不知刱於何代"

39 『新增東國輿地勝覽』에서 원효사는 迎日縣, 錦山郡, 光山縣 조 등에 적혀 있다. 의상사는 『潭庭遺藁』에서 보인다.

40 『新增東國輿地勝覽』권29, 慶尙道 金山郡, 佛宇 條. "能如菴 在直旨寺西 新羅末高僧能如所居"

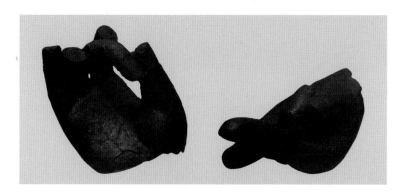

7-2 실상사 철조 여래좌상 손

융성했던 운봉고원의 내부적인 요인도 철불의 등장에 크게 기여했을 것으로 추정된다.[41] 지금은 터만 남은 남원 萬福寺址에도 다음에 보듯이 철불이 존재하였다.

萬福寺[府의 서남쪽에 있다. 그 동쪽에 五層殿이 있고, 서쪽에 二層殿이 있으며, 殿閣 안에 鐵佛이 있는데, 길이 35척, 무게 1만 3천 근이며, 그 殿閣의 제도가 특별히 다르다. 어느 시대에 창건한 것인지 모른다.[42]

실상사 뿐 아니라 만복사에도 철불이 존재했다. 만복사 철불의 규모는 기록만 본다면 10m 쯤의 거대 불상인 것이다. 주지하듯이 통일신라 말에는 철불 조성이 유행하였다. 남원의 유서 깊은 사찰에 거대 철불이 조성되었던 것이다. 이러한 철불 제작에 필요한 막대한 철 공급지로는 응당 장수를 지목할 수밖에 없다.[43] 장수 진안고원의 철자산은 후백제의 군수품은 물론이고 사상과 연계된 선문 도량의 철불 조성에도 기여했던 것 같다.

이와 관련해 장수에서 지금까지 확인된 제철 유적은 70개소를 헤아리고 있다. 2015년의 제철 유적 조사 결과 장수 명덕리에 소재한 대적골 제철 유적은 총2.5km에 이르는 대규모 시설로 밝혀졌다. 이곳 유적에서는 원료인 철광석의 채집부터 완성품인 철제 가마솥까지 확인되었다. 원료에서부터 완성품 생산까지 하나의 공단에서 일괄적으로 이루어졌던 것이다. 그 밖에 비룡리와 신전리 제철 유적도 슬래그의 퇴적 양상을 통해 거대한 규모를 그릴 수 있다. 따라서 후백제 번성의 요체는 장수의 철자

41 곽장근, 「호남 동부지역 가야문화유산 현황」 『경남발전』 138, 경남발전연구원, 2017, 46쪽.
42 『世宗實錄』 지리지, 전라도 남원도호부. "萬福寺[在府西南 其東有五層殿 西有二層殿 殿內有鐵佛 長三十五尺 重 一萬三千斤 其殿閣制作殊異 不知何代所創也"
43 곽장근, 「호남 동부지역 가야문화유산 현황」 『경남발전』 138, 경남발전연구원, 2017, 50쪽.

산 확보에 둘 수 있다. 후백제의 國姓인 甄氏는 조선 전기까지 남원의 土姓이었고, 신분상으로는 백성 성씨로 남아 있었다.[44] 남원을 축으로 장수와 연계된 후백제와의 연관성을 복합적으로 알려준다.

3) 후백제가 활용한 침령산성

전라북도 장수의 침령산성에는 모두 3곳의 집수정이 확인되었다. 당초에는 1곳에 조성된 집수정이 常住 인원의 증가에 따라 增設된 것으로 보인다. 그 시점은 후백제의 활용과 연관 지어 볼 수 있다.

신라가 해체되는 상황에서 群雄들이 할거하였다. 이러한 조짐을 읽을 수 있는 편린이 산성들이다. 가령 신라는 백제 영역을 접수한 후 기존 백제 성들을 재활용하였다. 그러나 백제 때와는 달리 비중이 현저히 작아진 산성들이 많았다. 사비도성을 구성했던 왕궁 배후성인 부소산성도 백제 때 城 내부에 다시금 축성했다. 관리할 수 있는 만큼 성의 규모를 줄였다. 그런데 부여 가림성의 경우 기존 동쪽 성벽에 붙여 또 한 곳의 성을 새로 축조한 사실이 드러났다. 그리고 성안에 集水井까지 조성되었다. 광양의 마로산성을 비롯하여 갑자기 집수정이 조성된 산성들이 늘어났다. 9세기 말~10세기 초, 동란의 시기를 맞아 단순한 통치거점에 불과했던 기존 산성들의 활용도가 급격히 높아졌기 때문이다. 산성에 入保하는 인원이 급증하자 성벽을 덧데어 확충하거나, 집수정을 조성하여 늘어난 인원이 거주할 수 있는 환경을 만든 것이다. 신라가 접수하여 통치 거점으로만 활용되던 산성들이

7-3 침령산성 집수정

---

44 『世宗實錄』지리지, 전라도 남원도호부. "土姓十一 梁鄭晋[爲人吏姓] 尹楊甄皇甫廉裵柳黃[百姓姓]"

활기를 찾게 되었다. 이름하여 성주와 장군을 칭하는 시대가 열렸기 때문이다.[45]

조성 시기가 다른 것으로 보이는 침령산성의 집수정 3곳도 이러한 맥락에서 해석이 가능하다고 본다. 침령산성 1호 집수정의 경우 직경 12m, 깊이 4m 내외로 호남에서는 최대 규모이다. 2호 집수정보다 후대에 조성된 1호 집수정 역시 후백제 시기의 활용과 결부 지을 수 있다. 곧 침령산성의 비중과 역할 증대를 반증한다.[46]

4. 미륵사 開塔의 성격

백제 왕권의 상징이요, 미륵신앙의 本處가 익산 미륵사였다. 진훤이 익산을 중시한 데는 미륵사가 지닌 지대한 비중 때문으로 보인다. 이와 관련해 다음과 같은 「惠居國師碑文」을 주목하지 않을 수 없다.

p. 3년이 지나 金山寺 義靜律師의 戒壇에 나아가 具足戒를 받았다. … 龍德 2년(922) 여름 특별히 彌勒寺 開塔의 은혜를 입어 이에 禪雲山의 選佛場에 나아가 壇에 올라 說法하였다.[47]

위에서 진훤의 미륵사 開塔이 언급되었다. 開塔의 의미에 대해 "塔을 복구하고"[48] 혹은 "전에 무너졌던 미륵사탑의 복구"[49] 등으로 해석하고 있다. 혹은 다음과 같은 인식도 보인다.

q. 여기서 개탑은 무엇을 의미하는 것일까? 미륵사 탑과 관련된 의식, 보수, 새로운 탑의 조성 등 다양한 해석이 가능하다. 그런데 최근 미륵사지 西塔 해체 과정에서 발견된 舍利奉安記와 舍利莊嚴具에 따르면, 미륵사에 탑을 새로 세운 흔적은 물론이거니와 보수한 흔적조차 찾아볼 수 없다. 이로써 미륵사의 개

---

45 李道學, 『분석고대한국사』, 학연문화사, 2019, 833~834쪽.

46 본고 3장 2)와 3)은 李道學, 「가야와 백제 그리고 후백제 역사 속의 長水郡」 『장수 침령산성 성격과 가치』, 후백제학회 학술세미나, 2020. 6. 26. 28~30쪽을 새로 補入한 것이다.

47 "越三年 就金山寺義靜律師戒壇受具於是 龍德二年夏 特被彌勒寺開塔之恩 仍赴禪雲山選佛之場"
    李能和 主幹, 『朝鮮佛教叢報』, 三十本山聯合事務所, 1917, 23~26쪽 ; 許興植, 「惠居國師의 生涯와 行績」 『韓國史研究』 52, 1986 ; 「葛陽寺 惠居國師碑」 『高麗佛教史研究』, 一潮閣, 1986, 582쪽.
    한국역사연구회, 「葛陽寺惠居國師碑」 『譯註 羅末麗初金石文(上)』, 혜안, 1996, 342~343쪽 ; 한국역사연구회, 『譯註 羅末麗初金石文(下)』, 혜안, 459~460쪽.

48 許興植, 『高麗佛教史研究』, 一潮閣, 1986, 586쪽.

49 趙仁成, 「弓裔의 勢力形成과 建國」 『震檀學報』 75, 1993, 46쪽.

7-4 미륵사지 중탑인 목탑 부지

탑은 후백제의 새로운 불사를 의미하기 보다는 백제와의 일체성을 부여하기 위한 후백제의 정치적 행사였을 것으로 추정된다.[50]

위의 인용에서는 미륵사지 서탑을 보수한 흔적이 없었다고 단언했다. 이에 덧붙여 "…'미륵사 개탑'을 탑과 관계된 것이 아니라 백제의 진정한 계승을 대내외에 드러낸 정치적 성격이 짙었을 것이라는 주장도 있다"[51]고 하였다. 즉 '開塔'이 지닌 의미를 상당히 추상적으로 묘사한 것이다.

그러면 '開塔'이 지닌 의미를 검증해 보기로 한다. 일단 '開塔'은 탑을 수리했다는 뜻은 아니다. 탑을 수리한 경우는 「桐華寺蹟碑銘」에서 "至是嚴修塔廟"라고 하였다.[52] 즉 '修'라고 했던 것이다. 이러한 사례는 『고려사』에서 "修皇龍寺塔(현종 3)/ 命修東京皇龍寺塔(현종 3)/ 修東京皇龍寺(예종 1)"라고 하여 보인다. 혹은 塔 수리를 "改造皇龍寺塔"[53]라고 하기도 했다. 따라서 미륵사지 서탑에 보수 흔적조차 찾아볼 수 없다. 그러니 '開塔'을 佛事로 간주하기 어렵다는 견해는 用例上으로 성립되지 않는다. 아울러 이는 다음의 이유로도 타당하지 않다. 첫째, 미륵사지 3塔 가운데 1개소의 경우를 놓고서 전체를 규정 짓기는 어렵다. 둘째, 미륵사지 서탑은 신라 경덕왕대에 봉성사 소속의 大伯士가 참여하여 중수한 것으로 밝혀졌다.[54]

그렇다고 '開塔'의 성격을 佛事로 간주할 수는 없다. '開塔'은 어렵게 생각할 것 없이 탑을 열었던 사실을 말한다. 주지하듯이 탑의 기본적 성격은 무덤인 것이다. 무덤을 연다는 것, 그것도 미륵신앙

---

50 진정환, 「후백제 불교미술의 특징과 성격」 『동악미술사학』 11, 2010, 164쪽.

51 진정환, 「익산에 꽃피운 백제의 불교미술」 『益山』, 국립전주박물관, 2013, 268쪽.

52 『魏書』 권114, 釋老志에서 '塔廟'에 대해 "塔 역시 오랑캐 말인데, 宗廟를 말하는 거와 같다. 때문에 세속에서는 塔廟라고 일컫는다"고 했다.

53 『三國史記』 권11, 경문왕 11년 조.

54 김창겸, 「彌勒寺址 石塔 발견 銘文의 '大伯士奉聖'」 『白山學報』 70, 2004, 258~259쪽.

의 요람에 소재한 탑(무덤)을 열었음은 迎佛骨 儀式이었다. 곧 불사리 신앙의 산물인 것이다. 그러한 塔 안에 사리가 봉안되었음은 주지의 사실이다. 가령 "… 逢仙不看某無縫 塔開瞻舍利 千江月映碧琉璃"[55]라는 詩句에서도 확인된다. 이는 陝西省 寶鷄市 扶風縣 法門鎭에 소재한 다음과 같은 唐代의 法門寺 迎佛骨 儀式을 통해서도 알 수 있다.

r. 鳳翔 法門寺에는 護國眞身塔이 있다. 塔 안에는 釋迦文佛의 指骨 한 마디가 있다. …(塔門은) 30년에 한번 여는데, 여는 해에는 풍년이 들고 사람들이 태평하였다. 14년 정월 上께서 中使 杜英에게 명령하여 寄押 宮人 30인이 香花를 지니고 臨皐驛에 이르러 佛骨을 맞아서 光順門으로부터 大內에 들어가 禁中에서 3일간 머무르다가 곧 여러 사찰로 보내면, 王公士庶가 달려와서 시주를 했다. 두려운 것은 후에 백성들이 廢業 破產하거나 정수리를 태우거나 팔뚝을 지지며 供養을 구하는 일이 있었다.[56]

s. 봄에 조서를 내려서 岐山의 無憂王寺에 있는 부처의 指骨을 끄집어 내어 맞이해서 禁中에 모셔 두었다가 다시 諸寺로 보내어 무리들에게 보이게 하고, 都城이 기울어져서 우러르며 예물을 올렸는데 布施하는 재물이 巨萬이었다. 2월 을해일에 中使를 보내어 故處에 다시 묻도록했다.[57]

t. 功德使가 말씀을 올렸다. "鳳翔 法門寺 塔에는 佛骨이 있는데, 전해져 내려오기를 30년에 한번 여는 것인데, 열면 그 해는 풍년이 들고 사람들은 편안하다고 합니다. 내년에는 열어야 하므로 청컨대 그것을 맞이하십시오." 12월 초하루 경술일에 皇上이 中使를 보내서 승려들을 인솔하여 그것을 맞이하게 했다.[58]

u. 봄 3월 계사일에 皇上이 勅使를 파견하여 法門寺에 가서 佛骨을 맞이하게 하자 여러 신하들 가운데 諫言하는 사람이 아주 많았다. 심지어는 "憲宗은 佛骨을 맞이하고서 얼마 안 있다가 晏駕하였다"고 말했다. 황상이 말하기를 "짐이 살아서 이것을 본다면 죽어도 여한이 없겠다"고 하였다. 널리 浮圖 · 寶帳 · 香轝 · 幡花 · 幢蓋를 만들어 가지고 이를 맞아하였는데, 모두 金과 玉 · 수 놓은 비단 · 비취색 구슬로 장식하였다. 京城에서 절까지 300리 사이의 도로에 다니는 車馬가 밤낮으로 끊이지 않았다. 여름 4월 임인일에 佛骨이 京師에 이르자 禁軍의 군사들로 儀仗을 하고, 公私의 음악을 연주하며 인도하였는데, 하늘이

---

55 『御製宋金元明四朝詩』권90, 「送日本希白上人禮祖塔之金華」.
56 『舊唐書』권160, 韓愈傳.
57 『資治通鑑』권233, 德宗 貞元 6년 조.
58 『資治通鑑』권240, 憲宗 元和 13년 조.

沸騰하고 땅에는 촛불을 밝힌 것이 수십 리를 이어져 있었으며, 儀仗과 護衛가 성대함은 郊祀를 하는 것 보다 지나쳤고, 元和 연간의 것은 아주 못 미쳤다. 부자들이 길을 끼고서 비단으로 건물을 장식하여 無遮會에 이르는데, 다투어 사치하며 낭비했다.

황상이 安福門에 나아가 누각에서 내려와 膜拜하고 눈물을 흘리는 것이 가슴까지 적셨다. 승려와 京城의 耆老들 가운데 일찍이 元和時代에 있었던 일을 보았던 사람들에게 금과 비단을 賞으로 내려주었다. 佛骨를 맞이하여 禁中으로 들여오고 사흘만에 꺼내어 安國崇化寺에 안치하였다. 宰相 이하 모든 사람들이 다투어 金帛을 시주했는데, 이루 다 기록할 수가 없었다. 이어서 德音을 내리어 안팎에 갇혀 있는 죄수들을 감형시켰다.[59]

法門寺는 唐代 皇宮의 外的 道場으로서 皇家의 기원과 공양의 場所였다. 그리고 法門寺는 역대 황제들이 佛骨을 맞이해서 받든 護國의 總道場이기도 했다. 그러니 唐代 佛事 隆盛의 가장 중요한 표현으로는 法門寺 佛骨舍利의 迎送이나 공양보다 더한 것은 없었다. 法門寺에서 30년마다의 開塔을 통한 迎佛骨 의식을 통해 풍년과 태평성대를 기원한 것은 불법의 힘을 빌어 주민들에 대한 통치를 이루고자 하는 목적이었다.[60] 高麗에서도 이러한 迎佛骨 儀式이 이어져 왔었다. 즉 "여름 4월에 佛骨을 大安寺에서 맞아들여 仁德宮에 안치하였다"[61]는 기사가 바로 그것이다. 唐代에는 이와 엮어져 唐 懿宗이 반포한 「迎佛骨赦文」에서 보듯이 迎佛骨 大赦免을 단행하였다. 그럼으로써 인심의 안

7-5 佛指 사리가 봉안되었던 법문사 전탑

7-6 법문사 영불골 의식 행렬도

---

59 『資治通鑑』 권252, 懿宗 咸通 14년 조.
60 王偉, 『法門寺文物圖飾』, 文物出版社, 2009, 14~15쪽.
61 『高麗史』 권16, 인종 7년 조.

정과 천하의 안녕을 얻고자 한 것이다.[62]

후백제의 경우도 이와 크게 다르지 않을 것으로 보인다. 일단 開塔 장소인 미륵사는 백제 이래 최대의 가람으로서 미륵신앙의 중심 道場이었다. 3院 1伽藍인 미륵사에는 3處에 탑파가 소재하였다. 이 중 중심에 소재한 목탑이 가장 규모가 컸을 뿐 아니라 위상도 높았을 것으로 보인다.[63] 실제 미륵사 3탑 가운데 中塔이 제일 먼저 조성되기까지 했다. 그렇다고 할 때 진훤은 미륵사의 3塔 가운데 中塔을 열었을 가능성이 제일 높다.[64]

진훤은 미륵사에서 개탑 의식을 성대하게 하였다. 직접 미륵사에서 佛骨을 맞이하는 동시에 공양도 하였을 것이다. 이렇듯 진훤이 미륵사탑을 열었던 '開塔'은 후백제의 연호인 正開와도 관련 있어 보인다. 나아가 백제의 금마산 '開國'과 엮어진 全州 천도를 軸으로 한 일련의 작업이었다. 우선 이 때의 佛骨 迎禮는 화평한 미륵의 세상 구현을 선언하는 의식이었다고 본다. 즉 미륵사탑 안에서 때를 기다리던 미륵불이 세상에 출현함으로써 전란을 종식시키고 태평한 세상을 만들겠다는 의지의 표출로써 兵亂에 지친 민심을 안무하기 위한 차원이었다.

이러한 진훤의 의지를 미륵사 개탑이 이루어진 922년이라는 시점과 관련 지어 살펴 볼 필요가 있다.

---

62 冉万里, 『中國古代舍利瘞埋制度研究』, 文物出版社, 2013, 219쪽.

63 하층 기단면이 중탑은 한변 18.56m의 정방형, 석탑인 서탑과 동탑은 한변 12.6m로 밝혀졌다(김선기, 「익산지역 백제 寺址研究」, 동아대학교 박사학위논문, 2009, 42쪽 ; 金善基, 『益山 金馬渚의 百濟文化』, 서경문화사, 2012, 78쪽).

64 그런데 "가을 9월에 금마군 彌勒寺에 벼락이 쳤다"라는 기사(『삼국사기』 성덕왕 18년 조; 719)에 근거하여 彌勒寺 塔이 파괴되었을 것으로 추측할 수 있다. 이와 관련해 신라 황룡사 구층목탑은 諸 記錄을 통해 볼 때 다음과 같이 벼락을 맞았다. 1차 698년(효소왕 7), 2차 718년(성덕왕 17), 3차 868년(경문왕 8), 4차 1036년(靖宗 2), 5차 1095년(獻宗 1). 심지어 황룡사 구층목탑은 949년(광종 즉위년)과 1095년(獻宗 1)에는 불타기까지 했다. 그렇지만 다음에서 보듯이 황룡사 구층목탑은 645년(선덕여왕 14)에 建立된 이래 꾸준히 수리되었다.
720년(성덕왕 19) : 重成 / 868년(경문왕 8) : 重修 / 871년(경문왕 11) : 改造 / 1012년(현종 3) : 修 / 1095년(헌종 1) : 修 / 1096년(숙종 1) : 重成 / 1106년(예종 1) : 修 / 1238년(고종 25) : 燒失
이러한 사례에 비추어 볼 때 미륵사탑도 벼락을 맞았다고 하더라도 重修되었을 것이다. 그랬기에 미륵사가 조선 전기까지 寺勢를 유지했던 것으로 보인다.
한편 사리 장치를 쉽게 열어볼 수 없으므로 開塔은 대대적인 改修 때나 가능하다고 추측할 수 있다. 그러나 동일한 황룡사 구층목탑의 경우 「황룡사찰주본기」에 따르면 "11월 6일에 여러 신하들을 거느리고 가서 기둥을 들게 해서 이것을 보았더니 柱礎의 구멍 안에 金銀으로 된 高座가 있었고, 그 위에 사리가 든 유리병이 안치되어 있었다. …25일에 원래 두었던대로 해 놓고 또 사리 100매와 법사리 2種을 보태어 안치하였다"고 한데서 알 수 있듯이 開塔이 결코 어려운 일이 아님을 알 수 있다. 여기서 '기둥[柱]'은 心柱를 가리킨다. 심주를 들어 올려 사리를 확인한 것이다. 이러한 경우는 塔의 구조체에 무리를 주지 않고 심주를 들어 올리는 것이 가능한 방식으로 심주가 세워졌음을 뜻한다. 즉 心柱가 목조 구조체를 지지하지 않는 한편 그 형식상 여러 개의 短柱가 연결된 형태로 추정하고 있다(權鍾湳, 『皇龍寺九層塔』, 미술문화, 2006, 194쪽). 그렇다면 황룡사 구층목탑 조성에 직접 영향을 끼친 백제 미륵사 목탑의 경우도 이와 같은 心柱 형식을 상정하는 게 가능해진다. 아울러 미륵사 목탑의 開塔은 改修와 무관한 迎佛骨 儀式임을 알 수 있다.

918년에 상전인 궁예를 축출하고 집권한 왕건은 진훤에게 分割鼎立案을 제시하였다. 진훤은 고려 건국과 왕건 정권을 인정해 주는 한편, 왕건이 제시한 과거의 삼국을 복원하는 분할정립안을 수용했다. 이러한 결호에 따라 후백제와 고려 간에는 和平·共存이 7·8년간 지속되었다.[65] 924년에 환국한 法鏡大師의 비문에서 "동방으로부터 잠깐 소식을 들으니 본국에는 큰 山의 안개가 걷히고 점차 바다에는 파도가 가라앉아 外亂은 모두 사라지고 다시 중흥을 이루었다는 것이다. 同光 2년에 옮기어서 귀국하니 나라 사람들이 서로 경하하여 환영하는 소리가 하늘을 진동하였다"[66]라는 문구에서도 확인된다.

바로 그러한 태평한 시점에서 진훤은 미륵사 개탑 의식을 성대하게 집전한 것이다. 진훤은 백제 이래의 권위 있는 大彌勒道場인 미륵사의 開塔을 통해 천하의 평정과 樂土의 구현이라는 이상을 펼치고자 했다. 즉 백제의 재건에 성공한 진훤은 자신이 이룩해 놓은 성과를 天命佛法과 연계시킬 수 있는 호기로 여겼을 수 있다. 진훤은 開塔을 통해 정권의 공고함이나 항구적 안정 뿐 아니라 삼한통합의 당위성을 확산시키려고 했을 법하다. 그리고 唐의 사례에 비추어 볼 때 진훤은 '開塔' 기념으로 대사면을 단행했다고 본다. 결국 진훤은 민심을 규합하여 안정적 권력 체계를 구축하는데 일정한 성과를 올렸을 것이다. 이와 더불어 '개탑의 은혜(開塔之恩)'는, 탑을 여는 국가적 慶事를 통해 특별히 베풀어주는 僧科 시험 選佛場이 열렸음을 뜻한다.

5. 맺음말

신라 군관이었던 진훤의 복무지는 통일신라의 국제항이었던 순천만이었다. 순천만의 해룡산성에서 근무하던 진훤은 동일한 지형구에 소재한 광양만 마로산성의 박영규 가문과도 제휴하였다. 이때 진훤이 구축한 정치·경제적 기반을 근거로 국가 창건이 가능했던 것이다. 이러한 사실은 필자가 최초로 구명한 바 있다.

진훤은 무진주를 점령한 후 '新羅 西面都統指揮兵馬制置 持節 都督全武公等州軍事 行全州刺史 兼 御史中丞 上柱國 漢南郡開國公 食邑二千戶'라고 自署하였다. 여기서 제일 끝에 적혀 있는 '한남군개국공'은 한수 이남의 백제 고지 전체를 망라하는 관념적 지명이었다. 즉 한강 남쪽 백제 영역을 모두 제패하려는 진훤의 의도가 깔려 있었다. 그러한 진훤이 거병한 후 최초의 근거지인 光州는 도읍으로 지목할

---

65 李道學, 「後百濟의 加耶故地 進出에 관한 檢討」『白山學報』58, 2001, 48~49쪽.

66 朝鮮總督府, 「淨土寺法鏡大師慈燈塔碑」『朝鮮金石總覽(上)』1922, 153쪽. "至自東方 竊承本國 祁山霧收 漸 海波息 皆銷外難 再致中興 迺於同光二年 來歸舊國 國人相慶 歡響動天"

수 있다. 비록 진훤이 공공연히 稱王하지는 못했다고 한다. 그렇더라도 칭왕이 사실이라면 그에 걸맞는 국호의 제정을 분리할 수 없다. 게다가『삼국유사』에서는 진훤의 근거지였던 광주를 "始都光州"라고 하였다. 그리고 全州 입성 전 진훤의 행차를 '巡'이라고 했다. 궁예의 사례에 비추어 볼 때도 892년 당시 광주는 후백제의 첫 수도였다. 그러므로 900년 후백제의 全州 立都는 천도에 해당하는 것이다.

진훤이 광주에서 전주로 천도하게 된 배경은 영산강유역 주민들의 백제로의 귀속 의식이 취약한 데서 찾을 수 있었다. 이곳은 5세기 후반에서야 백제의 직할지로 편제되었다. 그로 인한 변방 의식으로 인해 백제에 대한 귀속 의식은 덜했다. 그러한 관계로 백제의 재건에 대한 응집력이 상대적으로 약하였다. 결국 진훤은 백제를 재건한 자신을 열렬히 환대하는 전주로의 천도를 결행하게 되었다. 이러한 요인으로 인한 전주 천도의 배경 역시 필자가 처음으로 밝힌 것이다.

진훤의 금마산 개국설은 전주 천도 무렵의 상황과 관련 있는 것 같았다. 백제 개국지나 古都의 선점은 정권의 정통성을 내세울 수 있는 요체이기도 했다. 그런데 진훤은 자신의 현실적 기반이 백제 개국지로 알려진 한강유역과는 거리가 멀었다. 더구나 公州 지역에도 홍기라는 호족이 웅거하고 있었다. 이러한 상황에서 진훤은 사비성 도읍기 백제의 兩都 가운데 하나인 금마저를 주목하였기에 백제의 개국지를 익산으로 남하시켰던 것이다. 결국 금마산 개국설은 백제 부활을 표방한 여러 정파 간에서 진훤의 정치적 입지를 세워 백제 嫡子로서의 주도권 장악을 위한 산물이었다. 이와 관련해 진훤이 전주에서 한 말 가운데 "吾原三國之始 馬韓先起 後赫世勃興 故辰卞從之而興"라고 한 구절에 대한 해석이다. 지금까지는 "내가 삼국의 시작을 살펴 보니까 마한이 먼저 일어나고 그 후에 혁거세가 일어났다. 그런 까닭으로 진한과 변한이 뒤따라 일어났던 것이다"라고 해석하였다. 그러나 필자는 이러한 종전 해석의 문제점을 지적하면서 "마한이 먼저 일어나 누대로 발홍한 까닭에, 진한과 변한이 (마한을) 좇아 홍기했다"고 재해석하였다.

922년의 미륵사 開塔의 성격에 대해 논자들은 塔 修理나 改修 혹은 상징적인 행위라는 모호한 표현을 구사하고는 했다. 그러나 이는 통일신라에 영향을 끼친 唐의 사례를 놓고 볼 때 그 배경을 살필 수 있었다. 중국 陝西省 寶鷄市의 法門寺에서 30년마다의 開塔을 통한 迎佛骨 의식을 통해 풍년과 태평성대를 기원하였다. 이는 불법의 힘을 빌어 주민들에 대한 통치를 이루고자 하는 목적이었다. 이와 마찬 가지로 진훤도 백제 이래의 권위 있는 大彌勒道場인 미륵사의 開塔을 통해 천하의 평정과 樂土의 구현이라는 이상을 펼치고자 한 것이다. 이로써 진훤은 민심을 규합하여 강력한 권력 체계를 구축하고자 한 것으로 해석되었다.

「後百濟의 全州 遷都와 彌勒寺 開塔」『韓國史研究』165, 한국사연구회, 2014.

후백제 진훤의 受禪 전략

1. 머리말

후백제를 건국한 진훤에 대한 평가는 다음에 보이는 『삼국사기』 사론에서 확정되었다. 김부식은 궁예와 진훤을 大惡人으로 규정하였다. 이러한 평가는 후인들에게 실로 지대한 영향을 미쳤다.

   a. 진훤은 신라의 백성에서 일어나, 신라의 祿을 먹었으면서도 禍心을 품고 나라의 위태로움을 다행으로 여겨, 도읍을 침범하여 임금과 신하를 마구 죽이기를 마치 짐승 사냥하듯이, 풀 베듯이 하였으니 실로 천하에서 가장 흉악한 자였다.[1]

진훤은 신라인이고, 게다가 신라의 祿을 먹은 처지에서 반역하였고, "임금과 신하를 마구 죽이기를 마치 짐승 사냥하듯이, 풀 베듯이 하였으니"라고 했다. 927년에 후백제군의 경주 습격을 일러서 도륙을 말하고 있다. 진훤전의 말미 生評에 적혀 있는 글귀다 보니까 그가 평생 신라인들을 적대시한 것

---

1 『三國史記』권50, 진훤전. "甄萱起自新羅之民 食新羅之祿 而包藏禍心 幸國之危 侵軼都邑 虔劉君臣 若禽獮而草薙
   之 實天下之元惡大憝"
   이 구절의 '元惡'은 진훤을 가리키는 "先銷元惡 似魏皇滅蜀之時(한국역사연구회, 「瑞雲寺了悟和尙碑銘」『譯註 羅
   末麗初金石文(上)』, 혜안, 1996, 44쪽)"에서도 보인다.

으로 비칠 수 있었다. 더욱이 김부식은 "신라는 운수가 다하고 道를 잃어 하늘이 돕는 바가 없고 백성이 돌아갈 바가 없었다. 이에 群盜들이 틈을 타서 일어났는데, 마치 고슴도치 털 같았다"[2]고 했다. 신라의 멸망은 진훤에 의해서만은 아니었다. 신라 스스로가 '道를 잃어'라고 했듯이 누구를 원망할 계제가 되지 못하였다. 그럼에도 진훤과 궁예만을 표적삼아 비난한다는 인상을 지울 수 없었다.

본고에서는 과연 진훤이 신라에 적대적이었는지 여부를 검증하고자 했다. 진훤은 신라의 陪臣임을 자처했기 때문이다. 이러한 사안을 옳게 살폈을 때 진훤의 정치 행로와 모순이 없어진다. 따라서 진훤의 입장에서 통일 기획 구상과 그것의 실천 과정을 살폈다.

진훤은 擧兵하여 무진주를 점령한 후 공공연하게 왕을 칭하지 못했지만, 신라를 의식해서였을 뿐이요, 국가의 탄생은 분명하다. 진훤은 백제를 부활시켰기에 백제 故地에 대한 장악을 우선 과제로 삼았을 것이다. 이와 병행한 그의 진출 방향이 예사롭지 않다는 인상을 받았다. 900년에 전주로 천도하면서 그 동편에 소재한 남원경을 장악할 수 있었다. 이후 그는 901년에 대야성 공격을 단행했다. 전주에서 大京인 경주에 이르는 최단거리를 염두에 둔 것이다. 진훤은 북원경의 양길과도 연대하려고 했다. 북원경의 대호족인 양길은 비뇌성 전투에서 보듯이 서원경과 중원경에 영향을 미치고 있었다. 게다가 진훤은 금관경으로도 진출했다. 이로 볼 때 진훤은 백제고지 장악 너머의 소경 장악을 염두에 두었고, 그 종착지는 大京 경주였을 것이라는 해답이 나온다. 그러면 이러한 진훤의 정국 구상은 무슨 의미를 지녔을까?

진훤이 927년에 경주를 장악하고, 공산에서 대승을 거둔 직후 왕건에게 보낸 국서에서 신라의 陪臣임을 분명히 한 사실을 환기시켜 본다. 그런데 후백제의 관등이 신라 체제를 계승한 것은 개혁 의지 부족이었고, 결국 백제 유민들의 불만을 초래해 후백제 멸망 요인이 되었다고 한다. 그러나 이는 결과론인 진훤의 패배에 꿰맞춘 해석에 불과하였다. 고구려를 재건한 왕건도 궁예 축출 후 관등 명칭을 신라식으로 환원했다. 이렇듯 후백제와 고려는 신라 유산을 타파한 게 아니라 계승하는 모습을 보였다.

그럼에도 신라 경애왕이 진훤을 미워한 것을 볼 때 신라 계승자나 보호자와는 무관하다는 주장을 할 수 있다. 그러나 어디까지나 이는 신라 계승자 역을 자임하는 두 세력 사이에서 경애왕이 왕건과 손을 잡은데서 야기된 것이다. 진훤이 신라의 陪臣 역을 수행하지 않았다는 주장과는 관련이 없다. 게다가 고려가 신라의 합당한 계승자임을 부각하려는 底意도 깔린 것이다. 혹은 진훤이 신라 지역을 점령한 것을 반신라 정책으로 주장할 수 있지만 타당성 없다. 이는 왕건에게 넘어간 친고려 호족들에 대한 공략이었고, 왕건 역시 신라 지역에서 영토를 확보해 나갔고, 진훤과 격돌했기 때문이다.

---

2 『三國史記』권50, 진훤전.

주지하듯이 후백제와 고려는 禪讓 형식의 왕조 교체를 기획했다. 선양은 중국의 전설상 堯와 舜으로의 왕위 계승과 舜에서 禹로의 繼位에서 연유하였다. 덕망 있는 이에게 왕위가 넘겨지는 가장 이상적인 평화적 정권교체 방식을 가리킨다. 후한말 曹操의 아들 曹丕가 후한 황제로부터 선양받았다. 이어지는 魏晉南北朝의 정권교체 역시 모두 선양의 형식을 갖추었다. 이렇듯 선양은 왕조 교체의 典範이었다.

신라로부터의 선양을 염두에 둔 후백제와 고려의 경쟁은, 후백제군의 경주 습격 요인이 되었다. 927년에 진훤이 왕건에게 보낸 檄書에서 신라 왕의 교체를 통해 신라가 고려에 선양하는 것을 차단하고자 했다고 한다.

기존의 연구에서도 신라에 대해 후백제와 고려는 王과 諸侯 관계로 밝혀졌다.[3] 혹은 후백제 진훤만 신라의 陪臣 역을 자임했다고 하였다. 그러나 고려 왕건의 경우도 이와 매한가지였다. 그랬기에 新羅三寶를 의식한 게 아니었을까? 그렇다고 해도 역시 미흡한 부분이 남아있다. 본고에서는 진훤은 周文王을 자임했고, 왕건은 殷을 멸망시킨 周武王을 표방한 사실을 究明해 兩人의 신라에 대한 접근 방식의 변화를 밝히고자 한다. 물론 왕건은 당초에는 신라의 배신이었지만, 정국의 주도권을 장악하여 상황이 역전되자 신라를 陪臣으로 두었다.[4]

따라서 본고에서는 궁극적으로 受禪을 목표로 한 진훤의 정국 장악 의지를 3단계로 나누어 분석했다. 1차적으로는 소경 장악을 통한 신라로부터의 受禪이었다. 그러나 궁예에 의해 3소경을 장악하고 있던 양길 세력의 패산에 따라 수포로 돌아갔다. 2차적으로는 신라 타멸을 외친 궁예에 대한 신라의 보호자요, 계승자로서의 명분이었다. 그러나 궁예가 왕건에 의해 축출되자, 3차적으로 진훤은 왕건과 더불어 신라의 계승자로서 경쟁하는 상황이 되었다. 본고에서는 진훤과 왕건 간의 경쟁이 지닌 성격과 명분 양상을 구명하고자 했다. 그럼으로써『삼국사기』진훤전의 史論에서 묘사한 무자비한 신라의 파괴자라는 인식에서 벗어날 수 있을 것으로 본다. 실제 미국 캔사스대학 교수였던 허스트 3세(G.Cameroon Hurst III)는 "진훤 역시 그가 '악인'이라는 이미지로부터 상당한 회복을 필요로 한다. 그는 쇠퇴하는 힘에 대항하여 맹렬히 공격한 한반도의 남서부 지역 인물이었으나, 아직도 천명을 소유하고 있는 신라 왕조와 함께 상당한 군사적 · 도덕적 힘을 지니고 있던 백제인이었다"[5]라며 진훤에 대한 정당한 평가를 요구했다.

---

3 河炫綱,『韓國中世史硏究』, 一潮閣, 1988, 59쪽.
4 申虎澈,『後百濟甄萱政權硏究』, 一潮閣, 1993, 107쪽. 124쪽.
5 G.Cameron Hurst III, "The Good, The Bad And The Ugly":Personalities in the Founding of the Koryo Dynasty Korean Studies Forum, No7. p.18.

2. 진훤의 小京 장악과 受禪 구상

1) 진훤의 對신라 전략

889년에 지금의 순천에서 거병하여[6] 주변 세력을 빠르게 휘하에 둔 진훤은, 892년에 무진주에 입성한 후 국가를 세웠다. 自署에 불과하더라도 이때 그가 칭한 관작을 통해 포부와 이상을 살펴볼 수 있다.

> b. 新羅西面都統指揮兵馬制置 · 持節 · 都督全武公等州軍事 · 行全州刺史兼御史中丞 · 上柱國 · 漢南郡開國公 食邑二千戶[7]

여기서 제일 끝에 적힌 封爵 '漢南郡開國公'은 封地와 爵號로 구성되었다. 그런데 封地인 '한남군'은 존재하는 지명이 아니었다. 용례를 살펴 보니 한수 이남의 백제 고지 전체를 망라하는 관념적 지명이었다.[8] 그러니 한강 남쪽 백제 영역을 모두 제패하려는 진훤의 구상이 깔려 있다는 해석은 가능하다. 그리고 '全武公等州軍事'에서 전주 · 무주 · 공주가 등장한다. 이 직위는 신라의 9주 가운데 백제 故地인 3州에 대한 지배권을 가리킨다. 그는 특별히 '行全州刺史'를 칭했다. 그가 정치적 거점을 전주에 두고자 했음을 읽을 수 있다. 그런데 길게 열거한 작호의 冒頭에 보이는 '신라'는, 그가 어디까지나 신라의 陪臣임을 가리킨다. 그리고 都統은 중국 남북조시대 이래 지방 무관직에 대한 호칭이었다. 따라서 진훤은 신라 왕의 배신으로서 行全州刺史였다. 위에서 인용한 그의 관작은 비록 자칭이었지만, 신라 왕으로부터 제수받은 형식을 취했다.[9] 물론 백제 의자왕의 숙분을 씻겠다고 선언한 진훤이, 신라 陪臣이 되는 것은, 모순으로 비칠 수 있지만, 명분과 현실의 복잡한 차원에서 살펴야 할 사안이다.

그리고 진훤의 직함에 보이는 '都統'은, 922년을 배경으로 한 일본측 기록에서도 '都統甄公'으로 등

---

6 李道學, 『진훤이라 불러다오』, 푸른역사, 1998, 85~87쪽.

7 『三國史記』 권50, 진훤전.

8 李道學, 「後百濟의 全州 遷都와 彌勒寺 開塔」 『韓國史研究』 165, 2014, 14쪽.

9 申虎澈, 『後百濟甄萱政權研究』, 一潮閣, 1993, 107쪽.
　　文暻鉉은 진훤 자신의 발의를 근거로 신라 조정에서 제수한 것으로 보았다. 그랬기에 중국으로부터도 그대로 책봉받았다고 한다(文暻鉉, 『高麗史研究』, 경북대학교 출판부, 2000, 55쪽).

장한다. 진훤의 위세는 "전주왕 진훤이 數十州를 쳐서 병합하고 대왕을 칭했다"[10]고 했을 정도였다. 넓은 영역을 차지하고 대왕을 칭했지만 지방정권 수장인 '全州王'으로 일컬었다. 이는 일본에서 진훤의 존재를 신라의 '蕃王'이나 '陪臣'으로 간주한 데서 비롯되었을 수 있다. 그러나 일본에서 '都統甄公'으로 일컬었으니[11] 진훤 스스로 그와 같이 알렸을 가능성이 보인다. 진훤은 신라의 陪臣임을 자처한 것 같다.

진훤은 그보다 뒤에 등장하는 궁예와는 달리 줄곧 신라 관제를 사용했다. 심지어 900년에 그는 "드디어 스스로 후백제왕을 칭하면서 官을 두고 職을 나누었다"[12]고 했지만 신라 관제에서 벗어나지 않았다. 이는 다음의 『삼국사기』와 『고려사』 기사를 통해서 확인할 수 있다.

　　c-1. 진훤이 이것을 듣고 가을 8월에 一吉湌 閔郃을 보내 축하하고, 드디어 孔雀扇과 地理山 竹箭을 바쳤다(918년. 삼국사기).

　　c-2. 가을 9월 辛丑에 진훤이 阿粲 功達을 보내 孔雀扇과 智異山 竹箭을 바쳤다(920년. 고려사).

　　c-3. 가을 9월에 진훤이 一吉湌 相貴를 보내 수군으로 高麗 禮成江에 들어가…(932년. 삼국사기).

　　c-4. 淸泰 2년 봄 3월에 이르러 波珍湌 新德과 英順 등이 神劒을 권하여 진훤을 金山佛寺에 유폐하고, 사람을 보내 金剛을 죽였다(935년. 삼국사기).

위에서 인용한 후백제 관인들의 관등인 一吉湌과 波珍湌·阿湌은 신라의 17관등 가운데 제7관등과 제4관등 및 제6관등을 각각 가리킨다. 진훤을 백제를 재건했음에도 백제 관등이 아닌 신라 관등을 사용하였다. 이는 고구려를 재건한 궁예가 새로운 관등과 官府名을 창출한 것과는 비교된다. 진훤은 신라 왕으로부터 제수받은 형식의 직함을 표방했던 지방관을 자임했다. 이와 관련해 「태안사 광자대사비문」의 다음 구절을 주목해 본다.

　　d. 孝恭大王(孝宗大王: 재위 897~912)은 멀리 谷城을 향해 편지[綸翰]를 띄워 지혜의 눈을 열어 나라의 福을 도와주기를 원하였다. 이 때는 신라의 운세가 기울어져 兵火가 자주 일어났다. 弓裔는 기강을 어지럽히고, 甄萱은 이름을 훔쳤다.[13]

10　『扶桑略記』 권24, 延長 7년 5월 17일 조.

11　『本朝文粹』 권12, 大宰答新羅返牒.

12　『三國史記』 권50, 진훤전.

13　한국역사연구회, 「대안사 광자대사비」『譯註 羅末麗初金石文(下)』, 혜안, 1996, 255쪽. "孝恭大王 趨向谷風 退飛

위의 문맥을 놓고 볼 때 신라 효공왕 초기의
사정을 말하고 있는 것 같다. 궁예가 세력을 얻
어 한반도 중부권을 휩쓸고 있는 상황을 '亂紀'
라고 하였다. 진훤에 대해서는 '盜名'이라고 질
타했다. 이와 유사한 구절이 「유인원기공비문」
의 "反逆卽有僞僧道琛 僞扞率鬼室福信 出自閭
巷爲其魁首 招集狂狡 堡據任存 蜂屯蝟起 彌山
滿谷 假名盜位 竝△將軍"[14]에서 '假名盜位' 라
고 하여 보인다. 따라서 진훤의 백제 국호 사용
을 일러 '이름을 훔쳤다'고 표현했을 수 있다.
이와 더불어 진훤이 신라의 지방관을 자임하
는 등 신라를 빙자한 행위를 가리킨 것으로 보
인다. 漢室을 옆구리에 끼고 황제의 영을 이행
하는 양 행세한 曹操를 연상시킨다. 이 점에 있
어서 궁예와 진훤은 판이하게 달랐던 것이다.

그러면 의자왕의 숙분을 씻겠다고 선언한 진
훤이 백제를 멸망시킨 신라의 체제를 답습한
이유는 무엇이었을까? 이 사안은 진훤이 신라
의 陪臣을 자처한 건과 맞물려 해석을 하는 게

8-1 태안사 광자대사비 탑본

좋을 것 같다. 진훤은 자신이 세운 후백제를 신라의 지방정권으로 설정한 것이다. 진훤은 신라와 대
척관계가 아닌 공존관계로 설정했다. 이러한 진훤의 정치적 의도는 행보를 통해 포착할 수 있다.

진훤이 전주로 천도한 900년의 시점에서 신라와 공존한 국가는 후백제 한 개 국에 불과했다. 이
시점에서 그는 5소경의 하나인 남원경을 장악하였다. 이때 진훤이 구상한 전략을 헤아릴 수 있는 단
서는 무엇일까? 첫째는 901년 신라의 대야성 공격이다. 대야성은 자신이 숙분을 씻어주겠다고 선언
한 의자왕이 함락시켰었다. 후백제가 경주로 진출할 수 있는 통로는 여러 곳이었지만 굳이 대야성
을 901년부터 920년까지, 19년 간에 걸쳐 집요하게 공격한 데는 신라의 실권자인 김춘추의 사위와

綸翰 願開慧眼 以祐國祚 于時羅運傾否 兵火頻起 弓裔亂紀 甄萱盜名"
14 한국고대사회연구소, 『譯註 韓國古代金石文 Ⅰ』, 駕洛史蹟開發研究院, 1992, 479쪽.

8-2 합천의 신라 순국 용사 죽죽비와 비각

딸을 捕殺한 곳이라는 상징성을 주목했을 수 있다. 진훤은 대외적으로는 신라의 배신을 자처했지만, 내부 결속용으로는 의자왕의 숙분을 씻는 현안을 추진한 것이다. 궁극적으로 그는 大京인 경주를 목표로 했음을 알 수 있다. 둘째는 920년 10월에 진훤은 몸소 대야성을 함락시킨 여세를 몰아 구사성(창원)까지 함락시키고, 진례성(김해시 진례면)까지 진격했다. 진훤은 대야성을 발판으로 김해 지역을 목표로 진격했음을 알 수 있다.

그러자 신라 경명왕이 왕건에게 구원을 요청하여 고려군이 내려오자 후백제군은 물러났다.[15] 그렇지만 924년 8월에 진훤이 왕건에게 절영도의 총마를 선물로 보낸[16] 사실을 유의해야 한다. 절영도는 부산 앞바다의 影島였다. 후백제가 김해 오른편의 절영도를 장악한 사실을 알려준다. 비록 이 보다 5년 후인 929년 1월이지만, 탐라와 海藻를 교역하던 후백제의 상선이 對馬島의 下縣郡에 표착하였다. 그러자 對馬島守 坂上經國은 사절을 동반시켜 후백제인들을 金州까지 데리고 왔다.[17] 여기서 '金州'는 통일신라 때 김해를 가리켰다.[18] 이와 맞물려 김해 지역 호족으로 知進禮城諸軍事를 자칭한 蘇律熙는 924년 무렵에 사라졌다.[19] 김해가 후백제 관하에 들어왔음을 알려준다. 따라서 후백제는 929년 이전은 물론이고, 924년 이전에 금관경을 장악한 것이다. 후백제는 신라 5소경 가운데 2곳을 지배하였다.

---

15 『三國史記』권12, 경명왕 4년 조.

16 『高麗史』권1, 태조 7년 8월 조.

17 『扶桑略記』권24, 延長 7년 5월 17일 조.
    이러한 상황은 1049년에 金孝 등 20명이 폭풍을 만나 對馬島로 漂流했다가 對馬島 官人들의 도움을 받아 金州로 귀환한 경우와 동일하다(『高麗史』권7, 文宗 3). 이때도 歸還地를 '金州'라고 하였다. 金州는 金海를 가리킨다. 이러한 정황에 비추어 보더라도 『扶桑略記』에서 언급한 金州는 김해가 분명하다.

18 『三國史記』권34, 雜志 3, 地理 1과 『世宗實錄』지리지, 김해도호부 조에 의하면 고려 전기 혹은 995년(고려 성종 14)에 金海를 金州로 행정지명을 고쳤다고 했다. 그러나 『册府元龜』권976, 外臣部 20, 天成 2년 3월조에 따르면 '新羅國登州知後官 本國金州司馬李彦謨'에 관한 기사가 보이는데, 여기서 金州는 명백히 金海를 가리킨다(金庠基(1974), 「羅末地方群雄」 『東方史論叢』, 서울대학교출판부, 1974, 435쪽). 요컨대 927년(天成2)에 김해를 金州로 일컬었던 사실이 확인되는 것이다. 그 밖에 金州를 金海로 지목한 견해로는 中村英孝(1965), 『日鮮關係史の研究(上)』, 吉川弘文館, 1965, 132쪽이 대표적이다.

19 崔柄憲, 「新羅末 金海地方의 豪族勢力과 禪宗」 『韓國史論』 4, 1978, 432쪽.

2) 진훤의 受禪 구상 변수 궁예

진훤은 일찌감치 북원의 양길에게 관직을 내려주었다. 『삼국사기』 진훤전에서 그 시점은 완산주 입성과 전주 입성 사이에 적혀 있다. 그러므로 광주에 도읍했을 때로 보인다. 다음 기사이다.

e. 이때 北原賊 梁吉이 雄強하여 弓裔가 스스로 들어가 麾下가 되었다. 진훤이 이를 듣고 梁吉에게 裨 將 職을 내려주었다.[20]

그러면 진훤은 무슨 목적으로 무진주에서 멀리 떨어진 嶺西의 강자인 북원경의 양길과 손을 잡으려 한 것일까?[21] 다름 아닌 양길의 세력 규모를 주목했던 것 같다. 그가 비뇌성 전투에서 궁예와 격돌할 때 동원한 호족들의 근거지가 다음에서 보인다.

f-1. 3년(899) 가을 7월에 北原의 賊帥 양길은 궁예가 자기에게 딴 마음을 품고 있음을 꺼리어 國原 등 10여 성주들과 함께 그를 칠 것을 모의하고 군사를 非惱城 아래로 진군시켰으나 양길의 군사가 패하여 흩어져 달아났다.[22]

f-2. 그때 양길은 北原에 있으면서 國原 등 30여 성을 차지하고 있었는데 선종이 차지한 땅이 넓고 백 성이 많다는 소식을 듣고 크게 노하여 30여 성의 강한 군사로써 습격하고자 하였다. 선종이 이것을 미리 알아채고 먼저 공격해서 크게 승리하여 물리쳤다.[23]

위의 기사를 놓고 볼 때 북원경의 양길은 예하에 국원성을 두었음을 알 수 있다. 국원성은 중원경인 충주를 거리킨다. 양길은 신라 5소경 가운데 북원경과 중원경을 장악한 것이다. 진훤은 그러한 대호족인 양길에게 비장 직을 내렸다. 혹자들은 양길이 이러한 제의를 거부했다고 하지만 거부했다는 기록은 없다. 진훤이 대호족인 양길에게 저급한 직책을 수여했다면 조롱일 것이다. 그러나 비

---

20 『三國史記』권50, 진훤전. "是時 北原賊梁吉雄強 弓裔自投爲麾下 萱聞之 遙授梁吉職爲裨將"
21 '遙授'이므로 진훤과 양길이 접촉하지 않았고, 또 그렇기에 양자의 실질적 제휴를 논할 수 없다는 주장도 제기될 수 있다. 그러나 遙授라고 하더라도 양자 간의 교류 없이 자기 과시 차원에서 독단으로 공표하는 일은 역사적으로 전례가 없다. 게다가 '遙授'는 실제 직무와는 상관 없이 官銜만 수여하는 일이므로, 접촉 유무는 본질과는 아무런 관련이 없다.
22 『三國史記』권12, 효공왕 3년 조.
23 『三國史記』권50, 궁예전.

장 직은 진훤이 신라 조정으로부터 받았던 직책이었다. 그러한 비장 직을 이제는 진훤이 양길에게 수여한 것이다. 신라를 존중하고, 기존 질서 속에서 운신하는 모습을 보여주었다. 진훤의 입장에서는 양길이 자신과 손을 잡거나 예하에 들어온다면 향후 5소경 가운데, 무려 4소경인 남원경·금관경·북원경·중원경 장악이 용이해진다. 그러면 진훤은 서원경에 대한 어떠한 장악 구상을 지녔을까? 다음의 기사를 보도록 한다.

g-1. 4년(900) 겨울 10월에 國原·靑州·槐壤의 도적 우두머리 淸吉과 莘萱 등이 성을 바쳐 궁예에게 항복하였다.[24]

g-2. … 3년 경신(899)에 다시 태조에게 명하여 廣州·충주·唐城·靑州(靑川)·槐壤 등을 치게 하여 모두 평정하였다. 그 공으로 태조에게 아찬의 직위를 주었다.[25]

궁예가 비뇌성 승전 직후에 장악한 지역 가운데 청주 즉 서원경이 보인다. 정황에 비추어 볼 때 서원경 세력도 양길과 연계되었던 것으로 보인다. 이러한 추측이 가능하다면 진훤으로서는 양길과 제휴하거나 자신의 예하에 넣음으로써 모두 3소경을 확보하게 된다. 따라서 진훤이 양길에게 비장 직을 제수한 것은 대단히 중요한 의미를 지녔다. 이때는 한반도에서 국가는 신라와 후백제 양대 세력 밖에는 없었다. 그러면 진훤의 5소경 장악 전략은 무슨 의미를 지니게 될까?

8-3 양길과 궁예 그리고 진훤의 사적이 수록된 「상당산성고금사적기」에 보이는 정북동토성(청주시 청원구).

24 『三國史記』 권12, 효공왕 4년 조.
25 『三國史記』 권50, 궁예전.

이와 관련해 신라 최대의 내전인 822년 김헌창의 난을 상기해 본다. 김헌창의 난이 후대에 미친 영향은 실로 지대했기 때문이다. 다음의 기사를 본다.

h. 3월에 熊川州 都督 憲昌이 아버지 周元이 왕이 되지 못하자 반란을 일으켜 國號를 長安, 연호를 세워 慶雲 원년이라고 했다. 武珍·完山·菁·沙伐四州都督과 國原·西原·金官 仕臣 및 여러 郡縣의 守令을 협박해 자기에게 속하게 했다. 菁州都督 向榮은 몸을 빼 推火郡으로 달아났고, 漢山·牛頭·歃良·浿江·北原 등은 김헌창의 逆謀를 미리 알고는, 擧兵하여 스스로를 지켰다.[26]

국호와 연호까지 반포했으니 김헌창은 국가를 세운 것이다. 그가 세운 국가에는 신라 9주 가운데 4개 주, 5소경 가운데 3소경이 가담하였다. 김헌창은 신라 통치권의 절반을 장악한 것이다. 진훤과 그의 참모들이 이러한 사례를 몰랐을 리 없었다. 900년의 시점에서 신라 영역에는 2개의 정권이 공존하였다.[27] 묵은 신라와 신흥의 후백제였다. 당시 후백제는 남원경을 장악하고 있었다. 이 상황에서 진훤이 북원경의 양길과 그 이전에 이미 연대하였다면 중원경과 서원경도 딸려오게 된다. 종국에 진훤이 진출한 것으로 보이는 금관경까지 포함하면 5소경의 장악은 이루어진다. 그러면 진훤은 왜? 무엇 때문에 京의 장악에 비중을 둔 것일까? 신라 하대 소경의 비중이 문제가 아니었다. 京은 정치적 상징성이 지대한 지역이었기 때문이다. 진훤은 전주로 천도한 후 금마산 개국설을 설파했다. 백제 舊都에 도읍했음을 알렸다. 長安이라는 국가를 세운 김헌창의 최후 거점이 백제 舊都였던 웅진 공산성이었다. 다음의 기사에는 김헌창의 아들 김범문이 도읍하고자 했던 평양이 보인다.

i. 17년 봄 정월에 憲昌의 아들 梵文이 高達山賊 壽神 등 100여 인과 더불어 함께 모반하여 平壤에 도읍하고자 北漢山州를 공격했다. 都督 聰明이 군대를 이끌고 이들을 붙잡아 죽였다[평양은 지금 楊州이다. 태조가 지은 「莊義寺齋文」에 '高麗舊壤 平壤名山'이라는 구절이 있다].[28]

---

26 『三國史記』권10, 헌덕왕 14년 3월 조. "三月 熊川州都督憲昌 以父周元不得爲王反叛 國號長安 建元慶雲元年 脅武珍·完山·菁·沙伐四州都督, 國原·西原·金官仕臣及諸郡縣守令 以爲己屬 菁州都督向榮 脫身走推火郡 漢山·牛頭·歃良·浿江·北原等 先知憲昌逆謀 擧兵自守"

27 물론 궁예를 비롯한 군소 세력이 당시 상당히 많았지만, 명분과 규모 및 정치력 면에서 국가의 존재는 豪族群과는 비교 대상이 되지 않을 정도로 위상이 높았다.

28 『三國史記』권10, 憲德王 17년 조. "十七年 春正月 憲昌子梵文與高達山賊壽神等百餘人 同謀叛 欲立都於平壤 攻北漢山州 都督聰明率兵 捕殺之[平壤今楊州也 太祖製莊義寺齋文 有高麗舊壤平壤名山之句]"

김범문의 무리가 공격한 북한산주에는 고구려 別都였던 남평양성이 소재하였다. 그러면 소경 장악을 통해 진훤이 기도했던 목표는 무엇이었을까? 최종 목표인 大京을 포위함으로써 신라의 항복을 받는 것일게다. 그러나 강력한 경쟁자인 궁예에 이은 왕건의 등장으로 인해 소경 장악을 통한 신라 압박과 受禪은 효용을 상실하였다. 더 이상 후백제와 신라의 1:1 상황이 아니었다. 진훤은 신라가 존치한 상황에서 궁예 및 왕건과 대치한 것이다. 이와 관련해 중국 삼국시대 曹操의 사례가 영향을 끼쳤을 것으로 보인다. 曹操가 지은 「讓縣自明本志令」에 보면 춘추시대 齊桓公과 晉文公이 兵勢가 廣大했지만 오히려 周室을 받들어 모셨고, 『論語』太伯篇을 인용하여 주문왕은 천하의 3분의 2를 얻고도 殷에 복종하여 섬겼으니, 周의 德은 至德이라고 했다. 큰 것이 작은 것을 섬김 사례를 거론한 것이다. 아울러 조조는 樂毅와 蒙恬의 고사를 인용했다. 이들은 燕과 秦에 충성을 다했고 공적이 많았지만 핍박을 받았다. 조조는 漢의 개국공신인 曹參을 조상으로 하는 자신의 집안 내력과 더불어 충성심을 알리고자 했다. 이어서 그는 周公의 충정과 관련한 金藤 사건을 언급하였다. 어린 조카를 대신해 섭정한 주공이 왕이 되려한다는 무고를 당했던 고사를 인용하면서, 자신도 사심 없음을 밝혔다.[29] 조조는 短歌行(二)에서 자신을 주문왕에 견주기도 했다.[30] 문왕의 아들 무왕이 殷을 멸망시키고 周를 건국하였다. 조조의 내밀한 포부가 담겨 있는 詩가 아닐 수 없다.

吳主 손권이 219년에 관우를 격파한 직후에 조조에게 글을 올려 황제에 즉위하면 자신은 신하가 되겠다고 제의하였다. 이때 하후돈도 조조에게 황제에 오를 것을 요청했다. 그러자 조조는 "만약 天命이 나에게 있다면, 나는 周文王이 될 것이다"[31]고 하였다. 자신은 漢室을 전복할 의사가 없고, 周文王이 아들인 周武王에게 殷을 대체한 周를 건국했듯이, 아들에게 皇帝位를 안겨 주겠다는 의중이었다. 「魏氏春秋」에 적힌 내용이다. 그리고 "曹瞞傳"과 「世說新語」에서 함께 이르기를, 桓階가 王에게 正位를 권하자, 하후돈이 '마땅히 먼저 蜀을 멸망시키고, 蜀이 망하면 吳도 복종할 것이니, 2곳이 이미 평정된 연후에 舜과 禹의 법도를 좇으십시오'라고 하자 왕이 이를 좇았다"[32]고 했다. 비록 하후돈의 제안으로 적혀 있지만 기실은 조조의 의중이었다. 조조는 양대 적국인 蜀과 吳를 무너뜨린 후에 舜 임금이 禹 임금에게 禪讓했듯이 漢으로부터 선양받으려고 한 것이다.

진훤의 의도는 신라 大京을 접수한 상황과 왕건에게 보낸 다음의 글월에서 드러난다.

---

29 『曹操集』, 中華書局, 1959, 41~43쪽.

30 『曹操集』, 中華書局, 1959, 5쪽.

31 盧弼 集解, 『三國志集解(壹)』, 上海古籍出版社, 2013, 213쪽.

32 盧弼 集解, 『三國志集解(壹)』, 上海古籍出版社, 2013, 213쪽.

k-1. 지난 번에 신라 國相 金雄廉 등이 足下를 서울로 불러 들이려 한 것은, 마치 작은 자라[鼈]가 큰 자라의 소리에 응하는 듯 하는 것 같지만, 실상은 메추리가 새매의 날개를 해치려 함이라 반드시 백성[生靈]을 도탄에 빠지게 하고 宗廟社稷을 폐허로 만들고자 함이기 때문에 내가 먼저 손을 써서 홀로 韓擒虎와 같은 斧鉞을 휘둘러 百僚들에게 흰 해를 두고 맹세하며 6部를 義風으로써 타일렀도다.

k-2. 뜻밖에 간신들은 도망가고 임금께서는 돌아가셨으므로 경명왕의 表弟(外從弟)인 헌강왕의 외손을 받들어 왕위에 오르게 하여 危殆한 나라를 다시 세우고 잃었던 임금을 다시 얻게 하였다.

족하는 忠告는 자세히 알려 하지 않고 공연히 떠도는 말만을 들어 온갖 술책으로 기회를 엿보며 여러 곳으로 침략을 하여 소란케 했으나 아직도 저의 말 머리도 보지 못하였고 저의 소털[牛毛] 하나도 뽑지 못하였도다.

k-4. 첫 겨울에는 都頭 색상이 星山陣 밑에서 손을 묶었고, 이 달에는 左將 김락이 美利寺 앞에서 해골을 드러내었으니, 죽고 잡힌 자가 많았으며 추격하여 사로잡음도 적지 않았으니, 강하고 약함이 이와 같으니 승패는 알만함이니, (나의) 기약하는 바는 활을 平壤의 門樓에 걸고, 말은 浿江의 물을 축이게 하는 데 있도다.

k-5. 지난 달 7일에 吳越國 사신 班尙書가 와서 왕의 詔書를 전하기를 "卿이 고려와 더불어 오랫동안 사이 좋게 지내어 함께 隣盟을 맺어 오다가 요사이 양쪽의 質子가 죽음으로 인해 和親하던 옛날의 友好를 잃고 서로 영역을 침략하여 전쟁을 그치지 않고 있음을 알고는 지금 특별히 사신을 보내어 경의 本道(本國)로 가게 하노니 또 글을 고려에도 보내노니 마땅히 각자 서로 화친하여 길이 평화를 누리도록 하시요"라고 하였는데, 나는 왕실을 높이는 義에 돈독하고 대국을 섬기는 일에 정성을 다 했던 바, 이 詔諭를 듣고서는 즉시 받들고자 하지만 그러나 족하가 그만두고 싶으나 그럴 수도 없고, 지쳐 있으면서도 오히려 싸우려 할까 염려 되어, 이제 조서를 베껴서 보내니 유의하여 상세히 살피기를 바라는데, 또한 구멍에 든 토끼와 사냥개가 싸우다가 함께 피곤해지면 결국은 반드시 조롱거리가 되는 것이요, 조개와 황새가 서로 물고 있는 것 역시 웃음거리로 되는 것이니, 마땅히 돌이키는데 어두우면 凶하다는 것을 警戒 삼아 후회를 스스로 남기는 일이 없게 해야 될 것이요!![33]

33 『三國史記』권50, 진훤전. "昨者國相金雄廉等 將召足下入京 有同鼈應黿聲 是欲鶉披隼翼 必使生靈塗炭 宗社丘墟 僕是用先着祖鞭 獨揮韓鉞 誓百寮如皦日 諭六部以義風 不意奸臣遁逃 邦君薨變 遂奉景明王之表弟康王之外孫 勸即尊位 再造危邦 喪君有君 扵是乎在 足下勿詳忠告 徒聽流言 百計窺覦 炙方侵撓 尚不能見僕馬首 拔僕牛毛 冬初 都頭索湘 束手於星山陣下 月内 左將金樂曝骸於美理寺前 殺獲居多 追擒不少 強羸若此 勝敗可知 所期者掛弓於平壤之樓 飲馬於浿江之水 然以前月七日 吳越國使班尚書主 傳王詔旨 知卿與高麗 久通歡好 共契鄰盟 比因質子之兩亡 遂失和親之舊好 互侵疆境 不戢干戈 今專發使臣 赴卿本道 又移文髙麗 宜各相親比 永孚于休 僕義篤尊王 情深事大 及聞詔諭 即欲祇承 恒慮足下 欲罷不能 困而猶鬪 今録詔書寄呈 請留心詳悉 且鼪獹迭憊 終必貽譏

위에서 인용한 檄書를 통해 진훤과 신라와의 관계가 확인된다. 즉 후백제군이 경주를 급습하게 된 배경이다. 이에 대해 "당시 신라 君臣들은 (나라가) 쇠퇴하여 復興이 어렵자 우리 太祖를 끌어당겨 結好하여 도움을 받으려고 도모하였다. 진훤은 스스로 나라를 도적질할 마음이 있어서 태조가 먼저 차지할까 두려워한 까닭에 군대를 이끌고 王都에 들어가 惡을 저질렀다"[34]고 했다. 진훤의 격문도 수식이 많지만 기본 골자는 동일하다. 왕건이 경주에 내려와 신라와 선양에 대한 숙의를 할 것으로 판단한 것이다. 진훤은 이를 차단하려고 전격적인 군사 행동을 했다는 말이 된다. 여기서 진훤은 국상 김웅렴이 왕건을 맞아들인다면 종묘사직을 폐허로 만드는 행위였기에 좌시할 수 없었다는 것이다. 신라의 종묘사직이 고려로 넘어가는 것을 막기 위해 경주에 왔음을 밝혔다. 진훤은 자신이 신라의 수호자임을 천명하였다. 이러한 모습은 처음부터 진훤이 신라의 陪臣임을 자처한 사실과 어긋나지 않았다.

진훤은 "위태한 나라를 다시 세우고 잃었던 임금을 다시 얻게 하였다"고 했다. 그는 경애왕의 죽음을 '自盡' 형식을 취하게 하였다. 격서에서는 이를 '薨變'이라고 적었다. 그리고 '再造危邦 喪君有君'이라는 문구를 사용했다. 경애왕의 경망한 행동으로 왕건에게 넘어갈 뻔했던 위태로운 신라를 '再造'했던 구원자로서의 역할을 설정하였다. 그러면서 "나는 왕실을 높이는 義에 돈독하고 대국을 섬기는 일에 정성을 다 했던 바(僕義篤尊王 情深事大)"라고 했다는 것이다. 자신은 尊王과 事大에 충실했음을 밝혔다. 그는 春秋의 大義인 尊王을 설파했다. 진훤의 신라 경주 침공을 春秋의 大義 구현에서 찾았다. 격서에는 자신이 사대한 오월국 왕의 조서가 수록되었다. 이렇듯 격서에서는 존왕과 사대로 일관한 자신의 면면을 천명했다. 진훤의 아들 신검은 정변으로 권력을 장악한 후 '維新之政'을 선포하였다.[35] 주지하듯이 維新은 『詩經』大雅編의 "周雖舊邦 其命維新"라는 구절에서 나온 것으로, 周文王의 개혁 정치를 가리킨다. 후백제 지배층은 周代의 이상적 가치관을 공유했음을 알 수 있다.

진훤은 조조의 포부와 지향점을 알고 있었을 것이다. 진훤 주변에는 당의 빈공과에 합격한 최승우를 비롯하여 유학승 慶甫와 같이 唐을 체험한 참모들이 적지 않았다고 본다. 왕건은 임종시 遺命에서 漢文帝와 魏文帝의 故事에 따라 장례를 치르라고 했다.[36] 왕건의 기본 소양을 헤아릴 수 있는데, 그 자신은 빼어난 문장가였다.[37] 왕건 역시 앞의 故事 언급에서 알 수 있듯이 중국 고전과 전통

蚌鷸相持 亦爲所笑 宜迷復之爲戒 無後悔之自貽"

34 『三國史記』권50, 진훤전. "時新羅君臣以衰季 難以復興 謀引我太祖 結好爲援 甄萱自有盜國心 恐太祖先之 是故引兵入王都作惡"

35 『三國史記』권50, 진훤전.

36 『高麗史』권2, 태조 26년 5월 조. "遺命內外庶僚 並聽東宮處分 喪葬園陵制度 依漢魏二文故事 悉從儉約"

37 『櫟翁稗說』, 後集1.

질서에 밝았기에 일찍부터 신라로부터의 受禪 구상을 품었으리라는 방증이 된다. 비록 왕건을 미화한 글이기는 하지만 신라를 염두에 둔 "망한 것을 보존하고 끊어진 것을 잇게 해줄 빼어난 계책을 간직하셨다"[38]는 글귀도 이와 무관하지 않았다.

그리고 劉宋의 裵松之는 "魏武가 처음 起兵했을 때 무리가 오천에 그쳤으나, 이후로 百戰百勝하여, 패한 것은 열두셋 뿐이었다. 단 한번에 黃巾을 격파하여 졸개 30여 萬의 항복을 받았는데, 나머지 병탄한 것은 다 기록할 수 없다"[39]고 『삼국지』에 주석을 달았다. 이 기록은 『삼국사기』에 적힌 다음과 같은 진훤의 擧兵 과정과 유사하다.

l. 이에 진훤이 몰래 분수 밖의 일을 넘겨다 보는 마음이 생겨 휘파람 불어 패거리를 모았다. 나가면서 서울 서남 州縣들을 치자 이르는 곳마다 메아리쳤다. 삽시간에 무리가 오천 인에 이르렀다.[40]

진훤이 거병하여 승승장구하고, 무리가 처음 5천 명이었다는 점에서도 양자 간의 공통점이 발견된다. 진훤은 환관의 손자인 조조와 농민 출신인 자신을 비교하면서 상응하는 면을 발견했을 수 있다. 모두 대수롭잖은 신분에서 출발하여 개국을 하고 천하 3분의 1을 장악하여 세상을 진동시켰기 때문이다. 진훤은 참모들의 조언을 통해 조조의 사례를 면밀히 살피면서 좇았을 가능성이 있다. 후대의 衍義와는 달리 正史에서의 曹操는 偉人에 준하였다. 그러니 진훤과 왕건 모두 受禪을 목표한 게 분명해 보였다.

진훤의 이러한 구상은 적어도 900년 이전에 확고부동하게 확정되었을 것이다. 진훤은 중부권의 대호족인 양길과 연대하여 신라를 포위해 선양받으려고 기획했을 수 있다. 그런데 변수가 발생했다. 비뇌성 전투에서 양길의 호족연합군은 궁예에게 산산조각나고 말았다. 비뇌성 전투에서 대승함에 따라 궁예는 한반도의 허리인 중부권을 석권하는 위업을 달성하였다. 더구나 한강 수로를 완벽히 장악하게 되었으니 전략상으로 엄청난 승리를 얻은 셈이었다. 그 직후인 900년(효공왕 4)에 궁예는 廣州(경기 하남·광주·성남시)·忠州·唐城(경기 화성시)·靑州(충북 청주시)[41]·槐壤(충북 괴산군 괴산읍) 등의 고을을 모두 복속시켰다. 901년 궁예는 왕을 칭하면서 '高麗'를 재건했다.[42]

---

38 한국역사연구회,「瑞雲寺了悟和尙碑銘」『譯註 羅末麗初金石文(上)』, 혜안, 1996, 44쪽. "懷濟世安民之妙略 蘊存亡繼絶之英謀"

39 『三國志』권1, 武帝紀, 初平 5년 8월 조.

40 『三國史記』권50, 진훤전. "於是 萱竊有覦心 嘯聚徒侶 行擊京西南州縣 所至響應 旬月之間 衆至五千人"

41 『東史會綱』권3下, 孝恭王 4년 조에도 "靑州[今淸州]"라고 하였다.

42 『三國遺事』권1, 王曆, 後高麗 條.

진훤은 양길의 패전과 궁예의 중부권 제패와 연동해 가장 타격을 입었다. 진훤은 중부 내륙의 대호족인 양길을 일찌감치 자신의 영향권 내에 넣음으로써 한반도 전체를 지배할 수 있는 유리한 환경을 조성하는 데 성공하였다. 그러나 양길 세력의 붕괴로 인해 진훤이 구상한 정국 구도는 삽시간에 무산되었다. 그렇다고 진훤은 양길의 資産을 고스란히 넘겨줄 수는 없었다. 그랬기에 비뇌성 전투 직후 궁예 휘하인 왕건과 진훤이 원주 문막에서 격전을 치른 전승을 남겼다. 물론 이 전투는 사서에는 보이지 않지만 전설과 전승 그리고 관련 유적을 통해 실체를 파악할 수 있었다. 특히 16세기 말의 문집인 『송와잡설』 등에 전하고 있다. 이 때 문막 전투는 진훤이 자신의 세력권에 넣었던 양길 세력이 비뇌성 패전으로 붕괴한 데 따른 반응이었다.[43]

궁예는 북원경·중원경·서원경을 장악했다. 신라 영역 내의 고구려 영토, 특히 상징성이 큰 3소경을 석권한 것이다. 진훤으로서는 고구려 부활과 더불어 복수심 발화에 성공한 궁예라는 새로운 강적을 맞았다. 궁예는 신라를 滅都라고 했고, 신라에서 항복해 온 이들을 가차 없이 베었다. 부석사에서는 신라 왕의 畫像에 칼질을 하기도 했다. 궁예는 신라의 유제를 단호하게 청산하였다. 관등과 관부 이름을 새로 정한 것이다. 궁예는 선양이 아니라 힘으로써 신라를 소멸시키려고 했다. 이 상황에서 백제를 부활시킨 진훤이 궁예처럼 복수심을 발화시켜 파괴로 나간다. 그러면 진훤과 궁예 양대 세력이 각자 신라를 허무는 일은 의외로 쉬울 수 있었다. 문제는 신라가 무너진 이후의 일이었다. 진훤으로서는 1대 2의 상대가 아니라, 2대 1을 상대하는 게 훨씬 지혜로운 일이었다. 진훤은 궁예와 신라를 모두 적대할 게 아니었다. 신라의 보호자를 자처하면서, 신라와 연대해 2의 힘으로 1인 궁예를 상대하는 길을 취했다고 본다. 진훤의 신라 관등 수용도 이와 무관하지 않을 것이다.

3. 진훤과 왕건의 受禪 경쟁

1) 새로운 신라 계승자와의 경쟁 구도

진훤의 정국 구상에는 또 다시 변수가 발생했다. 918년에 왕건이 궁예를 축출하고 고려를 다시 건국하였다. 집권한 왕건은 궁예와는 정반대의 노선을 취했다. 왕건은 신라의 유제를 계승하는 모습을 보였다. 이는 다음과 같은 고려 초의 관등과 신라 관등을 비교함으로써 확인할 수 있다.

---

43 李道學, 「弓裔의 北原京 占領과 그 意義」 『東國史學』 43, 2007, 202~210쪽.

등급	신라	摩震	泰封	고려
1	伊伐飡	正匡	大宰相	大舒發韓
2	伊飡	元甫	重副	舒發韓
3	迊飡(蘇判)	大相	台司訓	夷粲
4	波珍飡	元尹	輔佐相	蘇判
5	大阿飡	佐尹	注書令	波珍飡
6	阿飡	正朝	光祿丞	波珍飡
7	一吉飡	甫尹	奉朝判	闕粲
8	沙飡	軍尹	奉進位	一吉飡
9	級飡飡	中尹	佐眞使	級飡
10	大奈麻			
11	奈麻			
12	大舍			
13	舍知			
14	吉士			
15	大烏			
16	小烏			
17	造位			

　왕건 역시 신라의 관등 체계를 수용하였다. 말이야 "太祖는 泰封主가 마음대로 제도를 바꾸어 백성들이 배우고 익혀서 알지 못하므로 모두 신라를 따랐다"[44]고 했지만, 본질은 왕건 또한 신라가 지닌 기존 질서를 존중한 것이다. 왕건이 신라의 관등을 계승했음은 『고려사』의 다음 기사에서 구체적으로 보인다.

　m-1. 이에 따라 韓粲 金行濤를 廣評侍中에, 韓粲 黔剛을 內奉令에, 韓粲 林明弼을 徇軍部令에, 波珍粲 林曦를 兵部令에, 蘇判 陳原을 倉部令에, 韓粲 閻萇을 義形臺令에, 韓粲 歸評을 都航司令에, 韓粲 孫逈을 物藏省令에, 蘇判 秦勁을 內泉部令에, 波珍粲 秦靖을 珍閣省令에 임명하였다. … 闕粲 林積璵를 廣評侍郎에 … 闕粲 金堙과 英俊을 모두 兵部卿에, 闕粲 崔汶과 堅術을 모두 倉部卿에, 一吉粲 朴仁遠과 金言規를 모두 白書省卿에 … 임명하였다(태조 원년 6월 조).

　m-2. 6월 戊辰에 一吉粲 能允의 家園에…(태조 원년 6월 조).

　m-3. 康州將軍 閨雄이 그 아들 一康을 보내 質로 삼자, 일강에게 阿粲 벼슬을 주었다(태조 3년 정월 조).

　m-4. 癸巳에 伊湌 進慶이 죽었다. 大匡을 追贈했다(태조 11년 6월 조).

---

44 『高麗史』권77, 志31, 百官2. "太祖以泰封主任情改制 民不習知 悉從新羅"

궁예를 축출하고 즉위한 왕건은 동시에 기존의 태봉 관등을 모두 폐지하고 신라 관등으로 환원하였다. 그렇다고 궁예가 신라 관등을 일소한 것도 아니었다. 903년에 "궁예 또한 이를 기특하게 생각해 (왕건의) 품계를 올려 閼粲으로 삼았다"[45]고 했다. 913년에 궁예는 "乾化 3년 癸酉에 太祖가 여러 차례 변방에서의 功이 현저하자, 거듭 승진시켜 波珍粲 겸 侍中을 삼았다"[46]고 하였다. 궁예 역시 신라 관등 체계를 전면적으로 청산하지는 못했음을 알려준다. 그 이유는 앞서 거론했지만 "… 백성들이 배우고 익혀서 알지 못하므로 모두 신라를 따랐다"가 해답이다.[47]

즉위와 동시에 신라의 관등 체계를 수용한 왕건은 신라의 계승자 역을 염두에 두었다고 본다.[48] 이는 그가 921년에 新羅三寶에 대해 탐색했고, 종국에는 신라인들도 잊고 지냈던 진평왕의 天賜玉帶를 차지한 데서도 읽을 수 있다.[49] 다음은 진훤의 격서에 대한 왕건의 답서이다.

n. … 이리나 호랑이와 같은 광폭함으로 王都를 범하여 金城이 위험에 빠지고 천자께서 몹시 놀랄 줄이야 어찌 알았으리오만은, 大義에 의거하여 周 왕실을 높이는 일에 누가 齊 桓公과 晉 文公의 霸業과 같았으며, 틈을 보아 漢을 도모함이 오직 王莽과 董卓의 奸計를 볼 뿐이니, 왕의 至尊으로서 몸을 굽혀 족하에게 아들[子]이라고 일컫게 했으니, 尊卑가 차례를 잃으니 上下가 다같이 근심하여 현명한 재상[元輔]의 忠純함이 아니면 어찌 다시 社稷을 편안하게 할 수 있으리요.

나는 마음에 惡한 것을 숨겨 둠이 없고 뜻은 왕실을 높이는데 간절하므로 장차 朝廷을 도와서 나라의 위태로움을 붙들고자 했는데, 족하는 터럭만한 적은 이익을 보고 天地와 같은 후한 은혜를 잊고 君王을 죽이고 궁궐을 불사르고 대신들을 학살하고 士民들을 도륙하였으며, 궁중의 미녀들을 빼앗아 수레에 같이 타고 진귀한 보물들을 약탈하여 가득히 싣고 갔으니, 그 흉악함은 桀·紂보다 더하고 不仁함은 올빼미[獍梟]보다 심하였으니, 나는 하늘이 무너진[崩天] 데 대한 怨恨이 깊었기에, 해를 돌이키려는 정성으

---

45 『高麗史』권1, 태조 총서. "裔亦奇之 進階爲閼粲"

46 『高麗史』권1, 태조 총서. "乾化三年癸酉 以太祖屢著邊功 累階爲波珍粲兼侍中"

47 왕건은 궁예의 관부를 그대로 이어 받았다는 주장도 있지만 꼭 맞는 주장은 아니다. 가령 "高麗太祖 開國之初 柔用新羅·泰封之制 設官分職 以諧庶務(『高麗史』권76, 志, 百官1)"라고 했듯이 신라의 제도도 계승했을 뿐 아니라 "太祖改泰封調位府 爲三司"라고 하여 태봉의 제도도 고치고 있다.

48 그렇다고 궁예와 왕건이 신라 관등을 사용했으니 진훤과 동일하게 신라의 陪臣이라는 주장은 성립되지 않는다. 이들과는 달리 진훤은 관작에서 신라 배신임을 표출했기 때문이다(b).

49 『高麗史』권2, 태조 20년 5월 조. "二十年 夏五月 癸丑 金傅獻鑴金安玉排方腰帶 長十圍 六十二銙 新羅寶藏 殆四百年 世傳聖帝帶 王受之 命元尹弋萱 藏于物藏 初新羅使金律來 王問曰 聞新羅有三大寶 丈六金像 九層塔 幷聖帝帶也 三寶未亡 國亦未亡 塔像猶存 不知聖帶 今猶在耶 律對曰 臣未嘗聞聖帶也 王笑曰 卿爲貴臣 何不知國之大寶 律慚還告其王 王問群臣 無能知者 時有皇龍寺僧年過九十者曰 予聞聖帶 是眞平大王所服 歷代傳之 藏在南庫 王遂開庫 風雨暴作 白晝晦冥 不得見 乃擇日齋祭 然後見之 國人以眞平王 是聖骨之王 稱曰聖帝帶"

로 매[鷹]가 참새[鸇]를 쫓듯이 하여 犬馬의 수고를 다 하려 하여 다시 군대를 일으킨지 이미 두 해를 지났으니…[50]

위의 답서를 보면 '大義에 의거하여 周 왕실을 높이는 일'을 언급하면서 '社稷을 편안하게', '뜻은 왕실을 높이는데 간절하므로 장차 朝廷을 도와서 나라의 위태로움을 붙들고자 했는데'라는 구절은 더 보탤 필요도 없다. 이 구절의 '周'는 신라를 가리키니, 왕건은 신라의 陪臣임을 공언한 것이다. 黃屋은 천자를 가리키는데, 왕건보다 높은 신라 왕을 가리키고 있다. 이렇듯 진훤과 왕건은 모두 신라를 朝廷으로 받들고 있었다.[51]

그런데 927년 이후 신라의 힘은 急減한 반면, 비록 후백제에 패했지만 구원자로서 고려의 위상은 높아져만 갔다. 이에 맞춰 왕건의 신라에 대한 인식도 바뀌었다고 본다. 930년에 고창 병산전투에서 고려군이 대승을 거둔 직후 관망하던 경상도 지역의 신라 호족들이 대거 고려로 넘어갔다. 그 직후 왕건은 기병 50騎로 경주에 들어왔다. 왕건은 신라 왕과 대등한 지위로 상견례를 올리고 대좌했다. 霸主에 머물던 왕건의 획기적인 변신이었다. 달라진 왕건의 위상을 全新羅에 佈明한 역사적 순간이기도 했다.[52] 그리고 왕건이 귀국할 때 경순왕의 從弟인 裕廉을 인질로 데리고 갔다. 양국 간의 위상이 완전히 역전되었음을 알려준다. 신라 왕과 왕건은 君臣관계가 아니라 최소한 上下관계로 전환한 것이다. 931년에 왕건은 경순왕에게 錦彩·鞍馬를 내리고,

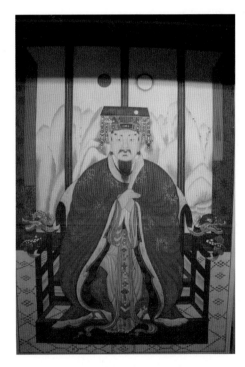

8-4 경주 숭혜전에 기탁된 경순왕 영정

---

50 『三國史記』권50, 진훤전. "… 狼虎之狂 爲梗於畿甸 金城窘忽 黃屋震驚 仗義尊周 誰似桓·文之霸. 乘間謀漢 唯看荐·卓之致 使王之至尊 枉稱子於足下 尊卑失序 上下同憂 以爲非有元輔之忠純 豈得再安於社稷 以僕心無匿惡 志切尊王 將援置於朝廷 使扶危於邦国 足下見毫釐之小利 忘天地之厚恩 斬戮君王 焚燒宮闕 菹醢卿士 虔劉士民 姬姜則取以同車 珍寶則奪之稛 載 元惡浮於桀·紂 不仁甚於鏡獍 僕怨極崩天 誠深却日 誓効鷹鸇之逐 以申犬馬之勤 再擧干戈 両更槐柳…"

51 文暻鉉, 『高麗史研究』, 경북대학교 출판부, 2000, 55쪽.

52 文暻鉉, 『高麗史研究』, 경북대학교 출판부, 2000, 132쪽.

아울러 羣僚·將士들에게는 布·帛을 내려주었다. 왕건이 君의 입장이었음을 뜻한다.[53]

이와 병행하여 왕건은 신라를 접수할 구체적인 계획을 지녔던 것 같다. 다음에 보이는 尚父라는 호칭을 통하여 읽을 수 있다.

　　o-1. 925년: … 진훤이 10세 연장이기에 尚父라고 일컬었다.[54]

　　o-2. 930년: 봄 정월에 載巖城 將軍 善弼이 고려에 항복했다. 태조는 그를 후한 예로 대하고 尚父로 일컬었다.[55]

　　o-3. 936년: (진훤이) 이르자 두터운 예로 대우했는데, 진훤이 10년 연장자이므로 높여서 尚父라고 했다.[56]

　　o-4. 941년: 在家弟子 尚父 金公善紹[57]

　　o-5. 975년: 겨울 시월 甲子에 政丞 金傅에게 더하여 尚父를 삼았다.[58]

위의 기사를 보면 왕건이나 고려 왕으로부터 尚父로 일컬어진 이는 모두 4명이었다. 재암성 장군 선필과 진훤 그리고 金善紹와 경순왕이었다. 이 중 선필과 진훤은 왕건으로부터 상보로 일컬어졌다. 941년에 세워진 비석에 적혀 있는 金善紹 역시 왕건으로부터 받았겠지만, 존재 자체가 문헌에 보이지 않는다.

상보의 기원은 紂를 멸하고 殷을 무너뜨린 주무왕이 功臣 呂尚을 師尚父로 삼은데서 비롯하였다. 周文王은 그를 師로 삼았고, 아들 武王은 그를 師尚父로 높였다. 여상은 周武王을 도와 紂王을 멸하고 周를 세우는데 큰 功을 세웠다.[59] 진훤 역시 왕건을 도와 후삼국 통일에 으뜸 공신 역을 했다.

왕건이 선필과 진훤을 상보로 일컬었다는 것은, 그가 주무왕임을 뜻할 수 있다. 왕건의 답신이나

53　申虎澈,『後百濟甄萱政權研究』, 一潮閣, 1993, 124쪽.

54　『高麗史』권1, 태조 8년 조. "萱懼乞和 以外甥眞虎爲質 王亦以堂弟元尹王信交質 以萱十年之長 稱爲尙父"
　　이때의 상보는 조물성에서 대치했을 때 열세였던 왕건이 자신의 장기인 립서비스로 위기를 모면하려한 言辭에 불과했다. 그러니 깊은 의미를 부여하기는 어렵다.

55　『三國史記』권12, 경순왕 4년 조. "春正月 載巖城將軍善弼降高麗 太祖厚禮待之 稱爲尙父"

56　『三國史記』권50, 진훤전. "及至 待以厚禮 以萱十年之長尊 爲尙父"

57　한국역사연구회,「鳴鳳山境淸禪院慈寂禪師陵雲塔碑」『譯註 羅末麗初金石文(上)』, 혜안, 1996, 100쪽.

58　『高麗史』권2, 景宗 즉위년 조. "冬十月 甲子 加政丞金傅爲尙父"
　　경순왕의 尙父는 景宗에게서 받은 加號이므로 왕건대와는 성격이 다르다. 경종의 制書에서도 주문왕과 姜太公(呂望)의 고사가 언급되었지만 주문왕 행세를 한 것은 아니다. 이때는 통일 이후였으므로 경순왕의 공적을 더하여 준 의례적인 호칭에 불과했다.

59　『史記』권4, 周本紀(第4).
　　『史記』권32, 齊太公世家(第2).

그 밖에 고려의 고사 등에는 周에 관한 故事가 자주 등장한다. 이로 볼 때 왕건은 주문왕을 자임했던 진훤과는 달리, 신라를 통합하고 삼한통합을 이루어 주무왕이 되고자 한 것으로 해석된다.

2) 진훤의 경주 진공 동기

진훤은 영남 북부 지역에서 작전을 펼치다가 갑자기 경주로 쳐들어갔다. 그리고 신라 경애왕을 생포하여 자진시켰다.[60] 그런데 경애왕은 고려에 구원을 요청했다. 이 기록을 놓고서 후백제의 침공 위협에 대한 대응 차원에서 구원을 요청한 것으로 해석해 왔다. 그럼에도 경애왕은 무방비 상태로 포석정에서 유희하다가 變을 당했다. 이해되지 않은 부분인 것이다. 이와 관련해 다음의 기사를 검토해 본다.

p. 가을 9월에 진훤이 高鬱府에서 我軍을 침범했다. 왕이 태조에게 구원을 요청하였다. 勁兵 1만을 데리고 나가 구원하도록 명했다. 진훤은 구원병이 이르기 전인 겨울 11월에 갑자기 王京에 들어갔다. 王은 妃嬪·宗戚과 더불어 鮑石亭에서 宴娛하며 놀았기에 賊兵이 이른 것을 알지 못했다. 창졸간에 할 바를 몰라서 王과 妃는 달아나 後宮에 들어갔다. 宗戚 및 公卿大夫·士女는 사방으로 흩어져 달아나 도망하여 몸을 피했다. 그들 가운데 붙잡힌 자들은 貴賤 없이 모두 놀라서 땀을 흘리고 기면서 奴僕이 되기를 구걸했지만 免하지 못했다. 진훤이 또 그 군사를 놓아 公私財物을 겁박하여 노략질해서 죄다 빼앗았다. 궁궐에 들어가 거처하면서 左右에게 王을 찾도록 명했다. 王이 妃·妾 여러 명과 後宮에 있다가 軍中으로 잡혀왔다. 핍박하여 왕을 自盡하게 했다. 王妃를 강제로 욕보이고 그 부하들을 놓아 그 妃妾을 난행했다. 그리고 왕의 族弟를 權知國事로 하여 즉위시키니 그가 敬順王이다.[61]

위의 경주 급습 기사를 놓고 볼 때 이해되지 않은 부분이 있다. 927년 9월에 후백제군이 고울부 즉

---

60 진훤은 경애왕으로부터 강제적으로 선양받을 수 있었을 터인데, 그러지 않고 경순왕을 세우고 물러난 것은 선양을 목표하지 않았다는 夢想도 나올 수 있다. 그러나 진훤은 신라의 멸망에 앞서 敵手인 왕건을 제압한 후 신라로부터 평화로운 선양을 통한 국토의 재통일을 이루려고 했다.

61 『三國史記』 권12, 경애왕 4년 조. "秋九月 甄萱侵我軍於高鬱府 王請救於太祖 命將出勁兵一萬往救 甄萱以救兵未至 以冬十一月 掩入王京 王與妃嬪·宗戚 遊鮑鮑石亭宴娛 不覺賊兵至 倉猝不知所爲 王與妃奔入後宮 宗戚及公卿大夫·士女四散 奔走逃竄 其爲賊所虜者 無貴賤皆駭汗匍匐 乞爲奴僕而不免 萱又縱其兵 剽掠公私財物略盡 入處宮闕 乃命左右索王 王與妃·妾數人在後宮 拘致軍中 逼令王自盡 強淫王妃 縱其下亂其妃 妾 乃立王之族弟權知國事 是爲敬順王"

영천까지 내려오자 경애왕은 고려에 구원을 요청했다는 것이다. 후백제군은 11월에 경주에 들이닥
쳤지만 경애왕은 포석정에서 비빈은 물론이고 宗戚 및 公卿大夫·士女들과 유흥을 즐겼다고 한다.
전후 상황을 놓고 볼 때 경애왕은 후백제군의 기습을 예상하지 못했다는 것이다. 그럼에도 고려에
구원을 요청했다는 것은 납득하기 어렵다. 이 사안에 대해 진훤의 격서에서 국상 김웅렴이 왕건을
경주로 불러들이려고 하자 '내가 먼저 손을 써서(k-1)'라고 하였다. 경애왕이 9월에 왕건에게 구원을
요청한 것은 목전의 후백제군의 침공이 아니라 사직을 유지하기 힘들자 향후 사직에 관한 문제를 왕
건과 논의하기 위해 招致한 것으로 보아야 맞을 것 같다. 그런데 이 상황은 다음과 같은 927년 하반
기 영남 북부 지역의 동향과 관련이 있어 보인다.

> q. 927년 1월: 왕건, 후백제 龍州(예천 용궁) 함락시킴.
>
> 　　3월: 왕건, 후백제 근암성(문경 산양)을 깨뜨림.
>
> 　　8월: 왕건, 후백제 고사갈이성(문경읍) 순행과 성주 홍달의 귀부.
>
> 　　8월: 고려, 拜山城(문경 호계) 수축과 병력 주둔.
>
> 　　9월: 진훤, 고려 근암성 공격.
>
> 　　　　진훤, 고울부(영천) 진입.

　　교통의 요충지인 계립령로와 연결된 문경 일원은 후백제 영역이었다. 그러한 문경 일원에 왕건이
진출하여 장악한 것이다. 더욱이 왕건의 용주 공격에는 경애왕이 군대를 보내 도와 주었다.[62] 위기
감을 느낀 진훤은 9월에 근암성을 불지르고 남하했다. 자신의 존재감을 보여주는 일종의 示威였다.
　　927년 9월에 진훤이 영천에 진입하자, 경애왕은 고려에 구원을 요청했다는 것이다. 신라의 구원
요청을 진훤이 영천 일원에서 확인했을 수 있다. 진훤의 경주 급습은 당초 기획한 것은 아니었을 가
능성이다. 그러니 '구원'은 명분에 불과한 것일 수 있었다. 신라와 고려의 연계는 단순히 '결합'이라
는 차원을 넘어 宗社에 관한 심각한 사안이라 판단하여 서둘러 습격한 것으로 보인다. 후백제군이
'갑자기 왕경에 들어왔다'는 것은 졸지의 상황임을 암시한다.
　　신라에서는 후백제군의 기습을 예상하지 못했기에 경애왕이 포석정에서 유흥을 벌일 수 있었을
것이다. 신라에서 고려에 구원병을 요청한 것은 후백제군의 경주 급습 직후였다. 이는 다음의 기사
를 통해서도 헤아릴 수 있다.

---

62 『三國史記』권12, 경애왕 4년 조.

ㄹ. 9월에 진훤이 近品城을 공격하여 불지르고 나아가 신라 高鬱府를 습격하여 다그쳐서 郊畿에 이르자 신라 왕이 連式을 보내 급함을 告하였다. 王이 侍中 公萱과 大相 孫幸, 正朝 聯珠 등에게 말하기를 신라와 우리는 同好한지 이미 오래되었다. 지금 급하니 구하지 않을 수 없다. 公萱 등으로 兵 1萬을 보냈다. (이들이) 이르기 전에 진훤이 갑자기 신라 도성에 들어왔다. 그때 신라왕이 妃嬪 宗戚과 더불어 나가 鮑石亭에서 놀면서 술마시고 娛樂했는데, 갑자기 군대가 온다는 말을 듣고 창졸간에 해야할 바를 몰랐다. 王이 夫人과 더불어 달아나 城南 離宮에 숨었다. 따라 온 신하들과 樂人 및 宮女들은 모두 몰살당했다. 진훤이 군대를 풀어 크게 약탈하였다. 王宮에 들어가 거처하면서 좌우에 王을 찾도록 하여 軍中에 세워두고 핍박하여 自盡하게 했다. 강제로 王妃를 능욕하고 부하들을 풀어 그 嬪妾들을 난행하게 했다. 王의 表弟 金傅를 세워 王을 삼았다. 王弟 孝廉과 宰臣 英景 등을 사로잡고, 子女 百工 兵仗 珍寶을 모두 빼앗아 돌아갔다. 왕이 이를 듣고 大怒하여 사신을 보내 弔祭했다. 몸소 精騎 5천을 거느리고 公山 桐藪에서 진훤을 맞아 크게 싸웠으나 이기지 못하였다. 진훤의 군대가 왕을 포위하여 심히 급했다. 大將 申崇謙과 金樂이 힘써 싸우다 이곳에서 죽었다. 전군이 패배하였고, 왕은 간신히 몸을 뺐다. 진훤이 이긴 것을 타서 大木郡을 빼앗고, 田野의 노적가리를 모두 태웠다.[63]

위의 기사대로라면 신라 구원군 1만 명이 파병되었지만, 이들의 행적에 대해서는 아무런 설명이 없고, 왕건은 경애왕에 대한 비보를 접한 후 몸소 5천 기병을 이끌고 내려간 것이다. 고려군 1만 명이 파병되었다면 누구보다도 이들이 먼저 후백제군과 접전했어야 마땅하다. 그럼에도 아무런 서술이 없고, 2차 구원군 셈인 왕건이 내려왔다가 궤멸된 것이다. 따라서 1차 구원병은 허구이거나 신라에 대한 회신을 취하는 병력에 불과했을 수 있다. 그렇지 않고서는 증발된 1만 명의 구원병 件은 해석할 수가 없다. 『고려사절요』에는 "이르기 전에 진훤이 이를 듣고 갑자기 신라 왕도에 들어갔다"[64] 고 하였다. 고려군 1만 명이 이르기 전에 진훤이 소식을 듣고는 갑자기 신라 왕도에 들어왔다는 것이다. 진훤의 경주 진공 배경을 고려 구원군의 진입에 따른 선수치기로 해석하였다.

그러나 이 보다는 "당시 신라 君臣들은 (나라가) 쇠퇴하여 復興이 어렵자 우리 太祖를 끌어당겨 結

---

63 『高麗史』권1, 태조 10년 9월 조. "九月 甄萱攻燒近品城 進襲新羅高鬱府 逼至郊畿 新羅王遣連式告急 王謂侍中公萱 大相孫幸 正朝聯珠等曰 新羅與我同好已久 今有急 不可不救 遣公萱等 以兵一萬赴之 未至 萱猝入新羅都城 時羅王與妃嬪宗戚 出遊鮑石亭 置酒娛樂 忽聞兵至 倉卒不知所爲 王與夫人 走匿城南離宮 從臣伶官宮女 皆被陷沒 萱縱兵大掠 入處王宮 令左右索王 置軍中 逼令自盡 强辱王妃 縱其下 亂其嬪妾 立王表弟金傅爲王 虜王弟孝廉 宰臣英景等 盡取子女百工兵仗珍寶以歸 王聞之大怒 遣使弔祭 親帥精騎五千 邀萱於公山桐藪 大戰不利.萱兵圍王甚急 大將申崇謙·金樂力戰死之 諸軍破北 王僅以身免 萱乘勝 取大木郡 燒盡田野積聚"

64 『高麗史節要』권1, 태조 10년 9월 조. "未至 萱聞之 猝入新羅王都"

好하여 도움을 받으려고 도모하였다. 진훤은 스스로 나라를 도적질할 마음이 있어서 태조가 먼저 차지할까 두려워한 까닭에 군대를 이끌고 王都에 들어가 惡을 저질렀다"[65]고 했다. 진훤 또한 국상 김웅렴이 왕건을 맞아들인다면 종묘사직을 폐허로 만드는 행위였기에 좌시할 수 없었다고 하였다 (k-1). 진훤은 신라의 종묘사직이 고려로 넘어가는 것을 막기 위해 경주에 왔음을 밝혔다. 물론 이러한 주장은 어디까지나 명분에 불과할 수 있지만 사실일 가능성도 배제하기 어렵다.

비록 이 보다 뒤인 931년에 왕건은 50騎만 대동하고 경주에서 경순왕을 만났다. 그리고 왕건은 경순왕의 從弟를 볼모로 삼아 돌아갔다. 이후 왕건은 신라 왕과 신하들에게 선물을 내렸다.[66] 그런데 왕건이 경순왕을 접견한 후 양자는 위상이 역전된 것이다. 왕건을 접한 경순왕은 자신의 歸附를 은밀히 비쳤을 것이다.[67] 아니면 왕건이 오히려 적극적으로 제의했을 수 있다. 즉 "신라의 왕실을 달래어서 왕실의 尊榮을 누리게 하는 조건으로써 國權을 내어놓게 하고"[68]라는 분석도 제기되었다. 그로부터 4년 후인 935년에 신라 왕은 왕건에게 降書를 보냈고, 또 항복하였다.[69] 진훤은 이러한 상황을 충분히 예견했기에 이를 차단할 목적에 경주를 급습한 것으로 보아야 한다. 그러나 사서에서는 진훤의 신라 왕성 진입의 배경과 명분을 없애려는 의도를 지녔던 것 같다. 그랬기에 왕건과 신라 경애왕 간의 모종의 조치를 감추고 단순 구원 요청으로 호도한 것으로 보였다.

진훤이 927년에 경주를 접수했을 때 受禪 상황이었지만 단행하지 않았다. 그랬기에 진훤은 殷을 멸망시킨 주무왕이 아니라 주문왕 행세를 한 것으로 해석된다.

4. 맺음말

순천만에서 복무하던 진훤이 889년에 擧兵하고, 상주 지역에서 원종과 애노의 난이 일어났다. 그렇지만 신라 조정이 수습하지 못함으로써 후삼국시대의 서막이 열렸다. 진훤은 892년에 무진주에 입성한 후 백제를 재건했다. 900년에 진훤은 전주로 천도하였다. 이 시점에서 후백제와 신라 2개 國이 대치한 상황이 되었다.

---

65 『三國史記』권50, 진훤전. "時新羅君臣以衰季 難以復興 謀引我太祖 結好爲援 甄萱自有盜國心 恐太祖先之 是故引兵入王都作惡"
66 『三國史記』권12, 경순왕 5년 조.
67 文暻鉉, 『高麗史硏究』, 경북대학교 출판부, 2000, 132쪽.
68 崔南善, 『故事通』, 三中堂書店, 1943; 『六堂崔南善全集 1』, 玄岩社, 1973, 130쪽.
69 『三國史記』권12, 경순왕 9년 조.

旭日昇天 기세의 진훤은 종국에 무너질 신라에 대한 처리 문제에 고심했다. 무력을 통한 신라의 강제 합병은 민심 이반을 초래할 뿐 아니라 거센 저항에 직면할 수 있다는 사실을 깨닫고 있었다. 신라를 포위하여 枯死시킴으로써 자연스럽게 禪讓받으려는 전략을 구사하였다. 822년에 반란을 일으킨 김헌창은 국호와 연호를 선포했다. 김헌창은 5소경 가운데 3소경을 장악했을 뿐 아니라 9주 가운데도 거의 절반을 지배하였다. 신라를 반분한 상황이라고 판단했기에 新國을 세울 수 있었던 것이다.

진훤도 상징성이 지대한 소경 장악을 추진하였다. 전주 천도를 통해 남원경을 장악할 수 있었다. 그리고 대야성을 통한 금관경으로의 진출을 시도하였다. 이와 더불어 진훤은 일찍부터 북원경의 양길을 끌어당김으로써 양길 예하의 중원경과 서원경 세력까지 포괄할 수 있다고 판단했다. 이렇게 되면 진훤은 5소경의 장악이 가능해진다. 천년왕국의 권위를 지닌 신라에 절대적 우위를 점유하게 되는 것이다. 그러면 정치적 위상의 역전이 가능해진다.

그런데 변수가 발생했다. 비뇌성 전투에서 양길의 호족 연합군이 궁예에게 大破되었기 때문이다. 반면 양길을 축출하고 궁예가 중부 지역의 패자로 등장했다. 901년에 궁예는 고구려를 재건하였다. 예전의 삼국이 부활한 것이다. 그럼에 따라 진훤의 전략도 수정이 불가피해졌다. 신라와 대등함을 상정했던 兩大 세력 관계에서 진훤은 백제 계승자로서 의자왕의 숙분을 씻겠다고 豪言하였었다. 그러나 이제는 고구려가 재건된 삼각 구도였다. 진훤으로서는 雄强한 궁예를 제압하는 일이 시급했다.

궁예는 나주 세력과 연계하여 서남해의 제해권을 장악하고자 했다. 그럼으로써 후백제를 포위하여 고립시키는 전략을 구사한 것이다. 후백제로서는 사활이 걸린 문제였기에 격돌하지 않을 수 없었다. 이 상황에서 진훤은 신라에 대한 복수심이 끓던 궁예와 대척되는 입장을 정리했다. 신라 출신인 진훤은 신라의 보호자 역을 자처하였다. 그럼으로써 궁예의 돌풍에 휘둘리며 트라우마를 지닌 신라 호족들을 포섭하고자 했다. 후백제의 관등이 신라와 동일한 것은, 신라 유산의 계승자임을 표방한 것이다. 신라 속의 백제 정권임을 자임하였다고 본다.

그런데 918년에 정변이 발생하여 왕건이 고려를 건국하였다. 왕건은 궁예와는 달리 신라에 대한 유화책으로 나왔다. 그는 궁예 체제의 관등을 신라 것으로 환원하였다. 이 사실은 왕건이 고구려 계승자임을 자처했지만, 기존 신라의 전통과 질서를 존중한다는 의미였다. 그랬기에 왕건 역시 신라의 보호자를 자처하였다. 왕건이 경순왕으로부터 진평왕의 천사옥대를 받은 것도 신라 계승자임을 웅변한다.

진훤이나 왕건 모두 선양의 형식을 통해 신라로부터의 왕조 교체를 단행하려고 했다. 진훤의 경우 魏의 曹操 사례를 주목했을 수 있다. 조조가 처음 거병했을 때 병력은 5천 명이었다. 이 숫자는 진훤이 처음 거병하여 민심을 규합했을 때 숫자와 동일하였다. 진훤의 참모로서 唐 유학 경험이 있는 최승우나 慶甫 등이 周文王 같은 역을 자임하도록 조언했을 수 있다.

후백제와 고려는 스스로 신라의 보호자요 계승자로서 적합도를 경쟁하는 관계였다. 927년 후백제군의 경주 급습도 이와 관련한 사건이었다. 신라 경애왕 정권이 시종 의지했던 고려와 그 이상의 관계로 발전하는 것을 차단할 목적으로 경주를 급습했다. 그 일환으로 국왕까지 교체한 것이다. 그렇지만 경애왕의 처단과 후백제군의 거친 행태는 민심 이반을 초래하였다. 후백제군이 고창 전투에서 패한 것도 신라 호족들의 이반에 따른 결과였다. 신라의 보호자요, 계승자 역을 자임했던 2정권 간의 경쟁은 927년을 분기점으로 고려로 기울게 되었다.

이에 고무된 왕건은 신라 경순왕과 회동한 931년 이후부터는 더 이상 신라의 陪臣이 아니었다. 이제는 신라가 고려의 배신이 되었다. 그랬기에 몇 년 후 신라가 고려로 넘어가는 데 대한 신라인들의 반발은 심하지 않았다.

후백제의 실패는 927년 경주에서 더 이상 신라의 보호자가 아니라는 사실을 보여줌으로써 惹起되었다. 왕건은 신라 호족들이 자신에게 쏠리자 대세가 결정된 것으로 판단했다. 이는 왕건이 재암성 장군 선필을 尙父로 일컬었던 데서도 짐작할 수 있다. '尙父'는 殷을 받들었던 周文王과는 달리 殷을 멸망시킨 周武王이 功臣인 呂尙에게 부여한 尊稱이었다. 그러므로 왕건 자신이 주무왕이 되었음을 선포한 행위로 해석되었다. 왕건의 신라 접수는 시간 문제라는 자신감도 배어 있었다. 이렇듯 후백제와 고려의 경쟁과 갈등은 신라 후계자로서의 기나긴 적합성 분별 과정이기도 했다.

「후백제 진훤의 受禪 전략」『민족문화논총』78, 영남대학교 민족문화연구소, 2021.

후백제와 고려의 分割鼎立 盟約과 加耶故地 진출

1. 머리말

최근에 접어들어 후백제사에 관한 연구가 다각적으로 진척 되어 가고 있다.[1] 이와 관련해 후백제사 연구 가운데 정치사가 압도적인 비중을 점하고 있음은 부인하기 어렵다. 그런데 후백제의 加耶故地에 대한 經略은 각별한 의미가 있음에도 불구하고 연구가 온축되지 못한 감을 받게 되었다. 특히 사료를 분석하는 과정에서 후백제와 고려 그리고 신라 간에 結好를 위한 盟約이 있었다는 흔적을 포착하였다. 또 그와 관련한 화평·공존 기간의 설정과, 다시금 그 사이에 낀 가야고지에 대한 지배권 쟁탈의 양상을 검토해 보게 되었다. 이 문제는 후백제와 고려의 세력 판도에 지대한 영향을 미쳤던 바 간과할 수 있는 사안은 절대 아니라고 판단해서였다.

본고에서는 후백제가 집요하게 가야고지로의 진출을 시도한 이유를 구명하는데 주력하고자 했다. 이와 관련해 가야고지의 중심지라고 할 수 있는 康州(晋州) 지역을 둘러싼 지배권의 변화 과정을 전면적으로 재검토해 볼 계획이다. 아울러 최근에 진주 촉석루 앞 義巖 부근에서 출토된 吳越國의 연

---

1 이와 관련된 성과로는 다음과 같은 저술을 일단 꼽을 수 있다.
　申虎澈, 『後百濟 甄萱政權 硏究』, 一潮閣, 1993.
　李道學, 『진훤이라 불러다오』, 푸른역사, 1998.
　전북전통문화연구소, 『후백제 견훤정권과 전주』1999.
　백제연구소, 『후백제와 견훤』, 서경문화사, 2000.

호가 나타난 銘文 瓦가 지닌 의미 등을 고찰하면서, 후백제 연호의 변천 과정과 그것을 에워싼 국제 관계의 변화, 그리고 후백제·고려의 관계 등을 살펴 보고자 한다. 그럼에 따라 후삼국기의 가야고 지를 에워싼 역학 관계의 변화 과정은 물론이고, 지역적 비중 또한 새롭게 환기될 것으로 믿어진다.

2. 후백제와 고려의 盟約 문제

후삼국이 動亂의 시기였음은 재언할 필요가 없다. 그랬기에 후백제와 고려는 始終 전쟁으로 치닫고 결국 고려의 勝戰으로 수십년 간에 걸친 동란이 종식된 것으로 이해하고 있다. 그러나 이는 지극히 단선적인 이해로써 양국과 신라를 포함한 후삼국 간에는 상호 대립을 지양한 일정 기간 동안의 和平 상태가 존재했었다. 다음의 기사가 그것을 함축하고 있다.

> a. 11년(928) 봄 정월에 왕이 진훤에게 글로 회답하기를 "… 얼마 전에 삼한이 액운을 당하고 전국[九土]이 흉년으로 황폐해져 많은 인민들이 반란군[黃巾賊]에 몰려 가, 田野는 황폐하지 않은 땅이 없었기에, 兵亂의 소란함을 종식시키고 나라의 재난을 구하려고 스스로 이웃 나라와 친목하여 어느덧 結好했으니 과연 수천 리에 農桑을 즐겨 일삼고, 7·8년 동안 사졸들이 한가로이 쉬는 것을 보았더니, 酉年 10월에 이르러 갑자기 사단을 일으켜서 곧 싸우게 되었다."[2]

위의 a 기사는 927년의 公山 전투에서 참패한 직후에 진훤이 보낸 격서에 대한 왕건의 답신이다. 이 글에서 "7·8년 동안 사졸들은 한가로이 쉬었는데, 酉年에 이르러 10월에 문득 사건을 일으켜 곧 싸움에까지 이르렀다"고 하면서 양국이 틈이 벌어져 대립하게 된 내력을 언급하고 있다. 여기서 후백제와 고려는 7·8년 간의 휴전 기간이 존재했음을 알 수 있다. 그런데 양국 간 휴전의 起點을 왕건이 진훤에게 보낸 위의 글이 작성된 928년에서 7·8년을 逆算한 결과 920년 경으로 지목하기도 한

---

2 『高麗史』권1, 太祖 11년 조. "是月 王答甄萱書曰… 頃以三韓厄會 九土凶荒 黔黎多屬於黃巾 田野無非於赤土 庶幾弭風塵之警 有以救邦國之灾 爰自善隣 於焉結好 果見數千里農桑樂業 七八年士卒閑眠 及至酉年 維時陽月 忽焉生事 至於交兵"
   『高麗史節要』권1, 太祖 11년 조. "春正月 王答甄萱書曰… 頃以三韓厄會 九土凶荒 黔黎多屬於黃巾 田野無非於赤土 庶幾弭風塵之警 有以救邦國之灾 爰自善隣 於焉結好 果見數千里農桑樂業 七八年士卒閑眠 及至酉年 維時陽月 忽焉生事 至於交兵"

다.[3] 아울러 920년 10월 이후 924년 7월까지 후삼국 사이에 직접적인 전투가 없었다는 점을 제시하였다. 그리고 924년에 還國한 法鏡大師의 비문에서 "동방으로부터 잠깐 소식을 들으니 본국에는 큰 山의 안개가 걷히고 점차 바다에는 파도가 가라앉아 外亂은 모두 사라지고 다시 중흥을 이루었다는 것이다. 同光 2년에 옮기어서 귀국하니 나라 사람들이 서로 경하하여 환영하는 소리가 하늘을 진동하였다"[4]는 문구를 방증 자료로 제시했다.

　여기서 후백제와 고려 양국 간에 和平 기간이 존재했다고 인식한 것은 지극히 온당하다. 그러나 양국 간에 전투가 없었던 것은 920년부터가 아니었다. 그 이전까지 소급되어야 한다. 궁예가 왕건에게 축출되고 왕건 정권이 수립된 이후부터 양국 간의 전쟁 기사가 자취를 감추었기 때문이다.[5] 게다가 a에서 왕건이 말하는 "스스로 이웃 나라와 친목하여 어느덧 結好했으니"로 시작되는 문구는, 문맥상 和平한 시기가 7·8년 간 지속되다가 '酉年'에 이르러서 비로소 그것이 깨졌음을 알린다. 여기서 '酉年'을 기준으로하여 7·8년을 소급시킨 게 和平 곧 '結好'의 起點이 되는 것이다. '酉年에 이르러 10월'은 a 글이 작성된 928년 이전의 어느 때가 되는데, 925년의 '乙酉年'을 가리킨다고 보겠다.[6] 정확히 925년의 乙酉年 10월에는 후백제와 고려가 조물성에서 격돌하게 된다. 그러나 후백제가 조물성을 처음 공격한 것은 그 보다 1년 전인 924년의 甲申年이었다. 조물성 전투와 관련한 924년과 925년의 기사를 각각 옮겨 보면 다음과 같다.

　b-1. (924년) 가을 7월에 진훤이 아들 須彌康·良劍 등을 보내어 曹物郡을 공격하게 하자 장군 哀宣에게 명하여 그곳을 구원하게 했다. 哀宣이 전사하자 郡人들이 굳게 지켰으므로 須彌康 등이 이로움 없이 돌아 갔다.[7]

　b-2. (925년 10월) 乙亥日에 왕이 스스로 군대를 이끌고 曹物郡에서 진훤과 싸웠다. 黔弼이 병력을 이끌고와서 모이자 진훤이 겁이나서 화친을 청하면서 外甥 眞虎를 볼모로 삼았기에, 왕 역시 堂弟인 원윤 王信

3　金相潡, 「新羅末 舊加耶圈의 金海 豪族勢力」 『震檀學報』 82, 1996, 80쪽 註62.

4　朝鮮總督府, 「淨土寺法鏡大師慈燈塔碑」 『朝鮮金石總覽(上)』 1922, 153쪽.

5　이에 관해서는 다음 저술의 연표 부분을 참조하면 확인된다.
　　申虎澈, 『後百濟 甄萱政權 研究』, 一潮閣, 1993, 229~238쪽.
　　李道學, 『진훤이라 불러다오』, 푸른역사, 1998, 326~332쪽.
　　李道學, 『궁예 진훤 왕건과 열정의 시대』, 김영사, 2000, 341~350쪽.

6　李丙燾, 『國譯 三國史記』, 乙酉文化社, 1977, 727쪽 註2.
　　'酉年'을 925년 10월의 조물성 전투와 관련 짓는데는 이론이 없다(李道學, 『진훤이라 불러다오』, 푸른역사, 215쪽).

7　『高麗史』 권1, 太祖 7년 조, "秋七月甄萱遣子須彌康·良劍等 來攻曹物郡 命將軍哀宣·王忠救之 哀宣戰死 郡人固守 須彌康等失利而歸"

9-1 조물성으로 추정되는 의성 금성산성 원경   9-2 금성산성 성벽

을 볼모로 교환하였다. 진훤이 10년이나 연장이므로 尙父라 일컬었다. 신라 왕이 이 소식을 듣고는 사신을 보내와서 말하기를 "진훤은 反復과 속이는 게 많으므로 화친할 수 없다"고 하자 왕도 그렇다고 했다.[8]

여기서 乙酉年인 925년에서 7·8년을 소급시키면 고려의 건국년인 918년에서 멎게 된다. 이로 볼 때 후백제는 왕건 정권의 고려가 출범하는 918년부터 휴전했음을 알 수 있다. 실제로 후백제와 궁예 정권 간에는 격렬한 전쟁이 지속되었지만, 왕건 정권 수립 이후부터는 양국 간 전쟁 기사가 일체 사라진 바 있다. 그런데 진훤은 918년 6월에 정변을 통해 집권한 왕권 정권을 즉각 승인하지는 않았다. 그로부터 2개월이 흐른 8월에야 사신을 보내 축하를 하였다.[9] 이때를 전후하여 양국 간에 結好協約이 체결되었던 것으로 추정할 수 있다.

양국이 체결한 결호 협약의 내용은 알 수 없다. 이와 관련해 조물성 전투 이전까지는 양국 간의 직접적인 전쟁이 없었다는 점과[10], 결호 결렬의 단초가 된 조물성 전투의 戰場이 原新羅 영역이라는 점을 단서로 해야 될 것 같다. 그렇다면 양국은 자국의 故地를 복구하는 선에서 예전의 삼국처럼 정립하자는 分割鼎立論에 합의했던 것으로 추정된다. 즉 신라의 존재를 인정하는 한편 옛 백제와 옛 고구려의 영역만을 복구하도록 한 것이다. 이와 관련해 신라 경순왕의 고려 귀부를 받아들이는 과정에서 보이는 왕건의 다음과 같은 언사가 유의된다.

8　『高麗史』권1, 太祖 8년 조. "乙亥 王自將 及甄萱戰于曹物郡 黔弼引兵來會 萱懼乞和 以外甥眞虎爲質 王亦以堂弟元尹王信交質 以萱十年之長 稱爲尙父 新羅王聞之 遣使曰 萱反復多詐 不可和親 王然之"

9　『高麗史』권1, 太祖 원년 8월 조. "甄萱遣一吉粲閔部 來賀卽位 命廣評侍郞韓申一等 迎于甘彌縣 郡至 厚禮遣之"

10　925년 10월의 2차 조물성 전투 불과 며칠 전에 燕山鎭(청원 문의면)과 任存城(예산 대흥면)에서 전투가 있었다. 그러나 후백제와 고려 간 전면 전쟁과 대립의 발단은 조물성 전투였기에 이러한 지엽적인 전투는 무시해도 대세에는 전혀 지장이 없다.

c. 짐이 신라와 더불어 歃血하면서 同盟하여, 양국의 우호를 영구히 하고, 각자의 社稷을 보전하였다. 지금 신라 왕이 완강히 신하라고 자처하기를 청하고, 卿들 역시 좋다고 하니, 짐의 마음은 부끄럽지만, 많은 사람들의 뜻을 어기기가 어렵다.[11]

위의 기사를 통해 고려와 신라 간의 盟約이 있었음을 알 수 있다. 물론 그 시기는 알 수 없다. 그러나 이러한 맹약은 양국 간의 것이었다기 보다는 고려와 후백제 신라 삼국 간의 結好 때의 것일 가능성이 높다. 그리고 보다 중요한 사실은 "각각의 社稷을 보전하기로"했다는 점이다. 이 사실은 삼국분할 정립론을 단적으로 시사하는 문구라고 하겠다. 그러면 왕건이 이 같은 삼국분할정립안을 수용할 수밖에 없는 이유는 무엇이었을까? 왕건은 정권의 기반이 당초 취약했을 뿐 아니라 집권 초기의 잇따른 모반 사건 등으로 인해[12] 內政 整備에 盡力할 수 있는 시간을 벌 필요가 있었다. 무엇보다 왕건은 자신의 정권을 승인하지 않고 관망하고 있던 진훤에 대해 불안해 하고 있었다. 다음의 기사가 그것이다.

d. 朕은 諸道의 寇賊들이 朕이 처음으로 즉위했다는 말을 듣고 혹은 변방에서 患亂을 구축할까 염려되어 사신들을 파견하여 重幣卑辭로써 惠和의 뜻을 보이자 歸附한 이들이 많았는데, 유독 진훤만이 交聘이 없었다.[13]

그 이후 마지 못한 듯이 고려에 축하 사절로 파견된 후백제 사신 閔郃의 관등은 신라의 17관등 체계로 한다면 7등인 일길찬에 불과했다. 그럼에도 왕건은 차관급인 廣評侍郎 韓申一 등을 파견하여 민합을 甘彌縣(경기도 안성 부근)에서부터 영접했었다. 게다가 "厚禮하여 그를 보냈다"고 했을 정도

---

11 『高麗史』권2, 태조 18년 12월 조. "朕與新羅 歃血同盟 庶幾兩國永好 各保社稷 今羅王固請稱臣 卿等亦以爲可 朕心雖愧 衆意難違"

12 918년 6월에 왕건이 집권한 이후에 발생한 쿠데타를 적시해 보면 다음과 같다.
  1) 6월의 馬軍將軍 桓宣吉 모반 사건, 2) 6월의 馬軍大將軍 伊昕巖 모반 사건, 3) 9월의 徇軍吏 林春吉 모반 사건, 4) 10월의 파진찬 陳瑄 · 宣長의 모반 사건.
  아울러 왕건은 즉위초의 청주 호족의 변란에 대비하여 洪儒와 庾黔弼을 鎭州(충북 진천)에 주둔시켰다(『高麗史』권92, 洪儒傳). 청주에서 변고가 생기면 즉각 투입시키기 위한 조치였다. 그 뿐 아니라 왕건은 개국제2등공신이요 마군장군인 심복 能寔과 明吉 등을 현지에 파견하여 동태를 엿보게 했다. 이렇듯 왕건은 청주 호족세력의 이탈 방지에 진력했던 것이다. 왕건이 즉위한 지 4개월만에 4차례의 반란 사건이 발생하였을 뿐 아니라, 羅州에는 궁예 정권시절의 侍中이었던 具鎭을 羅州道代行臺侍中을 삼아 파견하고자 했으나 病을 핑계삼아 부임하지 않는 등 군부를 장악하지 못하고 있는 실정이었다. 이렇듯 왕건 정권은 지극히 불안정한 상황에 놓여 있었다.

13 『高麗史』권1, 太祖 원년 8월 조.

로 가히 파격적으로 대우하였다.[14] 이러한 상황에서 왕건은 "스스로 이웃 나라와 친목하여 어느덧 結好했으니(a)"라고 하였듯이 화평을 제의했던 것으로 보인다.

그러면 불투명한 동란의 시기에 국가 간에 결호가 유지되기 위해서는 어떻게 했었을까? 무엇보다 境域의 劃定이 전제되어야함은 두말할 나위없다. 그렇다고 할 때 앞서 언급했던 것처럼 왕건은 진훤에게 분할정립안을 선뜻 제의했던 것으로 유추되어진다. 주변의 상황이 유리하지 않은 입장에 처한 이는 왕건이었다. 또 '스스로(a)'라고 했던 바 그가 제의한 것은 분명하였다. 그러므로 왕건이 진훤에게 대폭 양보하는 입장이었을 것임은 자명하다.

이러한 차원에서 交錯이 심한 예전의 백제와 고구려 경역에 대한 획정을 했을 것이다. 양국은 당시의 현실적인 세력 판도를 감안하여 지금의 금강선을 경계로 인정했던 것 같다. 진훤이 全州에 入城했을 때 백제의 開國地로 익산 금마산을 운위한 것도[15] 이러한 영역관에 영향을 미쳤던 것으로 보인다. 그 결과 왕건은 본래 백제 영역이었던 熊州(충남 공주)·運州(충남 홍성) 등 10여 州縣에 대한 후백제의 지배를 인정했던 것으로 추정된다. 고려 개국 축하사신인 후백제의 일길찬 閔郤이 환국하고 난 직후에 발생한 이들 지역의 후백제로의 이탈과[16] 그에 대한 왕건 정권의 보복·대응 없는 묵인은[17] 전후 상황을 놓고 볼 때 이러한 결호의 결과로 보인다. 진훤은 왕건 정권을 인정해 주는 대가로 內浦 지역과 금강 이남에 대한 영유권의 확보라는 실리를 챙긴 것이었다.

왕건은 국호를 高麗로 부활시켜 고구려 계승을 천명하였다. 이는 자신이 축출한 궁예의 정치 행태와는 180도 다른 정확히 선을 긋는 행위였다. 궁예가 高麗 국호를 폐기하고 大東方國의 뜻을 지닌 摩震 등으로 국호를 개칭했다. 그 뿐 아니라 옛 고구려 영역 밖으로 영토를 확장시키는 동시에 옛 백제 지역 출신들을 등용한 결과 정권의 근간을 형성했던 고구려계 호족들을 동요시켰다. 이러한 요인은 궁예의 실정과 맞물려서 몰락으로 이어졌다. 그러므로 정권 기반이 취약했을 뿐 아니라 고구려계 호족의 이익을 대변하는 입장에 선 왕건은 동요 요인을 근절시킬 필요가 있었다. 아울러 자신이 세운 국가가 고구려를 계승했다는 정체성을 분명히 해야만 하였다.[18] 왕건은 고구려계 호족들

---

14 『高麗史』권1, 太祖 원년 8월 조.

15 『三國史記』권50, 甄萱傳.

16 『高麗史』권1, 太祖 원년 조.

17 물론 왕건은 이 사건 직후에 前侍中 金行濤를 東南道招討使와 知牙州諸軍事로 임명하였을 뿐이다(『高麗史』권1, 太祖 원년 8월 조). 다만 『高麗史節要』에서는 이 기사의 끝에 "대비하게 했다(以備之)"는 문구가 첨부되어 있을 뿐인데, 의례적인 기사에 불과할 따름이다.

18 이에 관해서는 김동인이 1940년에 발표한 장편 「진헌」(박문서간)에서 다음과 같이 언급되어 있다.

"왕건이 국호를 고려라고 정한 데에도 인심을 잡는 그의 비상한 수단이 나타났다고 볼 수 있다. 궁예가 일찍이 칭왕할 때 고구려 유민의 민심을 사려고 "고구려를 재건하여 신라에 대한 원수를 갚겠다"고 선언하였다. 그러나

을 안심시키기 위한 차원에서라도 옛 백제 영역이었던 熊州와 運州 등 10여 州縣에 대한 과감한 포기를 결행한 것으로 보인다. 고구려의 부활과 계승으로써 정권을 출범시킨 왕건으로서는 당분간 고구려적인 색채를 유지하는 게 급선무였을 것이다.

요컨대 결호 기간 동안 후백제와 고려는 설정한 옛 2國 영역선 안의 호족 세력들을 흡수하는 작업을 꾸준히 추구해 나갔다고 본다. 결국 화평 기간을 통해 양국은 예전의 왕국을 명실상부하게 복원하는데 진력하였고, 결국 그 점에서는 성공했다.

3. 후백제의 加耶故地 진출

후백제는 結好에 따라 실리를 챙긴 관계로 고려와의 군사적 충돌을 빚지 않았다. 그러나 고려에 비해 내부 체제가 일찌감치 정비되어 있던 후백제는 그 진출 방향을 설정하지 않을 수 없었다. 그 진출 방향은 말할 나위없이 금방 結好 관계가 깨질 뿐 아니라 위험 부담이 큰 고려 영역이 될 수는 없었다. 후백제는 신라 지역에 대한 끊임없는 잠식을 시도하였다. 이와 관련한 무력적인 공략 보다는 그곳의 호족 세력들을 이탈·포섭하는 공작이었다. 그러나 잠식 작업은 한계가 있었을 뿐 아니라 영속적인 잠식 작업을 추진하기 위해서는 무력을 수반하는 대대적인 공략이 필요하였다. 후백제는 고려와의 정면 대결을 피한채 타깃으로 설정한 신라 영역 가운데서도 신라에 대한 귀속감이 상대적으로 취약한 가야고지에 대한 진출을 企圖한 것으로 보인다.

물론 후백제는 결호 이전부터 가야고지로의 진출을 일찍부터 시도하였다. 여러 차례 시도된 그 관문격인 대야성 공격이 그것을 뜻한다. 대야성은 삼국시대의 신라가 대야주를 설치했을 정도로[19] 정치·군사적 비중이 큰 지역이었다. 후백제가 집요하게 이곳을 공격한 이유는 설명이 어렵지 않다. 대야성을 장악하게 되면, 남으로는 곧바로 康州로 직행할 수 있고, 북으로는 지금의 고령→대구 방면으로 해서 경상도 북부 지역으로 진출할 수 있는 전략적 교두보였던 것이다. 대야성은 후백제가 신라의

신라의 왕자라고 자처하는 궁예가 세운 나라이며, 게다가 나라 이름까지도 '마진' 혹은 '태봉'이라 하였으니, 고구려의 유민이 이 궁예의 나라를 고구려 재건으로 볼 까닭이 없었다. 왕건은 나라를 세우자 즉시로 국호를 '고려'라 했다. 누가 보아도 고구려의 후신이었다. 게다가 왕건의 집안이 고구려의 유민이었다. 고구려의 유민이 새 나라를 세우고 국호를 고려라 했으니 이것은 틀림이 없는 고구려의 후신으로 보였다. 압록강 이남에 주인이 없어 쩔쩔매던 고구려 유민들은 모두 다 이 왕건의 휘하로 모여들 것이었다."

19 『三國史記』권34, 雜志, 地理1.
　　대야성의 전략적 중요성은 申虎澈,『後百濟 甄萱政權 硏究』, 一潮閣, 1993, 84쪽에 서술되어 있다.

심장부인 경주 방면으로 진출하기 위해서는 양면에서 협공할 수 있는 분기점이 되는 요충지였다.

후백제는 901년에 처음 공격한 이래로 916년에도 대야성을 공격했지만 함락시키지 못하고 회군하였다.[20] 대야성에서는 후백제 군대의 침공을 막는 데 일단 성공했지만, 原新羅 지역은 물론이고 가야고지의 호족들이 위기감을 가졌을 것임은 의심할 나위 없다.[21] 이러한 위기감은 승려 利嚴이 金海府 知軍府事 蘇律熙의 지원으로 김해에서 駐錫한 지 4년만인 915년에 移錫하면서 "땅이 賊窟과 붙어 있어서 신변의 도모가 안전하지 않았다"[22]라고 한 말에서도 엿 볼 수 있다. 여기서 '賊窟'은 후백제의 영역을 뜻하는 것이다. 김해 지역 인근에 후백제의 거점이 소재하고 있으면서, 김해 지역을 압박하고 있음을 의미하는 듯하다. 이러한 상황에서 가야고지 호족들이 택할 수 있는 길은 고려에 의존하는 것이 한 방편이 되었다. 다음의 기사가 그것을 말한다.

> e. 3년 康州將軍 閏雄이 아들 一康을 볼모로 보냈다. 왕이 일강에게 아찬의 품계를 주고 卿 行訓의 누이를 아내로 삼게 했다. 郞中 春讓을 강주로 보내 귀부한 이들을 위로하고 달랬다.[23]

지금의 경상남도 진주 지역을 장악하고 있던 강주장군 윤웅이 920년에 아들을 고려에 볼모로 보냈다는 것은 귀부를 뜻하는 것이다. 왕건이 928년 정월에 진훤에게 보낸 답서에서 "康州는 남쪽으로부터 와서 귀부했다"[24]는 기사가 그것을 말한다.[25] 윤웅은 고려에 의존해서 세력 유지를 바랬던 것이다. 그로부터 몇 개월 후인 920년 9월에 진훤은 아찬 功達을 고려에 보내어 孔雀扇과 智異山의 竹箭을 선물했다.[26] 그와 동시에 그해 10월에 진훤은 기민하게 군사행동을 하였다. 다음의 기사가 그것이다.

---

20 『三國史記』권12, 神德王 5년 조.
21 加耶故地의 호족들이 반신라적인 입장에서 연대 관계를 형성했다고 하지만(金泰植, 『加耶聯盟史』, 一潮閣, 1993, 73~74쪽), 사실 여부를 떠나 후백제의 東進에 집단적 위기감을 느꼈을 것임은 필자의 사실일 것이다.
22 朝鮮總督府, 「廣照寺眞澈大師寶月乘空塔碑」『朝鮮金石總覽(上)』1922, 127쪽.
23 『高麗史』권1, 太祖 3년 조. "康州將軍閏雄 遣其子一康爲質 拜一康阿粲 以卿行訓之妹妻之 遣郞中春讓於康州 慰諭歸附"
24 『三國史記』권50, 甄萱傳.
25 한편 이 기사를 "『고려사』세가 및 『고려사절요』태조 3년 정월에 강주장군 尹雄의 귀부 사실과 태조 10년 8월에 高思葛伊城 성주 興達이 아들을 보내 귀부한 사실을 말한다"라고 해석한 견해도 있다(한국정신문화연구원, 『譯註 三國史記 4-註釋篇(下)』1997, 834쪽). 여기서 尹雄은 閏雄의 誤記이다. 그리고 고사갈이성 성주 홍달의 경우는 『고려사』와 『고려사절요』에 비록 '康州'로 적혀 있지만, 고사갈이성은 현재의 경상북도 문경읍을 가리킨다. 그러므로 康州는 '尙州'의 誤記임은 재론할 여지도 없다. 나아가 康州와 관련해 고사갈이성을 언급하는 것은 재고되어야 한다.
26 『高麗史』권1, 太祖 3년 조.

f-1. 10월에 후백제 임금 진훤이 보·기병 1만을 거느리고 와서 대야성을 함락시키고는 進禮城으로 진군하였다. 金律을 보내어 태조에게 구원을 청했다. 태조가 部將을 명하여 군대를 내어서 구원하니 진훤이 이를 듣고는 철수했다.[27]

f-2. 겨울 10월에 진훤이 신라를 침공하여 大良·仇史 2郡을 탈취하고 進禮郡에 이르렀다. 신라가 아찬 金律을 보내어 구원을 청하였기에 왕이 군사를 보내어 구원하였다. 진훤이 그 소식을 듣고 퇴각하였는데, 이때부터 그는 우리와 불화하게 되었다.[28]

위의 f-2에서 大良은 대야성 곧 합천을 가리킨다. 仇史는 종전에는 초계로 지목했지만 창원이 타당하다.[29] 그리고 진례성도 경상북도 청도 지역이 아니라[30] 김해의 서북 진례면 지역이 온당하다.[31] 그렇다고 할 때 후백제군은 합천에서부터 신속하게 창원과 김해를 잇는 루트를 따라 진격해 왔음을 알 수 있다. 이때 신라 경명왕이 왕건에게 구원을 요청했다는 것은, 진례군이 후백제에 함락된다면 김해 지역은 물론이고 전체 신라 지역의 안전이 위태롭다는 共滅 의식을 가졌기 때문으로 보인다. 아울러 후백제군의 가야고지 진출은 고려와 체결한 結好의 결과인 勢力三分鼎立構圖에 대한 파기였다. 그러므로 이 사실을 신속히 고려에 알림으로써 고려 세력을 끌어들여 이 지역에 대한 안전과 현상 유지를 기하고자 했던 것이다. 결국 진훤이 퇴각함으로써 양국 간의 직접적인 충돌은 피할 수 있었고 和平도 지속될 수 있었다. 진훤이 1만에 이르는 대병을 거느리고 신속하게 김해 지역까지 진출했지만 선뜻 퇴각할 수밖에 없었던 이유는 기존의 結好 구도를 존속시키면서, 지리적으로 고려보다 유리한 이점을 활용하여 가야고지를 잠식하고자 했던 것으로 보인다. 진훤의 퇴각은 전술상의 후퇴에 불과한 것이다.

그러면 후백제가 김해 지역을 기습적으로 노렸던 이유는 무엇일까? 후백제군은 김해 쪽에서 낙동강을 건너 梁山으로 이어지는 루트를 따라 북상하여 경주를 공략하려는 계획을 지녔던 것으로 볼 수

---

27 『三國史記』권12, 景明王 4년 조.

28 『高麗史』권1, 太祖 3년 조.

29 구사성은 창원시 구룡산 정상에 축조된 성으로 비정하는 견해를 따른다.

30 한국정신문화연구원, 『譯註 三國史記 4-註釋篇(下)』 1997, 824쪽에서는 진훤에 대한 설명을 하면서 다음과 같이 서술했다. "920년 견훤은 步騎 1만 명으로 대야성을 쳐 함락하고 청도에까지 진입하자, 경명왕은 김률을 고려 태조에게 보내어 구원을 요청하였다." 여기서는 진례성을 청도로 비정하는 견해를 따랐다. 그러나 동일한 책, 828쪽에서는 진례성을 김해시 진례면으로 비정하는 견해를 취하는 등 모순된 서술을 보이고 있다.

31 金侖禹, 「新羅末의 仇史城과 進禮城考」『史學志』22, 1989, 155~160쪽.
李道學, 『진훤이라 불러다오』 푸른역사, 1998, 151쪽.

도 있다. 그렇지만 신라 왕의 臣下임을 자처한 진훤은[32] 경주 정권의 타멸을 우선의 목표로 삼았을 리 없다. 이와 관련해 김해 지역은 낙동강 河口에 소재한 관계로 소백산맥이라는 지형구 안의 대동 맥격의 운송로인 낙동강의 목을 점하고 있는 전략적 요충지였다. 김해 지역의 장악은 낙동강이라는 병참선과 교역로의 지배를 뜻한다. 그 결과 소백산맥 내 신라계 호족들의 대외교섭로를 차단할 수 있다. 당시의 항해는 중국대륙과 한반도의 연안을 통해 일본열도로 이어지고 있었다. 이때 김해 지역은 일본열도로 가는 항로상의 중간 寄港地였다.

3세기 후반에 쓰여진 『삼국지』에 의하면 황해도에 설치된 帶方郡에서 倭에 이르기까지의 里程 기록을 "郡에서 倭에 이르기까지는 海岸을 돌아 水行하여 韓國을 지난다"[33]라고 서술하였다. 그러면서 교역선들이 해안선을 따라 연안항해를 하는 구절에 "그 北岸인 狗邪韓國에 이른다"는 문구를 덧붙여 일본열도에 이르는 중간 기항지로서 지금의 김해 지역인 구야한국의 존재를 특기하였다. 이러한 사실은 해상교통의 요지에 자리잡은 김해 지역이 중개 무역지로 기능하였음을 짐작하게 한다. 아울러 후백제는 낙동강을 대동맥으로 하는 소백산맥 내의 호족세력들을 고립시키는 한편, 영향력을 행사하려는 전략적 차원에서 진례성 진격을 전격적으로 단행했던 것 같다. 그 영향력을 행사할 수 있던 명분은 낙동강유역의 加耶諸國에 미쳤던 옛 백제의 지배력[34] 복원 차원으로 보인다.

후백제는 결국 김해 지역을 미구에 장악하였다. 922년 5월에 후백제가 사신 輝嵒을 對馬島에 파견한 사실이[35] 그 사실을 암시한다. 왜냐하면 후백제가 對馬島에 사신을 파견하기 위해서는 그 橋頭堡格인 김해 지역의 장악이 선결되어야만 하기 때문이다. 929년 1월에는 탐라와 海藻를 교역하던 후백제의 상선이 對馬島의 下縣郡에 표착하였다. 그러자 對馬島守 坂上經國은 사절을 동반시켜 후백제인들을 金州까지 데리고 왔다.[36] 『扶桑略記』의 '金州'를 '全州'의 誤記로 파악하기도 한다.[37] 그렇

---

32 申虎澈, 『後百濟 甄萱政權 硏究』, 一潮閣, 1993, 106~125쪽.

33 『三國志』권30, 東夷傳 倭人 條.

34 백제는 근초고왕대인 369년에 낙동강 유역의 加耶諸國에 진출하여 영향력을 행사하게 된다(李道學, 『백제 고대국가 연구』, 一志社, 1995, 189~197쪽). 그러한 전성기 때의 양국 관계는 가야제국이 신라에 이탈해 가는 백제 성왕대에 다시금 상기되고 있었던 만큼(『日本書紀』권19, 欽明 2년 4월 조), 후백제로서는 가야고지에 진출할 수 있던 충분한 역사적 명분이 되었다고 보는 게 자연스럽지 않을까 싶다.

35 『扶桑略記』권24, 裡書, 延喜 22년 6월 5일 조 ; 『本朝文粹』권12, 牒, 大宰府荅新羅返牒.

36 『扶桑略記』권24, 延長 7년 5월 17일 조.
   이러한 상황은 1049년에 金孝 등 20명이 폭풍을 만나 對馬로 漂流했다가 對馬島 官人들의 도움을 받아 金州로 귀환한 경우와 동일하다(『高麗史』권7, 文宗 3). 이때도 歸還地를 '金州'라고 하였다. 金州는 金海를 가리킨다. 이러한 정황에 비추어 보더라도 『扶桑略記』에서 언급한 金州는 김해가 분명하다.

37 黑板勝美, 『新訂 增補 國史大系 12-扶桑略記』, 吉川弘文館, 1965, 203쪽.
   申虎澈, 『後百濟 甄萱政權 硏究』, 一潮閣, 1993, 141쪽.

9-3 분산성에서 바라본 김해 시가지

지만 통일신라 때 김해를 '金州'라 하였고[38] 924년 7월에 부산 앞바다에 소재한 絶影島의 驄馬를 고려에 선물했을 정도로[39] 후백제는 김해와 부산으로 이어지는 연안 지역과 항로를 장악하고 있었다. 게다가 後唐의 登州와 신라의 金州를 연결하는 신라인 연락관이 파견되어 있었을 정도로[40] 경제와 전략적으로 중요한 곳이 김해 지역이었다. 따라서 중국대륙과 한반도 연안 그리고 대마도를 잇는 중요한 기항지가 김해라는 사실이 밝혀지게 되었다.[41] 이러한 요인으로 인해 일본열도와의 교섭을 열망하고 있던 후백제는 920년에 전격적으로 김해 지역 장악을 서둘렀다고 본다.

후백제가 일본열도와의 교섭을 시도한 배경에 관해서는 여러 가지 추측이 가능하다. 그런데 분명

---

38 『三國史記』권34, 地理1과 『世宗實錄』 지리지, 김해도호부 조에 의하면 고려 전기 혹은 995년(고려 성종 14)에 金海를 金州로 행정지명을 고쳤다고 했다. 그러나 『冊府元龜』권976, 外臣部 20, 天成 2년 3월 조에 따르면 '新羅金州登州知後官 本國金州司馬李彦謨'에 관한 기사가 보이는데, 여기서 金州는 명백히 金海를 가리킨다(金庠基, 「羅末地方群雄」『東方史論叢』, 서울대학교 출판부, 1974, 435쪽). 요컨대 927년(天成2)에 김해를 金州로 일컬었던 사실이 확인되는 것이다. 그 밖에 金州를 金海로 지목한 견해로는 中村英孝, 『日鮮關係史の硏究(上)』, 吉川弘文館, 1965, 132쪽이 대표적이다.

39 신라 귀족들은 섬을 목마장으로 이용했었는데, 절영도의 경우도 예외가 아니었다. 733년(성덕왕 32)에 성덕왕이 김유신의 후손인 김윤중에게 절영도의 馬 1필을 하사했다는 기록이 보이기 때문이다(『三國史記』권43, 金庾信傳). 물론 이 기사에는 '絶影山'으로 적혀 있지만 동일한 지역을 가리킨다.

40 金庠基, 「羅末地方群雄」『東方史論叢』, 서울대학교 출판부, 1974, 435쪽.

41 李道學, 「百濟의 交易과 그 性格」『STRATEGY21』2-2, 한국해양전략연구소, 1999, 57쪽.

9-4 일본 북규슈의 다자이후 정청터

한 것이 있다. 전통적으로 백제와 우호 관계를 유지했던 일본과의 교섭에서 백제를 계승한 국가임에도 불구하고 후백제는 922년에 大宰府로부터 받은 牒에서 진훤이 '都統'으로 표기되었다는 사실이다.[42] 물론 진훤이 신라의 지방관임을 뜻하는 都統을 칭한 것은 여러 곳에서 확인된다.[43] 그럼에도 굳이 일본과의 관계에서도 그것이 운위되었기에 都統 호칭이 언급되었다는 것이다. 그렇다면 여기에는 특별한 의미가 있었을 것으로 보인다. 그 이유는 후백제가 중국대륙의 登州에서 한반도 남단의 金州로 이어지는 거대한 상업 교역망을 확보한 상황에서 一步 전진하여 대마도와 북규슈로 이어지는 교역 채널만 잇는다면, 장보고 시절의 교역망을 고스란히 복원·장악하는 게 된다.[44] 바로 그러한 현실적인 경제적 욕구 때문에 후백제가 일본과의 교섭을 서두른 것으로 간주하는 게 온당해 보인다. 후백제는 탐라와 海藻를 교역하고 있었거니와 남방에서 서식하는 孔雀의 깃을 재료로 한 孔雀扇을 고려에 선물했을 정도로[45] 드넓은 교역권을 자랑하고 있었다. 이로 볼 때 후백제는 장보고 시절 교역망의 복원이라는 차원에서 일본열도의 초입인 대마도를 두드린 것이 아닐까 싶다. 후백제

---

42 『本朝文粹』권12, 牒, 大宰府荅新羅返牒.

43 申虎澈, 『後百濟 甄萱政權 研究』, 一潮閣, 1993, 107쪽.

44 張保皐의 중국 거점이 登州 文登縣 赤山村 일원에 소재했음은 주지의 사실이다. 張保皐의 3角交易에 관해서는 완도 문화원, 『張保皐의 新研究』1985, 105~112쪽을 참조하기 바란다.

45 『高麗史』권1, 太祖 3년 9월 조.

가 일본에 기댈 수 있었던 것은 정치적인 것 보다는 경제적인 데 있었음은 자명하다.[46] 후백제가 일본과 연결된다고 하여 한반도 내에서 입지가 강화될 수 있는 여지는 그다지 없었다고 본다.[47] 외교적 교섭을 통한 정치적 성과는 오월국과의 그것을 통해 이미 확보하고 있던 터였기 때문이다. 어쨌든 922년 이전에 후백제는 지금의 경상북도 지역 호족들이 외부세계와 交通할 수 있는 대야성(합천)과 진례성(김해)이라는 양대 관문을 장악하였다.

4. 王逢規 세력의 등장과 소멸 과정

후백제와 고려가 한반도 중부 이남선에서 숨가쁘게 각축전을 전개하고 있을 때였다. 한반도의 최남부 지역인 지금의 경상남도 의령과 진주 일원에서는 야심 많은 호족이 등장하였다. 그의 존재는 『新五代史』나 『册府元龜』에 먼저 등재된 후 『삼국사기』에 재수록되었다. 이 지방세력가는 신라 조정과 어깨를 나란히 하면서 924년 정월에 후당에 사신을 파견하였다. 그가 泉州節度使 직함의 王逢規라는 호족이었다.[48] 泉州는 지금의 경상남도 의령을 가리킨다.[49] 그리고 王逢規의 존재는 다음 기사에 보인다.

---

46 申虎澈,『後百濟 甄萱政權 硏究』, 一潮閣, 1993, 145쪽.

47 물론 후백제의 일본과의 교섭은 실패로 결말나고 말았다. 그러나 이러한 현상은 후백제에만 국한된 것은 아니었다. 高麗를 비롯하여 東丹國과 吳越國 사신들도 일본과의 通交에 모두 실패했기 때문이다(石上英一,「日本古代10世紀の外交」『日本古代史講座(7)』, 1982, 118~134쪽).
  922년 5월의 경우는 對馬島에서 京都 조정에 보고한 결과 通交를 거절 당했다고 한다. 그 이유는 진훤이 신라의 陪臣이기 때문에 사사로운 외교를 할 수 없다는 것이었다. 일본 조정은 都統를 칭한 진훤을 보면서 청해진 대사 장보고와 通商하다 그가 피살된 후 곤란을 겪었던 경험이 떠 올라 거절했던 것으로 추정한 바 있다(李道學,『진훤이라 불러다오』, 푸른역사, 1998, 106쪽).
  아울러 다음과 같은 요인도 작용했던 것으로 보인다. "929년 5월 17일 진훤은 張彦澄으로 하여금 사절단 20명을 이끌고 쓰시마로 가게 하였다. 이들은 표류민 송환에 대한 답례와 일본 조정과의 통상을 바라는 서장을 전달하였다. 그러나 일본 조정은 7년 전과 마찬가지로 통상을 거절했다. 당시 일본은 國風 문화 시기로서 외부 세계와의 관계를 두절한 채 자기 문화의 역량을 축적해 가던 시점이었다. 통상은 으레 정치적인 관계로 비약될 것이고, 그럼에 따라 한반도의 복잡한 정치적인 문제에 연루되고 싶어하지 않은 심중이 담긴 것으로 보겠다. 일본 조정은 그 옛날 백제 회복군을 지원하기 위해 대병을 출동시켰지만 백강전투에서 참담하게 패하였었다. 어떤 형태로든 당시 한반도의 정세가 복잡다기한 양상을 띠고 있는 예측 불허의 사정이었던 만큼, 불똥이 튀지 않게 하려고 문단속을 하는 것으로 해석된다(李道學,『진훤이라 불러다오』, 푸른역사, 1998, 107쪽)."

48 이에 관해서는 金庠基,「羅末地方群雄」『東方史論叢』, 서울대학교 출판부, 1974, 434~440쪽에 주로 依據하였다.

49 『三國史記』권34, 地理1, 新羅. "宜桑縣 本辛尒縣[一云朱烏村 一云泉州縣]景德王改名 今新繁縣"
  경상남도 의령군 부림면을 가리키는 宜桑縣의 옛 이름으로 泉州가 보인다.

g-1. 봄 정월에 사신을 보내 後唐에 조공했는데, 泉州節度使 王逢規도 사신을 보내 方物을 바쳤다.[50]

g-2. 新羅國主 金朴英 및 그 泉州節度使 王逢規 모두 사자를 보내 왔다.[51]

왕봉규는 924년 이전에 강주 관내의 의령 지역을 장악하였다. 나아가 천주절도사를 자칭하여 후당에 사신과 방물을 보냄으로써 자신의 지위를 확고하게 굳히려고 했다.[52] 『책부원구』에 따르면 그로부터 3년 후인 927년 3월에 그는 權知康州事라는 직함과 懷化大將軍이라는 위계로서 다시금 등장하였다. 후당 明宗으로부터 왕봉규가 장군호를 받게 된 것이다. 다음의 기사가 말하고 있다.

h. 明宗 天成 2년 3월 乙卯에 新羅國 權知康州事 王逢規를 懷化大將軍으로 삼았다.[53]

927년 4월에는 관작에 대한 답례로써 왕봉규가 林彦을 사신으로 삼아 후당에 조공을 하였다. 즉 "新羅國 康州에서 사신 林彦을 보내와서 조공했다"[54]고 했다. 이로써 왕봉규의 존재와 지위는 국제적인 인증과 동시에 배경까지 얻었다. 이러한 『책부원구』 기사를 『삼국사기』에서는 다음과 같이 인용했다.

i. 後唐 明宗은 權知康州事 王逢規를 懷化大將軍으로 삼았다. 4월에 權知康州事 王逢規는 사신 林彦을 後唐으로 파견하여 조공하였다. 後唐 明宗은 그를 中興殿에 불러 대하여 물자를 하사하였다.[55]

왕봉규는 천주절도사에서 권지강주사를 칭하였다. 그럼에 따라 그가 강주 즉 통일신라 9주의 하나인 지금의 경상남도 진주를 중심으로 한 상당한 지역을 장악했음을 뜻한다. 의령 지역의 호족에서 지금의 서부 경상남도 일대인 강주 전체를 호령하는 대호족으로 성장한 것이다. 이는 920년에 고려에 귀부한 강주장군 閏雄의 제압 없이는 생각하기 어렵다. 윤웅은 아들을 고려에 볼모로 보내는 한편, 혼인 관계를 통하여 고려 조정과의 정치적인 유대를 단단히 맺고 있었다. 그러한 윤웅이 지배하던 강주 일대를 왕봉규가 호령하게 된 것이다. 그런데 왕봉규의 존재는 순암 안정복이 始末을 알

---

50 『三國史記』권12, 景明王 8년 조.

51 『新五代史』권5, 同光 2년 조.

52 金庠基, 「羅末地方群雄」 『東方史論叢』, 서울대학교 출판부, 1974, 439쪽.

53 『册府元龜』권976, 外臣部 20, 明宗 天成 2년 조.

54 『册府元龜』권972, 外臣部, 天成 2년 4월 조.

55 『三國史記』권12, 景哀王 4년 조.

수 없다고 했을[56] 정도로 홀연히 기록에 나타났다가 사라졌다. 924년 정월~927년 4월까지라는 3년 4개월의 짧은 순간, 반짝하면서 자취를 감췄다.

왕봉규는 후백제나 고려에 의해 역사의 뒷전으로 밀려난 게 분명하다. 927년 4월~928년 8월까지 후백제군과 고려군이 강주 일대에서 치열한 전투를 벌였다. 왕봉규의 운명을 쥐었던 이는 여러 가지 정황으로 미루어 볼 때 기습전에 능한 진훤으로 지목되었다.[57] 그러나 여기에는 의문이 제기되지 않을 수 없다. 고려의 후방 거점이었던 강주를 장악한 이가 왕봉규였다. 이러한 상황이라면 그에 대한 보복 차원에서의 공격은 고려의 현안이었다. 그러므로 고려군의 공격으로 왕봉규가 몰락했을 가능성이 높다.

실제로 927년 4월에 고려는 수군을 동원하여 강주 관내의 남해안을 강타하였다. 강주 관내의 轉伊山(轉也山으로도 표기하는데, 지금의 남해군 일부)과 老浦, 平西山(남해군 남면 평산리), 突山이[58] 속속 고려군의 수중에 떨어졌기 때문이다.[59] 이와 더불어 927년에 왕봉규의 사신으로 후당에 파견되었던 임언이(i) 다음에서 보듯이 돌연히 왕건의 사신으로 기록되어 있다.

　　j. 이해 임언을 후당에 보냈다.[60]

물론 i에서는 927년 4월이요, 위의 j에서는 927년으로만 적혀 있다. 그렇지만 양자를 동일인으로 지목하고 있는 만큼[61] 고려에 의해 왕봉규가 소멸되었음을 뜻한다. 아울러 임언이 왕건의 11번째 왕비인 天安府院夫人의 父였다는[62] 사실도 왕봉규의 부하였던 임언이 왕건 휘하에 들어왔음을 알려준다.[63]

56　『東史綱目』附上, 新羅末康州王逢規事 條.

57　金庠基,「羅末地方群雄」『東方史論叢』, 서울대학교 출판부, 1974, 440쪽.

58　돌산은 지금 전라남도 여수 관내의 섬인데, 왜인들이 왕래하던 루트에 소재하고 있어 전략적으로 중요하였다.

59　『高麗史』권1, 太祖 10년 4월 조.
　　『高麗史節要』권1, 太祖 10년 4월 조.

60　『高麗史』권1, 太祖 10년 조. "是歲 遣林彦如唐"

61　정용숙,『고려시대의 后妃』, 민음사, 1992, 44~45쪽.

62　정용숙,『고려시대의 后妃』, 민음사, 1992, 44쪽.

63　李道學,『궁예 진훤 왕건과 열정의 시대』, 김영사, 2000, 198~199쪽.
　　임언이 後唐에 사신으로 파견된 927년에 康州는 고려에 항복했다. 그러므로 그가 고려에 귀부한 후 곧바로 파견된 것으로 추정하기도 한다(金在滿,「五代와 後三國・高麗 初期의 關係史」『大東文化研究』17, 1983, 180~182쪽).

5. 후백제의 康州 장악

고려는 927년 4월 전후하여 강주를 장악했던 것 같다. 그럼에도 그러한 기록이 승자인 고려측 문헌에서 일체 보이지 않는다는 게 의아하다. 그렇지만 고려가 강주를 장악하였었음은 분명하다. 928년 1월에 후백제군이 강주를 포위했다는 자체가 이곳이 고려의 영역이었음을 뜻한다. 또 같은 해 5월에는 역시 후백제군이 고려군을 격파하고, 강주장군 有文의 항복을 받아낸 다음 기사에서 확인된다.

k-1. 乙亥日에 원윤 金相·정조 直良 등이 강주를 구원하러 가는 길에 草八城을 통과하다가 城主 興宗에게 패한 바 되어 金相은 죽었다.[64]

k-2. 庚申日에 강주 원보 珍景 등이 古子郡에 양곡을 운반하러 간 사이에 진훤이 몰래 군사를 보내어 강주를 습격하였다. 진경 등이 돌아와 싸웠으나 패배하여 죽은 자가 300명이나 되었고, 장군 有文이 진훤에게 항복하였다.[65]

위의 k 기사로 볼 때 928년 5월에 후백제가 강주를 지배하였음을 알 수 있다. 진훤의 둘째 아들 양검이 935년에 진훤을 축출하는 모의에 가담할 때 康州都督이었다.[66] 그러므로 후백제는 말기까지 강주 지역을 장악하고 있었음이 분명하다. 진훤의 맏아들 神劍은 전주에 거주하고 있었고, 둘째 양검과 셋째 용검은 康州와 武州에 각각 파견되어 있었다. 진훤의 둘째 아들이 통치하던 구역이 강주였음은 그 비중이 무주보다 컸음을 뜻한다. 사실 후백제의 입장에서 볼 때 강주는 서부 경남 제일의 대도회일 뿐 아니라 내륙에서 남해로 통하는 浦口라는 전략적 이점과 더불어 신라 수도로 진출하는 5개의 간선도로 가운데 하나인 海南通이 강주를 통과하고 있었다.[67]

그런데 최근에 진주 촉석루 앞의 의암 일대를 시굴 조사한 결과 '寶正'이라는 오월국의 연호가 적힌 명문 기와가 출토되었다.[68] '보정' 연호는 926년~931년 간 사용한 연호이다. 이 연호를 진주에서

---

64 『高麗史』권1, 太祖 11년 정월 조.

65 『高麗史』권1, 太祖 11년 5월 조.

66 『三國遺事』권2, 紀異, 後百濟甄萱 條.

67 海南通에 관해서는 井上秀雄, 『新羅史基礎研究』, 東出版株式會社, 1974, 400~405쪽에 잘 정리되어 있다. 但 씨가 東海通으로 지목했던 경주에서 晋州로 이어지는 통로는 海南通이 온당하다(李道學, 「古代國家의 成長과 交通路」 『國史館論叢』74, 1997, 175쪽). 海南通은 순천→광양→진주→함안→김해→양산→울산→경주로 이어지는 幹線道路이다.

68 국립중앙박물관, 「국립진주박물관-진주성 촉석루 외곽시굴조사」 『박물관신문』353호, 2001. 1. 1.
이와 관련된 자료를 제공해주고 조언을 주신 진주박물관의 한수 선생에게 감사드린다.

사용할 수 있던 세력은 후백제를 제외하고는 달리 생각하기 어렵다. 앞서 언급했던 왕봉규는 後唐으로부터 관작을 받았을 뿐이다. 그런데 반해 후백제는 오월국과 긴밀한 관계를 지속했다. 후백제는 900년에 오월국에 사신을 파견하였고, 오월국에서 報聘使가 와서 진훤에게 檢校大保를 加授하고, 909년에는 염해현에서 오월국에 가는 선박이 왕건에게 나포된 적도 있었으며, 918년에는 오월국에 사신을 파견하여 말을 바쳤고, 또 오월국에서 報聘使가 와서 中大夫 職을 진훤에게 제수하였다. 927년 11월에는 오월국의 班尙書가 조서를 지니고 후백제에 왔다.[69]

이러한 정황에 비추어 볼 때 진주성 밖에서 출토된 寶正 銘 기와의 제작 주체는 후백제였다는 결론에 이르게 된다. 아울러 후백제는 正開와 같은 고유 연호를[70] 버리고 오월국의 연호를 사용하면서 오월국과의 관계가 한층 유착되었음을 알려준다. 실제로 공산 전투 직후 오월국의 반상서는 후백제의 손을 들어주었다.

후백제는 923년에 건국된 북중국의 후당과는 925년에 외교 관계를 맺었다.[71] 936년 정월에는 후백제 사신이 후당에 도착했었다.[72] 아울러 정변을 통해 진훤을 유폐시킨 신검이 935년 10월에 반포한 교서에 보면 '淸泰'라는 後唐의 연호를 사용하였다.[73] 따라서 후백제는 '正開'→'寶正'→'淸泰'라는 연호를 사용한 사실이 확인된다. 후백제의 외교 전략에 따라 오월국과 후당의 연호를 채용한 것이다. 물론 후당 연호를 사용한 시점을 갑자기 구명하기는 어렵다. 유감스럽게도 발굴된 보정 명 기와 편에는 연대를 알려주는 공간이 남아 있지 않기 때문이다.

후백제가 925년 이후 936년 이전에 후당과 교섭을 한 기록은 보이지 않는다. 그러나 926~935년 사이에 후백제가 후당과 교섭이 없었다면 淸泰 연호를 사용하기는 어렵다. 물론 高麗가 후당의 연호를 933년부터 사용하였으므로, 고려를 통한 그 연호 채용 가능성을 제기할 수는 있다. 그러나 중국 연호의 채용은 외교적인 관계에서 나온 것일 뿐 아니라, 양국 간의 유착을 뜻하므로 관계 증진의 기폭제가 될 수 있다. 따라서 후백제가 그 사실을 後唐에 알리지 않았을 리 없다. 때문에 후백제가 후당의 연호를 채용한 시점은 선뜻 짐작할 수가 없다. 후당과 돈독한 관계를 유지해 온 고려는 그 연

한편 吳越은 연호를 사용하지 않았다는 新說도 제기되었다. 즉 "吳越: 오대 십국 중의 한 나라로 현재 양자강 남쪽에 절강 지방에 있었던 나라. 연호는 독자적으로 사용하지 않고 중국의 연호를 사용하였다(한국정신문화연구원, 『譯註 三國史記 4-註釋篇(下)』1997, 827쪽)"라고 하였다. 여기서 "吳越이 중국의 연호를 사용하였다"는 것은 오월국이 중국의 一國이 아님을 뜻하는 말로 해석되는데 선뜻 이해가 되지 않는다.

69 후백제의 오월국과의 교섭 사실은 申虎澈, 『後百濟 甄萱政權 研究』, 一潮閣, 1993, 135~136쪽에 정리되어 있다.

70 金包光, 「片雲塔과 後百濟의 年號」 『佛教』 49, 佛教社, 1928, 33~35쪽.

71 『三國史記』 권50, 甄萱傳.

72 『册府元龜』 권92, 外臣部, 淸泰 3년 정월 조.

73 『三國史記』 권50, 甄萱傳.

9-5 寶正 銘 기와

호를 채용하고 있다. 그러한 시점인 933
년은 왕건과 그 妃인 貞州 柳氏가 後唐
으로부터 책봉되는 등 양국 간의 유착이
어느 때 보다도 강화된 상황이었다. 더
구나 이때의 册封文에는 왕건의 치적을
한껏 추켜 세워주면서 "정예한 병력으로
진훤의 세력을 좌절시켰고"[74]라고 했듯
이 후백제를 적대 세력으로 분명히 하였
다. 이러한 점에 비추어 볼 때 933년 이
후 어느 때에야 후백제는 후당의 연호를
채용했다고 보아야만 사세에 부합된다. 그렇다고 할 때 신검이 정변 직후 그 父인 진훤과 유착된 오
월국과의 외교로써는 즉위를 인준받을 수 없었기에 불가피하게 후당만의 외교로 선회하지 않았을
까 생각된다. 바로 이를 반증하는 자료가 신검 교서의 후당 淸泰 연호이고, 936년 정월에 후당에 도
착한 후백제 사신이라고 하겠다.

6. 맺음말

지금까지 검토해 본 본고의 내용을 정리해 보면 다음과 같다. 진훤은 고려 건국과 왕건 정권을 인
정해 주는 한편, 왕건이 제시한 과거의 삼국을 복원하는 分割鼎立案을 수용하였다. 이때 結好를 통
해 설정한 후백제의 北境은 内浦와 錦江線이었으므로, 과거 궁예 정권에 예속되었던 熊州와 運州
등 10여 州縣에 대한 영유권을 인정받게 되었다. 이러한 結好에 따라 후백제와 고려 간에는 和平·
共存이 7·8년간 지속되었다. 그러나 후백제는 結好의 대상이기도 한 신라 영역을 좌시하지만은
않았다.

신라 영역 가운데 加耶故地는 신라에 대한 예속 강도가 약하였다. 게다가 이곳에 대한 옛 백제의
영향력 복원이라는 명분과 더불어 전략적으로도 중요한 진례성을 비롯한 김해 일원을 장악할 목적으
로, 진훤은 합천(大良城)을 攻陷시킨 여세를 몰아 전격적으로 진격해 들어갔다. 그러나 후백제군은 신

---

74 『高麗史』권2, 太祖 16년 3월 조.

라 조정의 민첩한 고려와의 연합과, 고려의 신속한 개입으로 퇴각하고 말았다. 그러나 후백제의 가야
고지에 대한 압박은 康州 호족 윤웅의 고려 귀부를 유발한 계기가 되었다. 후백제 군대는 진례성으로
진격했지만 고려 군대의 개입에 따라 철군한 관계로, 고려의 존재와 그 영향력을 가야고지 호족들은
절감하게 되었기 때문이다. 그럼에도 후백제의 집요한 가야고지에 대한 진출은, 김해는 물론이고 부
산 앞바다의 목마장인 절영도에 대한 지배를 통해 일본열도와의 교섭 루트를 확보하는 등 군사·경
제적으로 다대한 성과를 올리게 하였다. 후백제는 중국대륙의 오월국을 통해서는 한반도 내에서의
입지를 강화시키는 한편, 일본과의 교섭을 통해서는 경제적인 실리를 챙기면서 장보고 시절의 중국
대륙과 한반도 그리고 일본열도를 잇는 3角 교역체계를 복원하고자 했다. 이러한 맥락에서 후백제의
康州와 進禮城 그리고 현재의 釜山 앞바다로 이어지는 해상 루트의 장악이 이루어졌다.

加耶故地에 대한 교두보를 확보함으로써 924년과 925년에 후백제는 原新羅 지역인 曹物城에 진
출할 수 있었다. 그럼에 따라 양국이 최초로 정면에서 격돌하였다. 이와 연동해 原新羅 지역과 가야
고지가 戰場化되었다. 그런데 양국 간의 結好 기간을 이용하여 지금의 경상남도 의령 지역을 기반
으로 급속히 세력을 신장시킨 王逢規라는 호족이 강주를 장악하였다. 후당으로부터 泉州節都使→
權知康州事·懷化大將軍의 관작을 받았던 왕봉규는 927년 4월 이후 역사 기록에서 사라지게 된다.
그 이유는 종전에 인식했던 후백제가 아니라 고려에 의해서였다. 고려에 귀부한 강주장군 윤웅을
제압하고 강주 지역을 장악한 왕봉규에 대한 보복은 고려의 현안이었다. 왕봉규를 타멸시키고 고려
세력이 침투한 강주 지역을 놓고 후백제와의 각축전은 치열한 양상을 띠었다. 결국 후백제는 927년
5월에 강주를 장악하게 되었다. 진주 촉석루 앞의 義巖 부근에서 출토된 926~931년 사이에 사용된
오월국의 '寶正' 연호는, 이곳이 후백제의 영역권이었음을 웅변해 준다. 936년에 후백제가 멸망할 때
까지 강주는 후백제의 영역이었다.

아울러 후백제는 正開라는 고유 연호를 적어도 901년~910년까지 사용한 사실에 이어, 오월국의
연호를 채용했다. 그런데 문헌에는 후백제와 오월국과의 관계가 928년 이후부터는 단절되어 있다.
그 공백을 최근에 출토된 보정 명 기와를 통해 양국 간의 관계가 그 이후에도 지속되었음을 확인할
수 있었다. 그러나 신검 정변 이후에는 후백제가 후당의 淸泰 연호를 사용한 사실을 밝혔다. 오월국
과 후당의 연호 채용은 후삼국 각축전에서 중원대륙이 점하는 비중이 상징적 의미 이상으로 작용했
음을 웅변한 것이다. 고려의 경우도 933년부터는 天授 연호를 폐기하고 후당의 長興 연호를 사용했
기 때문이다.[75] 후백제=오월국, 고려=후당으로 이어지는 외교에서 양국은 935년 이후부터는 후당의

---

75 『高麗史』권2, 太祖 16년 조.

비중을 공유하였다. 양국은 경쟁적으로 후당 일변도의 외교를 숨가쁘게 전개했다. 신검 정권의 외교적 입지가 축소되었음을 뜻한다.

본고를 통해 진훤 정권의 시대 구분을 새롭게 설정해 보았다. 그리고 왕건의 분할정립안을 통한 화평·공존 기간이 존재했음을 밝혔다. 또 후백제는 경제적인 측면에서 가야고지로의 진출과 일본열도와의 교섭을 시도했으며, 강주 지역의 장악 과정, 후백제 연호의 변천 과정 등을 새롭게 고찰하였다.

아울러 지금까지의 서술과 관련해 진훤 정권의 시말을 4단계로 나누어 살펴 볼 수 있었다. 첫째 국가체제 정비기(889년~900년)[76], 둘째 故百濟의 영역 부활기(900년~918년), 셋째 후삼국의 共存·鼎立期(918년~925년), 넷째 통일전쟁기(925년~936년)였다.

「後百濟의 加耶故地 進出에 관한 檢討」『白山學報』 58, 백산학회, 2001.

---

76 후백제 태동의 단초는 신라군 비장 출신의 진훤의 이탈과 독립에서 찾아야 되는데, 그 시점은 889년으로 간주하는 시각이 온당하다.

후백제와 고려의 각축전과 尙州와 聞慶 지역 호족의 동향

1. 머리말

상주 지역 호족인 아자개는 918년 7월에 고려 왕건에게 歸附를 알렸다. 이 시점은 왕건이 상전인 궁예를 축출하고 집권한지 불과 1개월 밖에 되지 않았다. 친궁예 호족들이나 장군들을 제압해야 하는 불안정한 왕건 정권으로서는 정치적 호재였다. 그랬기에 그의 귀부 행사는 격구장에서 예행 연습을 할 정도로 정중하게 준비하고 환대했던 것이다. 문제는 아자개가 한반도 서남부 지역에서 백제를 재건해 위세를 떨치고 있던 진훤의 父라면 귀부할 수 있을까하는 의문에서 출발하였다. 그랬기에 순암 안정복은 상주 호족 아자개와 진훤의 父를 同名異人으로 간주했다. 이와 같이 정리를 한다면 아주 간단하게 해결될 듯하지만 그렇지 않다는 것이다. 이 건에 대한 검증을 하고자 했다.

후삼국기 상주와 문경 지역 호족의 동향에 대해서는 치밀한 연구가 진척되지 못했다. 그 이유는 사료가 부족하다는 것이다. 그렇지만 상주에는 아자개라는 호족이 웅거하였고, 궁예가 상주 사화진을 공격한 바 있었다. 지금의 문경 읍내에는 홍달이라는 호족의 존재가 확인되었다. 문경 가은읍에는 가은현장군 희필의 존재가 924년의 시점에서 소판 아질미와 함께 등장했다.

궁예에 이은 왕건의 고려 세력과 진훤의 후백제 세력이 격돌하는 현장이 상주와 문경 일원이었다. 이곳의 전략적 비중과 맞물려 충돌이 발생했지만, 이에 대한 체계적인 분석이 뒤따르지 못했다. 그리고 高齡인 아자개가 고려로 귀부한 이후 상주 지역의 상황에 대한 분석이 없었다. 아자개와 아들들 간의 상속 문제를 비롯하여 구명되지 않은 사안이 많았다. 이 건에 대해서도 살펴보고자 했다. 그리고 康州로 향하던 왕건이 927년 8월에 고사갈이성(문경읍)을 지나갔다는 것이다. 1개월 후인 同年 9월에 진훤은 근암성(문경 산양면)을 불지른 후 경주를 급습했다. 이렇듯 신라 북부 문경 지역에서 진훤과 왕건이 격돌하고 있었다. 그 선상에서 신라 경애왕의 피살이 발생하였다. 그러므로 진훤의 경주 습격 배경과 더불어 신속하게 대응했던 왕건의 소재지 구명이 필요해졌다. 왕건이 강주로 행차한 목적도 밝혀져야 한다.

이러한 문제의 구명을 통해 소백산맥 남북을 잇는 상주와 문경 지역의 전략적 비중과 더불어 이곳 호족들의 동향이 후삼국 쟁패에 미친 영향을 가늠할 수 있게 된다.

1. 상주 호족 阿慈介에 관한 논의

1) 아자개의 출신 검토

아자개의 신분은 중요한 의미가 있다. 장군을 칭하면서 호족으로 성장한 아자개의 출신과 관련한 신라말 사회 변동을 읽을 수 있는 중요한 실마리가 되기 때문이다. 아자개의 신분에 관해서는『삼국사기』진훤전과『삼국유사』에 함께 전하고 있다. 그런데 후자는 전자를 옮겨 놓은 것에 불과하므로 이 건에 대해서는 재언을 하지 않는다. 다음은『삼국사기』진훤전이다.

　　a. 진훤은 尙州 加恩縣 사람이다. 본래 姓은 李인데, 뒤에 甄으로 氏를 삼았다. 父인 阿慈介는 농사 지으며 자기 힘으로 살아가다가 뒤에 집안을 일으켜 將軍이 되었다. 처음에 진훤이 태어나 젖먹이로 포대기에 있을 때 父가 들에서 농사를 짓자 母가 남편에게 음식을 보내려고 아이를 수풀 밑에 두자 호랑이가 와서 그에게 젖을 먹여 주었다. 마을 사람들이 듣고는 기이해 하였다.[1]

---

1 『三國史記』권50, 甄萱傳. "甄萱 尙州加恩縣人也 本姓李 後以甄爲氏 父阿慈介 以農自活 後起家爲將軍 初萱生孺褓時 父耕于野 母餉之 以兒置于林下 虎來乳之 鄕黨聞者異焉"

위에서 인용한 진훤의 출신지인 상주 가은현을 "상주와 함창 부근에 있었다고 비정된다"[2]고 한 주석도 있다. 그러나 가은현은 지금의 문경시 가은읍으로 함창 북쪽에 소재한다. 그러므로 상주와 함창 사이를 가리키는 '상주와 함창 부근'은 아니다. 또 그렇게 '비정'할 정도로 실체가 불분명한 곳은 전혀 아니었다. 진훤의 출신지는 통일신라의 9州 가운데 하나인 尙州의 가은현이다. 현재 경상북도 문경시 가은읍을 가리킨다.[3] 그랬기에 『신증동국여지승람』에서도 가은현 출신인 아자개를 문경 조의 '인물'에 넣었다.[4]

아자개의 신분과 관련해 '以農自活'과 '耕于野' 기사는 농민이었다는 구체적인 증거이다. 혹자는 아자개의 성씨가 이씨였다는 점을 호족인 근거로 제시하였다. 그러나 이는 장군을 칭한 호족이 된 후의 일이었다. 아자개의 이름 앞 글자인 '아'와 음이 닮은 기존의 성씨 가운데 李氏를 모칭한 데 불과하다. 왕건 정권의 개국공신 중에도 기존 성씨를 모칭하여 得姓한 경우가 많았다.[5] 더욱이 924년에 세워진 문경 가은읍 봉암사 지증대사비의 단월 가운데 소관 阿叱彌는, 아자개와의 연관성이 보이지만 여전히 성씨는 없었다. 아자개는 장군을 칭하게 된 시점에서 稱姓한 것으로 보인다. 반면 從軍하여 복무하게 된 진훤은 이름 앞 글자를 성으로 사용했다. 父子間에 전혀 소통이 없었던 데서 성씨가 相異해진 연유를 찾을 수 있다. 따라서 아자개는 농민 출신으로 보아야 맞다.

그리고 "본래 姓은 李인데(a)"라는 기사는 진훤의 父가 李姓을 칭한데서 말미암은 것으로 해석된다. 그랬기에 선후가 맞지도 않지만 진훤의 진씨를 이씨에서 分枝한 것으로 추측한 것이다. 그러면 아자개는 어떠한 계기로 장군을 칭하게 되었을까? 이에 대한 실마리는 다음 기사에서 찾을 수 있다.

> b. 咸通 8년 丁亥生이다. 본래 姓은 李인데, 뒤에 甄으로 氏를 삼았다. 父인 阿慈个는 농사 지으며 자기 힘으로 살아가다가, 光啓 중에 沙弗城[지금 尙州]에 웅거하여 스스로 將軍이라고 칭했다. 네 아들이 모두 세상에 이름이 알려졌는데, 진훤이 傑出하다고 불려졌고, 智略이 많았다.[6]

---

2 한국정신문화연구원, 『역주 삼국유사Ⅱ』, 이회문화사, 2002, 204쪽.

3 '상주 가은현' 용례는, 통일신라 말 慧昭의 출신지를 "全州金馬人也(「眞鑑禪師碑文」)" 즉 9주의 하나인 전주의 金馬, 즉 지금의 전주가 아니라 익산이라고 한 사례와 동일하다. 그리고 "全州南原人也(「淨土寺法鏡大師碑文」)"라는 구절도 동일한 사례이다. 그 밖에 "尙州公山三郎寺(「元宗大師碑文」)"에 보이는 '公山'은 현재의 상주가 아니라 대구의 팔공산을 가리킨다.

4 『新增東國輿地勝覽』 권29, 慶尙道 聞慶縣, 人物 條.

5 李樹健, 『韓國中世社會史硏究』, 一潮閣, 1984, 125쪽. 鄭淸柱, 『新羅末 高麗初 豪族硏究』, 一潮閣, 1996, 123쪽 註 53. 金甲童, 『羅末麗初의 豪族과 社會變動硏究』, 高大 民族文化硏究所, 1990, 201쪽 註 70.

6 『三國遺事』 권2, 紀異, 後百濟甄萱 條. "咸通八年丁亥生 本姓李 後以甄爲氏 父阿慈个以農自活 光啓中據沙弗城[今尙州]自稱將軍 有四子皆知名扵世 萱號傑出多智略."

위에서 보이는 '光啓中(885~887)'은 헌강왕(11년~12년)과 정강왕(1년~2년), 그리고 진성여왕(1년)대에 걸쳐 있다. 이 기간에 농사 지으며 살던 아자개가 사불성을 점유하여 일약 장군을 칭할 정황은 보이지 않는다. 이에 반해 889년에는 아자개가 농사 지으며 생업을 일구던 상주 권역에서는 한 시대를 바꾸는 격동적인 봉기가 발생했다. 다음의 기사가 그것이다.

c. 國內 여러 州郡에서 貢賦를 나르지 않자 府庫가 비어서 다하자 國用이 궁핍하였다. 왕이 사자를 보내 독촉하자 이로 말미암아 도적이 봉기하였다. 이에 元宗 · 哀奴 등이 沙伐州에 웅거하여 반란을 일으켰다. 왕이 나마 令奇에게 명하여 붙잡도록 했으나 영기가 賊壘를 바라보기만 하고 두려워 나가지 않자, 村主 祐連이 力戰하다가 죽었다. 王이 조서를 내려 令奇의 목을 베고 祐連의 10여 세 아들로 하여금 뒤를 이어 村主가 되게 했다.[7]

원종과 애노 난의 거점인 沙伐州는 "사도성을 개축하고 사벌주 호민 80여 家를 옮겼다"[8] · "가을에 사벌과 삽량 2州에 성을 쌓았다"[9] · "상주는 첨해왕 때 사벌국을 취하여 州로 삼았다"[10]고 한다. 사벌주는 지금의 상주 관내를 가리킨다. 그런데 원종과 애노의 난의 성격은 사서에서 확인되지 않았다. 이에 대한 접근으로 다음 기사가 도움이 될 듯하다.

d. 저희 나라는 해마다 곡식이 영글지 않아서, 인민들이 기근으로 괴로우며, 창고가 다 비었다. 王城도 불안하자, 드디어 왕이 명령하자 곡식과 비단을 취하기 위하여, 빠른 배를 나란히 해서 왔다. 그러나 있는 대소 선박 100척에 乘船한 사람은 2천 5백인이었다. 사살당한 賊은 그 숫자가 몹시 많았다. 그런데 남아 있는 賊 가운데 조용하면서 민첩한 장군이 3명이 있다. 그 가운데는 大唐人이 한 명 있다.[11]

위의 기사는 對馬島 습격 중 유일하게 생포된 신라인 賢春의 진술을 토대로 작성하였다. 894년의 시점에서 현춘의 진술은 정황상 부합한다. 즉 "해마다 곡식이 영글지 않아서, 인민들이 기근으로 괴

---

7 『三國史記』권11, 진성왕 3년 조. "三年國內諸州郡不輸貢賦 府庫虛竭 國用窮乏 王發使督促 由是所在盜賊蜂起於是 元宗 · 哀奴等 據沙伐州叛 王命奈麻令奇捕捉 令奇望賊壘 畏不能進 村主祐連力戰死之 王下勅 斬令奇 祐連子年十餘歲 嗣爲村主."

8 『三國史記』권2, 유례니사금 10년 조. "十年 春二月 改築沙道城 移沙伐州豪民八十餘家."

9 『三國史記』권8, 신문왕 7년 조. "秋 築沙伐 · 歃良二州城."

10 『三國史記』권34, 地理1, 尙州 條. "尙州 沾解王時 取沙伐國爲州."

11 『扶桑略記』권22, 寬平 6년 9월 17일 조.

로우며, 창고가 다 비었다"는 것이다. 이 기사는 "5월에 가뭄이 들었다(888년)"[12] · "國內 여러 州郡에서 貢賦를 나르지 않자 府庫가 비어서 다하자 國用이 궁핍하였다(c · 889년)"는 구절과 부합한다. 게다가 「해인사묘길상탑기」에서도 이 무렵에 흉년과 굶주려서 죽은 처참한 시체가 즐비했다고 적었다.[13] 따라서 현춘의 진술에 보이는 '기근'이 해답인 것이다. 기근으로 인해 貢賦가 들어오지 않아 國庫가 비게 되자 신라 조정은 독촉하였다. 이로 인해 가장 고통을 입은 계층은 농민이었다. 농민들은 국가뿐 아니라 지역 호족에게도 수탈당하는 2중 수탈에 시달리고 있었다. 그러므로 봉기를 일으킨 계층은 농민일 수밖에 없다. 따라서 원종과 애노는 농민층으로 간주된다.[14]

원종과 애노의 난은 아자개가 장군을 칭한 '光啓中(885~887)' 이후인 889년에 발생했다. 그러므로 아자개가 장군을 칭한 사건과 이 亂은 무관한 것으로 간주하기 쉽다. 그러나 원종과 애노의 난 직전에 아자개가 장군을 칭하는 세력가로 성장했다고 하자. 그러면 과연 이 亂 이후에도 아자개가 여전히 세력을 유지할 수 있었는지는 의문이 든다. 왜냐하면 장군을 칭하는 호족층과 불만 농민층이 상호 대립 관계에 있었을 뿐 아니라[15] 원종과 애노의 난은 진압되지도 않았기 때문이다.[16] 이러한 정황

10-1 상주 사벌국면 사벌국 왕릉에서 바라본 아자개의 거점 병풍산성

---

12 『三國史記』권11, 진성왕 2년 조.

13 黃壽永,『韓國金石遺文』, 一志社, 1978, 167쪽.

14 손영종 등,『조선통사(상)』, 사회과학출판사, 2009, 245쪽.

15 尹熙勉,「新羅下代의 城主 · 將軍」『韓國史研究』39, 1982, 57~61쪽.

16 사회과학원 력사연구소,『조선전사5(발해 및 후기신라사)』, 과학백과사전종합출판사, 1991, 278쪽에서는 신라 정부군이 패하였고, 원종과 애노의 난은 진압되지 않았다고 했다.

에 비추어 볼 때 아자개가 장군을 칭하게 된 것은 원종과 애노의 난 이후의 일로 간주하는 게 사세에 부합한다.[17] 그럼에도 '光啓中'이라고 한 이유는 무엇일까? '광계중' 직후인 888년은 文德 1년으로 끝나고, 889년 역시 龍紀 1년으로 끝났다. 이들 연호는 존재감이 약하였기에 改號 사실을 모르고 '光啓中(885~887)'으로 표기한 것으로 보인다.

아자개가 장군을 칭한 시점을 '광계중(885~887)'이라고 했다. 그러면 아자개가 장군을 칭한 호족으로 입신하게 된 상황을 살펴보아야 한다. 이와 관련해 碧珍郡 장군 李恖言의 경우 "신라 말에 벽진군을 지킬 때 群盜가 매우 많았는데, 이총언이 성을 견고하게 하고 굳게 지켜 백성들이 의지하여 편안하였다"[18]고 했다. 群盜로부터 주민들을 지키기 위해 기존 성을 이용한 후 장군이나 성주를 칭했던 것이다. 이로 볼 때 아자개가 사벌성을 거점으로 장군을 칭하게 된 시점은 원종과 애노의 난이 발생한 889년 이후로 볼 수 있다. 이와 같이 추정할 수 있는 근거는 영월 흥령사의 징효대사 折中이 절이 兵火로 불타자 상주 남쪽으로 내려갔다고 한다. 이 시점이 886년이라면[19] 상주는 치안이 유지된 안전한 지역이었다. 그러므로 전란 속에서 아자개가 自衛를 목적으로 사병을 거느리고 장군을 칭하였던 시점은, '광계중'이 아니라 원종과 애노 의 난이 발생한 889년 이후가 합당하다.[20]

농민 亂의 와중에서 아자개는 상주 지역을 석권하고 장군을 칭하는 세력으로 성장했다.[21] 그렇게 추정할 수 있는 근거는 889년 농민 봉기의 주체를 '원종·애노 등'이라고 하여 複數 이상으로 기록한 사실이 실마리가 된다. 唐에서도 安祿山과 史思明의 난을 '安史의 난'으로 일컫고 있다. 안록산이 피살된 후 사사명이 반란을 주도했기 때문이다. 이와 마찬 가지로 원종과 애노가 병칭된 것은 원종이 사망하고 애노가 주도권을 쥐었기 때문으로 보인다. 농민 반란군 지도부의 교체는 요동치는 격변적 사건이 발생했음을 뜻한다. 아자개는 이러한 소용돌이 속에서 최종 승자가 되었을 가능성이 있다.[22]

17 尹熙勉도 城主·將軍의 등장을 농민 반란의 결과로 파악하고 있다(尹熙勉, 「新羅下代의 城主·將軍」『韓國史研究』39, 1982, 57~61쪽).

18 『高麗史』권92 王順式 附 李恖言傳.

19 한국역사연구회, 『譯註 羅末麗初金石文(下)』, 혜안, 1996, 211쪽 註 53.

20 아자개가 장군을 칭한 시점에 대해서는 李道學, 「총론—후백제 연구의 쟁점과 과제」『후백제와 견훤』, 국립전주박물관, 2021, 21~22쪽에서 먼저 언급한 격이 되었다.

21 金庠基, 「甄萱의 家鄕에 對하여」『가람 李秉岐博士頌壽紀念論文集』1966 ; 『東方史論叢(改訂版)』, 서울대학교 출판부, 1984, 198쪽.

22 李道學, 『후삼국시대 전쟁연구』, 주류성, 2015, 23~24쪽.

2) 아자개의 同名異人說 검증

상주 호족 아자개와 진훤의 父인 아자개의 동일 여부가 논쟁이 되고는 했다. 이 문제가 발생하게 된 실마리는 918년 아자개의 고려 귀부 때문이었다. 관련 기사를 다음과 같이 인용해 본다.

e-1. 가을 7월에 尙州賊帥 阿玆盖가 사신을 보내 태조에게 降附했다.[23]

e-2. 甲午에 尙州賊帥 阿字盖가 사신을 보내와서 귀부하자, 왕이 의식을 갖추어 맞이하도록 명령하자 毬庭에서 의식을 연습하려고 문무관이 모두 차례에 따라 늘어섰는데…[24]

918년 7월에 아자개는 왕건에게 사신을 보내 귀부를 알렸고(e-1), 그해 9월에는 아자개가 老軀를 이끌고 몸소 고려로 왔던 것 같다(e-2). 아자개는 왕건 정권이 태동한지 불과 1개월만에 귀부를 알렸다. 사실상의 지지 표명이었다. 양자 간의 연결고리가 오래되었음을 암시한다. 그럼에도 전광석화는 차치하고 너무 뜻밖의 사건이었기에 의아하게 여기는 경향이 있었다. 다음은 순암 안정복의 소견이다.

f. 『고려사』에는 尙州賊帥 阿慈盖가 사신을 보내 來附했고, 『삼국사』에는 甄萱의 父 阿慈介는 상주 가은현 사람이라고 하였다. 이때 진훤의 세력이 몹시 강하였으니 그의 아버지가 來降한 것은 이해할 수 없다. (아자개는) 두 사람이 있었던 것으로 의심된다『동국여지승람』에는 "상주의 沙伐古城이 州 동쪽 10리에 있는데, 진훤의 父 阿慈介가 이 城에 웅거하였다"고 했으니, 『동국여지승람』의 서술은 (고려에) 내항한 것을 가리켜 진훤의 父로 오인한 것이다].[25]

안정복은 918년 9월에 왕건에 귀부한 아자개는 진훤의 父와는 다른 同名異人이라고 했다. 정황론에 입각한 안정복의 동명이인론은 후학들에게 영향을 미쳤기에 추종하는 이들이 배출되었다.[26] 안정복은 阿慈盖와 진훤의 父 阿慈介를 구분하였다(f). 그러면 아자개에 대한 이름 표기를 다음에서 살펴보자.

---

23 『三國史記』 권12, 경명왕 2년 조. "秋七月 尙州賊帥阿玆盖 遣使降於太祖."

24 『高麗史』 권1, 태조 원년 조. "甲午 尙州賊帥阿字盖遣使來附王命備儀迎之習儀於毬庭 文武官俱就班."

25 『東史綱目』附卷上上, 阿慈盖[高麗太祖元年]. "高麗史尙州賊帥阿慈盖 遣使來附 三國史以甄萱父阿慈介 爲尙州加恩縣人 此時甄萱勢强甚 其父無來降之理 疑有二人[輿覽 尙州沙伐古城 在州東十里 甄萱之父阿慈介 據此城 勝覽所言指降屬者 而誤認爲甄父也]"

26 金庠基, 「甄萱의 家鄕에 對하여」 『가람 李秉岐博士頌壽紀念論文集』 1966 ; 『東方史論叢(改訂版)』서울대학교 출판부, 1984, 198~199쪽.

g-1. 尙州賊帥 阿玆盖(『삼국사기』경명왕 2년 조)

g-2. 甄萱 尙州加恩縣人也… 父阿慈介(『삼국사기』진훤전)

g-3. 甄萱 尙州加恩縣人也… 父阿慈个(『삼국유사』)

g-4. 加恩縣人阿慈介 生得一兒業農圃… 姓本是李名甄萱(『제왕운기』)

g-5. 尙州賊帥 阿字盖(『고려사』)

g-6. 尙州帥 阿字盖(『고려사절요』)

g-7. 沙伐國古城[在屛風山下城… 新羅末甄萱之父阿慈介 據此城(『신증동국여지승람』권28, 상주목 고적 조)

g-8. 沙伐國古城[在屛風山下 城傍有丘隆然世傳沙伐王陵○新羅末甄萱之父阿慈介 據此城 今無](『여지도서』下, 경상도, 상주, 古跡)

g-9. 新羅阿慈介[加恩縣人 以農自活 後起家爲將軍 有四子 皆知名於世 甄萱卽其一也 初萱生父耕野 母餉之置林下 虎來乳之 鄕黨聞者異之](『여지도서』下, 경상도, 문경, 인물)

안정복은 尙州 賊帥의 경우는 阿慈盖로, 진훤의 父는 阿慈介로 표기하면서 同名異人說을 제기하였다. 『삼국사기』나 『삼국유사』 등의 阿慈介(个)와는 달리 『고려사』와 『고려사절요』에서는 阿字盖로 표기한 것처럼 비친다. 그러나 『삼국사기』 경명왕 2년 조에서도 阿玆盖라고 표기했다(g-1). 따라서 아자개 이름에 대한 표기상으로는 식별이 어렵다. 오히려 양자가 동일 인물일 가능성을 높여 줄 뿐이다. 특히 농민 출신으로 장군이 된 아자개의 근거지가 상주였다. 이 점은 『삼국유사』에서 분명히 알려주고 있다(b). 게다가 918년까지 상주 지역에 진훤의 父 외에 또 다른 아자개가 존재했다는 근거는 어디에도 없다.

그리고 본질적으로 중요한 사안은 아자개의 對王建觀이다. 이는 906년에 궁예의 부하 왕건이 상주 지역을 공략한 사건과 결부지어 살펴야할 문제가 된다. 게다가 가장 중요한 사안은 기록상 백관들이 의전을 갖추고 迎禮한 경우는 아자개 외에는 없었다. 세력이 강대했고 賜姓된 명주장군 김순식이나 尙父로 불리었던 재암성성주 선필도 이러한 의전은 받지 못했다. 물론 기록에서 누락되었을 가능성도 크다. 어쨌든 아자개에 대한 왕건의 환대는 다른 이유가 달리 없다. 그가 진훤의 父였기에 가능한 이유 외에는 설명이 되지 않는다. 물론 이는 즉위 직후의 첫 번째 귀부였기에 왕건의 위상을 높여주는 기제였다. 그렇다고 하더라도 정치적 비중이 낮은 이에게까지 과도한 의전을 베풀지는 않았을 것이다.

3) 왕건의 상주 진출과 아자개

상주는 계립령을 넘어 충주로 통하는 교통로와, 화령을 넘어 보은·청주로 통하는 교통로가 교차하는 요충지였다. 『택리지』에서는 "상주는 일명 洛陽이라 하고, 조령 아래의 한 큰 도회이다. 산세는 웅대하고 평야는 넓고 그리고 북쪽은 조령에 가까와서 충청·경기에 통하고, 동쪽은 낙동강에 임하여 김해·동래에 통한다. 陸運이나 海運이 모두 남북으로 통하여 수륙 교통의 요지를 이룬다"[27]고 하여 그 비중을 잘 전하고 있다.

소백산맥 남북을 연결하는 양대 교통로가 계립령로와 죽령로였다. 이 가운데 문경 지역은 지금의 하늘재인 계립령로와 직결되어 있다. 『삼국사기』에는 "鷄立嶺路를 열었다"[28]고 하여 보인다. 신라는 일찍부터 소백산맥 남북을 연결하는 양대 교통로인 죽령로와 더불어 계립령로를 열었다. 그랬기에 계립령과 죽령의 안쪽은 신라 영역인 반면 그 북쪽은 타국의 영역으로 인식되었다. 고구려 장군 온달이 출정할 때 맹세하기를 "계립현과 죽령의 서쪽을 회복하지 않으면 돌아오지 않겠다!"[29]고 하였다. 본시 자국인 고구려 영역으로 인식했던 계립현과 죽령의 서쪽은 남한강 상류 지역에 해당한다. 그럴수록 소백산맥이라는 지형구를 남북으로 연결해주는 지리적 요충지에 소재한 문경 지역의 전략적 비중은 지대할 수밖에 없었다. 더구나 문경 지역은 한반도에서 거대한 내륙수로인 남한강의 상류와 낙동강의 상류를 연결시켜주는 최단거리 지역일 뿐 아니라 대체로 구릉지인 까닭에 배수 조건이 좋고 渡河 지점이 적어 복잡한 수송 체계를 피할 수 있는 전략적 요충지였다.[30] 그런데 906년에 궁예의 부하 왕건이 병력을 이끌고 상주 지역에 진출했다. 이에 대응하여 진훤은 다음과 같이 몸소 군대를 이끌고 나왔다.

> h. (天祐) 3년 丙寅에 궁예가 태조에게 명하여 精騎將軍 黔式 등을 거느리고 군사 3,000명을 지휘하여 尙州의 沙火鎭을 공격하게 하니, 진훤과 여러 번 싸워 이겼다. 궁예는 땅이 더욱 넓어지고 士馬가 점차 강해지자 신라를 병탄하려는 뜻을 가지게 되어, (신라를) 滅都라 부르면서, 신라에서 귀부해온 자들을 모두 베어 죽였다.[31]

---

27 『擇里志』八道總論, 慶尙道.
28 『三國史記』권2, 아달라니사금 3년 조. "開鷄立嶺路"
29 『三國史記』권45, 溫達傳.
30 崔永俊, 「조선시대의 영남로 연구-서울~상주의 경우」『지리학』11, 1975, 54~55쪽.
31 『高麗史』권1, 태조 즉위전기. "三年丙寅 裔命太祖 率精騎將軍黔式等 領兵三千 攻尙州沙火鎭 與甄萱累戰克之 裔以土地益廣 士馬漸强 意欲幷呑新羅 呼爲滅都 自新羅來附者 並皆誅殺."

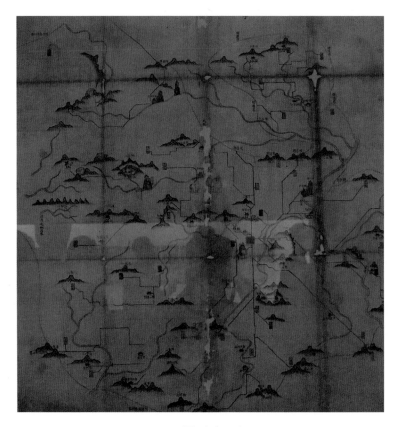

10-2 상주 일원 고지도

906년에 궁예 세력과 후백제 세력이 상주 지역 지배권을 놓고 격돌한 것이다. 사화진은 상주 전역을 가리킨다기 보다는 음리화정이 설치되었던 지금의 상주시 청리면 일대만 가리키든지, 아니면 보은에서 상주로 접어드는 초입을 가리킬 가능성이 높다. 궁예 摩震 군대의 소백산맥 이남 진출 통로로서 사화진 일대가 장악되었던 것 같다.

진훤이 '累戰'했다는 것은 이곳의 지배권을 쉽게 포기하지 않으려 한 증좌였다. 그러나 분명한 사실은 후백제군이 물러나게 되었고, 摩震의 군대가 상주 지역의 지배권을 장악하게 되었다는 것이다. 이 때 상주 호족 아자개의 동향에 대해서는 알 길이 없다. 그렇지만 추측이 가능하다. 마진군과 후백제군의 격돌에서 마진이 승리한 현실이다. 마진의 승전을 "尚州 등 30餘 州縣을 伐取했다"[32]고

---

32 『三國史記』권50, 弓裔傳. "伐取尚州等三十餘州縣" 이 기사는 궁예전의 天祐 원년(904) 조와 천우 2년(905) 조 사이에 적혀 있는 관계로 904년의 일로 간주했다. 그러나 전후 정황을 놓고 볼 때 천우 3년인 906년 沙火鎭 승리의 산물로 볼 때 자연스럽다.

하였다. 진훤은 이듬해인 907년에 일선군 이남의 10여 성을 점령했다.[33] 두 세력이 상주 남쪽에서 대치한 것이다.

이 상황에서 아자개와 그의 자제들은 어떤 형태로든 현실에 대응해야 했다. 마진의 군대는 신라 땅 진입에 성공하였다. 그 목적은 궁예의 목표인 신라 병탄이었다. 궁예는 일찍이 사람들에게 말하기를 "지난 날 신라가 당에 군대를 청하여 고구려를 격파한 때문에 평양 舊都는 가득차서 무성한 풀밭이 되었다. 내 반드시 그 원수를 갚겠다"[34]고 선언했다. 그가 영주 부석사에 행차했을 때 "벽에 신라왕 초상이 그려진 것을 보고는 칼을 뽑아 이를 쳤다. 그 칼날 자국이 아직도 남아 있다"[35]고 하였다. 그러한 궁예의 군대가 상주 땅을 접수한 것이다. 문제는 상주 지역의 기존 신라 호족 세력들에 대한 처리였다. 궁예는 "(신라를) 滅都라 부르면서 신라에서 귀부해온 자들을 모두 베어 죽였다(h)"고 했다. 상주 지역 호족 아자개는 서슬퍼런 궁예의 적개감에 직면하였다.

그런데 상주를 점령한 왕건은, 궁예와는 달리 아자개에게 유화적인 태도를 보였던 것 같다. 즉 아자개의 기존 지배권을 인정해 주었을 수 있다. 918년 9월까지 '상주적수 아자개'로 남아 있었다는 것은, 그가 지닌 권한이 유지되었다는 반증이다. 마진군과 후백제군의 격돌 상황에서 아자개는 아들의 국가인 후백제를 지원했는지 알 수는 없다. 어쩌면 아자개는 마진과 후백제 사이에서 중립을 지켰거나 오히려 왕건을 지원해줬을 가능성이다. 이로 인해 아자개는 상주와 문경 지역의 피해를 줄이고 세력을 보전하는 게 가능해졌을 수 있다.

아자개는 승자인 마진으로부터 불이익을 받지는 않았던 것 같다. 이로 인해 아자개 일가는 자신들을 지켜주지 못한 진훤보다는 궁예의 마진을 따르게 되었다고 보아야 한다. 이는 정서적인 혈족의 문제가 아니라 존립과 관련한 냉엄한 현실의 문제였다. 왕건의 상주 지역 진출은, 아자개가 아들인 진훤과 결별하는 결정적인 계기가 되었던 것 같다. 그랬기에 왕건은 아자개의 지배권을 인정해 주었다고 본다.

4) 아자개의 고려 귀부 배경

918년 아자개의 고려 귀부는 어떤 배경에서 나왔을까? 아자개의 고려 귀부는 진훤의 父가 아니라는 심증으로 작용했기 때문이다. 이와 관련해 아자개의 가족 관계를 살펴보아야 한다. 아자개 소생

---

33 『三國史記』 권12, 효공왕 11년 조. "一善郡以南十餘城 盡爲甄萱所取."
34 『三國史記』 권50, 弓裔傳. "謂人曰 "往者 新羅請兵於唐 以破高句麗 故平壤舊都 鞠爲茂草 吾必報其讎."
35 『三國史記』 권50, 弓裔傳. "嘗南巡至興州浮石寺 見壁畫新羅王像 發劒擊之 其刃迹猶在."

4명의 아들에 대한 언급이 앞서 인용한 『삼국유사』에 보인다(b). 다음은 『삼국유사』에서 이어지는 관련 기사이다.

> i. 진흥대왕의 妃인 思刀의 시호는 白𩜁夫人이며, 그의 셋째 아들 仇輪公의 아들인 波珍干 善品의 아들 角干 酌珍이 妻 王咬巴里를 아내로 맞아 각간 元善을 낳으니 이가 阿慈个였다. 아자개의 제1妻는 上院夫人이고, 제2처는 南院夫人이니 아들 다섯에 딸 하나를 낳았다. 큰 아들이 尙父 진훤이다. 둘째 아들은 장군 능애, 셋째 아들은 장군 용개, 넷째 아들은 보개, 다섯째 아들은 장군 소개, 딸 한 명은 대주도금이었다.[36]

李磾라는 사람의 집안에 전해오는 家乘인 『李磾家記』에 의하면[37] 진훤의 遠系는 신라 진흥왕과 관련된 김씨 혈통이라고 했다. 즉 진흥왕→구륜공→선품→작진→아자개→진훤으로 이어지는 계보로 적혀 있다. 534년에 출생한 진흥왕을 기준으로 1세대 30년씩 잡는다면 654년 경에 진훤이 출생해야만 한다. 그러나 이는 진훤이 태어난 867년과는 무려 200년 이상의 시차인 것이다. 이러한 문제가 아니더라도 진훤의 가계가 신라 왕실과 연결되었을 가능성은 전혀 없다.

이 문제는 아자개가 장군을 칭한 후 李氏를 冒稱한데서 실마리를 잡을 수 있을 것 같다. 고려에 귀부한 아자개 사후 어느 시점이었을 것이다. 그 후손들이 어떤 정치적 의도에서 신라 진흥왕에 연원을 둔 家乘을 만든 것으로 보인다. 『이제가기』에 따르면 아자개는 4명이 아니라 5명의 아들에 딸 1명을 두었음을 알 수 있다. 장군 아자개는 2곳의 妻宮을 확보한 것으로 보인다. 第1妻가 거처하는 北宅은 上院, 제2처가 거처하는 南宅은 南院으로 불렀던 것 같다. 왕건 부인들의 小廣州院夫人 · 小西院夫人 · 月鏡院夫人들처럼 宅號였다. 아자개는 2명의 부인 사이에서 5명의 아들과 1녀를 낳았다.

그런데 918년 6월에 철원에서 정변이 일어나 궁예가 축출되고 왕건이 집권하였다. 기록에 따르면 얼결에 즉위한 것처럼 적힌 왕건은, 궁예 세력 제거와 모반 사건 적발에 혈안이 되었다. 그는 자신의 취약한 권력을 강화하고 지방 호족들의 동요를 막기 위해 '重幣卑辭'로 나왔다. 그 선상에서 아자개가 제일 먼저 귀부한 것이다. 값진 물건과 자리를 주고 자신을 낮추어 말하는 '중폐비사' 관련 구절은 다음과 같다.

---

36 『三國遺事』 권2, 紀異, 後百濟甄萱 條. "李磾家記云 眞興大王妃思刀諡曰白𩜁夫人 第三子仇輪公之子 波珍干善品 之子角干酌珍妻王咬巴里 生角干元善 是爲阿慈个也 慈之弟一妻上院夫人 第二妻南院夫人 生五子一女 其長子是 尙父萱 二子将軍能哀 三子将軍龍盖 四子寶盖 五子将軍小盖 一女大主刀金."

37 金庠基, 「甄萱의 家鄕에 對하여」 『東方史論叢(改訂版)』, 서울대학교 출판부, 1984, 198쪽.

j. 朕은 諸道의 寇賊들이 짐이 처음으로 즉위했다는 말을 듣고 혹은 변방에서 환란을 구축할까 염려되어 사신들을 파견하여 重幣卑辭로써 惠和의 뜻을 보이자 귀부한 이들이 많았는데, 유독 진훤만이 교빙이 없었다.[38]

아자개의 귀부는 돌발 사건처럼 비치지만 그렇지는 않다고 보아야 한다. 아자개는 906년부터 왕건과 신뢰를 구축한 관계였다면, 이제 궁예가 제거된 상황은 好機였다. 그리고 고령의 아자개가 상속 문제에 직면했다는 복합적인 차원에서 고려 귀부를 살펴야 할 것 같다.

그러면 918년에 아자개가 고려에 귀부할 때 연령은 어떻게 되었을까? 진훤이 함통 8년인 867년 출생이므로(b), 아자개의 경우는 20년 이전 847년 경 출생으로 상정해 보자. 918년은 아자개의 연령이 72세 쯤일 수 있다. 그가 최소 고희를 넘겼음은 분명하다. 이러한 고령의 아자개에게는 현안이 있었다고 보아야 한다. 바로 상속에 관한 문제가 된다. 아자개 곁에는 장남인 진훤을 제외한다고 해도 4명의 장성한 아들이 있었다. 그리고 이들 4형제는 이복형제 관계로 보아야 한다. 게다가 이복형제들은 상속분쟁에 휩싸였을 가능성이 매우 높았다. 문제는 궁예 정권이 무너지고 왕건이 집권한 권력 공백기라는 것이다. 이 틈을 놓치지 않고 진훤이 상주 지역을 장악하려고 했을 법하다. 상주 지역은 더욱이 궁예 세력권이었기 때문이다. 그러자 아자개 곁의 진훤 아우들이 이제는 결집하여 함께 대항했을 수 있다. 상주 지역 지배권 상속과 관련한 분쟁의 와중에서 아자개는 자신의 領地에 대한 권한을 진훤에게 물려줄 의사가 없었다. 아니 아자개 곁의 아들들이 차단했을 수 있다. 게다가 진훤의 위협에 시달리던 아자개는 고려로의 귀부를 통해 영지를 보존받으려고 한 것 같았다. 아자개와 그 예하의 아들로서는 강대한 진훤의 후백제라는 국가 세력에 대응하여 영지를 보존하는 방법은, 분쟁을 멈추고 고려에 의탁하는 길이 최선일 수 있었다. 918년 9월에 아자개가 고려로 귀부한 전후 사정은 이와 같이 추리된다.[39]

그러나 이러한 전후 배경에 대한 이해 자체가 없었기에 同名異人說이 제기되었다고 본다. 훗날 진훤이 왕건에게 귀부한 것도 상식으로는 이해가 어려운 측면도 있다. 그러나 전후 기록이 상세하게 남아 있기에 상황을 살필 수 있었다. 반면 아자개의 고려 귀부는 전후 배경 기록 자체가 전무하였기에 돌발적으로 받아들인 관계로 同名異人說이 솟아난 것이다.

---

38 『高麗史』권1, 태조 원년 8월 조. "八月 己酉 諭群臣曰 朕慮諸道寇賊聞朕初卽位 或構邊患 分遣單使 重幣卑辭 以示惠和之意 歸附者果衆 獨甄萱不肯交聘."

39 아자개의 고려 귀부 배경에 대해서는 文暻鉉, 『高麗史硏究』, 慶北大學校 出版部, 2000, 46~47쪽이 참고된다.

5) 가은현 행정지명 탄생 배경

상주 지역이 고려의 세력권에 들어간 과정을 추정해 보았다. 그러면 이제는 다음과 같은 가은현의 행정지명 변경을 주목해 본다.

k. 嘉善縣은 본래 加害縣인데 경덕왕이 改名하였다. 지금 加恩縣이다.[40]

가해현은 경덕왕대에 가선현으로 개명했다가 『삼국사기』가 편찬되는 12세기 중엽에는 가은현이라는 것이다. 경덕왕대 이전 현재의 가은읍은 '加害'라는 부정적인 이름으로 불리었다고 한다. 그러다가 嘉善縣과 加恩縣으로 계속 바뀌었다는 것이다. 가은현은 "高麗改今名"[41]이라고 하여 고려에 와서 생겨난 지명으로 말하였다. 그러나 924년에 세워진 문경 봉암사 지증대사비에 '가은현장군'이 등장한다. 이로 볼 때 가은현은 적어도 924년 이전에 생겨났음을 알 수 있다. 게다가 진훤을 '尙州加恩縣人'이라고 했듯이 9州인 尙州 관내의 가은현으로 적혀 있었다.[42] 『삼국사기』에서도 929년 시점에 加恩縣이 보인다(n-6). 이때는 모두 후삼국 통일 이전이므로, 가은현 지명을 고려가 제정하여 부여할 수는 없다. 고려 역시 후백제와 마찬가지로 외형상 신라의 陪臣임을 자처했기 때문이다.[43] 따라서 가은현은 통일신라 때 지명으로 보는 게 자연스럽다. 문제는 경덕왕대 개명 이전에 현재의 가은읍은 '加害'라는 부정적 의미로 불리었다는 것이다. 이러한 행정지명의 경우는 집단 체벌과 무관하지 않아 보인다. 그러한 사례를 다음 기사부터 먼저 살펴보도록 한다.

l. 永安縣은 본래 下枝縣인데 경덕왕이 改名하였다. 지금 豊山縣이다.[44]

위에 적힌 풍산현은 현재 안동시 풍산읍이다. 이곳은 원래 하지현이었는데, 경덕왕대에 영안현으

---

40 『三國史記』권34, 地理1, 新羅, 古寧郡. "嘉善縣 本加害縣 景德王改名 今加恩縣."

41 『新增東國輿地勝覽』권29, 慶尙道 聞慶縣, 屬縣 條.

42 통일신라 9州 속의 '상주 가은현'은 尙州 古寧郡(상주 함창)의 領縣인 嘉善縣(문경 가은)·冠山縣(문경읍)·虎溪縣(문경 호계)의 하나였던 가선현이다. 반면 尙州 州治의 領縣은 靑驍縣(상주 청리)·多仁縣(의성 다인)·化昌縣(상주 외서)의 3곳이었다. 따라서 가은현은 상주가 아니라 함창과 연관되어 있다. 그렇다고 문경 지역 3개 현이 모두 함창으로 불린 것은 아니었다. '상주 가은현'의 '상주'는 지금의 상주시가 아니라 州名을 가리킨다. 그리고 '가은현'은 어디까지나 지금의 문경시 가은읍일 뿐이다.

43 河炫綱, 『韓國中世史硏究』, 一潮閣, 1988, 59쪽.

44 『三國史記』권34, 地理1, 新羅, 醴泉郡. "永安縣 本下枝縣 景德王改名 今豊山縣."

로 개명했다가 고려 때는 풍산현이 되었다고 했다. 그러나 922년에 '下枝城將軍 元逢'이 등장하고 있다. 원봉이 귀순하자 왕건은 하지성을 '順州'로 바꾸었다고 한다.[45] 그런데 931년에 진훤이 순주성을 격파하였고, 원봉이 달아나자, "順州를 고쳐 下枝縣으로 불렀다"[46]고 했다. 이 같은『삼국사기』본기나 진훤전의 기록은, 하지현→영안현→풍산현이 되었다는 지리지 기사(l)와는 전혀 다르다. 경덕왕대 개명했다는 영안현은 그 어디에서도 확인되지 않고, 順州도 지리지에서 보이지 않는다. 이렇듯왕건이 부여한 '順州' 지명은 공식적인 지리지에서는 존재하지 않았다. 신라 조정과 무관한 임의적인 행정지명 부여임을 뜻한다. 그러면 다음의 기사를 본다.

　　m. 高麗 장군 金相이 草八城賊 興宗과 싸우다가 이기지 못하고 그곳에서 죽었다.[47]

　　928년에 草八城에서 전투가 있었다. 초팔성은 "八谿縣은 본래 草八兮縣인데 경덕왕이 改名하였다. 지금 草谿縣이다"[48]고 한 초팔혜현을 가리킨다. 초팔성은 지금의 경상남도 합천군 초계면을 가리킨다. 그런데 지리지 기록대로라면 928년 당시에는 팔계현 즉 팔계성이라고 해야 맞다. 그러나 본래의 이름이라는 초팔혜성을 사용하고 있지만, 초팔국에서 비롯한 지명이었다.[49] 따라서『삼국사기』지리지 기사의 신빙성을 의심하게 한다. 그렇지만 이 보다는 改名한 행정지명이 침투하지 못하고겉도는 상황임을 반증한다. 여전히 原地名을 사용하고 있기 때문이다.

　　앞서 l에서 거론한 하지현은 신라말에 통용된 행정지명이었다. 그러니 卑稱인 하지현을 경덕왕 개명 이전에 사용했다는 기록은 신빙할 수 없다. 이와 마찬 가지로 가은읍의 古名인 가해현도 신라말에 생겨났을 수 있다. 가은 지역 주민 전체에 대한 체벌 성격의 '加害' 지명을 시대 상황과 결부지어고려해야 한다. 가령 통일신라 益宣 阿干의 옹졸과 비루함 때문에 모량리 주민 전체가 체벌받았던사례가 전한다. 즉 효소왕은 칙령으로 모량리 출신으로 관직에 있던 자들을 모두 쫓아냈다. 해동의高德인 圓測法師마저도 모량리 출신이었기에 僧職을 받지 못했다.[50] 이러한 사례에 비추어 볼 때 '加

---

45 『三國史記』권12, 경명왕 6년 조. "六年 春正月 下枝城將軍元逢·溟州將軍順式 降於太祖 太祖念其歸順 以元逢本城爲順州 賜順式姓曰王."

46 『三國史記』권50, 甄萱傳. "翌日 萱聚殘兵 襲破順州城 將軍元逢不能禦 棄城夜遁 萱虜百姓 移入全州 太祖以元逢前有功 宥之 改順州號下枝縣."

47 『三國史記』권12, 경순왕 2년 조. "二年 春正月 高麗將金相與草八城賊興宗戰 不克死之."

48 『三國史記』권34, 地理1, 新羅, 江陽郡. "八谿縣 本草八兮縣 景德王改名 今草谿縣."

49 『三國史記』권1, 파사니사금 29년 조. "遺兵伐比只國·多伐國·草八國并之."

50 『三國遺事』권2, 紀異, 孝昭王代竹旨郎 條.

10-3 카페로 바뀐 현재의 가은역

害'라는 행정지명은 가은 지역 인물들의 악행과 관련한 체벌 지명으로 생각된다.

가은 출신의 아자개는 원종과 애노의 난에 가담했고, 종국에는 상주 지역을 석권한 首魁가 되었다. 진훤 또한 신라에 반기를 들었는데, 규모와 입지는 父인 아자개를 훨씬 초월했다. 이로 인해 지금의 가은은 逆鄕이 된 것이다. 결국 신라 조정으로부터 '신체적·정신적·물질적으로 남에게 해를 입힘'의 뜻을 담은 '加害'라는 행정지명을 부여받아 집단 체벌을 받은 것으로 보인다. 이와 상응하는 정반대의 뜻을 담은 행정지명이 '은혜를 더욱 베푼다'는 뜻의 '加恩'이다. 신라 조정의 입장에서는 이전의 집단 체벌을 만회할 수 있는 상황이 조성되었음을 뜻한다. 이러한 상황은 아자개의 고려 귀부와 관련 있어 보인다.

당시 신라 경명왕은 920년에 "4년 봄 정월에 왕이 태조와 交聘하며 우호를 닦았다"[51]고 했다. 920년 10월에는 후백제군이 대야성을 함락시키고 김해 진례면까지 진출하자, 경명왕은 왕건에게 도움을 요청하여 막았다.[52] 경명왕은 왕건의 요청을 받아들여 新羅三寶의 하나인 진평왕의 玉帶를 찾았다. 그리고 924년 8월에 경명왕이 사망했을 때 왕건은 조문사절을 보내고 제사까지 올렸다. 이처럼 왕건과 경명왕은 돈독한 우호관계였다. 이러한 우호관계는 이해의 일치를 뜻하는 것이다.

그러면 이와 관련한 고을의 승격 사례를 살펴본다. 京山府將軍 良文이 923년 7월에 왕건에게 항

---

51 『三國史記』권12, 경명왕 4년 조. "四年 春正月 王與太祖交聘修好."
52 『三國史記』권12, 경명왕 4년 조. "冬十月 後百濟主甄萱率步騎一萬 攻陷大耶城 進軍於進禮 王遣阿飡金律 求援於太祖 太祖命將出師救之 萱聞乃去."

복했다.[53] 『고려사』 지리지에서는 성주군 성주읍인 新安縣을 940년에 京山府로 고쳤다고 하였다.[54] 그러나 왕건이 928년 정월에 진훤에게 보낸 답서에서 "京山含璧以投降"[55]라고 했듯이 940년 이전에 이미 경산부 지명이 사용되었다. 그러므로 923년에 양문이 왕건에게 항복하자 신안현을 경산부로 승격시킨 것으로 보인다.[56] 이와 마찬 가지로 가은현 지명도 아자개가 918년에 고려에 귀부한 시점부터 가은현장군이 등장하는 924년 사이에 부여되었을 것이다. 즉 이 기간에 가해현을 가은현으로 복권시켜 준 것으로 판단된다. 왕건과 유착된 경명왕의 조치로 보인다.

3. 문경 지역 호족의 동향

1) 고사갈이성 성주 興達

문경 지역 호족의 동향을 알려주는 금석문과 문헌 기록을 시간 순서대로 모두 뽑아보면 다음과 같다. 이러한 기록을 통해 문경 지역 호족의 성격과 후백제와 고려의 지배권 쟁탈의 면면이 드러날 것으로 본다.

n-1. 924년: 西△大將軍 着紫金魚袋 蘇判 阿叱彌 加恩縣將軍 熙弼[57]

n-2. (927년) 8월에 왕이 강주를 순행하려고 高思葛伊城을 지나가자 城主 興達이 먼저 그 아들을 보내 귀순하였다. 이에 백제에서 두었던 守城官吏들도 역시 모두 降附했다. 왕이 이를 가상히 여겨 흥달에게는 靑州祿을, 그 맏아들 俊達에게는 珍州祿을, 둘째 아들 雄達에게는 寒水祿을, 셋째 아들 玉達에게는 長淺祿을 내려 주고, 또 田宅을 내려 주었다.[58]

n-3. 8월 병술에 왕이 강주 고사갈이성을 순행하자, 성주 흥달이 귀부했다. 이에 백제의 여러 城守들도

---

53 『三國史記』권12, 경명왕 7년 조. "七年 秋七月 命旨城將軍城達・京山府將軍良文等 降於太祖."
54 『高麗史』권57, 地理2, 慶尙道 星山郡. "京山府本新羅本彼縣 景德王 改名新安 爲星山郡領縣 後改爲碧珍郡 太祖二十三年 更今名."
55 『三國史記』권50, 甄萱傳.
56 旗田巍, 『朝鮮中世社會史の硏究』, 法政大學出版局, 1972, 27쪽.
57 韓國古代社會硏究所, 『譯註 韓國古代金石文Ⅲ』, 駕洛國史蹟開發硏究院, 1992, 198쪽.
58 『高麗史節要』권1, 太祖 10년 조. "八月 王徇康州 行過高思葛伊城 城主興達 先遣其子歸款 於是 百濟所置守城官吏 亦皆降附 王嘉之 賜興達靑州祿 其長子俊達珍州祿 二子雄達寒水祿 三子玉達長淺祿 又賜田宅."

모두 降附했다.[59]

n-4. 홍달은 진훤의 고사갈이성주였다. 태조가 강주를 순행하면서 그 성을 지나가자 홍달이 그 아들을 보내 귀부하였다. 이에 백제가 두었던 軍吏들도 모두 항부했다. 태조가 이를 가상하게 여겨 홍달에게는 청주록, 아들 준달에게는 진주록, 웅달에게는 한수록, 옥달에게는 장천록을 내려주었다. 또 전택을 내려주고 이들을 賞주었다.[60]

n-5. (927년) 9월에 진훤이 近品城을 쳐서 이를 불사르고 나아가 신라의 高鬱府를 습격하고 서울교외에 가까이 이르니, 신라왕이 連式을 보내 급함을 알리고 구원을 청하였다.[61]

n-6. (929년) 10월에 甄萱이 加恩縣을 포위했으나 이기지 못하고 돌아갔다.[62]

n-7. (929년) 겨울 10월 …진훤이 高思葛伊城을 공격하자, 성주 興達이 이를 듣고 나가 싸우려고 목욕을 하는데 갑자기 오른쪽 팔뚝에 滅 字가 있음을 보았는데 열흘 만에 病死했다.[63]

n-8. 진훤이 그 성을 공격하려고 하자, 興達이 이것을 듣고는 나가 싸우려고 목욕을 하는데, 갑자기 오른쪽 팔뚝에 滅 字가 있어서 괴이하게 여겨 이것을 푸닥거리했는데, 열흘만에 病死했다.[64]

문경 봉암사 지증대사비가 건립되는 924년의 시점에 2명의 호족 이름이 등장한다(n-1). 아질미의 관등 소관은 신라 17관등에서 3位인 동시에 김씨 진골 신분이 오를 수 있다. 그럼에도 아질미는 성씨가 없다. 이로 볼 때 그는 진골 신분이 아니라 토착 호족임을 알 수 있다. 이 같이 단정할 수 있는 근거는, 아질미라는 이름이 진훤의 父인 아자개와의 연관성을 상기시키기 때문이다.[65] 이러한 추정이 타당하다면 상주를 거점으로 한 아자개의 세력권이 가은현에도 미쳤음을 뜻한다. 아질미와 함께 나란히 적힌 가은현장군 희필은 가은현의 호족이 분명하다. 그렇다면 아질미와 희필의 관계가 궁금해진다. 상주의 아자개 측근이나 후계자를 軸으로 주변 군소 호족들이 포진한 정황을 연상할 수 있다. 토착 호족인 희필의 상위자 격인 아질미는 아자개의 직계 세력으로 짐작된다. 여기서 가은현이

59 『高麗史』권1, 太祖 10년 조. "八月 丙戌 王徇康州高思葛伊城 城主興達歸欵 於是 百濟諸城守 皆降附."

60 『高麗史』권92, 興達傳. "興達 爲甄萱高思葛伊城主 太祖徇康州 行過其城 興達遣其子歸款 於是 百濟所置軍吏 皆降附 太祖嘉之 賜興達靑州祿 子俊達珍州祿 雄達寒水祿 玉達長淺祿 又賜田宅以賞之 甄萱將攻其城 興達聞之 欲出戰而浴 忽見右臂上有滅字 而禳之 至十日 病死."

61 『高麗史節要』권1, 태조 10년 조. "九月 甄萱攻近品城 燒之 進襲新羅高鬱府 逼至郊畿 新羅王遣連式來 告急 請救之."

62 『三國史記』권12, 경순왕 3년 조. "冬十月 甄萱圍加恩縣 不克而歸."

63 『高麗史節要』권1, 太祖 12년 조. "冬十月…甄萱 將攻高思葛伊城 城主興達聞之 欲出戰而浴 忽見右臂上有滅字 至十日病死."

64 『高麗史』권92, 興達傳. "甄萱將攻其城 興達聞之 欲出戰而浴 忽見右臂上有滅字 怪而禳之 至十日 病死."

65 李道學, 『후백제 진훤대왕』, 주류성, 2015, 533쪽.

상주 지역과 엮어져 있다면 정치적 성향이나 행보도 함께 했다고 보아야 한다. 918년에 아자개가 고려에 귀부한 이후 상주 지역은 친고려 성향이었다. 그렇다면 상주와 엮어진 가은현도 동일한 성격으로 규정할 수 있다.

고려군과 신라군이 합세하여 927년 1월에는 후백제가 지배하던 龍州(예천군 용궁)가 함락되었다.[66] 그러면 현재 문경 관내 문경읍의 동향을 살펴본다. 다음은 문경현의 행정지명 변천이다.

o-1. 冠山縣은 본래 冠縣[혹은 冠文縣]인데 경덕왕이 改名하였고, 지금 聞慶縣이다.[67]

o-2. 聞慶縣은 본래 冠文縣인데 경덕왕이 冠山으로 改名하여 古寧(郡)의 領縣으로 삼았다[또는 高思葛伊城이라고도 한다]. 高麗가 고쳐서 聞喜라고 했다.[68]

10-4 봉암사 지증대사비 뒷면의 소판 아질미와 가은현장군 희필이 새겨진 부분

927년 8월에 왕건이 高思葛伊城을 지날 때라고 하였다(n-2 · 3). 고사갈이성의 고사갈이는 '곳깔' 즉 '冠'을 가리킨다. 冠山의 訓讀이 고사갈이었다. 그러니 양자는 동일한 지역을 가리키고 있다. 이때 고사갈이성 성주 홍달은 아들을 먼저 보내 왕건에게 귀부했다고 한다. 그러자 후백제가 고사갈이성에 배치했던 '守城官吏' 혹은 '諸城守' · '軍吏'들도 일제히 降附했다고 하였다. 927년 8월 이전까지는 고사갈이성 일원이 후백제 세력권이었음을 알 수 있다. 홍달이 고려에 귀부할 때 넘어갔던 '諸城守'는 주변 성주들을 가리키는 것으로 해석된다.

고사갈이성의 거점은 井谷城이나 聊城으로 기재된 지금의 문경읍 마원리에 소재한 마고성이었다.[69]

---

66 『高麗史』권1, 태조 10년 조. "十年 春正月 乙卯 親伐百濟龍州降之 時甄萱違盟 屢擧兵侵邊 王含忍久之 萱益稔惡 頗欲强吞 故王伐之 新羅王出兵助之."

67 『三國史記』권34, 地理1, 古寧郡, 聞慶縣. "冠山縣 本冠縣一云冠文縣 景德王改名 今聞慶縣."

68 『世宗實錄』, 지리지, 慶尙道 尙州牧 聞慶縣. "聞慶縣 本冠文縣 景德王改名冠山 爲古寧領縣[一云高思葛伊城] 高麗改爲聞喜."

69 李道學, 「고려시대 문경의 격전지」『고려시대의 문경』, 문경시, 2019, 371쪽.

10-5 고사갈이성인 현재의 마고성에서 바라본 주흘산과 문경 읍내

이곳은 소백산맥 남북을 연결짓는 양대 교통로 가운데 하나인 계립령과 험조처인 이화현 등을 관제할 수 있는 요충지였다. 그리고 영남대로의 간선도로인 토끼비리와 연결된 軸線에 소재하였다. 그러한 고사갈이성을 왕건이 목표로 삼아 공격한 게 아니었다. 그가 통과하는 과정에서, 홍달이 귀부했다고 한다. 그러므로 홍달의 정확한 귀부 배경을 살피기는 어렵다.

2) 진훤의 문경 지역 공격

왕건이 고사갈이성을 통과한 927년 8월에 지금의 문경 호계면에 소재한 拜山城을 수축하였다.[70] 즉 "虎溪縣은 본래 신라의 虎側縣[拜山城이라고도 한다]이다"[71]고 했다. 홍달의 귀부에 따라 고려에 흡수된 주변 諸城 가운데 배산성이 포함된 것이다. 배산성은 호계면을 가리키는 행정 단위였다. 고려에서는 正朝 沛宣이 군사 2隊를 거느리고 이곳을 지켰다. 당시 군사 편제상 1隊가 250명이었으니[72] 2대는 500명의 병력이었다. 고려가 문경 지역을 지키기 위해 중앙 병력을 투입한 것이다. 왕건이 문경 지역에 쏟는 비중을 읽을 수 있다. 현지 주민들까지 포함하면 배산성의 가용 병력은 1천 명 정도로 보

---

70 『高麗史』권82, 兵2. "十年八月 修拜山城 命正朝悌宣 領兵二隊 成之"

71 『高麗史』권57, 地理2, 虎溪縣. "虎溪縣本新羅 虎側縣[一云 拜山城] 景德王 改今名 爲古寧郡領縣 顯宗九年 來屬."

72 궁예가 溟州에 들어가 부대를 재편할 때 "有衆三千五百人 分爲十四隊(『三國史記』권50, 弓裔傳)"라고 했다. 여기서 1隊가 250명임을 알 수 있다.

인다. 그리고 927년 8월 왕건의 고사갈이성 순행과 연관 있음직한 일화가 다음과 같이 전한다.

p. 곧 龍淵의 동쪽 언덕인데, 兎遷이라고도 한다. 돌을 파서 사다릿길을 만들었는데, 구불구불 거의 6~7리나 된다. 세상에 전하기를 "고려 태조가 남쪽으로 쳐 와서 이곳에 이르니 길이 없었는데, 토끼가 벼랑을 따라 달아나면서 길을 열어주어 갈 수가 있었으므로 토천이라 불렀다"고 한다. 그 북쪽의 깎아지른 봉우리에 석성 터가 있는데, 옛날에 방수하던 곳이다.[73]

위의 기사에 대해서는 부연 설명이 필요할 것 같다. 문경 지역의 천험한 지형에 대해서는 숱한 기록들이 전하고 있다. 가령『신증동국여지승람』에 적힌 다음과 같은 兎遷 즉 串岬遷에 관한 기록이다.

q-1. 곶갑천의 '천'은 신라 방언에서 '물 벼랑 돌길[水崖石路]'에 대한 호칭이라고 한다.[74]

q-2. 벼랑에 의지하여 사다릿길[棧道]을 만들었다. 權近의 記文에 "串岬이 가장 험하여 벼랑에 의지하여 사다릿길을 만들었다"고 했다. 函谷關같이 壯하고, 蜀道처럼 험하다. 魚變甲의 詩에 "방비한 시설은 함곡관같이 장하고, 가기 힘들기는 蜀道처럼 험하다"고 하였다.[75]

위에서 인용한 토천 즉 토끼비리(명승 제31호)에 대해서는 "석현성 진남문에서 佛井院에 이르는 구간 가운데, 벼랑길 약 500m는 벼랑의 석회암 바위를 인공적으로 절단하여 암석 鞍部를 파낸 곳으로 오랜 세월 동안 이 길을 밟으며 지나간 선인들의 발자취가 빤질빤질한 바위로 남아 있다. 한국의 옛길 가운데 그 역사성과 지형적 특성이 가장 구체적으로 보존된 한국의 대표적 옛길이다"고 현장 안내판에 적혀 있다. 토끼비리의 전설에서 토끼가 길을 열어주었다는 이야기는 부회된 것이다. 토끼나 다닐 수 있는 좁은 돌길이었기에 토끼비리로 일컬어졌다고 본다. 게다가 왕건에게 토끼가 길을 열어주었다는 전설도 사실은 아니다. 곶갑

10-6 영남대로의 간선인 토끼비리

73 『新增東國輿地勝覽』권29, 聞慶縣, 山川 條.
74 『新增東國輿地勝覽』권6, 廣州牧, 山川 條.
75 『新增東國輿地勝覽』권29, 聞慶縣, 形勝 條.

10-7 신라 때 계립령인 하늘재 원경(문경읍 단산에서)

10-8 하늘재 근경(문경읍 관음리에서)

천과 연결된 고모산성이 5세기대 축조한 신라 성인 데다가 이와 연계된 통로이기 때문이다. 결국 계립령로의 개통 시기를 놓고 볼 때 후삼국기에 토끼비리가 열렸다는 전설은 타당성이 없다.[76]

그러면 왕건이 강주 지역을 순행하는 중에 고사갈이성을 지나간 배경은 무엇일까? 고사갈이성은 상주에 속하기 때문에 '강주 고사갈이성(n-3)'은 맞지 않다. 왕건이 강주로 가는 도중에 고사갈이성을 지났다고 해야 맞다. 왕건은 강주 관내의 특정 지역을 목적지로 한 순행에서 문경 지역을 통과했다고 본다. 그 과정에서 왕건은 영남대로의 간선도로인 토끼비리를 지난 것이다. 그렇다면 왕건은

---

76 李道學, 「고려시대 문경의 격전지」『고려시대의 문경』, 문경시, 2019, 353쪽.

10-9 토끼비리와 연결된 석현성과 고모산성   10-10 근암성 성벽

지금의 상주 낙동에 이르러 낙동강 수로를 이용해 경상북도 고령을 경유해 벽진군 장군 이총언이 소재한 성주 지역을 목적지로 잡았을 수 있다. 분명한 사실은 왕건이 강주를 목적지로 하는 동선상에서 문경 지역을 지났다는 것이다. 내륙수로 낙동강을 이용한다면 강주의 首府인 지금의 경상남도 진주 방면까지 도달할 수 있다. 그러나 이보다는 육로인 문경과 상주를 경유하여 이총언이 소재한 성주에 이른 것으로 보인다.

　예정대로라면 왕건은 927년 8월에는 문경을 지나 9월에는 강주 관내에 머무른 상황이어야 한다. 그런데 同年 9월에 진훤은 근암성을 공격하여 불지르고 고울부(영천)까지 내려갔다. 근암성은 同年 3월에 고려가 점령한 곳이다.[77] 이러한 動線은 진훤이 왕건을 추격하는 형세였다. 진훤은 927년 9월에 경주를 습격한 후 보름간 주둔하다가 철수하였다.[78] 이때 왕건의 소재지가 개성이었다면 연락받고 출병하는 왕복 시간을 고려할 때 과연 후백제군이 이르기 전에 공산까지 내려올 수 있었을까? 결코 자연스럽지 않은 시간이 된다. 아마 강주 영역에서 연락받고 출병했다면 가능할 수 있는 시간대였다.[79] 그리고 후백제군이 927년 10월에 강주에 속한 碧珍郡과 大木郡 일대를 공격한 배경도 왕건과 유착되었던데 따른 보복으로 보인다.[80] 구체적으로 "11월에 벽진군의 稻穀을 불질렀다. 正朝 索湘이

77 『高麗史』권1, 태조 10년 3월 조. "甲子 攻下近品城"
　　여기서 近品城은 近嵒城의 誤記였다. 그런 관계로 '근암성'으로 읽는다(李道學, 『후삼국시대 전쟁연구』, 주류성, 2015, 266~268쪽).
78 『三國遺事』권3, 塔像4, 三所觀音 衆生寺 條.
79 『삼국사기』진훤전에는 진훤이 고울부(영천)를 습격한 후 경주 근교까지 이르자, 경애왕이 왕건에게 구원을 요청했다는 것이다. 이 기록대로라면 곧이어서 적혀 있는 "왕이 부인 및 후궁들과 포석정에 나가 놀면서 술자리를 만들어 놓고 있었는데, 賊이 이르자 낭패하여 어쩔줄을 몰랐다"는 구절을 이해할 수 없게 된다. 오히려 경애왕이 살해된 직후에 왕건에게 연락을 취했다는 것이 사리에 맞다.
80 류영철은 이곳을 왕건의 도주로와 결부지어 해석했다(류영철, 『高麗의 後三國 統一過程研究』, 경인문화사,

10-11 가은현성 원경

이곳에서 전사했다"[81]고 하였고, "첫 겨울에는 都頭 색상이 星山陣 밑에서 손을 묶였고"[82]라고 했다.

후백제는 928년 8월에도 신라 지역에 대한 작전으로 烏於谷에 군대를 주둔시켜 죽령로를 막았다.[83] 그리고 同年 11월에 진훤은 오어곡성을 함락시켰다. 그러자 왕건은 모든 군사들을 소집한 후 항복한 고려 장수 6명의 妻子를 毬庭의 군사들 앞에서 조리돌리고는 목을 베고 그 시체를 길거리에 버려두었을 정도로 격분하였다.[84] 왕건이 입은 타격을 헤아릴 수 있다. 진훤은 929년 7월에는 義城府와 順州를 공격하여 모두 승리했다.[85]

이러한 선상에서 929년 10월에 진훤은 고사갈이성을 공격했고(n-7·n-8), 가은현을 포위하기도 했다(n-6). 진훤은 모두 문경 지역을 공격한 것이다. 그러면 그가 929년 10월에 문경 지역을 공격한 이유는 무엇이었을까? 929년 12월에 진훤은 "… 古昌郡을 포위하자 王이 스스로 거느리고 이곳에 가서 구하였다"[86]고 한데서 알 수 있듯이 영남 북부 지역에서 작전을 펼치고 있었다. 문경과 고창군 즉 안동은 모두 소백산맥 남북을 잇는 계립령 및 죽령로와 연결되고 있는 요충지였다. 이곳을 고려가 장악하자 진훤은 대군을 몰고와서 탈환전을 벌인 것이다. 그에 앞서 929년 7월에 왕건은 基州(풍기)에 행차하여 주변의 軍鎭을 점검하였다.[87] 왕건은 죽령로를 확보한 것이다. 진훤으로서는 앞서의 양대 교통

2004, 122쪽). 경청할만한 견해로 보인다.

81 『高麗史』권1, 태조 10년 조. "十一月 燒碧珍郡稻穀 正朝索湘戰死之."

82 『三國史記』권50, 甄萱傳. "冬初 都頭索湘 束手於星山陣下."

83 『高麗史』권1, 태조 11년 조. "遂分屯烏於谷 竹嶺路塞."

84 『高麗史』권1, 태조 11년 조. "冬十一月 甄萱選勁卒 攻拔烏於谷城 殺戍卒一千 將軍楊志·明式等六人出降 王命
集諸軍于毬庭 以六人妻子 徇諸軍棄市."

85 『三國史記』권12, 경순왕 3년 7월 조.

86 『高麗史』권1, 태조 12년 조. "十二月 甄萱圍古昌郡 王自將救之."

87 『高麗史』권1, 태조 12년 조. "秋七月 己卯 幸基州 歷巡州鎭."

로를 뚫지 않고서는 신라 지역에서의 군사 작전이 절대 불리하였다. 그랬기에 진훤은 이곳을 탈환하려고 했지만 실패했다. 이로써 후백제는 신라 지역에서의 지배권을 완전히 상실했다고 볼 수 있다.

4. 맺음말

천년왕국 신라를 무너지게 한 요인은 여러 측면에서 찾을 수 있다. 그러나 직접적인 요인을 찾으려고 한다면 가뭄과 흉년으로 인한 貢賦의 조달이 차단됨에 따라 국가 재정이 휘청거려서였다. 신라 조정이 이를 타개하기 위한 목적에서 강행한 조세 독촉은 광범위한 대규모 저항을 촉발했다. 889년에 상주에서 봉기한 원종과 애노의 난이 그 시발점이었다. 이때 신라 정부군이 농민 반란을 진압하지 못하는 것을 목도한 군소 호족들은 신라 조정의 무능을 확인하였다. 이와 연동하여 전국적으로 群盜들과 농민 반란이 가세하자 신라를 유지했던 기본 틀은 무너져내렸다. 동시에 순천만의 승평항에서 신라 군인 진훤이 叛旗를 들었다. 이로 인해 신라는 정국의 수습 주체가 아니라 방관자로 전락하고 말았다.

혼란을 거친 후 여러 잡다한 세력들은 통합되었다. 상주 지역에는 아자개가 장군을 칭하면서 군림하였다. 가은현 출신의 그는 몸소 농사를 지었던 농민 출신이었다. 원종과 애노 난에 가담했던 그는 지역의 주도권을 장악한 것이다. 호족으로 성장한 아자개는 다른 이들이 그러했듯이 이름 앞 글자인 '아'와 音이 近似한 기존 성씨 가운데 李氏를 칭하였다. 아들인 진훤은 종군하여 복무 중이었기에 부자 간에는 교류나 소통이 단절될 수밖에 없었다. 그 결과 진훤은 이름 앞 글자를 성씨로 칭하게 되어 부자가 서로 姓이 다르게 되었다.

906년에 궁예의 부하였던 왕건은 경상도 북부의 要地인 상주 지역을 장악하기 위해 이곳에 진출했다. 이를 저지할 목적으로 후백제는 진훤이 몸소 군대를 이끌고 와서 '累戰'하였다. 이때 아자개의 동향은 알길이 없지만 결과는 왕건의 승리였다. 그런데 신라에서 항복해 오는 이들을 가차없이 베었던 궁예와는 달리 왕건은 신라 호족들에게 유화적이었다. 이로 인해 아자개는 자신의 기반을 온전하게 유지할 수 있었다. 아자개의 세력권은 자신의 출신지인 가은현까지 미쳤던 것으로 볼 수 있는 정황도 드러났다.

왕건이 상전인 궁예를 제거하고 즉위하자, 가장 먼저 귀부한 호족이 아자개였다. 이로 인해 아자개와 진훤을 부자 간이 아닌 同名異人說이 제기되었다. 그러나 당시 아자개는 70세를 넘긴 고령으로 추정되었기에 후계자 문제와 상속 문제가 겹쳐 있었다. 상속과 관련해 장남인 진훤은 상주 지역에 대한 지배권을 요구했을 법하다. 이로 인해 진훤은 향리의 아우들과도 갈등을 빚었던 것으로 보인다. 이러한 정황에서 아자개는 일찍이 자신의 지위를 보전해 주었던 왕건에게 귀부함으로써 돌파구를 찾고자 했다.

이로 인해 상주와 가은 일대는 정치적으로 고려 성향을 띠게 되었다. 가은의 행정지명이 加害縣에서 加恩縣으로 복권된 것도 이와 무관하지 않았다. 가은현 출신의 상주 지역의 수괴인 아자개와 백제를 재건한 진훤으로 인해 가은 지역은 加害縣이라는 汚名으로 불리어졌다. 그러나 아자개가 고려에 귀부함에 따라 친고려 정책을 펼치던 신라 경명왕은 복권 차원에서 행정지명을 加恩縣으로 명명해 주었던 것 같다. 이러한 사례는 성주 지역 호족인 良文이 고려에 귀부함에 따라 京山府로 승격된 사례에서도 확인할 수 있었다. 가은현을 제외한 문경의 여타 지역은 후백제가 장악한 상황이었다.

그런데 927년에 왕건이 강주 지역에 행차하기 위해 문경 지역을 순행하는 과정에서 이곳 호족 홍달 등이 대거 귀부하였다. 이에 대한 후백제의 보복과 응징전이 근암성·고사갈이성·가은현성 등에서 펼쳐졌지만 이기지 못했다. 소백산맥 남북을 연결하는 양대 교통로인 계립령 및 죽령과 이어지는 문경과 안동 지역의 장악을 위해서였다. 이곳 교통로의 장악을 위한 쟁탈전에서 후백제가 패함에 따라 고창 병산 전투의 패배로 이어졌다. 그 결과 진훤은 소백산맥 내 신라계 호족들의 포섭에도 실패할 수밖에 없었다.

927년 9월에 진훤의 기습적인 경주 급습 배경도, 同年 8월부터 신라 지역 후백제 호족들이 고려로 속속 넘어가는 도미노 상황이 유발한 조바심과 위기감의 산물이었다. 물론 신라의 宗社가 고려로 넘어가는 것을 차단하려는 목적도 컸다. 진훤은 일거에 기류를 반전시킬 목적으로 신라 호족들의 구심 역인 경애왕에 대한 응징 카드를 내민 것이다. 박씨 왕의 폐출과 김씨 왕의 옹립이라는 일종의 쇄신책이었다. 그러나 후백제군의 경주 약탈과, 비록 실패하기는 했지만 왕건의 신속한 개입은 신라 지역 민심을 결정 지었다.

후백제가 신라 지역 민심과 거점 확보에 성공하지 못함으로써 후삼국 통일에 실패한 것으로 해석할 수도 있다. 이러한 점에서 상주와 문경 지역 호족들의 동향은 몹시 중요한 사안이었다. 진훤에게는 자신의 향리였음에도 불구하고 父인 아자개와의 갈등, 그 갈등의 복판에 끼어 있는 이복형제들과의 이해관계 등 복잡다기한 현안이 도사리고 있었다. 그러나 궁극적으로 진훤은 父의 유산을 계승하지 못했다. 이 점도 신라 지역 민심과 거점 확보에 실패한 요인으로 평가할 여지는 어느 정도 남아 있다.

「후백제와 고려의 각축전과 尙州와 聞慶 지역 호족의 동향」『지역과 역사』48, 부경역사연구소, 2021.

후백제의 降服 動線과 馬城

1. 머리말

후삼국시대를 마무리하는 최종 결전장이 지금의 경상북도 구미시에 소재한 一利川邊이었다. 일리천 전투에서 후백제군은 자중지란으로 붕괴되었다. 이때 고려군은 후백제군을 맹렬히 추격하여 黃山에 이르렀다. 그리고 고려군이 馬城에 駐營했을 때 神劒이 항복하였다. 그럼으로써 반세기에 가까운 후백제의 역사는 종언을 고하게 되었다. 鼎立한 후삼국이 비로소 통일된 것이다. 그런데 고려군이 駐營했던 馬城의 위치에 대해서는 지금의 충청남도 논산을 가리키는 황산 일대에서 찾는 견해와 전라북도 익산이나 완주 일대에서 찾는 견해로 나누어지고 있다.[1]

본고에서는 관련 사료에 대한 면밀한 분석을 통해 마성 위치의 정확한 비정을 확정 짓고자 한다. 아울러 사단을 제공했던 "我師追至黃山郡 踰炭嶺 駐營馬城"라는 구절에 대한 정확한 해석을 내리고자 하였다. 물론 이 구절은 명료한 문장이다. 문제는 자신들의 논지에 맞춘 자의적인 해석이었다. 그리고 기존 연구에서는 후백제가 항복한 장소인 개태사 부지와 신검의 항복을 접수한 마성을 동일시하는 경향이 있었다. 그렇게 되면 馬城의 위치 비정은 고려군이 넘었어야할 炭嶺을 넘지 못한 게 된다. 오히려 마성을 탄령 이북에서 찾게 된 것이다. 따라서 이 구절에 대한 면밀한 분석이 긴요해졌다.

이와 관련해 본고에서는 기존 견해의 문제점을 적출하고자 했다. 그럼으로써 고려군의 추격로와

---

1 이에 대한 학설사적 정리는 정성권, 『태봉과 고려 - 석조미술로 보는 역사』, 학연문화사, 2015, 206~211쪽에 잘 소개되어 있다.

후백제군의 퇴각로 動線을 온전히 복원할 수 있다고 본다. 나아가 후백제 항복 현장으로서 開泰寺 敷地가 지닌 성격과 개태사 창건이 지닌 역사적 의미가 살아날 것으로 보였다. 고려가 군이 후백제 왕도인 全州에서 항복받지 않고, 黃山 영역인 개태사 부지에서 항복을 받고자 한 배경이 밝혀질 수 있기 때문이다.

끝으로 본고의 논지는 필자의 저서에서 이미 언급한 바 있다.[2] 그러나 이는 어디까지나 검증받지 못한 필자의 일방적인 소견일 수 있다고 판단되었다. 그랬기에 논지와 근거를 대폭 확충한 본고를 통해 객관적인 검증을 받고자 했다. 이러한 취지에서 본고를 작성한 것임을 밝혀둔다.

2. 馬城 관련 기사와 해석

馬城의 위치 비정은 池內宏이 먼저 시도한 바 있다. 그는 마성을 전라북도 익산의 미륵산성으로 비정하였다.[3] 이에 대해 李丙燾는 池內宏의 견해를 비판하면서 마성의 위치를 논산의 연산으로 확정 짓고자 했다. 이병도의 지견을 다음과 같이 인용해 보았다.

> 馬城의 位置에 對하여는 故池內宏博士가 이를 金馬郡(益山)의 彌勒山城(俗稱 箕準城)에 比定한 일이 있으나 (滿鮮地理歷史研究報告 第七, 六一面), 이는 必是 太祖 世家의 "我師追至黃山郡 蹂炭嶺 駐營馬城" 을 誤讀한데서 생긴 推讀이다. 즉 그는 麗軍이 黃山에 追至하여 炭嶺을 넘어 馬城에 駐營하였다고 解釋 하여 馬城의 位置를 黃山과 完山(全州)의 中間地帶인 益山에 求한 모양인데, "追至黃山郡"은 "黃山郡에 追至할새"로, "蹂炭嶺"은 同郡의 東界인 炭峴을 넘었다는 것, "駐營馬城"은 黃山의 馬城에 駐營하였다는 것으로 보아야 할 것이다. 왜냐하면 神劍 등의 降伏地는 益山이 아니라 黃山(連山) 그곳이어서 太祖가 여기에 勝捷紀念으로 有名한 開泰寺를 일으키고, 그 山을 天護山이라 命名하였던 까닭이다. 그래서 나는 馬城의 位置를 舊 連山邑 北에 있는 北山城 그곳에 求하는 所이니, 東國輿地勝覽(卷十八) 連山縣 城郭條 에, "北山城在縣北三里, 石築周一千七百四十尺, 高十二尺, 內有一井 · 軍倉, 地險阻"라고 하였다.[4]

李丙燾는 자신의 논지를 지키기 위해 馬城의 위치를 지금의 충청남도 논산시 연산면 일대인 黃山

---

2 이도학, 「황산전투와 주요 지명」『후삼국시대전쟁연구』, 주류성, 2015, 449~464쪽.

3 池內宏, 「高麗太祖の經略」『滿鮮地理歷史研究報告 7』1920; 『滿鮮史研究(中世篇 2)』1937, 63쪽.

4 李丙燾, 『韓國史(中世篇)』, 乙酉文化社, 1961, 55쪽 註1.

郡의 영역 안에 묶어두어야 했다. 그러기 위해서는 "同郡의 東界인 炭峴"이라고 했듯이 炭峴의 소재지를 黃山郡 내로 가둘 수밖에 없었다. 또 그러다 보니까 "黃山郡(今大田·連山等地)의 炭嶺(大田 東食藏山)을 넘어 馬城(連山 北인듯)에 이르러 駐營하니"[5]라고 하였듯이 黃山郡의 범위가 大田 동방까지 미친 게 되었다. 그러나 지금의 대전 영역에는 대덕구 일대에 比豊郡과 領縣인 儒城縣 및 赤烏縣이 소재하였다.[6] 따라서 황산군의 영역이 이곳까지 미칠 수 없었다. 황산군의 영역을 넓혀 그 안에 馬城을 가두려고 한 이병도의 의도는 당초부터 성립이 어려웠다.

그러면 이 문제를 풀기 위해 처음부터 살펴 보도록 한다. 주지하듯이 후삼국시대 최후의 결전장은 지금의 경상북도 구미에 소재한 일리천 일대였다. 일리천 전투에서 고려군은 후백제군의 자중지란으로 대승을 거두었다. 그 직후 고려군은 후백제군을 맹렬하게 추격하여 왔다. 결국 전주까지 쫓겨 간 후백제의 신검은 가망이 없자 항복을 하게 된다. 일리천 전투와 신검의 항복이라는 후삼국의 大尾를 장식하는 전투의 동선상에서 馬城이 등장한다. 이와 관련해 마성 위치 파악의 기본적인 전제가 되는 전쟁 기사를 하나하나 다음과 같이 인용해 보았다.

이와 같이 군사를 정비하여 북을 울리면서 전진하였다. 이때에 갑자기 창검 형상으로 된 흰 구름이 우리 군사가 있는 상공에서 일어나 적진 쪽으로 떠갔다. 백제 좌장군 孝奉·德述·哀述·明吉 등 4명이 우리의 병세가 굉장한 것을 보더니 투구를 벗고 창을 던져 버린 다음 진훤이 타고 서 있는 말 앞에 와서 항복하였다. 이에 적측의 사기가 저상되어 감히 움직이지 못하였다. 왕이 효봉 등을 위로하고 神劍이 있는 곳을 물었다. 효봉 등이 말하기를 "신검이 중군에 있으니 좌우로 들이치면 반드시 격파할 수 있습니다"고 하였다.[7]

위의 인용에 따르면 고려군은 북을 울리며 진격했다. 고려군은 일리천을 건너 후백제군쪽으로 돌격하였다. 양군은 들판에서 접전했다. 그런데 후백제군은 면전의 고려군 진영에 진훤이 있는 것을 보고 돌격을 주저하였다. 결국 후백제 장군 중 4명이 군사를 이끌고 고려군, 정확하게는 진훤에게 항복했다. 이들은 왕건에게 중군에 있는 신검의 소재를 알려주었다. 이는 신검이 전투에 참전하여 중군에서 군사를 지휘한 사실을 말해준다. 그러면 전투의 동선과 관련해서 다음의 기사를 살펴본다.

---

5 李丙燾, 『韓國史(中世篇)』, 乙酉文化社, 1961, 55쪽.

6 『三國史記』 권36, 地理3, 比豊郡 條.

7 『高麗史』 권2, 太祖 19년 조. "鼓行而前忽有白雲 狀如劍戟 起我師上向賊陣行 百濟左將軍孝奉德述哀述明吉等四人 見兵勢大盛免冑投戈 降于甄萱馬前 於是賊兵喪氣不敢動 王勞孝奉等 問神劍所在 孝奉等曰 在中軍 左右夾擊 破之必矣"

11-1 구미 도리사에서 내려다본 일리천

왕이 대장군 공훤에게 명령하여 바로 적측의 중군을 향하여 삼군과 함께 일제히 나가면서 맹렬하게 공격하니 적병이 크게 패하였다. 그리 하여 적장 昕康 · 見達 · 殷述 · 수式 · 又奉 등을 비롯하여 3,200명을 사로잡고 5,700명의 목을 베었다. 적들은 창끝을 돌려 저희들끼리 서로 공격하였다.[8]

고려군은 신검이 있는 중군을 일제히 공격했다. 이때 고려군은 진훤과 항복한 후백제의 장군들을 앞세웠다. 이러한 상황을 현장에서 생생하게 목도한 후백제군은 저항할 수 없었다. 후백제군에게 진훤은 후백제 자체와 동일한 존재였다. 결국 옛 주군이 있는 고려군과 싸울 의지가 없는 후백제군은 자연스럽게 무너졌다. 그것도 "적들은 창끝을 돌려 저희들끼리 서로 공격하였다"고 했듯이 자중지란으로 붕괴되었다. 그 직후 고려군의 추격로 상에 등장하는 마성의 위치와 관련한 최초이자 유일한 기록은 『고려사』에 보인다. 그러나 전후 정황을 살피기 위해 필요한 관련 사료를 모두 적출하여 다음과 같이 제시해 보았다.

a. 우리 군대가 추격하여 황산군에 이르러 탄령을 넘어 마성에 駐營하자 신검과 그 아우인 청주성주 양검과 광주성주 용검 및 문무관료를 이끌고 와서 항복했다 我師追至黃山郡 踰炭嶺 駐營馬城 神劍與其弟 菁州城主良劍 光州城主龍劍 及文武官僚來降(『고려사』 권2, 태조 19년 9월 조).

b. 황산에 말을 메어두고 이 땅에 屯營한 즉… 백제 가짜 왕(신검)이 관료들을 이끌고 棺을 가마에 올려놓고 항복하러 왔다 繫馬於黃山 屯營於此地… 百濟僞王率乃僚而興襯納降(「개태사화엄법회소」).

8 『高麗史』 권2, 太祖 19년 조. "王命大將軍公萱直 擣中軍三軍齊進 奮擊賊兵大潰 虜將軍昕康見達殷述今式 又奉等 三千二百人斬 五千七百餘級 賊倒戈相攻"

11-2 양군이 격전했던 전설이 남아 있는 구미의 발갱이들

c. 삼군이 일제히 나아가 협격하자 백제군이 패배하였다. 황산 탄현에 이르자 신검이 두 아우와 장군 부달·능환 등 40여 인과 함께 항복했다 三軍齊進挾擊 百濟軍潰北 至黃山炭峴 神劍與二弟 將軍富達·能奐等四十餘人生降(『삼국유사』권2, 기이, 후백제 진훤 조).

d. 일군이 일제히 나아가 협격하자 백제군이 패배했다. 신검이 두 아우 및 장군 능달·소달·능환 등 40여 인과 함께 항복하였다 一軍齊進挾擊 百濟軍潰北 神劍與二弟及將軍富達·小達·能奐等四十餘人生降(『삼국사기』권50, 진훤전).

위의 기사 가운데 a~c는 일리천 전투에서 후백제군의 자중지란으로 대승을 거둔 고려군이 맹추격을 거듭하여 黃山까지 이른 사실을 적시해 놓았다. 이 가운데 신검이 항복할 때까지의 상황을 가장 구체적으로 기술한 기사가 a이다. a에 대한 해석은 "우리 군대가 추격하여 黃山郡에 이르러 炭嶺을 넘어 馬城에 營이 머무르자"가 된다. 문제는 b와 c의 구절에 따라 기존 a의 해석이 흔들리게 되었다는 것이다. 그러한 단초는 이병도에게서 연유했다. 일단 이병도는 炭峴의 위치를 大田 동방의 食藏山 馬道嶺으로 지목한 池內宏의 견해를 취했다.[9] 아울러 그는 炭峴과 炭嶺을 동일한 곳으로 비정하

9 李丙燾, 『韓國史(古代篇)』, 乙酉文化社, 1959, 433쪽.
　　李丙燾, 『國譯 三國史記』, 乙酉文化社, 1977, 401쪽. 422쪽. 424쪽.

였다.[10] 그렇다면 黃山郡 즉 論山의 連山[11]까지 진격한 고려군은 최종 목적지인 남쪽의 全州와는 무관한 東方의 마도령으로 방향을 틀어 移動했다는 게 된다. 이는 분명 사세에 맞지 않는 動線인 것이다. 그랬기에 이병도는 이때의 전투와 관련한 黃山郡을 최종 목적지로 재해석하였다. 그 결과 고려군이 "황산군으로 追至할 새"[12]로 해석하고, 황산군의 탄령을 넘어 마성에 駐營한 것으로 정리했다. 이러한 해석은 고려군이 추풍령을 넘어 탄령인 마도령을 넘어 마성에 주영한 게 된다. 마성은 두 말할 나위 없이 황산군인 논산의 연산 일대에 소재한 곳으로 볼 수 있다. 이는 「개태사화엄법회소」에서 왕건이 屯營한 黃山을 a의 마성과 동일한 곳으로 지목하는 이들에게는 千軍萬馬格 해석이었다. 그랬기에 다투어서 이병도의 해석을 아전인수격으로 인용하고는 했다. 그러나 이는 분명 잘못된 해석이다. 이 같은 해석상의 오류는 다음과 같은 국역본을 통해서도 확인된다.

* 우리 군사가 적을 추격하여 황산군에 이르러 탄령을 넘어 마성에 進駐하였다.[13]
* 우리 군사가 적을 추격하여 황산군까지 이르렀다가 탄령을 넘어 마성에 주둔하였다.[14]

위에서 인용한 남북한 국역본 해석에 따르면 마성은 황산군 바깥에 소재하였다. 앞서 인용한 a에 따르면 고려군은 마성에서 신검의 항복을 받아냈다. 논자들은 b에서 왕건이 신검의 항복을 받아낸 장소 역시 마성으로 인식했다. a와 b 기사에서 모두 신검의 항복 기사가 등장한다. 그러한 항복 장소를 동일한 지역의 마성으로 규정한 것이다. 그러면 이 문제를 살펴 보기로 한다. 물론 b와 c에 따르더라도 고려군은 黃山에서 신검의 항복을 받은 게 된다. 이렇게 보면 마성의 위치는 黃山 반경에 속하게 되는 것이다. 그런데 유심히 보면 c와 d는 동일한 사료에서 인용했음을 알 수 있다. c에는 d에 없는 "至黃山炭峴"라는 구절이 보인다. 반면, d에는 c에 없는 '小達'이라는 인명이 등장한다. 이로 볼 때 c와 d는 제3의 사료에서 인용했음을 알 수 있다. 그리고 양자 모두 원 사료의 내용을 축약했음을 알게 된다. 이와 관련한 원 사료는 「구삼국사」일 가능성도 있다. 차후의 과제로 남긴다. 어쨌든 b의 경우 "繫馬於黃山 屯營於此地"라는 구절의 '此地'는 「개태사화엄법회소」의 주체인 개태사를 가리킴은 분명하다. 그런데 이 구절에 '屯營'이라는 문구가 나오자 "駐營馬城"의 '駐營'을 연상하였다. 그러면서

---

10 李丙燾, 『韓國史(中世篇)』, 乙酉文化社, 1961, 55쪽.
11 『新增東國輿地勝覽』 권18, 忠淸道 連山縣, 建置沿革 條.
12 李丙燾, 『韓國史(中世篇)』, 乙酉文化社, 1961, 55쪽 註 1.
13 東亞大學校 古典硏究室, 『譯註 高麗史 1』 1982, 61쪽.
14 사회과학원 고전연구실, 『고려사 1』 1963, 111쪽.

「개태사화엄법회소」의 '此地'를 개태사 부지로 간주하면서 곧 馬城으로 지목했다. 개태사 부지를 마성으로 간주할 수 있는 근거로서 논산의 馬皐坪이라는 '馬' 字 관련 지명을 제시하였다.[15] 그러나 馬皐坪 지명은 개태사 부지와는 떨어진 논산시 부적면 일대에 소재했다.[16] 게다가 馬皐坪은 城이 아니다.

이러한 난점을 해소하기 위한 견해가 제기되었다. 즉 '此地'인 개태사 敷地에서 城의 흔적을 확인했다는 것이다. 이 城이 곧 馬城이 된다고 했다. 그러나 이 견해는 성립이 어렵다. 일단 개태사지 석축터가 토성이라고 하더라도 고려 말 왜구의 침입을 막기 위해 조성된 시설로 밝혀졌기 때문이다.[17] 물론 개태사지 토성은 고려 말에 왜구를 막기 위해 축조한 성들과는 입지 조건이 부합되지 않는다고 한다. 그러면서 후백제군이 개태사지 토성에 주둔했을 수 있다고 했다.[18] 그러나 이러한 견해는 재고할 필요가 있다. 왜냐하면 개태사 동편에 천호산이라는 높은 산이 담장처럼 가로지르고 있다. 그럼에도 그 밑의 자락에 토성을 축조한다는 게 방어제로서 기능할 수 있을지는 의문이기 때문이다. 결국 마성 비정은 순전히 정황에 근거하였을 뿐 특별한 근거를 제시한 것도 아니다. 따라서 개태사지 토성은 寺城을 표시한 담장 정도의 기능으로 축조되었다고 보는 게 합리적이다. 물론 본 토성은 서쪽 성벽이 없는 관계로 연산천을 해자로 한 3면 토성이라는 해석이 제기되었다.[19]

11-3 천호산(황산)과 논산 개태사 부지

15 김갑동, 『고려의 후삼국 통일과 후백제』, 서경문화사, 2010, 71쪽.

16 『新增東國輿地勝覽』 권18, 忠淸道 連山縣, 山川 條.

17 공주대학교박물관·논산시, 『開泰寺址』 2000, 128쪽.

18 정성권, 『태봉과 고려 - 석조미술로 보는 역사』, 학연문화사, 2015, 213~215쪽.

19 정성권, 『태봉과 고려 - 석조미술로 보는 역사』, 학연문화사, 2015, 212쪽.

그러나 하천이 해자가 되는 관계로 성벽을 축조하지 않았다는 견해는 이해하기 어렵다. 이와 관련해 혹자는 "자연 장애물이 있을 경우 성벽을 축조하지 않는 경우는 일반적임"이라고 논단했다. 그러나 이러한 경우는 '일반적'이기는커녕 찾아 보기도 힘들다. 사비나성의 서나성이 백마강으로 인해 축조되지 않았다는 주장이 있었다. 그러나 지금으로부터 530여년 전에 출간된『신증동국여지승람』에 의해 반월성으로 일컬어진 서나성의 존재는 입증된 바 있다. 게다가 고구려 장안성의 남쪽 성벽은 '자연 장애물'인 대동강을 끼고 있지만 축조되었다. 중국 도성의 경우도 이와 동일하다.[20] 따라서 혹자의 주장은 근거가 없다. 그렇기 때문에 본 토성은 개태사 사역을 표시하는 담장으로 지목하는 게 가장 합리적인 것 같다.

이러한 논의와는 달리 다음의 기록에 따라 왕건의 本營地를 새롭게 설정하는 게 개연성이 높아 보인다.

> 魚鱗寺: 관아의 서쪽 17里 塔亭村에 있었다. 민간에 전하기를 고려 태조가 남쪽으로 진훤을 공격할 때 이곳에 군사를 주둔시키고, 이에 이 절을 지었다고 한다. 이 절을 둘러싸고 있는 옛 성이 있다. 지금은 모두 허물어져버렸다.[21]

위의 기사는 왕건이 신검을 공격할 때로 고쳐서 이해하면 될 것이다. 신검보다는 진훤이 지닌 인지도가 훨씬 높았기에 후대에 錯誤를 일으킨 것으로 보인다. 왕건이 주둔할 때 古城이 존재했다는 것이다. 그러니 개태사 담장보다는 차라리 魚鱗寺 敷地의 古城이 의미가 크지 않을까 싶다. 馬城=開泰寺土城 논자들은 왕건이 어린사 부지에 주둔했다는 기록조차 제시하지 못했다. 오히려 필자가 찾아내 그러한 근거를 제기한 셈이다. 혹자는 위의 기록을 담고 있는『여지도서』가 조선 후기 기록이므로 신빙성이 없을 것으로 주장한다. 그러나 본 기록이 조선 후기에 채록되었을 뿐 그 연원은 고려 초로 소급될 수 있다. 오히려 이러한 자료의 존재도 몰각한 채 지명을 놓고 견강부회하는 것보다는 신빙성이 높은 대안이다. 실제 논산 탑정리 석탑(충남유형문화재 제60호)은 탑정 저수지 조성으로 인해 수몰된 지역에 위치한 어린사 터에 있던 것을 일제 강점기에 이전했다고 한다.[22] 본 석탑의 기단 양식은 고려시대 석등 양식을 지니고 있다. 현재 본 석탑은 각각 따로 뒹굴고 있던 탑재와 石燈材를 조합시켜 세워놓은 것으로 보인다. 혹은 본 석탑을 후백제 승려 大明의 부도라고 전하지만 문헌에서는 상고할 수 없다. 어쨌든 탑정리 석탑은 고려시대 사찰 어린사의 실존을 입증해 주는 근거일 수 있다.

---

20 李道學,「百濟 泗沘都城과 '定林寺'」『白山學報』94, 2012, 116~119쪽.

21 『輿地圖書』連山縣, 古蹟 條.

22 논산시사편찬위원회,『논산시지 2』2005, 473~474쪽.

요컨대 위의 기록을 통해 왕건은 어린사가 소재한 連山 즉 당시의 黃山에 주둔한 사실이 확인되었다. 그러면 魚鱗寺 寺名은 왕건의 주둔과 어떤 관련이 있을까? 이 점이 드러난다면 왕건 군대의 주둔 성격과 寺名과의 관계가 구명될 수 있다. 물론 魚鱗寺 寺名의 유래는 기록에 보이지 않는다. 게다가 '魚鱗'과 비슷한 類의 寺名은 유래가 드물다. 이 경우는 부득불 寺名을 통해 유추할 수밖에 없다. 설령 비약이 따르더라도 다른 대안이 적절하지 않기 때문이다. 여기서 魚鱗寺 敷地는 고려군이 주둔했고, 왕건과 관련된 사찰이었다. 이 점에서 실마리를 찾을 수밖에 없다. 이러한 전제하에서 볼 때 일단 寺名 '魚鱗'은 물고기의 비늘처럼 벌려 세운 모양의 陣과 연관 있을 듯하다. 즉 '人'字 모양으로 중앙부가 적에 가까이 나아가게 되는 진형이다. 물고기의 비늘이 벌어진 모양으로 치는 진을 가리킨다. 이러한 공격형의 陣形이 魚鱗陣이다. 어린진은 前漢代에 이미 등장한 陣法이다.[23] 우리나라에서는 조선 문종 원년에 이미 그 존재가 포착된 바 있다. 그리고 조선 중종이 무관들과 대화하는 과정에서 다음과 같이 魚鱗陣이 언급되고 있다.

金謹思에게 전교하기를 "평상시 군대를 敎閱할 때는 五行陣法만 사용한 까닭에 무사들이 오행 진법 외에는 모두를 자세하게 연구하지 않으니 長蛇陣 · 鶴翼陣 · 魚鱗陣 · 鳥雲陣 · 偃月陣 · 却月陣 등과 같은 陣을 아는 이가 드물다."… 묻기를 "소위 魚鱗陣이라는 것은 어떤 것인가"라고 하자, 대답하기를 "바느질하듯 계속되는 것이 마치 물고기 비늘 같습니다"고 했다.[24]

위의 인용을 통해서도 魚鱗陣의 실체가 확인되고 있다. 이러한 魚鱗陣法은 반세기 걸쳐 전란의 시기였던데다가 다양한 전쟁 양상이 펼쳐졌던 후삼국기에는 이미 도입되었을 것이다. 그렇다고 할 때 황산에 주둔했던 왕건 군대의 진형인 魚鱗陣에서 寺名이 기원한 것으로 보인다.

어린사 부지에 주둔했던 왕건은 후백제로부터 항복을 받는 장소를 풍수지리와 관련해 黃山下의 개태사 부지로 잡았던 것 같다. 이는 후백제와의 마지막 결전을 위해 왕건이 천안에 집결한 사례와 연관 지어 보는 게 좋다. 천안을 택한 이유도 풍수지리와 결부 짓고 있기 때문이다. 다음과 같은 고려 말 李穀의 「寧州懷古亭記」에도 잘 나타나고 있다.

옛날 우리 태조가 백제를 정벌하려고 할 적에, 어떤 術者가 말하기를 '만약 王 字 형태의 성에서 세 마리의

---

23 『漢書』 권70, 陳湯傳.

24 『中宗實錄』 中宗 31년 4월 29일 조. "傳于金謹思曰 常時敎閱時 只用五行陣法而已 故武士等五陣之外 皆不詳究 如長蛇 · 鶴翼 · 魚鱗 · 鳥雲 · 偃月 · 却月等陣 知者鮮矣…所謂魚鱗陣者何也 對曰 承繼而次 如魚鱗也"

11-4 어린사지에 소재했던 석등과 석탑재
어린사지는 현재 탑정 저수지에 수몰되었다.

용이 구슬을 다투는 땅에다 보루를 쌓고 觀兵을 한다면, 삼한을 통일하여 왕이 되는 것을 바로 기대할 수 있다'라고 하였습니다. 이에 풍수의 형세를 관찰하여 이 성에다 군영을 차리고는 10만 군대를 주둔시켜서 마침내 甄氏를 차지할 수 있었는데, 군대를 주둔시킨 군영의 장소를 鼓庭이라고 했다고 합니다. 이 고을의 역사에 기재되어 있는 내용이 이와 같습니다. 옛날부터 정자 하나가 고정에 우뚝 서 官道를 굽어보고 있는데, 이른바 용이 구슬을 다툰다고 하는 형세가 실로 그 정자 아래에 펼쳐지고 있으며, '王' 자라고 하는 것도 바로 그 산의 형태를 가리킨 것임을 알 수가 있습니다.[25]

위의 글은 術者가 "만약 王 字가 있는 城에 세 마리의 용이 구슬을 다투는 땅에 軍壘를 쌓고 열병을 하면 삼한을 통일하여 왕이 되는 것은 서서 기다릴 수 있다"는 요지의 말을 했다고 한다. 그랬기에 왕건은 寧州로 불리었던 지금의 천안시 유량동의 '王' 字 모양의 산인 왕자산에 성을 축조하였다. 지금도 王字城으로 불리고 있는 성 주변에는 왕건 군대의 주둔과 관련한 전설이나 유적이 제법 남아 있다. 이 사안은 『고려사』 지리지에도 다음과 같이 언급되었다.

天安府는 태조 13년에 東·西兜率을 통합하여 천안부를 만들고 都督을 두었다[세간에 전하기를 풍수가 藝方이 태조에게 말하기를 "삼국의 중심이며 다섯 마리의 용이 구슬을 차지하려고 싸우는 형상이 있으므로, 만약 이 곳에 높은 관리를 배치하면 곧 백제가 스스로 투항하여 올 것입니다"라고 하였으므로 태조가 산에 올라 두루 살펴보고 처음으로 이곳에 府를 설치하였다고 한다].[26]

이와 마찬 가지로 왕건은 황산 반경 내에서 풍수지리와 결부지어 의미 있는 장소를 택하고자 했을

---

25 『稼亭集』권6, 「寧州懷古亭記」.
26 『高麗史』권56, 地理1, 天安府. "天安府 太祖十三年 合東西兜率 爲天安府 置都督[諺傳術師藝方 啓太祖云 三國中心 五龍爭珠之勢 若置大官 則百濟自降 太祖乃登山周覽 始置府]"

것이다. 왕건으로서는 후백제의 항복을 받는 역사적 현장을 택하는 일에 고심했을 법하다. 이는「개태사화엄법회소」의 구절에 대한 吟味를 통해 어느 정도 유추가 가능해진다. 즉 "부처님의 붙들어 주심에 보답하고, 山靈의 도와주심을 갚으려고 특별히 담당 官司에 명하여 불당을 창건하고는, 이에 산의 이름을 天護라 하고, 절의 이름을 開泰라고 하나이다. … 원하옵건대 부처님의 위엄으로 덮어 주고 보호하시며, 하느님의 힘으로 붙들어 주옵소서"[27]라는 구절에서도 읽을 수 있다. 즉 '山靈' 자체가 풍수지리와 분리되지 않기 때문이다. 게다가「훈요십조」에 보면 태조가 풍수지리를 혹신한 사실을 알 수 있다.

결국 지금까지의 논의를 정리해 보면 a에 보이는 마성에 주둔하고 있던 고려군 선발대는 미리 연락하고 항복해 온 신검 일당을 접수했다. 이들을 대동하고 고려군 본영이 소재한 황산에 이르렀다. 황산에서 항복 의식이 치러진 것이다. 따라서 b의 '此地'는 결코 마성이 될 수 없음을 환기시키고자한다. 이와 더불어 동일한 문장에 '一新寶刹'이라고 하여 기존의 사찰을 一新한 듯한 기록이 보인다. 그렇다면 개태사지에는 당초부터 사찰이 존재했음을 알려준다.[28] 이러한 맥락에서 본다면 개태사가 소재한 곳에 왕건이 주둔했으므로 이곳이 마성일 가능성은 더욱 희박해진다. 그런데「개태사화엄법회소」에 따르면 "원컨대 轅門이 住하던 곳으로 伽藍(鹿野之基)을 열도록 許하여"라고 하였다. 왕건의 지시로 개태사가 창건되었음을 언급했다. 그리고 "蓮宮을 창조하게 하와"라고 하였다. 이는 개태사의 중창이 아니라 창건을 뜻하는 것이다. 게다가 轅門은 주지하듯이 軍門을 가리킨다. 그 뿐 아니라

11-5 개태사지 건물지

27 『東人之文四六』권8, 神聖王親製 開泰寺華嚴法會疏.
28 김갑동,『고려의 후삼국 통일과 후백제』, 서경문화사, 2010, 77쪽.

'一新寶刹'은 '寶刹로 一新'했다는 해석이 가능하다. 軍營이 있던 자리가 寶刹로 一新했다는 것이다. 그러므로 바로 개태사 부지에 왕건의 軍營 즉 고려군 本營이 소재한 게 된다. 또 어린사 부지에서 이동한 이곳에서 신검의 항복을 받아냈음을 뜻한다. 그랬기에 이처럼 뜻 깊은 장소에 개태사를 창건하려고 한 게 아닐까 싶다. 開泰의 뜻은 "萬事가 순조롭고 평안함"[29]이라고 한다. 왕건은 후삼국의 동란을 청산하고 평안한 시대를 열었다. 이는 寺額인 開泰에 걸맞는다.

그러면 b의 「개태사화엄법회소」에 대한 분석을 시도해 본다. 먼저 관련 글을 다음과 같이 인용해 보았다.

> 엎드려 생각건대 諱(왕건)는 태어나서 여러 재난을 겪으면서 성장하며 많은 어려움을 맛보았습니다. 軍兵이 북쪽 땅(兎郡)을 뒤엎고 災難이 남쪽 땅(辰韓)을 번거롭게 하여, 인민은 생업에 힘 쓸 수 없고, 家屋은 온전한 담이 없사온데, 얼마 전 뜻밖에 群公의 추대를 받아 외람되이 一國을 다스리게 되오니 戎機가 몸을 시험하며 집을 다스리게 되나이다. 무능한 제가 뜻을 세우고 하늘에 證驗하여 맹세하기를 "큰 간악한 무리… 위로 佛力을 힘입고 아래로 玄威에 의지하여 20년간의 수군 공격과 火攻으로 몸으로는 화살과 돌을 무릅쓰고 천리의 南征과 東討로 몸소 창과 방패를 베개 삼았사옵니다.
>
> 지난 丙申年(936) 9월 崇善山邊에서 백제와 交陣함에 한 번 호령을 한 즉 狂兇의 무리가 瓦解하고 다시 북소리를 울리니 逆黨의 무리가 얼음 녹듯 소멸되어 개선의 노래가 하늘에 뜨고 환호의 소리가 땅을 뒤흔들었나이다. 드디어 곧 부드러운 명령으로 군사들을 어루만지고 찢어진 흉적의 무리를 논리로 몰아 黃山에 말을 메어두고 이 땅에 屯營한 즉 진실로 雲梯의 공격도 아니하고 檄文을 띄움도 없이 轅門에 단정히 앉아 한가하게 바라다보고 있었는데도 백제 가짜 왕(신검)이 관료들을 이끌고 櫬을 가마에 올려놓고 항복하러 왔습니다. 각 지방의 酋豪들도 군대를 거느고 羊의 무리를 이끌고 항복을 청해왔습니다. …[30]

29 『晉書』권68, 顧榮傳.
30 『東人之文四六』권8, 神聖王親製 開泰寺華嚴法會疏.
  이 글에 대한 해석은 주로 梁銀容, 「高麗太祖 親製 '開泰寺華嚴法會疏'의 研究」『韓國佛教文化思想史』卷上, 1992, 814~816쪽 ; 김갑동, 『고려의 후삼국 통일과 후백제』, 서경문화사, 2010, 70~71쪽을 따랐다. 그 원문은 필자가 몇 글자 수정하여 다음과 같이 제시했다.
  神聖王親製 開泰寺華嚴法會疏
  "菩薩戒弟子 大義軍使特進檢校太保玄兎州都督高麗國王 王諱 謹於新創天護山開泰寺 敬置長講華嚴經法會 一中功德 右弟子稽首歸依 盡虛空徧法界 十方三世 一切諸佛 諸尊菩薩 羅漢聖衆 梵釋四王 日月星辰 天龍八部 及岳鎭海瀆 名山大川 天地一切靈祇等 普請照知 僉垂印可 伏以眞如寥廓 非達者 莫究基源 至道希微 在凡夫難窺其際 故乃慧日照於天上天下 慈雲蔭於三千大千歸心而罪滅福生 稽首而苦除樂至 况於四生六道 孰不瀝懇虔誠 伏念 諱生遇百罹長叨多難 兵纏兎郡 灾援辰韓 人莫聊生 室無完堵 頃者 不料 群公擁戴 謬權一國 戎機搢躬而御宇 無能礪志而證天 有誓 刳平巨孽掃靜群偸 拯塗炭之生民 恣農桑於鄕里 上憑佛力 次伏玄威 二紀之水擊火攻 身蒙矢石 千里之南征東討 親枕干戈 昨以丙申秋九月 於崇善城邊 與百濟交陣 一呼而狂兇瓦解 再鼓而逆黨氷消 凱唱浮天 歡聲

위의 인용을 놓고 볼 때 「개태사화엄법회소」는 과장과 압축과 비유가 심하다는 인상을 받게 된다. 구체적인 사실을 전한다기 보다는 왕건 자신의 공적을 과시하기 위한 측면이 강하다는 것을 감지해야 한다. 게다가 「개태사화엄법회소」의 속성은 부처의 도움으로 신검의 항복을 받아내고 후삼국을 통일했음을 보고하며, 그에 대한 보답으로 개태사를 창건한 이유를 밝힌 것이다. 그렇기 때문에 「개태사화엄법회소」는 역사적 사실을 전하려는 속성의 a『고려사』 기록과는 비교될 수 없다. 물론 「개태사화엄법회소」는 개태사 부지가 신검의 항복을 받아낸 뜻 깊은 장소였기에 開刹한다는 분명한 목적을 깔고 있다. 몹시 중요한 사실을 증언한 것이다. 그럼에도 「개태사화엄법회소」만으로는 후백제가 항복하기까지의 始末을 살피는데는 한계가 있다. 거듭 말하지만 「개태사화엄법회소」는 역사서의 기록이 아니다. 부처의 공덕을 찬미하기 위한 목적을 지녔기에 과장과 압축이 많은 문장이다. 가령 일리천 전투를 가리키는 "한 번 호령을 한 즉 狂兇의 무리가 瓦解하고 다시 북소리를 울리니 逆黨의 무리가 얼음 녹듯 소멸되어"라는 구절이 대표적이다. 말을 메어 둔 황산에서 왕건이 둔영한 즉 후백제 신검 왕이 항복했다는 것이다. 문장 상으로는 가만히 놓고 있는데도 후백제 왕이 알아서 항복하러 찾아왔다는 식이 된다. 그런데 실제 이런 일이 있을 수는 없지 않은가? 이러한 과장과 압축된 문장을 연결시켜주는 고리가 a에 인용한 『고려사』의 추격로 기사가 된다. 그렇게 파악해야만 고려군의 추격로에 대한 동선이 제대로 이해될 수 있다.

앞서 인용한 a의 동선대로 한다면 8만에 이르는 대규모 고려군이 일제히 탄령을 넘어 마성에 주둔했다고 보여지지는 않는다. 그렇게 많은 병력이 패잔병을 추격하여 나갈 필요는 없기 때문이다. 그렇다면 왕건은 어디서 屯營한 것일까? 「개태사화엄법회소」 기록대로 한다면 "황산에 말을 메어두고 이 땅에 屯營한" 게 된다. 여기서 '이 땅' 즉 '此地'는 말을 메어 둔 황산을 가리킨다. 보다 구체적으로

動地 遂乃擁批罷之萬隊 馳裂兇之千群 繫馬於黃山 屯營於此地 固非雲梯攻擊 亦無羽檄論招 自然團坐轅門 閑眠塞下 百濟僞主 率乃倮而輿櫬納降 諸道酋豪 領其軍而牽羊獻款 州州郡郡 縣縣鄕鄕 霧集雲趨 朝臻暮至 及於萑蒲寇竊 溪洞微兇 改過自新 尋懷歸順 爭輸臣節 競納忠忠 四郡封陲 三韓疆境 未經旬日 咸罄赤誠 悉使席卷風騙砥平矢速 諱此志在於搦奸除惡 情深於濟弱扶傾 爰忘數紀之血膽 却念一朝之肉祖 凡經過州府 及入御僞都 不動纖毫 不傷寸草 非假楮牋錄告 自然蓮眼照知 當此之時 轅有祈誓 旣在黃山洞府 得杆碧徹酬山河 盍結勝緣 以圖不朽 願以轅門所住 許開鹿野之基 答佛聖之維持 酬山靈之贊助 特命司局 創造蓮宮 今已就世 一新寶刹 仰承天祐 俯荷神功 寰宇克淸 邦家寧泰 故乃以天護爲山號 以開泰寺爲寺名 今者軒廊周匝 殿宇凌層 萬箇峯巒 堪作經行之地 千株松栢 足爲宴左之場 永爲華嚴之招提鎭作茈匊之淵藪 昨請華嚴名釋輪言承淺二大德住持 始啓法筵 講華嚴而演金文講輪言而操玉柄 廣邀龍象 高置狻猊 幡幢搖颺於晴空 梵唄請銅於碧落 仍命有司 每年冬春 敬置長請法會 名三千七日爲裂上答諸佛聖之護賢 次資土地神祇之密贊 所願爰從今日 無量劫中 四海英賢 十方學者 冬夏不虧於講習 朝昏勿怠 於勤修 日有所加 時無虛度 慧炬轉明於困野 慈燈永耀於桑津 所冀異 諱鶴壽千春 鴻基百代 伏願 生生世世 終樊般若之慈航 子子孫孫 永作法門之檀越 後願佛威庇護 天力扶持 庶使百郡之中 三韓之內 兵革永消於千祀 農桑常給於四方 禾稼豐登 封疆寧逸 州士庶處處黎氓 於家 懷孝悌之心 於國 罄忠眞之節 示無二價 道不拾遺 圄圄長空 關防不閉 契丹醜類 獵犳凶奴 終無窺窬之心 永殄猖狂之勢 諱凡有隱求願望 莫不稱意 遂心復願 子孫昌盛 宮院康和 禎祥雨 集於一邦 災厄咸消於九有 兼所現星宿災變 天地怪妖 悉逐雲飛 咸隨電滅 對三寶前 謹爲表白 和南謹疏"

말한다면 황산의 개태사 부지를 가리킨다. 그러므로 왕건은 황산인 논산의 連山에 屯營한 것이다. 문제는 이곳이 a에 보이는 馬城이라는 근거는 어디에도 없다. 이 점 분명히 하고자 한다. 황산에 둔영한 이는 왕건이었다. 그러나 마성에 駐營한 주체는 후백제군을 추격한 고려군일 뿐이다. 馬城이 고려군의 본영이라는 근거는 어디에도 없다.

이러한 맥락에서 보자. 그러면 왕건이 屯營한 황산까지 후백제왕 신검 일행이 항복하러 온 것이다. 그렇다면 「개태사화엄법회소」 기록대로 왕건이 휴식을 취하며 유유자적하고 있는데 알아서 항복하러 온 것일까? 이는 어디까지나 과장된 기록이므로 액면대로 취할 이유는 없다. a의 『고려사』 기록대로 고려군의 정예 勁兵이 후백제군을 맹추격하여 탄령을 넘어 마성에 이르렀다. 그러자 더 이상 승산이 없다고 판단한 신검이 항복한 것이다. 따라서 고려군이 탄령을 통과한 후에 둔영한 마성은 논산 일원이 될 수가 없다. 그리고 왕건 자신이 마성까지 진격하지도 않았다. 일리천 전투에서 大勢가 결판이 났던 것이다. 이러한 상황에서 고려군의 大兵이 일제히 소수의 신검 패잔병을 추격하기 보다는 정예 勁騎를 투입하는 게 훨씬 효과적이었다. 그랬기에 왕건의 본영은 황산에 주둔했고, 소수의 고려군 勁騎가 전주를 향해 진격했을 것이다. 적어도 이렇게 해석해야 마땅할 것 같다. 따라서 개태사 부지는 항복하러 온 신검 일당에게서 항복 의식을 받은 현장으로 보아진다.

3. 炭嶺과 馬城의 위치

황산군은 지금의 논산시 연산면 일대에 해당한다. 이곳은 백제 멸망기 때 유명한 황산벌 전투의 현장이었다. 그리고 고려가 후백제의 항복을 받아낸 후 개태사를 지은 곳이기도 하였다. 그러한 황산군의 위치는 탄령과 함께 살펴볼 수 있다.

c의 『삼국유사』에서는 "황산군에 이르러 탄령을 넘어(a)"라는 구절을 "황산 탄현에 이르러"[31]라고 기록했다. 즉 황산군과 탄현을 연이어 배치함으로써 두 지명이 서로 관련 있음을 밝혀 놓았다. 그럼에도 탄현의 위치 비정은 결코 쉽지 않다. 탄현의 위치에 대해서는 많은 견해가 제기되었다. 가령 충청남도와 충청북도 경계인 마도령, 대전 동쪽 식장산, 전라북도 완주군 삼거리 탄현, 충청남도 금산군 진산면 교촌리 탄치 등을 꼽을 수 있다.[32] 池內宏이 처음 제기한 탄현=마도령설은 이병도가 계승

---

31 『三國遺事』권2, 紀異, 後百濟甄萱 條. "三軍齊進挾擊 百濟軍潰北 至黃山炭峴 神劍與二弟將軍富達能奐等 四十餘人生降"

32 김갑동, 『고려의 후삼국 통일과 후백제』, 서경문화사, 2010, 68쪽.

하였다. 마도령은 현재 충청남도와 충청북도의 道界를 이룬다. 이에 대해 이병도는 "탄현: 충남 대덕군 동면 마도령", "대정 동방 마도령"[33]이라고 했다. 동시에 이병도는 "탄현: 지금 대전 東의 식장산"[34]이라고 언급하였다. 따라서 마도령과 식장산은 동일한 곳을 가리킴을 알 수 있다.

『삼국유사』에서는 황산과 탄현을 붙여 놓았다. 이는 황산군 관내에 탄현이 소재했거나 혹은 황산군과 가까운 지역에 탄현이 소재했음을 뜻한다. 이러한 맥락에서 본다면 마도령설이나 식장산설은 황산과는 거리상 엮어지기 어렵다는 인상을 준다. 반면 완주 삼거리 탄현이나 금산 교촌리 탄치에 좀 더 무게를 두고 살펴 볼 수 있다. 그 밖에 금산 백령산성 옆으로 난 잣고개도 탄현 물망에 올려놓아 본다.

이 중 금산 교촌리 탄치는 탄현으로 지목되었던 곳이다. 이곳은 현재 지도에서 숯고개로 표시된 곡남 삼거리 주변 일대를 가리킨다. 금산읍에서 금성면→진산면→벌곡면을 지나면 논산시 연산면에 이르게 된다. 그런데 이곳은 성충과 홍수의 탄현에 대한 묘사와는 달리 실제는 험준하지 않다. 성충 등은 탄현을 일컬어 한 명이 창 한 자루로 만 명을 막을 수 있는 요지라고 했다.[35] 그러니 탄현은 비좁고 통행이 용이하지 않은 험준한 길로 지목하는 게 온당하다. 게다가 탄현은 國都의 운명을 좌우하는 요지에서 찾아야 한다. 이러한 맥락에서 본다면 백제 國都인 사비성에서 멀리 떨어진 大田 東方 마도령설은 부적합하다.

그러한 탄현의 위치를 금산 백령산성 부근으로도 비정해 보자. 백령산성은 금산군 남이면 건천리와 역평리 선야봉의 동쪽에 소재하였다. 이곳은 둘레가 약 207m에 이르는 백제의 테뫼식 산성이다. 백령산성은 금산군 제원면과 추부면을 통하여 영동·옥천에 이르는 전략상 요충지에 속한다. 백령산성에서는 남쪽과 북쪽에서 성문터와 구들 시설이 있는 건물지와 목곽고를 비롯하여 수혈 유구 등이 발굴된 바 있다. 이러한 백령산성은 천혜의 요새가 분명하다. 그리고 금산에서 전주 지역으로 이동하려면 반드시 통과해야하는 요지였다. 백령산성 밑으로 난 고개를 『청구도』에는 栢子嶺이라고 했다. 반면 『대동여지도』에서는 이곳을 탄현으로 표기하였다. 이에 근거하여 백령=탄현 설이 제기된 것이다. 그런데 무엇 보다도 백령산성에서 출토된 백제 명문와에 보이는 '栗峴△/ 丙辰瓦'[36]라는 문자는 고개 이름이 '율현' 즉 '밤고개'임을 가리킨다. 백령은 백제 때 율현이었다. 그러니 이곳은 탄현과 무관함을 웅변해 준다.

그런데 마도령설과 식장산 설은 기실 동일한 지역이다. 식장산의 자모실 고개가 곧 마도령인 것이다. 그러므로 양자를 동일 구간으로 묶어야 마땅하다.

33 李丙燾, 『國譯 三國史記』, 한국학술정보(주), 2012, 450쪽. 475쪽.

34 李丙燾, 『韓國史(古代篇)』, 乙酉文化社, 1959, 385쪽.

35 『三國史記』 권28, 의자왕 20년 조. "一夫單槍 萬人莫當"

36 충청남도역사문화연구원·금산군, 『錦山 栢嶺山城 - 1·2次 發掘調査報告書』 2007, 7쪽. 290 ~295쪽.

완주 삼거리 탄현은『신증동국여지승람』에 기록이 보인다. 즉 탄현은 高山縣의 동쪽 50리에 소재하였고, 진산군 이현까지는 20리로 적혀 있다. 고산현에서는 또한 전주부 경계에 이르기까지 55리, 북쪽의 연산현에 이르기까지 29里 가량 떨어져 있다고 했다.[37] 이 곳은 현재 지도에서 쑥고개로 표시되어 있다. 지금도 겨우 차량 한 臺가 통과할 정도로 협소하다. 비포장이었을 때는 어떠한 상황이었는지 넉넉히 짐작할 수 있다. 이 곳에는 봉수대가 남아 있어 군사적으로 요지였음을 방증한다.

현장 답사를 병행하여 탄현 후보를 검증해 보았다. 그 결과 완주군 운주면의 삼거리 탄현(쑥고개)이 탄령일 가능성이 높았다.[38] 백제 말기에는 이곳을 통과하면 논산을 거쳐 국도인 부여를 直攻할 수 있다. 그런데다가 a에 보이는 고려군의 동선상 탄령은 황산군(논산)과 접했다고 보아야 한다. 그랬기에 『삼국유사』에서 "황산 탄현에 이르러"라고 하여 함께 엮어서 기록했을 것이다. 탄령을 백제 멸망기에 등장하는 炭峴과 동일한 지역으로 비정하기도 한다. 그 뿐아니다. 황산군(논산시 연산면)까지 추격한 고려군의 최종 목적지는 후백제 수도인 남쪽의 전주가 자명하다. 그렇다면 고려군은 논산에서 남쪽으로 꺾어져 남하할 수밖에 없다. 결국 탄령은 전라북도 완주군 운주면의 쑥고개가 자연스러워진다.

그러면 마성은 어느 곳으로 지목해야 마땅할까? 마성의 위치에 대한 諸 見解를 뽑아 表로 정리하면 다음과 같다.[39]

표. 마성의 위치에 대한 제 견해

연번	주장자	연도	마성의 위치/ 의견
①	김정호	1860년대	전북 완주군 운주면 용계산성
②	池內宏	1920	전북 익산시 금마면 미륵산성
③	이병도	1961	충남 논산시 연산면 북산성
④	황선영	1987	경남 거창군 가조면~남하면 둔마리 일대 소백산맥 峻峰
⑤	양은용	1992	충남 논산시 개태사지 석축
⑥	김갑동	1997	충남 논산시 개태사지
⑦	류영철	1997	전북 완주군 운주면 용계산성
⑧	윤용혁	2002	충남 논산시 개태사 주변의 산성(북산성, 외성리산성)
⑨	문안식	2008	후백제 신검이 전열을 정비한 곳이 연산면의 마성
⑩	김명진	2008	용계산성에서 항복받은 후 제반 마무리는 개태사에서 처리

37 『新增東國輿地勝覽』권34, 全羅道 高山縣 條.
38 小田省吾,『朝鮮史大系』, 朝鮮史學會, 1927, 194쪽.
39 정성권,『태봉과 고려 - 석조미술로 보는 역사』, 학연문화사, 2015, 208쪽.

위의 表를 통해 마성의 위치 비정은 전라북도와 충청남도로 크게 兩分됨을 알 수 있다. 전자는 a의 기사에 입각한 해석이었다. 반면 후자는 기본적으로 관련 사료 가운데 b에 입각하여 a를 해석한 결과였다. 전자는 ①②⑦⑩이고, 후자는 ③⑤⑥⑧⑨인 것이다. 한편 ④는 전혀 뜻밖의 위치 비정에 속한다.

지금까지 문헌에서 마성으로 이름이 확인된 곳은 충청북도 옥천군 馬城山 뿐이다.[40] 동일한 지역의 馬城은 『大東輿地圖』는 물론이고 『大東地志』에서도 확인된다.[41] 그러나 이곳이 마성일 가능성은 없다.[42] 물론 논산시 부적면 일대의 마고평리를 비롯하여 馬皐坪이라는 '馬' 字 관련 지명이 보인다.[43] 그렇지만 이들 지명과 城이 연결되지 않는다. 가령 마고평리에서 가장 가까운 곳에 소재한 성이 외성리산성이다. 그러나 이곳과는 3.7km나 떨어져 있다. 거리상 연결이 어려웠다. 게다가 외성리산성을 마성이나 이와 비슷하게 일컬은 적도 없었다. 아울러 이러한 지명이 후삼국기까지 소급된다는 증거는 어디에도 없다. 따라서 논산의 연산 부근에서 마성의 소재지를 찾는 일은 의미가 없어 보인다. 이렇듯 연산에서는 馬城과 부합되는 城名 자체가 없다. 그랬기에 '馬' 字 관련 지명을 馬城

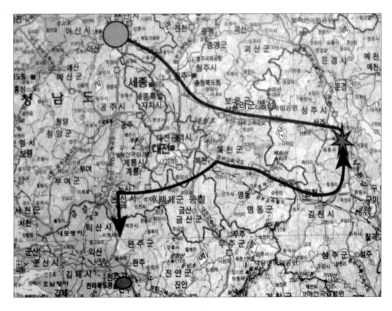

후백제군 패주로 動線
〈일리천 패전 직후 고려군이 "황산군에 이르러 탄령을 넘어 마성에 주둔했다"는 기록에 근거했다.〉

40 『新增東國輿地勝覽』 권15, 忠淸道 沃川郡, 山川 條.
41 『大東地志』 권6, 忠淸道 沃川, 城池 條.
42 김갑동, 『고려의 후삼국 통일과 후백제』, 서경문화사, 2010, 70쪽.
43 『新增東國輿地勝覽』 권18, 忠淸道 連山縣, 山川 條.

과 엮어 보기도 했던 것이다. 이러한 맥락에서 '馬' 字 관련 城名을 찾아 보도록 한다. 그렇게 하려면 일단 고려군의 동선 확인이 필요하다.

고려군의 동선은 명백히 논산(황산)→완주(탄령)→마성→전주로 설정할 수 있다. 그렇다면, 마성은 완주에서 전주로 이어지는 구간 사이로 잡아야 할 것 같다. 이 구간에서 마성으로 일컬어질 수 있는 곳은 익산이다. 이는 다음의 기사를 통해 짐작할 수 있다.

* 왕은 그들을 나라의 서쪽 金馬渚에 거처하게 했다(『삼국사기』 권6, 문무왕 10년 조).
* 金馬郡: 본래 백제의 금마군이다(『삼국사기』 권36, 지리3).
* 이에 백제는 金馬山에서 개국하여 6백여년을 내려왔는데(『삼국사기』 권50, 甄萱傳).
* 金馬郡: 본래 마한국이다[후조선왕 기준이 衛滿의 亂을 피하여 바다로부터 남쪽으로 내려와 韓地에 이르러 開國하고 마한이라고 했다]. 백제 시조 온조왕이 이를 병합하니 그 뒤로부터 이름을 金馬渚라고 하였다(『고려사』 권57, 지리2, 전라도 금마군).
* 益山郡: 본래 마한국[후조선왕 기준이 衛滿의 亂을 피하여 바다로부터 남쪽으로 내려와 韓地에 이르러 開國하고 마한이라고 했다]으로 백제 시조 온조왕이 이를 병합하니 그 뒤로부터 이름을 金馬渚라고 하였다. 신라가 金馬郡으로 고쳤다(『세종실록』 지리지, 전라도 전주부 익산군).
* 건치연혁: 본래 마한국이다[후조선왕 기준은 기자의 41세손인데, 衛滿의 亂을 피하여 바다로부터 남쪽으로 내려와 韓地에 이르러 開國하고 마한이라고 했다]. 백제 시조 온조왕이 이를 병합하니 그 뒤로부터 이름을 金馬渚라고 하였다. 신라 신문왕이 金馬郡으로 고쳤다(『신증동국여지승람』 권33, 익산군).

위에서 인용한 유래를 통해 익산은 馬韓이나 金馬渚로 일컬어졌음을 알 수 있다. 馬城이라고 일컬을 수 있는 정황적 요소를 지녔던 것이다. 실제 『益山舊誌』에 따르면 朗山山城을 '馬韓城'이라고 했다. 곧 '馬城'으로 줄여서 일컬을 수 있는 소지가 보인다. 그러나 무엇 보다도 익산은 완주에서 전주에 이르는 고려군의 동선상 그 중간에 소재했다는 것이다. 게다가 익산은 통일신라 때 金馬渚나 金馬城으로 일컬어졌다. 그러니 그 끝 글자를 취하여 '馬城'으로 일컬는 게 가능하다. 실제 백제 故地에 설치된 熊津府城을 '府城'으로 줄여서 표기한 사례가 있다. 근자의 사례로는 최남선이 지목한 扶餘8景 가운데 '馬江春潮'가 보인다.[44] 여기서 馬江은 白馬江의 略記인 것이다.

---

44 崔南善, 「三道古蹟巡禮 - 扶餘篇」 『每日新報』 1938. 9.7~9.8.

한편 마성을 익산 미륵산성으로 지목하는 견해가 있다.[45] 이 견해는 마성의 위치에 대한 방향을 잘 포착했다는 인상을 받게 한다. 그런데 미륵산성은 미륵사 뒤편의 해발 430m에 이르는 屹立한 산에 축조되었다. 후백제군을 맹렬하게 추격하는 고려군의 입장에서 이처럼 高地에 주둔한다는 게 어색해 보인다. 이와 관련해『신증동국여지승람』에 따르면 다음에 보듯이 고려군의 주둔을 알려주는 현장이 포착된다.

> 彌勒山: 郡의 서쪽 10리에 있다. 軍入山: 郡의 남쪽 12리에 있다. ○ 고려 태조가 後百濟를 정벌할 때, 여기에 군대를 주둔시켰기 때문에 이름한 것이다.[46]

위의 기사에 따르면 고려군의 동선은 미륵산성이 아니라 군입산으로 적힌 지금의 왕궁평성 방면으로 나타난다. 따라서 마성은 왕건의 建塔 전설이 남아 있는 익산 왕궁면의 왕궁평성이 타당할 것 같다. 왕궁평성 오층탑은 보물에서 국보로 승격된 백제 계통의 탑으로 알려져 있다. 전설에 의하면 후백제 수도였던 전주 지역은 개가 엎드린 형국이라고 한다. 왕건이 후삼국을 통일한 후 풍수지리설에 따라 개꼬리 부분에 해당되는 이곳의 氣를 눌러 제압하기 위해, 이 탑을 세웠다는 것이다. 오층탑이 세워지자 완산 땅이 3일 동안 캄캄해졌다고 한다.[47]

왕궁평성은 백제의 왕성으로 사용되었으며 구릉지 城이기에 추격 중인 군대의 주둔이 용이하다. 왕건은 이곳에 선발대를 배치하여 후백제군과 대치했던 것으로 보인다. 결국 신검은 다음에서 보듯이 양검과 용검 형제와 더불어 문무 관료들을 거느리고 항복하였다.

11-6 '金馬' 명 통일신라 기와

---

45 池內宏,「高麗太祖の經略」『滿鮮地理歷史硏究報告』7, 1920 ;『滿鮮史硏究(中世篇 2)』1937, 63쪽.
46 『新增東國興地勝覽』권34, 全羅道 礪山郡, 山川 條.
     軍入山을 용화산으로 단정하는 경우도 있다. 그런데 용화산은 미륵산과 더불어 여산군의 서쪽에 소재하였다. 여산군의 남쪽 12里인 군입산과는 방향이 전혀 맞지 않다.
47 『金馬志』古蹟 條, 王宮塔.

신검이 자기 아우들인 菁州城主 良劍, 光州城主 龍劍과 문무 관료들을 데리고 와서 항복하였다. 왕이 크게 기뻐하여 그들을 위로하고 해당 관리에게 명령하여 포로한 백제 장병 3,200명은 전부 제 고향으로 돌려보내고 昕康 · 富達 · 又奉 · 見達 등 40명만은 그들의 처자와 함께 서울로 데려 왔다.[48]

혹자는 전주성 안에 있던 박영규가 왕건과 내응하였기에, 신검이 왕성에 들어갈 수가 없었고, 결국 오도가도 못하는 형편에 처하여 항복했다는 것이다. 그러나 전장에서 패주했던 신검은 위의 인용에서 보듯이 武官 뿐 아니라 文官까지 대동하고 항복했다. 이로 볼 때 신검은 전주성에 입성한 후 박영규의 압력 등으로 인해 항복을 결정한 것으로 판단된다. 신검은 왕건에게 항복 의사를 표했다. 그리고 신검은 문무 관료들을 거느리고 항복했다. 이는 신라의 항복 의식과는 사뭇 다른 양상이다. 신라는 왕과 신하들이 직접 개경으로 옮겨와 항복 의식을 거행하였다. 그러나 고려는 전쟁에 승리하여 항복을 받는 상황이었다. 신라와는 경우가 달랐다. 그런 만큼 고려로서는 후백제를 군사적으로 확실하게 굴복시킨다는 의미가 컸다. 그랬기에 황산의 어린사 부지에 주둔하고 있던 왕건은 그

11-7 왕궁평성 5층석탑

48 『高麗史』권2, 太祖 17년 조. "神劍與其弟菁州城主良劍光州城主龍劍 及文武官僚來降 王大悅勞慰之 命攸司虜獲百濟將士三千二百人 並還本土 唯昕康富達又奉見達等四十八幷妻子 送至京師"

반경 내에서 항복받을 吉地를 택하였을 것이다. 그 결과 황산의 개태사 부지에서 항복 의식을 거행했던 것으로 보인다. 즉 많은 群衆들에게 보여줄 수 있어 示威와 刻印 효과가 지대한 넓은 벌판에서 항복 의식이 거행되었던 것이다.

그러면 개태사와 왕건은 어떤 연관성이 있었을까? 왕건은 진훤이 사망한 해인 936년에 개태사 창건을 시작하였다. 후백제를 멸망시키고나서 役事를 시작한 것이다. 그런데 진훤이 사망한 황산은 연산과 동일한 지역으로서, 지금의 충청남도 논산의 연산 일대를 가리킨다. 이와 관련해 진훤이 최후를 맞이했던 사찰을 취하여 왕건이 개태사를 중창했으리라는 시각도 있다. 혹은 진훤 사후 그 추종 세력을 진압하기 위해 이곳에 개태사를 창건했다는 것이다. 그러나 이러한 견해들은 모두 타당하지 않은 것 같다.

4. 맺음말

후삼국시대 마지막 전장에 등장하는 馬城의 위치 파악과 관련해 논의가 구구하였다. 그러한 1차적인 문제점은 『고려사』의 해당 관련 기사를 자의적으로 해석한데서 말미암았다. 그러나 "我師追至 黃山郡 踰炭嶺 駐營馬城"라는 구절은 "우리 군대가 추격하여 황산군에 이르러 탄령을 넘어 마성에 駐營하였다"고 해석해야 맞다. 이때 왕건의 本營은 황산에 주둔하였다. 반면 고려의 勁兵은 소수의 후백제 패잔병을 추격하여 馬城까지 진격한 것이다. 기존 연구에서는 이 점에 대한 분리 해석을 하지 못하였다. 게다가 「개태사화엄법회소」의 개태사 부지를 신검이 항복하러 온 고려군 駐營地인 마성과 동일시한 게 誤判이었다. 고려군은 마성에서 항복하러 온 신검 일당을 대동하고 고려군 본영이 있는 황산으로 올라 왔다. 황산의 어린사 부지에 주둔하고 있던 왕건은 개태사 부지에서 후백제로부터의 항복 의식을 치렀다. 항복하러 온 신검이 찾아온 마성과 항복 의식이 치러진 개태사 부지는 동일하지 않다는 사실을 밝혔다.

종전의 그릇된 해석의 저변에는 『고려사』와 「개태사화엄법회소」의 해당 기록 가운데, 후자를 중심에 둔 데서 빚어진 측면이 많았다. 그러나 양자는 서로 성격이 다름을 인지했어야 했다. 전자는 역사 기록을 담은 사서인데 반해 후자는 개태사 창건과 관련해 후삼국 통일을 이뤄준 佛德을 찬미하기 위한 목적을 지녔다. 그러다 보니까 후자는 자연 과장과 압축이 많을 수밖에 없다. 따라서 「개태사화엄법회소」에게 『고려사』와 등가치나 그 이상으로 의미를 부여하여 사료를 해석하는 것은 온당하지 않다. 요컨대 고려가 개태사 부지를 항복받는 장소로 정한 이유는 풍수지리적인 요인이 지대했다고 본다. 결과론적인 해석이기도 하겠지만 이곳의 天護山이라는 산명이 웅변하고 있다.

　馬城 위치 구명의 관건이 되는 炭嶺은 황산군 즉 지금의 논산시 연산면 일대와 접한 지역에서 찾는 게 온당해 보였다. 그 결과 여러 측면에서 전라북도 완주군 운주면 쑥고개가 타당하였다. 이러한 맥락에서 살핀다면 마성은 完州~全州 사이 구간에 소재한 게 된다. 고려군은 완주와 접한 탄령을 넘어 후백제 수도인 全州로 추격하는 동선상에서 마성에 駐營하였기 때문이다. 馬城은 金馬城 혹은 金馬渚로 일컬어졌던 익산 지역을 가리킨다. 이곳에 소재한 馬城은 후백제의 멸망과 관련한 왕건의 建塔說話가 남아 있는 왕궁평성으로 비정하고자 한다.

「後百濟의 降服 動線과 馬城」『동아시아문화연구』65, 한양대학교 동아시아문화연구소, 2016.

진훤의 農民 시책에 관한 재검토

```
1. 머리말
2. 진훤 가문의 성격
3. 진훤과 농민의 관계에 대한 기존 견해의 검토
4. 진훤의 收取 형태와 농민
5. 맺음말
```

1. 머리말

최근에 이르러 후백제사에 대한 연구가 고조되어 가고 있다.[1] 그 가운데 진훤 정권의 발전 과정을 4 단계로 새롭게 나누어 설정하기도 했다. 즉 첫째 국가체제 정비기(889년~900년), 둘째 故百濟의 영역 부활기(900년~918년), 셋째 후삼국의 공존ㆍ정립기(918년~925년), 넷째 통일 전쟁기(925년~936년)였다.[2] 즉 신라 軍官 출신의 진훤이 擧兵ㆍ獨立한 시점부터 국가를 창건하기까지의 기간, 재건을 내세운 백제의 영역을 확보해 가던 시기, 왕건 정권 성립 후 과거의 삼국을 복원하여 상호 정립하던 기간, 曹物城 전투 이후 후백제와 고려의 화평이 결렬되고 국토의 재통일을 위해 가열한 전쟁을 치렀고 결국 후삼국이 통일된 시기까지 이다.

그런데 후백제사 연구와 관련해 여전히 해결해야 될 과제들이 나타나고 있다. 우선 후백제를 세운 진훤의 권력 기반으로는 일반적으로 신라의 정규군을 말하고 있다. 물론 신라 군관 출신인 진훤이 거병했을 때 군사력이 세력의 핵심 요체였음은 의심할 나위 없다. 그러나 진훤이 국가를 창건했

---

1 이와 관련된 대표적 성과로는 다 음과 같은 저작과 논문을 일단 꼽을 수 있다.
   申虎澈,『後百濟 甄萱政權 硏究』, 一潮閣, 1993.
   李道學,『진훤이라 불러다오』, 푸른역사, 1998.
   백제연구소,『후백제와 견훤』, 서경문화사, 2000.
   전북전통문화연구소,『후백제 견훤정권과 전주』, 주류성, 2001.
2 李道學,「後百濟의 加耶故地 進出에 관한 檢討」『白山學報』58, 2001, 68쪽.

을 때는 상황이 달라진다. 국가는 주민을 근간으로 하고 있는 거대 조직인 만큼, 후백제에서 진훤과 농민과의 관계 설정은 구명해야 할 사안이 아닐 수 없다.

사실 본고를 작성하게 된 이유로서는 기존의 이 방면에 대한 연구에 있어서 적지 않은 편견이 도사리고 있음을 발견했기 때문이다. 더욱이 기존의 해석에 있어서의 오류에 대한 전반적인 재검토의 필요를 느끼게 되었다. 이와 관련해 우선 진훤 가문의 성격을 호족 출신으로 간주하는 견해는 재검토를 필요로 하였다. 그리고 진훤의 군사 행위를 '약탈' 그것도 농민에 대한 약탈과 관련짓는 인식이 너무나 많았다. 그러나 이는 잘못된 인식이므로, 그렇게 간주했던 근거에 관해서도 전면적인 재검토의 필요를 느꼈던 것이다. 더불어 神劒의 敎書에서 칭송하는 진훤의 對農民施策을 구체적으로 확인해 주는 근거를 확보하고자 했다. 그럼에 따라 진훤의 대농민시책은 새롭게 밝혀지게 되는 동시에, 기존의 인식에 대한 방향 전환의 계기가 될 수 있을 것으로 판단해 본다.

2. 진훤 가문의 성격

진훤과 농민과의 관계를 구명하기 위해서는 먼저 진훤의 출신에 관한 검토가 선행되어야만 할 것 같다. 이와 관련해 진훤의 가계에 대한 접근이 필요하겠지만 이에 관해서는 여러 가지 所傳으로 인해 오히려 혼란만 초래한 감이 없지 않았다.[3] 진훤의 출신에 관한 가장 정직한 접근은 遠系를 따질 것 없이 그 父에 관한 검토인 것이다. 주지하듯이 진훤의 父인 阿慈介는 "以農自活"했다고 한다. 비록 설화가 포개져 있지만 아자개가 밭갈이를 할 때 진훤의 아내가 참을 가지고 간 다음과 같은 所傳은 현장감을 더해 주고 있다.

a. 진훤은 尙州 加恩縣 사람이다. 본래 姓은 李인데, 뒤에 甄으로 氏를 삼았다. 父인 阿慈介는 농사지으며 자기 힘으로 살아가다가 뒤에 집안을 일으켜 將軍이 되었다. 처음에 진훤이 태어나 젖먹이로 포대기에 있을 때 父가 들에서 농사를 짓자 母가 남편에게 음식을 보내려고 아이를 수풀 밑에 두자 호랑이가 와서 그에게 젖을 먹여 주었다. 마을 사람들이 듣고는 기이해 하였다[4]

3　『三國遺事』에 인용된 「李磾家記」에 따르면 진훤의 가계는 신라 진흥왕과 연결되는 것으로 적혀 있다. 『完山甄氏世譜』에 따르면 진훤의 가계는 백제 의자왕의 子인 扶餘隆과 관련 짓고 있다.
4　『三國史記』 권50, 甄萱傳.

위의 所傳을 통해 진훤의 父인 아자개가 농민임은 분명하다고 보겠다.[5] 물론 아자개가 光啓 연간 (885~887)에 장군을 칭했다는 기록을 중시하여 호족 출신으로 간주하는 견해도 만만치 않다.[6] 아자개가 장군을 칭한 것은 사실이다. 그러나 장군을 칭하기까지에는 그 사이에 事變이라는 변수가 작용했다는 사실을 홀시해서는 안 될 것 같다. 상주 지역에서 발생한 후삼국 전개의 기폭제가 되었던 최초의 조직적 봉기인 '원종과 애노의 난'이 그것이다. 아래의 b 기사만 가지고서는 원종과 애노 난의 성격을 정확히 알기는 어렵다. 원종과 애노를 호족 출신으로 간주하는 견해도 있기 때문이다.[7] 그렇지만 이중 수탈로 인해 당시 국가 권력에 대한 불만이 가장 컸던 세력은 호족이 아니라 농민층이었다. 게다가 b에서 "도적이 벌떼와 같이 일어났다"고 한 도적은 농민층을 주된 구성원으로 하고 있는 것으로 밝혀지고 있다. 따라서 원종과 애노의 봉기도 이러한 추세에서 결코 무관하지는 않았을 것이다.

b. 나라 안의 모든 州郡에서 貢賦를 보내지 않아, 府庫가 텅텅 비어 나라 재정이 궁핍하였다. 왕이 사신을 보내 독촉하자, 이로 인해 도적이 벌떼처럼 일어났다. 이에 원종·애노 등이 사벌주를 근거지로 반란을 일으켰다. 왕이 나마 令奇로 하여금 이를 사로잡게 하였는데, 영기는 敵壘를 바라보고 두려워 進攻하지 못하고 村主 祐連이 힘써 싸우다가 전사하였다. 왕은 영을 내리어 영기를 베고 10여 세 된 우련의 子로 촌주를 잇게 했다.[8]

위와 같은 원종과 애노의 봉기는 아자개가 장군을 칭한 光啓 연간(885~887) 이후인 889년에 발생하였다. 그러므로 아자개가 장군을 칭한 사건과 이 봉기는 무관한 것으로 간주하기 쉽다. 그러나 원종과 애노의 봉기 직전에 아자개가 장군을 칭하는 세력가로 성장했다고 하자. 그러면 과연 이 봉기 이후에도 아자개가 여전히 세력을 유지할 수 있었는지는 의문이 든다. 왜냐하면 장군을 칭하는 호족층과 불만 농민층이 상호 대립 관계에 있었을 뿐 아니라[9] 원종과 애노의 봉기는 진압되지도 않았기 때문이다.

---

5 李基白은 "甄萱은 尙州 지방의 가난한 農民 출신이었다"(李基白, 『韓國史新論』, 一潮閣, 1979, 121쪽)고 했다. 虛心하게 사료를 접하면 이러한 인식이 맞을 것이다.
　진훤의 출신을 농민으로 언급한 著述로는 다음이 대표적이다.
　韓佑劤, 『韓國史通史』, 乙酉文化社, 1970, 124쪽.
　朴龍雲, 『高麗時代史(上)』, 一志社, 1985, 36쪽.
　變太燮, 『韓國史通論』, 三英社, 1986, 148쪽.
6 이러한 견해들은 본고에서 검토하게 될 것이다.
7 洪承基, 「後三國의 分裂과 王建에 의한 統一」 『韓國史市民講座』 5, 1989, 67쪽.
8 『三國史記』 권11, 진성왕 3년 조.
9 尹熙勉, 「新羅下代의 城主·將軍」 『韓國史研究』 39, 1982, 57~61쪽.

이러한 정황에 비추어 볼 때 아자개가 장군을 칭하게 된 것은 원종과 애노의 봉기 이후의 일로 간주하는 게 사세에 부합하는 것 같다.[10] 요컨대 농민봉기의 와중에서 아자개는 상주 지역을 석권하고 장군을 칭하는 세력가로 성장했다고 보여진다. 그런데 촌주인 아자개는[11] 농민봉기가 일어나자 봉기를 주도한 자영 농민과 결합해 나갔다는 견해도 있다.[12] 그러나 원종과 애노의 봉기 당시 촌주인 祐連이 진압하는 측에 서 있다가 농민군에게 피살되었다. 따라서 양자는 결합하기 어려운 관계였으므로 이러한 설정은 선뜻 수긍하기 어렵다. 촌주가 예하의 농민 세력을 규합하는 것은 가능했겠지만, 봉기한 농민과 결합해서 세력을 확장시킨다는 것은 양자의 성격상 납득하기 어려운 발상이 아닌가 싶다.

농민 출신인 아자개의 세력 기반은 농민층이었다. 그런데 진훤이 당초 李氏라는 姓을 지녔다는 점에 착목하여 호족 출신으로 간주하기도 한다.[13] 하지만 이는 진훤의 父인 아자개가 칭한 성씨로 간주하는 게 온당할 것 같다. 혼란의 소용돌이 속에서 당시 득세한 이들 가운데 비로소 姓을 칭하게 된 경우가 많았기 때문이다. 가령 고려의 개국공신인 洪儒의 洪氏는 어릴 적 이름인 弘述의 이름 앞 글자에서, 裵玄慶의 裵氏 또한 어릴 적 이름인 白玉衫의 이름 앞 글자인 '白'에서 유래한 것이었다.[14] 이러한 맥락에서 볼 때 아자개는 장군을 칭하는 호족으로 성장하면서 阿慈介의 '阿'와 음사한 기존의 성씨 가운데 李氏를 冒稱한 것으로 보겠다.[15]

혹은 양자의 기록을 모두 살리는 입장에서 아자개를 '부유한 농민'으로 지목하기도 한다.[16] 그러나 가난한 농민이든 부유한 농민이든 간에 아자개의 신분이 농민임은 부인할 수 없다고 보겠다. 요컨대 엄격한 신분제 사회에서 진훤이 농민의 아들로 출생했다는 것은 그의 사고에 깊은 영향을 미쳤을 것임은 의심할 나위없다. 진훤은 성장기에 농촌의 현실을 피부로 예민하게 느꼈을 것임이 분명하기

「洞眞大師碑文」에서는 진훤의 가문을 '將種'이라고 했지만(본문의 인용문 h), 이는 어디까지나 그의 父인 아자개가 장군을 칭한데서 연유한 의례적인 표현일 뿐 그 뿌리가 호족임을 뜻하는 것은 아니다.

10 尹熙勉도 城主·將軍의 등장을 농민 반란의 결과로 파악하고 있다(尹熙勉, 「新羅下代의 城主·將軍」 『韓國史硏究』 39, 1982, 57~61쪽).

11 아자개를 "본래 자영농민이었다"고 하면서 "촌주 출신이었다(金壽泰, 「後百濟 甄萱政權의 成立과 農民」 『百濟硏究』 29, 1999, 91쪽)고 한 견해가 있다. 아울러 "아자개 역시 촌주 출신으로 가은현에서 직접 농사를 지으면서 새로운 농업경영과 함께 豪族으로 성장한 것이 아닐까 한다(金壽泰, 앞논문, 86쪽)"라고 했다. 촌주가 직접 농사를 지었다는 것도 처음 알게 된 사실일 뿐 아니라, a의 몇 줄 안되는 기사를 토대로 아자개의 농업행태를 自家經營→傭作制→一個戶制로 단계적으로 변천해 갔다(金壽泰, 앞논문, 91쪽)는 씨의 주장과 관련해 마치 곁에서 본 것처럼 서술하는 그 필력(?)에 그저 탄복할 따름이다.

12 金壽泰, 「後百濟 甄萱政權의 成立과 農民」 『百濟硏究』 29, 1999, 91쪽.

13 金壽泰, 「後百濟 甄萱政權의 成立과 農民」 『百濟硏究』 29, 1999, 86쪽.

14 文暻鉉, 『高麗 太祖의 後三國統一硏究』, 螢雪出版社, 1987, 104쪽.

15 李道學, 「後百濟의 加耶故地 進出에 관한 檢討」 『白山學報』 58, 2001, 60쪽.

16 申虎澈, 『後百濟 甄萱政權 硏究』, 一潮閣, 1993, 10~12쪽.

때문이다. 주지하듯이 당시의 농민들은 국가는 물론이고 지방 호족을 대상으로 하는 2중의 수탈에 허덕였다. 유민들과 도적떼가 횡행하는 현실과 과중한 貢賦로 인해 촌락 사회는 바야흐로 해체 국면에 놓여 있었다.

3. 진훤과 농민의 관계에 대한 기존 견해의 검토

촌락이 해체되는 사회적 배경 하에서 진훤이 향리를 떠나 종군하게 된 것은 '自號甄萱'이라고 했던 15세 때로 보인다.[17] 그가 왕경에서 防戍軍으로 차출되어 해변에서 해적을 소탕하는데 발군의 전공을 세웠음은 주지의 사실이다. 순천만 일원에서 해적 소탕에 여념이 없던 진훤은[18] 비장으로 승진하게 된다. 이러한 상황에서 889년에 상주 지역에서 원종과 애노의 농민 봉기가 일어났다. 그런데 889년이라는 시점은 진훤에게서 중요한 의미를 던져주고 있다. 889년은 진훤이 신라 조정에 반기를 들고 거병하던 시점으로 파악되고 있기 때문이다.[19] 그렇다면 원종과 애노의 봉기와 진훤의 거병은 시점상에 있어서 연결되고 있다. 게다가 상주 일원은 진훤의 향리인 가은현과 인접해 있었던 만큼 반란의 소용돌이에 휩쓸렸을 것임은 자명한 것이다. 이러한 정황을 놓고 볼 때 진훤의 거병과 원종·애노의 봉기는 우연의 일치로 같은 해에 일어난 것일까? 진훤의 父인 아자개를 원종과 애노의 일파로 간주하고 있고 보면[20] 상호 기맥을 통하였을 가능성이 높아지는 것이다.

원종과 애노의 봉기가 진압되지 않았을 뿐 아니라 가은현 출신인 아자개가 지금의 상주 병풍산성인 사불성에 웅거하면서 장군을 칭했던 사실은[21] 그 봉기의 최대 수혜자로서 그가 득세했음을 뜻한다고 하겠다. 그렇다고 보면 아자개 부자가 동시에 두 지역에서 일제히 신라 조정을 상대로 한 폭동과 반란을 일으켜 타격을 가하면서 그 진압과 관련한 신라 조정의 군사 동원력을 분산시켜 그 진압능력을 약화시키려 했던 것으로 상정해 볼 수는 없을까? 이러한 추정이 타당하려면 진훤이 오랜 기

---

17 李道學, 『진훤이라 불러다오』, 푸른역사, 1998, 60~62쪽.

18 李道學, 『진훤이라 불러다오』, 푸른역사, 1998, 85~87쪽.
    李道學, 「甄萱의 出身地와 그 初期勢力 基盤」 『후백제 견훤정권과 전주』, 주류성, 2001, 70~73쪽.

19 三品彰英, 『三國遺事考證(中)』, 塙書房, 1979, 278~279쪽.
    李丙燾, 『譯註·原文 三國遺事』, 明文堂, 1986, 273쪽.
    申虎澈, 『後百濟 甄萱政權 硏究』, 一潮閣, 1993, 42쪽.

20 金庠基, 「甄萱의 家鄕에 對하여」 『東方史論叢』, 서울대학교 출판부, 1984, 198쪽.

21 『三國遺事』권2, 紀異, 後百濟甄萱 條.
    『新增東國輿地勝覽』권28, 尙州牧, 古蹟 條.

간에 걸쳐 거사를 준비했어야만 가능하다. 실제 진훤은 "큰 뜻을 속에 품고 때 오기만 엿보면서 선비 백성 모으기에 마음을 기울였다"[22]고 하였으므로 그것을 뒷받침해 주고 있다.

진훤은 892년에 무진주를 거점으로 백제를 부활시켰다. 진훤이 거병했을 때 삽시간에 5천 명의 무리들이 모였다고 한다.[23] 그의 세력 기반은 신라 방수군을 근간으로 하여 현지에서 가세한 농민층으로 구성되었을 것이다.[24] 진훤의 父인 아자개는 농민봉기를 통해 상주 일원을 석권하였던 만큼 그 기반이 농민층이었음은 두 말할 나위없다.

진훤은 한반도에서는 가장 비옥한 농경지를 끼고 있는 지금의 호남 지역을 기반으로 국가를 창건했다. 그러니 후삼국 가운데 후백제에 있어서 농업의 비중이 어떠하였으리라고는 사족을 불허하고 있다. 이와 관련해 먼저 진훤과 농민과의 관계에 대한 다음과 같은 기존 인식부터 검토해 보고자 한다.

c. … 특히 918년부터 920년대까지는 우세한 군사력으로 고려를 압도하였다. 그러나 그의 군사력을 앞세운 정복이, 920년대 후반에 이르러서는, 인민이나 식량을 약탈하는 방식으로까지 전개되자, 호족들의 반발을 초래하여 그들의 지지와 협조를 받을 수 없게 되었다. 즉 그의 군사력에 의한 정복전쟁이 결정적인 한계, 즉 호족의 반발을 노출한 것이다. 그리하여 그는 930년 고창 전투에서 대패한 이후로는 후삼국 쟁패전의 주도권을 잃게 되었다.

견훤은 인민이나 식량을 약탈하는 방식으로 정복 전쟁을 수행할 정도로 군사력에 과도하게 의존하였다. 식량이나 인민을 약탈한 이유는, 강력한 군사력을 유지하고 끊임없이 전쟁을 수행하기 위해서는 그에 상응하여 충분한 경제력과 노동력 · 병력이 요구되었기 때문이다. 그렇다고 하더라도 그것을 식량이나 인민을 약탈하는 방식으로 해결하고자 한 것은 온당한 방법은 아니었다. 그러한 약탈은 일반 농민들뿐만 아니라 호족들의 불만을 초래하였을 것이다. 이러한 점은 군인 출신 견훤의 중대한 한계였다.

이것은, 왕건이 농민에 대한 과도한 수취를 지양하고 민심을 얻으려고 노력한 것과 대비된다. 왕건은 卽位 詔書나 934년에 禮山鎭에서의 詔書에서 '徭役'이 번거롭고 賦稅가 과중한(徭煩賦重) 것을 시정하게 하였는바, 이에 대해서『고려사』찬자는 '取民有度'라고 표현하였다. 이렇게 농민에 대한 지나친 수취를 경계한 것은 비록 정치적 표방이거나『고려사』찬자의 윤색일지라도, 왕건의 농민에 대한 정책의 일단을 드러낸 것으로 보인다.[25]

---

22 『帝王韻紀』권2, 後百濟紀.
23 『三國史記』권50, 甄萱傳.
24 이 점에 대해서는 연구자들의 견해가 일치하고 있다.
25 鄭淸柱,「甄萱과 豪族勢力」『후백제 견훤정권과 전주』, 주류성, 2001, 224~226쪽.

이와 관련해 위의 논자는 왕건과 확연히 구분되는 진훤의 '약탈' 사례를 구체적으로 다음과 같이 언급하고 있다.

d. … 위의 사료에 기록된 것처럼, 견훤은 大耶·聞韶(의성)의 두 城에서는 군사를 징발하여 曹物城을 공격하게 하였고, 近品城(문경군 산북면)을 공취하여 불태웠고, 大木·小木·碧珍의 세 군에서는 田野의 농작물을 베어가거나 노적한 곡식을 불살랐고, 古自郡(고성군)에서는 양곡을 운송하는 것을 습격하였고, 順州城에서는 장군 元逢이 성을 버리고 도망하였는데도 불구하고 백성들을 사로잡아 전주로 옮기어 갔고(929년 7월) 다음 해에는 人戶를 약탈하여 갔다.

이처럼 견훤은 城을 불태웠고, 人民을 징발하여 전투에 동원했고, 백성이나 人戶를 약탈하여 전주로 데려 왔고, 양곡을 약탈했고, 농작물을 베어가거나 불태웠고, 곡식을 불태웠다. 이러한 방식으로 공취한 城이나 郡은 물론 독자적으로 지배권을 유지하고 있던 지역으로 생각된다. 그러나 견훤이 이들 지역을 공략한 것을 보면, 이들 지역이 견훤에게 적대적이었거나 아니면 고려나 신라와 우호적인 관계를 맺고 있었다고 생각된다. 그렇다고 하더라도 견훤이 이들 지역을 인민이나 곡식을 약탈하는 방식으로 정복한 것은, 해당 지역의 호족이나 인민의 반발을 불러 일으켰을 것이고, 그 결과 해당 지역을 온전히 지배할 수 없게 만들었을 것이다. 결국 견훤은 이들 지역의 호족이나 인민의 지지나 협조를 받을 수 없었던 것으로 생각된다.[26]

그러면 위의 견해를 검토해 보고자 한다. 924년에 진훤이 대야성과 문소성의 군사를 징발하여 조물성을 공격한 것은 '약탈'과는 아무런 관련이 없다. 927년에 진훤이 近嵒城을[27] 공취하여 불태웠지만 약탈과는 성격이 다르다. 敵의 城을 함락시킨 후 불태우는 것은 兵家의 상사로서 약탈 개념과는 전혀 부합되지 않는다. 문제는 공산 전투에서 대승을 거둔 직후 일련의 군사 행동이다. 진훤은 927년 9월에 고려군을 추격하면서 승세를 타고 大木郡(칠곡군 약목면)을 공취하고 田野에 노적한 곡식을 죄다 불살랐다. 927년 10월에 진훤은 장수를 보내어 碧珍郡(성주군 벽진면)을 공략하고 이웃한 大木郡과 小木郡(성주군 벽진면 동쪽 부근)의 농작물을 베어 갔다. 927년 11월에는 벽진군의 稻穀을 불살랐고, 그해 12월에는 대목군 田野의 곡식을 모두 태운 바 있다. 도합 4개월에 걸쳐 진훤은 경상도

---

26 鄭淸柱, 「甄萱과 豪族勢力」 『후백제 견훤정권과 전주』, 주류성, 2001, 232~233쪽.
27 近嵒城을 『고려사』와 『고려사절요』에는 '近品城'으로 표기하였다. 대부분의 연구자들도 近品城으로 표기하고 있다. 그런데 이 城이 소재한 山 이름이 近嵒山이므로, 『삼국사기』에서처럼 '近嵒城'이 옳은 표기이다. 그리고 근암성은 '문경군 산북면'이 아니라 '문경시 산양면'에 소재하였다.

북부 지역에서 농작물을 불태우고 있다. 이러한 사건은 별개의 사안이기 보다는 상호 연계된 사건으로 파악되어진다. 이는 대목군을 중심으로 한 지역에서만 집중적으로 나타나고 있기 때문이다.

928년 8월에 진훤은 군대를 파견하여 다시금 대목군의 禾穀을 베어가고 있다. 이례적으로 후백제가 대승을 거둔 공산의 북부 지역인 대목군이 무려 4차례에 걸쳐 표적이 되고 있음을 알게 된다. 이와 인접한 벽진군도 공격을 받고 있는 것이다. 여기에는 필시 어떤 사유가 있었다고 보는 게 온당할 것 같다. 아래의 인용에서 알 수 있듯이 당시 벽진군의 장군인 李悤言은 양식을 충분히 비축하여 응전하지 않은채 고립된 성에서 잘 버텨나가고 있었다.

e. 李悤言은 史書에 그 世系를 亡失하였으나 신라말에 벽진군을 보유하고 있었다. 그 때에 群盜가 사방에서 일어나자 총언이 城을 굳게 지키고 있으니 백성들이 힘입어 편안할 수 있었다. 太祖가 사람을 보내어 달래기를 함께 힘을 다하여 禍亂을 鎭定하고자 하니 총언이 글을 받들고 심히 기뻐하여 그 아들 永을 보내어 군사를 거느리고 태조를 따라 征討하게 하니 永의 그 때 나이가 18세였다. 태조가 大匡 思道貴의 딸로 永의 아내를 삼고 총언을 本邑將軍으로 除拜하여 이웃 고을 丁戶 229를 더 내려주고 또 忠·原·廣·竹·提州의 창고 곡식 2,200석과 소금 1,785석을 내려주었다. 또한 手札을 보내어 金石의 信을 보여 말하기를 "자손에 이르기까지 이 마음은 변치 않으리라"고 하자 총언이 이에 感激하여 軍丁을 단결하고 資糧을 저축하여 孤城으로 신라와 백제간의 爭奪하는 곳에 개재하면서 屹然히 東南方의 聲援이 되었다. 21년에 卒하니 나이 81이었다. 아들은 達行과 永이 있다.[28]

위의 내용을 통해 볼 때 후백제가 벽진군과 그 인접 지역만을 집중 공격한 배경은, 이총언이 "資糧을 저축하여 孤城으로 신라와 백제 간의 쟁탈하는 곳에 개재하면서 屹然히 東南方의 聲援이 되었다"는 기사에서 실마리를 얻을 수 있다. 즉 친고려계 유력 호족인 이총언이 경상도 서북부 지역에서 존립할 수 있었던 원초적 힘은 '資糧'의 확보였다. 게다가 고려의 입장에서 볼 때 그는 "屹然히 동남방의 聲援이 되었다"고 했을 정도로 경상도 지역에서 중요한 거점 역할을 했었다. 그러므로 이곳 양곡에 대한 진훤의 공략은 이총언을 교두보로 한 경상도 북부 지역에서 고려군의 존립 기반격인 兵站源 파괴라는 전략적 차원에서 나온 것이었다. 이는 주민에게 직접 타격을 가하는 약탈과는 전혀 성격이 달랐다. 이와 관련해 671년에 신라가 웅진도독부를 축출하는 과정에서 나온 "6월에 장군 竹旨 등으로 군사를 거느리고 가서 백제 가림성의 禾穀을 짓밟게하여, 드디어 唐兵과 石城에서 싸워 敵首 5천 3백 급을 베고 백제 장

_____

28 『高麗史』권92, 李悤言傳.

군 2 사람과 唐 果毅 6명을 사로잡았다"[29]는 기사가 도움을 준다. 이 기사는 앞서의 논리대로라면 신라의 '약탈' 행위가 되어야 한다. 그러나 주지하듯이 전투에서의 禾穀을 짓밟는 행위는 적군이 이용할 수 있는 병참원에 대한 파괴였다. 즉 전쟁의 한 행태일 뿐 약탈로 해석하는 경우는 어디에도 없다. 마찬가지로 후백제의 '稻穀'과 '禾穀'에 대한 파괴 행위도 일상적인 전쟁 수행 과정에 불과하였다.

그리고 "고자군에서 양곡을 운송하는 것을 습격했다"는 것 역시 마찬가지 선상에서 해석이 가능하다. 이 사건의 개요는 다음과 같다. 康州의 元甫 珍景 등이 고자군으로 양곡을 운반하였는데, 진훤은 이틈을 놓치지 않고 몰래 군대를 출동시켜 강주를 습격하였다. 양곡 운반으로 인해 강주에 병력이 비어 있는 것을 알고는 허를 찌른 것이다. 강주가 후백제의 수중에 떨어졌다는 소식을 접한 진경은 수송을 중단한 채 병력을 이끌고 강주로 회군하였다. 그러나 진경의 군대는 후백제군과의 전투에서 3백 명의 전사자를 내고는 패배하였을 뿐 아니라 장군 有文이 항복하기까지 했다. 이와 관련한 기사를 옮겨 보면 다음과 같다.

f. 경신일에 康州의 元甫 珍景 등이 古自郡에 양곡을 운반하러 간 사이에 진훤이 몰래 군사를 보내어 康州를 습격하였다. 진경 등이 돌아와서 싸웠으나 패하여 죽은 자가 3백여 명이나 되었고, 장군 유문이 진훤에게 항복했다.[30]

위의 기사를 통해 진훤이 습격한 것은 양곡 자체가 아니었음을 알게 된다. "양곡을 운송하는 것을 습격"하지 않았기 때문이다. 따라서 이 기사를 약탈과 관련해 인용하는 것은 적절하지 않다. 그 밖에 순주성 장군 원봉이 城을 버리고 달아났음에도 불구하고 주민들을 全州로 끌고 간 사실을 질타하고 있다. 그러나 이는 고금의 전쟁의 기본 목적이 영토와 주민의 확장과 확보에 각각 두었다는 사실을 환기시킨다면 결코 우연한 일이 될 수 없다. 475년에 고구려가 백제 수도 한성을 함락시킨 후 백제 주민 8천여 명을 사로잡아 회군하였다.[31] 그러나 이것을 '약탈'로 거론하면서 장수왕의 대민시책의 실패로 거론 짓지는 않는다. 오히려 이것을 정복 사업의 성과로 칭송하고 있지 않은가? 따라서 앞서의 기사를 약탈과 결부짓는 것은 어불성설인 것이다.

그럼에도 불구하고 앞서의 논거를 토대로 진훤 정권의 통치 형태에 대한 다음과 같은 해석이 제기되었다.

---

29 『三國史記』권7, 文武王 11년 조.
30 『高麗史』권1, 太祖 11년 5월 조.
31 『三國史記』권18, 長壽王 63년 조.

g. 당시 견훤은 지방지배 방식에서도 聯合보다는 武力에 의한 정복을 추구하였는데, 농민의 곡식을 불 태우는가 하면 백성을 약탈하여 강제로 이주시켰던 것이다. 아울러 930년대에 들어오면 견훤정권의 사 치가 극에 달하고 무도했다는 昧谷城主 공직의 말에서도 그와 같은 변화를 살필 수 있을 것이다. 이것은 그의 초기 정책과는 크게 다른 것이었으며, 일반 농민들의 원망을 사기에 충분한 것이었다. 따라서 견훤 의 농민을 위한 노력은 그렇게 지속적이지 못하였던 것을 말해주고 있다고 하겠다. 때문에 이러한 사실 은 견훤정권의 주요한 붕괴 요인으로 지적되고 있다. 그러므로 견훤이 전주 천도 이후 호족연합정치를 포기하고 전제적인 왕권을 추구한 것으로 이해된다[32]

그런데 위에서 '농민의 곡식'은 '농민이 경작한 곡식'이라는 말은 될 수 있겠지만, '농민 소유의 곡식' 이라는 개념이 될 수는 없다. 그것은 호족 소유의 곡식이었기 때문이다. 따라서 이것을 진훤의 대농 민정책과 관련 지을 수는 없다. 더구나 그것은 전쟁 상황에서 발생한 것이기 때문이다. 아울러 진훤 의 농민을 위한 시책은 지속적이지 못했다는 견해도 있다. 이 문제를 "村主 출신의 아자개는 농민과 밀접한 호족세력이었다. 그는 자신과 비슷한 성격을 가지고 있는 광주 지방의 호족세력과 견훤의 연 합을 주도하는 등 크게 활동하였다. 따라서 견훤의 대농민정책의 변화는 농민과 연결되어 있던 호족 의 경제적 기반에 커다란 영향을 주었을 것이다."[33]라고 해석하였다. 여기서 아자개가 아들인 진훤과 광주 지역 호족과의 연합을 주도해 주었다고 하는 데[34] 무슨 근거로 그러한 서술을 했는지 의아하게 한다. 그리고 위에서 인용한 "사치가 극에 달하고 무도했다"는 공직의 말도 왕건에게의 귀부의 辭에 불과할 뿐, 비중을 두어 역사적 현상을 살필 수 있는 근거로까지 원용하기는 어렵지 않을까 싶다. 공 직의 귀부가 자신의 세력 보전을 위한 목적에서였다는 견해가 그것을 뒷받침해 준다.[35]

아울러 진훤이 전제적인 권력을 추구한 근거로서 후백제에서는 독자적인 체계 보다는 신라 제도 를 답습하였기에 官府나 관직체계가 거의 발달하지 않았다고 논단했다.[36] 그러나 이는 官府나 관직 체계에 있어서 신라적인 유산을 깡그리 청산했던 궁예가 神政的 전제왕권을 구축했던[37] 것과 정확

32 金壽泰, 「전주 천도기 견훤정권의 변화」『후백제 견훤정권과 전주』, 주류성, 2001, 132쪽.

33 金壽泰, 「전주 천도기 견훤정권의 변화」『후백제 견훤정권과 전주』, 주류성, 2001, 133~134쪽.

34 이와 관련해 金壽泰는 진훤의 光州 北村 출생설화를 광주 호족과의 혼인설화로 해석하고 있다(金壽泰, 「後百濟 甄萱政權의 成立과 農民」『百濟研究』29, 1999, 96~98쪽). 그러나 光州는 尙州의 誤刻일 뿐 아니라(李道學, 「甄萱의 出身地와 그 初期勢力 基盤」『후백제 견훤정권과 전주』, 주류성, 2001, 63~64쪽) 어디까지나 이는 출생설화일 뿐 혼인설화로 해석하는 것은 확대 해석에 불과하다는 기존의 지적을 유의할 필요가 있을 것 같다.

35 申虎徹, 『後百濟 甄萱政權 研究』, 一潮閣, 1993, 99쪽.

36 金壽泰, 「後百濟 甄萱政權의 成立과 農民」『百濟研究』29, 1999, 130~131쪽.

37 趙仁成, 「태봉」『한국사 11』, 국사편찬위원회, 1996, 155쪽.

히 對蹠되는 현상이다. 진훤 정권의 그것에 신라적인 요소가 많았다는 것은 逆으로 전제권력이 그만큼 확립되지 않았음을 암시해 준다. 그러므로 진훤의 전제권력 구축을 이것과 연관짓는 해석은 재고를 요한다. 더구나 진훤 정권에서의 官職名은 더러 확인된 바 있지만 관직체계의 내용은 전혀 알려진 바 없다. 이러한 상황에서 후백제의 관직 체계를 운위하며 그 정권의 성격을 論한다는 것은 역시 비약에 속한다.

지금까지의 검토를 통해서 앞서 적시한 진훤의 행위는 약탈과는 무관한 일상적인 전투 행위에 불과했던 것으로 파악되어졌다.

4. 진훤의 收取 형태와 농민

농민에 대한 收取와 관련해 진훤과 왕건의 형태를 비교해 보는 게 좋을 듯싶다. 진훤의 경우는 收稅에 관한 기록이 전혀 남아 있지 않으므로 판단하기 어렵다. 다만 비록 修辭가 많은 진훤 아들 神劒의 敎書에 적혀 있는 내용이기는 하지만 "대왕의 神武는 보통 사람보다 빼어나게 뛰어 나셨고, 영특한 지혜는 만고에 으뜸이라, 말세에 태어나셔서 스스로 세상을 건질 소임을 지고 삼한 지역을 순행하시면서 백제라는 나라를 회복하셨으며, 진구렁이나 숯불에 떨어진 것과 같은 고통을 쓸어버리니 백성들이 평안하고 화목하게 되어 북을 치고 춤을 추었고, 광풍과 우레처럼 먼데나 가까운데나 준마처럼 달려, 功業이 거의 重興에 이르렀습니다"[38]라고 하였던 만큼, 농민층의 열렬한 지지를 얻었음은 부인하기 어렵다. 농민층의 지지는 진훤이 국가 창건에 성공하게 된 배경으로서 지역 정서인 백제의 부활과 더불어 그 한 軸을 이루는 요소였다. 여기서 농민층의 지지라는 것은 收稅의 輕減에 있었음은 말할 나위 없을 것이다. 즉 그는 농민들을 과중한 수탈과 질곡에서 해방시켰다. 그는 촌락 공동체를 뛰쳐나와 미아처럼 방황하는 유민들을 수습하여 농토에 묶어두면서 사회 안정과 경제 기반의 확대를 가져왔던 게 분명하다.

이와 관련해 왕건의 경우를 살펴보면 즉위 후 田制를 바로 잡았다. 그리고 그는 백성들로부터 거두어 들임에 법도가 있게 하는 이른바 '取民有度'를 공표했다. 왕건은 예전 임금이었던 궁예의 수탈을 혹독하게 비판하였다. 궁예는 1頃에 6石을 수취했지만, 왕건은 十一稅法에 의거하여 1경 당 2석을 거두어 들였다. 왕건은 궁예 정권 시절보다 1/3로 줄여서 징세하였다. 그럼에 따라 왕건은 자영

---

38 『三國史記』권50, 甄萱傳.

농민층의 지지를 얻었고, 권력 기반을 탄탄하게 구축할 수 있었다.[39]

收稅라는 측면에서는 진훤과 왕건 양자에 대한 비교가 뚜렷하지 않다. 다만 신검의 교서를 통해 볼 때 진훤의 경우도 농민층의 지지를 얻기 위해 수세의 경감에 배전의 노력을 기울였던 것으로 짐작되는 바이다. 그런데 후삼국이라는 동란의 상황에서 전쟁에 소요되는 군량 조달은 무엇보다 중요한 사안이었다. 그러므로 이에 관한 시책을 통해서 양자의 농민에 대한 접근 방식을 이해할 수 있을 것 같다. 진훤의 경우는 군대 수가 왕건의 고려군 보다 갑절이나 많았다.[40] 또 그러한 군대를 운용하기 위해서는 경제적 기반인 군량 확보와 그 조달이 중요한 관건이었다. 이와 관련해 慶甫가 전주 임피(군산시 임피면)로 귀국하여 진훤을 상견하는 다음 서술을 주목해 본다.

h. 마침 귀국하는 선박을 만나 동쪽으로 돌아 왔다. 天祐 18년(921) 여름에 전주 臨陂郡에 도달했는데, 道가 헛되이 행해지는 때였고 불리한 시국이었다. 이때 州의 都統인 太傅 甄萱이 萬民堰에서 군대를 이끌고 있었다(有州尊都統甄太傅萱統戎于萬民堰也).[41] 태보는 본래 스스로 善根을 가졌고, 장군 집안[將種]에서 태어나서서 바야흐로 우람한 뜻을 펴고자 했다. 비록 擒縱之謀를 우선으로 여겼지만, (대사의) 인자한 얼굴을 우러러 뵙고는 첨앙하고 의지하는 뜻이 배나 더해졌다. 이에 탄식하며 말하기를 "우리 스승을 만남이 비록 늦었지만 제자됨을 어찌 늦추리오"라고 하면서, 자리에서 일어나 받들었으며, (잊지 않기 위해) 큰 띠[帶]에 적기를 진실하게 했다. 드디어 州 안의 남쪽에 소재한 南福禪院에 거처할 것을 청하자, 대사가 말하기를 "새도 나무를 가리거늘 내가 어찌 꼭지 달린 박과 외처럼 (한 군데에만) 얽매어 머물 수 있겠습니까"하였다.

白鷄山 玉龍寺는 돌아가신 스승께서 도를 즐기시던 淸齋로서 禪을 행하기에는 알맞은 형승이라 구름 덮인 시내가 허공에 떠 있는 듯하여 경치가 가장 좋은 곳이었다. 드디어 태보에게 말하니 이를 허락하여 그곳으로 옮겨 거처하였다.[42]

위의 기사의 흐름을 놓고 보면 진훤은 통진대사 경보를 만나게 될 때, 萬民堰에서 군대를 거느리고 있었다.[43] 만민언이라는 제방의 존재와 관련해 군대가 언급되었다. 이는 제방과 관련

39 李文鉉,「高麗 太祖의 農民政策」『高麗 太祖의 國家經營』, 서울대학교 출판부, 1996, 261~266쪽.

40 『三國遺事』권2, 紀異, 後百濟甄萱 條.

41 이 구절을 "州의 都統인 견훤 太傅가 만민을 統戎하고 있었다"로 해석했는데(한국역사연구회, 『譯註 羅末麗初金石文(下)』, 혜안, 1996, 309쪽), 이는 誤譯이다.

42 朝鮮總督府, 『朝鮮金石總覽(上)』1922, 191쪽.

43 만민언은 항구인 지금의 군산시 임피면에서 전주로 이어지는 통로상에 소재했을 것으로 보인다.

한 일련의 토목공사에 군대가 동원되었음을 암시해 준다. 그것도 진훤이 몸소 군대를 동원하여 만민언이라는 제방을 축조·증축하는 모습을 그려 볼 수 있다. 제방과 군대가 함께 등장하는 이 기사는 屯田의 시행을 뜻한다고 하겠다. 둔전은 싸우면서 농사 짓는 [且戰且耕] 군량 조달 방법이다.[44] 군대 스스로가 식량을 생산함으로써 국가 경비 지출을 줄이는 동시에 보급·병참 문제를 해결하는 방책이었다. 이는 중국의 漢末 曹操가 시행하여 크게 효과를 본 제도였다.[45] 요컨대 이는 진훤이 둔전이나 灌漑를 통하여 백성들의 생활 향상을 위한 농업경제의 증진에 비상하게 심혈을 쏟았음을 躍如하게 알려준다. 이러한 경제적 안목이 그가 웅강한 국가를 만들 수 있었던 배경이었을 것이다. 이와 관련해 조선 정조 때 경기도 수원에 축조한 3개의 인공 저수지인 萬石渠·萬年堤·祝萬堤라는 이름에서 한결같이 '萬'자가 보이는 점이 주목된다. 이것과 백제의 제방인 '萬民堰'의 그것은 상호 연결되므로 어떤 공통점을 생각하게 한다.

진훤의 둔전제 시행과 관련해 꼽을 수 있는 대표적인 유적이 충청남도 당진시에 소재했던 합덕방죽[合德池]이다. 합덕방죽은 당진시 합덕읍 대합덕리와 성동리에 걸쳐 자리잡고 있으면서 예당평야에 관개하였다. 조선 후기만 하더라도 "호서의 합덕방죽은 실로 국내 제일의 큰 제방이다"[46]고 했을 정도였다. 『세종실록』 지리지에 의하면 그 제방 둘레는 3,060尺으로서 130結의 논에 관개했던 제방이라고 한다.[47] 蓮湖 혹은 蓮池 또는 合湖라는 이름이 붙은 이 방죽의 기원에 관한 기사를 옮겨 보면 다음과 같다.

12-1 「통진대사비문」의 관련 구절 탑본

---

44 『朝鮮經國典(下)』 政典 屯田.
45 宮崎市定 著·조병한 譯, 『중국사』, 역민사, 1983, 168~169쪽.
  『三國志』 권1, 魏書, 建安 원년 조. "是歲用棗祗 韓浩等議 始興屯田"
  우리나라에서 屯田의 기원은 삼국시대까지 소급시킬 수 있는 여지가 없지도 않다. 서울 아차산의 고려군 보루에서 출토된 농기구들이 둔전 가능성을 엿보여 주기 때문이다.
46 『日省錄』 정조 21년(1797), 執義沈奎魯陳賜批. "湖西之合德防築實是國內第一巨堤堰"
47 『世宗實錄』 地理志, 洪州牧, 蓮池 條.

i. 옛날 진훤이 完山에서 패한 후 호수의 서쪽에 와 주둔하면서 산에 터를 닦아 제방을 쌓고 兵馬의 물을 마시게 하는 못을 만들었다. 뒷 사람이 農洑로 만들어 물을 채우니 면적이 120여 町이나 된다.[48]

j. 지금이라도 軍力充實 즉 養兵만 無憾히 해놓는다면 앞으로 半島 地圖를 變更할 수 있다고 一觀한 勇猛을 가지고 前戰地인 洪州서 가까운 距離이고 兼하여 高麗軍 根據地인 天安이 좀 隔離하여 있고 따라서 一大 防禦線이라 할 수 있는 獨浦 牙山灣 長江이 앞에 흐르는 忠南 合德이 가장 要塞地로 또는 養兵에 適宜하다고 본 甄萱은 지금으로 1,042년 前 騎·步兵 9천 명과 軍馬 5백 여 頭를 가지고 合德 城東山에 臨時 駐屯하였다. 至今으로 말하면 一種 敎鍊場처럼 使用한 바인데 城東山上에는 現在에도 殘髓를 볼 수 있는 바이나 堡壘를 築城하는 同時 그 山 밑에 너르고 陷凹한 濕地를 파고 쌓고 해서 軍馬의 飮料水에 못[池]으로 使用하던 것을 그 後 土民들이 典型的인 이 못을 補築하여 貯水池로 써 내리어오던 바이다.[49]

위의 기사에 따르면 합덕방죽의 기원은 진훤이 왕건 군대와 전투하기 위한 軍馬用으로 못을 팠다는 데서 비롯된다. 城東山의 축성도 이때 진훤이 하였다는 것이다. 그러나 합덕방죽의 기원을 백제

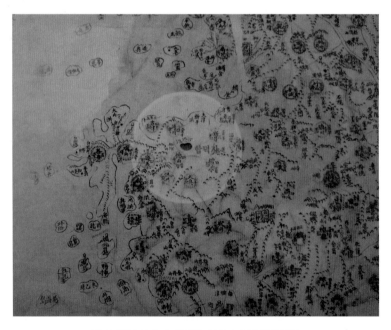

12-2 당진시에서 제작한 고지도 속의 합덕방죽

48 李秉延, 『朝鮮寰輿勝覽』, 唐津郡, 山川 條, 合德堤 項(普文社, 1933).
49 洪炳哲, 「後百濟王 甄萱과 合德蓮湖」『半島史話와 樂土滿洲』, 朝鮮學海社, 1943, 129쪽.

12-3 합덕방죽(겨울)   12-4 합덕방죽(여름)

때까지 소급시켜 보는 견해가 일찍부터 제기된 바 있다.[50] 이러한 추정을 뒷받침할 수 있는 근거를 추가한다면 전승과는 달리 합덕방죽과 그 인근의 토성은 모두 백제 때 축조로 간주할 수 있다는 점이다. 가령 제방과 토성이 한 組를 이루고 있는 형태는 백제 때 축조된 전라북도 김제의 벽골제에도 나타난 바 있다.[51] 즉 벽골제의 남단 해발 약 54m의 야산에는 소규모의 테뫼식 토성이 축조되어 있다. 이 城은 벽골제를 방비하는 목적의 시설이었다. 이러한 정황에 비추어 볼 때 앞의 전승은 진훤이 둔전과 관련해 백제 때 축조된 합덕방죽을 크게 증축했거나 이용했음을 알려준다.

　물론 이러한 추정을 뒷받침해 주는 근거 역시 전승 뿐이라는 한계가 있다. 그렇지만 전승을 다시금 부연해 보면 진훤이 이곳에 둔전을 개간하여 군대와 말을 주둔시켰다고 한다. 합덕방죽 부근인 성동산에 소재한 둘레 450m의 土尾山城도 진훤이 축조했다고 한다.[52] 이 성을 근거지로 하여 진훤은 지금의 예산군 신암과 용산에 주둔 중이던 왕건 군대와 대치했다는 것이다. 소들강문(예당평야)을 놓고 후백제 군은 고려군과 큰 싸움을 벌였으나, 진훤이 합덕들에 많은 둔병을 두었으므로 승리했다고 한다.[53]

　이러한 기록과 전승을 놓고 볼 때 백제 때 축조된 합덕방죽을 진훤이 둔전과 연계시켜 증축하였음

50　합덕방죽의 축조 시기를 洪思俊은 백제 때로 소급시켜 비정한 바 있다(洪思俊,「三國時代의 灌漑用池에 對하여」
　　『考古美術』136 · 137 합집, 1978, 19쪽).

51　李道學,『백제 고대국가 연구』, 一志社, 1995, 175쪽.

52　土尾山城이 후삼국시기에도 사용되었음은 토성 내부에서 9세기대의 주름무늬 小甁片이 출토된 데서도 짐작할
　　수 있다(忠南大學校 博物館,『整備 復元을 위한 唐津 合德堤 2次試掘照査報告書』1998, 12쪽).

53　金漢重,『唐津誌』, 故鄕文化社, 1990, 145쪽.
　　당진군지 편찬위원회,『唐津郡誌(上)』1997, 244쪽.
　　한국정신문화연구원,『韓國口碑文學大系 4-1(당진군 편)』1980, 316쪽 참조.
　　洪思俊이 현지에서 직접 채록한 전승에 따르면 합덕방죽 주변에는 후백제 보병 9천 명과 軍馬 6천 頭가 주둔했
　　었다고 한다(洪思俊,「三國時代의 灌漑用池에 對하여」『考古美術』136 · 137 합집, 1978, 18쪽).

을 시사하고 있다. 군대의 주둔과 제방 축조 전승은 상호 별개의 것이 아니기 때문이다. 실제 합덕방죽이 軍馬의 飮用水 기능밖에 없었다면 진훤의 존재가 이 지역에서 오랫 동안 인상적으로 회자될 수는 없었을 것이다. 1930년대까지만 하더라도 진훤을 위한 감사제전이 매년 음력 7월 辰日에 합덕방죽의 수혜민들에 의해 거행되었던[54] 사실이 웅변해 준다. 다음에 인용한 조선조 문인 李鶴性의 詩도 이 사실을 암시한다.

合湖의 빼어난 경치 남쪽 고을의 으뜸이니	合湖勝狀擅南州
진훤의 사업은 몇 해가 지났던고	事業甄萱去幾秋
맑은 하늘 흰달에 기러기 날아 오고	晴天皓月來來雁
보슬비 산들 바람 갈매기 너울 너울	細雨斜風片片鳩
낚시꾼은 터 물으니 흥취가 거나하고	釣叟問磯多有趣
농부는 가뭄에도 아무 걱정 없겠구나	農人當旱亦無憂
어이해 영웅 얻어 이 물을 날리어서	安得英雄揚此水
세상의 흙탕물을 깨끗이 씻어낼까	洗淸宇宙穢塵流[55]

고려 충렬왕 때 내시 黃石良이 득세하자 자신의 향읍인 合德部曲을 縣으로 승격시키려고 했다.[56] 합덕지 일원이 부곡으로 편제되었음은, 고려 통일 후 진훤과 특별한 유대를 맺었던 합덕지 주민들이 징벌받았음을 뜻한다. 이와 관련해 934년에 웅진 이북의 30여개 城이 고려에 항복했으나, 당진과 합덕의 屯兵만은 끝까지 항전했다고 한다. 이곳은 신검이 고려에 항복한 연후에야 고려 땅이 되었다는 것이다.[57] 이러한 전승이 맞다면 둔전과 관개를 매개로 이 지역민들은 진훤과 끈끈한 정신적·경제적 유대를 맺어 왔음을 뜻한다. 아울러 고려 왕조의 통일전쟁에 거역한 집단이 부곡인 등으로 편제되어 고된 역을 부담했던[58] 사례와 부합한다.

지금까지 언급한 내용들은 진훤의 둔전과 관개사업을 통한 혜택이 농민층에 골고루 깊숙히 미쳤

---

54 金漢重, 『唐津誌』, 故鄕文化社, 1990, 146쪽.
　　그 祭文에 '甄萱將軍'이라는 내용이 있었다고 한다(洪奭杓, 「合德 방죽에 對한 綜合的 考察」 『唐津鄕土史의 照明』, 학남 홍석표선생 정년기념문집 간행위원회, 1999, 85쪽).

55 李秉延, 『朝鮮寰輿勝覽』, 唐津郡, 山川 條, 合德堤 項.

56 『高麗史節要』 권22, 충렬왕 24년 12월 조.

57 당진군지 편찬위원회, 『唐津郡誌(上)』 1997, 244~245쪽.

58 박종기, 『고려의 부곡인, <경계인>으로 살다』, 푸른역사, 2012, 74쪽.

음을 단적으로 말해 준다. 요컨대 진훤이 합덕방죽을 조성했다는 이야기는, 그의 농업경영에 대한 안목과 더불어 당시 후백제군의 변경 주둔이 둔전의 형식을 띠었음을 전하는 것으로 해석된다.

그러면 진훤이 합덕방죽을 수리하여 변경에 주둔하는 군대로 하여금 둔전을 실시하게 한 것은 어떠한 의미를 지닌 것일까? 둔전을 경작함으로써 현지에

12-5 합덕방죽의 연꽃

주둔하는 군대의 식량을 자급자족하게 하는 한편, 군량미의 비축을 통해 주변 호족들과 농민들에 대한 경제적 부담을 크게 줄이려는 데 목적을 두었던 것 같다. 그럼에 따라 당진이나 예산과 같은 고려의 국경에 가까운 내포 지역 호족세력의 이탈을 막는 한편 水利 시설의 정비를 통한 농업경제의 획기적인 증진을 가져왔다고 판단된다. 이와 더불어 신라말과 후삼국기의 동란기에 촌락공동체를 뛰쳐나와 흘러다니는 유민들을 정착시켜 사회의 안정과 경제적 기반의 확대를 이루었을 것이다.

또 진훤은 국방상의 요충지에는 중앙군을 파견하였다.[59] 이들은 현지 호족 세력들의 지원 없이도 屯田을 통해 그 주둔이 가능하게 끔 하였다. 우리 역사에서는 진훤이 처음으로 둔전제를 실시했던 것이다. 진훤이 해안에 방수하면서 접촉하였고, 중국을 왕래하던 승려나 유학생 아니면 唐 유학 경험이 있는 참모들을 통해 얻게 된 경제 시책으로 보인다. 둔전은 동란의 시기에 소요되는 경제적 부담을 더는 한편, 효율적인 군대 운영을 위한 방책이었다. 이는 농민들에 대한 부담이 그만큼 줄어들게 됨을 뜻한다. 진훤의 경제적 안목은 둔전제의 실시와 더불어 開墾과 灌漑를 통해 농민층의 입지를 넓혀나가고자 비상한 노력을 경주했던 데서도 확인된다.

진훤은 그밖에도 전라남도 나주의 자미산성 부근에서도 둔전을 시행하였다고 전한다.[60] 진훤이 나주에서 둔전제를 실시한 기간은 나주에서 왕건의 군대와 교전하던 903년~909년까지거나 나주가

59 이에 관해서는 합덕방죽 축조설화 뿐 아니라 강원도 원주 문막에 城을 축조하고 군대를 주둔시켰다는 『朝鮮寰輿勝覽』의 기록, 高思葛伊城(聞慶)에 '守城官吏'를 파견한 기록(『高麗史』권1, 太祖 10年 조) 등을 꼽을 수 있다.
60 문화재관리국, 『文化遺蹟總覽(下卷)』1977, 376쪽.
  李道學, 『진훤이라 불러다오』, 푸른역사, 1998, 128쪽.
  李道學, 『궁예 진훤 왕건과 열정의 시대』, 김영사, 2000, 235쪽.

왕건 군대에게 위협 받던 그 이전까지로 소급시킬 수 있을 것 같다. 따라서 "견훤은 인민이나 식량을 약탈하는 방식으로 정복 전쟁을 수행할 정도로 군사력에 과도하게 의존하였다. 식량이나 인민을 약탈한 이유는, 강력한 군사력을 유지하고 끊임없이 전쟁을 수행하기 위해서는 그에 상응하여 충분한 경제력과 노동력·병력이 요구되었기 때문이다. 그렇다고 하더라도 그것을 식량이나 인민을 약탈하는 방식으로 해결하고자 한 것은 온당한 방법은 아니었다. 그러한 약탈은 일반 농민들뿐만 아니라 호족들의 불만을 초래하였을 것이다. 이러한 점은 군인 출신 견훤의 중대한 한계였다"는 c에 보이는 기존의 해석은 '온당한 방법'이 아님을 일깨워준다.

반면 왕건은 둔전제를 실시했다는 증거가 없다.[61] 다만 그는 전장에서 군대가 통과하는 지역의 호족들로부터 갖은 형태의 현지 조달을 받았다. 일례로 왕건이 군대를 이끌고 지금의 황해도 신천군 문화면 일대를 통과할 때였다. 이곳의 호족인 柳車達이 車馬를 많이 내 주는 바람에 군량 길을 통하게 할 수 있었다. 아울러 그는 大丞의 벼슬을 얻게 되었고, 삼한공신에 봉해지게 되었다.[62] 또 그러한 인연으로 '車達'이라는 이름을 얻게 된 듯싶다. 양천 허씨의 시조인 許宣文은 왕건이 남정할 때 渡江의 편의와 더불어 군량을 조달해 주었다. 그 공으로 인해 허선문은 孔巖村主가 되었다고 전해진다.[63] 『眉叟記言』에도 "신라말에 허선문이 나이 90여 세에 고려 태조를 섬겨서 진훤을 정벌할 때 饋餉한 공이 많았으므로 공암촌주를 삼았다. 자손들이 이로 인하여 孔巖之族이 되었다"[64]라고 하였다. 이러한 일련의 행위들은 둔전을 통해 군량을 조달받고자 했던 진훤의 방식과는 큰 차이가 난다. 왕건은 전쟁 수행과정에서 현지 주민이나 호족들로부터 牛馬車와 군량을 비롯한 각종의 물자와 인력을 차출 받았다. 이러한 행위를 갖은 미사여구를 동원해서 서술했다고 하더라도 강압적인 바, 민폐를 끼쳤음은 명백한 것이다. 그만큼 왕건의 군량 확보책은 임시 방편적인 성격을 띤 것으로서 체계화되지 못했고 조직적이지도 못했음을 뜻한다.

---

61 통일신라기의 浿江鎭과 같은 軍鎭은 屯田兵에 의해 운영되었을 것이라는 견해가 있다. 唐에서도 邊境藩鎭의 軍鎭 부근에서는 屯田이 확인된 바 있기 때문이다(두노메 조후·구리하라 마쓰오 外 著·임대희 譯, 『중국의 역사—수당오대』, 혜안, 2001, 240쪽). 그러나 이러한 軍鎭의 존립 형태가 高麗初 鎭의 그것과 동일했다고 보기는 어렵다. 더욱이 그것을 뒷받침해주는 문헌 근거는 어디에도 없기 때문이다.

62 『新增東國輿地勝覽』권42, 文化縣, 人物 條.

63 『增補文獻備考』권235, 職官考 22, 鄕吏 條.

64 『眉叟記言』권67, 自序續編.

5. 맺음말

진훤의 출신 가문과 관련해서 그 父인 아자개의 출신 성격을 검토해 보았다. 기존에는 아자개가 호족 출신이라는 견해가 유력하게 제기되었다. 그러나 진훤의 성장 설화에서 알 수 있듯이 아자개는 농민이었음이 분명하다. 다만 아자개는 889년에 상주 지역에서 발생한 원종과 애노의 농민 봉기를 계기로 상주 일원을 석권하고는 장군을 칭하는 호족으로 성장했던 것 같다. 이후 아자개는 기존의 성씨 가운데 이름 앞 글자인 '阿'와 근사한 李氏를 姓으로 모칭한 것으로 보인다. 따라서 아자개의 성씨가 이씨였다는 점을 근거로 호족 출신설을 내세우기는 어렵다. 왕건 정권에서도 개국공신들의 경우도 득세한 후에야 姓을 칭하였기 때문이다.

아자개는 농민봉기를 계기로 성장한 호족이었으므로 그 세력 기반은 농민층이었다. 그런데 889년에 발생한 원종과 애노의 봉기와 신라의 방수군인 진훤의 독립 시점이 동일하다는 점이다. 아자개가 그 봉기에 있어서 중심적인 역할을 맡았다면, 아자개와 진훤은 상호 기맥을 통한 후에 일제히 봉기하였을 가능성마저 제기해 준다.

진훤과 농민의 관계에 대한 기존의 시각은 부정 일변도였다. 禾穀과 人戶를 약탈하거나 糧穀 운송을 습격한다든지 城을 불태운 사례들을 열거하면서 그의 존재는 약탈자로서 집중 거론된 바 있다. 그런데 진훤이 농작물을 베어 간 것은 벽진군(성주군 벽진면)과 그 주변 지역에서만 나타난 현상이었다. 그러므로 단순 약탈로 간주할 수 없는 측면이 많다. 그 배경은 후백제의 신라계 호족 포섭을 방해하고 있던 이곳의 친고려계 호족 이총언의 존립 원천인 資糧의 소멸이라는 차원에서 기인한 바였다. 즉 이총언의 지원으로 지금의 경상도 방면에서 활동하는 고려군의 兵站源을 파괴한다는 전략에서였다. 그러므로 일반 농민에 대한 약탈과는 그 성격이 전혀 다른 것이었다. 양곡 수송의 습격도 "양곡을 운송하는 것을 습격한" 데 목적을 두지 않았다. 그 틈을 놓치지 않고 허를 찔러 康州를 습격한 것이었다. 그리고 人戶의 약탈이나 城을 불태운 것은 古今의 일상적인 전쟁 양상이었으므로, 진훤과 결부지어 그 성격을 운위하기는 어렵다.

이처럼 '약탈'을 일삼는 진훤 정권의 성격을 독자적인 체계 보다는 신라 제도를 답습했으므로, 진훤이 전제적인 권력을 추구한 근거로서 예시하기도 한다. 그러나 이는 신라적인 요소를 청산했던 궁예가 전제권력을 구축했던 사실과는 정확히 대척되는 사안인 만큼 설득력을 잃고 있다.

진훤의 對民收取에 있어서도 비록 신검의 敎書에 적혀 있는 글귀이기는 하지만 "진구렁이나 숯불에 떨어진 것과 같은 고통을 쓸어버리니 백성들이 평안하고 화목하게 되어 북을 치고 춤을 추었고, 광풍과 우레처럼 먼데나 가까운데나 준마처럼 달려, 功業이 거의 重興에 이르렀습니다"라는 구절은 농민들을 과중한 수탈과 질곡에서 해방시켰고, 그것을 가능하게 할 수 있는 제도적 장치가 마련되었음을 알려준다. 이것을 뒷받침해 주는 것이 屯田制의 시행과 灌漑 시설의 확충이었다. 「통진대사비문」에 따르면 진훤이 萬民堰이라는 제방에서 군대를 이끌고 있었다고 했다. 이는 진훤 스스로가 둔전과 관개에 힘 쏟은 사실을 확인시켜 준다. 아울러 '모든 백성들의 방죽'이라는 뜻의 萬民堰이라는 제방을 통해서도 그가 취한 일련의 시책의 무게 중심이 농민과 관련한 농업경제의 증진에 두었음을 읽을 수 있다. 합덕방죽과 나주에서의 둔전에 관한 전승 또한, 우리나라에서 둔전제를 최초로 본격 도입한 진훤의 농업시책을 알려주고 있다. 이는 전쟁 수행과정에서 현지의 호족들로부터 군량이나 車乘을 차출받았던 왕건의 행태와는 크게 차이가 나는 것이다.

이와 같은 본고의 검토를 통해 지금까지의 진훤과 농민의 관계에 대한 인식은 새롭게 정립되어야 할 것 같다는 판단을 내리게 되었다.

「後百濟 甄萱의 農民 施策에 관한 再檢討」『白山學報』62, 백산학회, 2002.

후백제와 고려의 吳越國 교류 연구와 쟁점

1. 머리말

후백제 역사의 존속 기간은 어떻게 상정하고 있을까?『삼국유사』왕력에서는 "壬子로부터 이에 이르기까지 44년만에 망했다"[1]고 하였다. 진훤이 광주에 도읍한 892년부터 起算한 것이다.『삼국유사』본문에서는 "진훤이 唐 景福 원년에 일어나 晉 天福 원년에 이르렀으니, 공히 45년되는 丙申에 멸망하였다"[2]고 했다. 전자와 후자는 892년으로 起算했으니 동일한 것이다.『삼국사기』에서도 "진훤이 唐 景福 원년에 일어나 晉 天福 원년에 이르렀으니 공히 45년만에 망하였다"[3]고 했다. 후백제의 존속 기간을 역시 45년으로 지목하였다. 이와는 달리『삼국유사』에서는 진훤이 신라에 반기를 들었던 龍化 즉 龍紀 원년인 889년을 起算한 기록이 보인다. 고창 병산 전투가 발생한 930년을 후백제 역사에서 42년이라고 했다. 이를 역산하면 진훤이 거병한 889년이 개국 원년이다.[4] 이때는 상주 지역에서 원종과 애노의 난이라는 초유의 농민 봉기와 더불어, 昇平港(順天)에서 진훤이 거병하였다. 889년부터 후백제가 멸망하는 936년까지는 햇수로 48년 간이다.

---

1 『三國遺事』권1, 王曆, 後百濟 條. "自壬子至此 四十四年而亡"
2 『三國遺事』권2, 紀異, 後百濟甄萱 條. "甄萱起唐景福元年 至晉天福元年共四十五年丙申滅"
3 『三國史記』권50, 진훤전. "甄萱起唐景福元年 至晉天福元年 共四十五年而滅"
4 『三國遺事』권2, 紀異, 後百濟甄萱 條. "四十二年庚寅 萱欲攻古昌郡"
　李丙燾,『譯註 三國遺事』, 廣曺出版社, 1976, 275쪽.
　三品彰英,『三國遺事考證(中)』, 塙書房, 1979, 279쪽.

이 기간 동안 숱한 군웅과 호족들이 기라성처럼 자신의 존재를 드러냈다. 후삼국시대는 한국 역사상 가장 역동적인 시대로 비춰진다. 특히 후백제와 관련한 연구 성과 가운데 대표적인 저서만 꼽으면 다음과 같다.

申虎澈,『後百濟甄萱政權硏究』, 일조각, 1993.

李道學,『진훤이라 불러다오』, 푸른역사, 1998.

백제연구소,『후백제와 견훤』, 서경문화사, 2000.

전북전통문화연구소,『후백제 견훤정권과 전주』, 주류성, 2001.

후백제문화사업회,『후백제의 대외교류와 문화』, 신아출판사, 2004.

신호철,『후삼국사』, 개신, 2008.

김갑동,『고려의 후삼국 통일과 후백제』, 서경문화사, 2010.

李道學,『후백제 진훤대왕』, 주류성, 2015.

李道學,『후삼국시대 전쟁연구』, 주류성, 2015.

한반도의 정치 세력들 중에는 국가를 건립하였거나 강대한 세력을 형성한 호족의 경우 중국대륙의 국가와 교섭을 시도했다. 주지하듯이 이는 중원 왕조의 권위를 빌어 국내에서 자신의 정치적 기반을 공고하게 구축하려는 의도였다. 그러한 양자 간의 정치와 문화 교류, 그리고 航路를 비롯한 다양한 방면에서의 개별적인 연구도 적지 않았다. 본고에서는 일일이 거론하는 대신 논지 전개와 관련해 개별적으로 언급하도록 한다.

우리 나라의 후삼국시대였을 때 중국은 唐~宋 교체기였다. 중원에서는 後梁 · 後唐 · 後晋 · 後漢 · 後周가 웅거하였다. 반면 중국의 지방에는 前蜀 · 後蜀 · 吳 · 南唐 · 閩 · 楚 · 荊南 · 南漢 · 吳越 · 北漢이 할거하는 5代 · 10國의 분열기였다. 그랬기에 중원의 왕조들은 한반도의 정치 흐름에 관심을 쏟을 만한 상황이 되지 못했다. 다만 중국의 동부 해안을 끼고 있던 吳越國(908~978)이나 閩國(909~944)의 경우는 지형적 특성상 자연 한반도와의 교류가 활발할 수밖에 없었다. 이로 인해 오월국은 당시 한반도 서 · 남부 지역 국가나 정치 세력의 동향에 관심을 가졌을 것이다.

본고에서 다루고자 하는 주제는 후백제 및 고려와 오월국의 교류 문제이다. 오월국은 양자강 하구부터 절강성 일대 해안까지 길게 영역을 미치고 있었다. 한반도의 정치 세력들에게는 접근성이 용이한 입지 조건을 지닌 국가이기도 했다. 이런 연유로 후백제나 고려와 가장 교류가 활발했던 중국 왕조는 오월국이었다. 오월국은 鎭海節度使로 있던 錢鏐가 지금의 강소성 남부와 절강성 그리고 복건성 동북부를 판도로 하여 건국(수도는 浙江省 杭州)하였다. 본고에서는 후백제와 고려의 오월국과의 교류에 대해 살펴 보고자 하였다. 그럼으로써 오월국 문화가 신라 말~고려 초에 끼친 영향과 정치적 교류관계 등을 총체적으로 살펴 보는 계기로 삼고자 했다. 이와 더불어 후백제와 고려의 오월국 교류에 대한 지금까지의 연구 성과와 연구 경향도 함께 탐색해 보았다.

2. 중국 동부 연안 지역과의 교류

한반도에서 일어난 국가와 호족들은 중국 대륙과 교류하였다. 이들이 교류한 중국의 諸國은 오월국과 閩國 그리고 南唐 정도를 꼽고 있다.[5] 그러나 후백제와 고려가 이들 국가 외에 後唐과 교류한 사실은 너무나 명백하다. 빈번하게 교류했던 고려는 말할 것도 없고 후백제만 하더라도 925년과 936년에 사신을 후당에 파견한 기록이 각각 보인다.[6] 이와 더불어 궁예의 태봉이 吳(902~936)와 교류한 다음 기사가 있다.

> a. 天祐 初에 高麗 石窟寺의 애꾸 승려 躬乂가 무리를 모아 開州에 웅거하여 왕을 칭하고 국호를 大封國이라고 하였다. 이때에 이르러 佐良位 金立奇를 보내어 吳에 들어가 조공했다.[7]

위의 a에서 양자 간의 교류가 이루어진 貞明 5년 7월은 919년 7월을 가리킨다. 즉 고려 태조 2년이다. 그랬기에 a의 吳를 吳越의 착오로 지목하고 있다.[8] 그러나 이 사안은 간단하게 처리할 문제는 아닌 것 같다. 왜냐하면 a는 궁예에 대해 제법 구체적인 정보를 지니고 있기 때문이다. 가령 '天祐(904~907) 初'는 904~905년 경을 가리킨다. 이때는 궁예가 왕을 칭하던 집권 초기에 속한다. 국호를 大封國이라고 한 것은 궁예 정권의 마지막 국호인 泰封과 부합한다. 다만 궁예가 보낸 사신이 오에 당도한 시점인 919년 7월은 그가 축출된 지 1년 후가 된다. 그러나 궁예가 축출되기 직전 오에 사신을 보냈을 가능성도 고려할 수 있다. 만약 a가 태봉의 궁예가 아닌 고려 왕건이 보낸 사신과 관련

---

5 李基東, 「羅末麗初 南中國 여러 나라와의 交涉」『歷史學報』155, 1997, 3쪽.
6 『三國史記』권50, 진훤전.『冊府元龜』권92, 외신부조공문, 청태 3년 정월 조 ; 『오대사』권7, 후진 천복 원년 정월 조.
7 『資治通鑑』권270, 後梁紀 均王 貞明 5년 7월 조.
8 金在滿, 「五代와 後三國·高麗 初期의 關係史」『大東文化研究』17, 1983, 175쪽 註19.
　 李基東, 「羅末麗初 南中國 여러 나라와의 交涉」『歷史學報』155, 1997, 14쪽.
　 신호철, 「弓裔의 對外政策과 對外認識」『湖西史學』45, 2006, 11쪽.

되었다고 하자. 그렇다면『고려사』에 그러한 내용이 수록되지 않았을 리 없다. 그 뿐 아니다. 김입기가 지닌 佐良位라는 관위는 고려에서 찾아 볼 수 없다. 따라서 a는 궁예가 중국에 보낸 마지막 사신으로 보아야 맞다. 한편 a의 오를 그대로 인정하기도 한다. 즉 오에 사신을 파견한 목적을 고려 태조가 건국을 알리고 정당성을 확보하려는 필요에서였다는 해석이다.[9] 그렇다면 왕건의 존재가 거론되지 않을 수 있었을까? 물론 궁예를 폄훼시키는 기록이기는 하다. 그렇지만 왕건은커녕 궁예의 존재만 구체적으로 거론되고 있다. 그러니 고려가 오에 파견한 사신이라는 해석은 타당성이 취약하다.

궁예가 사신을 파견한 吳는 남중국의 10국 가운데 최강국이었다. 그리고 吳는 양자강과 대운하가 연결되는 교통의 요충지인 揚州를 수도로 하여 淮南 지구와 江東·江西 일대의 소위 江淮 지구를 차지하고 있었다. 吳는 중국 대륙 전체를 놓고 볼 때 최대의 전략적 요충지를 점거한 것이다.[10] 야심 많은 궁예가 그러한 오와 교류를 시도한다는 자체가 결코 우연하지 않아 보인다.

이와 관련한 한반도와 오월 지역과의 航路에 대해서는 꾸준히 연구가 진행되어 왔다. 중국에 유학한 禪僧들의 도착과 귀환하는 항구에 관한 碑文 고찰을 통해 윤곽이 드러나게 되었다. 그 결과 남중국 최대의 항만인 양자강 하류역 항주만과 군산만을 잇는 斜斷航路의 존재가 포착되었다. 사단항로는 후백제와 고려시대에 이르기까지 대중국 교섭에 있어서 매우 중요한 뱃길이었다.[11] 이러한 사단항로의 출발지는 영광·회진·순천·강진·해남 등이었다. 도착지는 중국 절강성의 항주·영파·주산군도와 강소성의 연운항에 속하는 해안 지역이었다.[12] 문제는 禪僧 璨幽가 입국한 강주 덕안포의 소재지 비정이다. 덕안포는 강주 관내로 적혀 있다. 그러므로 덕안포는 지금의 경상남도 해안가에 소재한 항구로 지목된다. 이곳은 924년에 泉州節度使를 칭하면서 역사의 전면에 등장한 王逢規 관하에서 주로 활용되었던 항구로 보인다. 그럼에도 덕안포의 위치는 정확하게 구명되지 못하였다. 그러한 덕안포는 섬진강 하구의 유서 깊은 국제항인 하동의 多沙津을 가리키는 것 같다.[13] 삼국시대 이래로 要津이었던 다사진은 통일신라 때도, 적어도 지금의 경상남도 방면에서 일어난 세력에게는 국제항으로서 긴요하게 이용되었던 것이다.

---

9 盧向前,「吳越國과 後百濟의 關係에 대한 檢討」『후백제의 대외교류와 문화』, 후백제문화사업회, 2004, 270쪽.
   허인욱,「고려 초 남중국 국가와의 교류」『국학연구』24, 2014, 230쪽.
10 李基東,「羅末麗初 南中國 여러 나라와의 交涉」『歷史學報』155, 1997, 14쪽.
11 이에 대한 논의는 백승호,「후백제와 오월국의 해상교통로」『국제학술심포지엄 吳越과 後百濟』, 국립전주박물관, 2015, 19~31쪽을 참고하기 바란다.
12 윤명철,『한민족의 해양 활동과 동아지중해』, 학연문화사, 2002, 234~235쪽.
13 李道學,『후백제 진훤대왕』, 주류성, 2015, 90쪽.
   多沙津의 비중에 대해서는 李道學,「谷那鐵山과 百濟」『東아시아 古代學』25, 2011, 90~95쪽을 참조하기 바란다.

3. 후백제와 오월국

1) 후백제와 오월국 간의 외교적 교섭

후백제와 오월국 간의 교류에 대해서는 권덕영,「後百濟의 海外交涉 活動」『후백제와 견훤』(서경문화사, 2000)이 있다. 그리고 何勇强,「吳越國與朝鮮半島諸國的政治關係」『錢氏吳越國史論稿』(浙江大學出版社, 2002)에 정리되었다. 특히「錢鏐가 甄王을 중재한 사건에 대한 해석」『후백제의 대외교류와 문화』(신아출판사, 2004)에서 특기되는 듯했다. 그러나 제목과는 달리 평이한 내용에 불과하였다. 그리고 盧向前,「吳越國과 후백제의 관계에 대한 검토」『후백제의 대외교류와 문화』(신아출판사, 2004)가 있다. 최근에는 변동명,「後百濟의 海外活動과 對外關係」『한국고대사탐구』19(2015)와 李道學,「後百濟와 吳越國 交流에서의 新知見」『百濟文化』53(2015)가 제출되었다.

그러면 신라인들은 일찍부터 吳越에 대해 어떤 인식을 지니고 있었을까? 신라인들에게 오월은 남중국을 가리키는 범칭으로 알려졌다. 이는 6세기 후반의 상황에서 등장하는 다음 기사를 통해 짐작할 수 있다.

13-1 오월국 수도 항주에 소재한 六和塔. 錢塘江 북안의 月輪峰에 소재하였다.
오월국 국왕 전홍숙이 전당강의 역류로 인한 潮流를 막기 위해 세운 탑이다.

b. 가을 7월에 大世와 仇柒 두 사람이 바다로 떠났다. 대세는 나물왕의 7세손 이찬 冬臺의 아들로, 자질이 뛰어났고 어려서부터 세속을 떠날 뜻이 있었다. 승려 淡水와 사귀며 놀던 어느날 말하였다. "이 신라의 산골에 살다가 일생을 마친다면, 못 속의 물고기와 새장의 새가 푸른 바다의 넓음과 산림의 너그럽고 한가함을 모르는 것과 무엇이 다르겠는가? 나는 장차 뗏목을 타고 바다를 건너 吳越에 이르러 차차로 스승을 찾아 명산에서 도를 물으려 한다.[14]

위의 b에 보이는 587년(진평왕 9)의 시점에서 신라인들은 오월에 대한 지리적 상황을 어느 정도 파악했던 것 같다. 응당 오월에 대한 일정한 정보도 갖추어졌음을 암시해준다. 이로부터 300년이 흐른 신라 말의 경우는 오월과의 교류가 이전보다 활발하였다. 구체적으로 일례를 꼽는다면 진훤과 오월국과의 교류 사실이라고 하겠다. 후백제를 건국한 진훤이 신라 군대에서 방수했던 곳이 순천만과 광양만을 끼고 있는 승평항이었다.[15] 광양만에 소재한 마로산성에서는 의미 깊은 물품들이 출토되었다. 가령 마로산성에서는 자기류가 다수 출토되었던 것이다. 이들은 중국에서 제작된 월주요 계통의 청자와 백자였다. 또한 海獸葡萄方鏡도 출토되었다.[16] 해수포도방경은 일본 正倉院에 소장된 해수포도방경과 동일한 모티브로 파악된다. 이는 唐에서 제작된 해수포도방경이 일본열도와 신라 마로산성에 각각 유입되었음을 알려준다.[17] 해수포도방경과 더불어 마로산성에서는 신라제 '王家造鏡' 銘 銅鏡도 출토되었다. 이러한 유물들은 마로산성이 대외 교역항이었음을 입증해준다.[18]

江淮 지방인 揚州는 국제 무역항으로서 외국인에게 매매가 금지된 물품의 구매가 長安보다 용이했다고 한다. 그러한 양주에서 제작된 해수포도방경이 마로산성에서 출토된 것이다. 그리고 남중국의 월주요와 형주요에서 제작한 도자기들이 마로산성에서 출토되었다. 이는 순천만이나 광양만 주변에 출입하는 상선들의 주된 행선지가 당의 양주였음을 시사해 준다. 아울러 진훤은 신라 군대에 복무하던 시절부터 江淮 지방과 교류했음을 가리킨다. 진훤이 후백제를 건국한 후 오월국과 긴밀한 관계를 유지하게 된 데는 이때의 교류와 안목이 자산이 되었을 것으로 보인다. 즉 진훤이 오월국과 끈질기게 교류한 이면에는 월주요에서 생산한 瓷器를 비롯한 중국제 사치품의 독점적인 국내 공급망의 확보라는 경제적 이득과 무관하지 않아 보인다. 이 점 새롭게 구명된 사실인 것이다. 국가로서

---

14 『三國史記』 권4, 진평왕 9년 조.

15 李道學, 『진훤이라 불러다오』, 푸른역사, 1998, 85~87쪽

16 順天大學校博物館, 『光陽 馬老山城 I : 建物址 I』 2005, 260쪽.

17 李道學, 「新羅末 甄萱의 勢力 形成과 交易--張保皐 以後 50年」 『新羅文化』 28, 2006, 225쪽.

18 李道學, 「新羅末 甄萱의 勢力 形成과 交易--張保皐 以後 50年」 『新羅文化』 28, 2006, 224쪽.

후백제와 오월국과의 교류는 다음에서 확인된다.

　c-1. (900년) 오월에 사신을 보내 조공하니 오월왕이 報聘 사신을 보내 檢校太保의 職을 덧붙여 주었고 나머지 관직은 전과 같았다.[19]

　c-2. (909년) 수군을 거느리고 光州 鹽海縣에 이르러 진훤이 吳越에 보내는 배를 나포하여 돌아오니 궁예가 매우 기뻐하여 흐뭇하게 포상하고 다시 태조로 하여금 군함을 貞州 豊德에서 정비하게 하고[20]

　c-3. (918년) 또 오월에 사신을 보내 말을 보내니 오월왕이 답례의 사신을 보내었고 中大夫의 관직을 더하여 주었으며, 다른 관직은 이전과 같았다.[21]

　c-4. 지난 달 7일에 오월국 사신 班尙書가 와서 오월왕의 조칙을 전하였습니다. 그 글에 "卿은 고려와 오래토록 화친하여 이웃 맹방으로 함께 약속할 줄 알고 있는데 요즈음 인질들이 죽음으로 인하여 드디어 화친의 옛 우호를 잃고 서로 영토를 침략하여 전쟁을 쉬지 않으니 지금 이 문제를 위하여 사신을 보내 경의 본국[本道]에 다다르게 하고 또 고려에도 서신을 보냈으니 마땅히 서로 친하게 지내 영원토록 복을 누리라.」고 하였습니다. 저는 의리에 충실하게 [신라] 왕실을 높이고 마음속 깊이 큰 나라를 섬기고 있는데 [오월왕의] 타이르는 조칙을 받고 곧 바로 이에 따르고자 합니다. 항상 염려함은 그대가 싸움을 그만두려고 하여도 그렇지 못하고 곤경에 처해 있으면서도 오히려 싸우려 할 것이라는 점입니다.

　지금 조칙을 베끼어 올리니 청컨대 유의하여 상세히 살펴보시기를 바랍니다. 또한 교활한 토끼와 날랜 사냥개가 서로 피곤하여지면 마침내 남의 조롱을 받을 것이고, 큰 조개와 도요새가 서로 버티고 있는 것도 남의 웃음거리가 될 것이니, 마땅히 잘못을 크게 저지르면 돌이킬 수 없다는 경계를 받들어 후회를 자초하지 말도록 하십시오!"

　엎드려 오월국 通和使 尙書 班氏가 전한 바의 조서 한 통과 아울러 족하의 사정을 서술한 긴 편지를 받았습니다. 엎드려 생각하건대 중국 사신이 조서를 가지고 왔고, 흰 비단에 쓴 좋은 편지에서도 가르침을 받았습니다. 조서를 받들어 보니 비록 감격을 더하였으나 그대의 편지를 뜯어보니 혐의를 지울 수 없습니다.[22]

위의 기사 중 c-1의 후백제와 오월국의 첫 교류에 대해서는 지금까지 무비판적으로 수용해 왔다. 그렇지만 검증이 필요하다고 본다. 위의 첫 교류 기사는 진훤 왕의 전주 천도 직후에 적혀 있다. 그

---

19 『三國史記』권50, 진훤전.
20 『高麗史』권1, 태조 卽位前紀.
21 『三國史記』권50, 진훤전.
22 『三國史記』권50, 진훤전.

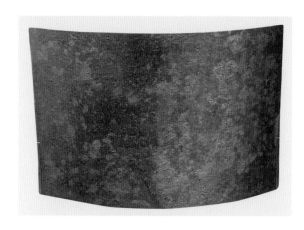

13-2 錢鏐誓書鐵券(복제)
唐 昭宗이 특별히 오월국 왕 전류에게 내려준 일종의 信物

랬기에 후백제의 오월국과의 교류 시점을 900년으로 지목하여 왔다. 그런데 이때는 오월국이 건국되기 이전이다. 주지하듯이 오월국은 唐末~宋初에 중원에서 할거하던 10국 중의 하나로 錢鏐가 건국한 나라이다. 전류는 893년에 鎭海節度使가 되었다가 회수 남쪽을 병합하여 902년에 越王, 904년에 吳王에 봉해졌던 것이다. 後梁 태조 즉위 후인 908년에 그는 吳越王에 봉해졌다. 전류 사후 元瓘→佐→倧이 차례로 왕위를 이어 가다가 978년에 錢俶이 영토를 바쳐 宋에 귀속하였다.[23] 따라서 900년에 후백제가 오월국에 사신을 보내 관작을 받을 수 없었다. 오월국이라는 국가 자체가 존재하지 않았기 때문이다. 게다가 중국 史書에서도 이러한 사실이 적혀 있지 않다.

그러면 c-1 기사는 허구란 말인가? 이와 관련해 c-1에서 "나머지 관직은 전과 같았다"고 했다. 그러니까 해당 시점인 900년 이전에도 후백제와 오월국 간의 교류가 있었다는 것이다. 이러한 점에 비추어 볼 때 후백제는 오월국 성립 이전에 진해절도사였던 전류와 교류한 것으로 생각된다. 진훤이 순천만에서 신라군 비장으로 복무할 때부터 절강 지역과 교류가 있었다. 그러다가 진훤이 893년 이후에 전류와 직접 교류하였을 가능성이다. 越州窯에서 생산된 도자를 일찍부터 수입했던 이가 진훤이었다. 전류는 그러한 越州를 끼고 있는 절강성 杭州의 진해절도사였다.[24]

주지하듯이 절도사는 唐 왕조에서 北宋 왕조에 걸쳐 존재했던 지방 조직인 藩鎭을 통솔했던 수장을 가리킨다. 절도사는 觀察使 등을 겸하는 수도 있었으며, 지방의 군사와 재정을 통괄하였다. 그러한 위치에 있었던 전류가 진훤이 892년에 그러했던 것처럼 '自王'했을 수 있다.[25] 진훤은 그러한 '오월국왕' 전류와 교류를 하였고, 또 책봉 형식을 밟았을 가능성이다. 결국 전류는 908년에 오월국 왕이 되었다. 그랬기에 진훤으로서는 진해절도사였을 때의 교류까지 소급해서 오월국 왕과의 교류와

<hr>

23 『舊五代史』권133, 世襲列傳.
　　『新五代史』권67, 吳越世家.
24 譚其驤 主編,「五代十國時期分布圖」『簡明中國歷史地圖集』, 中國地圖出版社, 1996, 50쪽.
25 진훤의 '自王'이 지닌 의미는 李道學,「後百濟의 全州 遷都와 彌勒寺 開塔」『韓國史硏究』165, 2014, 8~12쪽을 참조하기 바란다.

그로부터의 책봉을 기록하였다. 그럼으로써 자신의 권위를 높이고자 한 것으로 보인다.

한편 진주성 촉석루 앞의 의암 일대를 시굴 조사한 결과 '寶正' 연호가 양각된 명문 기와가 출토되었다.[26] 보정 연호는 926년~931년간 사용된 오월국 연호였다. 이 연호를 晉州에서 사용할 수 있었던 세력은 후백제를 제외하고는 달리 생각하기 어렵다. 천주절도사를 칭한 왕봉규는 924년과 927년에 후당으로부터 관작을 받았을 뿐이기 때문이다.[27] 그런데 반해 후백제는 오월국과 긴밀한 관계를 지속했다. 후백제는 900년에 오월국에 사신을 파견하였다. 동일한 해에 오월국에서 온 보빙사가 진훤에게 검교태보를 추가로 제수했다. 909년에는 염해현에서 오월국에 가는 선박이 왕건에게 나포된 적도 있었다. 918년에 후백제는 오월국에 사신을 파견하여 말을 바쳤다. 또 동일한 해에 오월국에서 온 보빙사가 중대부직을 진훤에게 추가해 주었고, 나머지 직위는 예전과 같이 하였다. 927년 11월에는 오월국의 반상서가 조서를 지니고 후백제에 왔다.

이러한 정황에 비추어 볼 때 진주성 밖에서 출토된 '寶正' 銘 기와의 제작 주체는 후백제였다는 결론에 다시금 이르게 된다. 아울러 후백제는 正開와 같은 고유 연호를 버리고 오월국의 연호를 사용하면서 양국 간의 관계가 한층 유착되었음을 알려준다. 실제로 공산 전투 직후 오월국의 반상서는 후백제의 손을 들어 주었다. 그러면서도 후백제는 923년에 건국된 북중국의 후당과는 925년에 외교 관계를 맺었다. 936년 정월에는 후백제 사신이 후당에 도착하였다. 그 직전에 정변을 통해 진훤을 유폐시킨 신검이 935년 10월에 반포한 교서에는 '淸泰'라는 후당의 연호를 사용하고 있다. 이로 볼 때 후백제는 '정개'→'보정'→'청태'라는 연호를 사용한 사실이 확인된다. 후백제는 정권이 처한 상황에 따라 오월국과 후당의 연호를 각각 채용한 것이다.[28]

그렇지만 적어도 진훤 정권은 오월국과의 교류에 중심을 두었다. 이는 933년에 "… 백제국 太僕卿 李仁旭이 각각 와서 우리 先王에게 제사하였다"[29]는 기사를 통해서도 읽을 수 있다. 후백제는 사신을 파견하여 오월국의 先王인 전류의 제사에 참석하여 弔問한 것이다. 진훤이 신라군 비장직에 있을 때부터 맺은 전류와의 관계를 고려하여 1주기를 맞아 사절단을 파견한 사실이 확인되었다. 전류는 한결같이 후백제를 지지하여 왔었다. 그랬기 때문에 후백제는 그에 대한 추념의 강도가 남달랐을 것이다. 이는 바로 그러한 사실을 환기시켜주는 기록이 아닐까?

---

26 國立晉州博物館·晉州市, 『晉州城 矗石樓 外廓 試掘調査 報告書』 2002, 63~65쪽.

27 왕봉규와 후당과의 교류는 924년 1월에 사신을 파견하면서부터 비롯된다. 927년 3월에는 후당에서 온 사신이 왕봉규를 지강주사·회화대장군으로 삼았다. 927년 4월에 왕봉규는 후당 사신이 환국할 때 林彦을 보내 조공한 것이다.

28 李道學, 『후백제 진훤대왕』, 주류성, 2015, 333쪽.

29 『吳越備史』 권3, 文穆王 4년 조. "百濟國太僕卿李仁旭各來祭我先王".

13-3 오월국 수도 항주에 소재한 절경 西湖 풍경

2) 후백제의 정변과 오월국, 그리고 고려

935년 신검 정변은 후백제와 오월국의 관계에 일대 분기점이 되었다. 「柳邦憲墓誌」에 따르면 柳邦憲의 祖父인 法攀이 백제 즉 후백제에 벼슬하여 우장군에 이르렀다고 한다. 유방헌의 외조부인 廉岳은 "백제가 장차 어지러워지려 하자" 은둔했다는 것이다. 염악이 은둔하게 된 요인은 935년의 왕위계승 내분을 반영하는 게 분명하다.[30] 이처럼 염악과 같이 은둔한 부류는 반신검파 곧 친금강계였음을 반증한다. 그러면 친금강계는 권력 싸움에서 패하자 은둔만 하였을까? 이와 관련해 1015년(현종 6) 11월 23일에 사망한 戶部尙書 張延祐와 관련한 『고려사』 기사를 보자. 이에 의하면 장연우의 父인 張儒가 신라 말이라는 시점에 '避亂' 次 오월국에 들어갔다는 것이다. 여기서는 장유가 오월국에 피란 간 배경은 적혀 있지 않다. 그렇지만 이 사안을 구명할 수 있는 몇 가지 단서가 있다. 첫째 '신라 말'이라는 시점이다. 둘째 장연우의 출신지를 尙質縣이라고 하였다. 그러니 그 父인 장유도 동일한 지역 출신으로 지목할 수 있다. 여기서 상질현은 지금의 전라북도 井邑市 古阜面에 해당한다.

이러한 2가지 단서를 조합해 보면 장유는 전라북도 정읍시 주변 출신임을 알 수 있다. 그리고 그가 오월국으로 피신한 시점을 '신라 말'이라고 했다. 그러면 후백제인 장유가 피란 차 오월국에 들어

---

30 申虎澈, 『後百濟甄萱政權硏究』, 一潮閣, 1993, 198쪽.

간 배경은 무엇일까? 물론 후백제 멸망 후 고려로의 복속을 피해 오월국으로 도피했을 수 있다. 그러나 이러한 추정에는 장유가 환국한 사유가 불분명할 뿐 아니라 고려 정권에 기용된 배경을 납득이 가게 설명하기 어렵다. 이 보다는 후백제인 장유가 935년의 신검 정변을 피해 자신의 父를 따라 오월국으로 피신했을 가능성을 높여준다. 그랬기에 후백제의 내부 사정을 비교적 잘 알고 있던 오월국에서는 이들을 잘 품어 주었던 것으로 보인다. 즉 후백제인 장유와 그 父로서는 오월국이 가장 안전한 피난처였기에 망명했다고 하겠다.[31] 이 점 새롭게 구명된 사실이다.

친금강 내지는 반신검 계열 세력의 오월 피신과 오월국의 이들에 대한 비호가 있었다. 게다가 오월국은 자신의 父를 축출하고 정권을 차지한 신검의 權座를 승인하지 않았다. 이로 인해 신검은 갑작스럽게 후당과의 교류를 추진했다. 후당 淸泰 연호의 사용은 그 산물인 것이다. 이 점에 대해서는 부연 설명이 필요할 것 같다. 신검 정권은 정변 직후 친진훤 성향의 오월국으로부터 정권의 정당성을 승인받지 못했던 것이다. 이때 신검 정권은 고려와 친한데다가 쇠락하는 국가가 후당임을 잘 알고 있었다. 그럼에도 불구하고 신검이 후당과의 교류를 추진한 데는 이러한 연유가 깔렸던 것이다.[32]

933년에 고려는 후당과의 관계를 긴밀히 하였다. 후당에서 사신을 보내와 왕건을 冊立했다. 고려는 후당의 曆書를 반포하고 후당의 연호를 사용하기 시작했다. 그러할 정도로 후당과 고려는 교류가 활발했다. 심지어 이때 후당 명종이 왕건에게 보낸 조서에서 "정예한 군사로 진훤의 무리를 꺾었고, 입고 먹는 것을 절약하여 忽汗 사람들을 구제하였다"[33]고 했을 정도이다.

물론 후백제는 고려에 대한 견제책으로 925년에 후당과 교류를 한 바 있었다. 후백제는 이때 藩國을 칭했다. 이와 더불어 진훤은 후당으로부터 '檢校太尉兼侍中判百濟軍事'를 제수받았다. 그러나 2년 후 후백제는 거란 사신들을 대동하고 항진하다가 후당의 登州에 표착하였다. 그 바람에 거란 사신들은 모두 살해되고 말았다. 이렇듯 후백제로서는 달갑지 않은 존재가 후당이었다. 그럼에도 후백제는 후당과 교류를 맺었다. 이 자체가 신검 정권의 불가피한 苦肉策이었음을 반증한다.

후백제가 오월국과 교류했던 항구는 c-2를 통해 지금의 영광군 관내의 염해현이었음을 알려준다. 전주에서 출발한 使行은 喜安縣(부안군 보안면)이나 臨陂郡(군산시 임피면)을 이용한 후 염해현에서 서해를 가로지르는 사단항로를 택하였다. 사단항로를 이용해 후백제는 후삼국 가운데 유일하게 오월국과 직접 교류를 했다. 물론 오월국 문사들이 고려로 망명해 온 기사가 다음에 보인다.

---

31 李道學, 「後百濟와 吳越國 交流에서의 新知見」 『百濟文化』 53, 2015, 110~112쪽.
32 李道學, 「後百濟의 加耶故地 進出에 관한 檢討」 『白山學報』 58, 2001, 65쪽.
33 『高麗史』 권2, 태조 16년 3월 조.

d-1. (919년) 癸未에 오월국의 文士 酋彦規가 來投하였다.[34]

d-2. (923년) 癸巳에 오월국의 문사 朴巖이 내투했다.[35]

위의 기사를 보면 오월국 문사의 고려 移住는 '來投'로 적혀 있다. 그렇지만 어디까지나 개인적인 망명에 불과했다. 따라서 고려와 오월국 간의 공식적인 교류로 지목할 수는 없다. 참고로 후삼국시대에 가장 먼저 국가를 창건한 후백제가 오월국이나 후당, 그리고 거란과도 교류했다. 그럼에도 불구하고 후백제는 唐과 교류하지 않은 이유는 무엇일까? 이에 관해서는 다음과 같은 견해가 표명된 바 있다.

연호를 사용하는 국가 후백제, 이는 신라가 백제를 멸망시키기 위해 당나라 군대를 끌어들인 태종무열왕 이래 당나라 연호를 사용한 것과는 정확히 구분되는 일이었다. 진훤은 자주국임을 선포한 것이다. 백제를 멸망시킨 철천지 원수 당나라의 연호를 거부하는 반당적(反唐的) 정서가 깔린 것으로 보겠다. 비록 당제국 말년인 이유도 있었겠지만, 대외정세에 민첩하였던 진훤이지만 당나라와는 일체의 외교 관계를 맺지 않았다.[36]

위와 기본적으로 동일한 견해도 제기된 바 있다. 즉 "당은 신라의 오랜 동맹국이었다. 견훤은 전주로의 천도에 즈음하여, 백제가 유구한 역사를 지녔음에도 신라와 당의 연합군에 의해 멸망당했음을 지적하며 그 원한을 갚겠다고 선언하였다. 그러므로 후백제가 당과 통교하는 것은, 말하자면 그와 같은 창업의 명분에 어긋나는 일이었던 셈이다. 당의 입장에서도, 오랜 동맹인 신라에서 자립해 나온 후백제를 외교적으로 승인하는 일이 쉬웠을 리 만무하다. 후백제가 당과의 통교에 나서지 않은 까닭은 아마도 그러한 데에 있었음 직하다"[37]고 했다. 공감이 가는 분석인지 모르겠다.

4. 후백제와 오월국과의 문화 교류

후삼국과 오월국과의 문화 교류는 그 단초를 열었던 후백제와의 관계에서 먼저 포착된다. 가령 전라북도 진안고원의 진안 도통리와 외궁리에서 初期 靑磁 窯址를 비롯하여 도요지만 120여개 所에

---

34 『高麗史』 권2, 태조 2년 조.

35 『高麗史』 권2, 태조 6년 조.

36 李道學, 『진훤이라 불러다오』, 푸른역사, 1998, 98쪽.

37 변동명, 「後百濟의 海外活動과 對外關係」 『한국고대사탐구』 19, 2015, 289~290쪽.

이르고 있다. 지금까지 우리나라 초기 청자 연구의 기원과 관련해 후백제와 관련된 논의는 거의 없었다. 그러나 최근 도통리 청자 窯址의 경우 구획성과 정형성을 보여주고 있다는 사실이 포착되었다. 호족을 넘어선 국가 차원에서의 조성 개연성을 높여 주었다. 결국 후백제와 오월국 간의 45년간에 걸친 외교적 유대의 결실로서 선진 문물인 越州窯의 청자 제작 기술이 새만금 해역을 통해 후백제에 전래 되었을 가능성이 짚어졌다.[38] 이러한 사실은 후백제와 오월국 간의 교류가 정치적 성격에만 국한되지 않았음을 보여준다. 양국 간에는 문화 방면에서 실질적인 교류가 매우 활발했음을 알려준 것이다. 후백제와 오월국 간의 외교적 교류 이면의 문화와 경제적 교류야 말로 기실 후백제가 챙기고자 했던 궁극적인 목적일 수도 있었다.

그러면 한반도에서 출토된 唐代(618~907)~五代(904~960)에 이르는 시기의 瓷器 분포지를 살펴 보기로 한다. 이들 瓷器는 浙江省 越窯의 靑瓷와 河北省 邢窯와 定窯 白瓷가 대세를 이루었다. 이러한 청자와 백자는 경주 황룡사지·안압지·영월 흥령원선지·이천설봉산성에서 출토되었다. 이들 瓷器는 후백제 영역인 부여 부소산성·홍성 신금성·보령 성주사지·남원 실상사·익산 미륵사지·전주 동고산성·광양 마로산성·정읍 고사부리성에서도 출토된 바 있다.[39] 여기서 마로산성 출토 청자와 백자는 진훤의 擧兵 직전 근거지였다. 중국제 청자와 백자가 이곳을 매개로 수입되었음을 암시해준다. 진훤이 건국할 수 있는 경제적 기반을 시사해주는 것이다.

그러면 후백제 지역에서 출토된 청자와 백자는 어떠한 의미를 지니고 있을까? 주지하듯이 동고산성은 후백제의 王都를 구성하는 비중 있는 '全州城'이었다. 전주에 근접한 실상사에는 후백제 '正開' 연호가 새겨진 편운화상부도가 남아 있다. 미륵사는 922년에 開塔을 했던 미륵신앙의 聖所였다. 부소산성은 백제 왕궁을 구성했던 곳이었다. 고사부리성은 백제 5方城의 한 곳이기도 했다. 성주사는

13-4 진안 도통리 출토 '후백제청자'와 관련 유물들

---

38 郭長根, 「진안고원 초기청자의 등장배경 연구」 『전북사학』 42, 2014, 107~132쪽.
    郭長根, 「진안 도통리 초기청자 요지와 후백제」 『진안 도통리 청자』, 국립전주박물관, 2014, 72~85쪽.
39 국립전주박물관, 『진안 도통리 청자』 2014, 28쪽.

그 前身이 백제의 호국사찰인 烏合寺였다. 게다가 성주사는 실상사와 더불어 신라로부터 독립할 수 있는 사상적 기반을 제공해주는 禪宗 사원이었다.[40] 內浦 지역 신금성 역시 백제 이래의 유서를 간직한 교역항이었다. 이렇듯 중국제 청자와 백자가 출토된 후백제 지역은 상징성이 지대하다는 공통점을 안고 있다. 그랬기에 진훤 왕은 지방 호족 뿐 아니라 영향력을 무시할 수 없는 선종 사원에 중국제 위세품을 賜與하여 정치계와 사상계를 함께 포용하려 했던 것으로 보인다. 이로써 후백제 진훤왕의 호족과 사원 세력 시책을 엿볼 수 있다.

오월국을 매개로 한 선진 문물의 대한 갈망은 高麗에도 있었던 것 같다. 이와 관련해 고려와 오월국 간의 교류에 대한 다음 기사를 주목해 본다.

e. (淸泰) 2년에 四明의 沙門 子麟이 고려 · 백제 · 日本 諸國에 가서 天台敎法을 전수했다. 高麗에서 사신으로 李仁日을 보내 子麟을 송환했다. 오월왕 전류가 郡城에 命을 내려 院을 만들고 그 무리를 안치하였다.[41]

위에서 '(淸泰) 2년'은 935년을 가리킨다. 그런데 전류는 908년~932년간 재위했다. 그러므로 위의 기사는 연대가 잘못되었거나 오월국 왕 전류 이름이 잘못 들어간 경우일 것이다. 그런데 e에 등장하는 李仁日을 李仁旭의 오류로 간주하기도 한다. 왜냐하면 동일한 내용이 수록된 『寶慶四明志』(권11 寺院 東壽昌院)에는 李仁旭으로 적혀 있기 때문이다. 그런데 933년의 시점에서 "… 백제국 태복경 李仁旭이 각각 와서 우리 先王에게 제사하였다"고 하여 이인욱이 등장한다. 그는 오월국의 先王인 전류의 제사에 참석한 것이다. 그렇다면 李仁日과 李仁旭은 서로 다른 인물일 수 있다. 다만 李仁旭의 '旭' 字에서 '九' 邊이 누락되어 『佛祖統紀』에서 '李仁日'로 표기되었을 가능성이다. 이와는 달리 고려 사신으로 등장하는 李仁日을 李仁旭으로 誤記했을 가능성도 상존한다. 어쨌든 분명한 것은 오월국 승려 子麟이 천태학 교수와 관련해 후백제와 고려 그리고 일본에도 내왕했다는 사실이다. 이와 더불어 『오월국비사』를 통해 오월국 시조 전류 왕에 대한 후백제의 조문 사절이 당도한 사실도 확인되었다. 후백제와 오월국 간의 긴밀한 교류 관계가 다시금 입증되는 것이다.

오월국은 후백제 일변도로 교섭을 가졌다. 고려가 독자적으로 오월국과의 정치적 교류를 틀 수 있는 소지는 없었다. 그러나 936년에 고려가 후삼국을 통일한 직후부터는 오월국과의 교류가 본격적으로 열렸다. 다음의 기사가 바로 그것이다.

---

40 조범환, 「후백제 견훤정권과 선종」『후백제 견훤정권과 전주』, 주류성, 2011, 341~367쪽.
41 『佛祖統紀』권42, 法運通塞志 17-9 末帝.

f. 고려에서 사신 張訓을 보내 來聘하였다.[42]

　고려에서 오월국에 사신을 보낸 것은 후백제를 멸망시키고 후삼국을 통일한 사실을 알리는 동시에 교류를 본격화하려는 시도였다. 937년 12월에 오월국에 당도한 장훈은 다음에 보듯이 938년 6월에 귀국하였다.

　　g. 大略 이르기를 "금년 6월에 본국의 中原府에서 오월국에 使行을 갔던 돌아 왔습니다. …"[43]

　이후 고려와 오월국은 전숙이 오대의 전란으로 사라진 『敎乘論疏』를 구하기 위해 사신을 파견하면서 이어지고 있다. 이때 고려 광종은 오월국에 諦觀을 보내 천태 관련 서적을 보내주었다. 다만 광종은 『智論疏』 등을 전하지 못하게 하였다.[44] 그리고 光宗이 杭州 출신 승려 永明寺 延壽(904~975)에게 제자의 예를 행하면서 36인의 승려를 보내기도 했다. 954년에 智宗은 광종에게 오월국에 가는 것을 허락받고 출발하였다. 광종이 파견하여 오월국에서 修學한 후 귀국한 英俊의 존재도 확인된다. 이 같은 승려들 외에 고려 商人들이 오월국과 교역한 사실도 밝혀지고 있다.[45] 게다가 중국 禪宗 5家의 마지막 法眼宗의 창시자인 文益(885~958)이 배출한 고려의 惠炬(居)는 한중 불교문화 교류의 일익을 담당했다. 즉 문익과 제2祖 德韶와 제3조 延壽 선사에 이르러 선종의 통일을 이루어 고려에까지 커다란 영향을 미친 사실이 확인되었다.[46] 이러한 논고는 체관에 이르기까지 고려와 오월국 간의 불교 사상사에 대한 획기적인 정리 작업으로 평가된다.
　이와 더불어 고려와 오월국 간 문화 교류의 물증이 전한다. 오월국 왕 전홍숙이 955년에 阿育王 故事에 따라 8만4천 基의 小塔을 鑄成하여 寶篋印心咒經을 넣어서 다른 나라에 나누어 준 실물 銅造 塔이 확인되었다.[47] 그리고 천안시 동남구 대평리 寺址에는 보협인석탑이 소재하였다.[48] 문제는 천안 보협인석탑의 소재 시점이다. 근래의 연구에 따르면 천안 보협인석탑은 동일한 절터에서 출토된 金鼓의

42　『十國春秋』 권79, 吳越 3, 文穆王 天福 2년 조.
43　『陸氏南唐書』 권18, 高麗列傳.
44　許仁旭, 「고려 초 남중국 국가와의 교류」 『국학연구』 24, 2014, 249~250쪽.
45　許仁旭, 「고려 초 남중국 국가와의 교류」 『국학연구』 24, 2014, 251~254쪽.
46　曹永祿, 「法眼宗과 海洋佛國吳越-고려 불교 교류와 관련하여」 『佛敎硏究』 41, 2014, 385~414쪽.
47　梅原末治, 「吳越王 錢弘俶 八萬四千塔」 『考古美術』 8-4, 1967, 288쪽.
48　국립공주박물관, 『天下大安』 2014, 88~89쪽.

제작 시기를 12세기 중반으로 추정한다면 이와 연결될 수 있다고 했다.[49] 해당 논문 맺음말에서는 그 탑신 인물상 帽子에 遼代 양식의 八部神衆像과의 연관성이 보이므로 11세기를 넘지 않은 시기의 작품으로 추정하고 있다.[50] 그런데 이 논문은 서술상의 모순이 눈에 많이 띄므로 신뢰도에 의문을 제기해 준다. 가령 해당 논문 '국문초록'에서는 "… 중국에서 볼 수 없는 二佛竝坐像을 사방에 배치하는 새로운 도상으로 바뀌었다"[51]고 했다. 그러나 본문에서는 "二佛竝坐像은 多寶佛과 釋迦佛을 표현한 法華經 見寶塔品에서 유래하는 도상으로서 중국에는 그 예가 많지만 한국에서는 매우 드물게 표현된다"[52]고 하였다. 二佛竝坐像에 관해 정반대의 모순된 서술을 한 것이다. 그리고 "… 八部神衆像(도판 28)과 거의 유사하다는 도상적 특징을 통해 이 석탑이 12세기를 넘지 않는 시기의 제작으로 추정하는 근거로 제시되고 있다"[53]고 했다. 이 역시 앞의 서술에서는 11세기라고 하였지만 뒤에서는 12세기로 다르게 표현한 것이다. 게다가 論者가 遼代 양식으로 주장한 八部神衆像의 '둥근 창이 달린 투구 모양의 모자'[54]는 의심할 나위 없이 기실 宋代 양식의 벙거지로 밝혀졌다. 그 밖에 보협인석탑의 소재와 관련해 天安이 오월국 문화의 창구 역할을 했던 중요한 지역이라고 논단했지만[55] 아무런 근거 제시가 없다.

이와 더불어 보협인석탑의 조성 배경을 "그런 점에서 동국대박물관 석탑은 金屬製 아육왕탑을 화강암으로 번안하여 제작한 유일한 한국의 아육왕탑인 동시에 당시 오월국과의 교류에서 유일하게 남겨진 가장 확실한 실물 자료로 평가되어야 한다"[56]고 했다. 논자는 스스로 飜案品이라 해 놓고 '가장 확실한 실물 자료'로 평가하는 자가당착적인 모순된 서술을 보였다. 중국에서는 후대에 조성된 석조 보협인석탑의 경우는 가장 중요한 도상인 佛傳圖가 생략되었다고 한다. 반면 천안 보협인석탑에는 佛傳圖가 나타나고 있다. 천안 보협인석탑이 결코 후대 작품이 될 수 없다는 사실을 가리킨다. 더욱이 천안 보협인석탑에서 확인된 사리공은 보협인다라니경 안치와 관련 짓고 있다.[57] 그렇다면 천안 보협인석탑은 외형만 본딴 단순한 번안품이기는 어렵다.

천안 보협인석탑은 이동이 용이하지 않은 石製라는 점에서 金屬製 번안품 착상설의 계기가 되었다.

---

49 崔應天, 「中國 阿育王塔 舍利器의 特性과 受用에 관한 고찰--東國大學校 所藏 石造 阿育王塔을 中心으로--」『東岳美術史學』12, 2011, 47쪽.

50 崔應天, 앞의 논문, 60쪽.

51 崔應天, 앞의 논문, 61쪽.

52 崔應天, 앞의 논문, 49쪽.

53 崔應天, 앞의 논문, 52쪽.

54 崔應天, 앞의 논문, 52쪽 註35.

55 崔應天, 앞의 논문, 60쪽.

56 崔應天, 앞의 논문, 60쪽.

57 崔應天, 앞의 논문, 50쪽.

그러나 중국에서 962년에 건립된 南漢의 대형 석조 보협인석탑은 높이가 무려 4m가 넘는다. 北宋期에 조성된 높이 2m에 이르는 석조 보협인석탑도 확인되었다.[58] 그런데다가 천안 보협인석탑은 국내 유일하다는 것이다. 천안 보협인석탑이 번안품이라면 유사한 양식의 석탑이 한국에 존재하지 않는 이유가 무엇일까? 오히려 천안 보협인석탑은 번안품이기 보다는 중국에서의 전래 가능성을 배제할 수 없다. 높이 2m에 이르는 천안 보협인석탑은 해체하여 운송이 가능하다. 사실 여부를 떠나 인도 아유타국의 허황후가 파사석탑을 싣고 온 기록이라도 있지 않은가? 더욱이 아육왕 고사에 따라 鐵을 가득 적재한 선박이 신라 항구에 도달한 기록도 보인다.[59] 따라서 천안 보협인석탑의 傳來 가능성은 충분하다.

13-5 천안 동남구 북면 대평리 탑골에
소재했던 보협인석탑(국보 제209호)

그러면 보협인석탑이 천안 지역에 남겨지게 된 배경이다. 전홍숙이 국가 차원에서 고려에 보냈다고 한다면 開城이나 근방의 사찰에 안치되었어야 마땅하다. 더구나 오월국 정권은 친후백제 정권으로서, 고려와는 특별한 교류가 없었다. 이러한 맥락에서 본다면 보협인석탑은 光宗代(950~975)에 오월국에서 환국하여 기용된 장유 내지는 이와 비슷한 상황이었던 친금강계 내지는 반신검계 인사들의 오월국에서의 환국과 결부 지을 수 있을 것 같다. 혹은 新羅末 3崔의 한 명인 崔彦撝의 둘째 아들인 崔行歸가 오월국에 유학하여 벼슬살이까지 한후 광종대에 환국하여 倖臣이 된 바 있다. 그는 普賢菩薩의 열 가지 발원을 노래한「普賢十願歌」를 모두 漢文으로 번역하였다. 이는 최행귀가 유학자이지만 佛家에 대한 이해가 깊을 뿐 아니라 적극적으로 수용하는 입장이었음을 알려준다. 그러한 최행귀가 오월국에서 환국할 때 보협인석탑을 搬入했을 가능성도 고려할 수 있다.[60] 어쨌든 이 점 역시 새롭게 구명한 것이다.

그러나 이러한 점과 더불어 보협인석탑이 소재한 천안은 고려 왕실과 비상한 인연이 맺어진 곳이라는 점을 주목해야 한다. 천안은 고려 태조 왕건이 후삼국을 통일할 때 전 병력을 집결시킨 곳이었

---

58 崔應天, 앞의 논문, 41쪽.

59 『三國遺事』권3, 塔像, 黃龍寺丈六 條.

60 李道學,「後百濟와 吳越國 交流에서의 新知見」『百濟文化』53, 2015, 112~113쪽.

다. 천안은 최종 통일전쟁의 본영이 아니었던가. 이와 관련해 보협인석탑의 속성이 阿育王 고사에서 연유했다는 것이다. 주지하듯이 아육왕은 印度의 정복군주로서 불법을 홍륭시킨 바 있다. 그렇다면 후백제 정벌의 시발점인 천안에 사찰을 건립하여 아육왕탑인 보협인석탑을 건립했거나 중국에서 반입해서 건립했을 가능성이다. 이는 「崔弘宰墓誌銘」에서 "삼한공신 崔良儒는 직산현 사람인데, 처음 고려 태조가 통합할 때 양유가 한 마음으로 도와 공을 이루었다. 태조가 순행하여 이 縣의 北岳에 이르러 양유가 사직을 지켰다고 하여(社稷之衛) 이름을 稷山이라고 하였다(因名稷山)"[61]라는 기록이 시사를 주기 때문이다.

통일을 이룬 고려와 오월국 간의 교류를 시사하는 물적 자료가 나타난 바 있다. 즉 경기도 시흥시 방산동에서 확인된 塼築窯에서 출토된 청자와 백자 그리고 匣鉢이 되겠다. 匣鉢에는 '吳越'과 '奉化' 명문이 각각 새겨져 있었다. 여기서 '奉化'는 '吳越'과 결부 지어 볼 때 절강성 奉化縣을 가리킨다고 본다. 五代 초기부터 본격적인 窯業을 개시한 奉化縣에서는 8세기 전반부터 宋代까지 이 지명을 사용했다고 한다. 방산동 전축요는 越窯的인 요소가 강하기 때문에, 중국 장인들이 직접 도래한 것으로 해석하고 있다. 그렇다면 한반도 중서부 지역 전축요의 원류를 越窯에서 찾을 수 있게 된다.[62]

5. 맺음말

후삼국시대 한반도 정치세력의 오월국과의 교류에 대한 지금까지의 연구는 후백제 일변도로 진행되어 왔다. 그러면 후백제가 고려를 제끼고 오월국과의 교류에서 機先을 잡을 수 있었던 요인은 무엇이었을까? 지금까지의 연구에서는 한반도 서남부 지역을 근거지로 한 후백제와 중국 동부 연안을 끼고 있는 오월국과의 지리적 관계에서 찾았다. 그러나 이는 다소 막연하고 추상적인 추측에 불과하였다. 이 문제에 대해 좀더 구체적으로 접근해 본 결과, 진훤이 신라군 비장으로 승평항인 순천만과 광양만에 屯營했던데서 실마리를 찾을 수 있었다. 광양의 마로산성에 출토된 해수포도방경이나 월주요에서 제작된 陶瓷의 존재가 그러한 물증이 된다. 진훤은 월주 지역과의 교역을 통해 훗날 오월국을 건국하게 된 전류와 교섭했을 가능성이 높다. 그렇지 않다면 900년에 진훤이 존재하지도 않았던 오월국에 사신을 보낼 수는 없기 때문이다. 요컨대 오월국 건국 이전 진훤과 전류와의 교류

61 김용선, 「崔弘宰 金尹覺 墓誌銘」『한국중세사연구』41, 2015, 240쪽.
62 국립전주박물관, 『당송 전환기의 吳越』2015, 32쪽. 39쪽.

를 일괄 소급시켜 국가적 교류로 기록한 사실을 구명했다. 이 점을 새롭게 밝힐 수 있었다.

지금까지의 연구를 통해 후삼국시대에 오월국과 교류했던 항로는 사단항로로 밝혀졌다. 이때 이용되었던 항구는 禪師들의 비문을 통해 속속 드러났다. 이 가운데 강주 덕안포의 경우는 전통적인 항구인 섬진강 하구의 하동 다사진으로 추정되는 성과가 따랐다. 그리고 진주 촉석루 근처에서 출토된 오월국의 '寶正' 연호가 양각된 기와를 통해 양국 관계의 유착이 다시금 포착되었다. 실제 오월국 전류 사망 이듬해인 933년에 후백제가 조문 사절을 파견한 사실도 새롭게 조명될 수 있다.

935년 왕위계승과 관련한 신검 정변으로 인해 반신검계 내지 친금강계 호족들이 오월국으로 피신한 사실을 새롭게 밝힐 수 있었다. 이때 친진훤 정책을 줄곧 견지해 온 오월국은 후백제 내정을 파악하고는 신검 정권을 승인하지 않았다. 이로 인해 신검 정권은 부득불 후당으로부터 승인받는 길을 택했음을 구명하였다. 고려는 후백제를 멸망시킨 936년에야 오월국과의 공식적인 교류를 시작했다.

후백제는 오월국을 통해 선진 문물을 습득했다는 사실도 새롭게 확인된 성과이다. 가령 후백제는 오월국을 통해 청자 제작 기술을 받아들였다고 한다. 이는 우리나라 청자 역사의 효시라는 점에서 의미가 지대하다고 본다. '후백제 청자'의 탄생인 것이다. 불교 사상과 관련해서는 후백제와 고려 모두 오월국의 天台教法을 전수받았다. 이와 관련해 천안 지역 절터에 건립되었던 보협인석탑에 대해서는 그간 논의가 활발하지 못했다. 그러나 이에 대한 탐색 결과 오월국에 피신하였거나 거주한 바 있던 張儒나 최행귀 등의 귀국과 관련 짓는 성과가 제기되었다. 혹은 보협인석탑이 소재한 천안은 고려 왕실과 비상한 인연이 있는 곳이라는 점도 주목된다. 천안은 고려 태조 왕건이 후삼국을 통일할 때 최종 통일전쟁의 본영이기도 했다. 그리고 보협인석탑의 속성이 아육왕 고사에서 연유했다는 것이다. 이러한 맥락에서 고려가 후백제 정벌의 시발점인 천안에서의 사찰 건립 가능성을 제기해 본다. 아울러 이곳에 아육왕탑인 보협인석탑을 건립했거나 중국에서 반입하여 건립했을 가능성이 함께 고려되어진다.

지금까지 살펴 본 후백제와 고려의 오월국과의 교류는 정치 뿐 아니라 불교 사상을 비롯한 문화 전반과 경제 분야까지도 활발하게 이어졌음이 확인된다. 앞으로의 과제는 오월국이 후백제와 긴밀한 관계를 유지한 본질적인 이유를 구명하는 작업이다. 오월국이 후백제로부터 얻고자 했던 경제적인 이득도 고려해 볼만한 사안이라고 본다. 가령 후백제에서 오월국에 수출된 물산에 대한 파악이 필요해졌다. 차후 심도 있는 연구가 기다려진다. 참고로 472년에 백제 개로왕이 北魏에 보낸 方物로는 錦布와 海物이 보인다.

「後百濟와 高麗의 吳越國 交流 硏究와 爭點」『한국고대사탐구』22, 한국고대사탐구학회, 2016.

진훤 정권의 사상적 동향

1. 머리말

후백제사에 관해서는 최근 많은 연구 성과들이 축적되었다.[1] 그러나 아직까지는 그 연구가 정치사 일변도로 傾倒된 듯한 상태라고 하겠다. 후백제의 정치 행태와 짝을 이루는 경제적 측면에 관한 연구는 日淺하기 그지없다.[2] 이와 더불어 한 국가의 존립 근거로서 사상이 점하는 비중은 실로 막중하지만 진훤 정권의 사상적 동향에 관해서도 체계적으로 연구된 바 없다. 다만 진훤 정권과 불교와의 관련성에 대해서는 단편적인 연구가 이루어졌을 뿐이다.[3]

---

1 후백제사 연구와 관련한 대표적인 저술로는 다음의 저서를 꼽을 수 있다.
   申虎澈,『後百濟 甄萱政權 硏究』, 一潮閣, 1993.
   백제연구소,『후백제와 견훤』, 서경문화사, 2000.
   전북전통문화연구소,『견훤정권과 전주』, 주류성, 2001.
   참고로 본고의 서술과 관련한 필자의 논고로는 다음이 있다.
   이도학,「甄萱의 出身地와 그 初期 勢力 基盤」『후백제 견훤정권과 전주』, 주류성, 2001.
   이도학,「後百濟의 加耶故地 進出에 관한 檢討」『白山學報』58, 2001.
2 이와 관련한 최근의 연구로는 다음과 같은 논문을 제시할 수 있다.
   李道學,「後百濟 甄萱의 農民 施策에 관한 再檢討」『白山學報』62, 2002.
   참고로 미술사 연구로는 다음의 논문이 유일하다.
   최성은,「후백제 지역 불교조각 연구」『미술사학연구』204, 한국미술사학회, 1994.
3 이에 관해서는 다음과 같은 논고가 일단은 참고 된다.
   李基白,『新羅思想史硏究』, 一潮閣, 1986.

본고에서는 진훤 정권의 성장과 관련한 사상적 성격을 究明하고, 그 몰락 요인으로서 사상적 갈등 관계를 상정해 보았다. 즉 진훤 정권의 지배 이데올로기였던[4] 불교의 미륵신앙과 유교와의 정치적 관계를 검토하려고 한다. 물론 후백제의 몰락은 왕위계승 분쟁과 같은 정치적 상황에서 발생하였다. 이 점은 부인할 수 없는 엄연한 사실이라고 하겠다. 그러나 이것은 표면에 드러난 현상만 말하고 있을 뿐이다. 한 국가의 몰락에는 단선적으로만 평가할 수 없는 여러 가지 요인이 복합적으로 얽혀 있게 마련이다. 이러한 점을 고려하여 후백제 멸망 원인의 구명과 관련해 사상적 갈등 관계를 상정하면서 접근하였다.

2. 진훤 정권의 몰락 과정

후백제 진훤 정권의 몰락과 신검 정권의 태동 배경을 왕위계승상에서 빚어진 갈등의 산물로 이해하여 왔었다. 물론 그것은 부인할 수 없는 엄연한 사실이다. 이에 대한 『삼국사기』와 『삼국유사』의 관련 기사는 다음과 같다.

a. 진훤은 아내를 많이 취하여 아들이 10여 명이었는데 넷째 아들 金剛이 키가 크고 지략이 많았다. 진훤이 특별히 사랑해 그에게 왕위를 전해주려고 하자 그의 형 神劍 良劍 龍劍 등이 알고서 걱정과 번민을 하였다. 당시 양검은 康州都督, 용검은 武州都督으로 나가 있었다. 신검만이 왕의 옆에 있었다. 이찬 능환이 사람을 강주와 무주에 보내어 양검 등과 몰래 모의하였고, 淸泰 2년 봄 3월에 이르러 파진찬 新德과 英順 등이 신검에게 권하여 진훤을 金山佛宇에 유폐시키고 사람을 보내 금강을 살해하였다. 신검은 대왕을 자칭하면서 국내에 대사면령을 내렸다.[5]

許興植, 『高麗佛敎史硏究』, 一潮閣, 1986.

韓基汶, 『高麗寺院의 構造와 機能』, 民族社, 1998.

文暻鉉, 『高麗史硏究』, 慶北大學校 出版部, 2000.

趙仁成, 「彌勒信仰과 新羅社會」『震檀學報』82, 1996.

金壽泰, 「甄萱政權과 佛敎」『후백제와 견훤』, 서경문화사, 2000.

4 지배 이데올로기는 지배층이 피지배층을 지배하기 위한 사상이나 이념을, 통치 이데올로기는 지배층 중에서도 왕이 귀족이나 관료를 통제하기 위한 사상이나 이념을 가리키고 있다(崔光植, 「韓國古代國家의 지배 이데올로기」『韓國古代史硏究』8, 1995, 152쪽).

5 『三國史記』권50, 甄萱傳. "甄萱多娶妻 有子十餘人 第四子金剛 身長而多智 萱特愛之 意欲傳其位 其兄神劍 · 良劍 · 龍劍等知之 憂悶 時良劍爲康州都督 龍劍爲武州都督 獨神劍在側 伊湌能奐使人往康 · 武二州 與良劍等陰謀 至

b. 「李磾家記」에서 "… 진훤은 妻妾이 많아서 아들 10여 명을 두었는데 넷째 아들 金剛은 키가 크고 지략이 많았다. 진훤이 특별히 그를 사랑하여 왕위를 전하고자 하는 뜻이 있었다. 그의 형 신검과 양검 용검이 이를 알고는 걱정과 번민을 하였다. 당시 양검은 강주도독으로 용검은 무주도독이었고, 신검만 이 진훤의 곁에 있었다. 이찬 능환이 사람을 강주와 무주 2州에 보내어 양검 등과 더불어 모의하였다. 淸泰 2년 乙未 봄 3월에 이르러 英順 등과 더불어 신검을 권하여 진훤을 금산사에 유폐시키고 사람을 보내 금강을 살해하였다. 신검은 스스로 대왕을 칭하면서 境內에 赦免을 내렸다"고 말했다.

처음에 진훤이 잠자리에 누워 아직 일어 나지도 않았는데 멀리 대궐 뜰로부터 함성이 들렸으므로 "이것이 무슨 소리냐!"고 묻자 신검이 그 아버지에게 고하기를 "왕께서 연로하셔서 軍務와 국정에 혼미하므로 맏아들 신검이 부왕의 자리를 대신하게[攝] 되었으므로 여러 장수들이 축하하는 소리입니다"고 하였다. 얼마 안 있어 그 아버지를 金山佛宇로 옮기고 巴達 등 장사 30 명으로 그를 지키게 하였다. … 4월에 이르러 술을 만들어 守卒人에게 먹여 醉하게 하고… 海路로 맞이하게 하였다.[6]

c. 如意가 특별히 총애를 받았으나 惠帝가 君王이 되었고, 建成이 참람되게 태자 노릇을 하다가 太宗이 일어나서 즉위했으니, 天命이란 바뀌지 않는 법이요, 神器란 돌아가는 데가 있는 법이니, 공손히 생각건대 대왕의 神武는 보통 사람보다 빼어나게 뛰어 나셨고, 영특한 지혜는 만고에 으뜸이라, 말세에 태어나서서 스스로 천하를 다스리는 방책을 짊어지고 삼한 지역을 순행하시면서, 백제라는 나라를 회복하셨으며 진구렁이나 숯불에 떨어진 것과 같은 고통을 쓸어버리니 백성들이 평안하고 화목하게 되어 북을 치고 춤을 추었고, 광풍과 우레처럼 먼데나 가까운데나 준마처럼 달려, 功業이 거의 重興에 이르렀는데, 지혜로운 생각이 홀연히 한 번 실수하셔서 어린 아들이 사랑을 받게 되고, 姦臣이 권세를 농락하여 대왕을 晉의 惠公처럼 혼미한데로 인도하며, 아버지를 獻公처럼 미혹한 길로 빠뜨려서 大寶를 철없는 아이에게 주려하였으나, 다행히 上帝께서 굽어 보시고 어른께서 허물을 고치시어 元子인 나를 명하여 이한 나라를 맡게 하셨으나, 나는 태자가 될 만한 자질이 없으니 어찌 군왕이 될 지혜가 있으리요만은, 조심하고 두려워하며 얼음 덮인 연못을 밟는 거와 같아서 의당 이 특별한 은혜를 미루어 維新의 정치[維新之政]를 보여야겠기에 나라 안에 大赦를 내리노니, 淸泰 2년 10월 17일 동트기 전을 기하여 이미 발각되었거나 발각

---

[6] 『三國遺事』권2, 紀異, 後百濟甄萱 條. "李磾家記云 萱多妻妾有子十餘人 第四子金剛身長而多智 萱特愛之意欲傳位 其兄神劍・良劍・龍劍知之憂憫 時良劍爲康州都督 龍劍爲正州都督 獨神劍在側 伊飱能奐使人往康・正二州 與良劍等謀 至淸泰二年乙未春三月 與英順等勸神劍幽萱於金山佛宇 遣人殺金剛. 神劍自稱大王赦境內云云 初萱寢未起遥聞宮庭呼喊聲 問是何聲歟 告父曰 五年老暗於軍國政要 長子神劍攝父王位 而諸將歡賀聲也 俄移父於金山佛宇 以巴達等壯士三十人守之… 至四月釀酒而飲醉守卒三十人… 以海路迎之"

（上段欄外）淸泰二年春三月 與波珍飱新德・英順等 勸神劍幽萱於金山佛宇 遣人殺金剛 神劍自稱大王 大赦境内"

되지 않았거나, 이미 결정되었거나 결정되지 않은 것들은 물론이고, 사형수 이하의 죄를 죄다 용서하여 주되 주관자가 시행할 것이니라.[7]

그런데 a·b와는 달리 진훤이 금산사에 유폐된 사실에 주목하는 견해가 있다. 즉 그가 금산사에 들렀을 때를 틈타 정변이 발생한 것으로 여기는 견해였다.[8] 그러나 a와 b에서처럼 신검이 정변 직후 대왕을 자청하면서 대사면령을 내렸다는 사실에 대해서는 검토의 여지가 있다. 물론 기존의 견해에 의하면 신검은 935년 3월에 정변을 단행하여 진훤을 실각시키고 왕위에 오른 것으로 간주해 왔다. c의 신검 教書를 놓고서 "신검이 왕위에 오른지 7개월 후에 발표한 것임은 의심할 여지가 없다.… 신검은 정변을 일으켜 왕위에 오르긴 했지만 견훤을 따르던 세력과 금강을 추대했던 정치세력들의 반발로 여러 가지 어려움을 겪게 되었다고 보여진다"[9]라고 인식하였다. 물론 신검은 진훤을 유폐시키고 권력을 장악했다. 그러나 c의 "나를 명하여 이 한 나라를 맡게 하셨으나, 나는 태자가 될 만한 자질이 없으니 어찌 군왕이 될 지혜가 있으리요만은… 의당 이 특별한 은혜를 미루어 維新의 정치[維新之政]를 보여야겠기에"라는 문구를 통해 즉각 즉위하지 못했음을 알 수 있다. c에서 알 수 있듯이 신검은 935년 10월 17일에 維新을 표방한 大赦免을 단행하였다. 이는 신검의 즉위와 관련한 민심 수습 차원에서 비롯한 조치였다. 이 날에서 멀지 않은 시점이 그가 대왕으로 즉위한 날임을 짐작할 수 있다.

위의 교서를 통해 신검은 935년 3월에 정변을 단행하여 진훤을 실각시켰지만 10월에야 즉위하였음을 알게 된다. 그 때까지는 7개월 간의 공백이 생기고 그 중간에 변수가 발생했다. 금산사에 3개월 간 유폐되어 있던 진훤이 그 해 6월 나주를 거쳐 고려로 귀부한 사건이다. 즉 "진훤이 금산에 있은 지 3개월 만인 6월에 막내아들 능예·딸 애복·총애하는 첩 고비 등과 더불어 금성으로 도주하여 사람을 시켜 태조에게 만나기를 청하니 태조가 기뻐하여 장군 유검필과 만세 등을 보내어 水路를 거쳐가서 위로하고 도착함에 이르러 두터운 예로써 대접하였다"[10]라고 했다. 그리고 나서 4개월이

7 『三國史記』 권50, 甄萱傳. "其教書曰 如意持蒙寵愛 惠帝得以爲君 律成濫處元良 太宗作而即位 天命不易 神器有歸 恭惟大王神武超倫 英謀冠古 生丁衰季 自任經綸 徇地三韓 復邦百濟 廓清塗炭 而黎元安集 皷舞風雷 而邇遐駿奔 功業幾於重興 智慮忽其一失 幼子鍾愛 姦臣弄權 導大君於晉惠之昏 陷慈父於獻公之惑 擬以大寶授之頑童 所幸者 上帝降衷 君子改過 命我元子 尹玆一邦 顧非震長之才 豈有臨君之智 兢兢慄慄 若蹈冰淵 宜推不次之恩 以示惟新之 政 可大赦境內 限清泰二年十月十七日昧爽以前 已發覺未發覺 已結正未結正 大辟已下 罪咸赦除之 主者施行"

8 李基白, 『新羅思想史硏究』, 一潮閣, 1986, 274쪽.

9 申虎澈, 『後百濟 甄萱政權 硏究』, 一潮閣, 1993, 162쪽.

10 『三國史記』 권50, 진훤전. "萱在金山三朔 六月 與季男能乂·女子哀福·嬖妾姑比等 逃奔錦城 遣人請見於太祖 太 祖喜 遣將軍黔弼·萬歲等 由水路勞來之"

지난 연후에야 대사면이 내려진 것이다.[11]

그리고 c를 통해 볼 때 신검의 즉위가 순탄하지 않았던 것 같다. 신검은 일단 진훤을 유폐시켰지만 진훤 측근들과 금강의 외가나 그 처족들로부터 거센 저항을 받았을 가능성이 높다. 주지하듯이 이들은 "姦臣이 권세를 농락하여 대왕을 晉의 惠公처럼 혼미한데로 인도하며 아버지를 獻公처럼 미혹한 길로 빠뜨려서 大寶를 철없는 아이에게 주려하였으나"라는 문구에 등장하는 '간신'의 범주에 들어 간다. 신검은 이들에 대한 숙청 작업을 단행하였을 것이다. 그러는 가운데 왕국 전체가 커다란 내분의 소용돌이에 휩싸였을 게 분명하다.

이와 관련해 「柳邦憲墓誌」에 의하면 전주 承化縣人 류방헌의 조부인 法攀은 후백제 조정에 벼슬하여 우장군까지 올랐다고 한다. 그런데 류방헌의 외조부인 廉岳은 후백제에서 난이 일어날 것을 알고는 은거했다는 것이다.[12] 이 난은 익히 지적되고 있듯이 왕위계승 분쟁을 가리킨다.[13] 이 때 廉岳이 난을 피해 은거했을 정도라면 國基가 휘청거릴 정도의 큰 정변이었음을 뜻한다. 진훤 또한 선선히 대권을 이양하지는 않으려고 했을 것이다. 40여년 간 구축해온 진훤 친위세력의 반격 역시 만만하지 않았으리라고 여겨진다. 그러한 관계로 신검은 진훤이 고려로 귀부한 직후에야 즉위할 수 있는 명분을 얻게 되어 대왕임을 선포하게 되었던 것 같다. 이것을 암시해 주는 문구가 b에서 신검이 정변 직후 '攝'했다는 문자이다. 신검은 정변을 통해 권력을 장악하기는 했다. 그러나 c와 관련 지어 볼 때 즉각 즉위를 선포할 수 없는 형국이었음을 짐작하게 한다.

그렇지만 신검은 민심의 이탈을 빨리 수습하고 권력의 일원화를 구축하는 문제에 메달렸을 것이다. 이와 관련해 신검은 그 걸림돌이 되는 진훤에 대한 처리를 생각했을 것 같다. 신검은 후백제인들이 반세기 가까이 모셨던 '주군'이었다. 그랬기에 진훤은 아직도 민심이 쏠려 있는 진훤을 제거할 필요를 느꼈을 가능성이 높다. 이 문제는 진훤을 심적으로 압박해 조여들어 왔을 게 분명하다. 진훤은 분노와 신변의 위협 등으로 인해 원치 않은 선택의 기로에 서게 되었을 수 있다.[14]

---

11 이와 관련한 내용 검토와 서술은 李道學,『진훤이라 불러다오』, 푸른역사, 1998, 260~269쪽에서 이미 언급한 바 있다. 金周成도「930년대 후백제 정권 내부의 동향」『후백제 견훤 정권과 전주』, 주류성, 2001, 176쪽에서 이와 동일한 견해를 제시했지만 필자가 앞의 책에서 벌써 언급한 내용이다.

12 金龍善 編著,『改訂版 高麗墓誌銘 集成』, 한림대학교 아시아문화연구소, 1997, 16쪽. "母李氏潭陽郡人 外祖諱廉岳 有識度 知百濟將亂隱名不仕"

13 申虎澈,『後百濟 甄萱政權 研究』, 一潮閣, 1993, 198쪽.

14 금산사에 유폐되어 있던 진훤의 고려로의 귀부 결정은, 단순히 복수심만으로 풀기 어려운 구석이 많다. 흔히 비유하기를 하늘에는 2개의 태양이 없듯이 2명의 임금이 존재할 수는 없는 것이다. 평화적인 정권 移讓에 따른 上王과 왕의 관계가 아닌 정변에 의한 것이라면 필시 문제가 제기되지 않을 수 없다. 역사에 보면 축출한 왕을 가차없이 베었던 것이다. 무자비하다기 보다는 현실적인 필요 때문이었다. 쉬운 예를 들어 보자. 康兆의 정변으로

그런데 진훤의 고려 귀부는 그 재위 시절부터 논의된 문제였던 것처럼 다음과 같이 보인다.

　　d. 丙申 정월에 진훤이 그 아들에게 이르기를 老夫가 신라 말에 후백제라고 한지 지금 여러 해가 되어 군사가 北軍보다 배나 더하되 오히려 불리하니 아마 하늘이 고려를 위하여 도와 주는 것 같으니 北王에게 귀순하여 생명을 보전해야겠다고 하였다. 그의 아들 신검 · 용검 · 양검 등 3인은 모두 응하지 않았다.[15]

위의 기록에서 '병신 정월'은 936년 정월이므로, 진훤이 고려로 탈출한 뒤의 시점이다. 그러므로 시간상으로는 따르기 어렵다. 다만 진훤의 고려 귀부가 돌연한 사건이 아님을 전하는 기록으로 받아 들일 수 있다. 즉 진훤과 아들 형제들 간에 노선상의 갈등이 있었던 양 비쳐진다. 진훤은 勢가 불리하니 끊임없는 소모전을 청산하고 공연히 가엾은 백성들과 억울한 병사들이나 죽이지 말자는 취지가 아니었을까. 물론 진훤의 고려 귀부를 정당화하기 위한 목적에서 고려측에서 흘렸을 수 있다. 어떠한 이유에서든 진훤과 신검 형제들 간에는 진훤 재위시에 갈등이 불거져 있었다는 사실이 확인된다.

금산사에 유폐된 진훤은 일단 탈출을 모색했을 것이다. 문제는 탈출 방법이었다. a에 덧 붙여진 기사에 의하면 유폐된 지 3개월만인 6월에 진훤은 막내 아들 능예와 딸 애복과 애첩 고비 등과 함께 금산사를 탈출하여 지금의 나주인 금성으로 몸을 빼었다고 한다. 그러나 b에는 4월에 이르러 술을 빚어서 지키는 병사 30명을 취하도록 먹였다. 그런 연후에 진훤은 고려 측의 도움을 받아 뱃길로 고려로 들어 간 것으로 되어 있다. 여기서 어느 기록이 옳은 지 선뜻 단정할 수 없다. 다만 진훤은 금산사를 탈출하여 나주로 들어 간 후에 뱃길로 고려에 간 것은 분명하다. 진훤이 유폐에서부터 고려에 귀부하기까지는 도합 3개월이 소요되었다.

이와 관련해 주목되는 게 있다. 6년 동안 후백제 지배 하에 있던 나주가 935년 4월에 고려 장수 유검필에게 장악되었다는 사실이다.[16] 이 시점과 진훤의 나주로의 탈출하고는 묘하게도 시간상으로

폐출된 고려 穆宗과 조선 세조에 의해 축출된 端宗의 운명이 잘 말하고 있다. 이들은 당초에는 권좌에서만 물러나 있었을 뿐이었다. 그리고 隋 煬帝는 아버지인 文帝를 독살하고 즉위했다는 혐의를 받고 있다. 後梁의 태조 朱全忠은 그 아들 朱友珪에게 피살되었다.

15 『三國遺事』권2, 後百濟甄萱 條. "丙申正月萱謂子日 "老夫新羅之季立後百濟名 有年于今矣 兵倍於北軍尙爾不利 殆天假手為高麗 盖歸順於北王保首領矣 其子神劍 · 龍劍 · 良劍等三人皆不應"

16 『高麗史』권92, 庚黔弼傳. "十八年 太祖謂諸將日 羅州界四十餘郡 爲我藩籬 久服風化 嘗遣大相堅書 · 權直 · 仁壹 等往撫之 近爲百濟劫掠 六年之間 海路不通 誰爲我撫之 洪儒 · 朴述熙等日 臣雖無勇 願補一將 太祖日 凡爲將 貴得人心 公萱 · 大匡悌弓等奏日 黔弼可 太祖日 予亦已思之 但近者新羅路梗 黔弼往通之 朕念其勞 未敢再命 黔弼日 臣年齒已衰 然此國家大事 敢不竭力 太祖喜垂涕日 卿若承命 何喜如之 遂以爲都統大將軍 送至禮成江 賜御船 遣之 因留三日 候黔弼下海 乃還 黔弼至羅州 經略而還 太祖又幸禮成江 迎勞之"

연결이 된다. 그러므로 진훤의 나주 탈출과 고려로의 귀부에는 고려측의 공작 가능성을 생각하게 한다.[17] 금산사에 유폐된 진훤은 나주가 고려 땅이 되었다는 사실을 알았기에 그곳으로 일단 피신했을 것이다. 또 그것이 가능하도록 고려측의 역할이 있었다고 보아야 한다. 이러한 상황에서 진훤이 왕건에게 귀부하려고 마음을 굳혔다면 먼저 고려측에 그러한 의사를 전달했을 가능성이다. 그렇지 않은 상황에서 진훤이 고려에 불쑥 귀부한다는 것은 신변의 안위와 결부된 사안이 아닐 수 없다. 이같은 추정은 진훤의 사위 박영규가 왕건에게 귀부하는 과정을 통해서도 유추할 수 있다.[18]

신변 보장의 답서를 보냈을 때 고려측에서 탈출 루트를 함께 제시해 왔을 가능성이 적지 않다. 진훤이 육로를 이용하여 후백제 땅을 탈출한다는 것은 생각하기 힘든 일이었다. 뱃길로 해서 탈출시킬 목적으로 고려로는 자국의 故地였던 나주항을 지목하게 되었던 것 같다. 이곳을 점령하여 진훤을 일단 탈출·피신시킨 후 고려로 데리고 가는 방법이었다. 따라서 고려측은 진훤 귀부책의 일환으로 전격적으로 나주를 공략하여 점령한 것으로 보인다. 그와 동시에 진훤을 탈출시킨 것으로 짐작된다. 그런데 김제 금산사에서 나주까지는 무려 230리 길이다. 여러 날에 걸쳐 진훤은 남쪽으로 내려왔다는 이야기가 된다. 이 역시 다른 세력의 도움이나 협조 혹은 후백제측의 방조 없이는 생각하기 어렵다. 고려측의 어떤 공작을 충분히 상정할 수 있게 한다. 이와 관련해 고려 말의 인물인 尹紹宗(1345~1393)이 나주 지역의 鎭山인 금성산을 읊은 시구가 시사를 준다. 즉 "한 척의 배로 甄王이 귀순한 길이요(一葦甄王歸命路)"[19]라고 하였다. 이 구절은 진훤이 나주에서 개성으로 귀부한 사실을 연상하기 쉽다. 그러나 진훤이 금산사에서 이제는 고려 땅인 나주로 올 때까지의 行路를 말해주는 문구일 가능성도 배제할 수 없다. 진훤은 선편을 이용해 일단 나주로 피신했을 여지도 열어 놓아야 할 것 같다.

진훤이 나주로 탈출한 과정에 대한 구명은 용이하지 않다. 여하간 고려 조정은 이 보고를 받고는 즉각 장군 유검필 등으로 하여금 전함 40여 척을 거느리고 나주로 내려와 진훤을 맞았다. 진훤은 뱃길을 이용해 고려의 수도 개경에 당도했다.

『高麗史節要』권1, 太祖 18년 조.

17 이에 관해서는 申虎澈, 『後百濟 甄萱政權 硏究』, 一潮閣, 1993, 69~70쪽이 크게 참고된다.

18 『三國史記』권50, 甄萱傳. "甄萱壻將軍英規 密語其妻曰 大王勤勞四十餘秊 功業垂成 一旦以家人之禍 失地投扵高麗 夫貞女不事二夫 忠臣不事二主 若捨己君 以事逆子 則何顔以見天下之義士乎 況聞高麗王公仁厚勤儉 以得民心 殆天啓也 必爲三韓之主 盍致書以安慰我王 兼殷勤扵王公 以圖將來之福乎 其妻曰 子之言 是吾意也 扵是 天福元秊二月 遣人致意 遂告太祖曰 若擧義旗 請爲內應 以迎王師 太祖大喜 厚賜其使者而遣之 兼謝英規曰 若蒙恩一合 無道路之梗 則先致謁扵將軍 然後升堂拜夫人 兄事而姊尊之 必終有以厚報之 天地鬼神皆聞此言"

19 『新增東國輿地勝覽』권35, 羅州牧, 山川 條.

3. 진훤과 신검 정권의 지배 이념

1) 진훤 정권의 지배 이념

진훤 정권의 몰락 과정을 앞에서 살펴 보았다. 비록 몰락하기는 했지만 진훤 정권의 존립 기반과 관련한 사상을 검토할 필요가 있다. 그러기 위해서는 무엇보다 진훤을 축출하고 난 직후에 그 아들 신검이 반포한 교서의 내용 c를 주목하지 않을 수 없다. 이 교서에 보면 진훤이 출생하던 무렵을 "生丁衰季"라고 하였다. '衰季'의 용례는 字典에 뚜렷하지 않지만, 季에는 末世의 뜻이 있다.[20] 그러고 보면 이 구절은 "말세에 태어나서서"[21]라고 해석이 된다. 이는 진훤이 출생했을 때인 신라 말의 상황을 말세로 인식했음을 뜻한다. 862년(경문왕 2)에 조성된 금강산 장안사의 비로자나불상 등에 새겨진 다음 문구에는 末法의 시대에 들어섰음을 알려준다.

　　　e. 第當我釋迦如來像法之末運

865년(경문왕 5)에 조성된 철원 도피안사의 비로자나불상에도 말세를 슬퍼하면서 불상을 조성한 내력이 다음과 같이 주조되어 있다.

　　　f. 不鏡三千光歸 一千八百六載耳 慨斯悌斯 彫此金容[22]

이러한 말세관은 불교적인 영향을 받은 것으로 드러나고 있는데[23] 주지하듯이 미륵신앙으로써 발현되었다.

20 　中文大辭典編纂委員會, 『中文大辭典 3』, 中國文化大學出版部, 1973, 314쪽, "季, 衰世也" ; 『中文大辭典 4』 1589 쪽, "末世, 謂衰世季世也"

21 　이와 같은 해석은 다음과 같은 국역본에서도 확인된다.
　　사회과학원 고전연구실, 『삼국사기 (상)』 아름출판공사, 1958, 500쪽.
　　李丙燾 譯, 『삼국사기(하)』, 乙酉文化社, 1983, 503쪽.
　　그런데 申虎澈은 "生丁衰季"를 "내세에 태어나서"라고 해석하였다(申虎澈, 『後百濟 甄萱政權 硏究』, 一潮閣, 1993, 153쪽).

22 　韓國古代社會硏究所, 『譯註 韓國古代金石文 Ⅲ』, 駕洛國史蹟開發硏究院, 1992, 314쪽.

23 　위의 두 금석문(e·f)에 대한 판독과 해석은 趙仁成, 「弓裔의 勢力形成과 建國」 『震檀學報』 75, 1993, 16~23쪽을 참조했다. 그런데 후자의 판독은 鄭炳三의 釋文을 취하였다.

14-1 도피안사 비로자나불상　　　　　　**14-2 비로자나불좌상 뒷면의 명문**

후백제 정권의 정점에 서 있던 神劍의 교서에서 말세관이 확인된 것은 문헌 자료로서는 유일한 것이다. 그러한 말세관은 그 아버지인 甄萱代의 인식과도 연결되는 것으로 보겠다. 진훤이 말세에 대한 인식을 가졌다는 것은 그에 대척되는 개념을 새롭게 설정했을 가능성을 짚어준다. 그것은 "스스로 천하를 다스리는 방책을 짊어지고 삼한 지역을 순행하시면서, 백제라는 나라를 회복하셨으며 진구렁이나 숯불에 떨어진 것과 같은 고통을 쓸어버리니 백성들이 평안하고 화목하게 되어 북을 치고 춤을 추었고, 광풍과 우레처럼 먼데나 가까운데나 준마처럼 달려, 功業이 거의 중흥에 이르렀는데"라는 구절에서 확인되고 있다. 여기서 "천하를 다스리는 방책을 짊어지고"라고 한 문구는 진훤 스스로가 말세를 청산하려는 강한 의지와 그것을 가능하게 할 수 있는 인물로서 자신을 규정한 것으로 보겠다. 그러한 인식은 진훤이 제정한 연호를 통해서 어느 정도 유추가 가능해진다.

신라 말 9산 선문 도량 가운데 하나로서 후백제 영역에 소재했던 남원 실상산파의 實相寺에는 片雲和尙浮屠가 있다. 이 부도에 새겨진 '正開'는 후백제가 전주로 천도한 1년 후인 901년에 제정한 年號이다.[24] 正開 연호에는 '바르게 시작한다'·'바르게 깨우친다'·'바르게 연다'·'바르게 편다'[25] 등의

24　金包光,「片雲塔과 後百濟의 年號」『佛教』제49호, 佛教社, 1928, 33~35쪽.
25　中文大辭典編纂委員會,『中文大辭典 9』, 中國文化大學 出版部, 1973, 948쪽에 보이는 '開'의 용례에 의하면 '열·펼·깨우칠·시작할'의 뜻이 담겨 있다.

뜻이 담겨 있다. 이러한 뜻은 진훤이 인식했던 기존의 사회체제에서 빚어진 암울한 현실인 말세를 극복하고자 하는 포부가 담긴 "천하를 다스리는 방책을 짊어지고"있던 진훤의 미래지향적인 포부와 잘 부합이 된다. 진훤이 인식했던 말세관이 正開 연호 태동의 배경이 되었던 것으로 보인다.

그런데 "천하를 다스리는 방책을 짊어지고"라는 문구에서는 일종의 召命 의식이 느껴지는 것이다. 이러한 소명 의식을 말세관과 연관지어 본다면 일견 종교적인 분위기를 느끼게 한다. 말세관 자체가 종교적인 배경에서 태동한 것인 만큼, 그 대척을 이루는 이 문구 역시 종교적인 차원에서 접근할 수 있다. 그렇다고 할 때 그 종교는 말할 나위없이 불교의 미륵신앙이 되겠다. 이 문제는 진훤과 미륵신앙과의 관계가 밝혀져야만이 설득력을 얻게 된다. 이와 관련해 922년에 진훤이 미륵사에서 開塔했다는 사실을[26] 주목하지 않을 수 없다. 개탑의 의미에 관해서는 미륵사탑을 보수했다는 등 여러 가지 해석이 따르고 있다. 이 문제에 대한 구명은 미륵사가 있던 익산 지역에 대한 조명과 결부지어 파악하는 게 선행되어야 할 것 같다. 진훤이 익산 지역을 언급한 것은 전주 천도 직후에 한 다음과 같은 말에서 보인다.

　　g. 내가 삼국의 시초를 살펴보니, 마한이 먼저 일어나 누대로 발흥한 까닭에, 진한과 변한이 (마한을)
　　좇아 흥기했다.[27] 이에 백제는 금마산에서 개국하여 6백여 년이었다. 총장 연간에 당 고종이 신라의 청으
　　로 장군 소정방을 보내 수군 13만이 바다를 건너고 신라 김유신이 卷土하여 황산을 지나 사비에 이르러

26　"越三年 就金山寺義靜律師戒壇受具於是 龍德二年夏 特被彌勒寺開塔之恩 仍赴禪雲山選佛之場"
　　(李能和 主幹,『朝鮮佛敎叢報』, 三十本山聯合事務所, 1917, 23~26쪽 ; 許興植,「惠居國師의 生涯와 行績」
　　『韓國史硏究』52, 1986 ;「葛陽寺 惠居國師碑」『高麗佛敎史硏究』, 一潮閣, 1986, 582쪽 ; 한국역사연구회,
　　「葛陽寺惠居國師碑」『譯註 羅末麗初金石文(上)』, 혜안, 1996, 342~343쪽. 한국역사연구회,『譯註 羅末麗初
　　金石文(下)』, 혜안, 1996, 459~460쪽).
27　이 구절은 "吾原三國之始 馬韓先起後 赫世勃興 故辰卞從之"라고 적혀 있다. 이에 대한 해석을 "내가 삼국
　　시초의 일을 상고하여 보건대 마한이 먼저 일어났고 뒤에 혁거세가 일어났으므로 진한과 변한이 따라서
　　일어났다"(사회과학원 고전연구실,『삼국사기 (하)』, 아름출판공사, 1959, 487쪽)라고 하였다. 그리고 "내가
　　삼국의 기원을 상고해 보면, 마한이 먼저 일어나고 후에 赫世(赫居世)가 발흥하였으므로 辰(韓)·卞(韓)이
　　따라 일어났다(李丙燾,『國譯三國史記』, 乙酉文化社, 1977, 722쪽)로 번역하였다.『新增東國輿地勝覽』에
　　서는 이 구절을 "昔馬韓先起 赫世勃興 辰卞從之"로 적어 놓았는데,『三國史記』와는 약간의 異同이 있다. 이
　　에 대한 번역을 "옛날에 마한이 먼저 일어나 대대로 발흥하였고, 진한과 변한이 뒤이어 일어났다"(민족문
　　화추진회,『국역 신증동국여지승람 Ⅳ』1969, 424쪽)라고 하였다. 여기서 '赫世'를 赫居世로 번역하지는 않
　　았다. 이와 관련해 "내가 삼국의 기원을 생각할 때 마한이 먼저 일어나서 빛나는 시대를 열었다. 그러므로
　　진한과 변한이 따라서 일어나게 되었다"(文暻鉉,『高麗史硏究』, 慶北大學校 出版部, 2000, 51쪽)라는 해석
　　이 주목된다. 赫世라는 용어는 대대로 高貴한 高官을 가리키는 '赫世公卿'에서 확인된다. 그러므로 文暻鉉
　　의 해석이 온당하다고 본다.

당병과 더불어 합공하여 이들이 백제를 멸망시켰다. 지금 나는 감연히 完山에 도읍해 義慈의 숙분을 씻겠노라![28]

　진훤은 삼한 가운데 마한이 가장 먼저 흥기했음과 더불어 마한을 이은 백제가 600여년 만에 망하였음을 상기시켰다. "백제는 그 선조가 대개 마한의 屬國이었다"[29]고 했듯이 백제가 마한 계통이었음을 알려주고 있다. 진훤은 삼한 가운데 가장 먼저 흥기한 마한을 거론하면서 백제 역사의 유구함을 천명하였다. 이러한 인식은 신검 교서에 보이는 '維新'의 개념과도 연결이 가능해진다. 주지하듯이 維新은 『詩經』 大雅編의 "周雖舊邦 其命維新"라는 구절에서 나온 것으로, 周文王의 개혁 정치를 가리킨다.

　신검은 정변 후에 민심 수습과 정치 개혁을 목적으로 維新을 거론하였다. 이러한 維新의 본질은 오랜 연원을 지닌 국가를 혁신한다는 뜻이 담겨 있다. 후백제가 周처럼 오랜 연원을 가진 나라임을 자부했다면, 그것은 앞선 백제의 법통을 계승했다는 인식을 지녔을 때 가능하다. 실제로 그러한 인식을 가졌기에 "백제라는 나라를 회복하셨으며"라는 표현을 사용했다고 본다. 후백제 조정은 '회복' 개념을 가지고 있었으므로, 그 역사의 시작을 마한과 결부지어 삼국의 으뜸으로 새롭게 설정하였던 것 같다.

　진훤은 백제 개국지로서 익산 금마산을 지목하였다.[30] 물론 이는 사실은 아니지만 진훤이 익산 지역을 개국지로서 비중 있게 인식했음을 알려준다. 익산은 백제 무왕이 천도하려고 했던 곳이었다.[31] 또 익산은 기자조선의 마지막 왕이라는 準王이 南遷했던 곳으로서 관련 전설이 현재까지 남아 있다. 진훤이 익산 지역을 중시한데는 일찍부터 문명국으로 알려진 기자조선의 체취가 남아 있는 곳이라는 점과[32] 백제 이래 미륵신앙의 중심인 미륵사가 소재한 곳이었기 때문일 것이다. 이러한 미륵사 창건 연기설화는 다음과 같다.

28　『三國史記』권50, 甄萱傳. "萱西巡至完山州 州民迎勞 萱喜得人心 謂左右曰 吾原三國之始, 馬韓先起 後赫世敎興 故辰・卞從之而興 於是 百濟開國金馬山 六百餘季 摠章中唐高宗 以新羅之請 遣將軍蘇定方 以舩兵十三萬越海 新羅金庾信卷土 歷黃山至泗沘 與唐兵合攻 百濟滅之 今子敢不立都扵完山 以雪義慈宿憤乎"

29　『周書』권49, 異域上 百濟 條. "百濟者 其先蓋馬韓之屬國"

30　금마산이라는 山을 개국지로 인식한 것은 「광개토왕릉비문」에서 추모의 건국을 "城山上而建都焉"라고한 기록을 연상시킨다. 天上과 地上을 연결시켜주는 山頂에서의 개국에 대한 인식은, 온조와 비류가 도읍지를 정할 때 부아악이라는 산악에서 살폈다는 인식과 결부지어 생각해 볼만하다.

31　黃壽永, 「百濟 帝釋寺址의 硏究」 『百濟硏究』 4, 1973, 2쪽.

32　『新增東國輿地勝覽』권33, 益山郡, 建置沿革・古蹟・題詠 條. "徐居正詩：南湖白白益山蒼 往事微茫夢一場 濟國遺墟空老樹 箕君故殿幾斜陽"
　　『高麗史』권57, 地理2, 全州牧, 金馬郡 條. "金馬郡本馬韓國[後朝鮮王箕準 避衛滿之亂 浮海而南 至韓地開國 號馬韓]"

하루는 왕이 부인과 함께 師子寺에 행차하고자 하여 龍華山 밑의 큰 못가에 이르렀다. 못 가운데서 彌勒三尊이 출현하므로 수레를 멈추고 敬拜하였다. 부인이 왕에게 이르기를 "모름지기 이 땅에 대가람을 창건하는 게 진실로 소원입니다"고 하였다. 왕이 허락하고는 知命에게 가서 못을 메울 일을 묻자, 神力으로 하룻밤에 산을 무너뜨려 못을 메워 평지를 만들었다. 그리고는 미륵삼존상과 殿·塔·廊廡를 각각 3곳에 창건하고는 이름을 彌勒寺라고 하니 진평왕이 百工을 보내어 도와주었다. 지금도 그 절이 남아 있다.[33]

미륵사지 발굴을 통해서 미륵사 부지에는 『삼국유사』의 기록처럼 당초에는 못이 있었다. 또 그곳을 메우고 창건되었음이 입증되었다. 현재 미륵산 중턱에는 獅子菴이라는 암자가 있다. 이곳에서 비록 고려시대 것이기는 하지만 실제로 '師子寺'라는 명문이 적힌 기와가 출토되어[34] 지명 법사가 거처하던 곳임이 밝혀졌다. 또 3곳에 탑과 금당 그리고 회랑이 각각 소재한 것으로 드러났다. 그럼에 따라 무왕의 미륵사 창건은 구체적으로 그 실체가 드러나게 되었다. 무왕은 미륵신앙에 따라 이상적인 佛國土國家를 이 땅에 세우려고 하였다. 그 중심 도량으로 미륵사를 창건하였던 것이다. 또 자신을 戰車처럼 輪寶을 굴리며 모든 악을 물리치고 온 세상을 다스린다는 『미륵하생경』의 轉輪聖王에 견주었는데[35] 수도였던 부여보다 익산을 중시한 데는 까닭이 있었다. 이곳은 자신의 성장지인 동시에 교통의 요충지였다. 요컨대 익산을 중심으로 팽창해 나가려는 무왕의 의지가 크게 작용한 것이었다. 이러한 이유로 무왕은 유서 깊은 이 도시를 중심으로 미륵국토의 이상을 구현하고자 했던 것 같다.

이와 더불어 미륵신앙에 대한 설명이 참고로 필요할 것 같다. 무왕이 龍華山 밑에 건립한 미륵사는 미륵하생신앙에 근거한 것이었다. 『미륵하생경』에 나오는 龍華樹를 상징한 용화산 밑에 미륵삼존불이 출현했다고 한다. 또 그 인연에 따라 미륵삼존상과 더불어 殿·塔·廊廡를 각각 3개소에 설치하였다. 이는 곧 미륵이 하생할 장소가 익산 지역이라는 믿음에 근거한 것이다. 『미륵하생경』에 의하면 翅頭城에 하생한 미륵이 용화수 아래서 성불하자 그곳으로 가서 迎禮한 이가 전륜성왕이었다고 한다. 이는 미륵사 창건 연기설화에서 무왕이 용화산 밑의 큰 연못에서 출현한 미륵삼존에게 경배한 이야기와 연결이 된다. 미륵삼존을 맞은 무왕이 곧 전륜성왕에 해당이 되는 것이다.[36] 須彌四洲를 통일하고 正法으로 세상을 다스린다는 전륜성왕이 통치하는 세상은 풍요롭고 화락한 이상세계라고 한

33 『三國遺事』권2, 紀異, 武王 條. "一日王與夫人欲幸師子寺至龍華山下大池邊 彌勒三尊出現池中 留駕致敬 夫人謂王曰 湏創大伽藍扵此地 固所願也 王許之 詣知命所問填池事 以神力一夜頹山填池為平地 乃法像彌勒三會殿·塔·廊廡各三所創之 額曰彌勒寺[国史云王興寺] 真平王遣百工助之 至今存其寺"

34 국립부여문화재연구소, 『獅子菴 發掘調查報告書』1994, 33~34쪽.

35 盧重國, 『百濟政治史硏究』, 一潮閣, 1988, 202쪽.

36 金煐泰, 「彌勒寺創建緣起說話考」『馬韓百濟文化』1, 1975, 100~103쪽.

다.[37] 이 같은 전륜성왕 사상은 수세기에 걸친 전란에 지친 주민들에게 단비와 같은 희망이었을 것이다. 무왕은 유례없이 격렬하게 신라를 몰아붙였고 또 전쟁을 승리로 이끌어 나갔다. 나아가 이러한 고달픈 정복전쟁은 불원간 백제의 완전한 승리로 귀결될 것이다. 따라서 전쟁이 없고 평화로운 이상세계가 멀지 않았다는 메시지로서 주민을 독려하는 의도가 강하게 담겨 있었다고 본다.

이렇듯 백제 왕권의 상징이요, 미륵신앙의 本處가 익산 미륵사였다. 진훤이 익산을 중시한 데는 미륵사가 지닌 지대한 비중 때문이었을 것이다. 이와 관련해 다음과 같은 「惠居國師碑文」을 주목하지 않을 수 없다.

h. 3년이 지나 金山寺 義靜律師의 戒壇에 나아가 具足戒를 받았다.… 龍德 2년(922) 여름 특별히 彌勒寺開塔의 은혜를 입어 이에 禪雲山의 選佛場에 나아가 壇에 올라 說法하였다.[38]

여기서 진훤은 미륵사에 開塔했다고 하였다. 開塔의 의미에 대해 "塔을 복구하고"[39] 혹은 "전에 무너졌던 미륵사탑의 복구"[40] 등으로 해석하고 있다. '開塔'은 어렵게 생각할 것 없이 탑을 열었던 사실을 말한다고 하겠다. 주지하듯이 탑은 기본적 성격이 무덤인 것이다.[41] 무덤을 연다는 것, 그것도 미

14-3 미륵사 완공 상상도

---

37 盧重國, 『百濟政治史研究』, 一潮閣, 1988, 202쪽.

38 "越三年 就金山寺義靜師戒壇受具於是 龍德二年夏 特被彌勒寺開塔之恩 仍赴禪雲山選佛之場"
    註 26과 동일.

39 許興植, 『高麗佛敎史研究』, 一潮閣, 1986, 586쪽.

40 趙仁成, 「彌勒信仰과 新羅社會」 『震檀學報』 82, 1996, 46쪽.

41 秦弘燮은 "탑은 석가모니의 舍利가 들어 있는 만큼 가장 중요한 예배 대상이었다.… 불상이 조상된 뒤에도 결코

륵신앙의 요람에 소재한 탑(무덤)을 열었음은 미륵불의 부활을 의미하는 의식이 아니었을까?[42]

진훤이 미륵사탑(중탑)을 열었음은 미륵불의 출현이랄까 부활을 의미하는 것으로 해석된다.[43] 즉 미륵사탑 안에서 때를 기다리던 미륵불이 세상에 출현함을 뜻하는 儀式으로 보인다. 이 때가 922년인데, 미륵불을 자처했던 궁예가 몰락한지 4년 후가 된다. 그렇다면 이는 진훤 스스로가 전륜성왕 사상에 입각해서 미륵사탑 안의 미륵불을 迎禮하려고 했던 의식이 아닐까 싶다. 이러한 '開塔' 의례는 익산 금마산에서의 백제 '開國'과 짝을 이루는 일대 사건이라고 하겠다. 요컨대 이는 후백제 연호인 '正開'의 이념을 구현하는 행위일 수 있다.

당시 진훤은 전륜성왕을 자처할만한 배경을 충분히 구축했다고 판단된다.[44] 920년에 진훤은 대야성(합천)을 함락시켰고, 구사성(창원)과 진례성(김해)까지 진격했을 정도로 그 위세는 낙동강유역에 크게 떨치고 있었다.[45] 921년에 진훤은 도선의 제자인 경보를 맞아 국사로 삼았을[46] 정도로 불교 종단에 대한 영향력 또한 절정을 구가하였다.[47] 그러므로 진훤이 전륜성왕을 자처할 만한 주변 환경이 조성되어 있었다.

한편 이와 관련해 다음과 같은 견해를 검토해 본다. 즉 『삼국유사』 후백제 견훤 조에 인용된 「李磾家記」에 의하면 견훤이 진흥왕의 후손으로 되어 있다. 이 역시 무왕과 마찬가지로 轉輪聖王에 비기었던 진흥왕과의 관련성이 강조된 것으로 생각된다"[48]라는 것이다. 이와 더불어 『삼국유사』 권2 기이 후백제 견훤 조에 인용된 「李磾家記」에 따르면 견훤은 진흥왕의 후손으로 되어 있다. 그 것은 견훤이 신라 왕실의 권위를 빌리려고 하였음에서 연유한 설이라고 생각되거니와, 하필 진흥왕의 후손이라고 꾸몄던 것은 그가 전륜성왕으로 행세하려고 하였음을 시사하는 단서의 하나이지 않을까

소홀하게 여기지 않았다(秦弘燮, 『韓國의 佛像』, 一志社, 1976, 53~54쪽)"고 하였다.

42 이 점은 예수가 무덤을 열고나온 행위가 곧 그 부활을 의미한 것과 비견될 수 있지 않을까 한다.

43 許興植은 이것을 가리켜 "탑을 복구하고 백제의 미륵사상을 부활시켰다"라고 했다(許興植, 『高麗佛教史研究』, 一潮閣, 1986, 586쪽).

44 진훤이 전륜성왕을 자처했으리라는 견해는 이미 제기된 바 있지만, 후술했듯이 진훤의 가계를 전륜성왕으로 인식되었던 신라 진흥왕과 연결 짓는 주장은 따르기 어렵다.

45 李道學, 「後百濟의 加耶故地 進出에 관한 檢討」 『白山學報』 58, 2001, 53~59쪽.

46 許興植, 『高麗佛教史研究』, 一潮閣, 1986, 358쪽.

47 「혜거국사비문」을 통해 후백제는 고려 보다 1년 후에 僧科를 실시하였으며, 양국은 불교계의 호응을 얻어 민심을 확보하는 제도 실시의 경쟁이 있었음을 알 수 있다고 한다(許興植, 『高麗佛教史研究』, 一潮閣, 1986, 591~592쪽). 그러나 이때의 선불장은 미륵사 개탑에 따른 특별 시험이었다. 그러므로 후백제의 선불장은 이때가 처음은 아니었을 것이다. 후백제의 승과는 연원을 922년보다 올려 잡을 수 있다.

48 金壽泰, 「甄萱政權과 佛教」 『후백제와 견훤』, 서경문화사, 2000, 62쪽.
    참고로 『삼국유사』 정덕본의 '李碑家記'는 '李磾家記'의 誤刻이다(民族文化推進會, 『校勘 三國遺事』 1982, 161쪽 ; 李道學, 「甄萱의 出身地와 그 初期 勢力 基盤」 『후백제 견훤정권과 전주』, 주류성, 2001, 63쪽).

하는 느낌도 든다. 널리 알려진 바와 같이 진흥왕은 전륜성왕에 비기어졌던 것이다"[49]라는 견해도 제기된 바 있다.

진훤은 전륜성왕설과 연관지어 백제 무왕과의 관련성을 내세웠을 지는 모른다. 그러나 진훤이 신라 진흥왕과의 연결을 꾀했다는 견해는 따르기 어렵다. 왜냐하면 후대의 家傳인 「李磾家記」의 신뢰성을 언급하는 견해는 어디에도 없기 때문이다. 게다가 진훤 당시에, 자신의 혈통을 신라 왕실과 연결을 꾀했다는 것은 사세에 맞지도 않는다. 따라서 「이제가기」는 진훤과 전륜성왕을 연결짓는 논거로서 합당하지 않다.

미륵신앙을 홍포시킨 진훤은 미륵사 한 곳에만 그러한 역할을 맡겼다고는 생각되지 않는다. 일찍부터 미륵신앙의 도량으로서 기능했던 백제 이래의 격조 높은 사찰이 존재하였기 때문이다. 즉 김제 금산사를 꼽을 수 있다.[50] 금산사에는 766년(혜공왕 2)에 진표가 주조한 미륵장육상의 존재가[51] 그 성격을 웅변해 준다. 금산사에 진훤 관련 전설이 남아 있는 것은 이곳에 대한 그 비중을 넉넉히 헤아리게 한다. 가령 금산사를 진훤이 창건했다고 한 것이나[52] 금산사 입구의 진훤이 축조했다는 石城 등이 그것이다. 게다가 진훤이 말년에 금산사에 유폐된 데는 이곳과의 시종 깊은 연관성을 시사해

14-4 금산사

49　趙仁成, 「彌勒信仰과 新羅社會」 『震檀學報』 82, 1996, 47쪽 註56.

50　금산사가 백제 때 창건된 사찰이었음은 李道學, 「泗沘時代 百濟의 4方界山과 護國寺刹의 成立」 『百濟研究』 20, 1989 ; 『百濟佛教文化의 硏究』, 백제연구소, 1994, 210쪽에 보인다.

51　趙法鍾, 「南北國時代와 後百濟」 『전북의 역사와 문화』, 서경문화사, 1999, 120쪽.

52　『新增東國輿地勝覽』 권34, 金溝縣, 佛宇 金山寺 條. "在母嶽山 後百濟甄萱所創"

주는 실례가 아닐 수 없다.[53] 그러므로 진훤은 익산 미륵사를 중심으로 미륵신앙을 강조하면서 금산사를 흡수하려고 했다는 견해는 설득력을 얻기 어렵다. 더구나 "견훤의 익산 강조는 견훤의 충청도 지역으로의 세력 확대와 연결되었던 것은 아닐까 한다"[54]라고 했다. 그러나 미륵사와 금산사는 모두 전북에 소재하였다. 그러므로 익산 지역의 강조가 충청도 지역으로의 세력 확대와 어떻게 연결되는지는 선뜻 이해되지 않는다. 오히려 진훤은 수도인 전주의 북과 남에 미륵사와 금산사라는 兩大 미륵 도량을 개설했음을 알 수 있다.

2) 신검 정권의 지배 이념

진훤이 종국에 금산사에 유폐되는 것은 미륵신앙의 종언을 상징하는 사건이 아닐까 싶다. 이 같은 추정은 진훤이 자신을 유폐시킨 아들 신검과는 지배 이데올로기에 있어서 커다란 차이가 있었음이 드러날 때 가능해진다. 실제로 그러했을 가능성이 엿보인다. 신검의 교서 c에 보면 유교적인 색채로 일관되어 있기 때문이다. 우선 신검 교서에서 天命이라는 용어의 사용과 더불어 절대자를 上帝라고 했던 점을 제시할 수 있다. 上帝라는 용어는 중국 고대 至高無上한 지위를 가진 天神을 가리킨 것이었다. 그런데 上帝는 유교에 받아들여져 합리적 사유에 의해서 天命思想으로 전환되어 만물의 근본이며, 도덕적 원천이고, 황제 권력의 원천으로 인식되었다.[55]

신검은 이처럼 유교에서 천명사상과 연계된 상제를 거론할 지언정 부처의 존재는 일체 언급하지 않았다. 더욱이 "上帝께서 굽어 보시고"라고 했듯이, 신검은 상제의 천명을 받고 즉위할 수 있었음을 알리고 있다.[56] 신검은 자신이 즉위할 수 있었던 근거를 상제에서 찾았다.[57] 진훤이 열정을 쏟아서 포섭했던 대상이 불교계였다. 그럼에도 불구하고 신검은 불교의 神을 언급하는 대신, 유교적인 세계

---

53 김두진은 진훤이 금산사에 유폐된 사실과 연관지어 "적어도 왕실과는 어느 정도 밀접하게 結聯되었을 것으로 생각된다"(金杜珍,「'性相融會' 思想 성립의 思想的 背景」『均如華嚴思想硏究』, 一潮閣, 1983, 119쪽)고 했다.

54 金壽泰,「甄萱政權과 佛敎」『후백제와 견훤』, 서경문화사, 2000, 64~65쪽.

55 崔柄憲,「단군 인식의 역사적 변천」『단군』, 서울대학교 출판부, 1994, 146~147쪽.

56 조선 예종은 모반을 했다는 南怡와 康純의 獄을 다스린 공으로 愼承善(1436~1502)을 翊戴功臣으로 策勳하는 교서에서 上帝의 도움을 받아 모반을 막았다고 했다(『睿宗實錄』, 1년 5월 20일 조). 이렇듯 유교 통치권에서는 상제를 운위하면서 권력의 정당성을 내세웠다.

57 이 점은 王建이 자신의 삼한 통합이 부처의 도움에 전적으로 힘 입었음을 언급했던「훈요십조」의 내용과도 비교된다고 하겠다. 그 제1조에서 "우리 나라의 大業은 반드시 諸佛의 護衛하는 힘을 입은 것이다. 그런 까닭에 禪敎 寺院을 창건하고 住持를 파견하여 佛道를 닦게 하고 각각 그 業을 다스리도록 하였다(『高麗史』권2, 태조 26년 조)"라고 한 구절이 그것이다. 그 만큼 불교의 절대적 영향력을 암시해 주는 것이다.

관 속에서의 神인 상제를 언급하고 있다. 이로 볼 때 진훤과 신검은 불교와 유교라는 서로 다른 이데올로기를 지향하고 있었고, 그것이 왕위계승 분쟁의 한 요인이 되지 않았을까 싶다.[58] 이러한 추정은 진훤이 지극히 사랑하여 왕위를 물려주려고 했던 王子 金剛의 이름이 불교적인데서도[59] 진훤과 불교와의 관계가 보다 분명하게 드러나는 것 같다. 실제 진훤은 選佛場이라는 僧科를 실시함으로써 불교계의 호응을 이끌어 내고 있었다.[60] 반면 신검은 불교적인 색채를 청산하고 유교 이데올로기를 통한 새로운 지배질서를 확립하고자 했던 것으로 보인다.[61] 더구나 신검의 집권에 있어서 불교 사원 세력은 걸림돌이 될 게 분명하다는 현실적인 이해 관계에서 그 한 요인을 찾을 수 있을 것 같다.

이렇듯 신검의 교서를 통해 확인된 사실은 왕건의 그것과도 구분된다. 왕건은 궁예를 축출한 918년 6월에만 모두 4통의 조서를 내렸다.[62] 이 조서에는 궁예의 虐政만을 언급했을 뿐 종교적 언급이나 이데올로기의 차이를 시사하는 구절은 어디에도 찾아 볼 수 없다. 그것은 궁예나 왕건 모두 불교를 지배 이데올로기로 삼는다는 그 통치 본질에는 차이가 없었기 때문일 것이다.

그러면 신검이 '維新之政'이라는 정치개혁을 통해 불교를 지배 이데올로기에서 폐기하고자 했다

---

58 진훤과 미륵신앙의 관계는 李基白이 "건국한 뒤에는 미륵신앙에 근거한 전제군주로서 행세하였던 것으로 보인다(李基白, 『韓國史新論(新修版)』, 一潮閣, 1990, 141쪽)"고 언급한 바 있다. 그리고 진훤은 선종 승려인 경보를 후원하였고, 福田으로 화엄종 승려인 觀惠가 있었던 데서도 알 수 있다. 요컨대 진훤은 미륵신앙 외에 선종과 교종을 두루 포섭하려고 한데서도(趙仁成, 「弓裔의 勢力形成과 建國」 『震檀學報』 75, 1993, 50쪽) 충분히 그 비중이 헤아려진다. 許興植 역시 "혜거국사비문을 통하여 후백제의 불교가 彌勒思想과 禪敎綜合的인 강한 측면을 유추할 수 있다(許興植, 『高麗佛敎史硏究』, 一潮閣, 1986, 597쪽)"고 한 바 있다.

59 申虎澈, 『後百濟 甄萱政權 硏究』, 一潮閣, 1993, 152쪽.

60 許興植, 『高麗佛敎史硏究』, 一潮閣, 1986, 591쪽.

61 진훤의 큰아들인 神劍을 須彌强(康)으로 지목하고 須彌는 須彌山에서 기인했다는 견해도 있다(朴漢卨, 「後百濟 金剛에 대하여」 『大丘史學』 7·8합집, 1973, 129~137쪽). 신검 역시 불교식 이름을 지녔다는 것이다. 그러나 이러한 견해는 다음과 같은 측면에서 따르기 어렵다. 우선 이름상에서 수미강과 신검은 유사점이 잡히지 않지만 氏도 언급했듯이 오히려 수미강은 금강일 가능성이 높기 때문이다. 가령 金剛의 '金'은 우리말로 '쇠'가 되는데, '須彌'로 표기된다. 이것을 입증해 주는 예가 있다. 고구려의 권신인 淵蓋蘇文을 蓋金으로 표기하기도 하는데, 이는 그 音讀과 訓讀이 된다. 알려져 있듯이 蓋蘇文의 '蓋'는 '蓋金'의 '蓋'로, '蘇文'은 '金'으로 훈독되고 있다. 그러니까 '金'의 훈독인 '쇠'를 '소문'으로 표기하였음을 알게 된다. 이것을 뒷받침해 주는 게 『일본서기』의 기록이다. 여기에서는 연개소문을 '伊梨柯須彌'라고 표기하였다. 널리 알려져 있듯이 '伊梨'는 '淵'에, '柯'는 '蓋'에, '須彌'는 '蘇文'에 해당됨을 알 수 있다. '金'을 '蘇文' 혹은 '須彌'로 읽었음이 확인된다. 그렇다고 할 때 須彌强의 '須彌'는 '金'의 훈독이요, '强'은 음독이다. '强'보다는 아화한 글자를 넣어 '金剛'이 되었다.
참고로 신라 문무왕대에 須彌山이라는 이름의 귀족이 있었다(『三國史記』 권6, 문무왕 10년 조). 이 경우는 명백한 불교식 이름이다. 그러나 단순히 須彌强의 '須彌'를 불교와 연관 짓는 것은 비약이 아닌가 싶다. 설령 '須彌'를 불교와 연관 짓는다고 하더라도 金剛과 연결될 수는 있겠지만 神劍과는 관련 짓기 어렵다.

62 『高麗史』 권1, 태조 즉위년 조, 6월 丁巳·辛酉·己丑·戊辰日. 참고로 고려의 지배 이데올로기는 불교였고, 통치 이데올로기는 유교였다.

면 그 이유는 무엇이었을까? 근본적인 요인은 진훤과 금강으로 연결된 기존의 불교 세력 기반을 무너뜨리기 위한 데 있었던 것으로 보여진다. 아울러 불교계의 장악이 지니는 정치적 효용성의 문제를 생각했던 것 같다. 929년에 진훤은 몸소 자신의 鄕邑인 가은현을 포위했으나 이기지 못했다. 가은현에는 희양산파의 본산인 봉암사가 소재하였다. 이 사실은 진훤이 禪宗 교단으로부터의 지지를 얻는데는 한계가 있었음을 뜻할 수 있다. 게다가 신검은 진훤이 지원했던 선종의 分立的인 경향이 통일국가의 이데올로기로서도 적합하지 않다고 판단했을 가능성이다. 신검이 볼 때 불교 교단은 敎宗과 禪宗으로 양분되어 있고, 敎宗의 중추격인 화엄종은 다시금 南岳과 北岳으로 분열되어 있었다.[63] 이렇듯 분열상을 보이는 불교가 통일국가를 지향하는 후백제의 지배 이데올로기가 될 수 없다고 판단했던 것 같다. 아울러 930년대 이래로 고려에 밀리고 있는 후백제를 쇄신하고 또 왕건과 차별화시킬 수 있는 대안적 지배 이데올로기로서 유교를 끌어올리려고 했던 것으로 보인다. 물론 궁예나 왕건도 유학자들을 참모로 기용하였다. 그러나 이는 어디까지나 통치 체제의 확립 차원에서 기인한 것일 뿐 지배 이데올로기와 관련된 것은 아니었다. 신검은 최승우 등과 같은 唐 유학파의[64] 영향을 받아 유교 지배 이데올로기에 의한 새로운 지배 질서의 모색을 시도했을 것으로 짐작된다.

이와 관련해 신검 일파가 과연 국왕인 진훤과 정면으로 노선 갈등을 빚을 수 있었는지의 여부에 대한 검토이다. d에서 알 수 있듯이 진훤과 신검 형제 간에는 對高麗政策에 있어서 갈등이 표출되고 있었다. 신검 일파는 왕위계승과 관련한 대권의 향방이 金剛쪽으로 쏠리는 상황에서 그에 대한 반발과 제동을 건다는 차원에서 유교 이데올로기를 들고 나왔을 가능성이 크다. 더구나 진훤의 老衰와 고려에 밀리는 정치적 상황에서 진훤의 입지는 약화되고 있는 실정이었다.[65] 이 틈을 놓치지 않고 신검 일파는 왕위계승에 있어 유리한 명분을 점유하기 위한 목적에서도 자신들의 목소리를 내면

---

63 이에 관해서는 文暻鉉,『高麗史研究』, 慶北大學校 出版部, 2000, 63~67쪽에 잘 소개되어 있다.

64 비록 同名異人이라는 견해도 있지만, 병산 전투에서 고려군에 생포된 시랑 金渥은 唐의 賓貢科에 합격한 대표적인 유학파에 속한다. 여하간 이들의 역할이 신검의 정치개혁에 일정하게 역할을 미쳤을 것으로 보인다.

65 이와 관련해 진훤은 왕건의 고려군과 화해를 시도하는 등 온건적인데 비해 신검 형제들은 主戰的이고 도발적인 정책을 취했다는 지적도 있다. 그렇다면 후백제와 고려의 싸움은 시종 진훤이 신검 형제들에게 끌려 다녔다는 말이 되는데 과연 그럴 수 있을까? 930년의 고창 전투나 934년의 운주성 전투 모두 진훤이 전장의 선두에서 작전을 직접 지휘하였다. 그런데 반해 신검 형제들이 주요한 이들 전투를 지휘했다는 기록마저도 없다. 그럼에도 이러한 논리가 나온다는 것은 도저히 수긍하기 어렵다. '기왕의 연구성과'에 따른다면 진훤은 전제적이라고 했는데, 70세의 나이로 숨지기 직전까지도 전장을 누볐던 강건한 체력과 정신력의 소유자이기까지 하였다. 진훤이 高齡으로 一線에서 밀려나고 신검 형제가 전쟁을 주도했다면 그럴 가능성을 배제할 수는 없겠다. 그러나 이 것과는 정반대의 현상이 기록에 보이므로 앞서의 견해는 따르기 어렵다.
아울러 "신검은 견훤 보다도 더욱 신라에 적대적이었을 뿐 아니라, 신라 경애왕 제거에도 직접 참가했을 것으로 여겨진다"라는 주장도 있지만 '실증적인 근거'는 물론이고 정황적인 증거마저도 없다.

서 진훤을 압박해 갔던 것으로 보인다. 이것은 신검을 중심으로 한 일종의 국가쇄신책이었다고 보겠다. 또 이는 자신의 父인 진훤과의 차별화 전략이었던 것이다. 요컨대 이러한 점은 진훤=금강 일파와 신검 일파의 노선 갈등이었다. 신검은 잇따른 패전과 불교계로부터의 지지 상실을 만회하기 위한 일종의 반작용 차원에서라도 유교 이데올로기를 적극적으로 내세웠던 것 같다.

더욱이 930년 古昌(安東) 전투를 전후해서 신라 지역 호족들이 대거 이탈해 갔다. 후백제의 고창 패전 직후 경상도 북부 지역의 30여 郡縣들이 고려에 항복했다. 또 溟州(강릉)에서부터 興禮府(울산)에 이르기까지 항복한 성이 총 110城에 이르렀다고 한다.[66] 그 요인은 고창 전투 직전에 있었던 그곳 호족 金幸의 다음과 같은 말에서 읽을 수 있다. 즉 "金幸은 나라의 宗姓인데 진훤이 왕을 시해했다는 소식을 듣고는 무리에게 의논하기를 '萱과는 의리상 하늘을 함께 할 수 없으니, 어찌 王公에게 귀순하여 우리의 치욕을 씻지 않으랴!'하고 드디어 고려에 항복하였다"[67]고 했다. 왕건이 진훤에게 보낸 답서에도 "君王을 죽이고 궁궐을 불사르고 … 그 흉악함은 桀紂보다 더하고, 不仁함은 獍梟보다도 심했다"[68]고 하면서 진훤이 경애왕을 살해한 사실을 크게 질타하였다. 이러한 배경에서 볼 때 신검은 진훤이 경애왕을 살해한 사건을 크나 큰 정치적 失策으로 지목하였을 수 있다. d에서 알 수 있듯이 신검은 진훤과 정치적 입장에서 대립관계에 있었다. 그러므로 이 사건을 진훤을 공격할 수 있는 호재로 이용할 수 있었다고 본다. 또 신검은 이 같은 반윤리적인 문제를 극복·상쇄하기 위해서라도 유교 이데올로기를 전면에 내세웠을 수 있다.[69] 이는 이탈해 가는 신라 지역 호족시책과 직결된 문제이기도 하였다. 그랬기에 신검은 고창 전투의 패인과 관련해 유교적인 면을 더욱 강조했을 것으로 보인다.

---

66 『高麗史』권1, 太祖 13년 정월·2월 조. "於是 永安·河曲·直明·松生等三十餘郡縣 相次來降… 是時 新羅以東 沿海州郡部落 皆來降 自溟州至興禮府 摠百十餘城 庚子 幸昵於鎭 北彌秩夫城主萱達 與南彌秩夫城主 來降"

67 『東史綱目』第五下, 庚寅年 王 金傅 4년 조. "金幸者 國之宗姓也 聞甄萱弑王 謀於衆曰 萱義不共天 蓋歸王公 以雪我恥 遂降高麗"

68 『三國史記』권50, 甄萱傳. "斬戮君王 焚燒宮闕… 元惡浮於桀·紂 不仁甚於獍梟"

69 "신검 스스로 자신의 동생을 살해하고 父王을 유폐시키는 '비인륜적인' 행동을 서슴없이 했으면서, 과연 아버지인 진훤이 경애왕을 살해한 사실을 '비인륜적 문제'로 공격할 수 있을까"라고 반문할 수 있다. 그런데 진훤이 경애왕을 살해한 것은 신검 정변 이전의 사건이다. 그러므로 시간상으로 先後가 倒置된 내용을 가지고 논거로 삼을 수는 없다. 게다가 신검 교서에서 보듯이 자신은 동생 살해와 父王 유폐를 비인륜적인 행동으로 여기기는 커녕 姦臣을 제거한 혁명으로 간주하였다. '비인륜적인 행동'이라는 것은 현재 관점에서의 관념일 뿐 신검 스스로는 그렇게 여기지도 않았다.
그리고 왕건이 진훤에게 보낸 서신 등에도 유교적 명분을 강조하고 있다. 그러므로 교서의 내용에 유교적 용어가 보인다고 해서 신검이 유교 이데올로기를 내세웠다는 추론은 소박한 생각이라고 지적할 수 있다. 그러나 왕건과 진훤 간의 문서는 국가와 국가 간에 보내는 외교 서신이므로, 집권을 정당화시키기 위한 목적의 신검 교서와는 성격이 틀리다. 그러므로 서로 비교 대상이 되지 않는다.

한편 진훤 정권의 사상적 기반과 관련해 선종과의 관계에 대한 언급들이 있었다.[70] 그러나 다음과 같은 선종에 대한 인식은 기존 견해와는 상충되므로 검토해 보지 않을 수 없다.

한편 견훤과 선종 승려와의 관계는 923년 전주 희안현으로 들어온 曦陽山門의 靜眞大師 兢讓을 통해서도 알 수 있다. 그러나 그는 927년 이후 왕건과 결합되는데, 그 이전 견훤과의 관계를 자세히 파악할 수 없다. 그러나 긍양이 속했던 문경 봉암사가 견훤의 출신지였음을 고려한다면 긍양의 귀국에 견훤의 일정한 역할이 있지 않았을까 한다. 한편 견훤이 선종을 사상적 기반으로 하는 920년대 전반은 견훤이 신라와의 관계를 변화시키며 독자적인 움직임을 보이고 있던 시기였다는 점에서 매우 주목된다. 신라와의 관계를 끊고 견훤이 실질적으로 독립할 수 있는 사상적 근거를 제공하였을 것으로 생각되기 때문이다.[71]

위의 인용을 통해서도 역시 수긍하기 어려운 점들이 발견된다. 정진대사 兢讓이 진훤의 출신지인 문경 봉암사에 주석하였으므로 진훤과 관련을 맺지 않았을까 추측하였다. 이러한 주장은 일단 봉암사가 소재한 가은 지역 호족의 성격이 밝혀져야만 가능한 논리이다. 긍양은 925년~935년까지 경상남도 草溪의 伯巖寺로 옮겨와 거주한 바 있다.[72] 긍양이 귀국한 923년~925년까지에 걸친 가은 지역의 정황은 가늠하기 어렵다. 다만 봉암사의 開祖인 지증대사 道憲의 비문에 보면 단월로서 924년에 蘇判 阿叱彌와 加恩縣將軍 熙弼이 등장하고 있다.[73] 그런데 이들이 후백제와 관련된 혼적은 엿보이지 않는다. 그리고 929년에는 진훤이 자신의 鄕邑인 가은현을 포위하였으나 이기지 못하고 퇴각하기까지 했다.[74] 더구나 가은현에서 起身하여 尙州 지역을 장악하였던 진훤의 父 아자개는 918년에 왕건에게 귀부한 바 있다. 이러한 일련의 사실에 비추어 볼 때 진훤의 출신지이기 때문에 후백제의 세력권이라는 견해는 지극히 단선적인 추정에 불과하다고 생각된다.

아울러 920년대 전반에 진훤이 禪宗을 통해 신라와의 관계를 끊고 독립할 수 있는 사상적 근거를 제공받았다는 견해도 따르기 어렵다. 다만 궁예가 신라를 滅都라 하였고, 그곳으로부터 항복해 온

---

70 이에 관해서는 文暻鉉, 『高麗史研究』, 慶北大學校 出版部, 2000, 62~67쪽에 잘 집대성되어 있으니 참고하면 좋을 것 같다.

71 金壽泰, 「甄萱政權과 佛敎」 『후백제와 견훤』, 서경문화사, 2000, 68쪽.

72 『三國遺事』권4, 塔像, 伯巖寺 石塔舍利 條. "乙酉年曦陽山兢讓和尙来住十年"

73 阿叱彌는 그 이름에서 볼 때 가은현 출신으로서 진훤의 父인 阿慈介와 관련 있는 듯 싶다. 그렇다고 하더라도 918년에 아자개는 왕건에게 귀부했으므로 가은현의 호족 아질미는 진훤과 연결된다고 보기는 어렵다.

74 『三國史記』권12, 敬順王 3년 조. "冬十月 甄萱圍加恩縣 不克而歸"

14-5 문경 봉암사 정진대사 부도

자들을 가차없이 죽였던[75] 데서도 알 수 있듯이 대신라정책은 적대적이었다. 반면 진훤의 경우는 대외적인 관작에서 신라의 신하임을 내세웠듯이[76] 신라의 존재를 인정하는 입장이었다. 이후 왕건 정권의 등장과 더불어 삼국분할 정립구도 속에서 후삼국은 공존하였다.[77] 그러나 그 틈새를 노린 진훤의 加耶故地 진출과 그로 인한 후백제의 군사적 위협을 직접 느끼게 된 신라 경애왕은 친고려 정책을 택했다. 이로 인해 고려=신라 간의 결속과 그에 대항하는 후백제와의 적대 관계가 구축되었다. 그럼으로써 그간의 후백제와 신라 간의 우호관계는 급속히 붕괴되었다고 본다.

진훤은 경주 포석정을 습격하여 경애왕을 살해한 927년 직후에도 여전히 신라의 신하임을 내세웠고, '尊王之義'를 언급하였다.[78] 그러나 주지하듯이 이는 지극히 명분적이고 형식적인 외교 논리에 불과한 것이다. 진훤은 적어도 901년에 正開라는 연호를 사용한 사실이 확인되고 있다. 이는 실질적으로는 신라와의 관계를 끊었음을 뜻한다. 또 그랬기에 백제 의자왕의 宿憤을 씻겠다는 公約을 할 수 있었다고 보겠다. 그러므로 禪宗을 통해 진훤 정권이 신라와의 관계를 끊을 수 있는 사상적 근거를 제공받았다는 견해는 수긍하기 어렵다. 아마도 선종의 분립적인 성향이 호족 성장의 사상적 배경이 되었음을[79] 진훤과 신라와의 관계에도 적용하려고 했던 듯싶다. 그러나 아쉽게 된 것 같다.

75 『三國史記』권50, 弓裔傳. "意欲并吞 令國人呼新羅爲滅都 凡自新羅來者 盡誅殺之"

76 申虎澈, 『後百濟 甄萱政權 硏究』, 一潮閣, 1993, 144쪽.

77 李道學, 「後百濟의 加耶故地 進出에 관한 檢討」 『白山學報』58, 2001, 46~52쪽.

78 『三國史記』권50, 甄萱傳. "僕義篤尊王 情深事大"

79 李基白, 『韓國史新論』, 一潮閣, 1979, 130쪽.

4. 맺음말

후백제 진훤 정권의 몰락 요인으로서 흔히 왕위계승상의 분쟁을 언급하고 있다. 이러한 언급은 지극히 타당한 것이고 사료에 보이는 그대로이다. 그러나 분쟁이라는 것은 여러 가지 요인이 복합되어 발생하기 마련이므로 그러한 요인을 다른 측면에서도 찾아 보고자 했다.

우선 진훤의 장자 신검의 정변으로 인해 진훤 정권은 붕괴되었다. 진훤 자신은 금산사에 유폐당하였다. 935년 3월에 발생한 사건이었다. 이때 신검은 즉각 大王의 位에 오르지 못하고 '攝'하는 상황에 머물러 있었다. 신검 정변은 진훤의 친위세력과 금강 세력의 거센 저항을 야기시켰기 때문이었다. 신검이 곧바로 즉위할 수 없을 만큼 후백제 조정 내부의 분열은 극심했던 것이다. 류방헌의 외조부인 廉岳이 후백제에서 난이 발생할 것을 알고는 은거했다는 기록이 그것을 잘 암시해 주고 있다. 그해 6월에는 고려측의 공작 등이 가세하여 진훤은 나주를 통해 고려로 귀부했다. 935년 3월 진훤의 금산사 유폐, 4월 고려 유검필의 나주 점령에 이은 진훤의 금산사 탈출과, 6월에 나주를 경유한 진훤의 고려 귀부라는 일련의 과정은 계기성을 띠고 있다. 그러므로 진훤의 고려 귀부에는 고려측과의 내응을 상정할 수 있다.

신검은 진훤이 고려에 귀부한지 4개월이 지나서야 '維新之政'을 반포하였다. 아울러 그는 대사면을 통해 大王으로 즉위했다. 이때의 사면은 민심 수습 차원에서 나온 것이었다. 여하간 신검의 즉위가 정변 이후 무려 7개월이나 소요되었다는 것은 반발 세력의 저항을 비롯하여 자신의 권력 기반이 취약했음을 단적으로 시사해 준다. 이 같은 후백제의 내분과 그로 인한 후유증이 국력을 약화시켰고, 급기야 그 몰락을 촉진시켰다고 본다.

이 같은 진훤 정권의 몰락과 신검 정권의 태동 과정을 살펴 보면서 양자 간의 차별성을 발견할 수 있었다. 즉 신검의 교서에서 자신의 父인 진훤의 세상 인식이 보이는데, 말세관이 문헌사료로서는 처음으로 확인되었다. 이러한 말세관은 후백제의 正開 연호 태동의 배경이 되었을 것이다. 아울러 미륵신앙과의 관련을 생각하게 한다. 실제로 진훤은 922년에 익산 미륵사 開塔 의식을 통해 미륵불의 출현이랄까 부활을 내세우게 되었다. 이때 진훤은 미륵불을 迎禮한 전륜성왕을 자처할만 조건을 갖추고 있었다. 그는 정복전쟁에서 기세를 올리고 있었고, 불교 종단에 대한 영향력 또한 절정을 구가하였기 때문이다.

이러한 미륵사 開塔은 진훤이 전주 천도 직후에 말한 백제의 익산 금마산 開國 인식과 연관되고 있다. 또 이는 신검 교서에서 "스스로 천하를 다스리는 방책을 짊어지고 삼한 지역을 徇行하시면서, 백제라는 나라를 회복하셨으며"라고 한 구절과 연결되어진다. 그리고 신검 교서에서 언급한 '維新之

政'이라는 개념은 오랜 연원을 지닌 나라를 혁신한다는 뜻이다. 이는 백제 역사의 시작을 삼국의 으뜸으로 새롭게 설정했던 진훤의 역사인식을 계승한 것이지만, 신검 교서의 색깔은 유교적인 색채로 일관되어 있다. 일례가 절대자를 上帝라고 한 것이다. 신검은 자신이 즉위할 수 있었던 근거를 上帝의 天命에서 찾았다. 이는 왕건 자신의 삼한 통합이 부처에 절대적으로 힘 입었음을 말하는 것과 비교된다. 아울러 신검 교서는 진훤의 불교 이데올로기와도 정확히 상충되는 것이다. 신검은 집권 후 유교 이데올로기를 통한 새로운 지배 질서의 확립을 모색했다. 설령 이것이 왕위계승과 관련한 명분적인 측면이 강하다고 하더라도 신검이 집권 이전부터 지녔던 정치적 방향성의 문제로 보여진다. 그러므로 이는 신검이 甄萱=金剛系와 대립될 수 있었던 내적 요인이기도 하였다. 아울러 정치적으로 열세에 놓인 신검이 진훤에 대한 차별화 수단으로 유교 이데올로기를 전면에 내세웠을 가능성도 복합적으로 고려해야만 한다.

사실 여부를 떠나 후백제의 국력이 고려에 열세에 놓이게 된 결정적인 패전을 930년의 고창 전투에서 찾고는 한다. 신검은 그 패인을 진훤이 신라 경애왕을 살해한 비인륜적인 문제에서 찾았던 것 같다. 신검은 그것을 상쇄하는 동시에 진훤을 압박하면서 또 차별화시키는 전략적 차원에서 유교 이데올로기를 내세웠던 것으로 보인다. 그랬기에 신검은 집권 후 이른바 '維新之政'을 통한 구체제의 일대 쇄신이라는 차원에서 유교 이데올로기를 통한 새로운 지배 질서의 확립을 기하고자 했던 것 같다.

이러한 맥락에서 볼 때 후백제 미륵신앙의 兩大 軸 가운데 하나인 금산사에 진훤이 유폐되었음은 미륵신앙의 종언을 고하는 상징적인 사건으로 해석된다. 그 밖에 진훤을 신라 진흥왕의 후손으로 꾸민 기록을 전륜성왕설의 논거로 삼는 것은 수긍하기 어려웠다. 그리고 920년대 전반에 진훤이 신라와의 관계를 끊고 독립할 수 있는 사상적 근거를 선종에서 찾았다는 견해 역시 성립하기 어려웠다.

「後百濟 甄萱 政權의 沒落過程에서 본 그 思想的 動向」『한국사상사학』18, 한국사상사학회, 2002.

진훤의 행적을 통해 본 후백제 문화권의 범주

1. 머리말

　백제를 재건한 진훤의 생애는 50권으로 구성된 정덕본『삼국사기』末尾에 '傳'으로 남아 있다. 그는 고구려를 재건한 궁예나 왕건과 각축하며 예전의 삼국을 복원한 주체였다. 그랬기에 그가 한 軸을 맡았던 시기를 언필칭 '후삼국시대'로 일컫고 있다. 진훤과 궁예 및 왕건은 각각 백제와 고려의 왕들이었다. 후백제와 후고구려는 후대에 붙여진 이름에 불과했다. 그러니 삼국의 역사를 수록한『삼국사기』에 이들의 시대가 수록되는 게 당연하였다. 앞의 삼국시대는 前三國史, 뒤의 삼국시대는 後三國史가 되는 것이다.『삼국사기』에는 실제 前 · 後三國史가 모두 수록되었다.

　왕건은 최종 승자가 되어 그를 정점으로 한 독립된 사서『高麗史』의 시조가 되었다. 그러니『삼국사기』에 그의 '傳'이 마련되어야할 이유가 없었다. 문제는 후삼국시대를 연 진훤과 궁예였다. 이들은『삼국사기』列傳 속에 포함되었다. 그러나 이들은 後三國의 시조이자 주체였던 만큼, '臣傳' 정확히 말해 '反逆 條'에 수록된 것은 마땅하지 않다. 『史記』항우본기의 先例도 있다. 그러니 진훤본기와 궁예본기로 이름했어야 마땅하다. 그러나 항우에 대한 애틋한 정서를 지녔던 司馬遷과는 달랐다. 김부식은 진훤과 궁예에 대해서는 혹독하였다. 진훤의 경우만 본다면, 신라인이고, 게다가 신라의 祿을 먹은 처지에서 반역하였고, "임금과 신하를 마구 죽이기를 마치 짐승 사냥하듯이, 풀 베듯이 하였으니 실로 천하에서 가장 흉악한 자였다. … 진훤이 자신의 자식들에게서 禍를 당한 것은 모두 자신이 취한 것이니 또 누구를 탓하겠는가? … 하물며 궁예와 진훤 같은 凶人이 어떻게 우리 태조와 대적할 수 있으리요? 단지 그를 위해 백성을 몰아다 준 자일 뿐이었다"[1]고 평했다.

그런데 김부식의 평가는 일어나지 않은 일을 예측하기 보다는 이미 일어난 결과를 놓고 원인을 찾은 것이다. 이러한 평가는 그리 어렵지 않다. 진훤의 경우는 '그럴 줄 알았다'는 식의 후견편파(hindsight bias)인 결과론적인 평가를 받고 있다. 그가 최종 승자였다면 내밀지도 못했을 멸망 원인들이었다.

필자는 진훤에 대한 기존 인식의 한계를 검증하면서 그가 역사 발전에 기여한 바에 대한 온당한 평가를 부여하고자 했다. 진훤의 일생을 出鄕과 군 복무, 건국에 이르는 과정, 백제의 부활과 복원, 백제를 넘어선 삼한 통합, 통합을 위한 전략, 대격돌을 통한 무력 통합으로 나가는 역동적인 삶, 왕건에게 귀부한 배경 등을 검증한 바 있다.[2]

이를 통해 본고에서 가장 역점적으로 구명하려한 작업은 후백제 문화권의 설정이다. 후백제를 건국한 진훤의 鄕里부터 그의 유택이 소재한 논산 연무까지 해당한다. 시간적으로는 그 사이의 숱한 戰場 역시 이 작업의 일환이 된다. 구체적으로 말한다면 진훤의 출신지와 가문의 세력권, 擧兵 지역, 2곳의 王都 지역, 후백제 영역 반경, 서남해를 비롯한 내륙의 전쟁 유적지, 후백제 불교 문화권과 당진 합덕지를 필두로 한 농경 문화권 등으로 나누어 살펴 볼 수 있다. 본고는 후백제 문화권 설정을 위한 기본 자료로 활용되기를 바란다. 그리고 이러한 역사 자료를 적극적으로 활용할 수 있는 방안을 모색하였다.

---

1 『三國史記』권50, 진훤전. "論曰 新羅數窮道喪 天無所助 民無所歸 於是 羣盜投隙而作 若猬毛然 其劇者弓裔 · 甄萱二人而已 弓裔本新羅王子 而反以宗國爲讎 圖夷滅之 至斬先祖之畫像 其爲不仁甚矣 甄萱起自新羅之民 食新羅之祿 而包藏禍心 幸國之危 侵軼都邑 虔劉君臣 若禽獼而草薙之 實天下之元惡大憝 故弓裔見棄於其臣,甄萱産禍於其子 皆自取之也 又誰咎也 雖項羽 · 李密之雄才 不能敵漢 · 唐之興 而況裔 · 萱之凶人 豈可與我太祖相抗歟 但爲之歐民者也"
이 구절의 '元惡'은 진훤을 가리키는 "先銷元惡 似魏皇滅蜀之時(「瑞雲寺了悟和尚碑銘」)"에서도 보인다.
2 이도학, 「진훤과 후백제의 꿈과 영광」 『견훤, 새로운 시대를 열다』 국립전주박물관, 2020, 14~27쪽.
이도학, 「총론--후백제사 연구의 쟁점과 과제」 『후백제와 견훤』, 서경문화사, 2021, 16~36쪽.

2. 인물 평가에 대한 소회

유명한 "과거를 지배하는 자는 미래를 지배한다. 현재를 지배하는 자는 과거를 지배한다(He who controls the past controls the future. He who controls the present controls the past)"[3]는 명언을 상기해 본다. 現代寓話『동물농장』으로 널리 알려진 영국의 조지 오웰(George Orwell; 1903~1950)의 저서『1984』에 적혀 있는 구절이다. 중국의 고구려사 왜곡인 東北工程과 관련해 실감나게 겪었던 사안이었다.

중국에서는 국가에 의한 역사 서술의 독점과 강력한 통제가 확인되었다.[4] 권력으로부터 역사 서술이 결단코 자유롭지 못했음을 뜻한다. 이와 관련해 역사의 패자가 되었던 진훤에 대한 다음 시를 음미해 본다.[5]

a. 백제의 중흥을 도모하면서	百濟中興日
진훤 왕이 말 타고 치달릴 때	甄王躍馬年
강산은 形勝之地 독점하였고	江山擅形勝
機謀를 발휘하여 싸움마다 이겼는데	戰伐鬪機權
운이 다했는가 웅대한 포부 허사 된 채	運去雄圖盡
왕기 떠난 성곽만 덩그러니 남았구나	城留王氣遷
그러나 신숭도 소멸하고 말았으니	神嵩亦消歇
옛날의 까마득한 勝敗 따져 무엇하리	成敗兩茫然

谿谷 張維(1588~1638)는, 백제를 중흥한 진훤 왕은 늘상 이겼지만 運이 다하여 웅대한 포부도 사라졌다고 했다. 그가 패배한 이유를 '運去'에서 찾았을 뿐 김부식과 같은 도덕성 타령은 하지 않았다. 星湖 李瀷(1681~1763)도 다음과 같은 소견을 남겼다.

b-1. 천하의 일이 대개 10분의 8~9쯤은 천행으로 이루어지는 것이다. 史書에 나타난 바로 보면 고금을 막론하고 成敗와 利鈍이 그 시기의 우연에 따라 많이 나타나게 되고 ··· 그러니 이 사서란 것은 모두 성패가 이미 결정된 후에 지은 까닭에 그 성패에 따라 곱게 꾸미기도 하고 아주 더럽게도 만들어서 그것이 당

---

3 조지 오웰 著 · 정성희 譯, 『1984』, 민음사, 2016, 53쪽.
4 이성규, 「역사 서술의 권력, 권력의 서술」『歷史學報』224, 2014, 18쪽.
5 『谿谷先生集』권27, 五言律詩, 甄萱.

연한 것처럼 여겼다. … 나는 이 때문에 천하의 일은 당면한 형세를 잘 만난 것이 최상이고, 幸·不幸은 그 다음이며, 是非는 최하로 여긴다.[6]

　　b-2. 그 實은 선한 중에도 악함이 있고 악한 중에도 선함이 없지 않다. 그런데 당시 사람이 옳고 그름에 현혹되었던 까닭에 取捨를 자세히 하지 못해서 후세의 비난도 받고 죄도 얻는 자가 있으니, 사서를 읽는 자로서는 이런 것을 몰라서는 안 될 것이다.

　　朱子가 이르기를, "晉靈公은 趙盾을 죽이려고 했으나 마음대로 할 수 없었는데 이는 그의 힘이 매우 강했기 때문이었다. 지금까지 전하는 허다한 이야기들은 그 뒤 三晉이 정권을 잡자, 없는 사실을 꾸며 만들어서 잘못된 점은 가리어 덮은 것이었으니, 이는 마치 唐 太宗이 建成·元吉 형제를 죽여서 형제 사이에 화를 일으킨 것과 같은데 그 아비된 자는 무슨 까닭으로 태연하게 무사한 척 했을까? 海池에 배를 띄우면서 놀았으니 이는 분명 태종이 형을 죽이고 아비를 위협하여 天子의 위를 대신하려고 한 짓이다. 그런데 '날이 밝으면 마땅히 朝參하겠다'는 말은 모두 史臣이 보태고 꾸며 만든 짓이다"고 하였다.

　　또 "朱梁은 오래지 않아 멸망되어 저들을 위해 나쁜 점을 숨기고 덮어 주는 이가 없었던 까닭에 모든 악행이 모조리 드러났다. 만약 조금만 오래되었더라면 그 나쁜 점을 한 반쯤은 숨길 수 있었을 것이다"고 하였다. 이것은 모두 군자로서 是非의 진정을 깨달은 말이니 취해서 법삼을 만하겠다. 子貢이 이르기를 "紂의 악도 이같이 심하지는 않았을 것인데, 여럿의 악을 모두 그에게로 돌린 때문이다"고 하였으니, 주량도 그 악이 반드시 이렇게 크지는 않았을 것이다. 생각마다 일마다 이렇게 큰 잘못이 있고서는 천하를 얻어낼 수 없었을 듯하다. 선함도 역시 이와 마찬가지이다.[7]

　　앞에서 이미 언급했듯이 후견편파(hindsight bias)인 결과론적인 평가에, 是非에만 매달렸기에 진실이 사장되고 왜곡된 경우가 많았다는 실례를 제시한 것이다. 진훤과 왕건의 경우도 결단코 예외가 되지는 않았다.[8]

6　『星湖僿說』권20, 經史文, 讀史料成敗. "天下事 大抵八九 是幸會也 其史書所見 古今成敗利鈍 固多因時之偶然 … 史者作扵成敗已之之 後故随 其成與敗而粧點就之 若固當然者 … 余故曰天下之事 所値之勢為上 幸不幸次之 是非為下"

7　『星湖僿說』권20, 經史門, 古史善惡. "其實善中有惡惡中有善當時之人實有是非之眩故有去取不審貽譏得罪者也讀史不可不知此意朱子曰晉靈公欲殺趙盾不得他大段强了今許多說話自是後來三晉旣得政撰造掩覆如唐太宗殺建成元吉兄弟搆禍如此之極為父者何故恁地恬然無事泛舟海池分明是殺兄刼父代位明當早叅之語皆是史之潤飾又曰朱梁不久而滅無人為他蔵掩得故諸惡一功發見若更稍久必掩得一半此皆君子看得是非之真可以取法也子貢曰紂之惡不如是之甚也衆惡歸焉如朱梁者其惡却未必如此之大恐未有心心事事若是之鉅惡而能得天下者矣善亦如此如"

8　이에 대한 구체적인 實例는 이도학, 「전북 후백제 연구의 쟁점과 지향점」『전북지역 연구의 회고와 새로운 지평(2)』, 전라북도, 2021. 10. 22, 65~71쪽을 제시할 수 있다.

3. 후백제 문화권

1) 진훤의 출신지와 가문의 세력권(문경 · 상주)

(1) 진훤의 출생지

국어사전에서는 '문화권'을, "공통된 문화의 영향력이 분포하거나 미치는 범위"로 정의했다. 본고에서는 후백제의 안정적인 영역이거나 지속적인 전쟁을 통해 자국의 문화와 법령이 침투할 수 있는 지역을 포괄한 개념으로 사용하였다. 이와 관련해 가장 먼저 꼽을 수 있는 문화권은 후백제 건국자인 진훤의 출생지가 아닐 수 없다.

『삼국사기』에서 진훤은 상주 가은현 출신으로 적혀 있다. 그는 지금의 경상북도 문경시 가은읍 출신이다. 진훤의 아버지인 아자개는 농민이었다. 그가 강보에 싸여 있을 때 농사 짓던 부모가 잠시 자리를 비운 사이에 호랑이가 젖을 물려준 일화가 전한다. 아자개는 村主도 아니었고, '富農'도 아니었다. 그럼에도 어느 순간에 아자개가 장군을 칭하자 호족 출신으로 단정하고는 했다. 여기서 부농의 사전적 의미는 "경영하는 토지의 규모가 크고 수입이 많아 생활이 넉넉한 농가"를 가리킨다. 그러나 아자개의 아내는 경작하는 남편에게 참을 갖다주러 들로 갔었다. 이렇듯 아자개 부부는 농민들의 평범한 일상을 영위했던 것이다. 아자개가 부농이었다면, 20세기 중엽까지도 부농들이 머슴들을 투입시켰듯이, 직접 경작하는 모습은 비칠 수 없었다. 그는 "농사 지으며 자기 힘으로 살았고, 뒤에 (어떤 계기가 발생하여) 집안을 일으켜 장군이 되었다(以農自活 後起家爲将軍)"[9]고 했다. 이로 볼 때 그는 자영 농민임을 알 수 있다.

진훤을 호족 가문 출신으로 간주하는 데는, 위의 기록과 더불어 통진대사 慶甫의 술회에서 '장군 집안[将鍾]'[10]이라고 한 데서 비롯하였다. 그러나 '장군 아자개'는 진훤이 出鄕하여 父와 결별한 이후에 등장했다. 그러므로 진훤을 호족 가문 출신으로 운위하는 것은 적절하지 않다.

문경시 가은읍 갈전2리의 아채 마을이 진훤의 출생지이다. 마을 초입 오른편 언덕에는 2002년에 건립된 '崇威殿'이라는 현판이 걸린 작은 규모의 사당이 보인다. 그리고 『삼국유사』에서 「古記」를 인용하여 게재한 '光州北村' 富人女의 蚯蚓說話 현장인 금하굴이 소재했다. 이와는 달리 마을에서 뒤편으로 조금 떨어진 산쪽의 움푹 파인 굴을 蚯蚓說話와 연관 짓기도 한다. 어쨌든 '4형제 바위'로 불

---

9 『三國史記』권50, 甄萱傳. "甄萱 尙州加恩縣人也 本姓李 後以甄爲氏 父阿慈介 以農自活 後起家爲将軍 初萱生孺褓時 父耕于野 母餉之 以兒置于林下 虎來乳之 郷黨聞者異焉"

10 한국역사연구회, 『譯註 羅末麗初金石文(上)』혜안, 1996, 231쪽.

리는 청동기시대 고인돌이 소재한 유서 깊은 마을이었다. 아채 마을 앞들은 '속개들'인데 진훤의 父 아자개가 경작하던 장면과, 젖먹이 진훤을 수풀 밑에 두었을 때 호랑이가 와서 젖을 먹여주던 정경을 연상할 수 있다.

진훤의 소년시절과 관련해 가은읍과 접한 농암면에는 명마를 낚아챈 전설의 현장인 '말바우'가 남아 있다. 그리고 진훤과 연계된 '宮基' 즉 '궁터'로 전하는 동네가 소재한다.

(2) 父 阿慈介의 세력권

상주 지역에는 아자개와 관련한 유적이 전해온다. 대표적인 유적이 다음에 보이는 상주시 사벌국 면에 소재한 사벌국고성이다.

c. 沙伐國古城 : 屛風山 아래에 있다. 성 옆에 높고 둥근 丘陵이 있는데, 세상에서 전하기를 '사벌국의 王陵'이라 한다. 신라 말년에 甄萱의 아비 阿慈介가 이 성에 웅거하였다.[11]

위의 기사에 따르면 아자개는 사벌국고성에 웅거한 것이다. 그러나 사벌국 왕릉은 신라 경명왕의 아들 박언창의 묘소로 전해온다. 아자개와 관련한 유적은 사벌국고성이 아니라 병풍산성으로 지목할 수 있다. 사벌국고성은 확인되지 않았기 때문이다. 그러면 농민 출신인 아자개가 상주 지역을 장악하고 장군을 칭하게 된 배경은 어떤 것이었을까? 889년에 상주에서 봉기한 원종과 애노의 난이 그 시발점이었다. 상주 지역에는 최종적으로 아자개가 장군을 칭하면서 군림하였다. 가은현 출신의 그는 몸소 농사를 지었던 농민 출신이었다. 원종과 애노 난에 가담했던 그는 지역의 주도권을 장악한 것이다.[12] 호족으로 성장한 아자개는 다른 이들이 그러했듯이 이름 앞 글자인 '아'와 音이 近似한 기존 성씨 가운데 李氏를 칭하였다. 아들인 진훤은 종군하여 복무 중이었기에 부자 간에는 교류나 소통이 단절될 수밖에 없었다. 그 결과 진훤은 이름 앞 글자를 성씨로 칭하게 되어 부자가 서로 姓이 다르게 되었다.[13]

그런데 906년에 궁예의 부하 왕건이 병력을 이끌고 상주 지역에 진출했다. 이에 대응하여 진훤은 다음과 같이 몸소 군대를 이끌고 나왔다.

---

11 『新增東國輿地勝覽』권28, 상주목, 고적 조.

12 金庠基, 「甄萱의 家鄕에 對하여」『가람 李秉岐博士頌壽紀念論文集』1966 ; 『東方史論叢(改訂版)』, 서울대학교 출판부, 1984, 198쪽.

13 이도학, 「후백제와 고려의 각축전과 尙州와 聞慶 지역 호족의 동향」『지역과 역사』48, 부경역사연구소, 2021, 175쪽.

d. (天祐) 3년 丙寅에 궁예가 태조에게 명하여 精騎將軍 黔式 등을 거느리고 군사 3,000명을 지휘하여 尙州의 沙火鎭을 공격하게 하니, 진훤과 여러 번 싸워 이겼다.[14]

사화진은 상주 전역을 가리킨다기 보다는 음리화정이 설치되었던 지금의 상주시 청리면 일대만 가리키든지, 아니면 보은에서 상주로 접어드는 초입을 가리킬 가능성이 높다. 궁예의 摩震 군대의 소백산맥 이남 진출 통로로서 사화진 일대가 장악되었던 것 같다.

그리고 진훤이 '累戰'했다는 것은 이곳의 지배권을 쉽게 포기하지 않으려 한 증좌였다. 그러나 분명한 사실은 후백제군이 물러나게 되었다. 그리고 摩震의 군대가 상주 지역 지배권을 장악하게 되었다는 것이다. 이때 상주 호족 아자개의 동향에 대해서는 알 길이 없다. 그렇지만 추측이 가능하다. 마진군과 후백제군의 격돌에서 마진이 승리한 현실이다. 마진의 승전을 "尙州 등 30餘 州縣을 伐取했다"[15]고 하였다. 진훤은 이듬해인 907년에 일선군 이남의 10여 성을 점령했다.[16] 두 세력이 상주 남쪽에서 대치한 것이다.

이때 신라에서 항복해 오는 이들을 가차없이 베었던 궁예와는 달리 왕건은 신라 호족들에게 유화적이었다. 이로 인해 아자개는 자신의 기반을 온전하게 유지할 수 있었다. 아자개의 세력권은 자신의 출신지인 가은현까지 미쳤던 것으로 볼 수 있는 정황도 드러났다.

918년에 왕건이 상전인 궁예를 제거하고 즉위하자, 가장 먼저 귀부한 호족이 아자개였다. 이로 인해 아자개와 진훤을 부자 간이 아닌 同名異人說이 제기되었다. 그러나 당시 아자개는 70세를 넘긴 고령으로 추정되었기에 후계자 문제와 상속 문제가 겹쳐 있었다. 상속과 관련해 장남인 진훤은 상주 지역에 대한 지배권을 요구했을 법하다. 이로 인해 진훤은 향리의 아우들과도 갈등을 빚었던 것으로 보인다. 이러한 정황에서 아자개는 일찍이 자신의 지위를 보전해 주었던 왕건에게 귀부함으로써 돌파구를 찾고자 했다.

이로 인해 상주와 가은 일대는 정치적으로 고려 성향을 띠게 되었다. 가은의 행정지명이 加害縣에서 加恩縣으로 복권된 것도 이와 무관하지 않았다. 가은현 출신의 상주 지역 首魁인 아자개와 백제를 재건한 진훤으로 인해 가은 지역은 逆鄕이 되어 加害縣이라는 汚名으로 불리어졌다. 그러나

---

14 『高麗史』권1, 태조 즉위전기. "三年丙寅 裔命太祖 率精騎將軍黔式等 領兵三千 攻尙州沙火鎭 與甄萱累戰克之 裔以土地益廣 士馬漸强 意欲幷吞新羅 呼爲滅都 自新羅來附者 並皆誅殺"

15 『三國史記』권50, 弓裔傳. "伐取尙州等三十餘州縣" 이 기사는 궁예전의 天祐 원년(904) 조와 천우 2년(905) 조 사이에 적혀 있는 관계로 904년의 일로 간주했다. 그러나 전후 정황을 놓고 볼 때 천우 3년인 906년 沙火鎭 승리의 산물로 볼 때 자연스럽다.

16 『三國史記』권12, 효공왕 11년 조. "一善郡以南十餘城, 盡爲甄萱所取"

15-1 문경시 가은읍 아자개장터　　　　　　　　**15-2** 상주 선신당 상량문

아자개가 고려에 귀부함에 따라 친고려 정책을 펼치던 신라 경명왕은 복권 차원에서 행정지명을 加恩縣으로 명명해 주었던 것 같다. 이러한 사례는 성주 지역 호족인 良文이 고려에 귀부함에 따라 京山府로 승격된 사례에서도 확인할 수 있었다. 그런데 가은현을 제외한 문경의 여타 지역은 후백제가 장악한 상황이었다.[17]

상주에는 후삼국시대의 서막을 알리는 농민 봉기인 원종과 애노 난의 근거지인 마공산성을 비롯해 궁예의 부장 왕건과 진훤이 격돌한 사화진, 아자개의 근거지인 병풍산성, 그리고 상주시 화서면 하송 1리 청계마을 중심에 소재한 仙神堂의 神主에는 '後百濟大王神位'라고 씌어 있다. 상량문에는 '道光十九載' 즉 1839년이 보인다. 그리고 청계마을 입구 숲은 진훤을 골맥이로 하였다. 매년 정월 보름과 시월 보름에 동고사를 올렸었다. 재물은 과거에는 소까지 잡았을 정도로 성대했다고 한다. '후백제 대왕'의 위패를 중심으로 비록 신체는 없지만 좌장군과 우장군에게도 각각 잔을 올렸다.[18]

2) 진훤의 擧兵 지역과 서남해

(1) 거병 지역, 순천만과 광양만

丁男의 연령에 軍役을 졌던 진훤의 방수처는 '서남해'였다. '서남해'가 그의 복무지였다. 그의 防戍와 관련해 다음 기사가 보인다.

17　이상의 서술은 李道學, 「후백제와 고려의 각축전과 尙州와 聞慶 지역 호족의 동향」 『지역과 역사』 48, 부경역사연구소, 2021, 171~203쪽에 의하였다.

18　이도학, 『진훤이라 불러다오』, 푸른역사, 1998, 289~290쪽.

e. 서남해로 부임하여 수자리를 지켰는데, 창을 베고 적을 기다렸다. 그 용기가 항상 사졸의 으뜸이 되도록 일하였기에 비장이 되었다.[19]

진훤의 방수처는 지금의 순천인 승평항으로 지목된다.[20] 이 사실은 누구나 알 수 있는 게 아니라 필자가 최초로 구명했다.[21] 그는 밤에도 창을 베고 적을 기다렸듯이 항시 臨戰 태세를 갖추고 지냈다. 해적 소탕에서 진훤의 용기와 용맹은 단연 으뜸이었다. 당시 신라에서 唐으로 가는 항로와 항구는 해적이나 지방 호족들에게 석권당하거나 위협을 받았다. 그러나 청소년에 불과했던 戌卒 진훤의 奮戰으로 인해 승평항은 보전될 수 있었다. 거듭된 전공으로 진훤은 神將 직에 올랐다. 비장하면 조선시대 衙前 스토리인 '裵神將傳'을 연상할 수 있다. 그러나 진훤이 稱王할 때 원주 지역 대호족인 양길에게 비장 직을 내려주었다. 이로 볼 때 비장 직은 고위 관직임을 알 수 있다. 이 사실은 신라 조정이 파격적인 지위를 진훤에게 부여했음을 뜻한다. 승평항을 기반으로 한 對唐 항로의 안정적 확보에 기여한 공로를 읽을 수 있다. 신라 조정으로서는 생명줄과 같은 對唐 항로를 지켜준 진훤의 武功에 대한 보은이었을 것이다.[22]

신라 비장 진훤의 군영은 순천의 해룡산성과 더불어 동일한 지형구인 광양의 마로산성 일대로 비정할 수 있다. 그런데 마로산성에서 출토된 유물을 놓고 볼 때 진훤은 당과 일본과의 삼각 교역을 통해 富의 축적 요인을 지녔음을 짐작할 수 있었다. 아울러 해적들을 소탕하여 한반도 서남해의 해상권을 장악했던 것 같다. 이때 그는 唐에 출입하는 유학생과 유학승을 통해 황소의 난과 같은 중국 대륙의 소식을 접했을 것이다. 그리고 교역의 안전을 맡아준 관계로 海商들과도 긴밀한 관계를 유지했다고 본다.

이렇듯 진훤은 순천 해룡산성과 광양 마로산성을 거점으로 당과 일본을 잇는 삼각교역을 통해 경제 기반을 축적하였다. 광양의 마로산성에서 출토된 당의 海獸葡萄方鏡과 越州窯에서 제작된 陶瓷가 이를 말해준다. 진훤은 장보고 사후 50년만에 해적을 소탕하고 서남해의 강자로 등장하였다. 이후 서남해 제해권을 놓고 진훤은 궁에 부하 왕건과 세력을 양분했다.[23]

진훤은 바다라는 광활한 세계 체험을 통해 신라 조정의 한계를 읽었다. 889년에 상주 지역에서 원종과 애노의 농민 반란이 터졌다. 그러나 신라 중앙군이 수습하지 못하였다. 이때 진훤은 신라가 지

19 『三國史記』권50, 甄萱傳. "赴西南海防戍 枕戈待敵 其勇氣恒爲士卒先 以勞爲神將"
20 李道學, 『진훤이라 불러다오』, 푸른역사, 1998, 85~87쪽.
21 이와 관련해서는 李道學, 「後百濟의 全州 遷都와 彌勒寺 開塔」『韓國史研究』165, 2014, 3~5쪽을 참고하기 바란다.
22 李道學, 「新羅末 甄萱의 勢力 基盤과 交易」『新羅文化』28, 2006, 230쪽.
23 李道學, 「新羅末 甄萱의 勢力 基盤과 交易」『新羅文化』28, 2006, 224~226쪽. 231쪽.

닌 내구력의 한계를 확인하게 되었다. 농민 반란과 연계하듯이 그는 휘하의 병력을 이끌고 武州인 지금의 광주 광역시 동남 지역을 휩쓸었다. 순천과 광양, 여수를 비롯해 남해안 서부 지역이 속속 떨어졌다. 이를 일러 『삼국사기』는 "이에 진훤이 몰래 분수 밖의 일을 넘겨다 보는 마음이 생겨 휘파람 불어 패거리를 모았다. 나가면서 서울 서남 州縣들을 치자 이르는 곳마다 메아리쳤다. 삽시간에 무리가 오천 인에 이르렀다"[24]고 기술했다. 嘯聚는 "도적들이 밤에 휘파람으로 신호하여 패거리를 불러 모으는 것을 말한다"고 한다. 진훤이 몰래 그리고 전격적으로 반란을 일으켰고, 또 치면서 이르는 곳마다 호응이 컸다는 것이다. 여기서 '서울 서남 州縣들'은 '武州 동남쪽의 郡縣'과 동일한 지역을 가리킨다.

순천의 해룡산성 부지는 민묘가 소재한 사유지인 관계로 조사와 발굴이 용이하지 않다. 그렇지만 지표조사부터 차분히 수행하는 등 장기적인 계획 수립이 필요하다. 그리고 死後 해룡산신으로 모셔진 진훤의 사위 박영규 장군 유적, 후백제 引駕別監이요 순천 김씨 시조 金惣에 대한 조명 사업과 더불어, 광양 마로산성 뿐 아니라 여수 고락산성 등과 연계한 초기 擧兵 지역에 대한 벨트 작업이 필요하다. 요컨대 순천만과 광양만 일대는 백제 부활의 苗床이었던 곳이다.

(2) 서남해 지역, 나주와 영암 덕진포

錦城 혹은 羅州로 일컬었던 지금의 전라남도 나주와 주변 島嶼 지역을 둘러싸고 901년부터 936년까지 진훤은 궁예 및 왕건과 끊임없이 쟁탈전을 펼쳤다. 이 사실은 나주 일원의 전략은 물론이고 정치와 경제적 비중이 지대했음을 뜻한다. 나주를 비롯한 영암과 그 주변의 도서 지역은 한반도 서남부 지역이다. 이곳은 중국과의 교류를 위한 나주 會津을 비롯한 중요한 항구가 소재하였다. 당시 금성으로 불리었던 나주는 한반도 서남부 지역의 海商 세력이 중국과 교역을 하던 거점 지역이었다. 정치와 문화적인 교류는 물론이고, 경제적으로도 비중이 지대한 곳이었기에 여러 세력의 이해가 얽혀 있었고 충돌 소지 역시 컸다. 태봉의 궁예는 이곳을 장악하여 후백제의 남중국 오월국과의 교류를 차단·봉쇄하려고 했다. 이러한 요인으로 인해 양국은 이곳에서 장기간에 걸쳐 격렬하게 전투를 치렀다.

당시 국제항인 나주의 會津은 여러 海商 세력의 이해가 얽혀 있었고, 나주 앞 바다의 압해도에는 能昌이라는 해적이 제해권을 장악하고 있었다. 그런데 901년 8월에 진훤이 대야성을 공격했으나 이기지 못한 채 급히 금성 남쪽으로 군사를 옮겨 인근의 부락을 약탈하고 돌아간 사건이 발생했다. 금성 즉 나주 세력이 진훤에게 반기를 들었기 때문에 급히 회군한 관계로 진훤의 대야성 공격은 실패로 끝났다. 진훤은 나주 해상들의 명줄과 같은 회진항에 대한 통제를 강화하였다. 그러자 나주 세력

---

24 『三國史記』권50, 甄萱傳. "於是 萱竊有覦心 嘯聚徒侶 行擊京西南州縣 所至響應 旬月之間 衆至五千人"

의 불만은 고조되었고, 결국 기회를 노리던 차에 진훤이 멀리 대야성으로 원정한 틈을 타고 후백제에서 파견한 관리들을 襲殺한 후 회진항을 직접 장악한 것 같다. 이에 대한 진훤의 응징을 '노략[掠]'이라고 한 것을 볼 때 상당히 거친 방법을 택했던 것이다. 이로 인해 나주 지역의 민심이 궁예에게 붙는 직접적인 계기가 된 것으로 보인다. 즉 "신라 말에 진훤이 후백제 왕을 일컬으며 이 지역을 모두 점령하고 있었다. 얼마 있지 않아 郡 사람이 후고구려 왕 궁예에게 귀부하였다. 궁예는 태조를 精騎大監으로 임명하여 해군을 거느리고 가서 이 지역을 빼앗아 나주로 만들었다"[25]고 했다. 후백제와 대립각을 세운 나주 세력이 대안으로 선택할 수 있는 대상은 궁예였다.

궁예가 나주 점령을 통하려 얻을 수 있는 이점은 2 가지였다. 첫째 후백제의 후방을 공략하여 전방에 대한 움직임을 억제하는 것이다. 903년 3월에 왕건은 수군을 거느리고 개성을 출발해 나주로 내려 와 "錦城郡을 공격하여 이를 함락시키고, 10여 개의 군과 현을 공격하여 이를 쟁취했다. 이어 금성을 羅州로 고치고 군사를 나누어 수비하게 한 후 개선하였다"고 했다. 둘째 후백제 대외 교역의 위축과 외교적 고립의 유도였다. 실제 궁예의 부하 왕건은 909년에 염해현(영광)에서 후백제가 오월국에 보내는 선박을 나포하였다.

이로 인해 후백제의 대외교류는 꼬이기는 했지만 국제항은 전주 임피와 희안, 그리고 승평항 등이 남아 있었다. 왕건은 909년에 "다시 나주 포구에 이르렀을 때에는 진훤이 직접 군사를 거느리고 전함들을 늘어 놓아 木浦에서 德眞浦에 이르기까지 머리와 꼬리를 서로 물고 수륙 종횡으로 군사 형세가 심히 성하였다(『고려사』)"고 했다. 여기서 목포는 현재 나주 영산포이고, 덕진포는 영암 덕진면 일대를 가리킨다. 이때 왕건의 군대는 후백제로부터 육로와 수로로 동시에 공격을 받았다. 그럼에도 왕건은 바람의 흐름을 타서 불을 놓았다. 뜻밖의 화공에 후백제 선단은 속수무책으로 船列이 무너졌다. 후백제군 가운데 물에 빠져 죽은 자가 태반이었다. 왕건은 후백제군 5백여 급을 베었고, 진훤은 작은 배를 타고 퇴각하였다.[26]

왕건은 덕진포 해전에서 대승을 거둔 후 나주 지역을 장악한 것으로 간주하는 견해가 많다. 그러나 이 부분은 주의가 필요하다. 이후 덕진포보다 북쪽에 위치한 반남현 포구로 전선이 이동하는 경향을 보였기 때문이다. 게다가 지금의 무안군 몽탄 나루 전설이나 '破軍川' 지명을 본다면 덕진포 해전 이후에도 양국 간의 충돌은 여전했다. 다만 전선은 덕진포 북쪽의 석해포로 이동한 것으로 보인다. 단 한 번의 전투가 전체적인 승리의 견인이 될 수도 있지만, 오히려 가열하고도 지속적인 전투라

---

25 『高麗史』 地理2, 전라도 羅州牧.
26 이상의 서술은 이도학, 『후백제 진훤대왕』, 주류성, 2015, 219~230쪽에 의하였다.

15-3 전라남도 신안군 압해읍 고이리에 소재한 고이도 전경. 능창의 세력권이었다.

는 후폭풍을 유발할 수도 있었다. 어쨌든 왕건은 이때 능창이라는 지역 해상 세력가를 포획하여 제해권 구축에 성공했다.[27]

910년에 진훤은 몸소 보병과 기병 3천을 거느리고 나주성을 포위하여 열흘 동안 풀지 않았다. 궁예가 증원군을 보내자 진훤은 포위를 풀고 퇴각하였다. 이후 궁예가 몸소 군대를 이끌고 내려왔다. 전쟁의 비중이 훨씬 커졌다는 증좌였다. 즉 "건화 2년(912)에 진훤이 덕진포에서 궁예와 싸웠다"[28]고 했다. 「선각대사비문」과 「법경대사비문」을 통해서도 궁예의 서남해 친정이 확인되었다. 더욱이 「법경대사비문」에서는 '오로지 南征만 하였다(專事南征)'고 하였다. 이 사실은 궁예가 남정에 심혈을 기울였기에 친정했음을 알려준다. 왕건이 진훤과 사투를 벌여 나주 지역을 평정한 후, 912년에 궁예가 직접 내려옴으로써 나주 경략은 마무리되었다.[29]

격전의 현장인 나주 지역은 전략적으로도 중요한 요충지였다. 나주는 후백제 첫 수도였던 무진주와 근거리에 위치하였다. 그렇기 때문에 후백제에 늘 위협을 안겨줄만한 곳이었다. 그러니 진훤은 정복 활동에 나서면서도 후방을 염려하지 않을 수 없었다. 고려군이 나주에 집결하여 무진주 등을 공략한다면 반드시 구원해야 했기 때문이다. 이로 인해 진훤은 국토의 후방에 다대한 병력을 배치하여 긴장 상태를 유지할 수밖에 없었다. 나주 지역을 왕건이 장악했기 때문에 빚어진 현상이었다. 게다가 진훤의 고려 귀부는 고려 영역인 나주를 경유하였다.

---

27 이도학, 『후삼국시대 전쟁연구』, 주류성, 2015, 139~159쪽.
28 『三國史記』권50, 甄萱傳.
29 이도학, 「권력과 기록」 『東아시아古代學』 48, 2017, 31~32쪽.

후백제가 숙원의 나주 지역을 장악한 929~935년까지는 극성기였다. 후백제는 공산 전투에서 대승을 거둔 이후에 나주를 장악한 것으로 보인다. 그런데 935년에 고려 유검필이 나주 지역을 회복한 직후 진훤의 고려로의 탈출이 이루어졌다.[30]

나주 자미산성, 나주시 동강면 옥정리에서 무안군 몽탄면 명산리로 건너는 나루 夢灘, 破軍川 등에는 후삼국 당시의 격전 관련 전설이 남아 있다. 그리고 火攻戰이 이루어진 덕진포 전투는 흔히 중국의 적벽대전에 비견되기도 했다. 총2회에 걸친 덕진포 해전 재현은, 영화 제작뿐 아니라 관광자원 활용 차원에서라도 긴요하다.

3) 王都 지역

(1) 武州(광주 광역시)

진훤은 892년에 "드디어 武珍州를 습격하여 스스로 왕이라고 하였으나[自王], 오히려 감히 공공연하게 왕을 일컫지는 못했다"고 했다. 진훤이 889년에 반란을 일으켜 3년 후인 892년에 무진주를 점령한 것으로 볼 수 있다. 그러나 "이르는 곳마다 메아리쳤다"고 했고, 초기 병력이 5천 명이었다. 이로 볼 때 압도적인 무력에 기반한 파죽지세를 연상할 수 있다. 따라서 무진주 州治 점령에 3년이 소요될 이유가 없었다. 더욱이 후백제인들이 자국의 起點을 889년으로 설정한 사실이 밝혀졌다.[31] 그렇다면 진훤의 처음 舉兵할 때부터 백제 건국의 旗幟를 내 걸었을 수 있다고 본다. 진훤은 남도 지역을 석권한 후 빠르게 북상하여 백제 古都를 장악하려고 했던 것 같다. 그러나 여의치 않았기에 진훤은 무진주를 점령한 후 892년에 이르러 개국을 선포한 것으로 볼 수 있다. 이때 진훤은 '新羅·西面都統指揮兵馬制置·持節·都督全武公等州軍事·行全州刺史 兼 御史中丞·上柱國·漢南郡開國公 食邑二千戶'라고 自

15-4 진훤대 원경

30 이도학, 『후삼국시대 전쟁연구』, 주류성, 2015, 171~176쪽.
31 李丙燾, 『譯註 三國遺事』, 廣曺出版社, 1976, 275쪽.
    三品彰英, 『三國遺事考證(中)』, 塙書房, 1979, 279쪽.

署했다. 여기서 진훤은 전주 · 무주 · 공주에 대한 군정권 장악과 더불어 통치 거점으로 전주를 염두에 두었다. 통일신라에서 백제 영역으로 간주한 곳이 전주 · 무주 · 공주였다. 그리고 제일 끝에 적혀 있는 '한남군개국공'은 한수 이남의 백제 고지 전체를 망라하는 관념적 지명이었다. 한강 이남 백제 영역을 모두 제패하려는 진훤의 구상이 깔려 있었다.

『삼국유사』에서도 진훤의 근거지였던 光州를 "王子 始都光州"[32]라고 하였다. 光州가 후백제 최초의 왕도였음을 분명히 했다. 그랬기에 관련한 전설이나 유적 현장이 전하고 있다. 가령 광주 광역시 북구 동림동 대마산에는 '진훤대'가 있다. 그리고 광주 · 송정 간 대로변의 사월산(광주 광역시 서구 벽진동)에 소재한 王祖坮는, 왕건이 진훤과 싸울 때 주둔했던 곳으로 전한다.[33]

후백제의 첫 왕도였던 광주에서의 거점은 무진고성으로 보인다. 광주 광역시 북구 두암동 무등산에 소재한 무진고성은, 武珍都督古城으로 전해 왔다.[34] 진훤 왕의 셋째 아들 용검이 武州都督으로 있던 그 현장이다. 그리고 성의 둘레는 3.5km에 이르는 대규모였다. 게다가 무진고성에서 출토된 '國城' 銘 기와의[35] '國'은 '國都'를 가리킨다. 무진고성에서 출토된 봉황 문양의 화려한 수막새 기와는 절정에 이른 후백제 미술의 진수를 보여준다. 무진고성에서 출토된 귀면문 암막새 문양은 호족들의 城과는 달리 격조 높은 공간의 위용을 보여주었다. 이렇듯 무진주 도독성이었던 무진고성이 광주에서 가장 중심적인 산성이었다. 따라서 광주를 후백제 첫 왕도로 비정하는 것은 자연스럽다. 더욱이 광주 무진고성에서의 문화 양상은 전주 동고산성과의 연관성이 깊다.

15-5 왕조대 원경　　　　　　　　　　15-6 무진고성 출토 봉황문 수막새 기와

---

32 『三國遺事』권1, 王曆, 後百濟 條.

33 이도학, 『후백제 진훤대왕』, 주류성, 2015, 132쪽.

34 『新增東國輿地勝覽』권35, 全羅道, 光山縣, 古跡. "武珍都督古城 : 在縣北五里 土築 周三萬二千四百四十八尺"

35 진정환, 「후백제 문화의 특성과 그 배경」 『견훤, 새로운 시대를 열다』, 국립전주박물관, 2020, 282쪽 ; 차인국, 「후백제 기와의 특징과 사용 방식」 『견훤, 새로운 시대를 열다』, 국립전주박물관, 2020, 339쪽.

(2) 全州

진훤은 892년에 이미 전주를 거점으로 상정한 것 같다. 물론 이때부터 전주 천도 작업이 진행된 것으로 생각할 수는 있지만, 당시 진훤의 영향력은 지금의 전라남도 일원에 국한되었다. 진훤은 900년에 전주 천도를 단행했다. 백제를 재건한 진훤으로서는 百濟故地에서의 주도권 장악이 급선무였다. 그러기 위해서는 상징성이 지대한 舊都 확보가 선결되어야 했다. 백제 舊都로는 한성·웅진성·사비성이 있었다. 한성은 廣州 호족 왕규, 웅진성에는 공주장군 홍기가 버티고 있었다. 기록에 남아 있지는 않지만 사비성에도 호족이 웅거하였을 가능성이 높다. 이러한 상황에서 진훤이 손길을 뻗칠 수 있는 곳이 익산 金馬都城이었다. 진훤은 전주 남고산성이나 동고산성에서 정면에 보이는 미륵산을 의식하여 백제 금마산 개국설을 만들어 國都地의 열세를 만회하고자 한 것 같다. 백제 舊都에 근거한 호족들과 경쟁 관계였기 때문이었다.[36]

무진주 도읍 말기에 진훤은 자신의 영향권 내 지역을 순행하였다. 이때 그는 지역 주민들의 환영을 받으면서 지지도의 高低를 체감했다. 특히 진훤은 백제 본류인 지금의 전라북도 지역에 들어서자 가장 뜨겁고 열렬한 환영을 받았다. 이는 천도할 수 있는 요인과 배경이 되었기에 8년 전에 기획했던 바대로 전주 천도를 단행했다.

진훤이 광주에서 전주로 천도하게 된 배경은 영산강유역 주민들의 백제로의 귀속 의식이 취약한 데서 찾을 수 있었다. 이곳은 5세기 후반에 백제 영역이 되었다. 그랬기에 백제 재건에 대한 응집력 또한 상대적으로 약하였다.[37] 정치적으로는 5소경의 하나인 남원소경의 장악, 경제적으로는 잠재적 국력의 척도인 운봉고원과 진안고원 철산지 확보 때문이었다.[38] 이러한 요인과 더불어 진훤은 백제를 재건한 자신을 열렬히 환대하는 전주로의 천도를 결행했다. 전주는 鄭樞(1333~1382)의 詩에 '진훤

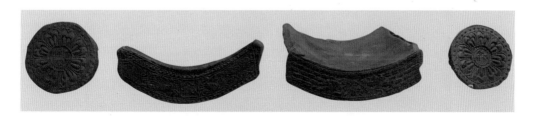

15-7 '全州城' 명문 기와

36 이도학,『후백제 진훤대왕』주류성, 2015, 143~144쪽.
37 李道學,「궁예와 진훤의 비교 검토」『궁예와 태봉의 역사적 재조명』, 제3회 태봉학술제, 철원군·철원문화원, 2003. 11. 28, 20쪽.
38 李道學,「가야와 백제 그리고 후백제 역사 속의 長水郡」『장수 침령산성 성격과 가치』, 후백제학회 학술세미나, 2020. 6. 26, 28쪽.

이 군병을 지휘하던 땅(甄萱弄兵地)[39]이라고 읊조렸다. 圃隱 鄭夢周(1337~1392) 역시 전주 남고산성 만경대에서 진훤을 회상하는 다음과 같은 시를 남겼다.[40]

f. 진랑의 종횡무진한 의기가 아직 생각난다 尙想甄郞意氣橫

분분했던 성패가 은연중 맘을 상하게 하네 紛紛成敗暗傷情

어느 날 스스로 가문의 재앙을 일으키니 一朝自作蕭牆禍

백 번 싸운 게 끝내는 철옹성이 아니었네 百戰終非鐵甕城

천명받은 진인이 백수에서 일어났거늘 大數眞人興白水

어느 늙은 간물이 창생을 그르친단 말인가 老奸何物誤蒼生

용이 일어났던 풍패의 땅에 올라 임하니 登臨豊沛龍興地

더욱 간절한 님 생각에 옥경을 바라보노라 益切思君望玉京

위의 詩에 보이는 '甄郞'은 진훤을 가리킨다. 일반적으로 '郞'은 부정적인 인물에게는 붙지 않는다. 그리고 '意氣'는 '적극적으로 무슨 일을 하려는 마음이나 기개', 혹은 '장한 마음'을 뜻한다. 정몽주는 진훤에 대한 긍정적인 정서를 지녔음을 알 수 있다. 전주는 후백제 36년 간의 왕도였다. 후백제 왕궁지로는 중노송동 인봉리 일대가 유력하게 지목된다.[41] 이곳에 후백제역사박물관 건립이 필요하다.

15-8 전주 인봉리 일대

39 『新增東國輿地勝覽』 권33, 全羅道 全州府, 題詠 條.

40 『四佳詩集』 권10, 詩類, 全州, 次圃隱先生萬景臺詩韻.

41 곽장근, 「왕궁 터 위치 비정과 무릉 성격」 『전북고대문화 역동성』, 서경문화사, 2021, 252~266쪽.

4) 南原京 일원(진안 · 장수)

진훤이 전주로 천도하려고 했을 때는 정치적으로는 5소경 가운데 하나인 남원소경의 장악과, 경제적으로는 잠재적 국력의 척도인 남원 운봉고원과 장수 진안고원의 鐵産地 확보에 두었던 것 같다. 俞棨는 "그 財力의 부유함과 甲兵의 강성함은 고려나 신라와 겨루어서 먼저 떨칠 수가 있었다"[42]고 평가한 바 있다. 여기서 '財力의 부유함'은 호남 지역의 농업생산력 뿐 아니라, 남원과 장수의 철산지 확보와 같은 경제적 기반을 염두에 두었을 것이다.

그러면 경제적 배경과 관련한 佛事를 살펴 본다. 장수군의 신라 말 절터로는 탑재와 석등재, 부도재가 남아 있는 개안사 혹은 정토사로 전해지는 장계면 탑동안길을 지목할 수 있다. 최근 장수 대적골 유적에서 후백제 시기에 제작한 梵鐘 형태의 동종이 출토되었다. 그리고 남원 勝蓮寺의 유래를 목은 李穡은 1364년(至正 24) 6월에 지은 글에서 "승련사는 그 중에도 으뜸이 된다고 … 절이 府中과는 동북편 30리 거리인데 옛 이름은 金剛이었다. 어느 시대에 창건되었는지는 알 수 없다"[43]고 했다.

고려시대 남원부 勝蓮寺의 옛 이름이 金剛寺였다고 한다. 금강사 이름은 후백제 금강 왕자 이름을 연상시킨다. 人名 관련하여 寺名으로 삼은 사례는 충주 金生寺 · 의성 孤雲寺 · 금강산 普德庵 · 금강산 表訓寺 · 元曉寺 · 義湘寺 등이 대표적이다.[44] 물론 금강사는 많은 곳에 소재하였지만, 勝蓮寺의 경우는 후백제 왕자와 연관 지을 소지를 생각해 본다. 금강 왕자가 발원하여 창건했거나 연관 있는 사찰일 가능성이다.

그리고 九山禪門의 한 곳인 남원 實相寺의 曹溪庵 터 片雲和尙浮屠에는 후백제 '正開' 연호가 새겨져 있다. 실상사 약사전에는 상체가 풍만한 2.7m의 철조여래좌상(보물 제41호)이 소재하였다. 사실 운봉고원 내에는 실상사 철조여래좌상을 비롯하여 72구의 철불이 남아있다. 실상사 철조여래좌상은 높이 273.59cm의 대형 불상으로 통일신라 선종불교의 기념비적인 불상으로 평가받고 있다. 게다가 운봉고원은 30여 개소의 제철유적으로 상징되는 대규모 철산지였다. 철의 테크노벨리로 융성했던 운봉고원의 내부적인 요인도 철불의 등장에 크게 기여했을 것으로 추정된다.[45] 지금은 터만 남은 남원 萬福寺址에도 다음에 보듯이 철불이 존재하였다.

---

42 『麗史提綱』권2, 乙未 太祖 18년 조.
43 『東文選』권72, 記, 勝蓮寺記. "而勝蓮寺又爲之冠 … 寺距府理東北一舍 舊名金剛 不知刱於何代"
44 『新增東國輿地勝覽』에서 원효사는 迎日縣, 錦山郡, 光山縣 조 등에 적혀 있다. 의상사는 『潭庭遺藁』에서 보인다.
45 곽장근, 「호남 동부지역 가야문화유산 현황」『경남발전』138, 경남발전연구원, 2017, 46쪽.

g. 萬福寺[府의 서남쪽에 있다. 그 동쪽에 五層殿이 있고, 서쪽에 二層殿이 있으며, 殿閣 안에 鐵佛이 있는데, 길이 35척, 무게 1만 3천 근이며, 그 殿閣의 제도가 특별히 다르다. 어느 시대에 창건한 것인지 모른다].[46]

실상사 뿐 아니라 만복사에도 철불이 존재했었다. 만복사 철불의 규모는 기록만 본다면 10m 쯤의 거대 불상인 것이다. 주지하듯이 통일신라 말에는 철불 조성이 유행하였다. 남원의 유서 깊은 사찰에 거대 철불이 조성되었던 것이다. 이러한 철불 제작에 필요한 막대한 철 공급지로는 응당 장수를 지목할 수밖에 없다.[47] 장수 진안고원의 철자산은 후백제의 군수품은 물론이고 사상과 연계된 선문 도량의 철불 조성에도 기여했을 것이다.

이와 관련해 장수에서 지금까지 확인된 제철 유적은 70개소를 헤아리고 있다. 2015년의 제철 유적 조사 결과 장수 명덕리에 소재한 대적골 제철 유적은 총2.5km에 이르는 대규모 시설로 밝혀졌다. 이곳 유적에서는 원료인 철광석의 채집부터 완성품인 철제 가마솥까지 확인되었다. 원료에서부터 완성품 생산까지 하나의 공단에서 일괄적으로 이루어졌던 것이다. 그 밖에 비룡리와 신전리 제철 유적도 슬래그의 퇴적 양상을 통해 거대한 규모를 그릴 수 있다. 따라서 후백제 번성의 요체는 남원과 장수의 철자산 확보에 둘 수 있다.[48]

그리고 간과할 수 없는 사안이 있다. 진안 도통리(사적 제551호)와 외궁리 가마는 유일하게 후백제 영역에 속한다. 이곳에서는 고려와 後周 외교의 산물인 초기 백자가 출토되지 않았다. 초기 청자는 전주 동고산성·익산 미륵사지·남원 실상사지와 만복사지·임실 진구사지·완주 봉림사지·정읍 고사부리성·정읍 천곡사지·장수 침령산성와 합미산성·광양 마로산성과 옥룡사지 등에서 출토되었다.[49]

그러면 후백제 영역에서 출토된 청자

15-9 실상사 철불

---

46 『世宗實錄』 지리지, 전라도 남원도호부. "萬福寺[在府西南 其東有五層殿 西有二層殿 殿內有鐵佛 長三十五尺 重一萬三千斤 其殿閣制作殊異 不知何代所創也"

47 곽장근, 「호남 동부지역 가야문화유산 현황」『경남발전』138, 경남발전연구원, 2017, 50쪽.

48 이상의 서술은 이도학, 「가야와 백제 그리고 후백제 역사 속의 長水郡」『장수 침령산성 성격과 가치』, 후백제학회 학술세미나, 2020.6.26, 28~30쪽에 의하였다.

49 곽장근, 『전북고대문화 역동성』, 서경문화사, 2021, 270~275쪽.

는 '고려청자'인가? 아니면 '후백제청자'로 호칭해야 하는가?라는 문제에 봉착한다. 우리나라 靑磁史를 새로 집필해야 하는 엄청난 과제인 것이다. 우리나라에서 제일 규모가 큰 도통리 1호 벽돌가마의 설치와 운용 주체는 여러 면에서 후백제일 가능성이 높다.[50] 또 그렇게 지목하는 게 자연스럽다.

그 밖에 후백제의 國姓인 甄氏는 조선 전기까지 남원의 土姓이었고, 신분상으로는 백성 성씨로 남아 있었다.[51] 요컨대 지금까지 살펴본 바에 따르면, 남원을 축으로 진안 및 장수와 연계된 후백제와의 연관성을 복합적으로 보여준다. 이곳을 서로 연계된 문화권으로 구축할 필요가 있다. 활용 차원에서 '후백제 청자 빚기 놀이'를 상설화하여, 국가사적 도통리 청자 가마터의 위상을 높이고 홍보하는 수단으로 삼아야 한다.

5) 原新羅 지역에서의 후백제 영역

다음은 후백제와 궁예 및 왕건 간의 전투 일람표이다.[52] 후백제와 고려 간 三國鼎立 和議 이후 최초의 전투가 조물성 전투였다. 양국 간의 전면적인 격돌의 序曲이었다.

907		진훤, 일선군(선산) 이남의 10여 성 빼앗음.
911		진훤의 사위 지훤, 무진주에서 왕건의 군대를 격퇴함.
	8	웅주(공주)와 운주(홍성) 등 10여 주현이 후백제에 귀부.
920	10	진훤, 보병과 기병 1만 명 이끌고 대야성(합천), 구사성(창원) 함락.
924	7	진훤, 아들 수미강과 양검을 보내어 조물성을 공격해서 고려 장군 애선 전사시킴.
925		진훤, 절영도 총마를 왕건에게 선물.
		고려의 공격 받고 연산진(청원군 문의면)에서 후백제 장수 길환 전사.
		후백제군, 임존성(예산)에서 3,000명 죽거나 생포됨.
		진훤, 조물성(의성 탑리)에서 왕건과 싸우다 화친 맺고 인질 교환.
	12	진훤, 거창 등 20여 개 성 일거에 점령.
926	4	진훤, 웅진(공주)까지 진격하여 일전 벌이고자 했으나 고려군 전쟁 피했음.
927	1	고려, 후백제의 용주(예천)를 빼앗음.
	3	고려, 운주에서 후백제 성주 긍준을 패퇴시킴.
		고려, 후백제의 근암성(문경시 산양면) 점령.
	4	고려, 강주(진주) 관내의 4개 지역 점령.
		후백제, 웅주(공주)로 쳐들어온 고려군 격퇴.
	7	고려군의 공격을 받아 후백제 대야성 함락, 장군 추허조가 포로됨

---

50 곽장근, 『전북고대문화 역동성』, 서경문화사, 2021, 285쪽.
51 『世宗實錄』 지리지, 전라도 남원도호부. "土姓十一 梁鄭晋[爲人吏姓] 尹楊甄皇甫廉裵柳黃[百姓姓]"
52 이도학, 『후백제 진훤대왕』, 주류성, 2015, 632~639쪽.

927	8	고려, 후백제의 고사갈이성(문경읍) 성주 흥달의 귀부 받음.
		고려군 배산성(문경시 호계면) 주둔.
	9	진훤, 근암성(문경시 산양면) 공격하여 불사르고 남하.
		진훤, 고울부(영천) 공격.
		진훤, 경주 입성. 경애왕을 자진시키고 김부 왕으로 세움.
		진훤, 공산 전투에서 왕건의 5,000 기병을 전멸시키고, 신숭겸과 김락 전사, 대승
	10	후백제, 벽진군(성주) 공격, 대목(칠곡군 약목면)·소목군(성주군 벽진면) 벼를 벰.
	11	후백제, 벽진군 곡식 불사르고, 고려 장수 색상 전사시킴.
928	1	후백제, 고려의 강주를 공략하여 김상 전사시킴.
	4	왕건, 탕정군(온양) 행차.
	5	후백제, 강주에서 고려군 격파, 장군 유문의 항복 받아냄.
	7	후백제, 삼년산성(보은읍) 공격해 온 왕건의 고려군 격퇴. 후백제군 청주 공격.
		고려 유검필 공격 받고 후백제군 300명의 포로를 남긴 채 독기진까지 후퇴
	8	진훤, 장군 관흔 시켜 양산(영동)에 축성시킴. 관흔은 고려군의 공격을 받아 대야성
		지킴. 관흔, 대목군의 벼를 벰. 후백제군, 오어곡(예천군 하리면) 주둔.
		친히 영접하고 대장경은 제석원에 보관하게 함.
	10	진훤, 부곡성(군위) 함락함.
	11	진훤, 고려의 오어곡성 함락시켜 1,000명 전사시키고 고려 장수 6명 항복받음.
929	4	왕건, 서경에 행차하여 각 州鎭들 순행.
	7	왕건, 기주(풍기)에 가서 각 주진들 순행.
		진훤, 5,000명의 중무장한 정예 병력을 이끌고 의성부 공격 성주 홍술 전사.
		진훤, 순주(안동시 풍산면) 공격 장군 원봉 야반도주시킴.
	9	왕건, 剛州(영주) 순행.
	10	진훤, 고사갈이성 공격하려하자 성주 흥달 사망.
		진훤, 가은현(문경시 가은읍) 포위하였으나 이기지 못함.
	12	진훤, 고창군(안동) 포위해 고려군 3,000명 포위함. 왕건이 직접 가서 구함.
930	1	후백제, 고창 병산 전투에서 참패
		영안(안동시 풍산면)·하곡(안동시 임하면)·송생(청송) 등 30여 군현 고려에 항복.
	2	명주(강릉)에서 흥례부(울산)에 이르기까지 110여 성 고려에 항복.
932	7	왕건, 후백제의 일모산성(청원군 문의면) 공격.
	9	후백제 수군, 예성강 유역 3개 고을 선박 100척 불태우고, 저산도 목마 빼앗아옴. 후백제군 발성(고려 왕궁) 포위.
	10	후백제 수군, 대우도 공격, 고려 장군 만세의 군대 패퇴시킴.
	11	고려, 일모산성 다시 공격해 함락시킴.
933	5	후백제, 혜산성(당진군 면천면)과 아불진(경주시 서면 아화리) 공략. 신검의 후백제군 사탄에서 붕괴됨.
934	1	왕건, 서경에 행차한 후 북방의 여러 진들 순시.
	5	왕건, 예산진(예산읍)에서 조서 내림.
	9	진훤, 중무장한 병력 5,000명을 이끌고 운주(홍성)에서 왕건과 싸웠으나 패배.
		웅진 이북의 30여 후백제 성, 고려에 항복.

15-10 후백제의 강주 치소였던 진주성 야경

위의 후백제와 고려 간 전투 일람표를 통해 原新羅 지역의 후백제 영역은, 지금의 경상남도 지역에서는 대야성(합천)→구사성(창원)→진례성(김해)→절영도라는 동선이 잡힌다. 진훤의 둘째 아들 양검이 멸망 때까지 강주도독으로 재임하였고, 오월국 '寶正' 연호가 진주 촉석루 근처에서 출토되기까지 했다. 진훤은 왕건이 "내가 양쪽 손을 잃었다"라고 한 홍술을 전사시킨 의성부나 부곡성이 소재한 군위 등을 장악했었다. 이곳은 지금의 경상북도 지역이다. 그리고 일선군인 지금의 경상북도 구미 이남 지역과 경상남도 거창을 비롯하여 지금의 충청권 지역들이 후백제 영역이었다.

진훤의 출신지와 주변 지역의 동향은 조금 복잡한 편이다. 조선시대 고지도에 문경 관내 '甄萱山城'이 적시되어 있다. 이곳은 가은읍 민지리 산과 농암면 농암동 산에 걸쳐 있는데, 가은현성을 가리킨다. 929년 10월에 진훤이 포위했지만 이기지 못하고 물러났다. 924년에 문경 봉암사 지증대사비의 단월로 등장한 가은현 장군 熙弼이 버티고 있었다. 희필은 친고려계 호족이었다.[53]

그리고 이보다 앞서 927년 8월에 후백제의 고사갈이성 성주 홍달이 순행 중이던 왕건에게 귀부했다. 고사갈이성은 문경 읍내의 마고성을 가리킨다. 929년 10월에 진훤이 공격하자 홍달이 급사했다. 이와 관련한 곳갑천(토끼비리. 명승 제31호)은 왕건의 南征과 관련한 전설이 남아 있는 전체 500m의 옛길이다. 벼랑길인 곳갑천과 연계된 고모산성은 5세기 후반에 축조된 신라 성이다. 이러한 벼랑길은 울주 대곡리의 베락길[硯路]과 동일하다. 다음은 앞서 언급하지 않은 문경 지역의 동향이다.

53 이도학, 「후백제와 고려의 각축전과 尙州와 聞慶 지역 호족의 동향」 『지역과 역사』 48, 부경역사연구소, 2021, 193쪽.

h-1. 925년, 희양산파 본산인 선문도량 봉암사가 소실되었다.

h-2. 927년 8월, 배산성(문경시 호계면)에 고려군 500명 주둔한 바 있다.

h-3. 927년 9월, 진훤은 근암성(문경시 산양면 현리)을 불사르고 남하했다.

후백제 진훤은 출신지인 가은현성을 물론이고 지금의 문경 읍내 거점인 고사갈이성도 빼앗겼다.[54] 후백제가 신라 지역 민심과 거점 확보에 성공하지 못함으로써 후삼국 통일에 실패한 것으로 해석할 수도 있다. 이러한 점에서 상주와 문경 지역 호족들의 동향은 몹시 중요한 사안이었다. 진훤에게는 자신의 향리였음에도 불구하고 父인 아자개와의 갈등, 그 갈등의 복판에 끼어 있는 이복형제들과의 이해관계 등 복잡다기한 현안이 도사리고 있었다. 무엇보다 궁극적으로 진훤은 父의 유산을 계승하지 못했다. 918년에 아자개가 왕건에게 귀부함에 따라 문경 지역은 친고려 색채를 띠어갔기 때문이다. 이 점도 진훤이 신라 지역 민심과 거점 확보에 실패한 요인으로 평가할 여지는 어느 정도 남아 있다.[55]

4. 激戰地

1) 후백제 大捷地

후백제는 고려와의 전투에서 승리한 경우가 실로 많았다. 그렇지만 이 모든 사실을 일일이 수록하여 의미 부여를 하기는 어렵다. 관련한 전투는 앞서 수록한 도표를 참조하면 된다. 본고에서는 의미가 지대한 후백제의 大勝 2곳만을 선정하여 다음과 같이 소개한다.

(1) 公山(대구)

후백제와 고려는 스스로 신라의 보호자요 계승자로서 적합도를 경쟁하는 관계였다. 927년 후백제군의 경주 급습도 이와 관련한 사건이었다. 진훤은, 신라 경애왕 정권이 시종 의지했던 고려와 그 이상의 관계로 발전하는 것을 차단할 목적으로 경주를 급습했다. 즉 "당시 신라 君臣들은 (나라가) 쇠퇴하여 復興이 어렵자 우리 太祖를 끌어당겨 結好하여 도움을 받으려고 도모하였다. 진훤은 스스로

---

54 이도학,「고려시대 문경의 격전지」『문경문화연구총서 제16집—고려시대의 문경』, 문경시, 2019, 363~377쪽.

55 李道學,「후백제와 고려의 각축전과 尙州와 聞慶 지역 호족의 동향」『지역과 역사』48, 부경역사연구소, 2021, 200쪽.

나라를 도적질할 마음이 있어서 태조가 먼저 차지할까 두려워한 까닭에 군대를 이끌고 王都에 들어가 惡을 저질렀다"[56]고 했다. 진훤 또한 檄書에서 국상 김웅렴이 왕건을 맞아들인다면 종묘사직을 폐허로 만드는 행위였기에 좌시할 수 없었다고 하였다. 진훤은 신라의 종묘사직이 고려로 넘어가는 것을 막기 위해 경주에 왔음을 밝혔다.[57]

비록 이 보다 뒤인 931년에 왕건은 50騎만 대동하고 경주에서 경순왕을 만났다. 그리고 왕건은 경순왕의 從弟를 볼모로 삼아 돌아갔다. 이후 왕건은 신라 왕과 신하들에게 선물을 내렸다. 그런데 왕건이 경순왕을 접견한 후 양자는 위상이 역전된 것이다. 왕건을 접한 경순왕은 자신의 歸附를 은밀히 비쳤을 것이다. 그로부터 4년 후인 935년에 신라 왕은 왕건에게 降書를 보냈고, 또 항복하였다. 진훤은 이러한 상황을 충분히 예상했기에 이를 차단할 목적에 경주를 급습한 것으로 보아야 한다.[58]

경주가 후백제군에 접수되었다는 보고를 접한 왕건은 몸소 군대를 이끌고 내려왔다. 고려군은 후백제군이 오는 쪽의 길목을 막고 있었다. 『삼국사기』에서는 "태조가 精騎 5천으로서 공산 밑에서 진훤을 要하여 크게 싸웠다"[59]고 했다. 여기서 '要'에는 '기다릴[待]'의 뜻이 있다. 『고려사』・『고려사절요』에서도 '邀'라고 했다. 그런데 『표제음주동국사략』에서는 보다 구체적으로 "공산 동수에서 진훤을 邀했다"고 하였다. 여기서 '요'는 "도중에서 기다리고 있다가 적을 맞아 치는" 행위이므로 고려군이 미리 기다리고 있었다고 보아야 한다. 그러나 전쟁은 고려의 예상과는 달리 정반대로 펼쳐졌다.

『고려사』와 『고려사절요』는 한결 같이 "甚急"라고 하였을 정도로 왕건은 몹시 위급한 상황에 처했다. 대장 신숭겸과 김락이 힘껏 분투하다가 모두 전사하였다. 이들은 왕건을 몸으로써 막다가 죽었던 것이다.

『신증동국여지승람』 영천군 고적 조에는 영천 서쪽 30리 지점에 소재한 '태조지'에 대하여, 왕건이 진훤에게 패해서 군대를 이끌고 공산 밑의 한 조그마한 봉우리를 보존하고 있었기에 이름이 유래한다는 전설을 기록하였다. 『여지도서』에는 '王山'의 유래를 "해안현 북쪽 8리에 있다. 고려 태조가 진훤에게 몰려 이 산에 올랐기 때문에 왕산이라고 부른다. 팔공산에서 뻗어나오는 산줄기이다"고 했다. 결국 고려군은 공산 남쪽 기슭의 동수 입구인 美理寺 앞에서 궤멸되었던 것이다. 미리사가 소재한 곳은 조선시대 대구도호부의 북쪽 17리에 소재했던 본래 美里라고 불리었던 解顔縣이었다. 이 전투와 관련해 생겨난 지명인 '破軍峙'는 동화사와 把溪寺로 갈라지는 길목의 재 이름이다. 후백제

---

56 『三國史記』권50, 甄萱傳. "時新羅君臣以衰季 難以復興 謀引我太祖 結好爲援 甄萱自有盜國心 恐太祖先之 是故引兵入王都作惡"

57 이도학, 「후백제 진훤의 受禪 전략」 『민족문화논총』78, 영남대학교 민족문화연구소, 2021, 435쪽.

58 이도학, 「후백제 진훤의 受禪 전략」 『민족문화논총』78, 영남대학교 민족문화연구소, 2021, 435~436쪽.

59 『三國史記』권50, 甄萱傳. "太祖以精騎五千 要萱扵公山下 大戰 太祖將金樂・崇謙死之 諸軍敗北 太祖僅以身免 萱乘勝取大木郡"

군이 고려군을 격파한데서 연유했다. 그리고 兩軍이 격전을 치를 때 화살이 쌓여 강을 이루었다는 '살내'가 있다. 살내[箭灘]의 유래를 "解顔廢縣 서쪽 5리에 있다. 고려 태조가 진훤과 더불어 물을 사이에 두고 對陣해서 화살이 수중에 쌓였기 때문에 이름 지은 것이다(『증보문헌비고』 대구 조)"고 하였다. 그리고 왕건이 밤에 포위망을 뚫고 도망칠 때 한밤 중에 새벽달이 떠 있기에 '半夜月'로 불렸다고 한다. 도망치던 왕건이 얼굴이 밝아졌다는 '해안', 왕건이 도망치다가 안심했다고 하는 '안심' 등의 지명이 보인다. 그 밖에 대구광역시 앞산 공원 일대에는 왕건이 숨었거나 쉬어갔다는 隱跡寺 · 安逸寺 · 臨休寺 등의 사찰에 관련 전설이 남아있다.[60]

왕건이 생을 부지할 수 있었던 이유와 관련해 숱한 이야기들이 만들어졌다. 가령 「팔공산 동화사 적비문」에 따르면 왕건은 사리탑이 내는 빛을 따라와서 영조 선사를 만나고는 화를 면하게 되어 감격했다고 한다. 그로 인해 933년에 동화사에 탑묘를 장엄하게 만들고, 전각과 당우를 넓히고, 선사의 거처를 확장할 수 있었다는 것이다.

공산 전투와 관련해 대구 광역시 평광동과 팔공산에는 '왕건길' 표지판이 각각 보인다. 대구광역시에서만 파군재를 비롯해 전사처인 표충단에 신숭겸 동상이 각각 세워져 있다. 이를 보면 도대체 누가? 공산 대첩의 勝者인 지를 알 수 없게 하였다. 마치 '왕건길'이라면 왕건이 행차한 길로 착각하기 쉽다. 정직하게 말해 이 길은 '왕건 도주로'인 것이다. 정작 승자인 진훤이나 후백제를 기리는 역사적 조형물은 그 어디에도 찾아볼 수 없다.

거듭 말하지만 진훤은 신라 경애왕이 왕건과 내통해 사직을 넘기려는 것을 차단하기 위해 경주를 급습했다. 5천 기병을 이끌고 도착한 왕건은 후백제군의 귀환로인 공산에서 대기하고 있었다. 그런데 고려군은 후백제군에게 역포위당하고 말았다. 이것이 후백제 공산 대첩의 시말이었다. 그러나 대구 팔공산에는 유감스럽게 후백제 대첩 승전비는커녕 패주한 왕건 관련 전설만 넘친다.

공산 전투 관련 유적지는 대구 팔공산 뿐 아니라 영천 및 칠곡과 성주 일원까지 미치고 있다. 후백제군이 공산 대첩 직후인 927년 10월에 碧珍郡(성주)과 大木郡(칠곡) 일대를 공격한 배경도 왕건과 유착되었던 데 따른 보복이었다.[61] 구체적으로 "11월에 벽진군의 稻穀을 불질렀다. 正朝 索湘이 이곳에서 전사했다"[62]고 하였고, "첫 겨울에는 都頭 색상이 星山陣 밑에서 손을 묶였고"[63]라고 했다. 후

---

60 이도학, 『후백제 진훤대왕』, 주류성, 2015, 357~373쪽.

61 류영철은 이곳을 왕건의 도주로와 결부지어 해석했다(류영철, 『高麗의 後三國 統一過程硏究』, 경인문화사, 2004, 122쪽). 경청할만한 견해로 보인다.

62 『高麗史』권1, 태조 10년 11월 조. "十一月 燒碧珍郡稻穀 正朝索湘戰死之"

63 『三國史記』권50, 甄萱傳. "冬初 都頭索湘 束手於星山陣下"

15-11 팔공산 동화사적비

백제군이 성주 일대를 초토화한 기록들이다.

공산 대첩 이후 진훤의 정치적 위상은 한껏 고양되었다. 그가 왕건에게 보낸 檄書에서 "… 강하고 약함이 이와 같으니 승패는 알만함이니, 기약하는 바는 평양 문루에 활을 걸어두고 패강(대동강)에 말의 목을 축이는 데 있도다!"[64]라고 하지 않았던가? 진훤의 위세는 "전주왕 진훤이 數十州를 쳐서 병합하고 대왕을 칭했다"[65]고 일본까지 알려졌다. 공산 대첩 이후 나주를 비롯한 숱한 세력들이 고려에서 이탈하여 후백제 붙었을 것이다.

팔공산 주변에는 敗死한 신숭겸의 동상이 세워져 있다. 그렇다면 공산 대첩 승자인 진훤의 동상을 건립하는 게 마땅하다. 동상 건립 추진이 필요하다. 그리고 공산 대첩을 애니메이션이나 뮤지컬로 제작한다면, 후백제에 대한 기존의 편견을 허무는 데 일조할 것이다.

15-12 '팔공산 왕건길'

---

64 『三國史記』권50, 甄萱傳.
65 『扶桑略記』권24, 延長 7년 5월 17일 조.

(2) 勃城(개성 왕궁)

932년 9월에 진훤은 일길찬 相貴로 하여금 수군을 거느리고 예성강유역을 치도록 했다. 후백제 군 선단은 고려의 수도인 개경과 접하고 있는 예성강을 거슬러 올라 갔다. 후백제 수군은 3일 간 예 성강에 머물면서 鹽州(황해도 연안)와 白州(황해도 배천)·貞州(개성 풍덕), 이 세 고을의 선박 100척 을 불사르고 猪山島의 목마 300필을 빼앗아 개선했다. 후백제의 공격은 여기서 그치지 않았다. 그해 10월에 진훤은 해군 장수 尚哀를 시켜 大牛島(평북 용천군 남쪽 80리에 소재한 대우도?)를 공격했다. 후 백제군 선단은 대우도에 상륙하여 휩쓸었다. 고려군은 패하여 밀려 나갔다. 후백제군은 왕건이 출 동시킨 사촌 동생 萬歲의 군대마저 패퇴시켰다. 후백제군은 고려의 해군력을 궤멸시키다시피 했다. 이로 인해 왕건은 근심했다고 한다.[66] 왕건의 간담을 서늘케 한 예성강유역 공략을 통해 진훤은 통 쾌하게 보복하였다.

이와 연계해 박수경이 역전한 관계로 왕건이 겨우 빠져나왔던 勃城 전투를 주목해 본다. 발성의 위치는 문헌에서 확인되지 않고 있다. 그런데 일찍이 왕건의 아버지인 용건이 궁예에게 "대왕께서 만일 조선·숙신·변한의 땅에서 왕이 되시고자 한다면 먼저 송악에 성을 쌓고 나의 큰 아들을 성주 로 삼는 것이 가장 좋을 것입니다"고 건의했다. 그러자 궁예가 그 말을 따라 왕건으로 하여금 개성에 勃禦塹城을 축조하게 하고 성주로 삼았다고 한다. 발어참성의 위치는 분명하지 않지만 만월대 뒷편 언덕에 그 자취가 조금 남아 있는 것을 지목하고 있다. 이곳은 고려 왕궁을 이루는 성벽이었다. 그런 데 발어참성의 '禦塹'은 문자 그대로 '방어하기 위한 참호' 즉 垓字가 있는 성의 구조를 반영한다. 그 렇다면 발어참성의 고유명사는 '발성'인 것이다.[67] 이와 관련해 다음 기사를 본다.

     i. 勃城의 싸움에서 太祖가 포위당하자, 박수경이 온힘을 다해 싸운 덕에 힘입어 (빠져) 나올 수 있었다.[68]

위에서 인용한 발성 전투가 발어참성이 소재한 고려 수도 개경에서 발생했다면, 932년 9월에 후 백제군의 선단이 일제히 개성에 상륙작전을 펼쳤음을 뜻한다. 고려 왕궁까지 후백제군의 상륙 부대 가 진격해 왔던 것이다. 왕건이 발성 전투에서 포위되었다는 것은 이러한 정황을 반영한다. 또 다시 찾아온 일생 일대 위기였지만 부하 장수의 역전에 힘입어 겨우 탈출할 수 있었다. 그럼에도 왕건의

---

66 『高麗史』권2, 太祖 15년. "冬十月 甄萱海軍將尚哀等攻掠大牛島 命大匡萬歲等救之 不利"
   『高麗史』권92, 庚黔弼傳. "甄萱海軍將尚哀等 攻掠大牛島 太祖遣大匡萬歲等往救 不利 太祖憂之"

67 이도학, 『후백제 진훤대왕』주류성, 2015, 509~510쪽.

68 『高麗史』권92, 朴守卿傳. "勃城之役 太祖被圍 賴守卿力戰得出"

15-13 고지도에 보이는 개경과 주변 지역

권위를 실추시킬 수 있는 패전은 공식 편년 기록에서는 보이지 않는다. 부하들의 충성과 관련한 다른 자료를 통해 우연찮게 드러났을 뿐이다. 어쨌든 박수경의 딸이 왕건의 제28妃가 된 것은[69] 발성 위기에 대한 보은이 분명하였다.

후백제의 군사력이 고려의 심장부를 강타하여 왕건을 戰慄시킨 戰役이었다. 이러한 발성 전투 유적지는 개성 만월대 일원뿐 아니라 예성강유역의 황해도 연안과 황해도 배천 · 개성 풍덕 및 猪山島까지 포괄한다. 애니메이션으로 제작하거나 뮤지컬로 공연하여 후백제의 위상을 정립하는 데 적극 활용할 필요가 있다.

2) 후백제 敗北地

(1) 문막(원주)

진훤이 전주로 천도하기 직전인 897~899년 사이에 한반도 중부 지역에서는 큰 격돌이 발생했다. 북원경(원주)을 거점으로 국원경(충주)과 서원경(청주) 등 30여 성을 장악하고 있던 양길과 궁예가 비

---

69 『高麗史』권88, 后妃傳. "夢良院夫人朴氏 平州人 太尉 · 三重大匡 守卿之女"

15-14 문막읍 포진리 견훤산성에 소재한 전투 사적비

뇌성(안성 죽주산성)에서 격돌하였다.[70] 이 싸움에서 궁예가 승리하였고, 양길 이름은 역사서에서 사라졌다. 제휴 여부는 명확하지 않지만 진훤이 비장 직을 수여한 이가 북원경의 대호족 양길이었다. 그런데 궁예가 양길을 퇴출시키고 한반도 중부 지역을 석권한 것이다. 궁예는 통일신라 영역에서 고구려故地를 거의 석권하였다.

진훤은 전주 천도 이후 몸소 군대를 이끌고 원주로 진출했다. 이에 대응하여 궁예의 부하 왕건이 출정하였다. 진훤은 원주 문막에 일찍 진출하여 지금의 甄萱山城(포진리)에 진을 쳤다. 왕건은 문막에 조금 늦게 도착하여 建登山(건등리)에 진을 쳤다고 한다. 궁예에게 패한 양길의 유산을 서로 장악하려는 다툼이었다. 그런데 후백제군은 홍법사 사원 세력의 지원을 받은 왕건에게 밀려 퇴각하였다. 진훤이 원주까지 진출한 것은, 양길과의 제휴가 과거에 존재했기에 이를 연결 고리로 한 것이었다.[71]

건등산과 甄萱山城에는 현재 전쟁 사적비가 각각 세워져 있다.

(2) 고창(안동)

진훤은 고려군을 지금의 경상도 땅에서 완전 축출하려고 했다. 진훤은 고려군의 퇴각로를 차단하기 위해 소백산맥 남북을 연결하는 큰 교통로인 죽령을 봉쇄시켰다. 그러나 고려군은 유검필의 督戰에 힘입어 猪首峰에서부터 후백제군을 깨뜨렸다. 아름달산(해발 230m)의 동쪽으로 머리를 내민 산 모양이 돼지 머리를 닮았다고해 저수봉이라는 이름이 붙여졌다. 지금의 안동시 와룡면 서지동 서남쪽에 소재한 山峰이다. 저수봉 동쪽으로 1km 떨어진 곳에 격전지인 병산이 소재하였다. 병산 초입에는 현재 병산교라는 이름의 시멘트 다리가 놓여 있다. 저수봉에서 후백제군은 퇴각하였지만

70   이도학, 『진훤이라 불러다오』, 푸른역사, 1998, 110~111쪽.
71   이도학, 「弓裔의 北原京 占領과 그 意義」 『東國史學』 43, 2007, 202~209쪽.

15-15 안동 병산 전투의 현장

전투는 여기서 그치지 않았다. 해를 넘기며 계속되었다.

930년 정월 64세의 진훤은 혹심한 추위 속에 몸소 군대를 거느리고 고창군에 버티고 있었다. 왕건의 경우도 마찬가지였다. 후백제군은 石山에 진을 쳤고 고려군은 북쪽의 甁山에 진을 쳤다. 두 진영 사이의 거리가 500步 밖에 되지 않았다. 또 다시 진훤과 왕건의 직접 격돌이었다. 진훤은 정면 승부를 통해 고려군을 소백산맥 안의 경상도 방면에서 완전히 밀어내려고 하였다.

『신증동국여지승람』에서 안동부의 북쪽 10리에 소재한 병산은, 안기동과 안막동 경계에 있다고 했다. 『삼국유사』에는 兩軍 사이가 100보에 불과했다고 하였다. 이 기록이 현지의 지리적 상황에 부합되지만, 2만 명 이상의 병력이 집결 대치할 수 있는 곳은 아니었다. 『삼국유사』에서 "여러 차례 싸웠다"고 했으므로, 안동의 여러 전장 가운데 하나로 지목한다면 가능하다. 이 싸움에서 후백제군은 전사자만 8천 명을 내는 막대한 손실을 입었다. 진훤의 참모였던 侍郞 金渥마저 고려군에 생포되었다.

『고려사』에 의하면 고창 전투 직후에 "永安(경상북도 永川)·河曲(경상북도 경산시 河陽)·直明(安東 관내)·松生(경상북도 靑松) 등 30여 군현이 차례로 와서 항복했다"고 하였다. 이어서 "이 때 신라 以東의 바다에 연한 州郡과 部落이 모두 와서 항복하니 溟州(강릉)로부터 興禮府(울산)에 이르기까지 모두 110여 城이 되었다"라는 기록을 남겼다.

한편 안동의 三太師가 이끈 鄕軍은 현재의 안동시 와룡면 서지동에 진을 쳤었다. 진훤은 그 동쪽의 낙동강변 모래 땅에 진을 치고 싸웠다고 한다. 이 전투가 수십번 계속되었지만 끝이 나지 않고 진훤은 전투를 하다 불리해지면 모래 속으로 기어들어가니 속수무책이더라는 거였다. 이에 삼태사는 전략을 세워 흐르는 강을 막아서 못을 만들고 물 속에 소금을 수없이 넣어 소금물을 만들어 놓고 접전을 벌였다. 이번에도 진훤은 싸움에 몰리어 달아나다가 숨으려고 모래 속으로 기어들어 갔다. 그러나 삼태사가 터 놓은 소금물이 흘러내리니 아무리 지렁이로 둔갑을 했지만 배겨낼 수가 없어 패주했다는 것이다. 지금도 소금물이 흘렀다하여 '간수내(서지동 소재: 가시내라고도 부른다)'라 부른다. 그리고 진훤이 숨었던 모래를 '진모래'라고 한다. 진모래는 안동시 상아동에 위치하고 있는 넓은 모래벌이다. 이곳은 현재 유원지로 이용되고 있으며, 근처에는 안동댐이 자리잡고 있다.[72]

후백제군과 고려군의 격돌은 현재까지 차전놀이(중요무형문화재 제24호)라는 민속놀이로 전해오고 있다. 진훤은 고창 전투의 패자이지만, 전쟁의 주체로 기억되었다. 그러므로 진훤이 지렁이로 변한 진모래 전설을 살려 애니메이션으로 제작하면 좋을 것 같다.

(3) 운주성(홍성)

934년 9월에 진훤은, 왕건이 몸소 군대를 이끌고 運州(충남 홍성)를 공격한다는 소식을 듣고 甲士 5천 명을 뽑아 운주에 이르렀다. 그런데 진훤은 고려군의 군세가 사뭇 강성한 것을 포착하고는 휴전을 제의했다. 즉 "양군이 서로 싸우는데 勢를 온전하게 갖추지 못하였으니 무지한 병졸들이 많이 살상을 입을까 걱정되니 마땅히 화친을 맺어서 각자의 영토를 보전하도록 합시다!"고 했다.

진훤이 제의한 '각자의 영토를 보전하도록 합시다!'라는 말은 918년~925년까지 유지되었던 삼국

15-16 홍주성 성벽

---

72 이도학, 『후백제 진훤대왕』, 주류성, 2015, 474~476쪽.

분할정립으로 회귀하자는 것이었다. 더구나 쿠데타로 집권한 불안한 권력의 왕건이 진훤에게 먼저 제의했던 바였다. 왕건은 진훤의 역제의를 놓고 고심했지만 유검필의 건의를 받아들였다. 유검필은 후백제군이 미처 진을 치기도 전에 기병 수천 명을 앞세워 돌격했다. 후백제군은 일시에 붕괴되어 3천 명이 전사하였다. 진훤의 참모였던 術士 종훈과, 醫者 훈겸이 생포되었다. 勇將으로 명성이 자자했던 尙達과 崔弼도 사로잡혔다. 후백제군의 패전 소식을 듣고는 웅진 이북의 30여 개 성이 일제히 고려에 항복하였다.[73]

운주성 전투의 현장은 지금의 홍주성 부지로 추정된다. 홍주성 부지에서는 통일신라 때 유구가 확인되었기 때문이다. 홍주성의 역사와 관련해 운주성 전투를 적극 활용할 필요가 있다.

(4) 일리천(선산 · 구미)

936년 9월 북상하던 후백제군과 남하하던 고려군은 一利川으로 일컬어졌던 강을 사이에 두고 맞닥뜨렸다. 會戰을 준비하지 않을 수 없었다. 일리천의 위치는『동사강목』에서 선산 동쪽 10리에 소재한 餘次尼津으로 지목되고 있다. 이곳은 선산군 해평면 낙산동 원촌 마을에서 선산읍으로 건너가는 지금의 여지 나루터를 말한다. 낙동강의 한 구간을 다르게 일컫는 경우는 낙동강 하구의 나루를 황산진, 그 구간을 황산하로 일컫는 경우와 동일하다. 일선군을 통과하는 일리천은, 훗날 '여차니'라고 일컬었던 현재의 여지 나루 앞을 지나는 낙동강을 가리킨다. 낙동강변에 소재한 구미시 고아읍 '이례리'라는 지명의 '이례'는, '일리'와 관련 있을 것 같다.

고려군은 동북방을 등지고 서남쪽을 향해 진을 쳤다. 왕건이 직접 저술한「개태사 발원문」에는 이때의 전투를 "崇善城 가에서 백제의 군사와 大陣하여"라고 회고하였다. 숭선성은 선산군 도개면과 해평면에 걸쳐 있는 해발 645m의 崇信山城을 가리킨다. 고려군은 천안에서 동남쪽으로 진군하여 보은과 상주 화령을 지나 낙동강을 따라 남쪽으로 내려 오다가 여지 나루 서쪽편에 주둔한 후백제군과 대치하였다.

훗날 이곳 출신 사림파의 거두 점필재 김종직은 태조산을 "전쟁으로 진훤을 쳐서 仁과 義로 천하를 통일했노라. 진 치던 산중 이제와 보니 시냇가 바위틈 화초향기 뿐이라"라고 읊었다. 그리고 왕건이 주둔하면서 군영을 설치한 곳을 '어성정', 마을은 '대조미'로 전해온다.

개전과 동시에 왕건은 투항한 후백제 장군 효봉 등을 통하여 후백제 왕 신검의 소재를 재빨리 알아냈다. 고려군이 일제히 진격하여 양쪽에서 협격하니 후백제군이 크게 무너졌다. 후백제군은 장

---

73 이도학,『후백제 진훤대왕』, 주류성, 2015, 513~515쪽.

---

73 이도학,『후백제 진훤대왕』, 주류성, 2015, 513~515쪽.

15-17 일리천 건너편 숭신산성과 여지나루

군 昕康과 見達 등 3,200명이 생포되었다. 그리고 5,700명이 전사하였다. 『고려사』에 의하면 "賊兵이 창을 거꾸로 돌려 저희들끼리 서로 쳤다"고 한다. 후백제군 내부가 분열된 것이다. 고려군에 투항하자는 세력과 저항하는 세력으로 갈려 서로 싸웠다. 진훤파와 신검파로 갈려 적전분열의 자중지란이 발생하였다. 후백제군은 연신 퇴각했다. 퇴각한 후백제군이 집결한 곳은 금오산 자락의 동북편인 지금의 구미시 지산동 일대의 발갱이들과 그 앞 괴평동의 점갱이들이었다. 발갱이들은 '발검들'이라고도 하는데, 신검의 군대를 뿌리 뽑았다 해서 '拔劍들'이라 불리게 되었다고 한다. 논맬 때 부르는 '발검들 들노래'라는 노동요가 지금까지 전해지고 있다. 고려군은 감천을 건너 지금의 고아읍 관심리 앞 들에 진을 쳤다. 어갱이들이라고 하는 곳이다. 어갱이들 언덕진 곳은 왕건이 깃발을 꽂은 곳이라 하여 '장대'라고 현재 부르고 있다. 발갱이들에서 후백제군은 결정적으로 궤멸되었으니 선택할 수 있는 길은 퇴주밖에 없었다.[74]

이곳 낙동강변에는 구미와 선산 지역 동학농민운동 기념비가 세워져있다. 후백제군과 고려군의 마지막 결전장인 일리천 전투 기념비나 사적비 건립이 필요하다. 일리천 전투를 애니메이션으로 제작하는 작업이 필요하다. 후삼국 통합을 위한 마지막 決戰이었기 때문이다. 이때 대통합을 위한 진훤 왕의 역할을 상기시킬 필요가 있다.

---

74 이도학, 『후백제 진훤대왕』, 주류성, 2015, 555~557쪽.

5. 후백제 終焉地, 논산

후백제가 고려에 항복한 현장이 논산 지역이다. 이와 관련해 『고려사』의 "我師追至黃山郡 踰炭嶺 駐營馬城"[75]라는 구절은 "우리 군대가 추격하여 황산군에 이르러 탄령을 넘어 마성에 駐營하였다"고 해석해야 맞다. 이때 왕건의 本營은 황산에 주둔하였다. 반면 고려의 勁兵은 소수의 후백제 패잔병을 추격하여 馬城까지 진격한 것이다.

馬城 위치 구명의 관건이 되는 炭嶺은 황산군 즉 지금의 논산시 연산면 일대와 접한 지역에서 찾는 게 온당하다. 그 결과 여러 측면에서 전라북도 완주군 운주면 쑥고개가 타당하였다. 이러한 맥락에서 살핀다면 마성은 完州~全州 사이 구간에 소재한 게 된다. 고려군은 완주와 접한 탄령을 넘어 후백제 수도인 全州로 추격하는 동선상에서 마성에 駐營하였기 때문이다. 馬城은 金馬城 혹은 金馬渚로 일컬어졌던 익산 지역을 가리킨다. 이곳에 소재한 馬城은 후백제의 멸망과 관련한 왕건의 建塔說話가 남아 있는 왕궁평성으로 비정하고자 한다.

고려군은 마성에서 항복하러 온 신검 일당을 대동하고 고려군 본영이 있는 황산으로 올라 왔다. 황산의 魚鱗寺 부지에 주둔하고 있던 왕건은, 그 반경 내에서 항복받을 吉地를 택했을 것이다. 그 결과 황산의 개태사 부지에서 항복 의식을 거행했던 것으로 보인다. 즉 많은 群衆들에게 보여줄 수 있어 示威와 刻印 효과가 지대한 넓은 벌판에서 항복 의식이 거행되었던 것이다.[76]

그리고 왕건은 진훤이 사망한 직후 개태사 창건을 시작하였다. 후백제를 멸망시킨 직후에 役事를 시작한 것이다. 후백제 멸망 직후 진훤은, 70세를 일기로 현재 논산의 연산 관내 사찰에서 영욕이 교차하는 파란만장한 생애를 접었다. 임종에 즈음하여 그는 완산 쪽을 바라 볼 수 있도록 묻어 달라고 유언했다는 것이다. 이에 따라 전주 쪽을 향해 묻어 주었다고 전한다. 물론 이러한 이야기는 풍설에 불과하다. 『輿地圖書』에는 다음과 같은 전승이 전한다.

j. 진훤이 까치재 고개[鵲峙峴]에 진을 치고 있을 적에 까치가 있어 大旗의 깃대 위에 앉자 갑자기 旗가 쓰러져 넘어졌다. 이를 보고 진훤은 자신이 반드시 패망할 것을 알고 좌우에 이르기를 내가 죽으면 모악산이 보이는 곳에 묻어 달라고 하였다. 이에 마침내 그의 말을 좇아 묻었으니 지금 남아 있는 무덤은 멀리 모악산을 바라보고 있다고 한다. 그리고 까치고개라는 지명도 역시 여기에서 유래한다고 한다.

---

75 『高麗史』 권2, 태조 19년 9월 조.
76 이도학, 「後百濟의 降服 動線과 馬城」 『동아시아문화연구』 65, 한양대학교 동아시아문화연구소, 2016, 27~34쪽.

15-17 후백제 태조 진훤왕릉

이제 승부에 승부를 거듭하는 전쟁으로 숨도 돌릴 수 없는 난세를 헤쳐가면서, 한 시대의 종지부를 찍어 역사의 일대 전환점을 마련한 혁명가 진훤 왕은 재평가되고 있다. 아자개와 진훤, 이들 부자에 의해 한 시대는 종언을 고했고, 참여의 폭과 기회가 일층 확대된 사회로 넘어갔다.

그러한 진훤 왕의 능묘는 『세종실록』 지리지에서 "현의 남쪽 12리 風界村에 있다(공주목 은진현조)"고 하였다. 『신증동국여지승람』에는 "현 남쪽 12리 풍계촌에 있는데 속칭 王墓라 전한다(은진현塚墓 條)"는 기록이 남아있다. 『여지도서』에서 진훤의 능묘는 金谷書院 위에 표시되어 있다.[77] 진훤의 능묘는 지금의 논산시 연무읍 금곡리 야산에 소재한다. 둘레 70m, 직경 17.8m에 이르는 큰 무덤이다. 최승로의 상서문에 따르면 왕건은 진훤이 사망하자 賻儀를 넉넉하게 했다고 한다.[78] 한 시대를 풍미했던 국왕으로서의 격에 맞게끔 장대한 유택을 조영해 준 것이다.

진훤왕릉의 국가사적 지정이 필요하다. 논산시와 더불어 그에 필요한 작업을 선제적으로 수행하기를 바란다.

---

77 이에 대해서는 朴淳發, 「甄萱王陵考」『후백제와 견훤』, 서경문화사, 2000, 159~190쪽을 참고하기 바란다.
78 『高麗史』권93, 崔承老傳.

6. 후백제 불교 문화권과 농경 문화권

1) 불교 문화권

진훤은 불교 사상계의 동향에도 신경을 쏟았다. 선종의 경우는 말할 것도 없고, 화엄종파의 경우는 양분될 정도로 심각하게 갈등했다.[79] 이와 더불어 후백제 사찰 가운데 백제 왕권의 상징이요, 미륵신앙의 本處인 익산 미륵사를 간과할 수 없다. 다음 「惠居國師碑文」을 주목하지 않을 수 없다.

k. 3년이 지나 金山寺 義靜律師의 戒壇에 나아가 具足戒를 받았다. … 龍德 2년(922) 여름 특별히 彌勒寺開塔의 은혜를 입어 이에 禪雲山의 選佛場에 나아가 壇에 올라 說法하였다.[80]

위에서 진훤의 미륵사 開塔이 언급되었다. 開塔의 의미에 대해 "塔을 복구하고"[81] 혹은 "전에 무너졌던 미륵사탑의 복구"[82] 등으로 해석하였다. 여기서 '開塔'은 어렵게 생각할 것 없이 탑을 열었던 사실을 말한다. 주지하듯이 탑의 기본 성격은 무덤이었다. 무덤을 연다는 것, 그것도 미륵신앙의 요람에 소재한 탑(무덤)을 열었음은, 佛骨을 맞이하는 迎佛骨 儀式이다. 따라서 '개탑의 은혜(開塔之恩)'는, 탑을 여는 국가적 慶事를 통해 특별히 베풀어주는 僧科 시험 選佛場이 열렸음을 뜻한다. 국가의 경사때 치른 특별 승과 시험이었다. 후백제에서 승과 시험이 시행되었다는 것은 敎團의 정비를 뜻한다.

미륵사와 쌍벽을 이루는 백제 미륵 신앙의 또 하나의 본처가 금산사였다. 금산사에는 766년(혜공왕 2)에 진표가 주조한 미륵장육상의 존재가[83] 그 성격을 웅변해 준다. 진훤이 말년에 유폐된 금산사는 진훤이 창건한 사찰로 전해졌다.[84] 이는 물론 사실은 아니지만, 그렇게 여길 정도로 진훤이 관심을 쏟았거나 중창했음을 반증한다.

---

79 이도학, 『진훤이라 불러다오』, 푸른역사, 1998, 158~159쪽.

80 李能和 主幹, 『朝鮮佛敎叢報』, 三十本山聯合事務所, 1917, 23~26쪽 ; 許興植, 「惠居國師의 生涯와 行績」 『韓國史研究』 52, 1986 ; 「葛陽寺 惠居國師碑」 『高麗佛敎史硏究』, 一潮閣, 1986, 582쪽.
한국역사연구회, 「葛陽寺惠居國師碑」 『譯註 羅末麗初金石文(上)』, 혜안, 1996, 342~343쪽 ; 한국역사연구회, 『譯註 羅末麗初金石文(下)』, 혜안, 459~460쪽. "越三年 就金山寺義靜律師戒壇受具於是 龍德二年夏 特被彌勒寺開塔之恩 仍赴禪雲山選佛之場"

81 許興植, 『高麗佛敎史硏究』, 一潮閣, 1986, 586쪽.

82 趙仁成, 「弓裔의 勢力形成과 建國」 『震檀學報』 75, 1993, 46쪽.

83 趙法鍾, 「南北國時代와 後百濟」 『전북의 역사와 문화』, 서경문화사, 1999, 120쪽.

84 『新增東國輿地勝覽』 권34, 全羅道 金溝縣, 佛宇 條. "金山寺 在母嶽山 後百濟甄萱所創"

15-18 완주 봉림사지 석불

금산사에는 여느 사찰에서와는 달리 절의 정면에 城門을 지녔다. 신검 일당이 진훤을 이곳에 유폐할 때는 이러한 방어 시설이 갖추어져 있었기에 가능했을 수 있다. 이곳은 진훤이 별궁으로 조성했을 가능성이 제기되었다.[85] 그리고 남원 실상사는 신라말 9산 선문 도량의 하나였다. 후백제 연호가 새겨진 편운화상부도가 소재한 곳이다.

그 밖에 전주 완산칠봉에 소재했던 南福禪院과 광양의 玉龍寺, 고구려 말기에 飛來方丈한 普德이 거처했던 高達山 景福寺(완주군 구이면)도 상기된다. 진훤은 "寺刹: 龍藏寺는 雲住山에 있는데 혹은 雲住寺로 일컫기도 한다. … 서로 전해 오기를 甄萱 때 승려 照通이 創建했다고 한다"[86]고 했듯이 정읍 태인의 용장사와도 관련되었다. 아울러 진훤은 승려 照通과도 긴밀한 관계였음을 알려준다. 조통이 의상이 창건한 경상북도 의성의 고운사를 중창한 것을 볼 때 용장사는 화엄종 사찰로 보인다.[87] 그리고 완주 봉림사의 존재도 놓칠 수 없다.

익산 미륵사와 김제 금산사, 그리고 남원 실상사를 연계한 후백제 불교문화 템플 스테이도 필요하다.

끝으로 키가 크고 지략이 많았기에 父인 진훤을 도와 후백제 팽창에 기여했지만, 종국에 비명에 목숨을 빼앗긴 비운의 왕자 金剛 뿐 아니라, 진훤 왕을 비롯한 후백제 혼령들을 위한 정기적인 법회가 필요하다. 그 장소는 금산사가 적격으로 보인다.

---

85 今西龍, 『百濟史硏究』, 近澤書店, 1934, 422쪽.
86 『輿地志』권5上, 全羅道 泰仁縣, 寺刹. "龍藏寺 在雲住山 或稱雲住寺 … 相傳甄萱時僧照通創建"
87 이도학, 「전북 후백제 연구의 쟁점과 지향점」 『전북지역 연구의 회고와 새로운 지평(2)』, 전라북도, 2021, 61~63쪽.

2) 농업경제 문화권

진훤의 對民收取는 "진구렁이나 숯불에 떨어진 것과 같은 고통을 쓸어버리니 백성들이 평안하고 화목하게 되어 북을 치고 춤을 추었고"[88]라는 구절에서 엿볼 수 있다. 즉 농민들을 과중한 수탈과 질곡에서 해방시켰고, 그것을 가능하게 할 수 있는 제도적 장치의 마련을 뜻한다. 말할 나위없이 屯田制의 시행과 灌漑 시설의 확충이었다.

진훤의 둔전제 시행과 관련해 꼽을 수 있는 대표적인 유적이 충청남도 당진군에 소재했던 합덕방죽[合德池]이다. 합덕방죽은 1964년에 예당 저수지가 준공됨에 따라 지금은 농경지로 개답되었다. 합덕방죽의 지수 면적은 103ha요 둘레는 약 9km로서 몽리 면적은 726ha에 이르렀다. 『세종실록』지리지에 의하면 제방 둘레는 3,060자로서 130結의 논에 관개했던 제방이라고 한다. 이 방죽은 사각형이나 반원형이 아닌 구불 구불 굴곡이 심하게 되어 있고 제방 내부는 특이하게도 마치 석축 성을 쌓듯이 정육면체나 직육면체로 다듬은 돌을 수직으로 모두 축조하였다. 합덕방죽에 연꽃이 만발하여 장관을 이루기 때문에 蓮湖 혹은 蓮池라는 이름이 붙었다고 한다. 『세종실록』지리지에 의하면 합덕방죽 둘레는 3,060尺으로서 130結의 논에 관개했던 제방이었다. 이에 대한 기록이 다음과 같이 보인다.

l. 옛날 진훤이 完山에서 패한 후 호수의 서쪽에 와 주둔하면서 산에 터를 닦아 제방을 쌓고 병마의 물을 마시게 하는 못을 만들었다. 뒷 사람이 農洑로 만들어 물을 채우니 면적이 120여 町이나 된다(『朝鮮寰輿勝覽』).

m. 지금이라도 軍力充實 즉 양병만 無憾히 해놓는다면 앞으로 반도 지도를 변경할 수 있다고 一觀한 용맹을 가지고 前戰地인 洪州서 가까운 거리이고 겸하여 고려군 근거지인 천안이 좀 격리하여 있고 따라서 일대 방어선이라 할 수 있는 獨浦 아산만 江이 앞에 흐르는 충남 합덕이 가장 요새지로 또는 양병에 適宜하다고 본 진훤은 지금으로 1,042년 전 기ㆍ보병 9천 명과 군마 5백여 頭를 가지고 합덕 성동산에 임시 주둔하였다. 지금으로 말하면 일종 敎鍊場처럼 사용한 바인데 성동산상에는 현재에도 殘髓를볼 수 있는 바이나 堡壘를 축성하는 동시 그 산 밑에 너르고 陷凹한 습지를 파고 쌓고 해서 군마의 음료수에 못[池]으로 사용하던 것을 그 후 토민들이 전형적인 이 못을 보축하여 저수지로 써 내리어오던 바이다(洪炳哲, 「後百濟王 甄萱과 合德蓮湖」『半島史話와 樂土滿洲』, 鮮學海社, 1943).

---

88 『三國史記』권50, 甄萱傳. "廓清塗炭 而黎元安集 皷舞"

위의 기사에 따르면 합덕방죽의 기원은 진훤이 왕건 군대와 전투하기 위한 군마용으로 못을 팠다는 데서 비롯된다. 성동산의 축성도 이때 진훤이 하였다는 것이다. 그러나 합덕방죽의 기원을 백제 때까지 소급시켜 보는 견해가 일찍부터 제기된 바 있다.[89] 이러한 추정을 뒷받침할 수 있는 근거를 추가한다면 전승과는 달리 합덕방죽과 그 인근의 토성은 모두 백제 때 축조로 간주할 수 있다는 점이다. 가령 제방과 토성이 한 組를 이루고 있는 형태는 백제 때 축조된 전라북도 김제의 벽골제에도 나타난 바 있다. 즉 벽골제의 남단 해발 약 54m의 야산에는 소규모의 테뫼식 토성이 축조되어 있다. 이 성은 벽골제를 방비하는 목적의 시설이었다. 이러한 정황에 비추어 볼 때 앞의 전승은 진훤이 둔전과 관련해 백제 때 축조된 합덕방죽을 크게 증축했거나 이용했음을 알려준다고 하겠다.[90]

진훤이 광범위하게 둔전제를 시행하였음은, 지금의 원주시 문막에 성을 축조하였고(진훤성) 둔병들이 왕건의 군대를 맞아 싸웠다는 『조선환여승람』의 기록을 통해서도 확인된다. 진훤은 그 밖에 전라남도 나주의 자미산성 부근에서도 둔전을 시행하였다고 전한다. 진훤이 나주에서 둔전제를 실시한 기간은 나주에서 왕건의 군대와 교전하던 903년~909년까지거나 나주가 왕건 군대에게 위협 받던 그 이전까지로 소급시킬 수 있을 것 같다.[91]

「통진대사비문」에 따르면 慶甫가 唐에서 귀국했을 때 진훤은 萬民堰이라는 제방에서 군대를 이끌고 있었다고 했다(粤有州尊都統甄太傅萱統戎于萬民堰也).[92] 이는 진훤 스스로 둔전과 관개에 힘 쓴 사실을 확인시켜 준다. 아울러 '모든 백성들의 방죽'이라는 만민언 제방 이름을 통해서도 그가 취한 일련의 시책이 농민과 관련한 농업경제의 증진에 두었음을 읽을 수 있다. 합덕방죽과 나주에서의 둔전은 그 편린이다.[93]

일제 때까지만 하더라도 합덕방죽을 조성해준 진훤 왕을 기리는 제사가 매년 음력 7월 辰日에 행해졌었다. 이제 그것을 부활하여 김제 벽골제 등과 연계해 대규모 농경 축제로 승화할 필요가 있다. 만민언은 만경읍에 소재한 菱堤 저수지로 비정된다.

---

89 이도학, 「後百濟 甄萱의 農民 施策에 관한 再檢討」『白山學報』62, 2002, 132~133쪽.

90 이도학, 『백제 고대국가 연구』, 一志社, 1995, 176쪽.

91 이도학, 『후백제 진훤대왕』, 주류성, 2015, 440~443쪽.

92 이 구절에 대한 해석본의 誤譯이 극심하다. 경보가 중국에서 귀국했을 때 만경강 하구 신창진에 상륙했다고 본다. 그렇다면 경보의 動線上 만민언은 만경읍에 소재한 菱堤 저수지로 비정할 수 있다.

93 李道學, 「後百濟 甄萱의 農民 施策에 대한 再檢討」『白山學報』62, 2002, 131~137쪽.

7. 맺음말

진훤은 지금의 경상북도 문경시 가은읍에서 출생했다. 그는 청소년 시절에 입대하여 지금의 순천만에 접한 해룡산성에서 복무하였다. 그는 해적 소탕에 발군의 능력을 발휘해 승평항과 더불어 서남해의 안전을 지켰다. 이러한 우뚝한 공적으로 그는 비장까지 올라갔다. 상주 지역 '원종과 애노의 난'을 계기로 그는 신라의 기존 지배질서에서 이탈하였다. 이때가 후백제 원년인 889년이었다. 이후 그의 70년 생애는 승부에 승부를 거듭하는 간단없는 역동적 세월 그 자체였다. 진훤의 행적은 통일신라 영역의 상당 부분에 미쳤다. 이를 토대로 후백제 문화권을 진훤의 출신지와 父인 아자개의 세력권을 포함해 경상북도 문경과 상주 일원을 묶을 수 있었다. 천년왕국 붕괴의 서곡인 '원종과 애노의 난'에 참여했던 장군 아자개와 후백제 국왕 진훤, 이들 父子에 의해 신라는 무너져내렸다. 그럼으로써 보다 기회와 참여의 폭이 넓어진 사회로 넘어갈 수 있었다. 이러한 의미에서도 진훤의 출신지와 가문의 세력권, 그리고 진훤의 擧兵 지역인 순천만과 광양만 일원은 몹시 중요하였다. 후백제 건국의 苗床이었기 때문이다.

후백제의 첫 번째 수도인 지금의 광주와 36년 간의 수도였던 전주는 王都 문화권으로 묶을 수 있다. 그리고 전주 천도의 동기에도 속한 남원경과 더불어 금강 이남 지역은 물론이고, 原新羅 지역인 경상도에도 후백제 영역이 걸쳐 있었다. 비록 후백제 영역은 아니었지만 후백제가 大勝을 거둔 公山과 勃城 가운데 전자의 지역에는 전승비라도 세워질만하다. 敗死하고 逃走했던 이들로만 기억하고 채워질 수는 없지 않겠는가?

후백제가 摩震이나 고려와 명운을 걸고 격돌했던 현장도 기억에 남길 필요가 있지 않을까? 강원도 원주 문막, 경상북도 안동 병산, 충청남도 홍성 운주성, 선산·구미 일리천도 역사적인 현장인 관계로 기릴 필요가 있다고 본다. 그리고 논산에서 후백제 신검 왕이 항복한 개태사 부지와 진훤 왕릉이 소재한 연무 일대에 대한 정비와 더불어, 진훤왕릉에 대한 국가사적 지정을 요청해야 한다. 그 밖에 후백제 불교 문화권과 불상과 불탑을 비롯해 산재한 불교 문화재를 잇는 문화 벨트의 구축이 필요하다. 끝으로 진훤 조성 전설이 남아 있는 당진 합덕지를, 김제 벽골제 등과 연계해 대규모 농경 축제장으로 승화할 필요가 있다.

진훤 왕의 행적과 관련한 유적지는 전국에 거의 미치고 있다. 후백제의 역동성과 반경의 광활함을 뜻한다. 이제는 전주·진안·장수·남원·완주·문경·상주 외에 대구 광역시·광주 광역시·당진·논산·순천·광양·여수 지역과도 협력체계를 구축할 필요가 있다. 이와 더불어 진훤의 둘째 아들 양검이 후백제 말기까지 康州都督이었던 경상남도 晉州를 빠뜨릴 수 없다. 촉석루 근방에서는 오월국 '寶正' 연호가 적힌 기와가 발굴되기도 했었다. 이들 지역과 연계함으로써 후백제 문화권 설정의 시너지 효과 유발이 가능해진다. 그 밖에 후백제 사적 홍보와 관련해 기존 편견을 씻기 위해서라도 진훤 왕의 일대기에 대한 애니메이션 제작을 촉구한다. 마지막으로 전주시와 더불어 대구 광역시는 서로 잘 협력하여 시가지와 팔공산에 진훤 왕의 동상을 각각 건립하는 일이 긴요하다.

「진훤의 행적을 통해 본 후백제 문화권의 범주」『후백제의 정체성과 범주』, 후백제학회, 2011. 11. 26.

궁예와 진훤의 비교 검토

1. 머리말

무려 1천년의 장구한 내력을 자랑하던 왕국 신라였다. 그러한 신라를 해체시켜나가는 과정의 역사가 후삼국사였다. 후삼국사는 격동치던 농민 반란을 수습·종결하면서 새롭게 펼쳐진 역사이기도 했다. 후삼국의 양상은 과거의 삼국을 복원한 것이었다. 구질서의 파괴를 통한 미래 세계로 나가는 비전 제시와는 달리 과거로의 복귀라는 상호 모순된 상황이 얽혀 있었다. 그와 동시에 국가 재건을 위한 벅차고도 야심적이면서 또 역동적인 에너지가 뿜어지던 시대이기도 했다. 그러한 격동의 한 시대를 주도했던 이들이 고구려와 백제를 각각 복원시킨 궁예와 진훤[1]이었다. 이들을 정점으로 하는 국가에 대한 연구는 최근 상당한 성과를 올리고 있다.

그러나 정작 인물사적인 접근은 평전 외에는 미흡한 실정이다. 물론 인물사적인 접근은 일찍이 허스트 3세의 논문에서 지적된 바 있듯이 엄정한 사료 비판을 전제로 하는 만큼 결코 용이한 작업은 아니었다.[2] 그럴 수밖에 없는 것이, 고대인에게 기록이라는 것은 단순히 史實을 후세에 전하려고 하는 식의 관심에서만은 아니었다. 현재의 목적을 위해 이루어진 흔적이었기 때문이다.[3] 그렇다고 사료가 지닌 이러한 태생적 한계를 극복할 수 있는 대안이 있는 것도 아니었다.

그러므로 본고에서는 지금까지의 연구 성과를 토대로 궁예와 진훤, 양자의 비교 검토를 통해 그 공통 분모는 물론이고 차이점들을 摘出하고자 한다. 즉 궁예와 진훤의 출생과 출신, 성장 과정, 직업과 국가 창건의 배경과 그 과정, 비전 제시와 통치력, 영토 확장과 몰락 과정, 후대의 평가 등에 관하여 총체적으로 살펴 보고자 한다. 그럼으로써 후삼국 성립 배경은 물론이요 이들의 성공 내지는 몰락 요인과 관련한 도도한 시대적 흐름을 감지할 수 있게 된다. 궁극적으로는 파행적인 시대가 낳은 궁예와 진훤이라는 2명의 걸출한 영웅에 대한 균형잡힌 재평가로 誘導하고자 했다.

1　甄萱을 '진훤'으로 발음하는 것이 옳다(李丙燾,『國譯 三國史記』, 乙酉文化社, 1976, 197쪽). 이는 그의 출생 설화 등과 관련해서 나온 이름이기에 원 발음을 취한 것이다. 참고로 언제부터인가 몽고를 '몽골'로 읽어 주고 있다. 그러나 정작 우리의 그것에 대해서는 무심하다는 느낌이 든다. 이제와서 물론 죄다 고칠 수는 없다고 하더라도 역사성을 지닌 본래의 音價는 알고 있어야 할 것 같다.

2　G.Cameron Hurst Ⅲ, The Good, The Bad And The Ugly:Personalities in the Founding of the Koryo Dynasty, *Korean Studies Forum*, No 7, 1981 ; 이도학 譯,「왕건·궁예·진훤의 재평가」『우리 문화』, 전국문화원연합회, 1989, 3~4월호 ;「선인, 악인 그리고 추인--고려 왕조 창건 속의 인물들」『민족학연구』3, 1998 ;『고대문화산책』, 서문문화사, 1999, 319~354쪽.
　한편 포스트 모더니즘의 입장에서 후삼국시대의 세 인물을 검토한 논고로서는 다음의 것이 있다.
　김기봉,「포스트모더니즘과 메타 역사--'후삼국' 역사를 중심으로--」『韓國史學史學報』4, 2001, 135~159쪽.
　그리고 위의 논고에서 검토한 저서는 다음 3종류이다.
　李在範,『슬픈 궁예』, 푸른역사, 2000.
　김갑동,『김갑동 교수의 태조 왕건』, 일빛, 2000.
　李道學,『궁예·진훤·왕건과 열정의 시대』, 김영사, 2000.

3　宮崎市定 著·曹秉漢 編譯,『中國史』, 역민사, 1983, 57쪽.

2. 출생과 성장 과정

1) 출신과 출생

한 세상을 진동시켰던 궁예와 진훤의 출생지 자체는 신분과 연계된 중요한 징표였다. 먼저 궁예의 출신과 출생에 관해 『삼국사기』 궁예전은 다음과 같은 기록을 남겼다.

> 궁예는 신라인이다. 성은 김씨요 아버지는 제47대 헌안왕 의정이요, 어머니는 헌안왕의 후궁이었는데 그 이름을 잃어 버렸다. 혹은 48대 경문왕 응렴의 아들이라고도 한다. 5월 5일 외가에서 태어났는데, 그 때 지붕에 흰빛이 있었는데 마치 긴 무지개 같았으며, 위로는 하늘에 닿았다. 日官이 아뢰기를 "이 아이가 重五日에 태어났고, 나면서 치아가 있었고, 또 光焰이 이상하였으니 장래 나라에 이롭지 못할까 염려되오니 마땅히 기르지 마십시요"라고 했다. 왕이 中使로 하여금 그 집에 가서 아이를 죽이도록 하였다. 사자는 강보 속에서 빼앗아 그를 다락 밑으로 던졌는데, 젖먹이던 종이 그를 몰래 받다가 잘못하여 손으로 찔렀다. 이리하여 그는 한쪽 눈이 멀었다. 종은 아이를 안고 도망하여 숨어서 고생스럽게 길렀다.[4]

위의 기사에 따른다면 궁예는 47대 헌안왕 혹은 48대 경문왕의 아들이 된다. 헌안왕에게는 딸밖에 없었다. 그러므로 궁예가 그 아들일 가능성은 희박한 것으로 간주하기도 한다. 그러나 헌안왕에게는 寶位를 승계할 嫡室의 아들이 없었다는 것일 뿐 서자는 존재했을 수 있다. 그 때문에 궁예가 헌안왕의 아들일 가능성을 전적으로 배제할 수는 없다.

궁예의 혈통은 선뜻 결론을 내릴 수 있는 성질의 것은 아니다. 그러나 그가 왕자 출신인 것은 분명하지 않겠는가 하는 점이다. 물론 궁예의 출신을 액면대로 믿기 어려운 구석이 있다. 후백제 진훤의 경우도 「李磾家記」에 따르면 遠祖를 신라 진흥왕에서 찾았다.[5] 백제를 부활시킨 진훤도 신라 왕실과의 연결 고리를 맺고 있었다. 물론 이것이 사실은 아니지만 왕건의 경우도 遠祖인 虎景을 聖骨將軍이라고 일컬었다.[6] 이렇듯 모두 신라 왕실과의 연관성을 내세우고 있는 게 후삼국 왕실의 계보에서 확인되는 공통된 현상이었다.[7] 물론 궁예는 진훤이나 왕건과는 달리 구체적인 신라 왕의 이름을 거

---

4 『三國史記』권50, 弓裔傳.
5 『三國遺事』권2, 紀異, 後百濟甄萱 條.
6 『高麗史』권1, 高麗世系.
7 王建家의 경우는 심지어 唐 皇室과의 연관성까지 내세우고 있다(『高麗史』권1, 高麗世系).

명하면서 그 자손임을 명시하였다. 그렇다고 하더라도 미심쩍은 것이 있다. 궁예가 부석사에 행차하여 신라 왕의 화상을 칼로 친 사건과 결부지어 본다. 그러면 패륜임을 패륜임을 나타내려는 목적에서의 조작 가능성도 있기 때문이다.[8]

궁예의 출생 이후 그의 생애에는 극적인 요소가 너무나 많기 때문에 왕자 태생설의 경우도 액면대로 곧이 믿기 어려운 구석이 있음을 부인하기는 어렵다. 궁예가 왕자였기에 왕위에 오를 수 있는 권리를 지녔음을 암시해준다. 까마귀가 떨어뜨려 준 점대에 쓰여진 '王' 字 역시 그것을 뒷받침해 주고 있다. 그러나 이러한 전승은 객관적인 증거 능력을 지니지는 않았다. 그가 억울하게 버려져서 비천하고 恨 많게 자라게 된 데 대한 복수의 근거로서 잘 조합되고 있을 뿐이다.

또 하나는 신라 왕자 출신인 궁예가 옛 고구려 지역에서 그 곳 정서에 호소하여 고구려를 재건할 수 있었겠냐는 의문이다. 그러나 신라 시조인 박혁거세의 후손인 박지윤이 고구려의 大毛達이라는 군관직을 칭하면서 지역 정서에 편승한 바 있다. 이로 볼 때 얼마든지 가능하다는 생각이 든다. 즉 패서 지역 호족 가운데 황해도 평산의 朴遲胤의 아버지 朴直胤은 박혁거세의 후손이었다. 그럼에도 그는 고구려의 장군 호칭인 대모달을 칭하였다. 이는 패서 지역에서 고구려적인 정서가 광범위하고도 짙게 깔려 있었음을 뜻한다.[9] 아울러 통일신라의 실체는 덜 통합된 상태였음을 말해주고 있다.[10] 박지윤 일가는 그같은 지역 정서에 역행할 수는 없었다. 그랬기에 신라 왕족 출신이었음에도 불구하고 고구려로의 회귀를 열망하는 분위기를 先導하였다고 보겠다. 고구려를 부활시킬 수 있는 자격이 문제가 아니었다. 누가 그것을 점화시키는가 여부가 당시로서는 더욱 긴요한 현안이었다.

궁예의 출생과 성장 이야기는 전개 자체가 너무나 劇的인 것을 비롯해서 석연찮은 구석이 적지 않다. 그렇지만 궁예의 계통을 신라 왕실과 연결시킨 기록을 배제하는 것 역시 간단하지 않다. 궁예의 출생담은 자신을 축출했던 왕건의 출생담과는 정확히 대척 관계를 이루고 있다. 이와 관련해 양자의 생애를 아래와 같이 도표화하여 덧붙였다.

唐 乾符 4년 丁酉 正月 丙戌에 松嶽의 남쪽 저택에서 탄생하니 신기한 빛과 자색의 기운이 방안에 비치고 뜰에 가득하여 하루종일 서리어 있는 것이 마치 蛟龍과 같았다. 어려서부터 총명하고 지혜로웠으

---

8 궁예 스스로에 의한 조작의 가능성은 洪淳昶, 「變革期의 政治와 宗敎--三國時代를 中心으로--」『人文硏究』, 嶺南大學校, 1982, 227~228쪽에서 제기된 바 있다.

9 趙仁成, 「弓裔의 勢力 形成과 建國」『震檀學報』75, 1993, 25~28쪽.

10 G.Cameron Hurst Ⅲ, "The Good, The Bad And The Ugly":Personalities in the Founding of the Koryo Dynasty Korean Studies Forum, No7, 1981, p.16.

며 龍顏日角에 方廣으로 도량이 크고 깊으며 말소리가 우렁차고 장차 세상을 널리 잘 다스릴 역량이 있었다.[11]

	궁 예	왕 건
출 신	버림 받은 신라 왕자	개성 지역 고구려계 호족 아들
출생 당시의 상황	5월 5일 외가에서 출생. 흰 무지개가 지붕 위로 뻗었고, 출생하면서부터 치아가 있는 등 불길한 조짐을 보이며 출생하였기에 임금이 죽이라고 하였음.	도선이 삼한을 통일할 임금이 출생한다고 예언하였으며, 송악 남쪽 저택에서 출생했는데, 신령스런 빛과 자주색 기운이 용과 같은 형상으로 되어 방을 비추고 뜰에 가득 차서 종일 토록 서리었다.
신체적 특징	한 쪽 눈이 멀게 된 애꾸였음.	어려서부터 총명하며 지혜가 있고 용의 얼굴에 이마의 뼈는 해와 같이 둥글며 턱은 모가나고 얼굴이 넓직하였으며 기상이탁월하고 음성이 웅장하였으며 세상을 건질 도량이 있었음.
즉위 과정	상전인 양길을 배신하여 독립한 후 양길을 깨뜨리고는 즉위.	패덕한 임금의 축출을 한사코 만류하다가 민심의 쏠림과 추대에 힘입어 어쩔 수 없이 즉위하게 됨.
정치적 이상	미륵세계의 구현을 내세우며 미륵불을 자처하며 허황된 내용을 주입시킴.	유교이념과 부처의 뜻에 따라 통일대업을 착실히 추진하였음.
통치 행태	신비적이며 파괴적	이성적이며 포용력
사 망	왕위에서 축출되어 비참하게 맞아 죽음	이상을 이룬 후 편안한 임종을 맞음

궁예의 라이벌이었던 진훤의 출생과 출신은 다음과 같이 보인다.

진훤은 尙州 加恩縣 사람이다. 본래 姓은 李인데, 뒤에 甄으로 氏를 삼았다. 父인 阿慈介는 농사 지으며 자기 힘으로 살아가다가 뒤에 집안을 일으켜 將軍이 되었다. 처음에 진훤이 태어나 젖먹이로 포대기에 있을 때 父가 들에서 농사를 짓자 母가 남편에게 음식을 보내려고 아이를 수풀 밑에 두자 호랑이가 와서 그에게 젖을 먹여 주었다. 마을 사람들이 듣고는 기이해 하였다.[12]

위의 所傳을 통해 진훤의 父인 아자개가 농민임은 분명하다고 보겠다.[13] 물론 아자개가 光啓 연간

---

11 『高麗史』 권1, 太祖 卽位前紀.
12 『三國史記』 권50, 甄萱傳.
13 李基白은 "甄萱은 尙州 지방의 가난한 農民 출신이었다"고 했다(李基白, 『韓國史新論』, 一潮閣, 1979, 121쪽). 虛心하게 사료를 접하면 이러한 인식이 맞을 것이다.
진훤의 출신을 농민으로 언급한 著述로는 다음이 대표적이다.
韓佑劤, 『韓國通史』, 乙酉文化社, 1970, 124쪽.

(885~887)에 장군을 칭했다는 기록을 중시하여 호족 출신으로 간주하는 견해도 적지 않다. 아자개가 장군을 칭한 것은 사실이다. 그러나 장군을 칭하기까지에는 그 사이에 事變이라는 변수가 작용했다는 사실을 홀시해서는 안 될 것 같다. 상주 지역에서 발생한 후삼국 전개의 기폭제가 되었던 최초의 조직적 봉기인 '원종과 애노의 난'이 그것이다. 아래의 기사만 가지고서는 원종과 애노 난의 성격을 정확히 알기는 어렵다. 원종과 애노를 호족 출신으로 간주하는 견해도 있기 때문이다.[14] 그렇지만 이중 수탈로 인해 당시 국가 권력에 대한 불만이 가장 컸던 세력은 호족이 아니라 농민층이었다. 게다가 "도적이 벌떼와 같이 일어났다"고 한 도적은 농민층을 주된 구성원으로 하고 있는 것으로 밝혀졌다. 따라서 원종과 애노의 난도 이러한 추세에 결코 무관하지는 않았을 것이다.

> 나라 안의 모든 州郡에서 貢賦를 보내지 않아, 府庫가 텅텅 비어 나라 재정이 궁핍하였다. 왕이 사신을 보내 독촉하자, 이로 인해 도적이 벌떼처럼 일어났다. 이에 원종·애노 등이 사벌주를 근거지로 반란을 일으켰다. 왕이 나마 숙奇로 하여금 이를 사로잡게 하였는데, 영기는 敵壘를 바라보고 두려워 진공하지 못하고 村主 祐連이 힘써 싸우다가 전사하였다. 왕은 令을 내리어 영기를 베고 10여 세 된 우련의 아들로 촌주를 잇게 했다.[15]

위와 같은 원종과 애노의 난은 아자개가 장군을 칭한 光啓 연간 이후인 889년에 발생하였다. 그러므로 아자개가 장군을 칭한 사건과 이 봉기는 무관한 것으로 간주하기 쉽다. 그러나 원종과 애노의 난 직전에 아자개가 장군을 칭하는 세력가로 성장했다고 하자. 그러면 과연 이 亂 이후에도 아자개가 여전히 세력을 유지할 수 있었는지는 의문이 든다. 왜냐하면 장군을 칭하는 호족층과 불만 농민층이 상호 대립 관계에 있었을 뿐 아니라[16] 원종과 애노의 난은 진압되지도 않았기 때문이다. 이러한 정황에 비추어 볼 때 아자개가 장군을 칭하게 된 것은 원종과 애노의 난 이후의 일로 간주하는 게 사세에 부합되는 것 같다.[17] 요컨대 농민반란의 와중에서 아자개는 상주 지역을 석권하고 장군을 칭하는 세력가로 성장했다고 보여진다.

朴龍雲, 『高麗時代史(上)』, 一志社, 1985, 36쪽.
邊太燮, 『韓國史通論』, 三英社, 1986, 148쪽.

14 洪承基, 「後三國의 分裂과 王建에 의한 統一」 『韓國史市民講座』 5, 一潮閣, 1989, 67쪽.

15 『三國史記』 권11, 眞聖王 3년 條.

16 尹熙勉, 「新羅下代의 城主·將軍」 『韓國史研究』 39, 1982, 57~61쪽.

17 尹熙勉도 城主·將軍의 등장을 농민 반란의 결과로 파악하고 있다(尹熙勉, 新羅下代의 城主·將軍 『韓國史研究』 39, 1982, 57~61쪽).

농민 출신인 아자개의 세력 기반은 농민층이었다. 그런데 진훤이 당초 李氏라는 姓을 지녔다는 점에 착목하여 호족 출신으로 간주하기도 한다. 하지만 이는 진훤의 아버지인 아자개가 칭한 성씨로 간주하는 게 온당할 것 같다. 혼란의 소용돌이 속에서 당시 득세한 이들 가운데 비로소 姓을 칭하게 된 경우가 많았기 때문이다. 가령 고려의 개국공신인 洪儒의 洪氏는 어릴 적 이름인 弘述의 이름 앞 글자에서, 裵玄慶의 裵氏 또한 어릴 적 이름인 白玉衫의 이름 앞 글자인 '白'에서 유래하였다.[18] 이러한 맥락에서 볼 때 아자개는 장군을 칭하는 호족으로 성장하면서 阿慈介의 '阿'와 音似한 기존의 성씨 가운데 李氏를 冒稱한 것으로 보겠다.[19] 요컨대 엄격한 신분제 사회에서 진훤이 농민의 아들로 출생했다는 것은 그의 사고에 깊은 영향을 미쳤을 것임은 의심할 나위없다. 진훤은 성장기에 農村의 현실을 피부로 예민하게 느꼈을 것임은 분명하다.

출생과 출신을 놓고 볼 때 궁예는 신라 왕족 출신으로 기록에 남아 있다. 반면 진훤은 농민 출신으로 기록에 보인다. 출신으로 볼 때 궁예와 진훤은 대척 관계에 있는 것 처럼 비쳐진다. 왕족과 농민이라는 외형상으로 볼 때는 그러하다. 그러나 궁예는 목숨을 위협받는 버림받고 신분을 숨겨야 되는 왕자였다. 궁예는 비록 왕자이기는 하였지만 신분을 당당하게 밝힐 수 없는 상황이었다. 반면 진훤은 농민 출신이기는 하였지만 신분을 숨길 하등의 이유가 없었다. 궁예가 애꾸가 된 경위에서 짐작할 수 있듯이 일생 동안 살해의 위협 속에서 살았다고 해도 과언은 아닐 것이다. 이로 인해 궁예는 본능적으로 평생 피해 의식이나 망상적인 피해감에 시달리게 되지 않았을까 싶다. 훗날 궁예가 신라에 대한 적대감을 나타내게 된 동기도 이와 무관하지 않았을 것이다. 반면 진훤은 국왕이 된 후에도 신라의 신하임을 자처했다. 그러했을 정도로 그는 신라의 존재를 인정하는 신라적인 질서 속에 포함되어 있었다.

궁예의 출생년은 그 부계가 명확하지 않기 때문에 가늠하기가 어렵다. 궁예의 아버지를 경문왕으로 인정했다고 하자. 경문왕은 846년에 출생했으므로 20세에 궁예를 낳았다고 하더라도 865년에 출생한 게 된다. 궁예가 죽을 때 나이는 54세였다. 궁예의 어머니는 정비 출신이 아니므로 그 보다 늦게 출생했을 것으로 보여진다. 궁예는 사망시 50세도 안되었을 것 같다. 진훤의 경우는 "咸通八年丁亥生"[20]라고 하였으므로 867년에 출생한 것이다. 그렇다면 궁예와 진훤은 비슷한 연배이자 숙명적인 라이벌로서 그 파란만장한 생애의 연출자이자 주연으로서 그 존재를 9세기 후반에 드러냈다.

---

18 文暻鉉, 『高麗 太祖의 後三國統一硏究』, 螢雪出版社, 1987, 104쪽.
19 李道學, 「甄萱의 出身地와 그 初期勢力 基盤」 『후백제 견훤정권과 전주』, 주류성, 2001, 60쪽.
20 『三國遺事』 권2, 紀異, 後百濟甄萱 條.

2) 성장 과정

궁예의 성장 과정은 젖먹이던 종이 숨어서 힙겹게 기른 것으로 보인다. 다음의 기사가 그것이다.

나이가 10여세 되도록 장난이 심하고 그 버릇을 고치지 않았으므로 그 乳婢가 말하였다. "네가 태어나 나라에서 버림을 받았는데 내가 차마 이를 볼 수 없었으므로 몰래 길러 오늘에 이르렀다. 그런데 미친 짓이 이와 같이 심하니 반드시 남에게 알려질 것이다. 그렇게 되면 나와 너는 함께 죽음을 면할 수 없을 것이다. 이것을 어찌하면 좋겠는가?" 궁예가 울면서 말하기를 "만약 그렇다면 제가 떠나 어머니의 근심이 되지 않도록 하겠습니다"하고는 곧바로 世達寺로 떠나갔다. 지금의 興敎寺가 그것이다. 머리를 깎고 중이 되어 스스로 善宗이라 이름하였다.[21]

궁예를 안고 도피해서 살았던 젖먹이던 종은 비밀이 탄로 날까 노심초사하며 살았던 것이다. 그러던 종은 궁예의 부잡스러움이 계기가 되어 출생의 비밀을 털어놓았다. 궁예가 출생의 비밀을 알았다는 자체가 그의 운명을 결정지었다고 보겠다. 궁예는 乳婢 즉 유모와 결별하고 자신의 길을 찾아 간다. 궁예는 형제도 없이 유모를 생모로 믿으면서 살아 왔던 것이다. 형제가 없던 궁예의 벗은

16-1 궁예 전설이 남아 있는 포천 명성산(울음산)이 보이는 산정호수 가에 세워진
궁예 일대기 그림 중 청년시절 무예를 연마하는 장면

---

21 『三國史記』권50, 弓裔傳.

자연 동네의 비슷한 나이또래라고 하겠다. 궁예가 소년시절에 몹시 부잡스러웠다는 것은 심리적으로 뒤틀려 있었을 가능성을 제기해 준다. 그러한 정서는 그가 평생 반신라적인 거역적 일생을 살아가게 된 심리적 기저를 엿보여 준다. 궁예가 장성하면서 거역의 정치적 명분이자 자신의 신분적 위상을 높이기 위한 목적에서 신라 왕자설을 흘렸을 가능성도 배제하기 어렵다.

반면 진훤은 아자개 슬하의 5남 1녀 가운데 장남이었다. 아자개에게는 "4명의 아들이 있어 모두 세상에 이름이 알려졌는데 그 중 진훤이 걸출하여 지략이 많았다 한다"[22]라고 하였다. 그런데 「이제 가기」에 의하면 아자개는 두 부인 사이에서 5남 1녀를 두었는데, 진훤이 장남이고, 둘째 아들은 장군 能哀, 셋째 아들은 장군 龍蓋, 넷째 아들은 장군 寶蓋, 다섯째 아들은 장군 小蓋요, 딸 하나는 大主刀金이라불렀다고 했다.[23] 진훤은 2명의 어머니와 그 사이에서 태어난 동생들과 어울리며 살았던 것이다. 진훤은 장남이었던 만큼 가부장적인 리더십을 지닐 수 있지 않았을까 생각해 본다. 이 점 궁예의 치열한 반항아적 생리와는 성격이 달랐다.

궁예는 경주에서 출생한 후 도피해서 성장하였다. 진훤은 상주 가은현 즉 지금의 문경시 가은읍에서 출생했다. 출생지와 관련해 일본의 宮崎市定은 독재자가 지역의 경계선에서 태어나기 쉬운 경향은 세계에 공통된 현상이라는 견해를 제시했다. 히틀러가 출생한 곳은 독일과 오스트리아의 국경 근처이고, 스탈린이 태어난 죠르지아는 기독교 문명과 이슬람 문명의 경계에 해당되고 있다. 일본에서는 織田信長·豊臣秀吉·德川家康의 3인이 모두 한결같이 尾張·三河에서 출생했지만 이 주변은 은을 사용하는 서일본과 금을 사용하는 동일본의 경계선 부근이었다. 明治維新 때의 西鄕隆盛이나 山縣有朋를 낳은 薩摩·長門는 일본의 변경으로 琉球나 對馬를 통하여 해외와 밀무역을 통하여 접촉을 유지하고 있었다. 난세에 태어나 패권을 다툼에는 획일적인 교육에 의해 두뇌의 움직임이 고정되지 않고 사물을 상대적으로 생각하며 평형 감각을 구사하여 현실에 의거한 행동을 하는 것이 가장 필요하다고 한다.[24] 유럽을 진동시켰던 나폴레옹도 이탈리아에서 프랑스로 귀속된 변방 코르시카 섬 출신이었다.

가은현에서 출생한 진훤은 어린시절부터 소백산맥 바깥 세계를 알았던 것이다. 아니 드나들었다는 표현이 적절할지도 모른다. 가은현 서쪽으로는 속리산 방면으로 나아가 서원경이 설치되었던 청주 중심의 문화를, 북쪽으로는 지금의 충주인 국원경을 통해 계립령을 넘어 들어오는 국제적인 문화를 접할 수 있는 위치에 있었다. 진훤은 서원경을 통해서는 옛 백제의 정서와 문화를, 삼국과 가야

---

22 『三國遺事』권2, 紀異, 後百濟甄萱 條.

23 『三國遺事』권2, 紀異, 後百濟甄萱 條.

24 宮崎市定 著·曹秉漢 編譯, 『中國史』, 역민사, 1983, 119~120쪽.

문화까지 배어 있는 국원경을 통해서는 세련된 평형 감각을 익혔을 것으로 보인다. 국원경에는 대가야인으로서 樂聖으로 추앙된 于勒이 살았듯이 가야의 遺鄕까지 녹아 있었다.

시골 소년 진훤은 도시적인 분위기도 간접 체감했을 것이다. "뜻과 기상이 커서 속되지 않았다"는 평은 마을에만 머물러 있는 다소곳한 소년이 아니라 진취적이면서 활동적인 그의 케릭터를 생각하게 한다. 이러한 성장기의 주변 환경을 통해 익힌 견문과 체험이야 말로 훗날 그가 연고도 없는 옛 백제 지역에서 기반을 내리는 데 플러스 요인으로 작용한 게 분명한 것 같다.

3. 生의 분기점과 전환점

1) 생의 분기점--직업

보통의 한 인간이 장성하면서 갖게 되는 것은 배우자와 더불어 직업의 존재이다. 생업이 되는 직업의 존재는 고대 사회일수록 강고한 신분적 제약을 받게 마련이었다. 통일신라말의 상황에서 평민들이 현실적으로 택할 수 있는 바람직한 직업군으로서는 승려와 군인이 있었다. 프랑스의 저명한 작가 스탕달(Stendhal, 1783~1842)의 소설 제목 '赤과 黑'은 당시 프랑스의 평민들이 출세할 수 있는 길은, 赤이 상징하는 군인이 되거나 黑이 상징하는 司祭가 되는 길 밖에는 없었다. 프랑스에서 권력의 상징인 군인들은 붉은색 제복을 입었고, 정신적 권위의 상징인 신부들은 검은색 제복을 입었기 때문이다. 9세기 말엽 신라의 경우도 가난한 주민들이 糊口의 방편으로 택할수있는 길은 이와 크게 다르지 않았다고 본다.

타이거 같은 용모와 용기를 지닌 진훤은 '赤'을 택하기로 하였다. 훗날 그의 라이벌이었던 궁예가 '黑'을 택하여 승려의 길을 걸었던 것과는 확연히 대비되는 것처럼 보인다. 그러나 두 사람은 '赤'으로서 敵이 되어 숙명적인 자웅을 겨루기까지 하였다. 궁예의 黑은 그의 일시적인 도피처였을 뿐이다. 대개 사회가 불안할 때 생존 또는 스스로 보존할 힘이 없는 사람들은 자연히 어떤 강력한 집단에 의탁하려고 한다. 당시 사원은 비교적 기댈만한 장소였다. 사원에 들어가는 것은 안전할 뿐 아니라 또한 생활에도 걱정이 없었으며 심지어 빌어먹는 일 조차도 俗人에 비해 쉬웠다.[25]

당시 절간은 혈혈단신으로서 기댈대가 없는 궁예에게는 신분을 숨길 수 있는 장소였다. 그리고 글자도 깨우쳐서 최소한의 교양을 갖출 수 있을 뿐 아니라 당장 의식주 문제를 해결해 줄 수 있는 공

---

25 黃敏枝 著 · 임대희 譯, 『중국 역사상의 불교와 경제』, 서경문화사, 2002, 38~39쪽.

간이기도 했다. 은닉과 교육 그리고 경제 문제를 한꺼번에 해결해 줄 수 있는 곳이 절간이었다. 십여 세의 궁예가 과연 이러한 계산까지 했는지는 알 수 없다. 그러나 그는 유모의 배려 등으로 인해 절간의 문을 두드렸던 것으로 보인다. 궁예는 유모와 결별한 후 절간을 찾았다.

궁예가 찾아 갔던 세달사의 위치에 관해서는 몇 가지 설이 있지만 강원도 영월군 태화산설이 온당하다고 본다. 그렇다고 할 때 십여 세의 궁예는 영월이나 그 인근 지역에서 숨어 살았던 것으로 추측되어진다.[26] 당장의 糊口之策으로 찾았던 세달사는 차후 궁예의 성격 형성은 물론이고 인생의 진로와 그 전체에 지대한 영향을 미치게 되는 전기가 되었다. 궁예의 정치적 성격이나 사상적 배경을 이해하는데 중요한 단서가 된다고 보겠다. 요컨대 궁예 생애에 있어서 일대 전환점이 되었던 사건이 出家였다.

진훤은 촌락이 해체되는 사회적 배경 하에서 향리를 떠나게 되었다. 궁예와는 달리 진훤은 군인의 길을 택하게된다. 진훤이 군인의 길을 택하게 된 배경은 알려진 바 없다. 그러나 "從軍하여 왕경에 들어 갔다"[27]고 한 기사와 더불어 국가 통제력이 급속히 이완되는 시기였다는 점을 고려할 때 자발적인 입대였던 것으로 보인다. 진훤을 "장성하면서 체격과 용모가 뛰어나게 기이했고, 뜻과 기상이 빼어나서 평범하지 않았다"[28]고 했다. 그가 군인이 된 것은 체격의 출중함에도 기인하겠지만 "뜻과 기상이 빼어나서 평범하지 않았다"고 했듯이 원대한 포부에 기인한 것이었다. 그가 종군하게 된 것은 '自號甄萱'이라고 했던 15세 때로 보인다.[29] 이는 궁예가 출가하여 스스로 善宗이라고 이름했을

16-2 세달사 터

16-3 세달사 터였던 영월군 남면 흥월분교 부근에 남아 있는 석등 초석

26 鄭淸柱,『新羅末 高麗初 豪族硏究』, 一潮閣, 1996, 70~73쪽.

27 『三國史記』권50, 甄萱傳.

28 『三國史記』권50, 甄萱傳.

29 李道學,『진훤이라 불러다오』, 푸른역사, 1998, 60~62쪽.

때의 연령과 비슷한 연배였을 것이다.

궁예와 진훤은 당시 평민들이 선망했던 승려와 군인의 길을 걷게 되었다. 서로 다른 길을 걸었지만 공통점이 있었다. 엄격한 기율을 통해 人身이 구속받는 직종이었다는 것이다. 그럼에도 양인은 행태에서 차이가 있었다. 궁예는 "계율에 구속 받지 않고 건들건들하며 膽氣가 있었다"[30]고 묘사되어 있다. 진훤은 "창을 베고 적을 기다렸다. 그 용기가 항상 사졸의 으뜸이 되도록 일하였기에"[31]라고 기록되었다. 궁예는 僧律에 구애되지 않았다고 했을 정도로 일탈된 생활을 하였다. 반면 진훤은 軍務에 무척 충실했음을 생각하게 한다. 그가 王京에서 방수군으로 차출되어 해변에서 해적을 소탕하는데 발군의 전공을 세웠음은 주지의 사실이다. 순천만 일원에서 해적 소탕에 여념이 없던 진훤은[32] 비장으로 승진하게 된다. 승려로서 일탈된 생활을 했던 궁예와는 달리 진훤은 신라 방수군으로서 군무에 충실한 청년 장교였다. 궁예는 기존의 틀에서 뛰쳐나오려는 기질이 이때 엿보이고 있다. 반면 진훤은 기존 틀을 충실하게 고수하는 면모를 보였다. 이 점은 차후 양자의 신라에 대한 인식과 깊이 연동되었다.

2) 생의 전환점--신라 조정에 叛旗를 들고 역사의 전면에 등장

궁예와 진훤은 승려와 군인으로서 서로 다른 길을 걷고 있었다. 그러한 양자가 역사적으로 遭遇하게 된 계기는 신라 국가 해체의 도화선이었던 상주 지역 농민 봉기인 원종과 애노의 난이었다. 889년에 일어난 원종과 애노의 난은 진압되지 않았고, 이후 신라 사회는 가마솥이 끓는 양 요동쳤다. 원종과 애노의 난과 그에 이은 전국적인 봉기 양상은 신라 사회를 붕괴시켜 나갔다. 신라 국가가 생긴 이래 초유의 농민 봉기 사태에서 궁예와 진훤의 대응 양상을 살펴 본다.

신라가 쇠약하여진 말기에 정치가 잘못되고 백성이 흩어져 王畿 밖의 주현들이 반란세력에 따라 붙는 자가 거의 반에 이르렀다. 먼 곳과 가까운 곳에서 뭇 도적이 벌떼처럼 일어나 그 아래 백성이 개미처럼 모여드는 것을 보고 선종은 이런 혼란기를 타서 무리를 모으면 자신의 뜻을 이룰 수 있다고 생각하였다. 진성왕 즉위 5년 즉 大順 2년 신해년(891)에 竹州의 도적 괴수 箕萱에게 의탁하였다. 기훤이 얕보고 거만하여 예로서 대접하지 않자, 선종은 속이 답답하고 불안해하여 기훤의 휘하에 있었던 元會·申煊과 몰래

---

30 『三國史記』 권50, 弓裔傳.

31 『三國史記』 권50, 甄萱傳.

32 李道學, 『진훤이라 불러다오』, 푸른역사, 1998, 85~87쪽.

　　李道學, 「甄萱의 出身地와 그 初期勢力 基盤」 『후백제 견훤정권과 전주』, 주류성, 2001, 70~73쪽.

결합하여 벗으로 삼았다. 景福 원년 임자년(892)에 北原(원주시)의 도적 梁吉에게 의탁하니 양길이 잘 대우하여 일을 맡기고 드디어 병사를 나누어 주어 동쪽으로 땅을 점령하도록 하였다. 이에 雉岳山 石南寺에 머물면서 酒泉(영월군 주천면)·奈城(영월읍)·鬱烏(평창읍)·御珍(울진읍) 등의 고을을 습격하여 모두 항복시켰다. 乾寧 원년(894)에 溟州(강릉시)에 들어가 거느린 무리 3천5백 명을 14개 부대로 편성하고 金大·黔毛·昕長·貴平·張一 등을[33] 舍上으로 삼아 사졸들과 더불어 고생과 즐거움을 함께 하였고, 주고 빼앗는 일에 이르기까지도 공정하여 사사로움이 없었다. 이로써 뭇 사람이 마음으로 두려워하고 사랑하여 장군으로 추대하였다.[34]

궁예는 891년에 절간을 뛰쳐나와 죽주의 기훤에게 의탁했다가 이듬해인 892년에는 북원의 양길에게 의탁해 상승장군으로 혁혁한 전공을 거듭 세우게 되었다. 궁예가 기훤을 찾아 간 대순 2년은 "궁예는 唐 大順 2년에 일어나 朱梁 정명 4년(918)에 이르기까지 무릇 28년만에 망하였다"[35]고 하였듯이 거병의 기점이자 생의 일대 전환점으로서 평가를 받고 있다. 진훤의 경우는 다음의 기사에서 거병이 확인된다.

唐 昭宗 景福 원년(892)은 신라 진성왕 재위 6년인데, 총애하는 자들을 곁에 두고 정권을 멋대로 농락하니 기강이 문란하고 해이해졌다. 이것에 보태져 기근 때문에 백성들이 떠돌아다니고, 뭇 도적들이 벌떼처럼 일어났다. 이에 진훤이 몰래 분수 밖의 일을 넘겨다 보는 마음이 생겨 휘파람 불어 패거리를 모았다. 나가면서 서울 서남 州縣들을 치자 이르는 곳마다 메아리쳤다. 삽시간에 무리가 오천 인에 이르렀다. 드디어 무진주를 습격하여 스스로 왕이라고 하였으나 오히려 감히 공공연히 왕을 칭하지는 못하고 스스로 新羅西面都統指揮兵馬制置 持節都督 全武公等州軍事 行全州刺使 兼御史中丞 上柱國 漢南郡 開國公 食邑二千戶라고 했다.[36]

진훤은 892년에 신라 조정에 반기를 들고 독립한 것으로 적혀 있다. 궁예가 佛門을 뛰쳐 나온 1년 후가 된다. 그러나 진훤이 독립한 시점은 889년으로 지목하는 게 온당하다.[37] 그런데 이때는 상주에

---

33 이러한 人名 분류는 金哲俊, 『韓國古代社會研究』, 지식산업사, 1975, 254쪽에 따른다.

34 『三國史記』권50, 弓裔傳.

35 『三國史記』권50, 弓裔傳.

36 『三國史記』권50, 甄萱傳.

37 三品彰英, 『三國遺事考證(中)』, 塙書房, 1979, 278~279쪽.

서 원종과 애노의 난이 발생한 그 시점이다. 상주의 경우는 진훤과 연관된 향리일 뿐 아니라 그 아버지인 아자개가 이 반란에 가담했던 것으로 추정되고 있는만큼[38] 양자와의 어떤 관련성을 생각하게 한다. 더구나 궁예는 양길의 부장으로 있다가 894년에서야 독립하게 된다.[39] 어떠한 시점을 따르던 간에 진훤이 궁예 보다는 일찍 역사의 전면에 그 모습을 드러냈던 것은 분명하다. 즉 "이때 北原賊 良吉이 가장 강성하여 궁예가 스스로 투항하여 그 부하가 되었다. 진훤은 이 소식을 듣고 멀리 양길에게 벼슬을 주어 神將으로 삼았다"[40]는 사건도 진훤이 가장 먼저 위세를 떨쳤기에 가능했다.

3) 세력 규합 방식

궁예가 인심을 모으고 세력을 규합할 수 있었던 방식은 여러 형태였을 것이다.[41] 일단 "사졸들과 더불어 고생과 즐거움을 함께 하였고, 주고 빼앗는 일에 이르기까지도 공정하여 사사로움이 없었다. 이로써 뭇 사람이 마음으로 두려워하고 사랑하여 장군으로 추대하였다"[42]라고 한데서 잘 드러난다.

궁예는 전쟁터에서 나날을 보내며 사졸들과 더불어 고생과 즐거움을 함께 나누었다. 그는 지금의 강원도 영월 등지를 무대로 하여 휩쓸고 다녔다. 선종은 주고 빼앗는 일에 이르기까지 공평하여 私事로이 취하지 않았다. 이러한 선종의 행위를 평등한 인간관계를 바탕으로 하는 이상세계를 구현하려는 포부가 반영된 것으로 이해하기도 한다. 혹은 가난한 농민들은 도와준 반면, 농민들의 원성을 사고 있던 지주들이나 사원으로부터는 재물을 빼앗은 행위로 풀이하는 견해도 있다. 궁예의 군대는 엄한 軍律에 따라 일사불란하게 움직이는 조직이었다. 이는 전적으로 미륵신앙의 영향으로 생각되어진다. 궁예는 계율의 준수를 통해 하생한 미륵불의 구원을 받을 수 있다고 주장했다는 것이다. 궁예 군대의 엄한 군율은 엄한 戒律에 바탕을 두고 있는 것으로 해석하고 있다. 궁예는 미륵신앙을 중심으로 하는 軍政的 結社를 영위했던 것이다.[43]

궁예는 한 가족처럼 사졸들과 혼연 일체가 되어 전투에 임했다. 그랬기에 응집력이 강한 군대를

---

38 金庠基, 「甄萱의 家鄕에 對하여」 『東方史論叢』 서울대학교 출판부, 1984, 198쪽.

39 金杜珍, 「新羅下代 堀山門의 形成과 思想」 『省谷論叢』 17, 1986, 314쪽.
　　趙仁成, 「弓裔의 勢力 形成과 建國」 『震檀學報』 75, 1993, 3쪽.

40 『三國史記』 권50, 甄萱傳.

41 이에 관해서는 다음의 논고가 조금 참고된다.
　　李貞信, 「弓裔政權의 成立과 變遷」 『藍史鄭在覺博士古稀紀念東洋學論叢』 東洋學論叢編纂委員會, 1984, 39~64쪽.

42 『三國史記』 권50, 弓裔傳.

43 趙仁成, 「弓裔의 勢力 形成과 建國」 『震檀學報』 75, 1993, 17~18쪽.
　　趙仁成, 「泰封」 『한국사 11』, 국사편찬위원회, 1996, 138~139쪽.

16-4 산정호수 가에 세워진 궁예 동상

만들 수 있었다. 궁예가 지휘하는 군대의 폭발적인 힘의 원천은 바로 이에 기인하였다. 더구나 궁예는 승려 출신이라 강원도 지역 사원세력의 기반을 한껏 이용했다. 그 지지를 이끌어 내는 데 성공했던 것이다.[44] 궁예가 사원 세력으로부터 도움을 받은 것은 구체적으로 밝혀진 바 없다. 唐의 경우를 원용해 볼 때 "천하 재산은 불교가 7 · 8할을 가지고 있다"는 말이 있었다. 부역을 지지 않은 口가 전체 口數의 6분의 5를 넘었다고 한다. 이러한 부역을 지지 않은 戶口의 태반은 사원으로 도망쳐 와 있었다고 한다. 게다가 중국에서는 군량이 부족할 때 으레 사원에서 양식을 貸借하고는 했다.[45] 궁예의 경우도 자신에게 익숙했던 강원도 지역의 사원 세력으로부터 人力과 경제력 그리고 군량을 차출하는 데 성공했고, 이것이 승전의 한 요인으로 간주된다.

궁예의 측근 세력으로는 승려 출신이었던 소판 宗侃과 종 출신이었던 內軍將軍 은부를 지목할 수 있다. 이들은 어렸을 적부터 각각 절간에 있었거나 남의 집 종 노릇을 했다. 모두 미천한 신분 출신들이었다. 승려 출신이었던 종간이 궁예 정권의 핵심 인물이었다. 이는 그가 궁예의 세력형성 과정에서 큰 역할을 하였음을 뜻한다. 아마도 그는 궁예와 세달사에서부터 인연을 맺었던 사이가[46] 아니라면 강원도 일대의 사원 세력을 궁예에게 흡수시키는데 지대한 공을 세웠던 인물로 간주되고 있다. 궁예는 그 밖에 金周元 후손을 비롯한 명주 지역 호족세력과 朴遲胤으로 대표되는 浿西 호족 그

---

44 申虎澈, 「弓裔의 政治的 性格」『韓國學報』29, 一志社, 1982, 40쪽.

45 黃敏枝 著 · 임대희 譯, 『중국 역사상의 불교와 경제』, 서경문화사, 2002, 271~272쪽, 182쪽.

46 趙仁成, 「泰封」『한국사 11』, 국사편찬위원회, 1996,, 157쪽.

리고 불만 농민들을 포섭하여 세력을 확대시켰다.[47]

진훤의 경우는 순천만에서 해적을 소탕하는 방수군으로 복무하면서 구축되었다. 내륙의 척박한 산골에서 태어나 성장한 진훤의 광대한 바다 체험은 그의 세계관 형성에 지대한 영향을 미쳤을 것으로 믿어진다. 훗날 그가 북중국의 후당 · 거란, 남중국의 오월국 그리고 일본과 외교 관계를 맺는 큰 틀 속에서 한반도 내의 주도권을 차곡차곡 장악해 가려한 정치적 토대는 이무렵 형성되어 간 것으로 보인다.

진훤의 초기 세력 형성지는 기록에 명확히 보이지는 않는다. 그러나 그의 인맥 관계를 놓고 볼 때 어느 정도 유추가 가능해진다. 우선 진훤의 사위인 무진주 성주 池萱은 지금의 광주 출신 호족이 분명하다.[48] 그리고 지금의 순천 출신인 진훤의 사위 박영규는 말할 것도 없고, 진훤의 御駕行次를 맡았던 引駕別監 金摠도 순천 출신이었다. 인가별감은 어가행차와 관련한 임무를 맡았던 만큼 진훤의 최측근이라고 하겠다.[49] 이처럼 진훤의 최측근 인맥이 지금의 광주와 순천쪽이었음은 그의 초기 세력 기반과 거병 지역을 암시해 준다. 가령 진훤이 역사의 전면에 등장할 때 武州 동남쪽의 郡縣이 일제히 진훤에게 降屬했다고 한다. 武州(광주 광역시) 동남쪽은 순천과 여수를 포함한 지역권(예전의 2市 東部 6郡 지역)으로서 그 중심지는 순천이었다. 순천은 해안을 끼고 있는 곳으로서, 대중국 항로와 관련한 항구로서 기능하였다.[50]

진훤의 초기 세력은 예하의 잘 훈련된 병력에다가 순천 지역 호족과의 혼인 관계를 통한 지역세력의 흡수, 나아가 순천만을 중심으로 횡행하던 해적 집단의 규합을 통하여 이루어졌다. 진훤이 왕을 칭할 정도로 급성장하게 된 요인은 약탈과 파괴를 일삼는 도적떼들과는 달리 정치적인 구호를 걸었기 때문일 것이다. 그것은 선동적인 색채를 강하게 띠었겠지만 옛 백제 지역 주민들의 잠들었던 혼을 일깨우는 정신적 각성을 촉구하였다. 그 지역 주민들이라면 누구도 부인할 수 없는 일종의 공감대를 형성하는 '백제의 재건'이라는 대명제 속에 주변 세력들을 하나로 규합시켜 나간 것으로 보인다. 명분의 先占, 이것이 진훤의 세력 급성장의 한 배경이 된다. 이는 그의 정치적 안목이 빼어났음을 알려주는 동시에, 오랜 기간에 걸쳐 舉兵을 준비했음을 뜻한다고 보겠다.

진훤이 정국의 주도권을 장악할 수 있었던 요인은 다음과 같다. 첫째 해적 소탕을 통하여 실전 경험이 풍부한 전문적 군사력을 보유하고 있었다. 둘째 항구에 근무하면서 유학생이나 유학승들과 교류하

---

47 趙仁成, 「弓裔의 勢力形成과 建國」 『震檀學報』 75, 1993, 33~34쪽.

48 『世宗實錄』 地理志, 茂珍郡 條.
　　『新增東國輿地勝覽』 권35, 光山縣 建置沿革 條.

49 申虎澈, 『後百濟 甄萱政權研究』, 一潮閣, 1993, 103~104쪽.

50 李道學, 「甄萱의 出身地와 그 初期勢力 基盤」 『후백제 견훤정권과 전주』, 주류성, 2001, 66~73쪽.

면서 탄탄한 전문가 집단을 확보하는 동시에 상인들로부터는 경제적 기반을 축적하였다. 셋째 빼어난 정치적 안목을 지녔기에 옛 백제 땅에서 '백제의 재건'이라는 명분을 내걸어 주변 세력들을 휘하에 빠르게 포용하면서 정치 세력화시켰다. 넷째 인구와 물산이 풍부한 호남 지역을 기반으로 하였다.

4. 위대했던 국가의 부활과 창건

1) 국가의 창건

승려와 군인에서 출발한 양자는 국가 창건 이후 맞대결하였다. 그 전 단계인 궁예와 진훤의 국가 창건에 관한 기사가 각각 다음과 같이 보인다.

* 궁예가 왕을 칭하였다.[51]
* 선종은 스스로 무리가 많고 세력이 커지자 나라를 세우고 임금을 일컬을만하다고 여겨 비로소 내외 관직을 설치하였다.[52]
* 天復 원년 신유(901)에 선종은 스스로 왕이라 칭하고 사람들에게 말하기를 "지난날 신라가 당에 군대를 청하여 고구려를 격퇴하였기에 平壤 舊都는 묵어서 잡초만 무성하니 내가 반드시 그 원수를 갚겠다!" 고 하였다.[53]
* 6년에 完山賊 진훤이 州에 웅거하여 후백제라 자칭하니 武州 동남쪽 郡縣이 모두 이에 降屬하였다.[54]
* 진훤이 서쪽으로 순행하여 완산주에 이르니 그 백성들이 환영하고 위로하였다. 진훤이 인심을 얻은 것을 기뻐하여 좌우에게 말하였다. "내가 삼국의 시작을 상고해 보니 마한이 먼저 일어난 후에, 대대로 발흥한 고로 진한과 변한이 이것을 따라 흥했다. 이때에 백제는 나라를 金馬山에서 개국하여 600여 년이 되었는데, 摠章 연간(668~669)에 당 고종이 신라의 요청에 따라 장군 소정방을 보내어 수군 13만을 거느리고 바다를 건너 왔고, 신라의 김유신이 卷土하여 황산을 지나 泗沘에 이르러 당군과 함께 백제를 공격하여 멸망시켰다. 지금 내가 감히 완산에 도읍하여 의자왕의 宿憤을 씻지 않겠는가!" 드디어 후백제 왕을

---

51 『三國史記』권12, 孝恭王 5년 조.
52 『三國史記』권50, 弓裔傳.
53 『三國史記』권50, 弓裔傳.
54 『三國史記』권11, 眞聖王 6년 조.

자칭하고 관직을 마련하니 이 때는 당 光化 3년(900)이고 신라 효공왕 4년이었다.[55]

위의 기사를 통해 궁예와 진훤은 옛날의 고구려와 백제를 재건했음을 알 수 있다. 그리고 자신들이 세운 국가의 연원을 예전의 고구려와 백제에서 각각 찾았다. 국호도 삼국 당시 그대로 고려와 백제였다. 후고구려니 후백제니 하는 국호는 후대 사가들이 구분의 필요에서 나온 이름들이었다. 법호가 善宗이었던 궁예가 고구려를 부활시키면서 자신의 이름을 弓裔로 고친 것도 고구려 계승자로서의 의미를 지녔다.[56] 두 사람은 아울러 복수를 다짐하였다. 복수 선언은 그 지역 유민들을 응집시키는 역할을 했다. 또 그것을 겨냥해 복수를 선언한 것이다. 부활된 국가의 정책 노선과도 연결되는 사안이었다.

진훤은 신라보다 일렀던 자랑스러운 백제 역사를 재정립하겠다는 일종의 '역사 바로잡기'와 600여 년에 이르렀던 영광의 역사를 반추했다. 더불어 의자왕의 숙분을 씻는 것을 당면 과제로 내세웠다. 진훤은 정치적 이데아로서 백제에 의한 국토통일을 내걸었다. 그리고 자신은 비참하게 몰락한 백제 왕조의 부활자로서 그 위상을 확립시켰다. 또 미륵의 대행자로서 도탄에 빠진 민생을 구원하고 한 세상을 건지겠다는 포부를 지니고 있었다.

두 사람의 건국자들은 복수를 다짐했다. 복수 선언은 그 지역 유민들을 결집시키는 역할을 하였다. 또 그것을 겨냥해서 복수를 선언한 것이다. 이것은 새로 부활된 국가의 정책 노선과도 연결되는 사안이었다. 여기서 진훤은 삼국 중에서 백제가 가장 먼저 건국했고, 600여 년에 이르른 영광스러웠던 과거를 상기시켰다. 궁예와 진훤은 영광의 유산과 함께 패망의 고통스러웠던 유산을 반추하였다. 그런데 '함께하는 고통'은 기쁨보다 훨씬 더 사람들을 단결시킨다고 한다. 르낭은 "민족적인 추억이라는 점에서는 애도가 승리보다 낫습니다. 애도의 기억들은 의무를 부과하며, 공통의 노력을 요구하기 때문입니다. 그러므로 민족은 이미 치러진 희생과 여전히 치를 준비가 되어 있는 희생의 욕구에 의해 구성된 거대한 결속입니다"[57]고 설파했다. 공유된 고통의 과거를 강조함으로써 유대민족의 경우에서처럼 영광보다는 수난과 회한의 과거에서 민족의 바이탈리티(vitality)는 터져 나온다는 것이다. 궁예와 진훤은 '잡초만 무성한' 패망의 처참한 현실과 의자왕에 대한 애도 기억을 반추시켰다. 그럼으로써 '공통의 노력'인 복수심 발화에 성공했다.

---

55 『三國史記』권50, 甄萱傳.

56 朴漢卨, 「弓裔姓名考」『韓國學論叢-霞城李瑄根博士古稀紀念論文集』, 李瑄根博士古稀紀念論叢刊行委員會, 1974, 75~87쪽.

57 에르네스트 르낭 著·신행선 譯, 『민족이란 무엇인가』, 책세상, 2002, 81쪽.

궁예는 신라의 수도를 '滅都'라고 했으며, 신라에서 항복해 오는 자를 가차없이 죽였다고 한다.[58] 그리고 관직명 등에 있어서 신라적인 요소랄까 잔재를 청산하였다. 적어도 궁예의 존재는 신라인들에게는 타협의 여지가 전혀 없는 전율할 만한 공포의 대상이었다. 가령 "일찍이 남쪽으로 순행할 때 興州 부석사에 이르러 벽에 신라 왕의 화상이 그려져 있는 것을 보고 칼을 뽑아 찔렀다. 그 칼 자욱이 지금도 남아 있다"[59]는 일화가 궁예의 정서를 약여하게 전해준다. 반면 진훤은 신라의 존재를 시종 인정하는 입장이었다. 그가 신라의 官制를 받아들인 것이라든지, 신라의 陪臣임을 자처하였고, 중국에서 받은 관작에도 신라의 일개 지방관으로 기록된 것도 그러한 사실을 잘 반영해 준다.[60] 진훤이 신라의 관제를 대체로 수용한 것은 민심의 혼란을 막기 위한 데서 나온 현실론적인 측면도 있지만, 受禪을 위한 장기 전략이었다.

궁예는 다음의 표와 같은 연호를 사용하였다. 독자적인 연호의 사용은 자주국임을 선언하는 표징이었다.

〈궁예 정권의 국호와 연호 변천〉

국 호	연 호	기간	연 대
高麗	?	3년	901~903년
摩震	武泰	1년	904~905년
摩震	聖冊	6년	905~910년
泰封	水德萬歲	3년	911~914년
泰封	政開	5년	914~918년

진훤의 경우도 연호를 사용하였다. '正開'라는 연호가 후백제 영역 남원 실상사에 소재한 편운화상부도에 전하고 있다. 전주 천도 1년 후인 901년이 정개 원년인데[61] 그 이전에도 연호를 사용했는지는 알 수 없다. 그런데 궁예는 여기서 한 걸음 나아가 명실상부하게 독자적인 官制를 설치했다.

궁예의 수도는 철원과 송악을 옮겨 다니다가 철원으로 고정되었다. 그러나 앞서의 인용에서 '平壤舊都'라고 하였듯이 궁예는 평양을 수도로 인식하고 있었다. 그러나 현실적으로 평양은 통일신라의 北界가 되어 한반도 전체의 통합을 추진하는데는 불리한 지리적 조건이었다. 이러한 현실 인식이 철원을 궁예가 몰락할 때까지 수도로 삼게 한 요인이었던 것 같다.

58　『三國史記』 권50, 弓裔傳.
59　『三國史記』 권50, 弓裔傳.
60　申虎澈, 『後百濟 甄萱政權硏究』, 一潮閣, 1993, 144쪽.
61　金包光, 「片雲塔과 後百濟의 年號」『佛敎』제49호, 佛敎社, 1928, 33~35쪽.

진훤의 경우는 광주에서 전주로 천도하였다. 그 천도의 배경은 나주 지역이 궁예 세력의 위협을 받는 등 몇 가지 견해가 제기된 바 있다. 그러나 본질적인 동기는 나주 지역은 영산강유역으로서 백제에 복속된 시기가 늦을 뿐 아니라 백제 회복운동에서도 그 응집력이 취약했을 정도로 백제적인 구심력이 상대적으로 약한 곳이었다. 반면 노령산맥 이북의 전주 지역은 原百濟 지역이었다는 점을 고려했던 것 같다. 이때 진훤은 백제의 첫 수도였던 지금의 서울 지역을 의식했다고 본다. 그가 고려에 귀부한 후 현재의 서울 지역을 가리키는 楊州 땅을 食邑으로 받게 된 것은[62] 그러한 정서의 발로로 해석된다.[63] 궁예와 진훤 모두 고구려와 백제의 수도를 의식했던 것 같다.

2) 국왕으로서의 카리스마

궁예는 신라 왕자임을 자처하였다. 그가 승려로 있을 때의 일화가 다음과 같이 전한다. "일찍이 齋를 올리려고 가는 길에 까마귀가 물고 있던 물건을 들고 있는 바리때에 떨어뜨렸다. 그것을 들여다 보니 상아로 만든 점대에 '王'字가 적혀 있었기에 숨기고 말을 하지 않았으나 자못 자부하였다."[64] 궁예는 왕자 출신이라는 자부심에다가 승려 생활을 통해 교양과 품격을 쌓게 되었던 것 같다. 궁예는 신체적인 컴플렉스를 지니고 있었지만 그것을 상쇄하고도 남을 정도로 절대적인 카리스마를 지니고 있었다. 占卜을 구사하는 궁예의 샤먼적인 예지력도 한몫하였을 것이다. 그랬기에 미륵불을 자처할 수 있었고[65] 또 그렇게 비칠 수 있었던 것 같다.

진훤은 비록 농민 출신이기는 했지만 궁예 못지 않은 카리스마를 지니고 있었다. 진훤은 출생할 때부터 비범한 조짐이 鄕里에 회자되었다. 즉 "새가 와서 덮어주고 범이 와서 젖먹이다"[66]라고 한 구절이 그것을 암시한다. 특히 "새가 와서 덮어 주었다"는 이야기는, 고구려 추모왕의 출생 사적과도 부합하는 설화이다. 이는 시조왕의 탄생이 지니는 격조와 의미를 한껏 높여 주고 있다. 진훤이 강보에 싸여 있을 때 호랑이가 젖을 물려준 이야기는 용모와 용기가 맹수의 왕인 호랑이에 필적할만하였기에 생겨난 설화가 아닌가 싶다. "마을 사람들이 듣고는 기이해 하였다"는 것은 그에 관한 이야기가

---

62 『三國史記』권50, 甄萱傳.

63 고려에 귀부한 신라 경순왕이 신라의 원형인 경주의 사심관에 임명된 것도 이와 동일한 맥락에서 이해할 수 있을 것 같다.

64 『三國史記』권50, 弓裔傳.

65 이에 관해서는 다음의 논고를 참고하기 바란다.
   趙仁成,「彌勒信仰과 新羅社會」『震檀學報』82, 1996, 35~52쪽.

66 『帝王韻紀』下卷, 後百濟紀.

크게 회자되었음을 뜻한다. 그리고 "장성하면서 체격과 용모가 뛰어나게 기이했고, 뜻과 기상이 빼어나서 평범하지 않았다"는 기사 역시 신체적으로나 기개로 볼 때 강건한 기상과 타인을 압도할 만한 용모를 지녔음을 뜻한다.

사상적으로 볼 때 궁예는 주지하듯이 미륵불을 자처했었다. 궁예 死後 진훤은 미륵불을 迎禮한 轉輪聖王을 자처하였다. 궁예나 진훤 모두 말세관과 관련한 미륵신앙을 정치에 이용하였고, 또 자신의 권위를 높이는 수단으로 삼았다. 미륵신앙은 이들이 제기한 정치적 비전의 문제와 깊숙이 관련되어 있었다.[67]

3) 국가 창건 이후의 영역 확장과 외교

궁예는 국가 창건 이전에는 신체적 제약에도 불구하고 무서울 정도로 정력적인 정복전쟁을 몸소 추진하였다. 그러나 궁예는 국가 창건 이후에는 전쟁을 부하 장수에게 위임하는 일이 잦았다. 그럼으로써 왕건이 세력을 군부에 형성할 수 있는 계기를 만들어 주었으며, 군부에 대한 장악 능력이 떨어지게 되었다. 즉 "처음에 羅州 관내의 여러 고을이 우리편과 서로 막혀 있고 적병이 차단하였으므로 서로 도울 수가 없어 자못 두려움과 의심을 품었는데 이에 이르러 진훤의 정예군을 꺾으니 여러 사람의 마음이 다 안정되었다. 이에 삼한 땅을 궁예가 태반이나 차지하게 되었다"[68]는 開平 3년(909)의 영역에서 더욱 팽창시켰다. 고려 말의 충선왕이 "삼한 땅의 3분의 2를 궁예가 지배했다"고[69] 평가했을 정도로 가장 넓은 영역을 확보했었다. 실제 궁예의 영역은 현재의 강원도 · 충청북도 · 황해도 · 경기도를 죄다 병합시켰다. 나아가 충청남도 공주 · 홍성 · 예산 · 아산 방면까지 영토를 확대시켜 나갔다. 게다가 나주와 그 주변의 도서 지역을 거점으로 후백제의 배후를 위협하고 서해의 제해권을 장악하는데 성공했다.

반면 진훤은 몸소 시종 전장을 누볐다. 진훤은 거병한 이후 생을 마치는 순간까지 전장을 누볐다. 그럼에 따라 군부에 대한 그의 장악 능력은 가위 절대적이었다. 일리천 전투에서 신검의 후백제 군대가 고려군 진영에 있는 진훤을 보는 순간 붕괴되었다.[70] 후백제군은 자중지란으로 무너져내렸던 것은 그가 지닌 절대적인 권위를 상징하는 것이다. 진훤은 비록 왕위계승 분쟁에서 기습을 받아 권좌에서 축출되기는 하였지만 여전히 군부에 대한 영향력을 지녔음을 뜻한다. 그 요인은 병사들과

67　李道學, 「後百濟 甄萱 政權의 沒落過程에서 본 그 思想的 動向」 『韓國思想史學報』 18, 2002, 281~286쪽.
68　『高麗史』 권1, 太祖 卽位前紀.
69　『益齋亂藁』 권9, 史贊.
　　『東國通鑑』 新羅 景明王 戊寅年 條.
70　『高麗史』 권2, 太祖 19년 조.

고락을 같이하며 평생을 야전에서 생활했던 때문으로 생각된다. 그러한 진훤의 후백제 영역은 금강 이남의 나주 방면을 제외한 옛 백제 지역과 지금의 경상남도 진주와 부산 앞바다의 절영도에 이르는 옛 가야 지역과 경상도 북부 지역을 장악한 바 있다.[71]

궁예는 강력한 제해권을 기반으로 거란을 비롯해서 남중국의 오월국과도 외교적 교섭을 가졌다. 궁예는 史臺를 설치하여[72] 외국어를 배우게 하였다. 중국어·거란어·일본어 등을 익히게 하여 동 아시아 諸國들과의 교섭에 만전을 기한 듯하다. 아울러 궁예는 왕건을 파견해서 서남해변을 공략하여 후백제가 오월국에 보내는 선박을 나포하였다.[73] 이렇듯 궁예는 서남해안 島嶼를 장악하여 그로 인한 경제적 기반을 확고하게 구축했다. 진훤은 남중국의 오월국을 비롯해서 북중국의 後唐 뿐 아니라 거란과도 외교 관계를 맺었다. 그리고 진훤은 일본과의 외교적 교섭을 시도해서 對馬島와 몇 차례 접촉한 바 있다. 진훤은 자신의 위상을 높이는 동시에 한반도 전체에 대한 주도권 장악 차원에서 대외 교섭을 힘차게 추진하였다.[74]

4) 백성에 대한 收取

궁예와 진훤의 收取에 대한 면모를 살펴 본다. 다음은 정변에 성공한 직후 내린 왕건의 詔이기는 하지만, 궁예 시절의 수취 관계를 헤아릴 수 있다.

> 전 임금은 四郡이 흙 무너지듯이 붕괴할 때 寇賊을 제거하고 점차로 封疆을 넓혀나갔더니 國內를 통합하기 도 전에 갑자기 혹독한 폭정으로 백성을 다스리며 姦回로써 최고의 善으로 삼고 위협과 모욕으로 긴요한 방 법으로 삼아 요역이 번거롭고 賦稅가 과중하여 백성들은 줄어들고 국토는 황폐하여 졌는데 오히려 궁궐만은 크게 지어 제도를 지키지 않고 힘든 일은 끊일 사이가 없으니 원망과 비난이 드디어 일어나게 된 것이다."[75]

왕건은 즉위 후 田制를 바로 잡았다. 그리고 그는 백성들로부터 거두어 들임에 법도가 있게 하는 이른바 '取民有度'를 공표했다. 왕건은 예전 임금이었던 궁예의 수탈을 혹독하게 비판하였다. 궁예

---

71 李道學, 「後百濟의 加耶故地 進出에 관한 檢討」『白山學報』58, 2001, 62~67쪽.

72 『三國史記』권50, 弓裔傳.

73 『高麗史』권1, 太祖 卽位前紀.

74 이에 관해서는 李道學, 『진훤이라 불러다오』, 푸른역사, 1998, 102~108쪽에 자세하다.

75 『高麗史』권1, 太祖 元年 6月 조.

는 1頃에 6石을 수취했지만[76] 왕건은 十一稅法에 의거하여 1경 당 2석을 거두어 들였다. 왕건은 궁예 정권 시절보다 1/3로 줄여서 징세하였다. 그럼에 따라 왕건은 자영 농민층의 지지를 얻었고, 권력 기반을 탄탄하게 구축할 수 있었다.[77] 궁예가 처음 무리를 이끌고 다닐 때 "사졸들과 더불어 고생과 즐거움을 함께 하였고, 주고 빼앗는 일에 이르기까지도 공정하여 사사로움이 없었다. 이로써 뭇 사람이 마음으로 두려워하고 사랑하여 장군으로 추대하였다"고 한 상황과는 전혀 다른 것이다.

收稅라는 측면에서는 궁예와 진훤 양자에 대한 비교가 뚜렷하지 않다. 다만 신검의 교서를 통해 볼 때 진훤의 경우도 농민층의 지지를 얻기 위해 收稅의 경감에 배전의 노력을 기울였던 것으로 짐작된다. 그런데 후삼국이라는 동란의 상황에서 전쟁에 소요되는 군량 조달은 무엇보다 중요한 사안이었다. 이와 관련해 진훤의 屯田 시행을 꼽지 않을 수 없다. 둔전은 싸우면서 농사 짓는[且戰且耕] 군량 조달 방법이다.[78] 군대 스스로가 식량을 생산함으로써 국가 경비 지출을 줄이는 동시에 보급·병참 문제를 해결하는 방책이었다. 진훤의 대민수취에 있어서도 비록 신검의 교서에 적혀 있는 글귀이기는 하지만 "진구렁이나 숯불에 떨어진 것과 같은 고통을 쓸어버리니, 백성들이 평안하고 화목하게 되어 북을 치고 춤을 추었고"라는 구절은 농민들을 과중한 수탈과 질곡에서 해방시켰고, 그것을 가능하게 할 수 있는 제도적 장치가 마련되었음을 알려준다. 이는 전쟁 수행과정에서 현지의 호족들로부터 군량이나 車乘을 차출받았던 왕건의 행태와는 크게 차이가 나는 것이다.[79]

그러나 진훤의 경우도 왕건에게 귀순한 龔直의 말이기는 하지만 "지금 이 나라를 보니 사치하고 무도하다. 내가 비록 가까이 있지마는 다시 오기를 원하지 않는다"고 한 구절이나, 그 아들 직달의 "제가 볼모로 들어온 후로 그 풍속을 보니 오직 부강한 것만 믿고 교만하고 자랑하기만 힘쓰니 어찌 나라가 될 수 있겠습니까"[80]라고 한 말을 통해 볼 때 진훤도 궁예처럼 왕도의 위엄을 과시했던 것 같다. 토목공사는 주민에 대한 수탈이나 사치 이전에 왕권의 강화라는 긴요한 정치적 현안이기도 하였다.

국가 창건기에 궁예와 진훤은 전쟁을 추진하는 한편, 새로운 수도 건설과 官制 설치에 소요되는 엄청난 재원이 필요했다. 그에 대한 부담은 전적으로 주민들에게 돌아 갔던 것 같다. 왕건은 궁예가 주민들로부터 원성을 사면서까지 닦아 놓았던 토대들을 고스란히 물려 받았다. 권좌에서 축출될 정도로 궁예가 치른 값비싼 희생의 열매는 왕건의 몫이 되었다.

---

76 『高麗史節要』권1, 太祖 元年 7월 조.
77 李文鉉, 「高麗 太祖의 農民政策」『高麗 太祖의 國家經營』, 서울대학교 출판부, 1996, 261~266쪽.
78 『朝鮮經國典(下)』, 政典 屯田.
79 진훤의 對農民施策에 대해서는 다음의 논고가 있다.
李道學, 「後百濟 甄萱의 農民施策에 대한 再檢討」『白山學報』62, 2002, 115~139쪽.
80 『高麗史』권92, 龔直傳.

5) 절정기의 악행에 대한 검토

인생의 절정기요 군주로서 강력한 권력을 행사하던 시기에 궁예와 진훤은 어떤 행태를 보였을까? 부정적인 기사만 다음과 같이 추려서 검토해 보기로 한다.

* 梁 開平 3년 己巳에 太祖는 궁예가 날로 교만하고 잔인하여짐을 보고 다시 境外에 뜻을 두게 되었다.[81]

* 선종은 스스로 미륵불이라 일컫고 머리에는 金幘을 쓰고 몸에는 방포를 입었다. 맏아들을 靑光菩薩이라 하고 막내 아들은 神光菩薩이라고 했다. 밖으로 나갈 때는 항상 白馬를 탔는데, 비단으로 갈기와 꼬리를 장식했으며, 사내아이와 계집아이에게 깃발과 天蓋·향·꽃을 들려 앞에서 인도하게 하고, 또 比丘 2백여 명에게 명령하여 梵唄를 외면서 뒤에 따르게 했다. 또 스스로 불경 20여 권을 지었는데, 그 말이 요망하여 모두 정도에 어긋나는 일이었다. 때로는 혹 정좌하여 이것을 강설했으므로, 중 釋聰이 이렇게 말했다. "그것은 모두 올바르지 못한 설과 괴이한 얘기이므로, 세상 사람에게 가르칠 것이 못됩니다." 선종은 이 말을 듣고 노하여 쇠몽둥이로 그를 때려 죽였다.…정명 원년(915)에 부인 康氏는 왕이 법에 어긋난 일을 많이 행하므로, 정색을 하고 간하니 왕은 이를 싫어하여 강씨에게 말했다. "네가 다른 사람과 간음한 것은 무슨 이유인가?" 강씨는 말했다. "어찌 그런 일이 있겠습니까?" 왕은 말했다. "내가 신통력으로 이를 보고 있다." 뜨거운 불에 쇠방망이를 달구어 그녀의 음부를 찔러 죽이고 그 두 아들까지 죽였다. 이 후부터 의심이 많아졌고 갑자기 성내기를 잘 하여 여러 보좌관·장수·관리와 아래로 평민에 이르기까지 죄도 없이 죽임을 당한 사람이 잇따라 자주 있었으므로, 斧壤과 철원 사람들은 그 해독을 견딜 수 없었다.[82]

* 이 때에 궁예가 반역죄를 터무니없이 꾸며서 날마다 많은 사람들을 죽이니 장수와 신하 가운데 해를 당하는 자가 십중팔구나 되었다. 항상 스스로 말하기를, "나는 彌勒觀心法을 체득하여 능히 婦人의 陰私함을 알아 낼 수가 있으니 만약에 나의 觀心法을 범하는 자가 있으면 곧 준엄한 법을 행하리라"하고 드디어 3자나 되는 쇠방망이를 만들어 죽이고 싶은 사람이 있을 때 곧 이것을 불에 달구어서 그 陰部를 쑤시면 연기를 입과 코로 뿜으며 죽어 갔다. 이로 말미암아 여자들이 무서워 떨며 원한과 분노가 날로 더하여 갔다.[83]

---

81 『高麗史』권1, 太祖 卽位前紀.
82 『三國史記』권50, 弓裔傳.
83 『高麗史』권1, 太祖 卽位前紀.

* 신하들이 엎드려 절하고 말하기를, "신들이 전 임금의 세상을 만나 어질고 착한 사람은 해를 당하고 죄 없는 사람은 학대받음에 늙은이나 어린이나 할 것 없이 울부짖어 원망을 품지 아니함이 없었는데, 이제 다행이 목숨을 보전하여 성스럽고 밝으신 임금을 만나게 되었으니 감히 힘을 다하여 보답하기를 도모하지 않으리까"라고 하였다. 戊午에 왕이 韓粲 聰逸에게 말하기를 "전 임금이 참소를 믿어 사람 죽이기를 좋아하여…"고 하였다.[84]

위의 기사들은 궁예의 당초 면모와는 전혀 다르다. 궁예는 과대망상·피해망상·不貞망상(의처증)이 겹친 정신병자가 되어 있었다. 인생의 절정기에 오른 궁예는 미륵이 아닌 그 정반대의 夜叉와 같은 행태를 보이고 있다. 왜 그랬을까? 이와 관련해 기존의 정신분석학적인 설명을 원용해서 언급해 본다. 궁예는 고구려의 부활이라는 숙원을 구현하기 위해 왕성한 열정을 무서울 정도로 유감없이 발휘했다. 결국 그 집념을 구현했던 것이다. 그러나 왕성한 패기·용맹성·적절한 판단력·민심수습을 위한 공평무사함과 포용성 등도 일단 어느 정점에 이르자 균형을 잃어 갔다. 이것은 심리적으로는 어떤 일정한 목표 달성 후에 오는 해이감 또는 공허감과도 연관을 갖는다고 한다. 편협하고 불합리한 집념으로 다져진 어떤 목표가 그 과녁을 뚫고 거기에 쏠렸던 에너지가 일단 보다 다른 방향 전환을 못했을 때, 내심의 공격력은 자기나 타인에게로 확산해 가는 결과를 낳게 마련이다.[85]

궁예는 오만불손해지고 기괴한 언행이 많아지고 사람들을 가차없이 죽이는 잔혹성이 발휘되기 시작했다. 그럼으로써 차츰 민심의 괴리를 자초하고 말았다. 이러한 기미는 절정기에서부터 이미 그 싹수를 느껴 볼 수가 있었다. 왕을 칭하고부터 궁예는 잇따라 국호와 연호를 바꾸었다. 마치 불안증에 사로잡힌 강박증 환자가 의식에 떠오르려는 불안을 애써 부정하려는 경우와 같았다. 국호나 연호를 바꾸어서 심기일전을 꾀했던 강박행위의 일종으로 설명할 수 있다. 여하튼 궁예는 국호와 연호를 정하고 한반도에서 가장 큰 세력을 갖게 되었을 때부터 유아독존격이 되어 마침내 성격 변태자가 되었던 게 아닐까.[86]

더구나 敎主 군왕이 밥 문제를 해결해 주지는 못하였다. 오히려 폭압적인 고통으로 인하여 일반 주민의 불만은 누적되었고 대신과 장군들은 동요하는 기색마저 보였다. 이로 인해 궁예는 저들이 자신을 해치지 않을까 하는 피해망상증에 시달리게 되었을 수 있다. 궁예는 그 타개책으로 觀心法을 통해 위협적인 세력들을 제거해 나간 것 같다. 사실 궁예는 자신의 예지력과 점복에 대해 상당한

---

84 『高麗史』권1, 太祖 元年 6월 조.
85 이규동, 『위대한 콤플렉스』, 대학문화사, 1985, 252~253쪽.
86 이규동, 『위대한 콤플렉스』, 대학문화사, 1985, 253쪽.

자부심을 지니고 있었다. 대표적인 사례가 최지몽의 출생에 관한 이야기가 된다.

그런데 궁예는 강씨를 살해하고 난 직후부터 "이후부터 의심이 많아졌고 갑자기 성내기를 잘 했다"고 하였다. 이로 보아 궁예의 성격 파탄은 강씨 사건과 깊은 연관이 있는 것으로 보여진다. 강씨의 간통 사건은 사실일 것으로 믿는 견해가 제기되고 있다. 궁예는 승려 출신이라 누구 보다 도덕적 결백성이 심했고, 풍속을 바로잡아 건전한 도덕과 윤리관을 확립하려한 것으로 해석하기도 했다.[87] 혹은 궁예는 백성들에게 늘상 계율의 준수를 요구했다고 한다. 그러한 궁예였기에 음행을 저지른 강씨를 용납할 수 없었을 것이다. 철원 지역에 전해지는 전설에 따르면 왕건은 왕비 강씨와 간통했다고 한다.[88] 그러나 이것은 사실일 리 없다. 다만 궁예는 왕비 강씨의 간통에 대해서 혐의를 두었고, 또 이로 인해 크나 큰 충격을 받았던 것 같다. 이러한 충격은 궁예의 내면 깊숙이 침잠해 있던 피해 망상증을 비롯한 복잡다기한 갖은 요소들을 일제히 분출시키게 했던 것 같다.

진훤의 경우는 악행과 관련해 다음과 같은 2 가지 사건에 관한 기사가 보인다.

* 진훤이 군사를 놓아 크게 노략질하고 사람을 시켜 왕을 붙잡아 자기 앞에서 죽여 버리고는 곧 宮中으로 들어가 강제로 夫人을 끌어다가 난행하였다.[89]

* 진훤이 공직의 항복을 듣고 매우 노하여 직달과 금서 및 그 딸을 잡아 가두고 단근질하여 股筋을 끊으니 직달이 죽었다.[90]

진훤은 경주 습격 후 경애왕을 살해하였다. 이는 자신이 언명했던 의자왕에 대한 숙분을 씻었던 것일까? 그런데 그 직후 진훤을 악인으로 간주하게 하는 사건이 발생했다. 진훤이 궁중으로 들어가 억지로 왕비를 끌어 당겨 강간했다는 일이었다. 과연 진훤이 경애왕비를 능욕했을까? 역사서에는 한결같이 이러한 기록을 남기고 있다. 그와 더불어 부하 장수들을 풀어 경애왕의 비첩들을 난행하게 했다고 한다. 전장에서 사병들의 성폭행 사례는 고금을 통해 비일비재했다. 그렇지만 임금과 부하 장수들이 함께 강간을 자행한 일이 역사에 있던가? 하여간 이 일로 인해 진훤은 씻을 수 없는 오명을 얻었다. 이와 관련해 공산 패전 직후에 왕건이 보낸 국서에서 진훤의 경주 습격을 언급한 다음 기사를 유의해 본다.

87　文暻鉉,『高麗時代史研究』, 慶北大學校 出版部, 2000, 25쪽.

88　柳仁順,「鐵原地方人物傳說研究」『江原文化研究』8, 江原大學校 江原文化研究所, 1988, 79~80쪽.

89　『三國史記』권50, 甄萱傳. "萱縱兵大掠 使人捉王 至前戕之 便入居宮中 強引夫人亂之"

90　『高麗史』권92, 龔直傳.

족하는 터럭만한 적은 이익을 보고 天地와 같은 후한 은혜를 잊고 君王을 죽이고 궁궐을 불사르고 대신들을 학살하고 士民들을 도륙하였으며, 궁중의 미녀들을 빼앗아 수레에 같이 타고 진귀한 보물들을 약탈하여 가득히 싣고 갔으니, 그 흉악함은 桀紂보다 더하고 不仁함은 올빼미보다 심하였으니… [91]

그런데 왕건이 진훤을 힐책하고 있는 위의 국서에서 왕비를 능욕한 일은 거론되지 않았다. 미녀들을 약탈한 기사 밖에 없다. 진훤이 실제 왕비를 난행했다면 과장이 많고 그의 죄상(?)을 빠짐없이 열거하고 있는 이 국서에서 적시하지 않았을 리가 없다. 『삼국사기』에서 난행에 관한 언급을 한 이래로 후대 역사서들이 기정 사실화시켜 인용하였다. 그러나 정황적으로 볼 때 이 사건은 조작일 가능성이 높다는 판단이 선다.

진훤의 또 다른 악행은 심복 공직의 고려 귀부와 관련된 것이다. 영화를 누리던 심복의 배신이었기에 진훤은 볼모로 전주에 머물고 있는 공직의 아들 2명과 딸 1명을 당장 잡아다가 親鞫을 하였다. 이들의 다리 힘줄을 불로 지져 끊는 형벌을 가했다. 이 기록을 가지고 흔히 진훤의 잔인함을 거론하기도 한다. 그를 악인으로 낙인 찍는 또 하나의 근거로서 이용되었다. 과연 그렇게만 볼 수 있을까? 왕건의 경우와 비교해 보자. 후백제군에게 오어곡성이 함락되고 장수들이 항복했다는 소식을 접한 왕건의 분노는 진훤에게 결코 뒤지지 않았다. 오히려 그 이상이었다. 항복한 장수 6명의 처자들을 군사들 앞에 조리 돌리며 망신을 준 다음에 저자 거리에서 무더기로 살륙하였다.[92] 왕건은 부하들에게 경고한 것이다. 너희들도 배신하면 처자식들이 이 같은 수모를 겪고 처참하게 죽는다!

16-5 공직의 근거지였던 충북 보은군 회인면 소재 매곡산성 원경

91 『三國史記』권50, 甄萱傳.
92 『高麗史』권1, 太祖 11년 11월 조.

여기서 우리는 진훤이 격노한 이유를 살필 필요가 있다. 공직은 아들 英舒를 데리고 왕건에게 투항하였다. 왕건은 공직에게 大相 벼슬과 더불어 白城郡의 祿과 馬 그리고 彩帛을 내려 주었다. 그 아들인 咸舒를 佐尹에 임명하였다. 게다가 영서를 귀족의 딸과 혼인주선까지 했다. 공직은 파격적인 대우를 받은 것이다. 이에 응할량으로 공직은 "후백제의 一牟山郡은 경계가 저의 고을과 인접해 있어 제가 귀화한 까닭으로 항시 침략을 일삼아 백성이 생업에 안정하지 못하고 있으니 제가 가서 빼앗아 저의 고을 백성으로 하여금 도적의 피해를 입지 않고 오로지 농사와 길쌈에 힘쓰게 하여 귀화해 온 정성을 더욱 굳게 하도록 하겠습니다"[93]라고 하니 왕건이 허락했다는 것이다.

이렇듯 공직이 일모산성 공격을 부추겼고, 실제로 그가 투항한 지 1개월 후에 고려군은 一牟山城을 공격했다. 국왕인 왕건이 지휘하고 현지 지리에 밝은 배신자 공직이 앞장섬에 따라 군사적 요충지인 일모산성은 함락의 기로에 놓였다. 진훤에 대한 정면 도전이었다. 패해서 쫓겨 가거나 항복한 것과는 차원이 달랐다. 동정의 여지가 없었다. 진훤은 볼모였던 공직의 두 아들과 딸을 고문하였다. 공직의 큰아들인 직달은 현장에서 죽었다. 그러나 둘째 아들인 金舒는 후백제가 멸망한 후 돌아왔다고 한다. 전후 사정을 놓고 볼 때 진훤은 생각처럼 잔혹한 위인은 아니었다. 오히려 패전하여 얼결에 항복한 장수들의 처자에게 능멸을 안겨주고 저자거리에서 무더기로 베어 죽인 왕건이 더욱 냉혈적이지 않을까? 요컨대 궁예와 진훤의 악행에 관해서는 균형 잡힌 인식을 절감하게 한다.

5. 몰락 배경과 역사 뒷전으로의 퇴장

1) 몰락의 배경

궁예의 몰락은 오만불손한 행태에서 예견되도록 하였다. 이러한 행태는 자부심의 결과라기 보다는 오히려 자부심의 결핍, 즉 강박적인 열등감과 이를 보상해 주고 있던 가족 로맨스의 허황된 공상 심리에서 찾기도 한다. 궁예가 독자적인 佛經을 저술하게 된 것도 지적 열등감을 보상하고 끊임없이 자기를 위협하던 피해의식을 방어하기 위해서 미륵불이라는 지존자와 동일시하는 방어기전을 보였던 것으로 간주하고 있다.[94] 이러한 심리 분석이 과연 정곡을 찔렀는지는 단언할 수 없다. 그러

---

93 『高麗史』권92, 龔直傳.
94 이규동,『위대한 콤플렉스』, 대학문화사, 1985, 254쪽.

나 육체적 결함에 의한 열등감과 이로 인해 멸시받고 소외당한데 대한 분풀이 감정을 비롯해서, 번듯하게 생긴 휘하의 부하들에 대한 질투심으로 성정이 더욱 뒤틀려 갔을 수는 있다.

그러면 예견되도록 서술되었던 궁예와 진훤의 몰락 과정을 살펴 본다. 먼저 궁예가 부하들에게 축출되게 된 배경은 축출 모의를 하기 위해 왕건 집에 모인 이들의 다음과 같은 말을 통해 드러난다.

여름 6월 장군 弘述·白玉三·能山·卜沙貴는 洪儒·裴玄慶·申崇謙·卜知謙의 어릴 때 이름이다. 네 사람이 몰래 모의하고 밤중에 태조의 집에 찾아가 말하였다. "지금 임금께서 음란한 형벌을 마음대로 써서 자신의 처자를 살륙하고 신료를 목베이며, 백성을 도탄에 빠뜨려 살아갈 길이 막연합니다. 옛부터 어리석은 임금을 폐위시키고 지혜가 밝은 임금을 세우는 것은 천하의 큰 의리입니다. 청컨대 공께서는 탕왕과 무왕의 일을 행하십시오!" 이에 태조는 얼굴 빛을 붉히며 거절하면서 말하였다. "나는 충성스럽고 순박하다고 스스로 믿어 왔는데 지금 비록 포악하고 난폭하다고 하여 감히 두 마음을 가질 수 없다. 대저 신하로서 임금을 교체하는 것은 소위 혁명이라고 하는데 나는 실로 덕이 없어 감히 殷과 周 건국자의 일을 본뜰 수가 없다." 여러 장수들이 말하였다. "때는 두 번 오지 않습니다. 이런 때를 만나기는 어렵고 기회를 잃기는 쉽습니다. 하늘이 주는데도 취하지 않으면 도리어 그 재앙을 받는 법입니다. 지금 정치가 어지럽고 나라가 위태로우며, 백성들이 모두 왕을 미워하기를 원수같이 하니, 지금 덕망이 공보다 더할 사람이 없습니다. 하물며 왕창근이 얻은 거울의 글이 저와 같은데 어찌 가히 가만히 엎드려 있다가 獨夫의 손에 죽임을 당하리오?"[95]

궁예가 축출된 배경은 대략 "궁예의 성품이 잔인하여 海軍統帥 왕건이 그를 살해하고 자립하였다"[96]는 서술이 基調를 이루고 있다. 앞서 인용한 문헌에 보이는 바처럼 잔인하고 난폭했던 게 궁예 축출의 배경이 되는 것일까. 이러한 경우로는 백제 동성왕을 "무도하고 백성에게 暴虐하여 국인이 드디어 제거했다"[97]라고 한 기록이다. 그러나 동성왕이 잔학했기에 살해된 것은 아니었다. 강력한 왕권을 구축하는 과정에서 귀족들과 이해가 충돌되어 피살된 것이다.

궁예가 당초 혁명의 기치를 내 걸었을 때는 고구려 재건을 대내외에 선포하였던 것이다. 해서 국호도 고려라고 하였다. 그러나 궁예는 자신의 세력 범위가 한반도 중부 이남 지역으로 급속히 확대되어 가자, 고구려 재건만 가지고서는 백제와 신라계 주민들을 포용할 수 없다는 현실 인식을 하게 되었다. 이제는 고구려를 뛰어넘는 더 큰 차원에서의 웅강한 국가를 창건하여 미래를 열어야 겠다

---

95 『三國史記』권50, 弓裔傳.
96 『資治通鑑』권271, 龍德 2년 12월 조.
97 『日本書紀』권16, 武烈 4년 조.

는 웅걸찬 야심을 가지게 되었던 것이다. 이러한 맥락에서 '摩震'과 '泰封'의 국호가 나왔다. 그러나 이는 궁예의 당초 세력 기반이었던 옛 고구려 지역 출신 호족들과 장군들을 불안하게 만들었다. 궁예가 한반도 전체의 패자가 된다면 자신들은 밀려날 게 명약관화하다고 판단하기 시작했다.

궁예는 금강(공주강) 이남 쪽에도 세력을 미쳐 공주장군 홍기 등을 영향권에 넣었을 정도로 옛 백제의 핵심 지역까지도 장악해가는 상황이었다. 궁예는 더구나 정략적인 차원에서 이들을 융숭하게 접대하였다. 그랬기에 궁예가 축출되고 난 직후 이들은 후백제에 붙는 등 왕건에게서 이탈했던 것이다.[98] 바로 궁예는 새로운 지지 기반으로 옛 백제 지역의 호족들을 하나하나 포섭해 나갔었다. 더구나 한반도를 관통하는 대동맥인 한강을 끼고 있는 중부 지역은 당초 백제의 옛 땅이요 성립지였다. 게다가 궁예는 청주 세력을 자신의 기반으로 끌어 당겼었다. 그랬기에 왕건이 즉위한 후 청주 세력의 모반이 빈발하였던 것이다. 그러한 청주 세력 역시 백제계 주민이었다.

이러한 상황에서 위기 의식을 느낀 황해도와 경기도 북부의 옛 고구려 지역 출신의 호족들과 장군들이 왕건을 중심으로 결집되었다. 왕건은 쿠데타 당일 날 마치 떠 밀리다시피하여 자의반 타의반 거사한 것처럼 되어 있지만, 성공한 쿠데타치고 그렇게 엉성하게 기획한 경우는 없다. 이는 조선 태조가 개국할 만반의 채비를 모두 갖추었음에도 불구하고 세 번이나 굳게 사양했다는 이른바 三讓雖堅한 후 즉위한 예를 통해서도 알 수 있다. 요컨대 왕건을 축으로 한 쿠데타 모의가 치밀하게 준비되었고, 그랬기에 결국 성공하였다고 본다.

그러면 왕건이 정변에 성공하게 된 요인은 무엇일까? 일단 궁예와 옛 고구려 지역 호족들 간에 정치적인 방향성에 있어서 심각한 차이가 표출되고 있었다. 이러한 선상에서 궁예는 관심법을 이용한 대대적인 숙청을 단행하였다. 왕건은 이때 궁예와 이해관계가 대립되는 세력들을 友軍으로 삼을 수 있었다. 이와 관련해 1938년에 『朝光』誌에 「帝星臺」라는 제목으로 연재했다가 출간된 김동인의 장편소설 「진헌」의 다음과 같은 구절은 거의 사실에 접근하는 구성으로 보인다. 현재 학계의 시각과 별반 차이가 없기 때문이다.[99]

그러면서 이 임금으로 하여금 왕건의 지혜에 탄복케 한 것은, 하고 많은 좋은 국호 가운데 '고려'라는 칭호를 끌어낸 왕건의 기지였다. 궁예가 옛날 칭왕을 할 때, 고구려 유민의 민심을 사고자, "고구려를 재건

---

98 『高麗史』권1, 太祖 원년 6월 조.
99 이와 같은 시각으로는 다음의 논고가 대표적이다.
   朴漢卨, 「高麗 王室의 起源」『史叢』21, 1977, 106~108쪽.
   文暻鉉, 『新羅史研究』, 慶北大學校 出版部, 1983, 325쪽.

하여 신라의 원수를 갚겠노라"고 선언하였다. 그러나 신라의 왕자인 궁예가 세운 나라요, 게다가 나라 이름까지도 고구려와는 아무 연락이 안되는 '마진' 혹은 '태봉'이라 하였으니, 고구려의 유민이 이 궁예의 나라를 고구려 재건으로 볼 까닭이 없었다. 왕건은 나라를 세우며 즉시 국호를 '고려'라 했다. 누가 보아도 고구려의 후신이었다. 게다가 왕건의 집안이 고구려의 유민이었다. 고구려의 유민이 군사를 일으켜 새 나라를 세우고 국호를 고려라 하였으니, 이것은 틀림이 없는 고구려의 후신이었다. 압록강 이남의 주인이 없어서 쩔쩔매던 고구려 유민들은 모두 다 이 왕건의 날개 아래로 모여들 것이었다.[100]

또 다른 측면에서 접근한다면 궁예의 국호와 연호에 대한 거듭된 改變에서 짐작되듯이 심리적으로 지극히 불안정한 상태에 놓여 있었다. 궁예는 고구려의 부활에는 성공했지만 남방의 강적 후백제와 대치하는 형국을 이루면서 거병 초기와는 달리 스피디한 감각을 상실하게 되었다. 戰線의 정체에 따라 궁예는 초조감을 감추지 못했다. 이것을 국호 개변이나 연호의 개칭을 통해서 심기를 일전시키고 국운을 열려는 일종의 요행수마저 엿 보였다. 그러니 가공할 만한 파괴력을 지닌 궁예 특유의 역동성이 현저히 떨어지게 되었다. 자신도 위험 부담을 감수하면서 戰場을 누비는 것보다는 이제는 密殿에 안주하여 호령하는 선에 머무르는 경우도 있었다. 이것은 왕건에게 절호의 기회를 주었다. 왕건은 부하 사병들과 고락을 같이하면서 자신의 세력을 군 내부에 서서히 뻗어가면서 야금야금 부식시켜 가고 있었다.

진훤의 몰락 배경은 왕위계승을 둘러싼 처족들 간의 갈등과 신검 형제들과의 노선상의 갈등 표출 등을 꼽을 수 있다. 왕조 역사에서 1대에서 2대로의 왕위 계승이 순탄하게 넘어간 경우는 그리 많지 않다. 진훤은 미완의 국토 통일 과업을 완수하기 위해 "키가 크고 지략이 많았다"[101]고 한 금강 왕자에게 대권을 넘겨 주려고 했던 게 禍根이라면 화근이었다. 서열 보다는 능력 있는 아들에게 왕위를 계승시켜 분열의 시대를 자국 중심으로 시급히 청산하려고 했던 진훤의 취지는 얼마든지 善意로 해석할 수도 있다. 그러나 선의로만 해석할 수 없는 게 냉혹한 현실이었던 것 같다. 신검 형제들과 그 주변의 야심가들에 의한 기습 공격으로 진훤은 제대로 손 한 번 쓰지 못한채 권좌에서 축출되고 말았다.

왕건의 경우는 그 死後 어지럽고도 격렬한 유혈의 왕위계승 분쟁으로 치달았다. 왕건의 그 많은 배우자들 사이에서 출생한 왕자들은 왕위를 넘볼 수 있는 잠재적 위협 세력으로 도사리고 있었다. 제8대 임금(현종)에 이르기까지도 왕건의 손자가 즉위한 것은 간단하지 않은 사태를 잘 암시해주고 있다.

100　金東仁,「진헌」『金東仁全集 3』, 三中堂, 1976, 268쪽.
101　『三國史記』권50, 甄萱傳.

진훤은 생전에 분쟁이 있었고, 왕건은 통일 대업을 이룩한 후에 분쟁이 발생했다. 분쟁이라는 변수로 인한 진훤의 몰락을 생각할 때 천운을 상기할 수는 있다. 그렇다고 진훤이 넷째아들에게 왕위를 넘겨주려고 한 것을 愚策으로 몰아서는 안 된다. 결과에 꿰맞춰 완고하고 고집 센 노인으로서 진훤을 질타해 왔다. 그러나 조선왕조의 경우도 건국 직후 2회에 걸친 골육상쟁 왕자의 난이 발생했고, 성군으로 추앙받는 셋째 왕자 출신인 세종대왕도 태종의 혜안이 아니었다면 탄생할 수도 없었다. 맏아들에게 상속하지 않아서 망했다는 주장은, 思考가 조선 후기의 종법질서에 머물러 있는 것이다. 진훤은 자신이 이루지 못한 국토통일을 위해 능력과 자질을 겸비한 넷째아들에게 물려주고자 하였다.

2) 세상을 건너가다

왕건의 쿠데타로 축출된 궁예의 사망에 대해서는 다음과 같이 적혀 있다.

* 여러 장수들이 태조를 옹위하고 문을 나섰다. 길잡이로 하여금 외치게 하기를 "왕공께서 이미 의로운 깃발을 들었다!"하니 이에 앞뒤에서 분주하게 달려 와 따르는 자가 헤아릴 수 없이 많았다. 또 먼저 궁성의 문에 이르러 북을 치고 떠들며 기다리는 사람 또한 1만여 명에 달하였다. 왕이 이 말을 듣고 어찌할 바를 몰라 미복으로 갈아 입고 산 속으로 도망쳤으나 곧 斧壤(평강) 백성들에게 살해당하였다.[102]

* 먼저 궁문에 이르러 북을 치며 떠들썩하게 기다리는 자가 또한 1만여 명이나 되었다. 궁예가 이를 듣고 놀라 말하기를, "王公이 차지하였으니 나의 일은 이미 끝났구나"하며 이에 어찌 할 바를 모르고 微服으로 북문을 빠져나가 도망가니 나인이 궁궐을 청소하고 새왕을 맞이하였다. 궁예는 巖谷으로 도망하여 이틀밤을 머물렀는데 허기가 심하여 보리 이삭을 몰래 끊어 먹다가 뒤이어 斧壤 사람에게 죽임을 당하였다.[103]

기록에는 은밀하게 거사를 준비한 것처럼 적혀 있고, 얼결에 왕건이 떠 밀려서 앞장선 것처럼 행세했지만, 이들이 도착하기도 전에 거사에 호응하려고 떠들썩하게 무려 1만 명이나 대기하고 있었다는 것이다. 왕건의 정변이 민심의 추향에 따랐음을 알리려는 목적에서 꾸며낸 이야기로 보인다.

---

102 『三國史記』권50, 弓裔傳. "諸將扶衛 太祖出門 令前唱曰 王公已擧義旗 於是 前後奔走來隨者 不知其幾人 又有先至宮城門 詖噪以待者 亦一萬餘人 王聞之 不知所圖 迺微服逃入山林 尋爲斧壤民所害"

103 『高麗史』권1, 太祖 卽位前紀. "先至宮門 鼓譟以待者 亦萬餘人 裔聞之驚駭曰 王公得之 吾事已矣 乃不知所圖 以微服 出自北門亡去 內人淸宮以迎.裔遁于巖谷 信宿飢甚 偸截麥穗而食 尋爲斧壤民所害"

그리고 궁예가 쫓겨가면서도 '王公' 운운한 공대 표현은, 현실감이 전혀없는 수사에 불과하다.

궁예의 묘소는 강원도 평강 땅 國師嶺 밑에 소재하였다. 묘소는 담을 쌓아서 북방에서 내려오는 적들의 침입을 막았던 방어 담장의 하나인 中防 서편에 자리잡았다. 궁예 묘소는 그가 타살된 장소 근방에 조영된 듯 싶다. 조선조 말기에 편찬된『청구도』에 의하면 궁예 묘소는 '弓王墓'라고하여 보인다. 그렇지만 궁예 묘소는 현재까지 확인되었다는 말을 들은 바 없다. 그러나 무덤의 존재에 대한 기록이 남아 있는 것을 볼 때 일정한 예우를 받아 조영되었음을 암시해 주는 것 같다. 1926년에 춘원 이광수가 지은「弓裔王陵」이라는 시를 다음과 같이 소개해 본다.

내 어디로 갈거나 필마 단기로
첩첩 산중에 풍우도 잦다
천하를 건지잔 뜻은 어이코
시내 따라 헤매는 늙은 영웅아

가신 지 천년에 옛 백성들은
집 한 간 지어 놓고 탱 그려 걸고
구천에 조는 혼을 날마다 불러는
복 달라, 아들 달라, 하소연하네

왕릉 곁에 우뚝 솟은 젓나무
웬걸 천년이야 살았으랴만
황혼에 우뚝 솟은 그 기우
영웅인 듯하여 다시 우럴다

16-6 『청구도』에 보이는 궁예 묘소

위의 詩註에 보면 "삼방역에서 약수포 들어 가는 路傍에 칡 넝쿨 덮인 石築陵이 있고, 그 앞에는 민간에서 치성 드리노라고 지어 놓은 조그마한 祠가 있고, 陵 앞에는 늙은 젓나무 한 그루가 서 있다"고 했다.[104]

진훤은 아들 형제들 간의 노선상의 갈등을 겪게 되고, 왕위 계승 분쟁과 금산사 유폐, 고려로의 귀

---

104   李光洙,『李光洙全集 15』, 三中堂, 1963, 116~117쪽.

부 그리고 후백제의 몰락을 지켜 본 후 화병으로 천추의 한을 품은 채 세상을 건너 갔다. 다음의 기사에 보인다.

신검이 참람되이 왕위에 오른 일은 남에게 협박된 일이요, 그의 본심은 아닌 것이며, 또 항복하여 죄를 애걸했으므로 태조는 특별히 그의 죽음을 용서했다[또는 삼형제가 모두 죽임을 당했다고 한다]. 진훤은 수심과 번민으로 등창이 나서 며칠 만에 黃山佛舍에서 죽었다.[105]

진훤은 등창이 난지 수일만에 黃山佛舍에서 70세를 일기로 영욕이 교차하는 파란만장한 생애를 접었다. 『동사강목』에 따르면 진훤이 숨을 거둔 황산불사는 지금의 연산 동쪽 5리에 소재하였다고 한다. 진훤의 死因인 등창은 등에 나는 큰 부스럼이다. 의학적으로 볼 때 몸의 열기가 밖으로 분출되면서 터지는 것으로 홧병이라고 보겠다. 실제 "진훤이 수심과 번민으로 등창이 났다"고 하였다. 진훤은 천추의 한을 품고 세상을 건너 갔다.

그의 죽음과 관련하여 이런 이야기가 전한다. 왕건의 고려군은 지금의 연무읍 부근에서 후백제군과 최후의 일전을 벌이게 되었다. 진훤은 개울가에 잠시 쉬고 있는데 그곳 지명이 '닭 다리 벌'이라는 말을 듣고는 깜짝 놀랐다고 한다. 그는 "지네의 정기를 타고 난 내가 닭 다리에 밟힌 격이 되었으니 어찌 살아날 수 있겠는가!"라고 말하였듯이, 패전과 죽음을 예언하고 앓기 시작했다고 전한다. 임종에 즈음하여 그는 완산 쪽을 바라 볼 수 있도록 묻어 달라고 유언했다는 것이다. 이에 따라 전주 쪽을 향해 묻어 주었다고 전한다. 이러한 이야기는 풍설에 불과할 것이다. 하여간 여우는 죽을 때 태어난 언덕을 돌아 본다고 한다. 진훤은 자신이 백제를 부활시킨 전주 땅을 끝내 잊을 수 없었단 말인가! 『輿地圖書』에는 다음과 같은 전승이 전한다.

진훤이 까치재 고개[鵲峙峴]에 진을 치고 있을 적에 까치가 있어 大旗의 깃대 위에 앉자 갑자기 기가 쓰러져 넘어졌다. 이를 보고 진훤은 자신이 반드시 패망할 것을 알고 좌우에 이르기를 내가 죽으면 모악산이 보이는 곳에 묻어 달라고 하였다. 이에 마침내 그의 말을 좇아 묻었으니 지금 남아 있는 무덤은 멀리 모악산을 바라보고 있다고 한다. 그리고 까치고개라는 지명도 역시 여기에서 유래했다고 한다.

진훤의 능묘소는 『세종실록』 지리지에서 "현의 남쪽 12리 風界村에 있다(공주목 은진현 조)"고 하였

---

105 『三國史記』권50, 甄萱傳.

16-7 상주 화서면 청계 마을에 소재한 진훤 왕 사당.

다.『신증동국여지승람』에는 "현 남쪽 12리 풍계촌에 있는데 속칭 王墓라 전한다(은진현 塚墓 條)"라는 기록이 전한다.『여지도서』에 따르면 진훤의 능묘는 金谷書院 위에 표시되어 있다.[106] 진훤의 능묘는 지금의 논산시 연무읍 금곡리 야산에 소재하고 있다. 둘레 70m, 직경 17.8m에 이르는 큰 무덤이다. 최승로의 상서문에 따르면 왕건은 진훤이 사망하자 賻儀를 넉넉하게 하였다고 한다.[107] 한 시대를 풍미했던 국왕으로서의 격에 맞게끔 장대한 유택을 조영해 주었음을 알 수 있다. 진훤의 능묘는 자신의 유언에 따라 논산시 연무읍에 조영될 수 있었다. 궁예나 진훤 모두 수도로 歸葬되지 못하고 천추의 한을 품고 운명한 지역권 내에 유택이 마련되었다. 연천 고랑포에 묻힌 신라 경순왕도 마찬 가지였다.

6. 맺음말

1) 후대의 평가

궁예와 진훤은 신라 사회를 해체시키고 새로운 사회를 열었다. 그러나 兩人 모두 역사의 조연으

---

106 이에 대해서는 朴淳發,「甄萱王陵考」『후백제와 견훤』, 서경문화사, 2000, 159~190을 참고하기 바란다.
107 『高麗史』권93, 崔承老傳.

로 전략하고 말았다.『삼국사기』에는 맨끝 50권에 양인의 傳을 달았지만 다음과 같은 김부식의 評에서 알 수 있듯이 심히 부정적인 평가를 내렸다.

신라의 국운이 쇠퇴하고 정치가 어지러워 하늘이 돕지 아니하고 백성들이 갈 곳이 없었다. 이에 群盜들이 틈을 타서 일어나 마치 고슴도치 털처럼 되었으나 그 중에서 가장 악독한 자는 궁예와 진훤 두 사람뿐이었다. 궁예는 본래 신라의 왕자였지만 도리어 宗國을 원수로 삼고 그 전복을 도모하였으며 심지어 선조의 畵像까지 베기에 이르렀으니 그 무도함이 극심하였다.

진훤은 신라의 백성으로부터 일어나 신라의 祿을 먹으면서 불측한 마음을 품고 나라의 위태한 틈을 기화로하여 도성과 성읍을 침략하고 임금과 신하를 살륙하기를 마치 새를 죽이고 풀을 베듯하였으니 실로 천하의 으뜸가는 악인이며 인민들의 큰 원수였다. 그러므로 궁예는 자기 부하에게 버림을 당하였고, 진훤은 제 자식에게서 禍를 당하였다. 이는 모두 제 자신이 저지른 것이니 또 누구를 원망하겠는가? 項羽와 李密과 같은 특출한 재주로도 한나라와 唐의 발흥을 대적하지 못했거늘 더군다나 궁예와 진훤과 같은 흉악한 자가 어찌 우리 태조와 더불어 서로 상대할 수 있으랴? 다만 태조에게 백성들을 몰다 주는 자로 되었을 뿐이다.[108]

진훤에 대한 이미지는 부정적인 면으로만 흘러왔다. 조선 성종과 대화를 나누던 李孟賢(1436~1487)은 "전라도는 인심이 각박하고 악하여 도둑이 무리져서 일어나고 아랫 사람이 웃사람을 능멸하는 일이 흔히 있습니다. 풍속은 백년 동안 교화하지 않으면 고칠 수 없으므로, 임금으로서는 마땅히 염려해야 하니 무릇 綱常에 관계되는 죄를 범하는 일이 있으면 작은 일이라도 용서하지 말고 이런 풍속을 엄하게 징계하는 것이 적당합니다"라고 말하였다. 그러자 성종은 "전라도는 옛 백제의 땅인데, 백성들이 진훤이 남긴 풍습을 이제껏 모두 고치지 못하였으므로, 그 풍습이 이와 같은 것이다"라고 답하였다. 이 말을 받아 李克基(?~1489)가 말하기를 "진훤 이후로 前朝 500년을 지내고 조선조가 되어서도 거의 100년이 되었으나 남은 풍속이 아직 없어지지 않아서 사람들이 모두 頑惡하니 명심하고 교화하지 않으면 고칠 수 없을 것입니다"라고 하자, 성종이 가상히 여겨 받아들였다는 것이다.[109]

조선조 성리학자들의 글귀에는 신라 왕자와 백성 출신인 궁예와 진훤을 신랄하게 비난하였다. 도

---

108 『三國史記』권50, 甄萱傳. "論曰 新羅數窮道喪 天無所助 民無所歸 於是 羣盜投隙而作 若猬毛然 其劇者弓裔 · 甄萱二人而已 弓裔本新羅王子 而反以宗國爲讎 圖夷滅之 至斬先祖之畵像 其爲不仁甚矣 甄萱起自新羅之民 食新羅之祿 而包藏禍心 幸國之危 侵軼都邑 虔劉君臣 若禽獼而草薙之 實天下之元惡大憝 故弓裔見棄於其臣 甄萱產禍於其子 皆自取之也 又誰咎也 雖項羽 · 李密之雄才 不能敵漢 · 唐之興 而況裔 · 萱之凶人 豈可與我太祖相抗歟 但爲之敺民者也"
109 『成宗實錄』, 성종 6년 5월 17일 조.

덕적인 평가만 앞세웠던 것이다. 그러나 왜 이들이 신라에 반기를 들었고, 또 그를 지지하는 주민들이 많았냐는 데 대한 고려는 전혀 하지 않았다. 이와 관련해 다음의 글귀는 퍽이나 시사적이다.

또 고을의 관청에는 남은 저축이 없어 일만 있으면 1년에 더러는 두 번 부과하고, 守令들은 그것을 빙자하여 마구 거두어 들임은 또한 극도에 달하지 않음이 없었다. 그런 까닭으로 백성들의 시름과 원망은 고려 말엽보다 훨씬 심하다. 그러나 위에 있는 사람은 태평스러운 듯 두려워할 줄을 모르니 우리나라에는 豪民이 없기 때문이다. 불행하게 진훤·궁예같은 사람이 나와서 몽둥이를 휘두른다면, 시름하고 원망하던 백성들이 가서 따르고 빌지 않으리라고 어떻게 보장하겠는가?[110]

許筠(1569~1618)은 자신의 시문집에서 조선 왕조 학정의 극심함이 고려 말보다 심하다는 것, 그럼에도 상층부에서는 전혀 깨닫지 못한 현실을 개탄했다. 허균은 신라 말의 진훤과 궁예가 백성들로부터 호응을 받은 사유를 애둘러 짚었다. 신라 말 국정의 총체적 난국이 진훤과 궁예를 역사의 전면에 등장하게 한 요인이었다. 이들만 비난하고 탓한다고 해소될 성질은 아니었다. 비겁한 도덕론자들은 희생양을 이들에게서 찾은 것에 불과했다.

김부식 이래 위계 질서를 문란하게 한 元兇으로서 진훤을 지목하였다. 궁예와 진훤은 大惡人으로 인식되었다. 다음의 기록에 보인다. 즉 "영남에 이르러서는 둘러싸고 있는 산들이 두텁고도 높고, 흐르는 냇물이 한 방향으로만 돌아가고 있는데, 우리나라의 大儒 가운데 四賢이 모두 이곳에서 나왔고, 劇賊 진훤과 궁예 또한 이곳에서 났으니, 이는 그 산천의 風氣가 賢人이 나면 반드시 大賢이 되고, 악인이 나면 반드시 大惡이 되기 때문이다"[111]고 했다. 그러나 어느 사학자는 진훤에 대한 평가를 다음과 같이 내렸다.

그는 뜨거운 조국애의 애국심에서 열렬한 백제 유민의 염원을 받들어 영광스런 조국 백제의 부흥에 일생을 걸고, 천하각축의 대결전에 최선을 다하다 왕건의 덕망이 자신을 능가하여 천명이 왕건에 돌아감을 諦觀한 그는 깨끗하게 미련없이 왕건에 나라와 백성을 바치려한 英斷, 그의 雄圖鴻志가 자식의 쿠데타로 실패하자, 자신은 주저없이 왕건에 투항한 그의 숭고한 페어프레이 정신은 殺身成仁한 정치가로서 백세의 귀감이 됨에 족하다. 여기에 영웅 진훤의 진면목과 위대성이 있다. 그는 민족 최후에 피의 대결을 회피한 휴머니

---

110 『惺所覆瓿藁』 권11, 文部8, 豪民論. "且府無餘儲 有事則一年或再賦 而守宰之憑以箕斂 亦罔有紀極 故民之愁怨 有甚王氏之季 上之人恬不知畏 以我國無豪民也 不幸而如甄萱·弓裔者出 奮其白挺 則愁怨之民 安保其不往從 而祈"

111 『英祖實錄』, 영조 14년 8월 9일 조.

스트요 조국과 민족의 통일을 위해서는 자아를 희생, 민족의 통일제단에 자신을 희생의 제물로 바친 絶世의 애국자로 재평가 되어 마땅하다. 그는 오랜 동안 삼국을 통일한 왕건 태조의 偉光의 그늘에 가려 폭군 奸物과 같은 印象의 부당한 대접과 악평을 받아 왔었다. 이는 당연히 시정되어야 마땅하다.[112]

위의 평가를 접하면서 역사 인식의 엄청난 변화를 실감한다. 이와 관련해 공적 기록과 사실 그리고 인식 사이의 괴리감을 생각해 보게 한다.[113] 사실 궁예에 관한 기록은 말할나위없이 그를 축출한 왕건과 그 주변 文士들의 몫이었다. 진훤의 경우는 현재 전하는 기록을 보면 출생과 종군 기록을 빼면 대부분 궁예와 왕건을 상대로 교섭과 전투를 치른 기록으로 이루어졌다. 진훤과 호족들과의 관계를 비롯해서 그의 영역 확장 과정 등을 살피기는 어렵다. 이렇듯 지극히 불완전할 뿐 아니라 뒤틀려 있을 패자에 관한 기록을 놓고서 사실을 추구하는 것은 한계가 있음을 자인해야 하지 않을까.

2) 양인의 역사적 역할에 대한 정리

우리나라 역사상 가장 격동적이면서 에너지가 왕성하게 뿜어졌던 시기는 언제였을까? 단연 신라 말의 후삼국시대를 꼽지 않을 수 없다. 이때는 엄혹한 신분규제인 골품제의 쇠사슬이 끊겼다. 아울러 무려 1천년 간이나 심장부 역할을 했던 한 줌 경주 땅 안에서 소수 귀족들이 주도해 가던 시대는 종언을 고하게 되었다. 정치와 문화의 중심지는 한반도 전체로 다각화되고 재편되는 양상을 띠었다. 그 뿐 아니라 철벽 같았던 신분의 장벽이 허물어졌기에 능력에 의한 승진이 가능하였다. 농민들은 과중한 이중 수탈에서 해방되었다.

바로 그것을 가능하게 했던 인물이 궁예와 진훤이었다. 궁예는 신라 왕자 출신이었다고 하므로 애초부터 권위의 방석에 올라서 생을 출발하였다. 그가 민심을 모으고 세력 규합에 성공하게 된 배경은 승려 생활에서 익힌 경전의 교리를 토대로 한 미륵신앙에 힘입은 바 실로 컸다. 천년왕국이 기우뚱거리면서 국가 권력이 날개도 없이 추락하고 백성들이 방황하는 암담한 대혼돈의 상황은 말세관을 유행시켰다. 세상 끝날에 출현하여 세상을 구원한다는 미륵불의 등장을 갈구하게 되었다. 궁

---

112 文暻鉉, 『新羅史硏究』, 慶北大學校 出版部, 1983, 350쪽.
113 원로 여류 작가 전숙희가 지은 여간첩 김수임과의 일화를 수록한 책(『사랑이 그녀를 쏘았다』, 정우사, 2002)을 접한 바 있다. 그런데 이 책에 수록된 내용 가운데 정작 중요한 진실은 저자와의 인터뷰에서 나왔다. "모윤숙은 김수임 체포의 일등공신이었고, 변론까지 했지만 김수임을 살릴 마음은 없었다(『朝鮮日報』 2002. 10.10)"는 것이다. 당사자들이 모두 세상에 없을 뿐 아니라 50여 년이 흐른 사건이었음에도 불구하고 자신이 지은 책에서 진실을 말하지 않았다는 것이다. 이 점 역사 기록의 존재 의미와 관련해 생각하게 하는 바가 적지 않았다.

예는 이것을 놓치지 않았다. 무패의 신화를 기록하고 있던 궁예에 군대의 힘은 그가 사병들과 고락을 같이한 데서만 기인한 것은 아니었다. 자신은 미륵의 현신으로서 한 세상을 구원하겠다는 비전을 화려하게 제시하였기 때문이다. 게다가 그는 군사적 뒷받침에 힘입어 승승장구 세력을 확대하고 있었다. 그랬기에 궁예의 언행은 호소력을 가질 수 있었고, 폭발적인 지지를 얻었다.

궁예는 새로 지은 경전을 토대로 미륵의 세상을 열어가고자 했다. 기존 관념을 깡그리 부인하는 내용으로 그득 찬 혁명적 교리는 鄕豪와 사원세력의 수탈에 허덕이고 있던 농민들로부터 열렬한 지지를 얻었다. 미륵의 나라로 가는 '선박'에 동승하고자 다투어 열을 지어섰던 것이다. 전투에서의 무패, 낙원에 갈 수 있다는 비전의 제시, 이것은 조금도 미륵불임을 의심하지 않게 해 주고도 남았다. 그리고 지역 정서인 고구려로의 회귀에 대한 뜨거운 여망을 구현해 주니 쌍수를 들고 환영하지 않을 수 없었다. 미래에 대한 비전의 제시와 여망의 구현, 게다가 그것을 뒷받침해 주는 軍政的 결사체인 강력한 군사력의 존재를 통해 궁예라는 영웅이 탄생하게 된 것이다. 궁예의 역량은 자신의 신체적 핸디캡에도 불구하고 신라 영역 3분의 2를 점유했던 사실에서 경이감을 자아내게 한다.

궁예와 대립각을 이루었던 인물이 진훤이었다. 진훤은 일반적으로 영웅들에게 붙는 신이한 출생설화를 비롯해 카리스마적인 일화를 지니고 있다. 지렁이의 아들로서 출생하였고, 맹수의 제왕인 호랑이의 젖을 먹었고, 날짐승들이 보호해 주었다는 기록이 전설처럼 전한다. 진훤은 장성한 후 입대하여 해변가에서 해적들을 소탕하는데 발군의 전공을 세웠다. 잠 잘 때도 항시 창을 베고 적을 기다렸고, 전투가 벌어졌을 때 선두에서 해적들을 후려치는 雄姿는 가히 영웅의 면모를 유감없이 보여주었다. 그러한 진훤의 기개가 호랑이와 같은 용맹성에만 머물렀다고 하자. 비록 찬탄을 한몸에 받는 장수감은 되었겠지만 그 존재는 史籍에 등재되지도 못했을 것이다.

그러면 진훤이 역사의 전면에 화려하게 등장할 수 있었던 요인은 무엇이었을까? 민심의 흐름을 정확히 꿰뚫어 보는 통찰력에서 기인했다. 천년왕국 신라가 병들고 비대해진 제몸을 주체하지 못하고 휘청거리는 상황에서 미구에 제국의 몰락을 정확히 예견했던 것이다. 휴화산처럼 잠복해 있는 것은 신라에 복속된 백제 유민들의 백제로의 회귀에 대한 뜨거운 갈구였다. 지금의 순천만 일대에서 복무하던 진훤은 그것을 포착했던 것이다. 결국 출세가도를 달리던 청년장교 진훤은 기득권을 과감히 박차고 나왔다. 그 순간은 일생일대 최대의 도박이자 위기이기도 했다. 그는 백제 옛 땅에서 백제의 부활을 기치로 걸어 세력을 규합하였다. 비참하게 몰락한 백제 유민들의 한을 풀고 꿈을 구현할 수 있는 구세주로서 진훤은 등장했던 것이다. 진훤은 전주로 천도하여 입성하면서 열광적인 환영을 받았다. 마치 예수의 예루살렘 입성을 연상시키듯 백제 유민들의 숙분을 통쾌하게 풀어줄 수 있는 대행자로서 설렘과 기대를 한몸에 받았던 것이다.

진훤의 역할이 여기서 그쳤다면 어떻게 되었을까? 중국대륙에서 지나 간 왕조의 명패를 꺼내어 휘두르며 등장한 일개 군웅에 불과하고 말았을 것이다. 그러나 그는 도탄에 빠진 민생을 구제했기에 그 존재가 한껏 광채를 발하게 되었다. 농민들의 폐해를 막기 위해 둔전제를 실시했을 뿐 아니라 '모든 백성들의 방죽'이라는 뜻을 지닌 萬民堰이라는 제방 이름에 응결되어 있듯이 灌漑를 통한 농업경제 기반의 확충에 비상한 노력을 투사했다. 그랬기에 "진구렁이나 숯불에 떨어진 것과 같은 고통을 쓸어버리니 백성들이 평안하고 화목하게 되어 북을 치고 춤을 추었고"라며 그를 칭송하지 않았던가.

궁예와 진훤은 "보통 사람으로는 엄두도 못낼 유익한 대사업을 이룩하여 칭송 받는 사람"이라는 사전적 의미의 영웅에 부합하는 인물들이었다. 그러나 이들은 종국적인 숙원을 이루지 못한 채 역사의 뒷전으로 밀려나 버리고 말았다. "현재를 지배하는 자가 과거를 지배하듯이" 역사의 패자인 두 사람은 '말'을 할 수 없게 되었다. 최종 승자인 왕건 중심으로 역사가 쓰여지다 보니까 시대의 거대한 한 軸을 짊어졌던 이들은 그 조역으로 전락하고 말았다. 이는 불가피할 수밖에 없는 현상이라 하더라도,『삼국사기』에서 "신라 말에 일어난 群盜 가운데 가장 악독한 자는 궁예와 진훤 두 사람이었고, 실로 천하의 으뜸 가는 악인이며 인민들의 큰 원수였다"는 신랄한 질타를 받고 있다. 인민들의 열광적인 환호에 힘입어 구세주처럼 추앙되었던 이들이지만 '인민들의 큰 원수'로 전락하고 말았다. 이러한 부정적인 평가는 조선시대에도 변화되지 않았다. 大惡人으로 인식되었기 때문이다. 이들이 결국 정치적으로 패자가 됨에 따라 옹호해 줄 사람도 없는 채 팽개쳐졌기에, 생애 전체가 깡그리 거역으로 매도되었다. 적어도 유교 이데올로가 지배하는 시대의 잣대로 볼 때 이들은 영웅은커녕 악인으로 규정될 수밖에 없었다.

그러나 근대역사학의 성장과 더불어 궁예는 힘찬 개혁의지로써 새로운 시대를 열었던 혁명가로 재평가되었다. 반면 왕건은 기득권을 유지하려는 호족 세력과 타협한 보수적인 인물로 규정되기도 한다. 서양 학자의 논문에서도 궁예와 진훤은 부정적인 이미지로부터의 상당한 회복이 필요하다는 지적을 받았다. 역사서의 궁예와 진훤 그리고 왕건은 사전에 결정된 배역을 맡은 대본 속의 인물들에 불과하다는 거였다. "시대가 영웅을 낳는다"는 말이 있지만, 영웅에 대한 평가 역시 시대와 분리될 수 없다. 영웅관은 시대를 지배했던 이데올로기의 변천과 사료 비판력에 따라 얼마든지 바뀌게 마련이다.[114] 그렇기에 역사의 '생명력'을 운위할 수 있는 게 아닐까?

「궁예와 진훤의 비교 검토」,『궁예와 태봉의 역사적 재조명』, 제3회 태봉학술제, 철원군 · 철원문화원, 2003. 11. 28.

---

114 李道學,「역사 속에서 영웅의 변천」,『이대대학원신문』제22호, 이화여자대학교총학생회, 2000. 12. 12.

궁예의 北原京 점령과 그 의미

1. 머리말

후삼국시대는 우리 나라 역사상 가장 격동적이면서 역동적인 에너지가 왕성하게 뿜어지던 시기였다. 이때는 엄혹한 신분규제인 골품제의 쇠사슬이 끊어졌다. 아울러 무려 1천년 간이나 심장부 역할을 했던 한 줌 경주 땅 안에서 소수 귀족들이 주도해 가던 시대는 종언을 告하게 되었다. 정치와 문화의 중심지는 한반도 전체로 다각화되고 재편되는 양상을 띠었다. 그 뿐 아니라 철벽 같았던 신분의 장벽이 허물어졌기에 능력에 의한 승진이 가능하였다. 농민들은 과중한 이중 수탈에서 해방되었다.[1]

바로 그것을 가능하게 했던 인물이 弓裔와 甄萱이고, 최종적으로 완결 지은 이가 王建이었다. 그러면 이 같은 궁예의 성공과 고구려 부활의 전기가 되었던 지역은 어디였을까? 이와 관련해 강원도 원주 지역이 확실히 주목을 요한다. 원주는 통일신라 당시 5小京 가운데 하나인 북원경이었다. 이 사실은 원주 지역이 嶺西 지역의 중심지로서의 위상과 비중을 점했음을 뜻한다. 『택리지』에서 원주

---

1 李道學, 「역사 속에서 영웅의 변천」 『이대대학원신문』, 이화여자대학교 총학생회, 22호, 2000. 12. 12.

지역에 대해 다음과 같이 서술하였다. 즉 "원주는 영월의 서쪽에 있고 감사가 다스리는 곳이다. 서쪽으로 250리 떨어져 한양이 있다. 동쪽은 재와 산협에 연하였고, 서쪽은 砥平縣(양평군 지평면: 필자)에 인접하는데, 산골짜기 사이에 고원 분지가 열려져 맑고 깨끗하며 그리고 험준하지 않다. 영동과 경기 사이에 끼어 동해의 魚鹽·인삼·楠榔·궁전의 재목을 운수하여 道內의 도회가 되었다. 산협에 가깝기 때문에 무슨 일이 있을 때에는 피하여 숨기 쉽고, 서울이 가까워서 무사할 때도 나아갈 수 있는 까닭에 한양의 사대부가 많이 이곳에 살기를 즐겨한다"[2]고 했다. 원주 지역은 '영동과 경기 사이에 끼어' 동해와 내륙 지역의 물산을 쉽게 섭취할 수 있고 또 공급해 줄 수 있는 입지 조건을 갖추었음을 뜻한다.

원주 지역은 지리적으로 볼 때 충북 단양이나 제천 등과 더불어 마한 보다는 예맥의 거주 공간에 가깝다고 할 수 있다. 그런 관계로 "(원주 지역은) 고구려 영유기에 말갈의 출몰 지역에 근접하고 있는 것으로 보아 말갈의 세력권이었을 것으로 보인다"[3]는 견해가 제기되었다. 이후 원주 지역은 고구려 역사로서의 체험을 하였다. 그리고 원주 지역은 신라 말의 혼란기에는 梁吉이 할거하던 곳이었다. 양길은 이곳을 거점으로 자신의 예하에 주변 30개 성을 거느렸다. 이 사실은 원주의 북원경이 점하는 정치와 전략적 위상을 웅변해 주고 있다. 그러한 양길을 꺾고 궁예는 북원경을 장악하였다.

양길의 부하였던 궁예에게 익숙한 곳이 원주 땅이었다. 궁예가 세력을 얻게 된 轉機를 마련한 지역이 양길의 휘하에 들어간 원주에서였다. 궁예는 원주를 기점으로 출병하였다. 결국 궁예가 고구려를 부활시킬 수 있었던 기반이 원주에서 배태된 것이다. 이와 더불어 원주 땅의 지배를 둘러싼 궁예와 진훤, 그리고 왕건 간의 錯綜하는 이해관계를 비롯해서 새롭게 구명해야 할 사안이 많다. 이와 관련해 원주시 문막읍 건등산 전설에 보이는 전투에 대한 재조명을 시도했다. 종래 홀시해 왔던 전설이기는 하지만 16세기 말경의 문집인 『松窩雜說』 등에 그 내용이 수록된 것을 볼 때 사서에서 누락된 戰場일 가능성이 높다고 본다. 실제 왕건과 진훤이 전투를 치렀던 상황과 관련된 유적이 이곳에 남아 있기 때문이다.

본고에서는 궁예 세력의 출발점일 뿐 아니라, 국가 창건의 분수령이 되는 비뇌성 승전 직후 장악한 북원경과 관련해 궁예와 왕건의 행적을 고찰한다. 아울러 원주 지역이 지닌 역사적 비중을 총체적으로 구명하고자 했다.

---

2 『擇里志』江原道 條.
3 梁起錫, 「신라 5소경의 설치와 서원소경」『新羅 西原小京 硏究』, 서경문화사, 2001, 87쪽.

2. 궁예의 출신과 성장 과정

1) '弓裔' 이름의 의미

본고의 주제인 궁예가 북원경을 점령하는 과정과 관련해 궁예의 출신과 성장 과정을 간략하게 정리한 후 넘어가고자 한다. 먼저 궁예의 이름에 관한 부분이다. 사람의 이름에는 여망이나 출신의 흔적 등이 담겨 있는 경우가 없지 않다. 그러면 궁예라는 이름에는 어떠한 의미가 담겨 있을까? 궁예는 문자 그대로 '활의 후예'라는 뜻이다. 이 점을 확대하여 추모 즉 주몽의 후예 곧 고구려의 후예라는 의미로 해석하기도 한다.[4] 이 문제에 대해서는 검증이 필요할 것 같다. 『자치통감』에는 '躬乂'라고 하였다. 즉 "고려 石窟寺 애꾸 중 躬乂가 무리를 모아 開州에 웅거하여 왕을 칭하면서 大封國이라 하였다"[5]고 했다. 그러나 이러한 표기는 궁예가 왕이되었다가 축출된 이후의 시점에 쓰여진 것인 만큼 곱으로만 표기한 것으로 보인다. 즉 '躬乂'는 '몸이 베어졌다'는 뜻이므로 악의적인 표기임을 알 수 있다. '석굴사 애꾸 중'이라고 한 것도 폄훼시킨 서술이다. 따라서 躬乂는 이름이 지닌 상징성을 무시한 발음 표기에 불과한 것으로 보인다.

그런 만큼 궁예의 공식 이름 표기에 무게를 두어야 할 것 같다. 여기서 '弓'은 뜻이고, '裔'는 곱일 가능성이 있다. 장보고를 弓巴·弓福이라고 하였는데[6], 이름씨의 접미어로 붙은 '巴'나 '福'의 의미를 찾는 게 필요하다. 이와 관련해 뱀처럼 일어서지 못한 아이를 蛇童이라고 했고, 또 蛇卜·蛇巴·蛇伏으로 불렀다는 기록이다.[7] 그리고 卜·巴·伏를 일러 "모두 아이를 말한다"고 하였다. 여기서 '蛇'는 아이의 행태에서 취한 글자이다. 아이를 가리키는 '童'을 '卜·伏'이나 '巴'로 일컬었음을 알려준다. 장보고의 소식적 이름인 궁파·궁복에다가 이것을 역으로 적용하면 '弓童'이라는 등식이 도출된다. 즉 '활아이' 곧 '활 잘 쏘는 아이'라는 뜻이다. 이러한 맥락에서 볼 때 弓裔 역시 '예'라는 음이 '애'즉 '아이'를 가리키므로, '弓童'의 뜻일 가능성이 있다.

그러면 왜 '弓'이라는 의미를 지닌 이름이 붙게 되었을까? 궁파나 궁복 역시 蛇福처럼 장보고의 어

---

4 朴漢卨, 「弓裔姓名考」 『韓國學論叢-霞城李瑄根博士古稀紀念論文集』, 李瑄根博士古稀紀念論叢刊行委員會, 1974, 75~87쪽.

5 『資治通鑑』권270, 貞明 5년 秋7월 조. "高麗石窟寺眇僧 躬乂聚衆據開州稱王 號大封國"

6 『三國史記』권10, 흥덕왕 3년 조. "夏四月 淸海大使弓福 姓張氏[一名保皐]…"
   『三國遺事』권2, 紀異, 神武大王·閻長·弓巴 條. "俠士弓巴"

7 『三國遺事』권4, 義解, 蛇福不言 條. "京師萬善北里有寡女 不夫而孕旣産 年至十二歲不語亦不起 因号虵童[下或作 虵卜 又巴又伏等 皆言童也]"

릴 때 용모나 특징에서 연유했다고 볼 수 있다. 장보고는 무예에 능숙했는데, 어릴적 '활 잘 쏘는 아이'였던데서 비롯되지 않았을까? 궁예 역시 '활 잘 쏘는 아이'라는 의미로서 '활 아이'로 일컬어졌을 수 있다. 그러나 일차적으로 이러한 이름 유형은 鄒牟 즉 주몽에서 비롯되었다는 것이다. 고구려 시조가 어린 시절 얻게 된 이름은 夫餘에서 '善射者'를 가리키는 호칭에서 비롯되었음은 주지의 사실이다. 활 잘 쏘는 사람을 추모라고 하였는데, 궁복이나 궁예 역시 활 잘 쏘고 용맹한 아이를 가리키는 호칭으로 받아들여진다. 고구려와 백제·신라는 騎射를 숭상했는데, 그러한 상무적 기풍이 내려와서 그 방면에 발군의 능력을 가진 자를 '추모' 혹은 '궁복'·'궁예(애)'로 일컬었던 것 같다.

궁예가 어린시절 부잡스러웠다고 한 기록은 물동이에 진흙을 던져 막은 부잡스러운 유리왕의 소년시절이 연상되면서 역시 善射에 능한 궁예의 면모를 연상시켜 주는 것 같았다. 활달하고 무예도 뛰어났던 궁예는 자연스럽게 '활 아이'라는 호칭을 얻게 되었을 수 있다. 물론 장성해서도 '아이'라는 접미어가 붙은 이름을 계속 사용할 수 있을까? 그 여부에 대해서 의문을 제기할 수도 있다. 그러나 후백제 왕 진훤은 어릴적부터 불리었던 '지렁이'에서 그 이름이 연유하였고 바꾸지도 않았다. 장보고의 경우도 청해진을 건설해서 현달하기 전까지는 兒名인 궁파·궁복으로 여전히 불리었다.

궁예의 경우는 훗날 활로 상징되는 추모에 대한 의미 부여를 하였기에 弓裔로 표기했을 가능성이다. 그것은 앞서 인용한『자치통감』기사의 註에서 "전 임금의 성씨는 高氏요 뒷 임금은 왕건이다"고 한 구절에서도 주목을 요한다. 여기서 중요한 사실은 궁예가 고씨 성을 칭했다는 것 보다는 고구려 왕실과 결부되어 이미지화되었다는 점이다. 이 사실은 그가 고구려의 정당한 계승자임을 선포한 일종의 정치적 선언과 연관 있다고 보아야 한다. 이렇게 가닥을 잡는다면 계속 바뀌어진 국호 보다는 불변의 고구려 이미지를 궁예가 잡고 있었다고 보아야 한다. 그것은 바로 활로 상징되는 고구려 시조 이름과 그 계승자로서의 의미가 결부된 궁예의 이름 표기라고 하겠다. 이때 궁예(애)는 이름을 '弓裔' 표기로 확정한 것으로 보인다.

고구려 건국자 추모왕의 생애는 후대 고구려 왕들의 전범이 되었다. 추모왕처럼 활을 잘 쏘고 말을 잘 감별해서 명마를 골라 타는 능력은 초기 고구려 왕으로서의 필수적인 조건이었다. 부여에서 내려와 추모왕을 이어 즉위한 유리왕의 경우도 예외가 되지는 않았다. 유리왕은 소년시절에 참새 쏘는 것을 일로 삼았을 정도로 역시 부왕을 닮아 사격에 능하였다. 언젠가 그는 부인네가 이고 가는 물동이를 쏘아서 뚫었다. 그러자 그 여자가 노해서 "아비도 없는 자식이 내 물동이를 쏘아 뚫었다"고 욕했다. 유리왕은 즉각 진흙 탄환을 쏘아서 물동이의 구멍을 막아 전과 다름없이 만들었다고 한다. 유리왕의 비상한 사격 능력은 곧 활 솜씨를 뜻한다고 보겠다. 부여에서 내려온 유리왕에게 추모왕이 칼을 서로 맞추어서 아들임을 확인했지만, "네가 실로 내 자식이라면 무슨 神聖함이 있냐"고 묻자 즉각 유리왕이 기이한 신성을 보이자 태자로 책봉했다고 한다. 이러한 설화는 장래 고구려 왕이 될 태자의 책봉은 단순히 혈연 관계에만 국한되었다기 보다는 騎射 능력에 대한 확인 검증이 뒤따랐음을 암시해 준다. 황룡국 왕이 보낸 强弓을 그 자리에서 활을 당기어 꺾었을 정도로 힘이 세고 무용이 뛰어났던 유리왕의 아들 해명이 태자가 될 수 있었던 배경도 이런 데 연유했을 것이다.[8]

이처럼 활과 관련한 고구려 건국자나 국왕의 이미지를 고구려 국호인 '고려'의 부활과 관련지어 자신의 이름을 궁예로 확정하였다.[9] 그럼으로써 고구려 후계자로서의 상징성을 극대화시키고자 했다.

2) 궁예의 출신과 성장

궁예의 출신과 출생에 관해『삼국사기』궁예전은 다음과 같은 기록을 남기고 있다.

> 궁예는 신라인이고, 성은 김씨이다. 아버지는 제47대 헌안왕 의정이요, 어머니는 헌안왕의 후궁이었는데 그 이름을 잃어 버렸다. 혹은 48대 경문왕 응렴의 아들이라고도 한다. 5월 5일 외가에서 태어났는데, 그 때 지붕에 흰빛이 있었는데 마치 긴 무지개 같았으며, 위로는 하늘에 닿았다. 日官이 아뢰기를 "이 아이가 重五日에 태어났고, 나면서 치아가 있었고, 또 光焰이 이상하였으니 장래 나라에 이롭지 못할까 염려되오니 마땅히 기르지 마십시요"라고 했다. 왕이 中使로 하여금 그 집에 가서 아이를 죽이도록 하였다. 사자는 강보 속에서 빼앗아 그를 다락 밑으로 던졌는데, 젖먹이던 종이 그를 몰래 받다가 잘못하여 손으로 찔렀다. 이리하여 그는 한쪽 눈이 멀었다. 종은 아이를 안고 도망하여 숨어서 고생스럽게 길렀다.[10]

궁예의 성장 과정은 젖먹이던 종[乳婢]이 숨어서 힘겹게 길렀다고 했다. 그가 乳婢와 헤어지는 생의 轉機가 되는 사건이 다음에 보인다.

> 나이가 10여 세 되도록 장난이 심하고 그 버릇을 고치지 않았으므로 그 젖먹이던 종이 말하였다. "네가

---

8 李道學,「주몽왕을 통해 본 초기 고구려왕의 성격」『다시 보는 고구려사』, 고구려연구재단, 2004, 33쪽.

9 朴漢尙,「弓裔姓名考」『韓國學論叢-霞城李瑄根博士古稀紀念論文集』, 李瑄根博士古稀紀念論叢刊行委員會, 1974, 75~87쪽.

10 『三國史記』권50, 弓裔傳. "弓裔 新羅人 姓金氏 考第四十七憲安王誼靖 母憲安王嬪御 失其姓名 或云 四十八景文王膺廉之子 以五月五日 生於外家 其時屋上有素光 若長虹 上屬天 日官奏曰 此兒以重午日生 生而有齒 且光焰異常 恐將來不利於國家 宜勿養之 王勅中使 抵其家殺之 使者取於襁褓中 投之樓下 乳婢竊捧之 誤以手觸眇其一目 抱而逃竄 劬勞養育"

태어나 나라에서 버림을 받았는데 내가 차마 이를 볼 수 없었으므로 몰래 길러 오늘에 이르렀다. 그런데 미친 짓이 이와 같이 심하니 반드시 남에게 알려질 것이다. 그렇게 되면 나와 너는 함께 죽음을 면할 수 없을 것이다. 이것을 어찌하면 좋겠는가?" 궁예가 울면서 말하기를 "만약 그렇다면 제가 떠나 어머니의 근심이 되지 않도록 하겠습니다"하고는 곧바로 世達寺로 떠나갔다. 지금의 興敎寺가 그것이다. 머리를 깎고 중이 되어 스스로 善宗이라 이름하였다.[11]

당시 사찰은 혈혈단신으로서 기댈 곳이 없는 궁예에게는 신분을 숨길 수 있는 장소였다. 그리고 글자도 깨우쳐서 최소한의 교양을 갖출 수 있을 뿐 아니라 당장 먹는 문제를 해결해 줄 수 있는 공간이기도 했다. 은닉과 교육 그리고 경제 문제를 한꺼번에 해결해 줄 수 있는 곳이 사찰이었다. 십여 세의 궁예가 과연 이러한 계산까지 했는지는 알 수 없다. 그는 乳婢의 배려로 사찰의 문을 두드렸던 것으로 보인다. 물론 기록에는 궁예가 乳婢와 결별한 후 세달사를 찾았다.

그러면 세달사에서 궁예는 어떠한 종류의 승려였을까? 그가 佛門을 뛰쳐 나와 양길의 부하로서 걸출한 군사적 업적을 이룩하였고, 왕국 건설 후에는 敎主 君王으로서 經典을 직접 저술하기까지 했다. 이러한 사실들을 토대로 세달사 시절 궁예의 역할을 시사받을 수 있지 않을까. 우선 통일신라 말 사찰에는 도적떼들로부터 사원을 지키기 위한 僧軍들이 존재하였다. 해인사의 경우 56명의 승군이 한꺼번에 전몰한 바도 있다.[12] 궁예의 특출난 군사적 자질은 승군과의 관련성을 배제하기 어렵게 한다. 그러나 궁예가 齋에 나갈 때의 일화가 전해지고 있을 뿐 아니라 불경에 대한 깊은 조예 등을 놓고 볼 때 승군 소속이었다고만 단정하기 어려운 구석도 있다. 그렇지만 어떠한 형태로든 궁예가 승군과도 관련되었을 가능성이다. 그렇지 않고서는 궁예가 빼어난 군사적 자질을 배양할 수 있는 계기를 찾기 어렵다.

궁예의 인생 분기점은 원종과 애노의 난에 이은 신라 사회의 급속한 해체 과정에서 맞았다. 다음의 기사가 그것을 잘 말해 준다.

신라 말기에 정치가 황폐해져서 백성들은 흩어지고 王畿 바깥 州縣들 중에서 (신라 조정에) 반대하거나 붙는 수가 서로 반반씩이었다. 이곳 저곳에서 뭇 도적떼들이 벌떼처럼 일어나고 개미같이 모여들었다. 선종은 이런 혼란기를 타서 무리를 모으면 자신의 뜻을 이룰 수 있다고 생각하였다. 진성왕 즉위 5년 즉 大順 2년 신해년(891)에 竹州의 도적 괴수 箕萱에게 의탁하였다. 기훤이 얕보고 거만하여 예로서 대

---

11 『三國史記』권50, 弓裔傳. "年十餘歲 遊戱不止 其婢告之日 子之生也 見棄於國 子不忍 竊養以至今日 而子之狂如 此 必爲人所知 則予與子俱不免 爲之奈何"
12 李弘稙, 『韓國古代史의 硏究』, 신구문화사, 1971, 551쪽.

접하지 않자, 선종은 속이 답답하고 불안해하여 기훤의 휘하에 있었던 元會ㆍ申煊과 몰래 결합하여 벗으로 삼았다. 景福 원년 임자년(892)에 北原의 도적 梁吉에게 의탁하니 양길이 잘 대우하여 일을 맡기고 드디어 병사를 나누어 주어 동쪽으로 땅을 점령하도록 하였다. 이에 雉岳山 石南寺에 머물면서 酒泉ㆍ奈城ㆍ鬱烏ㆍ御珍 등의 고을을 습격하여 모두 항복시켰다. 乾寧 원년(894)에 溟州에 들어가 거느린 무리 3천 5백 명을 14개 부대로 편성하고 金大ㆍ黔毛ㆍ昕長ㆍ貴平ㆍ張一 등을[13] 舍上으로 삼아 사졸들과 더불어 고생과 즐거움을 함께 하였고, 주고 빼앗는 일에 이르기까지도 공정하여 사사로움이 없었다. 이로써 뭇 사람이 마음으로 두려워하고 사랑하여 장군으로 추대하였다.[14]

어지러운 시국에 직면하여 궁예는 결국 891년에 절간을 뛰쳐나와 죽주의 기훤에게 의탁했다. 그 이듬해인 892년에는 궁예는 북원의 양길에게 의탁해서 상승장군으로서 혁혁한 전공을 거듭 세우게 되었다. 궁예가 기훤을 찾아 간 大順 2년(891)은 "궁예는 당 대순 2년에 일어나 朱梁 정명 4년(918)에 이르기까지 무릇 28년만에 망하였다"[15]고 했듯이 거병의 기점이자 생의 일대 전환점으로 평가를 받

17-1 양길의 근거지였던 원주 영원산성

---

13 이러한 人名 분류는 金哲俊, 『韓國古代社會硏究』, 지식산업사, 1975, 254쪽에 따른다.
14 『三國史記』권50, 弓裔傳. "見新羅衰季 政荒民散 王畿外州縣 叛附相半 遠近羣盜 蜂起蟻聚 善宗謂乘亂聚衆 可以得志 以眞聖王即位五年 大順二年辛亥 投竹州賊魁箕萱 箕萱侮慢不禮 善宗鬱悒不自安 潛結箕萱麾下元會ㆍ申煊 等爲友 景福元年壬子 投北原賊梁吉 吉善遇之 委任以事 遂分兵 使東略地 於是 出宿雉岳山石南寺 行襲酒泉ㆍ奈城ㆍ鬱烏ㆍ御珍等縣 皆降之 乾寧元年 入溟州 有衆三千五百人 分爲十四隊 金大ㆍ黔毛ㆍ昕長ㆍ貴平ㆍ張一等爲 舍上[舍上謂部長也] 與士卒同甘苦勞逸 至於予奪 公而不私 是以衆心畏愛 推爲將軍"
15 『三國史記』권50, 弓裔傳. "弓裔起自唐大順二季 至朱梁貞明四季 凡二十八季而滅"

고 있다. 궁예가 기훤을 찾아 갔을 때 단신이 아니었을 수 있다. 그는 세달사에서의 예하 동료들을 대동하고 갔을 가능성이다. 가진 것이 없는 일개 승려가 기훤에게 投身했던 것 같지는 않다. 기훤의 눈에 번쩍 띄는 무리를 동반한 귀부로 보여진다. 그럼에도 그는 기훤에게 중용되지 못한 관계로 불만을 삭히고 있었던 것 같다.

결국 궁예는 북원의 양길에게 의탁하였다. 892년(진성여왕 6)에 궁예 일행은 북원을 향해 발길을 재촉했다. 양길의 영채는 지금의 원주 금대리쪽에서 협곡을 따라 끊임없이 올라가야 한다. 그 영채는 웅장한 산세를 자랑하는 치악산 줄기 가운데 해발 970m에 소재하였다. 지금의 鴒原山城이 양길의 본영이었다. 원주 시가지가 한눈에 잡히는 요충지였다. 영원산성의 남북으로는 해미산성과 금두산성이 삼각형 형세로 포진하고 있다. 그 중심 성인 영원산성에서 궁예는 양길을 대면하였다. 양길은 기훤과는 달리 궁예를 신임하였다. 양길은 궁예에게 일을 맡겼을 뿐 아니라, 성큼 병력까지 딸려 주었다. 궁예 일생에 있어서 또 하나의 전기가 되는 순간이었다.

3. 北原京 점령 과정

1) 북원경의 내력

궁예가 양길에게 투신한 원주 땅은 어떤 곳이었을까? 다음의 글이 원주의 지리 · 경제적 상황을 이해하는 데 크게 도움이 된다.

이곳은 태백산맥에서 갈라진 차령산맥이 남서 방향으로 뻗으며 치악산의 비로봉(1,288m) · 향로봉(1,043m) 등의 험준한 산지를 이루고, 북서부는 비교적 완경사로 덕고산(528m) · 당산(541m) 등이 있다. 남쪽으로는 차령산맥 줄기가 충북과 도계를 이루면서 서쪽으로 뻗어 내리고, 비로봉~향로봉 서쪽에는 대규모의 산록 완사면 지형과 低位 구릉지를 발달시키면서 원주 시가지 쪽으로 이어지고 있다. 치악산의 사면에는 주천강 · 원주천, 蟾江의 지류가 각각 발원한다. 그 중 남대봉(1,182m)과 백운산(1,087m)에서 발원한 원주천이 원주 시가지를 남에서 북서쪽으로 관류하며 지류인 홍양천 · 단계천 · 영랑천 등을 합치면서 사방의 구릉지를 침식하여 이른바 원주 분지를 형성하고 호저면 옥산리에서 섬강에 흘러든다. 평야는 섬강 유역의 호저면과 문막 일대에 비교적 넓고 기름진 충적평야를 형성하여 영서 지방의 철원분지 · 춘천분지와 함께 농업 생산의 중심지로서 역할을 하고 있다. 또한 이곳은 충주에서 북쪽으로 원주를 지나 춘천에, 동북변의 안변에, 남쪽으로 제천에 각각 이르고, 동쪽으로 대관령을 넘어 강릉에 연결될 정도로 중요 교통로상에 위치하고 있다.[16]

7세기 후반 신라는 백제의 옛 땅을 완점한 동시에 비롯 불완전하지만 고구려 영역을 확보하였다. 그럼에 따라 신라 영토는 훨씬 넓어졌을 뿐 아니라 인구도 크게 증가했다. 넓어진 영토와 주민들을 효과적으로 통치하기 위해서는 중앙의 통치 기구 뿐 아니라 지방의 통치 체제에 대한 전면적인 개편이 필요했다. 그러한 작업의 연장선상에서 小京 제도가 확대되었다. 신라가 통일하기 전까지는 514년(지증왕 15)에 설치된 阿尸村小京(경북 의성), 557년(진흥왕 18)에 설치된 國原小京(충주), 639년(선덕여왕 8)에는 北小京(강릉)이 설치된 바 있다. 즉 3개의 소경이 설치되어 있었다.

신라의 소경제는 고구려의 3경제에서 그 연원을 찾을 수 있다고 한다. 그러나 직접적인 계기는 5세기 후반부터 6세기 초에 걸쳐 진행된 일련의 체제정비와 더불어 왕경 도시계획의 일환으로 추진되었다. 특히 지증왕대에 州郡制가 실시되고, 변경 지역에 이르는 官道와 牛驛이 정비됨에 따라 왕경과 변경 지역을 연결하는 중간 거점 도시로서 소경이 필요하였다. 따라서 통일 이전 신라의 소경 설치는 지방 지배의 측면에서 볼 때 왕경의 역할을 분담하여 중앙정권에 의한 지방 지배의 효율성을 제고시키기 위한 조치였다. 당시 신라 왕권은 강력하지 못했기 때문에, 왕권과 6부 귀족세력들 간의 지방 지배에 대한 역할 분담과 타협의 산물로써 그 설치 배경을 찾고 있다.[17]

그런데 통일이 되자 소경에 대한 증감이 있었다. 아시촌소경과 북소경은 폐지되었다. 그리고 원주 지역에 소경이 설치되었다. 『삼국사기』지리지에 따르면 문무왕이 북원소경을 설치한 것이 확인되는데, 678년(문무왕 18)이었다. 즉 "북원소경을 설치하고 대아찬 吳起로 하여금 지키게 하였다"[18]는 기록이 보인다. 대아찬은 신라의 17 관등 가운데 5 번째 관등으로서 진골 출신의 신분이 오를 수 있다. 소경의 장관은 仕臣 혹은 仕大等이라고 일컬었다.[19]

소경은 그 이름이 상징하고 있듯이 왕경인 경주에 버금 가는 대우를 받았고, 문화면에서도 그에 필적할만한 번영을 누렸다. 북원소경은 신라의 본부라고 할 수 있는 소백산맥 이남과 한반도의 중추부인 한강유역을 연결시켜주는 要路에 소재하였다. 이러한 점이 고려되어 원주 지역은 통일국가의 소경으로서 위상을 부여받은 것으로 보인다. 더욱이 원주 지역은 嶺西 지역은 물론이고 지금의

16 梁起錫,「신라 5소경의 설치와 서원소경」『新羅 西原小京 硏究』, 서경문화사 2001, 87~88쪽.
17 梁起錫,「신라 5소경의 설치와 서원소경」『新羅 西原小京 硏究』, 서경문화사, 2001, 116쪽.
18 『三國史記』권7, 문무왕 18년 조.
19 林炳泰,「新羅小京考」『歷史學報』35·36합집, 1967, 97~106쪽.

강원도 전역에서는 통일신라의 유일한 소경이었다. 이곳은 673년(문무왕 13)에 설치된 9주 가운데 하나인 首若州에 설치된 소경이다. 소백산맥 이북의 옛 고구려 영역에서는 국원소경에 이어 두 번째로 설치된 소경이 된다.

685년(신문왕 5)에는 원주 지역에 小京城이 축조되었다. 즉 "北原京은 본래 고구려 平原郡이었는데, 문무왕이 北原小京을 설치하였다. 신문왕 5년에 성을 쌓았는데, 둘레가 1,031보였다"[20]라고 했다. 이는 서원소경이나 남원소경 그리고 김해소경에 소경성이 축조되지 않은 것과는 달리 그 격을 잘 말해주는 것이다. 북원소경성은 그 둘레를 周尺으로 환산하면 약 1,236m가 되는데[21] 지금의 원주 중심지를 에워싸고 있었을 羅城으로 생각된다. 이 나성 안에는 관청과 시가지가 조성되어 있었을 것이다. 이곳에는 왕경을 축쇄 모방한 질서정연한 도시구획이 설정되어 있었던 것으로 간주한다. 그러나 현재까지 북원소경성의 유구는 확인되지 않았다. 아마도 현재의 원주 중심지에 축조된 관계로 시가지가 팽창되면서 파괴된 것으로 추측된다. 한편 북원소경성을 영원산성으로 지목하는 견해도 있다. 그러나 북원소경성은 영원산성의 둘레 2.4km[22]의 절반에 불과하다. 따라서 북원소경성을 영원산성으로 지목하기는 어렵다.

통일신라기 원주에 설치된 북원소경을 보위해 주는 성으로서는 원주 동방에 소재한 치악산을 중심으로 축조된 鴒原山城과 海美山城, 그리고 金頭山城을 꼽을 수 있다. 이 성들은 원주의 남쪽 치악산 줄기에 축조되어 있는 고지대에 자리잡은 방어 기능만을 가진 성들이다. 먼저 영원산성은 "치악산의 남쪽 등성 마루에 있다. 돌로 축조했으며 둘레가 3,749척이다. 안에 우물 하나 샘물 다섯이 있었으나 지금은 폐지하였다.… 세상에 전하기를 이 성은 양길이 의거하던 곳이다"[23]고 하였다. 영원산성이 원주 지역을 장악한 양길의 근거지였음을 밝히고 있다.

이러한 영원산성은 판부면 금대리의 치악산 중턱에 축조된 석축산성이다. 그 둘레는 약 2.4km에 이르고 있으며, 높이는 1~3m가 된다. 영원산성을 중심으로 약 1km의 거리를 둔 치악산 향로봉 정상의 남쪽 사면에 소재한 금두산성, 1,820m의 금대리 일론 마을 뒷산에 소재한 해미산성과 더불어 삼각형의 방어형을 이루고 있다. 금두산성과 해미산성은 영원산성의 외곽성으로 파악되어진다. 그리고 해미산성은 금대산성으로 표기되고 있는데 "주의 동쪽 30리 치악산 중턱에 있다. 돌로 축조했

---

20 『三國史記』권35, 地理2.

21 朴泰祐, 「統一新羅時代의 地方都市에 對한 研究」『百濟研究』18, 1987, 76쪽.

22 中原文化研究所, 『原州 鴒原山城 海美山城 地表調査報告書』1998, 26쪽.

23 『新增東國輿地勝覽』권46, 원주목, 고적 조. "在雉嶽山南脊 石築 周三千七百四十九尺 內有一井 五泉 今廢… 諺傳此城梁吉所據 …"

으며 둘레가 6,060척이다. 안에 우물 3개 소가 있었으나 지금은 폐지하였다"[24]는 기록이 보인다. 이러한 해미산성은 "판부면 금대리에 소재한다"[25]고 했다.

2) 궁예의 독립

궁예는 양길의 신임을 받아 독자적으로 군사 작전을 전개할 수 있었다. 궁예는 양길의 명령으로 기병 1백여 騎를 나누어 받아 북원의 동쪽 부락을 개시로 신라 영토를 침공해 들어 갔다. 궁예는 치악산 石南寺라는 절에 나와 묵으면서 명주 관내의 酒泉(강원도 영월군 주천면)·奈城(영월읍)·鬱烏(강원도 평창군 평창읍)·御珍(경북 울진군 울진읍) 등의 현을 습격하여 죄다 항복을 받아냈다. 모두 10여 개의 군과 현이 복속되어 왔다. 석남사가 소재한 지금의 원주시 신림면 성남리는 지리적으로 지금의 강원도 영월·평창으로 가는 길목이었다.[26]

이러한 요충지를 기반으로 궁예는 인근 지역들을 지배해 나갔다. 이와 관련해 영월 흥녕사의 징효대사는 891년에 상주 남쪽으로 잠시 피신하였다고 한다. 그 직후 흥녕사는 兵火를 만나 全燒되었다.[27]『삼국사기』에 따르면 891년과 892년 어간에 궁예가 주천 일대를 휩쓸었다. 이로 볼 때 흥녕사는 궁예에게 소실된 것으로 여겨진다. 화엄종 계통의 승려 출신인 궁예는, 선종 사원 흥녕사를 가차없이 불태웠던 것이다.

궁예는 대관령의 서쪽인 영서 산간 지역을 휩쓸고 다녔다. 궁예가 누비고 다니던 지역들은 그가 승려로 있을 적에 인연을 맺었던 곳이다. 그에게는 지리적으로 익숙한 지역들이었다. 그런데 양길의 본영인 영원산성의 남쪽으로 加里破 고개를 넘으

17-2 흥녕사 경내의 징효대사비와 부도

24 『新增東國輿地勝覽』권46, 원주목, 고적 조. "在州東三十里 雉嶽山腰 石築 周六千六十尺 內有三井 수廢"
25 『朝鮮寰輿勝覽』원주군, 고적 조.
26 辛鍾遠,「雉岳山 石南寺址의 推定과 現存民俗」『정신문화연구』54, 1994, 9쪽.
27 朝鮮總督府,「興寧寺澄曉大師寶印塔碑」『朝鮮金石總覽(上)』1922, 159쪽.

면 신림면 신림리가 나온다. 이곳의 북쪽에 성남리가 있다. 성남리의 윗성남 북서쪽에 소재한 절골이 석남사 터이다. 이곳을 궁예의 근거지로 추정하기도 한다. 가리파 고개를 넘으면 지금의 충청북도 제천과 강원도 영월의 주천으로 나갈 수 있다.

궁예는 이미 지적되고 있듯이 석남사로 대표되는 승군 세력의 지지를 얻었다고 한다. 궁예는 이것을 기반으로 하여 질풍같은 공격을 퍼부었다. 그리고는 삽시간에 고을들을 점령하였다. 애꾸눈의 장수 궁예는 거침없이 승리를 따오는 전쟁 영웅이었다. 그는 지금의 강원도 일대를 누비면서 맹위를 떨쳤던 것이다. 894년(진성여왕 8)에 궁예는 대관령을 넘어 溟州(강원도 강릉)로 진격해 들어 갔다. 궁예는 명주에서 무리 3천 5백 명을 모집하였다. 그리고는 이들을 나누어 14개 隊로 편성하였다.[28] 1대는 250명으로 구성되었다. 이와는 달리『삼국사기』본기에는 "궁예가 북원에서 何瑟羅(강원도 강릉)에 들어오니 무리가 6백여 명에 이르렀기에 스스로 장군을 칭했다"[29]고 하였다. 여기서 전자의 숫자 3천 5백 명이 맞다고 보는 견해가 일반적이다. 궁예의 군대는 6백 명에서 3천 5백 명으로 병력이 크게 늘어났다. 궁예는 관동 지역에서 하층 농민들로부터 열광적인 환영을 받았다고 한다. 궁예 역시 그러한 환호에 대한 답례로써 그들을 품에 끌어 안았다. 궁예는 이들을 근간으로 하여 군대 역량을 크게 강화시킬 수 있었음이 분명하다.

그러면 궁예가 장군으로 추대되었다는 사실은 무엇을 말할까? 그가 양길의 품에서 벗어나 독립했음을 뜻한다. 또 그는 지도자로서의 역량이 탁월했던 것이다. 猪足(강원도 인제)·狌川(강원도 화천)·夫若(강원도 김화)·金城(강원도 김화)·鐵圓(강원도 철원) 등의 성을 격파하니 그 軍勢가 자못 성했다. 궁예는 괄목할 만한 영역 확장을 했던 것이다. 그러니 浿西(평양 이남 예성강 이북) 지역에 할거하고 있던 호족들 가운데 궁예에게 항복해 오는 이들이 날로 늘어만 갔다.[30]

그런데 궁예가 장군을 칭하게 된 사정을 이와는 달리 해석하는 견해도 있다. 그 견해를 인용해 보면 다음과 같다.

그는 청주 출신 호족인 죽주적 기훤에게 가서 그의 부하가 되었다. 그곳에서 그는 역시 청주 출신 호족인 신훤 등과 결탁하였으며, 그후 북원적 양길에게 귀부하였다. 양길에게 귀부하였다고는 하지만, 그러나 양길이 충주·원주 등 서북 지방에 세력권을 가지고 있던 데 비해, 궁예는 청주를 비롯한 괴산·죽주 등지를 중심으로 독자적인 세력권을 형성하고 있었다. 그후 궁예는 양길과 대립·경쟁하게 되었고, 894

---

28 『三國史記』권50, 弓裔傳.
29 『三國史記』권11, 진성왕 11년 조.
30 『三國史記』권50, 弓裔傳.

년에 드디어 명주로 가서 장군이라 칭하면서 양길과 결별, 독립 세력이 되었다.[31]

위의 견해대로 한다면 궁예는 청주와 괴산 뿐 아니라 죽주 즉 안성 일원까지 지배한 게 된다. 그럼에도 장군을 칭하지 못하다가 894년의 명주 진군 직후에 장군을 칭했다는 것이다. 신라의 5소경 가운데 한 곳인 서원경인 청주 같은 대도회를 지배했음에도 궁예가 장군을 칭하지 못했다는 것은 이해하기 어렵다. 924년에 건립된 문경 봉암사 지증대사비의 문장에 보면 檀越로서 '加恩縣將軍 熙弼'이 보인다. 현재의 문경시 가은읍, 그러니까 일개 邑 정도를 석권한 호족도 장군을 칭하였기 때문이다. 또 궁예가 양길에게 '귀부'했다는 표현을 구사했다. 궁예가 호족이었다면 그러한 표현을 사용할 수 있다. 그런데 정작 『삼국사기』에는 궁예가 기훤이나 양길에게 간 사실을 '歸附'가 아니라 '投'라고 하였다. 곧 의탁을 가리키는 '投託'했음을 뜻한다. 물론 왕건이 궁예에게 귀부한 것을 "송악군으로부터 와서 投했다"고 하였다. 이것은 송악군을 들어 '投'했다는 의미가 된다. 그러나 궁예의 경우는 이러한 지역적 기반 없이 '投'로만 적혀 있다. 게다가 죽주에 웅거하고 있던 기훤이 궁예에게 제압당했다는 기록도 없다. 따라서 궁예가 청주와 괴산·죽주를 세력권 하에 두었다는 서술은 역시 수긍하기 어려운 표현이라고 하겠다.

3) 비뇌성 전투

양길은 부하 장수였던 궁예의 활약에 힘입어 영토를 크게 확장시켰었다. 그는 진훤으로부터 비장직을 제수받았다. 이는 그가 서남부 지역에서 기세를 올리고 있던 진훤과 연계되어 있었음을 뜻한다. 그러한 양길은 궁예가 이탈한 후에 어떤 형편이었을까? 양길은 여전히 북원을 거점으로 하면서 國原城(충주)을 비롯한 30여개 성을 장악하고 있는 대호족으로 성장해 있었다. 양길은 소백산맥 남북 양대 교통로인 죽령로 및 계립령로와 연결될 뿐 아니라 이곳에서 남한강을 이용해 한강 하구로 빠질 수 있는 요충지인 국원성을 장악했다. 이는 그의 영향력이 가위 대단했음을 뜻한다. 고구려가 충주 지역을 장악한 후 당시 수도였던 國內城과 동일한 의미를 지닌 국원성이라는 행정지명을 부여하여 그 격을 높여 주었다. 그 이유는 소백산맥 이남 지역과 내륙 수로인 한강을 연결시켜주는 요지였기 때문이다. 게다가 국원성은 철이 많이 산출될 뿐 아니라 인구 조밀 지역이었다.[32]

31 申虎澈, 「고려 건국기 청주호족의 정치적 성격」 『新羅 西原小京 硏究』, 서경문화사, 2001, 323쪽.
32 李道學, 「永樂6年 廣開土王의 南征과 國原城」 『손보기박사정년기념한국사학논총』, 지식산업사, 1988 ;『고구려 광개토왕릉비문 연구』, 서경문화사, 2006, 382~383쪽.

그런데 양길이나 궁예의 입장에서 볼 때 신라 영역을 끊임없이 잠식했던 양자가 이제는 서로 경계를 접해 가면서 이해 관계가 맞물리는 양상을 띠게 되었다. 예성강과 임진강 그리고 한강 하류 일원을 장악한 궁예로서는 국원성 일원을 비롯한 남한강유역을 장악해야만 했다. 그래야만 한반도 중심부를 관통하는 한강이라는 내륙 수로를 온전하게 이용할 수 있게 된다. 게다가 수도를 송악으로 정했을 때 수도와 지방 간의 연락 · 수송관계가 긴밀해 질 수 있다.

양길의 입장에서 보자. 궁예가 한강 하구 지역을 완벽하게 장악한다면 남한강유역만 장악하고 있던 자신으로서는 한강 수로를 온전하게 이용할 수 없게 된다. 이렇듯 한강의 지배권이 양분된 상황이었다. 서로 한강의 독점적 지배를 위해 대립각을 날카롭게 세웠다. 더구나 궁예는 양길 자신의 부하가 아니었던가. 양길로서는 자존심의 문제와도 직결된 일이었다.

양길은 궁예의 세력 팽창이 자신에 대한 위협임을 직감하게 되었다. 궁예가 지금까지 확보한 영역이 광활하였다. 위기감을 느낀 양길은 궁예를 치기 위해 예하에 있던 30여개 성의 정예 병력을 출동시켜 기습 · 공격하고자 했다. 899년 7월 양길은 휘하의 성주들과 연합하여 출동을 준비하고 있었다. 이러한 움직임은 즉각 궁예에게 포착되었다. 궁예는 곧바로 대응 태세에 돌입했다. 양길이 지휘하는 군대는 非惱城 아래까지 진군하였다. 그런데 비뇌성 밑에서 양길의 군대는 오히려 궁예 군대의 역습을 받아 궤멸되고 말았다. 이 전투에 관해서는 다음과 같이 기재되어 있다.

＊ 3년 (899) 가을 7월에 북원의 賊帥 양길은 궁예가 자기에게 딴 마음을 품고 있음을 꺼리어 國原 등 10여 성주들과 함께 그를 칠 것을 모의하고 군사를 非惱城 아래로 진군시켰으나 양길의 군사가 패하여 흩어져 달아났다.[33]

＊ 4년 (900) 겨울 10월에 國原 · 靑州 · 槐壤의 도적 우두머리 淸吉과 莘萱 등이 성을 바쳐 궁예에게 항복하였다.[34]

＊ [건녕] 3년 병진(896)에 僧嶺縣과 臨江縣 두 고을을 공격하여 취했다. 4년 정사(897)에 仁物縣이 투항하였다. 선종은 송악군이 한강 이북의 유명한 군으로서 산수가 기이하고 아름답다고 생각했다. 드디어 이곳을 도읍으로 삼고 孔巖과 黔浦 · 穴口 등의 성을 공격하여 함락시켰다. 그때 양길은 北原에 있으면서

---

33 『三國史記』권12, 孝恭王 3년 조. "秋七月 北原賊帥梁吉忌弓裔貳己 與國原等十餘城主謀攻之 進軍於非惱城下 梁吉兵潰走"
34 『三國史記』권12, 孝恭王 4년 조. "冬十月 國原 · 靑州 · 槐壤賊帥淸吉 · 莘萱等 擧城投於弓裔"

國原 등 30여 성을 차지하고 있었는데 선종이 차지한 땅이 넓고 백성이 많다는 소식을 듣고 크게 노하여 30여 성의 강한 군사로써 습격하고자 하였다. 선종이 이것을 미리 알아채고 먼저 공격해서 크게 승리하여 물리쳤다. 광화 원년(898) 2월 무오에 송악성을 수리했다. 우리 태조를 정기대감으로 삼아 楊州와 見州를 치게 했다. 겨울 11월에 팔관회를 처음했다. 3년 경신(899)에 다시 태조에게 명하여 廣州·忠州·唐城·靑州·槐壤 등을 치게 하여 모두 평정하였다. 그 공으로 태조에게 아찬의 職을 주었다.[35]

비뇌성 전투 시점을 『삼국사기』 신라본기에서는 899년이라고 하였다. 그러나 『삼국사기』 궁예전에서는 이와는 달리 897년~898년 사이로 기재하였다. 양길이 동원한 병력도 신라본기에서는 국원 등 10여 성이라고 했지만, 궁예전에서는 30여 성으로 서로 다르게 기재되었다. 궁예가 충주와 청주 및 괴양 등에 대한 장악 시점도 서로 1년씩 차이가 난다. 이 경우 기년은 신라본기가 타당성이 높지 않을까 싶다.

그러면 궁예가 국가를 탄생시키는데 일대 분기점이 되었던 전장인 비뇌성의 위치는 어디였을까? 비뇌성의 위치에 관해서는 지금까지 몇 가지 견해가 제기되었다.

첫째 가평군 朝宗縣에 속한 지금의 下面 峴里에 소재한 성터를 지목한다.[36] 그런데 이 설은 입론의 근거가 명확하지 않다. 가평군은 고구려 때 斤平郡 혹은 並平郡이었다. 그 속현인 조종현은 고구려 때 深川縣인데 一名 伏斯買라고 하였다. 통일신라 때는 浚川縣으로 불리었다. 가평군 관내의 驛站으로는 甘泉驛과 連洞驛이 소재하였다.[37] 그러나 이곳에서는 비뇌성과 연결지을 만한 지명이 전혀 잡히지 않는다. 물론 『가평군지』에서 살필 수 있다고 했지만[38] 역시 논거 제시가 없다.

둘째 경기도 광주와 안성 사이의 구간으로 비정하는 견해이다. 이 견해는 비뇌성과 비뇌역의 音相似에 근거하였다. 즉 "비뇌성의 현 위치는 미상이지만, 거란의 침입을 피하던 현종이 廣州에서 陽城(안성군 양성면)으로 가는 도중 비뇌역에서 유숙했다는 사실을 참조할 때 廣州~安城間 중간임이 분명하다"[39]고 했다. 비뇌성의 소재지를 좁히기는 했지만 구체적으로 비정하지는 못하였다.

---

35 『三國史記』 권50, 弓裔傳. "三年丙辰 攻取僧嶺·臨江兩縣 四年丁巳 仁物縣降 善宗謂松岳郡漢北名郡 山水奇秀 遂之以爲都 擊破孔巖·黔浦·穴口等城 時梁吉猶在北原 取國原等三十餘城有之 聞善宗地廣民衆 大怒 欲以三十餘城勁兵襲之 善宗潛認 先擊大敗之 光化元季戊午 春二月 葺松岳城 以我太祖爲精騎大監 伐楊州·見州 冬十一月 始作八關會 三季庚申 又命太祖伐廣州·忠州·唐城·靑州[或云靑川]·槐壤等 皆平之 以功授太祖阿飡之職"

36 북원문화역사연구소, 『건등산 뿌리의 후삼국지』 2005, 195쪽.

37 『新增東國輿地勝覽』 권11, 加平縣, 驛院 條.

38 북원문화역사연구소, 『건등산 뿌리의 후삼국지』 2005, 195쪽.

39 安永根, 「羅末麗初 淸州 勢力의 動向」 『수촌 박영석박사화갑기념한국사학논총(상)』 1992, 400~401쪽 註 8. 그는 비뇌성의 위치를 죽주 관내로 분명하게 지목한 바 없다. 그럼에도 후학들이 안영근이 비뇌성을 안성으로 비정했다고 주장하는 것은 명백한 사실 왜곡이다.

셋째 강원도 철원군 김화읍으로 비정하기도 한다. 즉 "본서 권12 신라본기 효공왕 3년(899) 7월조에 北原(원주) 賊魁 梁吉이 國原(충주) 등 10여 성주와 함께 궁예를 치려고 비뇌성 아래로 진군하였다가 패하여 도망했다는 기사가 나온다. 상황이나 발음으로 보아, 신라 漢州 富平郡(철원군 김화읍)의 고구려 때 지명인 夫如郡, 夫若郡 또는 夫若城과 같은 곳인 듯하다"[40]고 했다. 그러나 이 견해는 비뇌=부여, 부약과의 음상사 외에는 별다른 근거가 없다. 그것도 고구려 때 지명을 제시하면서 통일신라 말기의 성 이름과 결부지었다. 물론 완전히 논거가 잘못되었다고 단정하기 어렵지만 취약한 근거임은 분명하다.

넷째 경기도 양평군 양근 즉 양평읍으로 비정하는 견해가 제기되었다. 이에 대한 근거를 다음과 같이 제시하였다. 즉 "한편 비뇌성의 위치는 鼻腦驛과 같다고 여겨지는데, 비뇌역은 廣州에서 대체로 1일 거리에 해당되며, 여기에 부합되는 장소로는 양평의 양근이 가장 적합한 장소로 여겨진다"라고 했다. 이에 덧붙여 "비뇌성을 楊根으로 추정하는 근거는 양근의 고지명이 濱楊(陽의 誤記: 필자)이라고 하는데서 비롯된다. 非惱와 濱楊을 同音異寫 현상으로 추정하기 때문이다"[41]고 했다. 비뇌성의 비뇌를 빈양과 결부 지은 것은 확실히 주목을 요한다. 그러나 유감스럽게도 "非惱라는 뜻을 정확히 유추할 수는 없지만, '比列' 등과 같이 고유한 토착언어의 '音寫'로 생각되어 여러 지역이 대상이 될 수 있을 것으로 생각한다"[42]고 하면서 자설을 스스로 희석시켰다. 그리고 비뇌성을 양평으로 비정하는 근거를 광주에서 1일 소요되는 거리인데서 찾았다. 그러나 광주에서 안성도 1일 거리에 해당한다. 더구나 비뇌역이 양평이라고 한다면, 현종이 남행하면서 광주에서 동북쪽인 양평으로 올라 갔다가 다시금 꺾어져 안성쪽으로 갔다는 게 된다. 이러한 현종의 몽진 행로는 아무리 생각해도 자연스럽지 않다. 이 문제는 고려시대 驛站路와 결부지어 살펴 보면 금방 드러나게 된다.

다소 길기는 하지만 관련 논의의 정리를 위해 현종의 몽진 기사를 상당 부분 다음과 같이 전재해 보았다.

… 왕이 廣州를 출발하여 재를 넘어 비뇌역에 유숙하는데 지채문이 아뢰기를 "호종하는 장사가 모두 '처자를 찾는다'고 칭탁하고서 사방으로 흩어졌으니 晝夜에 적이 가만히 發할까 두렵습니다. 청컨대 旗幟로 장사의 冠에 꽂아서 변별하도록 하소서"하니 이를 따랐다. 유종이 말하기를 "신의 고향인 陽城이 여기에서 멀지 아니하오니 청컨대 행차하소서"하매 기뻐하여 드디어 양성으로 행차하였는데 밤에 유종과 金應仁 등이 어명을 사칭하고 御鞍을 헐어서 縣人에게 하사하니 새벽에 縣吏가 모두 도망하였다. 유종과 김응

---

40 한국정신문화연구원, 『譯註 三國史記(4, 주석편(하)』1997, 382쪽.
41 李在範, 『後三國時代 弓裔政權 硏究』, 혜안, 2007, 71쪽.
42 李在範, 『後三國時代 弓裔政權 硏究』, 혜안, 2007, 69쪽 註 53.

인 등이 또 청하기를 "두 왕후를 각각 그 고향에 돌려보내고 호종하는 장졸을 보내어 東邊에 가서 위급함에 대비하도록 하소서"하였다. 이에 왕이 지채문에게 물으니 지채문이 크게 통곡하면서 말하기를 "이제 君臣이 도리를 잃고 잘못 殃禍에 걸리어 播遷함이 이와 같으니 마땅히 仁義를 좇아서 행동하여 인심을 수습할 것이어늘 왕후를 버리고서 살길을 구함을 그 가히 차마 하리까"하였다. 왕이 말하기를 "장군의 말이 옳다"고 하고 드디어 蛇山縣을 지나가는데 지채문이 기러기 떼가 밭에 있는 것을 보고 왕의 맘을 慰悅하고자 하여 말을 달려 전진하니 기러기가 놀라서 날으므로 몸을 뒤쳐 우러러 쏘니 활시위 소리를 따라 떨어지니 왕이 크게 기뻐하였다. 이에 지채문이 말에서 내려 기러기를 잡아 바치며 말하기를 "이와 같은 신하가 있으니 어찌 도적을 걱정하리오"하매 왕이 크게 웃고 慰獎하였다. 天安府에 이르니 유종과 김응인이 아뢰기를 "신 등은 청컨대 石坡驛에 가서 供頓하고 맞이하겠나이다"하고 드디어 도망하였다.[43]

현종의 몽진은 일단 광주→비뇌역→양성(안성시 양성면)→사산현(직산)→천안부로 이어지는 노정을 따라 남하했음이 확인된다. 여기서 비뇌역은 광주와 안성시 양성면으로 이어지는 動線上에 소재했음이 드러난다. 그런만큼 비뇌역 부근에 소재했을 비뇌성의 위치를 양평 방면으로 지목하기는 도저히 어렵지 않을까 싶다.

다섯째 안성의 죽주산성으로 비정하는 견해가 있다. 이 견해의 근거가 되는 문헌이『고려사절요』현종 2년 정월 조와 위에서 인용한『고려사』권94, 지채문전이다. 이에 의하면 고려 현종은 거란의 침략을 받아 몽진하는 상황에서 廣州를 출발하여 陽城(안성시 양성면)에 이르는 사이에 소재한 鼻腦驛에 도착한다. 여기서 비뇌성은 비뇌역과 관련 깊은 성이라고 하자. 그러면 비뇌성은 광주와 안성시 양성면 사이에 소재한 성임이 분명하다. 그런데 비뇌역의 존재는 정작『고려사』나 여러 지리서에 보이지 않는다. 다만 이 구간에서 찾을 때 비뇌역과 음이 유사한 分行驛이『고려사』참역 조에 보인다. 이 '분행'이 '부냉'→'비내'로 音轉된다고 할 때 분행역이 다름 아닌 비뇌역으로 추정된다.『신증동국여지승람』죽산현 驛院 條에 따르면 분행역은 죽산현 북쪽 10리 지점에 소재하였다고 한다. 그러므로 비뇌성의 위치는 그 부근에 소재한 게 분명하다고 본다.[44]

그러면 이규보의 시에도 등장하는 분행역은 구체적으로 어디쯤 일까? 지금의 안성군 이죽면 매산리에 소재한 竹州山城 북쪽 마을이 '분행'이므로, 이곳으로 보겠다. 이곳은 「東輿圖」에 보이는 분행역의 위치와도 부합되고 있다. 그리고 분행역 근처에 소재한 산성으로는 죽주산성밖에 지목할 수

43 『高麗史』권94, 智蔡文傳.
44 李道學,『진훤이라 불러다오』, 푸른역사, 1998, 110쪽.

17-3 죽주산성

없다. 그러므로 죽주산성은 자연 비뇌성으로 비정되어진다. 죽주산성에서 '분행' 마을은 불과 1km 밖에 떨어져 있지 않다. 게다가 이곳은 전략적으로 중요한 곳이었다. 충주와 청주에서 오는 두 도로가 합쳐지는 要路에 소재하였기 때문이다. 여기서 똑 바로 서울로 올라 갈 수 있는 곳이었다. 류성룡의『軍門謄錄』에서도 이와 같이 언급되었을 정도였다. 그러니 죽주산성의 비중이 막중하였음은 두 말할 나위 없다. 이는 궁예가 한반도 중부 지역을 장악할 수 있는 중요한 전장으로서『삼국사기』에 기록될 정도인 비뇌성의 역사적 사실과도 부합하고 있다. 비뇌성으로 비정되는 죽주산성은 본성

17-4 죽주산성에서 바라 본 안성벌

의 둘레는 1,690m, 외성 1,500m, 내성 270m의 규모를 자랑하는 요새였다. 또 이곳에서는 안성벌이 한눈에 잡히는데, 죽주산성은 충주와 청주의 두 길이 합치는 곳에 맞닿은 호서 지방의 요충지였다.[45]

지금까지의 검토를 통해 다음과 같은 사실이 확인되었다. 궁예가 양길의 호족 연합군을 비뇌성 전투에서 궤멸시

---

45 李道學,『진훤이라 불러다오』, 푸른역사, 1998, 110~111쪽.
　　정성권,『태봉과 고려 - 석조미술로 보는 역사』, 학연문화사, 2015, 103~104쪽에서도 비뇌성을 죽주산성으로 비정하는 이도학의 견해를 취하였다.

17-5 안성 지역의 궁예미륵불상

킨 후에 한반도 중부권을 완벽하게 장악할 수 있었다. 그런만큼 비뇌성은 전략적으로 중요한 지점에 소재한 게 분명하다. 이러한 요소를 감안하여 비뇌성의 위치를 검증하는 게 필요했다. 그렇다고할 때 비뇌성은 우선 비뇌역과 音似한 관계로 동일 지역으로 지목되며, 현종의 몽진 구간에서 살필때 廣州에서 安城 사이에 소재한 역참으로는 分行驛의 '분행'이 가장 音似하였다. 실제 분행은 비뇌→비냉에서 부냉으로 音轉된 것으로 볼 수 있다. 이러한 분행역과 관련된 관내의 죽주산성은 전략적 요지에 소재한 유서 깊은 산성이기에 비뇌성으로서는 손색이 없다. 非惱城과 鼻腦驛에서 보듯이'비뇌'로 일컫다가 '分行'으로 지명이 바뀌게 되었다. 그 이유는 사통팔달식 교통의 요지로서의 의미가 증대된 관계로 기존 音에 근사하면서도 交通路로서의 의미를 살린 '分行'으로 고쳤던 것 같다.

그러한 죽주산성에는 누가 있었던가. 중부권의 강자 기훤이 웅거하던 곳이다. 궁예는 처음에 기훤에게 갔으나 대우를 받지 못했기에 양길에게 갔었다. 그러므로 비뇌성의 기훤이 궁예에게 좋은감정을 지녔을 리 만무하였다. 양길의 군대가 비뇌성까지 진군했다는 것은 기훤과 연합하여 궁예의군대를 궤멸시키려는 전략에서 나왔다. 궁예 군대는 남하하였고, 양길 군대는 西進해서 북상하려는계획을 가지고 있었던 것 같다. 양군은 그 분기점인 비뇌성에서 격돌하였다. 그런데 이 비뇌성 전투에서 양길의 호족연합 군대는 참패하였다. 이후 양길이라는 이름은 역사의 전면에서 사라졌다.

비뇌성 전투에서 대승함에 따라 궁예는 한반도의 허리인 중부권을 석권하는 위업을 달성하였다.더구나 한강 수로를 완벽히 장악하게 되었으니[46] 전략상으로 엄청난 승리를 얻은 것이다. 그 직후

46　姜喜雄,「高麗 惠宗朝 王位繼承亂의 新解釋」『韓國學報』7, 1977, 82쪽 註50과 51에서 한강유역 전투의 정치적

인 900년(효공왕 4)에 궁예는 廣州(경기도 하남시)·忠州·唐城(경기도 화성시)·靑州(충북 청주)·槐壤(충북 괴산군 괴산읍) 등의 고을을 모두 복속시켰다. 901년 궁예는 왕을 칭하면서 '高麗'라는 국가를 부활시켰다.[47] 이러한 맥락에서 볼 때 비뇌성 전투는 궁예가 국가 창건을 단행할 수 있는 일대 전기가 되는 대승이었다. 비뇌성 승전은 마치 曹操가 袁紹를 격파하고 화북을 석권한 기록적인 官渡 싸움의 전과에 견줄 수 있다.

양길의 패전 및 궁예의 중부권 제패와 연동하여 가장 타격을 입은 이는 진훤이었다. 진훤은 중부 내륙의 대호족인 양길을 일찌감치 자신의 영향권 내에 넣음으로써 한반도 전체를 지배할 수 있는 유리한 환경을 조성하는 데 성공하였다. 그러나 양길 세력의 붕괴로 인해 진훤이 구상한 정국 구도는 삽시간에 무산되었다. 반면 강적인 궁예의 등장을 야기시켰다. 더 나아가서는 궁예를 이은 왕건에게 그가 패함으로써 후삼국시대의 종언을 가져왔다. 이러한 점에 비추어 보더라도 비뇌성 전투가 지닌 역사적 의의는 지대하기 이를 데 없다.

4) 문막 전투

원주 지역에서 양길이 몰락한 이후의 이곳 형세는 어떠하였을까? 원주 지역의 전승에 따르면 문막 읍 일대에서 전장이 형성되었다고 한다. 가령 문막읍 建登里의 유래를 "왕건이 올랐다고 해서 건등산 이라고 한다. 후삼국시대 건등산에는 왕건이 성을 쌓고 진을 치고 있었고, 진훤은 궁촌리에서 견훤산 성을 쌓고 있었다고 전한다"[48]고 소개하였다. 그러한 문막 전투는 대체로 다음과 같은 이야기로 구성 되어진다. 궁예가 비뇌성에서 대승한 직후였다. 진훤이 원주 문막에서 899년 10월부터 900년 4월까 지 궁예와 교전을 치른 후 전주로 내려가 900년 10월에 후백제를 건국했다는 것이다.[49] 이와 관련한 물증으로서 원주시 문막읍 浦津里에 견훤성터가 있으며, 역시 문막읍 建登里에는 왕건이 진훤과 싸 울 때 對陣했다는 建登山이 있고, 견훤성과는 약 4km 떨어져 있다.[50] 그런데 후백제군은 견훤성이라 는 산성에 주둔하고 있었던 데 반해 왕건의 군대는 그 북쪽의 건등산에 진을 쳤다. 이 사실은 왕건이 이곳으로 진주할 당시 후백제군이 먼저 남쪽의 산성을 점거하였다. 그럼에 따라 왕건의 군대는 이에

비중을 언급하면서 楊根의 호족에 대해 집중 고찰했다.

47 『三國遺事』권1, 王曆, 後高麗 條.

48 원주시,『原州市史(민속·문화재편)』2000, 589쪽.

49 북원문화역사연구소,『건등산 뿌리의 후삼국지』2005, 154쪽.

50 북원문화역사연구소,『건등산 뿌리의 후삼국지』2005, 159쪽.

대치하면서 敵情 관찰과 방어에 매우 유리한 북쪽의 건등산에 진을 쳤기 때문으로 파악된다.[51]

진훤이 왕건과 싸웠다는 전설과 더불어 원주시 부론면 노림리 진골[甄谷]은 진훤이 지나간 고을의 뜻이라고 한다. 혹은 문막읍의 견훤산성에서 영원산성을 지키기 위한 방어선을 구축하기 위해 문막으로 들어오는 길목이기에 '진골'이라고 했다고 한다.[52] 혹은 "고려 왕건과 후백제 진훤의 싸움에서 진훤이 이곳을 통해 도주했는데 싸움에서 졌다고 해서 '진골'이라고 했다고 한다"고 하였다. 그 밖에 "이곳은 땅이 대체로 질어서 옛날에 왕건과 진훤이 싸우다가 진훤이 패하여 도망갈 때 이곳에 이르게 되었는데, 군사들이 진흙탕에 빠져 많은 군사가 왕건의 군사에게 사로잡히고 죽기도 했다고 한다"[53]고 했다. 각각의 전승이 틀리기는 하지만 분명한 것은 이곳에서 진훤과 왕건이 전쟁을 했음을 공통되게 증언하고 있다. 문막 전투와 관련된 전설을 옮겨 보면 다음과 같다.

* (아마도 문막 지명의 기원이 되었음직한) '물'막리 전설로는 왕건이 진훤과 전쟁할 때 밤새 섬강을 막았다가 동이 틀 때 이 마을 앞 석지 마을에서 백회를 섞어서 풀어놓으니 강물이 '쌀뜨물'로 보였다. 견훤산성 앞 넓은 들에는 밤을 세워가며 이 건등산 뒤 억새들에서 풀을 베어다가 허수아비를 만들어 이 마을에서 병사들 한 사람이 군사옷을 입힌 허수아비를 하나씩 옆에 끼고 앞에는 등불을 끄고 돌아왔다. 그러자 밤새도록 갖다놓은 허수아비 병사들이 실제 공격하는 병사들인 줄 오인하게 하였다. 섬강에 내려오는 강물은 병사들의 쌀뜨물로 오인하게 하여 진훤의 군사가 달아났다는 전설이 있다. 백회를 섞은 마을은 석지 마을, 억새풀을 베어 온 곳은 억새들(또는 왁새들), 물을 막았다가 풀어놓은 강마을은 물(문)막리로 전한다. 왕건이 오른 산은 건등산, 등불을 들고 떠난 마을은 등안이, 그리고 마을 동편에 고개를 넘는 위치에 房伽를 지어 놓고 여기에서 병사들과 같이 우물 물을 마셨다는 房伽井이 있으며… [54]

* 建登山: 官門 서쪽 40리에 있는데 고려 태조가 적을 토벌하고 개선하여 이 산에 올라 돌에다가 새겼기에 후세 사람들이 이로 인하여 산 이름으로 삼았다.[55]

* 산천 편에 보이는데 산세가 험준하다. 땅이 또 高大한데 지금부터 천년 전 고려 태조가 軍兵을 이끌고 돌을 모아 성을 만들었다. 산을 파서 井戸를 만들고 병력을 머무르게 하여 적장인 진훤을 정벌한 遺墟이다.[56]

* 반저리 마을 이름 유래: 礌溪里 마을은 원래 반저리라고 하였는데, 그 건등산에 있던 고려 태조 왕건

51 文幕邑史編纂委員會, 『文幕邑史』 2003, 630쪽.
52 북원문화역사연구소, 『건등산 뿌리의 후삼국지』 2005, 268쪽.
53 원주시, 『原州市史(민속 · 문화재편)』 2000, 608쪽.
54 북원문화역사연구소, 『건등산 뿌리의 후삼국지』 2005, 268~269쪽.
55 『輿地圖書』 江原道 原州, 山川 條, 建登山 項.
56 『조선환여승람』 원주군, 고적 조.

의 建勝碑를 서울로 옮겨 가던 도중에 이 마을 앞에서 반으로 부러져서 반저리라고 하였다고 한다"[57]

　　* 甄萱山城: 건등면 후용리에 있다. 진훤이 성을 쌓고 병력을 주둔시켰다. 고려 태조를 맞아 싸웠으나 패한 遺址이다.[58]

　　* 건등면 후용리에 있다. 진훤이 성을 쌓고 병사를 주둔시켰으나 고려 태조와 싸움을 하여 패배한 곳이다.[59]

　　* 甄萱山城이라고 칭하는데, 괴정 부락 남방의 작은 구릉 상에 소재한 석성임. 주위 약 5町이 거의 廢頹함. 고려 초기 진훤이 고려 군대와 싸우면서 이곳에 병사를 주둔 한 곳이라 전함.[60]

　　* 건등면 후용리에 있다. 진훤이 성을 쌓고 병사를 주둔시켜 고려 태조와 싸우다 패망한 유적지이다.[61]

16세기 말에 李墍(1522~1604)가 편찬한『松窩雜說』에 따르면 건등산과 관련한 중요한 기록을 다음과 같이 남겼다.

　　原城邑 서쪽 1舍 밖에 驛이 있는데 安昌館이라고 한다. 館의 남쪽에 강이 있고, 강의 동쪽에 산이 있다. 세상에서 建쯤이라고 부르는데, 王建이 올랐던 곳이라고 말한다. 한 가운데는 높고 사방 주위는 낮은데, 높고 커서 새가 날개를 편 것 같다. 그 위는 넓고 평평하여 백여 명이 앉을만하다. 찬 샘물이 있어 비록 극심한 가뭄이라도 마르지 않는다. 세상에 전하기를 "고려 태조가 泰封에서 벼슬하면서 대군을 거느리고 백제를 정벌하던 날에 좌우 군사를 산의 남쪽과 북쪽 들판에 주둔시키고, 이 산에 올라 旗를 꽂은 곳"이라고 한다. 고려는 5백년의 장구함으로 문물과 예법이 갖추어지지 않은 것이 없었다. 그런데 시조의 이름을 피하지 않고 建쯤이라 일컫기에 이르렀으니 民俗의 鄙野함이 심하다.[62]

　　蓀谷 李達(1539~1618)의 '건등산' 詩에 보면 역시 관련 사실이 함축되어 있다. '건등산' 詩를 옮겨 보면 다음과 같다.[63]

57　한글학회,『한국지명총람 2(강원편)』1967, 291쪽.
　　원주시,『原州市史(민속 · 문화재편)』2000, 596쪽.
58　『조선환여승람』원주군, 고적 조.
59　『강원도지』권3, 고적 조, 원주 항.
60　朝鮮總督府,『朝鮮寶物古蹟照査資料』1942, 강원도 원주, 성지 조, 531쪽.
61　원주시,『原州市史(민속 · 문화재편)』2000, 1021쪽.
62　『大東野乘』권56, 松窩雜說. "原城治西一舍之外 有驛曰安昌館 館之南有江 江之東有山 俗號建登 謂王建之所登也 穹窿高大 如鳥舒翼 其上廣平 可坐百餘人 有洌泉雖盛旱不渴 世傳麗祖仕於泰封 領大軍伐百濟之日 駐左右軍於山之南北之野 而樹旗登臨之處 麗祖五百年之久 文物禮法 不爲不備 而不避始祖之諱 至以建登稱之 民俗之鄙野甚矣"
63　원주시,『原州市史(민속 · 문화재편)』2000, 299쪽.

고려 태조가 군사를 인솔하던 날	麗祖提兵日
만마의 발굽이 올랐었다네	登臨萬馬蹄
뭇 영웅들이 정권을 다투었는데	群雄爭逐鹿
참 주인이 마침내 신라를 차지했네	眞主競操鷄
지난 일은 연기와 노을에 오래되었고	往事煙霞古
남긴 자취는 풀과 나무에 아득하네	遺蹤草樹迷
삼한이 일통으로 돌아 갔으니	三韓歸一統
공은 이 산과 더불어 영원하리라	功與此山齊

　그런데 이러한 문막 전투는 사서에서는 보이지 않는다. 사서에서 보이지 않는다고 해서 존재하지 않았던 일로 간주할 수 있을까? 그러기에는 기존 사서들의 기록이 너무나 영성하다. 그런데 반해 문막 전투는 傳承이 존재하고 있고, 관련 유적이 남아 있다. 물론 옛 백제가 소재했던 한반도 서남부 지역을 근거지로 해서 막 국가를 형성한 진훤이 어떻게 멀리 강원도 땅에서 왕건과 격돌할 수 있을까 의문을 제기할 수 있다. 이런 이유로 문막 전투를 부정하기 십상이다. 그러나 전설이 확고하다는 점을 상기하지 않을 수 없다. 이 점에 미루어 볼 때 부족한 정보를 토대로 한 정황에 의존한 판단을 내리기 보다는 다른 각도에서 사실성을 타진해 볼 필요가 있을 것 같다.

　우선 문막 전투의 시점이다. 비뇌성 전투 직후로 운위되고 있다. 그렇다면 비뇌성 전투 직후에 문막에서 궁예의 휘하인 왕건과 진훤이 격돌하게 된 이유를 찾아야 할 것 같다. 이 점을 시사해 주는 단서가 진훤이 양길에게 비장을 제수했다는 사실이다. 즉 "이 때에 北原의 도적 良吉이 가장 웅강하여 궁예가 스스로 의지하여 가서 휘하가 되었다. 진훤이 이 소식을 듣고 멀리 양길에게 관직을 주어

17-6 건등산 중턱에 세워진 이달의 건등산시비　　　　　17-7 흥법사지에서 본 건등산

17-8 견훤산성

神將으로 삼았다"[64]고 했다. 이는 당시 왕을 칭했던 진훤이 자신의 위세를 嶺西 지역의 강자인 양길에게 과시하려는 측면도 있었을 것이다. 진훤이 자신의 前職인 비장직을 양길에게 내려줌으로써 자신의 위상을 높이는 한편 여타 호족들과 차별화를 시도한 것으로 보인다. 여기서 보다 중요한 사실은 진훤이 양길과 세력을 제휴했다는 점이다.

그런데 비뇌성 패전으로 인해 양길이 무너지자 원주를 비롯한 남한강유역 일대가 궁예 수중에 떨어지는 것은 시간 문제였다. 양길의 패전으로 인한 이 일대 힘의 공백을 메우고, 또 궁예에게 이 지역이 떨어지는 것을 좌시할 수 없었던 관계로 진훤이 원정을 단행했던 것으로 보인다. 그러나 병참선이 길었을 뿐 아니라 현지 지세에 밝지 못한 관계로 진훤 군대는 패배하여 전주로 이동했던 것 같다. 900년에 진훤이 수도를 광주에서 전주로 옮긴 데는 여러 이유가 있었을 것이다. 그 가운데 광주를 수도로 한 상황에서는 한반도 중부 지역 제패에 어려움을 겪었던 때문으로 해석할 수 있다.

5) 고려 건국의 苗床으로서 원주

후삼국기의 원주 지역이 지닌 역사적 위상과 의미를 어떻게 찾을 것인가? 이런 물음에 대한 적절한 답변을 찾는다면 다음과 같은 崔永禧(1926~2005)의 글을 소개하고자 한다.

… 이렇게 원주는 고대로부터 중요한 지역이었다. 신라 하대에 각 지방에서는 반란이 일어나 지방 호족의 세력이 큰 정치 세력으로 발전하고 서로 다툴 때 원주 지방에서는 양길이 일어나고 그 밑의 부하로 들어갔던 궁예는 강원도·경기도 세력을 확대하여 철원에서 泰封國을 세웠다. 또 그 밑의 부하장이었던 왕건이 고려를 건국했으니 지역적 인연을 거슬러 올라가면 고려의 건국은 원주에 있었다고도 할 수 있을 것이다.

원성군 문막 동북간 3km에 건등산과 문막 남쪽 4km에 견훤산성이 있다. 건등산은 왕건이 궁예의 부하

---

64 『三國史記』권50, 甄萱傳.

장으로 있을 때에 진을 치고 섬강을 가운데 두고 견훤산성의 견훤군과 대치하여 승리한 곳으로 전한다.[65]

최영희가 "고려의 건국은 원주에 있었다"고 한 評은 의미심장하다. 북원경이었던 원주는 당초 양길이 웅거하였던 곳이다. 그러한 양길의 휘하에 몸을 맡긴 이가 궁예였다. 궁예는 원주를 기점으로 해서 승승장구하였고, 결국 고구려를 부활시켰다. 궁예의 휘하였던 왕건은 원주 문막 전투에서 대승을 거둔 관계로 후백제 세력의 남한강유역 진출을 차단할 수 있었다. 30여개 성을 휘하에 두었던 양길이나 궁예 그리고 왕건 역시 원주 지역에서 勝機를 잡았고, 국가 창건에 성공할 수 있었던 것이다. 그러한 의미에서도 원주를 '고려의 묘상'[66]이라고 한 표현은 적절하다고 하겠다.

문막 전투의 현장인 건등산에서 바로 보이는 절터가 興法寺址이다. 원주시 지정면 안창리의 홍법사지에서 섬강을 사이에 두고 정면으로 마주 보이는 산이 건등산이 된다. 그 옛날 궁예의 막료 시절 왕건이 진훤과 격전을 치렀던 현장이기도 했다. 당시 절터만도 3만3000㎡에 이르던 거찰로, 고달사와 마찬가지로 구산선문 중 봉림산파에 속하는 선종사찰이었다. 태조 왕건이 직접 비문을 지은 「진

17-9 원주시 본저전동 소재 철조 아미타불상

17-10 원주시 학성동 소재 철조 석가모니불상

65 崔永禧,『韓國史紀行--그 터』, 일조각, 1987, 317~318쪽.
66 '苗床'이라는 표현은 북원문화역사연구소,『건등산 뿌리의 후삼국지』2005, 268쪽을 비롯하여 원주에서 간행된 책자에서 일관되게 언급하고 있다.

공대사비문」에 보면 興法禪院을 크게 일으켜 훗날에 진공대사 시호를 수여한 忠湛(869~940)으로 하여금 홍법사에 주석하게 했다. 왕건은 자신이 大勝한 현장이 바라 보이는 곳에 소재한 홍법사에 충담이 주석하게 하였다. 그 뿐 아니라 왕건은 충담이 940년(태조 23)에 사망했을 때 탑비문을 직접 짓기까지 했다.[67] 이 탑비문이 태조 왕건의 3대 親製文 가운데 하나가 된다. 그 만큼 그가 충담을 자별하게 기렸다는 게 된다. 왕건이 또 그러한 충담을 홍법사에 주석하게 한데는 문막 전투가 지닌 의미가 남달랐기 때문일 것이다. 이와 관련해 볼 때 건등산 정상에서는 서북편으로 섬강 건너의 興法寺址가 한눈에 잡힌다. 그러한 홍법선원이 건등산에 주둔하고 있던 왕건을 지원했을 가능성이다. 왕건이 淸道의 吠城을 공략할 때 奉聖寺의 寶壤法師가 신통한 계책을 주어 승리한 바 있다. 그 전공으로 왕건은 매년 租 50석을 봉성사에 내려 주었다.[68] 바로 이와 동일한 인연을 문막 전투 때도 왕건과 홍법선원이 맺었을 가능성이다. 그랬기에 왕건은 홍법선원을 중흥시켜 주었을 뿐 아니라 비중 있는 高僧 충담을 주석시킨 게 아닐까.

그러한 충담은 태조 왕건이 한반도의 재통일이라는 위업을 달성한지 4년만에 세상을 떴다. 통일의 뜨거운 감회가 식지 않은 때였다. 그러한 만큼 왕건은 문막 전투의 현장을 지켜 보면서 자신을 지원했던 홍법선원과 훗날 그곳에 주석했던 충담에 대한 감회가 각별했을 것이다. 그랬기에 왕건은 자신과 인연을 맺었던 숱한 선사들을 제키고 유일하게 충담의 탑비문만은 몸소 지었던 것 같다. 게다가 당 태종의 비문을 集字해서 비문을 새긴 관계로 훗날「진공대사비문」은 천하의 보배라는 평가를 얻게

17-11 원주 흥법사지 진공대사비의 귀부와 이수

17-12 진공대사비편

67 朝鮮總督府,『朝鮮金石總覽(上)』1922, 144~149쪽.
   『高麗史』권2, 太祖 23년 조. "秋七月 王師忠湛死 樹塔于原州靈鳳山興法寺 親製碑文"
68 『三國遺事』권4, 義解, 寶壤梨木 條.

하였다. 고려 말의 李齊賢은 "말 뜻이 웅장하며 깊고 위대하다"고 극찬했다. 요컨대 진공대사비가 세워져 있던 홍법사는 건등산의 문막 전투 현장과 어우러져 역사의 깊이를 더 해 주고 있다.

4. 고구려 부활의 기반 국원성과 평원성

궁예는 비뇌성과 문막 전투의 승리로 인해 막대한 경제 · 문화 · 정치적 자산을 확보하게 되었다. 첫째 궁예는 한강을 대동맥으로 하는 한반도 중부권을 석권한 것이다. 궁예는 한강을 수로로 하는 물류 운송 체계를 완벽하게 독점할 수 있었다. 그 옛날 백제가 그러하였듯이 궁예는 생필품인 소금의 독점적인 공급을 통해 관련 경제적 이익을 독점할 수 있게 되었다. 둘째 신라 5소경의 하나인 북원경을 장악하게 되었다는 것이다. 이는 정치 · 문화적으로 비중이 높은 도시의 확보로써 자연 궁예의 정치적 위상도 올라 갔다. 실제 북원경을 거점으로 한 양길이 주위의 30여 개 성을 장악한데서 알 수 있듯이 정치적 위상이 지대했던 곳이다. 이와 더불어 궁예는 중원경까지 장악하게 되었다. 궁예는 과거의 소경이었던 강릉의 동원경은 물론이고, 이어서 서원경(청주)까지 지배하였다. 그럼으로써 궁예는 신라의 5소경 가운데 남원경과 금관경만 빼 놓고 나머지 3곳을 장악하게 된 것이다. 그런데 3개의 소경 가운데 중원경과 북원경은 모두 고구려의 別都였다. 이에 대한 설명이 필요할 듯 하다.

고구려는 國原城이라는 행정지명을 충주에 부여하였다.[69] 국원성이라는 행정 지명은 고구려의 여느 지명과는 구분되는 만큼 특수 행정 구역일 가능성을 시사하고 있다. 국원성의 '國'은 國都를, '原'은 고구려어에서 土地를 가리키는 말인 內 · 奴 · 那 · 壤 · 洛 · 惱의 譯語인 것이다. 그러므로 국원성은 '國都 지역'이라는 의미가 담겨 있다. 고구려 국도인 國內城의 '國'이 국도의 의미를, '內'는 토지를 가리키는 '奴'와 연결된다.[70] 국내성 역시 '국도 지역'이라는 의미가 된다. 따라서 國原城과 國內城은 동일한 의미를 지닌 행정지명임을 알 수 있다.[71]

고구려가 충주에 국원성을 설치한 배경은 몇 가지로 나누어진다. 먼저 지리적인 측면에서 볼 때 충주는 교통의 要地라는 전략적 중요성을 지니고 있었다. 충주는 소백산맥 남북을 잇는 양대 교통로인

---

69 『三國史記』권35, 地理2, "中原京 本高句麗國原城 新羅平之 眞興王置小京"

70 '內'와 '奴'는 土地를 가리키는 말로서 서로 연결되고 있다. 고구려 仍伐奴縣 管內였던 관악산 호암산성 한우물에서 출토된 숟가락에 새겨진 '仍伐內'라는 지명을 통해서 확인되어진다. 儒城을 『大東地志』에서 "本百濟 奴斯只 奴一作內"라고 한 데서도 奴와 內가 연결됨을 알 수 있다.

71 李道學, 「永樂6年 廣開土王의 南征과 國原城」『손보기박사정년기념한국사학논총』, 지식산업사, 1988, 380~381쪽.

계립령과는 직접 통할 뿐 아니라 죽령과도 연결되어 있다. 더욱이 충주는 이러한 내륙 교통로를 다시금 남한강을 이용한 水運으로 연결시켜 주는 위치에 있었다. 고려의 12漕倉의 하나인 德興倉과 조선의 可興倉이 있던 충주는 경상도 북부 지역과 충청북도 전역에 걸친 稅穀을 모았다가 남한강의 수운을 이용해서 개성 및 서울의 京倉으로 운반하는 역할을 맡았기 때문이다. 그리고 고구려가 충주에서 계립령을 넘어 문경 방면으로 진출하게 되면 대동강에서부터 한강과 낙동강을 잇는 거대한 戰略水路를 확보하게 된다. 이러한 전략 수로는 평양성에서 남평양성(북한산성)과 국원성 그리고 낙동강 하구의 狗邪國(김해) 지역을 잇는 최단거리 코스였다. 그 중간 거점에 충주가 소재하였다.[72]

경제적인 측면에서 볼 때 충주는 비상하게 주목을 요하는 도회였다. 남한강과 넓은 충적평야를 끼고 있는 충주는 거주에 적합한 조건을 갖추었던 관계로 인구 조밀 지역이었다. 따라서 자연 생산 활동도 활발하여 잉여 농산물 또한 풍부하게 집적되어 있었다. 아울러 교통의 요지인 관계로 충주는 내륙 경제의 중심지로서 번성하였다. 그런데 충주의 경제적 기반과 관련해 홀시할 수 없는 사실은 고대국가의 잠재적 국력의 척도이기도 한 鐵과 銅이 다량으로 산출되었다는 점이다. 이러한 충주 지역에서의 철광 개발은 노동력의 집중을 초래하여 국원성의 인구를 증가시키는 요인이 되었을 것이다. 아울러 제철을 원료로 하는 각종 산업의 발달을 가져와 국원성은 번성하는 도시의 면모를 갖추게 되었던 것 같다.[73]

17-13 충주시 칠금동 제철 유적

72 李道學, 「高句麗의 洛東江流域 進出과 新羅·伽倻經營」『國學研究』2, 국학연구소, 1988 ; 『고구려 광개토왕릉비문연구』, 서경문화사, 2006, 412~413쪽. 417~418쪽.

73 李道學, 「高句麗의 洛東江流域 進出과 新羅·伽倻經營」『國學研究』2, 국학연구소, 1988 ; 『고구려 광개토왕릉비

그러면 원주의 경우는 고구려와 어떤 연관을 맺고 있었을까? 고구려가 지배할 때 원주는 平原郡이라고 하였다. 즉 "北原京은 본래 고구려 平原郡이었는데, 문무왕이 北原小京을 설치하였다. 신문왕 5년에 성을 쌓았는데, 둘레가 1,031보였다. 경덕왕이 [이름을] 그대로 썼다. 지금의 原州이다"[74]고 하여 보인다. 이러한 郡 단위는 당시 城으로 표기되었다. 일례로 남평양'군'을 (남)평양'성'으로 호칭한 사례를 꼽을 수 있다. 그러므로 평원성의 '평원'은 고구려 별도였던 국원성의 '국원'과의 관련성을 시사해준다. 동시에 이곳은 여타 지명들과는 차이가 나는 원주 지역의 정치·경제적 비중을 암시해주는 행정지명이라고 할 수 있다.[75] 국원성의 정치적 비중에 따라 신라 진흥왕이 이곳을 점령한 후에 국원소경을 설치하였다. 통일신라 때는 이곳을 중원소경 혹은 중원경이라고 일컬었다. 이러한 맥락에서 볼 때 통일신라가 원주 지역에 북원소경을 설치했을 때는 그 이전 시기 이곳의 정치·지리적 비중을 충분히 고려한 결과였다. 그렇다고 할 때 평원성 역시 고구려 점령기에 국원성과 짝을 이루면서 영서 지역 고구려 통치와 관련한 별도로 기능했을 여지가 크다.

그러면 어느 때 쯤 원주 지역이 고구려의 별도가 되었을까? 이와 관련해 평원성의 '原'은, 고구려어에서 토지를 가리키는 말인 內·奴·那·壤·洛·惱의 譯語인 점을 상기하지 않을 수 없다. 여기서 '原'은 '壤'의 역어이기도 한 만큼, 平原城은 '平壤城'으로도 표기할 수 있다. 이는 국원성을 국내성과 연결 짓는 경우와 상통한다고 하겠다. 또 국원성은 고구려가 국내성을 국도로 운용하던 시기의 別都 이름으로 지목되었다. 고구려의 경우 당시의 국도 이름에서 별도 이름이 연유한 것으로 파악되기 때문이다.[76] 그렇다면 평원성은 평양성 도읍기에 설정된 별도로 간주하는데 무리가 없을 듯 싶다. 따라서 평양성 도읍기의 고구려는 한성(재령) 외에 남평양성과 평원성이라는 2개의 별도를 새롭게 설정했음을 알 수 있다.

궁예는 신라의 5소경 가운데 3곳이나 지배하였다. 이 사실은 궁예가 신라 영역 가운데서 정치·문화·경제적으로 가장 비중이 큰 거점을 확보했음을 뜻한다. 이때 궁예로서는 반신라적 명분의 확보 차원에서라도 이들 3개 소경의 본질이랄 수 있는 연원을 파악하는 게 긴요하였다. 그런데 3개의 소경 가운데 서원경은 백제 영역이었다. 중원경과 북원경은 본시 고구려의 별도였던 곳이다. 더구나 궁예가 898년에 왕건을 시켜 楊州와 見州를 차지하였다.[77] 이때 점령한 양주는 北漢山郡이

문연구』, 서경문화사, 2006, 2006, 418~419쪽.

74 『三國史記』 권35, 地理2. "北原京 本高句麗平原郡 文武王置北原小京 神文王五年築城 周一千三十一步 景德王因之 今原州"

75 李道學, 「永樂6年 廣開土王의 南征과 國原城」『손보기박사정년기념한국사학논총』, 지식산업사, 1988, 378쪽 註 54.

76 李道學, 「永樂6年 廣開土王의 南征과 國原城」『손보기박사정년기념한국사학논총』, 지식산업사, 1988, 382쪽.

77 『三國史記』 권50, 弓裔傳.

었다. 즉 이곳은 "본래 고구려의 南平壤城이니, 일명 북한산군이다.··· 고려 초에 楊州로 고쳤다"[78]는 기사에서 확인된다. 이곳 역시 고구려의 별도였던 남평양성이 설치된 곳이다.[79]

궁예의 지배 영역 가운데 과거 고구려의 별도가 3곳이나 포함되었다. 궁예가 거론한 舊都 평양은 잡초만 무성한 실정이었다. 그러한 평양 역시 궁예의 영향권 내에 소재하였다. 이러니 궁예의 지배 영역은 고구려 지역으로서의 명과 실이 부합한 관계로 격과 비중이 월등이 크고 높았음을 알 수 있다. 이러한 상황에서 궁예는 자연히 '고구려'가 상품 가치가 높다고 판단하였을 것이다. 결국 궁예는 지역적 기반의 정서를 무시할 수 없었다기 보다는 이용하는 게 현실적으로 유리하다고 판단했다고 본다. 궁예가 평양을 '舊都'라고 일컬은 것은 자신의 왕도를 '新都'로 간주했음을 뜻한다. 궁예는 자신을 고구려 계승자로 분명히 인식했던 것이다. 궁예의 국가 창건에 관한 기사가 다음에 보인다.

　＊ 궁예가 왕을 칭하였다.[80]

　＊ 선종은 스스로 무리가 많고 세력이 커지자 나라를 세우고 임금을 일컬을만하다고 여겨 비로소 내외 관직을 설치하였다.[81]

　＊ 天復 원년 신유(901)에 선종은 스스로 왕이라 칭하고 사람들에게 말하기를 "지난날 신라가 唐에 군대 를 청하여 고구려를 격퇴하였기에 平壤 舊都는 묵어서 잡초만 무성하니 내가 반드시 그 원수를 갚겠다!" 고 하였다.[82]

흔히 고려라는 국호는 왕건이 최초로 사용한 것으로 알고 있다. 그러나 궁예가 처음 사용한 국호 였다. 삼봉 정도전도 "왕씨가 궁예를 대신하여 '고려'라는 국호를 그대로 사용하였다"[83]고 예리하게 지적하였다. 그런데 더 정확히 말하자면 고려 국호는 부활된 것이다. 이 국호는 고구려 3글자에서 2 글자로 줄인 것이 아니었다. 고구려 당시에 그렇게 불리어 왔던 것이다. 고구려는 5세기 이후에 국 호를 고려 2글자로 표기하였다. 5세기대와 그 이후를 시대적 배경으로 하는 중국이나 일본의 역사 책이나 금석문 자료에 보면 한결같이 '고려'로 표기되었다. 유명한 충주고구려비는 '5월 중 고려 태

78　『世宗實錄』地理志, 京都 漢城府 條.
79　李道學,「고구려사에서의 국원성」『白山學報』67, 2003 ;『고구려 광개토왕릉비문연구』, 서경문화사, 2006, 394쪽.
80　『三國史記』권12, 孝恭王 5년 조.
81　『三國史記』권50, 弓裔傳.
82　『三國史記』권50, 弓裔傳.
83　『三峰集』권13,「朝鮮徑國典(上)」, 國號 條.

왕'으로 문장이 시작되고 있다.[84] 여기서 '고려 태왕'은 다름 아닌 '고구려 태왕'을 가리키는 것이다. 539년에 제작된 延嘉 7년명 금동불상의 광배명에도 그 불상의 제작지를 '高麗國樂良東寺'라고 하였다. 고려국은 고구려를 가리킨다. 고구려는 후반기에 국호를 고려라고 일컬었었다. 이 국호를 고스란히 계승하여 궁예는 새로운 나라의 이름으로 사용한 것이다. 이는 말할 나위없이 앞서 궁예 자신의 선언에 나오듯이 고구려의 계승과 부활을 뜻한다. 법호가 善宗이었던 궁예가 고구려를 부활시키면서 자신의 이름을 '弓裔'로 고친 것도 고구려 계승자로서의 의미가 있다고 한다.[85]

5. 맺음말

고구려를 부활시킨 궁예의 이름을 '활을 잘 쏘는 아이[활애]' 즉 弓童이라는 兒名에서 유래한 것으로 보았다. 즉 그 이름을 善射童의 뜻으로 해석하였다. 궁예의 어린시절 행태가 고구려 유리왕의 그것과 유사하다는 점이다. 그러한 발군의 善射 능력이 훗날 고구려 부활과 결부지어 '활 아이'에서 '활의 후예'라는 '弓裔'로 의미가 부여되었다. 궁예의 이름이 지닌 고구려 계승자로서의 상징성을 극대화시킨 것이다.

그가 어린 시절 호구지책으로 찾았던 세달사에서 불교 교리에 눈 뜨게 되었고, 사찰을 보위하기 위한 무력인 僧軍의 존재와 접하게 된 것으로 보인다. 활달한 기상의 궁예가 세달사에서만 머물렀다고 생각되지는 않는다. 그가 석굴사에서 주석했다는 기록이 확인되었기 때문이다. 어쨌든 궁예는 적어도 2곳 이상의 사찰에 주석하면서 불교 경전과 승군을 통해 교리와 군사적 능력을 함께 배양했던 것으로 보인다.

주지하듯이 궁예는 당초 기훤의 막하에 들어갔다가 곧 양길 휘하로 들어왔다. 양길의 부장으로서 전공을 많이 세운 궁예는 명주 방면으로 진출한 후 독립하여 장군이 되었다. 아울러 그는 주변 세력들을 급속히 복속시켜 나갔다. 결국 궁예의 세력권은 양길의 그것과 겹치면서 충돌하게 되었다. 그 결정적인 분기점이 비뇌성 전투였다. 비뇌성의 위치에 대해서는 여러 설이 있었지만 안성의 죽주산성이 타당함을 입증하였다. 양길은 국원성 등 주변 30여 성주를 휘하에 두고 있었던 호족연합 세력의 우두머리였다. 그러나 교통의 분기점이자 전략적 요충지인 비뇌성 전투에서 참패함에 따라 한반

---

84 李道學, 「中原高句麗碑의 建立 目的」『高句麗研究』10, 2000, 272~275쪽.

85 朴漢卨, 「弓裔姓名考」『韓國學論叢-霞城李瑄根博士古稀紀念論文集』, 李瑄根博士古稀紀念論叢刊行委員會, 1974, 75~87쪽.

도 중부권은 궁예의 세력 판도에 들어갔다. 조조의 관도 전투에 비견할 수 있는 획기적인 승전이 비뇌성 전투였다.

비뇌성 전투 직후 궁예 휘하인 왕건과 진훤이 원주 문막에서 격전을 치른 전승이 남아 있다. 물론 이 전투는 사서에는 보이지 않지만 전설과 전승 그리고 관련 유적을 통해 간과할 수 없다는 판단이 섰다. 특히 이 전투는 16세기 말의 문집인『송와잡설』등에 수록되어 있기 때문이다. 문막 전투는 후백제를 세운 진훤이 비장 직을 제수했을 정도로 자신의 세력권 하에 넣었던 양길 세력이 비뇌성 패전으로 붕괴한 데 따른 반응으로 간주할 수 있었다. 한강 수로권과 한반도 중동부 내륙 지역에 대한 이해 관계가 깊숙히 걸려 있는 진훤으로서는 양길의 붕괴와 궁예의 대두를 좌시할 수 없었다. 이에 따라 진훤이 개입함에 따라 빚어진 전투가 문막 전투로 해석할 수 있었다. 건등산 서북편에 소재한 홍법선원 충담의 지원이 왕건이 지휘한 문막 전투의 한 勝因으로 헤아려진다.

비뇌성 전투에서 압승함에 따라 궁예는 국가 창건의 결정적인 토대를 확고하게 구축할 수 있었다. 궁예가 창건한 국가의 성격을 고구려로 잡게 된 배경은 지배하에 두었던 영역의 질적인 성격과 깊은 관련을 지녔다. 즉 충주(국원성)나 원주(평원성) 및 고양(남평양성), 이 3곳이 고구려의 別都였던 점에 힘입은 바 크다고 본다. 과거 고구려의 비중 있는 별도를 3곳이나 장악한 궁예는 이제는 시간 문제인 평양 舊都의 접수와 더불어 고구려 계승자로서의 자신감을 지니게 되었다. 게다가 그는 당시 신라의 5소경 가운데 국원경과 북원경 및 서원경 등 모두 3곳의 소경을 장악하였다. 그럼에 따라 궁예는 정국 주도의 유리한 주도권을 장악할 수 있었다. 이러한 배경 속에서 궁예는 고구려에 의한 이른바 삼한의 통합을 주도하고자 했던 것이다.

궁예의 고구려 재건은 비뇌성 승전에 따른 북원경과 국원경(중원경) 장악이 직접적인 배경이 되었을 것이다. 따라서 원주 지역은 '고려 건국의 苗床'으로서 의미를 지녔다.

「弓裔의 北原京 占領과 그 意義」『東國史學』43, 동국사학회, 2007.

고려 태조의 「莊義寺齋文」과 三角山

1. 머리말

고려 태조가 몸소 지은 親製文은 3편이 전한다. 「莊義寺齋文」과 개태사 發願文인 「開泰寺華嚴法會疏」, 원주 흥법사 「眞空大師碑文」이다. 이 가운데 「開泰寺華嚴法會疏」는 『東人之文四六』과 『東文選』에 全文이 전하고 있다.

「開泰寺華嚴法會疏」의 親製 배경은 "開泰寺를 連山에 창건하였다. 그때, 왕이 백제를 정벌하여 크게 이겨 河內의 30여 郡이 모두 강역으로 들어왔고, 발해인도 귀순하였는데, 왕이 부처의 힘이 도운 바라 하여 黃山에 절을 창건하여 開泰라고 이름지었다. 친히 발원문을 짓고 손수 썼는데 그 글의 대략은 이러하다"[1]라는 글에 잘 담겨 있다.

「진공대사비문」은 손상되기는 했지만 비석이 남아 있는 관계로 성격을 살피는 일은 어렵지 않다. 게다가 문헌에서 이미 언급이 되었다. 즉 "바로 고려의 興法寺碑로, 절은 原州 建登山에 있으며, 세속에서는 眞空大師碑라고 부른다. 고려 태조 23년 7월에 王師 忠湛이 죽자, 이곳에 탑을 건립하고 친히 비문을 지은 다음 崔光胤에게 명하여 당 태종의 글씨를 모아 摸刻하게 한 것이다"[2]고 했다. 『고

---

1 『東史綱目』第6上, 丙申, 고려 태조 19년 12월 조.
2 『海東繹史』권46, 藝文志5, 碑刻.

려사』에서 "가을 7월 왕사 충담이 죽자, 원주 靈鳳山 홍법사에 탑을 세우고 왕이 직접 비문을 지었다"[3]고 하였다. 그리고 "北原의 홍법사비는 우리 태조가 비문을 짓고 최광윤이 唐 太宗皇帝의 글씨를 모아 돌에 模刻한 것인데, 辭義가 웅장하고 깊고 거룩하고 아름다워 玄圭에 赤舃을 신고 조정에서 揖讓하는 것 같으며, 크고 작은 글자와 楷書와 行書가 서로 알맞게 배열되어 난새와 봉새가 물 위에 떠서 超然한 기상을 머금고 있는 듯하니, 참으로 천하의 보물이라 하겠다"[4]고 했다.

세 번째 「莊義寺齋文」에 대해서는 『삼국사기』에 "17년 봄 정월에 憲昌의 아들 梵文이 高達山賊 壽神 등 100여 인과 더불어 함께 모반하여 平壤에 도읍하고자 北漢山州를 공격했다. 都督 聰明이 군대를 이끌고 이들을 붙잡아 죽였다[평양은 지금 楊州이다. 태조가 지은 「莊義寺齋文」에 '高麗舊壤 平壤名山'이라는 구절이 있다]"[5]는 기사에서 보인다. 김부식은 범문 등이 도읍하고자 했던 평양이 고려 때 양주인 근거로서 태조가 지은 「장의사재문」에서 '고려구양 평양명산'라고 한 구절을 제시했다. 재문의 '고려'는 '고구려'를 가리킨다.

문제는 태조가 「장의사재문」을 손수 지었고, '고려구양 평양명산'을 언급한 배경이다. 앞서 소개한 2개의 친제문과는 달리 「장의사재문」은 문장은커녕 8글자에 불과하다. 이것을 놓고서는 태조가 「장의사재문」을 지은 동기와 배경을 살피기는 어렵다. 그러나 본고에서는 특별히 태조가 의미를 부여한 재문이라는 판단이 들었기에 장의사가 소재한 삼각산의 지역적 환경과 더불어 고구려의 옛 땅을 밝히면서 '平壤名山'을 거론한 배경을 고찰하고자 했다. 그럼으로써 現傳하는 3대 친제문의 성격을 총체적으로 살피는 전기로 삼고자 하였다.

2.「莊義寺齋文」과 莊義寺 창건 배경

1)「장의사재문」의 성격

현전하는 고려 태조의 친제문들은 모두 불교와 연관 되어 있다. 「진공대사비문」은 태조의 王師였던 충담의 일대기가 된다. 「개태사화엄법회소」는 개태사 창건과 관련 있다. 그리고 「장의사재문」 역시 장

---

3 『高麗史』권2, 太祖 23년 조. "秋七月 王師忠湛死 樹塔于原州靈鳳山興法寺 親製碑文"

4 『櫟翁稗說』, 後集1.

5 『三國史記』권10, 憲德王 17년 조. "十七年 春正月 憲昌子梵文與高達山賊壽神等百餘人 同謀叛 欲立都於平壤 攻北漢山州 都督聰明率兵 捕殺之[平壤今楊州也 太祖製莊義寺齋文 有高麗舊壤平壤名山之句]"

의사라는 佛刹의 法會와 연관 있는 것이
다. 이러한 3건의 친제문은 공통점이 있
는 것 같다. 원주 흥법사의 진공대사비
는 태조가 궁예의 副將으로 있을 때 문
막 건등산을 거점으로 후백제군과 격돌
했던 사안과 무관하지 않아 보인다. 흥
법사를 비롯한 사원 세력의 지원을 받아
태조는 후백제군과의 전투에서 승리했
던 것 같다. 이때 태조와 충담의 인연이
몸소 「진공대사비문」을 짓게 한 배경으로 보인다.[6]

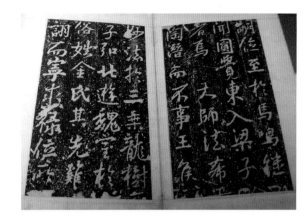

18-1 진공대사비 탑본

개태사 창건은 "開泰寺[태조가 백제를 평정하고 난 뒤, 큰 절을 黃山의 골짜기에 지어, 산 이름을 天護로 고
치고, 절 이름을 開泰라고 하였다]가 있다"[7]는 구절에 보인다. 개태사 창건의 시말은 다음에서 확인된다.

  * 또 개태사를 연산에 창건했다.[8]
  * 겨울 12월에 개태사가 낙성되었다. 낙성화엄법회를 열고 친히 疏文을 지었다.[9]

개태사는 논산의 連山에 소재하였다. 그리고 장의사는 현재 서울시 종로구 신영동의 세검정초등
학교 일대에 터만 남아 있다. 세검정초등학교 운동장에 남아 있는 당간지주(보물 제235호)가 그 표지
가 된다. 그런데 장의사 이름 표기는 다양하다. 『삼국사기』 헌덕왕 17년 조에서는 '莊義寺'라고 하였
다. 그러나 『삼국사기』 태종 무열왕 6년 조에서는 莊義寺가 아닌 '莊義寺'로 적혀 있다. 『삼국유사』에
서는 '壯義寺'로 적었다.[10] 『고려사』와 『신증동국여지승람』에는 '藏義寺'로 기록하였다.[11] 장의사에 관
한 4가지 표기 가운데 創寺 배경과 결부 지어 볼 때 '장하다'는 의미가 담긴 '壯義寺'가 합당해 보인
다. 그러나 『삼국사기』와 『고려사』 등에서 '艹' 邊이 남아 있다. 그러므로 '莊義寺'가 원래 표기일 가

---

6 李道學, 「궁예의 북원경 점령과 그 意義」 『東國史學』 43, 2007, 208~210쪽.
7 『高麗史』 권56, 地理志, 楊廣道, 公州 連山郡, "有開泰寺[太祖旣平百濟 創大刹於黃山之谷 改山爲天護 名寺爲開泰]"
8 『高麗史』 권2, 太祖 19년 12월 조. "又創開泰寺於連山"
9 『高麗史』 권2, 太祖 23년 12월 조. "冬十二月 開泰寺成 設落成華嚴法會 親製疏文"
10 『三國遺事』 권1, 紀異2, 長春郎罷郎 條.
11 『高麗史』 권13, 睿宗 5년 조. "三角山藏義寺"
    『新增東國輿地勝覽』 권3, 漢城府, 佛宇 條.

능성이 높다. 실제 975년에 세워진 여주 고달사 元宗國師慧眞塔碑에 보면 '楊州 三角山 莊義寺'라고 했다.[12] 978년에 세워진 서산 보원사 法印國師寶乘塔碑에도 '莊義山寺'와 '莊義寺'로 각각 표기하였다.[13] 일반적으로 板刻에서는 복잡한 필획에서 단순한 필획으로의 誤刻이 빚어진다. 그런데 반해 '藏義寺'는 『고려사』에서 일관되게 등장하므로 誤刻일 가능성은 희박하다. 고려에서의 寺名일 가능성이 제기된다. 차후 검토가 필요하다. 徐居正(1420~1488)의 글 등에서는 '藏魚寺'가 보이지만, '藏義寺'의 별칭이 분명하다.

「장의사재문」의 경우도 태조의 숙원인 후백제 평정과 관련될 가능성이 높다. 고려 태조가 「장의사재문」을 직접 지었지만 장의사에 행차한 기록은 보이지 않는다. 그러나 「장의사재문」은 「개태사화엄법회소」와의 연관성이 보인다. 그러면 '莊義寺齋文'의 '齋文'은 무슨 의미일까? 주지하듯이 "齋文은 祭壇을 쌓아놓고 제사를 지낼 때에 읽는 祭文을 이른다"고 한다. 보다 엄밀하게 말한다면 佛家 의식에서 사용한 글로 보아야 한다. 이는 黃景源의 저술에서 "翰林學士가 齋文을 지은 것은 禮의 正道가 아니다"[14]는 구절을 통해서도 알 수 있다. 그리고 다음 글은 齋文과 疏가 동일함을 가리킨다.

道場疏는 佛家와 道家에서 경축하거나 기도할 때 사용하는 글이다. 慶詞는 生辰疏라고 하고 禱詞는 功德疏라 하는데, 두 가지 모두 도량에서 사용하는 것이다. 또 陳繹曾의 『文筌』을 살펴보면 "공덕소는 불가에서 부처에게 기도할 때 사용하는 글이다"고 하였고, 여러 문집과 『事文類聚』를 고찰해 보면 불가와 도가의 疏語가 모두 들어 있으니, 疏가 비단 佛家에서만 쓰이지는 않았다는 것을 명백히 알 수 있다. 그래서 지금 아울러 논해서 해박한 지식을 갖춘 자를 기다리기로 한다. 齋文이라고 하는 것은 疏의 별명이다.[15]

위의 인용을 보면 疏와 齋文이 동일하다고 했다. 그렇다면 "開泰寺가 낙성되었다. 落成華嚴法會를 열고 친히 疏文을 지었다"는 구절의 疏文 즉 疏文도 齋文과 동일한 것이다. 정황에 비추어 볼 때 낙성화엄법회에서 태조는 자신이 지은 疏文을 직접 읽었을 가능성이 높다. 그렇다면 「장의사재문」도 태조가 법회에서 사용했을 수 있지만 모두 입증할 수 없는 추정에 불과하다. 이 보다는 태조가 지은 극히 드문 친제문이라는 데 의미를 부여하는 게 좋을 것 같다.

---

12 한국역사연구회, 『譯註 羅末麗初金石文(下)』, 혜안, 1996, 378쪽.
13 한국역사연구회, 『譯註 羅末麗初金石文(下)』, 혜안, 1996, 402~404쪽.
14 『江漢集』권13, 神道碑, 文敬許公神道碑銘. "翰林學士作齋文 非禮之正也"
15 『林下筆記』권2, 瓊田花市編, 道場疏.

18-2 장의사가 소재했던 서울 종로구 세검정초등학교 내의 당간지주

다음 글은 疏와 齋文이 동일한 의미라는 것과, 재문의 용례와 성격을 보여준다고 판단하였다.

　부처님의 보살피심은 헤아릴 수 없어서 정성을 드리는 이의 소원을 곡진하게 이루어주시니, 지성에 감
응하심이 이르는 곳에 어찌 감히 감사하여 보답하는 의식을 어기겠나이까. 생각건대 미약한 이 몸이 內
壺(內殿과 같음: 역자)을 편안케 하려고 바야흐로 봄이 시작될 때에 절에 의탁하여 귀의하였던바 해가 다
한 오늘까지 椒房(后妃의 궁전: 역자)의 복을 누리게 되었나이다. 이에 皎盟(허식 없이 깨끗한 夫婦의 맹세:
역자)의 간절한 성의를 실천하고 구구한 본래의 믿음을 다하려고 정성드려 淨科(재계를 이름: 역자)를 살
피고 훈석을 엄숙히 하였사오니, 우러러 바라옵건대 신통의 감응이 있고 이에 다시 보살펴 주시고 돌보
아 주시는 자비를 더하시어 그에게 창성함을 내려 주시고 千載에 壽祺를 보장하며 또 보좌를 잘하여 風
化가 세상에 파급되게 하소서.[16]

　위의 글은 이규보가 지은 「王后殿還願佛宇通行齋文」이다. 내용은 왕후의 복을 비는 기원문이 되
겠다. 태조의 「장의사재문」도 장의사에서 올린 기원문이 분명하다. 그러면 태조가 기원한 내용은 무
엇이었을까? 아쉽게도 「장의사재문」은 지은 시점을 알 수 있는 근거가 잡히지 않는다. 이 때문에 태
조의 기원을 정확히 살피기는 어렵다. 다만 장의사라는 절과 관련한 재문을 지었을 때는 사찰의 정

---

16 『東國李相國集』권39, 佛道疏, 王后殿還願佛宇通行齋文. "妙鑑難思 曲邃祈永之懇 至誠所格 敢愆報謝之儀 言念
　眇躬 圖寧內壺 方春尹始 投奈苑以歸心 卒歲于今 見椒房之享福 爰踐皎盟之旦旦 益輪素信之區區 祗按淨科 聿嚴
　熏席 仰冀神通之應 更加攝護之慈 俾爾熾昌 保壽祺於千載 又當輔佐 播風化於四方"

체성이 담겼다고 보아야 한다.

2. 장의사 창건 배경

고려 태조가 親製했을 정도로 의미가 각별한 도량이 장의사였다. 그러한 장의사는 어떠한 동기와 배경에서 창건되었을까? 다음 인용은 장의사 창건 배경이다.

* 겨울 10월에 왕이 조정에 앉아 있는데, 唐에 군사를 요청하였으나 회보가 없었으므로 근심하는 빛이 (얼굴에) 드러나 있었다. (그런데) 홀연히 어떤 사람이 왕의 앞에 나타났는데, 마치 앞서 죽은 신하인 長春 과 罷郎 같았다. 그들이 (왕에게) 말하기를 "臣은 비록 백골이 되었으나 아직도 나라에 보답할 마음이 있어서 어제 唐에 갔었는데, 황제가 대장군 蘇定方 등에게 명하여 군사를 거느리고 내년 5월에 백제를 치러 오게 한 것을 알았습니다. 대왕께서 이처럼 너무 애태우며 기다리시는 까닭에 이렇게 알려드립니다" 라고 말을 끝내자 사라졌다. 왕이 매우 놀랍고 이상하게 여겨서 두 집안의 자손에게 후한 상을 주고, 해당 관청에 명하여 漢山州에 莊義寺를 세워서 (두 사람의) 명복을 빌게 하였다.[17]

* 처음에 백제 군사와 황산에서 싸울 때에 장춘랑과 파랑이 진중에서 죽었는데, 후에 백제를 토벌할 적에 태종의 꿈에 나타나 말하기를 "臣 등은 이전에 나라를 위하여 몸을 버리었고 지금은 백골이 되었으나 나라를 수호하고자 하여 軍行에 따라 나가기를 나태하지 않았습니다. 그러나 唐 장수 소정방의 위엄에 눌려 남의 뒤만 쫓아다닙니다. 원컨대 왕께서는 저희에게 조그만 힘이라도 주십시오"라고 하였다. 대왕이 놀라고 그것을 괴이하게 여겨 두 혼령을 위하여 하루 동안 牟山亭에서 불경을 설하고, 한산주에 壯義 寺를 세워서 그들의 명복을 빌었다.[18]

莊義寺는 죽어서도 국가를 위해 보국한 두 명의 충신을 현창하기 위해 창건되었다.[19] 장춘과 파랑

---

17 『三國史記』권5, 太宗 武烈王 6년 조. "冬十月 王坐朝 以請兵於唐不報 憂形於色 忽有人於王前 若先臣長春·罷郎 者 言曰 臣雖枯骨 猶有報國之心 昨到大唐 認得皇帝命大將軍蘇定方等 領兵以來年五月 來伐百濟 以大王勤伫如 此 故玆控告 言畢而滅 王大驚異之 厚賞兩子孫 仍命所司 創漢山州莊義寺 以資冥福"

18 『三國遺事』권1, 紀異2 長春郎罷郎 條. "初與百濟兵戰於黃山之役長郎·罷郎死於陣中 後討百濟時見夢於太宗 日 臣等昔者爲國亡身至於白骨 庶欲完護邦國故随從軍行無怠而已 然迫於唐帥定方之威逐於人後爾 願王加我以 小勢 大王驚怡之爲二魂說經一日於牟山亭 又爲創壯義寺於漢山州以資冥援"

19 이에 대해서는 박찬홍, 「莊義寺의 창건 배경과 장춘랑파랑설화」 『서울과 역사』 96, 서울역사편찬원, 2017, 7~47

의 혼령은 전후 사정상『삼국사기』기록처럼 659년에 등장했을 것이다. 그러나 660년부터 676년까지는 치열한 전란의 시기였으므로 창건은 여의치 않았을 수 있다. 또 한편으로는 그럴수록 장춘이나 파랑 같은 충신들이 더욱 필요했을 것이다. 따라서 전란기에 장의사가 창건되었을 가능성은 충분하다고 본다. 어쨌든 신라가 백제를 정벌하는 과정에서 죽은 두 명의 충신들을 위해 지은 사찰이 장의사였다. 바로 이곳에서 태조는 재문을 손수 지은 것이다. 태조 자신의 장의사 행차 가능성도 고려된다.

신라 태종 무열왕의 백제 정벌과 엮어진 두 명의 충신과 관련한 장의사 창건은, 태조 자신의 후백제 정벌로 그대로 대입시킬 수 있었다. 그러한 사정을 숙지하고 있었을 태조는 후백제 정벌을 통한 삼한통합을 기원하기 위해 재문을 손수 짓는 정성을 쏟았던 것 같다. 태조는 고려와 신라를 등치시켜 공동의 적 백제를 설정했을 수 있다. 태조의 유연한 현실적 사고에서는 가능하다고 본다.

그러면 신라가 하필 북한산주에 장의사를 창건한 배경은 무엇이었을까? 신라는 백제를 멸망시켰지만 유민들의 항쟁으로 인해 곤경에 놓여 있었다. 그럼에도 신라와 당의 주공격 목표는 고구려로 옮겨 갔다. 이러한 배경에서 고구려의 別都였던 남평양성 관내인 세검정초등학교 부지에 創寺한 것으로 보인다. 장춘이나 파랑과 같은 충신들이 이제는 고구려와의 전쟁에서도 숱하게 배출되게 하려는 목적이었을 수 있다. 더욱이 신라가 점령한 남평양성은 북한성인데, 고구려와 격돌한 곳이었다. 이와 관련해 다음의 기사를 인용해 보았다.

[佛字] 法興寺 : 法弘山에 있는데 옛 平壤府 경계로 지금은 縣에 속한다. 金富軾의 記에, "법흥사는 오래된 절이나 지은 때를 모른다. 누가 말하기를, '옛날에 이름이 법흥이라는 중이 지었다 하여 이로써 이름 지었다'고 한다. 그 뒤 길엔 풀이 우거지고 뜰은 황폐하고 담이나 집이 모두 무너져 사람이 거처할 수 없었다. 山僧 澄悟가 배우기를 좋아하여 도리를 알아 명성이 당세에 뛰어났는데 중수할 마음으로 詣闕하여 주청했으나 뜻을 펴지 못하였다. 이에 신이 글을 올려 보고했더니, 이때 近臣 鄭襲明이 西京에 종사하고 있었기 때문에 교서 내리기를, '전번에 서경 사람들이 요망스러운 중 妙淸의 꾀임을 당하여 城의 견고함만 믿고 복종하지 않아 周官의 법도에 관련되고, 신하로서 임금을 불렀으니 春秋의 의리를 범하는 것이라, 결국 대장[元戎]을 명하여 성을 공격하여 토벌하도록 하였다. 흉한 무리들만 그물에 걸린 것이 아

쪽의 서술이 주목되었지만, 수용하기 어려운 논지가 옥의 티였다.
한편『三國遺事』에서 長春郎과 罷郎으로 적혀 있는 관계로 兩人을 화랑으로 추정하기도 한다. 그러나『三國史記』를 보면 '兩家子孫'에게 두터운 賞을 내렸다. 이로 볼 때 자손이 있는 두 사람은 순국했을 때 화랑은 아니었다. 화랑은 주지하듯이 15~18세의 미혼 남성이었기 때문이다. 김춘추 대신 죽은 온군해를 위해 '優賞其子孫', 죽죽과 용석의 경우 '賞其妻子'라고 했다. 여기서 '兩家子孫'은 일가친족 전체가 아니라 그 직계 후손을 가리킨다. 그렇지 않고 친족 전체를 가리킨다면 '其家'로 표기해도 무방하다. 따라서 장춘과 파랑은 후손이 있었다고 보아야 한다.

니라 우리 사졸도 矢石에 맞아 죽었고, 日月이 가매 냇물처럼 점점 멀어지니, 오직 浮魂落魄이 긴 밤에 고생을 할까 두려웠다. 佛事에 의하여 구제하려 하니 澄悟와 함께 가서 땅을 자세히 보고 새롭게 하여 나의 슬퍼하고 불쌍히 여기는 마음에 합당케 하라'고 하였다. 정습명은 명을 받들어 그 비용을 받게 하고 하관 執事에게 명하여 옛날 절의 북쪽 10여 보쯤 되는 곳에 옮겨 경영하도록 하였다. 계묘년 봄 3월에 시작하여 을사년 봄에 공을 끝냈다. 佛堂·僧寢으로부터 庖廚·庫廐에까지 모두 80칸이었는데 빙 둘린 담의 길이가 무려 1백 50여장이었다. 임금이 齋文과 香物을 보내어 梵唄로 중수하고 10일 동안 낙성 잔치를 하게 하였다. 일찍이 당 태종 황제가 義擧한 이래 전투한 곳에 절을 짓고 이내 虞世南·褚遂良 등 일곱 학사에게 명하여 비석에 공덕을 새겼으니 이번의 일도 역시 황제의 마음 씀과 같은 것이다. 의당 갖추어 기록해서 이후에 보여 주기 위함이다.…"고 하였다.[20]

위에서 인용한 글을 읽어 보면 김부식이 묘청의 난을 진압한 지 2년 만에 왕명으로 평양의 법흥사에 붙어 새로 사찰을 지었다는 것이다. 인종이 齋文과 香物을 보내 열흘 간 낙성 잔치를 가졌음을 밝혔다. 김부식은 인종의 사찰 창건 배경을 당 태종이 전투한 곳에 사찰을 짓고 비석에 공덕을 새긴 데서 찾았다. 백제 법왕도 효순 태자시절 승전한 전장에 사찰을 창건한 바 있다. 오합사가 바로 그 사찰이었다.[21] 신라가 백제를 멸망시킨 직후인 661년에 고구려는 북한산성을 공격한 바 있다. 다음의 기사를 통해서 확인된다.

 * 5월 9일[또는 11일이라고도 하였다]에 고구려의 장군 뇌음신이 말갈의 장군 생해와 함께 군사를 합하여 述川城을 공격해 왔다. (뇌음신이) 이기지 못하자 북한산성으로 옮겨가서 공격하는데, 抛車를 벌여놓고 돌을 날리자, 그것에 맞는 성가퀴나 건물은 그대로 부서졌다. 성주인 대사 동타천이 사람을 시켜서 마름쇠를 성밖으로 던져 깔아서 사람이나 말이 다닐 수 없게 하고, 또 安養寺의 창고를 헐어서 그 목재를

---

20 『新增東國輿地勝覽』권52, 平安道 順安縣, 佛宇 條. "法興寺 在法弘山 舊平壤府境 今屬于縣 金富軾記 : 法興古寺 但不知創之之時 或云 昔有僧名法興者肇基之 是以號焉 厥後道蔀而園荒 垣夷而屋圮 人莫得而居之 山僧澄悟好 學識道理 名高乎當世者也 欲重修詣闕下 願奏請而不能自達 於是臣上書以聞 時近臣鄭襲明從事西京 則敎曰 向者 此京人爲妖僧妙淸所誑誤 負固不服 干周官之法 以臣召君 犯春秋之義 遂命元戎攻城致討 不唯兇徒自投羅網 抑我 士卒殞命矢石 積日累月 逝川寢遠 猶恐浮魂落魄受苦長夜 擬憑佛事 以資津濟 可與澄悟相地 宜作新之 以稱我哀 矜之意 襲明承制 官給其費 命下官執事移古寺北十步許地經營之 始於癸卯年春三月 至乙巳年春 工旣訖功 自佛堂 僧寢以至庖廚 庫廐 凡八十間 繚垣無慮長一百五十餘丈 上送齋文香物 俾梵唄重修 十日以落之 昔唐太宗皇帝詔 於擧義已來交兵之處立寺刹 仍命虞世南褚遂良等七學士爲碑銘 以紀功德 則今玆之事 亦太宗皇帝之用心也 宜備 書之 以示厥後 云云"
21 黃壽永,「崇巖山 聖住寺事蹟」『考古美術』98, 1968 ; 合輯本 下卷, 1979, 450쪽.

실어다가 성의 무너진 곳마다 즉시 망루를 만들고 밧줄을 그물같이 얽어서 소와 말의 가죽과 솜옷을 걸치고 그 안에 弩砲를 설치하여 막았다. 이때 성안에는 단지 남녀 2천 8백 명 밖에 없었는데, 성주인 동타천은 어린이와 노약자를 능히 격려하여 강대한 적과 맞서 싸우기를 20여 일 동안 하였다. 그러나 식량이 다 떨어지고 힘이 지쳐서 지극한 정성으로 하늘에 빌었더니 갑자기 큰 별이 적의 진영에 떨어지고 또 천둥과 비가 내리며 벼락이 쳤으므로 적이 두려워서 포위를 풀고 물러갔다. 왕이 동타천을 칭찬하고 표창하여 관등을 대나마로 올려주었다.[22]

* 여름 5월에 왕이 장군 뇌음신을 보내 말갈의 무리를 거느리고 신라의 북한산성을 포위하여 열흘이나 풀어주지 않았으므로, 신라는 식량길이 끊겨 성 안에서 매우 위태롭게 여겼다. 갑자기 큰 별이 우리 진영에 떨어지고, 또 천둥이 치고 비가 오고 벼락이 치니 뇌음신 등이 의심하고 놀라서 뒤로 물러났다.[23]

* 고구려·말갈이 신라의 정예군이 모두 백제에 있으니 나라 안이 비어 있어 공격할 만하다고 하면서 군사를 출동시켜 수륙으로 동시에 진격하여 북한산성을 에워쌌다. 고구려는 그 서쪽에 진영을 두고 말갈은 그 동쪽에 주둔하면서 열흘 동안 공격하니 성안은 두려움에 휩싸였다. (그때) 갑자기 큰 별이 적의 진영에 떨어지더니 또한 천둥, 번개가 치면서 비가 오자 적들이 의아해하며 놀라 에워쌌던 것을 풀고 달아났다.[24]

위의 기사는 신라가 백제 餘衆과 격전을 치르는 상황에서 고구려가 기습적으로 신라 후방을 공격한 것이다. 힘겨운 전투에서 신라는 간신히 승리할 수 있었다. 장춘과 파랑의 충절을 기린다고 했겠지만, 이때 북한산성 승전이 장의사 창건의 직접적인 동인이 되었을 수 있다. 그렇지 않고서는 지리적으로 관련 없는 兩件은 조합되지 않기 때문이다. 이처럼 고구려군이 패한 현장이었던 곳에서 태조는 '高麗舊壤 平壤名山'을 언급했다. 북한산과 그 일대가 고구려의 옛 땅임을 분명히 상기시켰다. 신라 북한산성 이전의 원 소유국을 고구려에서 찾았다. 여기에는 어떤 의도가 담겼다고 보아야 한다. 일단 태조가 그렇게 간주한 근거는 名山인 북한산은 고구려의 평양, 즉 남평양이었기 때문이다.

22 『三國史記』권5, 太宗 武烈王 8년 조. "五月九日[一云十一日] 高句麗將軍惱音信與靺鞨將軍生偕合軍 來攻述川城 不克 移攻北漢山城 列抛車飛石 所當陣屋輒壞 城主大舍冬陁川 使人擲鐵蒺藜於城外 人馬不能行 又破安養寺廩廥 輸其材 隨城壞處 卽構爲樓櫓 結絙網 懸牛馬皮·綿衣 內設弩砲以守 時城內只有男女二千八百人 城主冬陁川能激勵少弱 以敵强大之賊 凡二十餘日 然糧盡力疲 至誠告天 忽有大星落於賊營 又雷雨以震 賊疑懼 解圍而去 王嘉獎冬陁川 擢位大奈麻"

23 『三國史記』권22, 寶藏王 20년 조. "夏五月 王遣將軍惱音信 領靺鞨衆 圍新羅北漢山城 浹旬不解 新羅餉道絶 城中危懼 忽有大星 落於我營 又雷雨震擊 惱音信等 疑駭別退"

24 『三國史記』권42, 金庾信傳(中). "高句麗·靺鞨 謂新羅銳兵 皆在百濟 内虛可擣 發兵水陸並進 圍北漢山城 高句麗營其西 靺鞨屯其東 攻擊浹旬 城中危懼 忽有大星 落於賊營 又雷雨震擊 賊等疑駭 解圍而遁"

이에 대한 부연 설명을 붙여 본다.

평양은 "한양군은 본래 고구려 북한산군[혹은 평양이라고도 한다]이었다"[25]고 했다. 『고려사』지리1 南京留守官 條에는 "양주는 본래 고구려 북한산군이다[혹은 남평양성이라고도 한다]"[26]고 하였다. 따라서 양주=북한산군=남평양성이라는 등식이 성립된다. 이러한 평양의 존재는 『일본서기』의 다음 기사에서도 확인할 수 있다.

 * 이 해에 백제 성명왕이 친히 무리 및 2國兵[2국은 신라와 임나를 말한다]을 거느리고 가서 고려를 정벌하고 한성의 땅을 획득하고 또 진군하여 평양을 토벌하였는데, 무릇 6군의 땅으로 드디어 故地를 회복하였다.[27]

 * 이 해에 백제가 한성과 평양을 버렸다. 신라가 이로 인하여 한성에 들어가 자리잡았다.[28]

백제가 76년만에 고토를 회복하거나 상실한 상황에서 平壤은 한성과 함께 등장한다. 여기서 한성은 지금의 서울 송파구 일대 풍납동토성을 중심으로 한 구간이다. 위에 보이는 平壤은 한강 이북에 소재한 북한산의 남평양성이 분명하다. 일본측 사서를 통해서도 남평양성의 존재가 확인된다.[29]

---

25 『三國史記』권35, 地理2, 漢陽郡. "漢陽郡 本高句麗北漢山郡 一云平壤"
26 『高麗史』권56, 地理1, 南京留守官 條. "楊州 本高句麗北漢山郡[一云南平壤城]"
27 『日本書紀』권19, 欽明 12년 조. "是歲 百濟聖明王 親率二國兵[二國謂新羅‧任那也]往伐高麗 獲漢城之地 又進軍 討平壤 凡六郡之地 遂復故地"
28 『日本書紀』권19, 欽明 13년 조. "是歲 百濟棄漢城與平壤 新羅因此入居 漢城"
29 혹자는 본 기록상의 평양을 대동강유역의 평양으로 지목했다. 남평양은 존재하지 않았던 허구라는 것이다. 즉 "백제가 한성을 취한 뒤 '진군'하여 평양에 이르고, 그 결과로 6군을 취하였다면 평양은 한성과 마주한 양주가 될 수 없다. 또한 백제가 두 곳을 버린 후 신라는 한성만 취한 것으로 나오는데, 진흥왕이 북한산까지 진출했으므로 평양이 양주라면 한성과 함께 평양을 취했다는 기사가 나와야 한다"고 주장했다. 그런데 한성은 풍납동토성이 소재한 한강 남쪽 지금의 서울시 송파구 일원이다. 그리고 평양 즉 평양성은 지금 경기도 고양시에 속한 북한산성 안의 중흥동고성이다. 중흥동고성은 풍납동토성에서 한강을 건너 멀리 서북에 소재했다. 양자 간의 거리는 직선거리로만 무려 17km에 이르고 있다. 그러니 兩者는 혹자 주장과는 달리 마주할 수 없다. 게다가 "討平壤"하여 "凡六郡之地 遂復故地"라고 했듯이 백제가 점령한 6군 안에 '평양'이 포함된다. 그리고 백제가 "드디어 고지를 회복했다"고 했는데, 대동강유역의 평양이 백제 영역이 된 적이 있던가? 그러니 이 기록상의 평양은 '남평양'이 될 수밖에 없다. 그리고 "이 해에 백제가 한성과 평양을 버렸다"고 했다. 즉 '棄'라고 하여 백제가 평양을 점령했던 사실을 분명히 알렸다. 그러나 혹자의 주장대로 백제가 551년에 점령한 평양이 대동강유역의 평양이라면 고구려 수도를 점령한 것이다. 그럼에도 한성에서 평양까지 6郡밖에 소재하지 않았다는 것은 당치 않다. 물론 혹자는 "평양에 이르고"라고 하여 백제가 평양을 점령하지 않았다고 했다. 이러한 혹자의 주장은 사료와 정면으로 배치된다. 그럼에도 이에 대한 분석이나 검토 없이 넘어갔다. 혹자 논지의 타당성을 잃게 한다. 그리고 "백제가 한성과 평양을 버렸다"고 했으므로, 신라가 한성 뿐 아니라 평양까지 점령한 것은 쉽게 간파할 수 있다. 혹자는 『일본서기』의 이러한 기사는 신라 자료를 채용한 것으로 추정되므로 신뢰할 수 없다고 했다. 그렇다면 신라

3. '平壤 名山' 三角山의 성격

1) 고구려의 南界 삼각산

『삼국사기』 지리지에서 고구려 북한산군을 평양이라고도 했다. 그러면 평양 즉 남평양이기도 한 양주는 지금의 어느 곳일까? 다음은 지금의 고양시를 구성하고 있는 고양현과 행주현의 내력이다.

* 고양현: 본래 고구려 달을성현인데 신라가 고봉으로 고쳤다. 교하군 영현으로 삼았다[김부식이 이르기를 한씨미녀가 고산 봉우리에서 봉화를 올려 고구려 안장왕을 맞이한 곳인 까닭에 고봉이라 이름했다 (高陽縣: 本高句麗 達乙省縣 新羅改名高烽 爲交河郡領縣[金富軾云 漢氏美女於高山頭燃烽火 迎高麗 安藏王之 處 故名高烽].

* 행주: 본래 고구려 개백현인데 신라가 우왕으로 이름을 고쳐 한양군의 영현으로 삼았다. 혹은 왕봉현 이라고도 한다[김부식이 이르기를 한씨미녀가 안장왕을 맞이한 땅인 고로 왕봉으로 이름했다]. 고려가 고 쳐서 행주로 했다[별도로 덕양이라고도 하는데, 순화 연간에 정한 것이다](幸州 本高句麗 皆伯縣 新羅改名 遇王 爲漢陽郡領縣 一云王逢縣[金富軾云 漢氏美女迎安藏王之地 故名王逢] 高麗改爲幸州[別號德陽 淳化所定].

* 위의 2縣은 현종 무오년에 모두 양주 경내에 속했다.[30]〉

현종 9년(무오년)인 1018년에 현재 고양시를 구성하는 고양현(일산구)과 행주현(덕양구)이 양주 경 내로 들어갔다. 『삼국사기』가 편찬된 1145년 이전의 양주 관하에는 응당 고양시가 속해 있었다. 975 년에 세운 여주 고달사 원종국사혜진탑비에는 '楊州 三角山 莊義寺'라는 구절이 있다. 적어도 975년

의 영유권을 주장하기 위해 만들어낸 기록을 日人들이 왜 취했는지 해명해야 한다. 결국 혹자가 주장하는 남평 양 허구론은 실증을 결여한 상상의 산물이었다. 그 밖에 『삼국사기』 지리지에서 "북한산군을 평양이라고도 한다" 는 기록이 오류임을 입증해야 한다.

혹자는 고려 태조의 「장의사재문」에 등장하는 '고구려 옛 땅 평양'은 대동강유역 소재지를 양주 땅으로 내려와서 설정한 것으로 해석했다. 그러나 이러한 주장은 태조가 「훈요십조」를 비롯하여 줄곧 西京 즉 평양을 중시했던 일과 배치된다. 게다가 고려를 침공한 遼의 소손녕이 "그대의 나라는 옛 신라 땅에서 건국하였고, 고구려의 옛 땅은 우리 것인데, 어째서 당신들이 침범하였는가?"라고 물었다. 고려가 신라의 후예로 인정될 경우에는 대동강 이북의 땅에 대한 소유권을 주장할 수 없는 것이었다. 그러자 서희가 말하기를 "그렇지 않다. 우리나라는 바로 고구려의 후예이다. 그랬기에 나라 이름을 고려라 하였고, 평양을 국도로 정했다"고 응수했다. 태조 뿐 아니라 고려시대인들은 평양을 양주가 아니라 대동강유역으로 여전히 인지하였다. 따라서 혹자의 주장은 도저히 성립 하기 어려워서 어리둥절하게 한다(李道學, 『분석고대한국사』, 학연문화사, 2019, 713쪽, 註121).

30 『世宗實錄』地理志, 京畿道, 高陽縣 條. "右二縣 顯宗戊午 皆屬楊州任內"

이전에 이미 북한산은 양주에 속해 있었다. 서울시 종로구 일대도 응당 양주 땅이었다.

이러한 북한산은 고려 초기 고려인들의 영역 의식과도 닿아 있다. 다음은 遼將 소손녕과의 담판 직전 徐熙가 조정에서 한 발언이다.

> 그들이 고구려의 옛 땅을 차지하겠다고 떠벌리는 것은 실제로 우리를 두려워하는 것입니다. 지금 그들의 군세가 강성한 것만을 보고 급히 서경 이북 땅을 떼어 그들에게 주는 것은 나쁜 계책입니다. 또한 삼각산 이북도 고구려의 옛 땅인데, 저들이 한없는 욕심[谿壑之慾]을 부려 요구하는 것이 끝이 없다면 (우리 국토를) 다 줄 수 있겠습니까?[31]

위에서 소개한 서희의 발언에 따르면 삼각산 즉 북한산 이북도 고구려 옛 땅이라는 것이다. 태조도 '삼각산 장의사'의 재문에서 '고구려 옛 땅'을 언급했다. 고려인들이 처음부터 삼각산을 고구려 영역으로 인식한 데는 다음과 같은 잘못된 기록에서 연유한 듯하다.

> 「古典記」를 살펴보면 이르기를 "동명왕의 第3子인 온조가 전한 鴻佳 3년 癸酉에 졸본부여로부터 위례성에 이르러 도읍을 세우고 왕을 칭했다. 14년 병진에 漢山으로 도읍을 옮겼다[지금 廣州]. (그리고) 389년을 지나 13세 근초고왕 咸安 원년에 이르러 고구려 남평양을 취하여 북한성으로 도읍을 옮겼다[지금 楊州]. (그리고) 105년이 지났다."[32]

위의 인용을 보면 「고전기」에 근거하여 함안 원년인 371년에 백제 근초고왕이 북한성으로 도읍을 옮겼다고 한다. 그곳은 고구려 남평양이라는 것이다. 즉 371년에야 백제는 비로소 북한성이 소재한 삼각산 일대를 지배할 수 있었다는 말이 된다. 물론 이는 사실과 다르지만, 근거한 「고전기」에서 알 수 있듯이 그 연원은 통일신라 말 이전으로 소급할 수 있다. 따라서 태조와 서희의 발언은 이러한 인식에 근거한 것으로 보인다.

---

31 『高麗史』권94, 徐熙傳. "其聲言取高勾麗舊地者 實恐我也 今見其兵勢大盛 遽割西京以北與之 非計也 且三角山以北 亦高勾麗舊地 彼以谿壑之欲 責之無厭 可盡與乎"

32 『三國遺事』권2, 紀異, 南扶餘・前百濟・北扶餘 條. "按古典記云 東明王第三子温祚 以前漢鴻佳三年癸酉 自卒夲扶餘至慰礼城 立都稱王 十四年丙辰移都漢山[今廣州]歷三百八十九年 至十三世近肖古王咸安元年 取高句麗南平壤移都北漢城[今楊州]歷一百五年"

18-3 창동에서 바라 본 북한산(삼각산)

그리고 태조가 지은 「장의사재문」의 '명산'은 두 말할 나위없이 북한산을 가리킨다. 조선 전기에도
북한산은 "名山으로 三角山을 말할 수 있는데, 都城의 鎭山이 된다"[33]고 했다. 신라가 小祀로 편제한
산악 가운데 북한산을 가리키는 負兒岳이 포함되었다.[34] 부아악은 "三角山: 신라에서는 負兒嶽이라
불렀다"[35]고 했다. 삼각산과 부아악은 동일한 북한산을 가리킨다. 조선 전기에 북한산은 中祀에 편
재되었다.[36]

2) 고려 왕실과 삼각산

(1) 「장의사재문」 친제 동기

태조는 부처와 더불어 풍수지리에 입각한 명산대천에 대한 의식이 각별했다. 「개태사화엄법회소」
에서도 "부처님의 붙들어 주심에 보답하고, 山靈의 도와주심을 갚으려고 특별히 담당 官司에 명하여
佛堂을 창건하고는, 이에 산의 이름을 天護라 하고, 절의 이름을 開泰라고 하나이다.… 원하옵건대

---

33 『世宗實錄』地理志, 京畿. "名山 曰三角山 在都城之鎭白嶽之北"
34 『三國史記』권32, 祭祀, "小祀 … 負兒岳[北漢山州]"
35 『高麗史』권56, 志10, 地理1, 楊廣道, 南京留守官 條. "有三角山[新羅稱負兒嶽]"
36 『世宗實錄』권128, 五禮, 辨祀, 中祀.

부처님의 위엄으로 덮어 주고 보호하시며, 하느님의 힘으로 붙들어 주옵소서"[37]라고 하였다. 이는 다음과 같은 「훈요십조」에서도 확인된다.

　　첫째, 우리나라의 대업은 반드시 모든 부처가 보호하고 지켜주는 힘에 의지하고 있으므로, 禪宗과 敎宗의 사원을 창건하고 주지를 파견하여 분향하고 수도하게 함으로써 각각 자신의 직책을 다하도록 하는 것이다.

　　다섯째, 짐은 삼한 산천의 음우에 힘입어 대업을 이루었다. 西京은 水德이 순조로워서 우리나라 지맥의 뿌리가 되고 대업을 만대에 전할 땅이다. 마땅히 춘하추동 네 계절의 중간 달[四仲月]에 왕은 그 곳에 가서 100일이 넘도록 체류함으로써 (나라의) 안녕에 이르도록 하라.

　　여섯째, 짐이 지극하게 바라는 것은 연등회와 팔관회에 있으니, 연등회는 부처를 섬기는 까닭이고 팔관회는 하늘의 신령 및 五嶽 · 名山 · 大川 · 龍神을 섬기는 까닭이다.[38]

　장의사가 소재한 북한산 즉 삼각산은 신라 이래 명산이었다. 道詵의 풍수를 계승한 金謂磾 역시 동일한 주장을 펼쳤다.[39] 고려 숙종대의 김위제는 「道詵記」 · 「道詵踏山歌」 · 「三角山明堂記」 · 「神誌秘詞」 등을 근거로 風水地理說에서 南京 建都를 역설하였다.[40] 여기서 삼각산이 主山 역을 했다. 그는 「道詵記」를 인용하였다. 즉 高麗에는 三京이 있어 松岳(開京)을 中京으로 삼고 木覓壤(지금의 서울)을 南京, 平壤을 西京으로 하여 겨울 4개월은 中京에, 그리고 나머지 계절은 각 4개월씩을 南京과 西京에 왕이 巡幸하여 머무르면 해외 36國이 스스로 찾아와 朝貢을 바치게 된다고 했다.

　지금의 서울 북부 지역은 태조도 인지했듯이 고구려 때 '평양'이었다. 中京인 개경과 북과 남의 2개의 평양을 설정하는 구도를 상정했을 수 있다. 태조 역시 『도선비기』에서와 마찬 가지로 당초 고구려 땅이라고 믿었던 삼각산을 중시했을 것이다. 더욱이 이곳은 고구려 별도였던 남평양이 소재했던 정치적 거점이었다. 태조의 친제문 2건은 통일 후 지은 것이다. 「장의사재문」은 저술 시점이 확인되지 않는다. 친제문 2건처럼 통일 후에 지었을 수 있다. 그러나 앞의 2건은 『고려사』에 보이지만 장

37　『東人之文四六』 권8, 神聖王親製 開泰寺華嚴法會疏.
38　『高麗史』 권2, 太祖 28년 조. "其一日 我國家大業 必資諸佛護衛之力 故創禪敎寺院 差遣住持焚修 使各治其業 後世姦臣執政 徇僧請謁 各業寺社 爭相換奪 切宜禁之… 其五日 朕賴三韓山川陰佑 以成大業 西京水德調順 爲我國地脈之根本 大業萬代之地 宜當四仲巡駐 留過百日 以致安寧… 其六日 朕所至願 在於燃燈八關 燃燈所以事佛 八關所以事天靈及五嶽名山大川龍神也"
39　『高麗史』 권122, 方技, 金謂磾傳에서 「三角山明堂記」 등이 거론되었다.
40　이와 관련한 기왕의 논문을 살펴 보았지만 본고의 논지와는 방향이 다르기 때문에 소개하기 어려웠다.

의사 件은 등장하지 않았다. 이로 볼 때 통일 전일 수도 있다. 이와는 달리 태조는 즉위 후 장의사에 행차하여 후백제 통합을 기원하는 법회에 참석했을 가능성도 고려된다. 물론 이러한 행적은 기록에 남아 있지 않다. 만약 그가 장의사 법회에 왔다면 삼각산에 행차했을 수 있다. 그러나 어디까지나 증빙할 수 없는 추정이므로 더 이상의 논의는 무의미하다.

그러나 한 가지 짚고 넘어갈 문제가 있다. 태조의 장의사 親幸 기록이 없으므로 몸소 오지는 않았다고 단정하는 경우이다. 신라 말 고려 초 禪師들의 비문 가운데 진철대사 利嚴은 태조와 접견한 구체적인 기록이 보인다. 932년에는 해주 廣照寺를 짓게 하여 주석하게 했고, 936년에 이엄이 입적했을 때는 弔祭를 베풀고 시호와 塔銘까지 내려주었다. 그러나 이들에 대한 기록은 『고려사』를 비롯한 사서에서는 일절 보이지 않는다. 924년에 태조는 법경대사 玄暉를 궁궐로 모셨고, 國師로 대우했고, 비문의 '在學弟子' 명단에 '神聖大王' 즉 태조의 존재가 확인될 정도로 각별하였다. 그럼에도 현휘 역시 사서에는 보이지 않는다. 이러한 사례는 일일이 열거하기 어려울 정도로 많다. 그리고 法印國師 坦文의 비문에는 942년(태조 25)에 "鹽州와 白州 2州의 땅이 메뚜기떼로 농사에 피해를 입었다"고 했지만 역시 『고려사』나 그 밖의 사서 어디에도 기록되어 있지 않다. 「선각대사비문」에서는 前主 즉 궁예가 南征한 기록이 있지만 『고려사』 등에서는 보이지 않는다.[41] 특히 『고려사』 자체 기록의 영성함을 언급하지 않을 수 없다. 가령 926년(태조 9년 4월·12월), 933년(태조 16년 3월), 937년(태조 20년 5월·11월), 939년(태조 22년 3월)의 예에서 보듯이 1년에 1~2개월만 수록된 경우가 허다했다는 것이다. 따라서 기록에 보이지 않으므로 그런 일이 없었다는 단정은 속단일 수 있다. 다만 태조 자신이 글을 지은 2곳의 문장은 앞에서 한번 언급했지만 『고려사』에서 再錄한다.

* 가을 7월 왕사 충담이 죽자, 원주 영봉산 흥법사에 탑을 세우고 왕이 직접 비문을 지었다(태조 23년 7월 조).
* 겨울 12월에 개태사가 낙성되었다. 낙성화엄법회를 열고 친히 疏文을 지었다(태조 23년 12월 조).

그러나 위의 기사만을 통해서는 태조가 흥법사 탑 건립이나 개태사 낙성법회에 참석했는지는 알 수 없다. 여기서 중요한 것은 태조의 행차 여부가 아니라 그가 직접 글을 지었다는 것이다. 그 만큼 각별한 의미를 부여했기에 가능한 일이었다고 보는 데는 이견이 있을 리 없다.

---

41   上記한 비문은 한국역사연구회, 『譯註 羅末麗初金石文(上·下)』, 혜안, 1996에 의하였다.

(2) 삼각산 승가굴

삼각산에는 장의사 외에 僧伽窟이 소재하였다. 승가굴은 고려의 역대 왕들과 귀족들이 찾았던 명승이었다. 『동문선』에 수록된 다음의 기사를 살펴본다.

… 崔致遠 公의 문집을 보면, "옛날 신라 시대 狼迹寺의 중 秀台가 대사의 거룩한 행적을 익히 듣고, 三角山 남쪽에 좋은 장소를 골라 바위를 뚫어 굴을 만들고, 돌에 새겨 형용을 모사하니 대사의 道의 풍모가 더욱 우리나라에 비치어졌다. 국가에 천지의 재변이 있을 때나 수재나 한재 등 모든 의심스러운 일이 있을 때에, 기도를 올려 이를 물리치면 그 자리에서 응답을 받지 않은 적이 없었다. 그러므로 사절을 보내어 봄과 가을에 3일씩 齋를 베풀고, 연말에는 아울러 임금의 옷을 바치는 것을 정상적인 규례로 삼았다"고 하였으니, 성인과의 거리가 더욱 멀어졌다는 말을 누가 할 수 있겠는가. 밝으시며 또 인자함을 모두들 감탄하도다. 자식 없는 여자가 절하며 기원하면 곧 훌륭한 아들을 낳으며, 말을 잃은 노인이 정성을 다하여 고하면 바로 잃었던 말을 찾는다. 병든 사람이 애절히 간구하면 병상에서 신음하던 소리가 곧 그치며, 벼슬을 구하는 사람이 간절히 원하면 조정에서 막혔던 벼슬길이 바로 트인다. 소금을 구하면 바닷가의 사람이 구워 가지고 오기도 하며, 갓을 원하면 서울의 여자가 만들어 바친다. 그 밖의 신기한 경험은 이루 다 말할 수 없다. 그러므로 우리 太祖께서 나라를 세우신 뒤에 역대의 임금들이 모두 친히 여기에 와서 禮를 올리셨다. 저 唐의 아홉 황제가 淸凉山에 가서 文殊菩薩에게 귀의한 것과 같다고 볼 수 있다. 大安 6년 宣宗께서 행차하시어, 굴에 나아가서 재를 올리고 보물을 희사하시어 공경을 극진히 하셨다.[42]

위의 記文은 李顥(1042~1110)가 乾統 6년(예종 1)인 1106년 10월에 지은 重修記이다. 이 중수기에 따르면 최치원문집을 인용하여 통일신라인 秀台가 唐僧 僧伽大師(628~710)의 像을 조성했다고 한다. 물론 조선조 말에 간행된 『孤雲文集』에는 이 구절은 없다. 그러나 『삼국사기』 최치원전 말미에 "又有文集三十卷行於世"라고 하여 문집의 존재가 확인된다. 『삼국유사』에서도 최치원의 시문집이 인용되고 있다. 그러므로 고려 말까지 최치원문집은 존재하였지만 현재는 남아 있지 않은 관계로,

---

42 『東文選』 제64권, 記, 三角山重修僧伽崛記. "案崔公致遠文集 昔有新羅代狼迹寺僧秀台 飫聆大師之聖跡 尋選勝于三角山之南面 開巖作窟 刻石摸形 大師道容 益照東土 國家如有乾坤之變 水旱之災 凡所可疑之事 禱以禳之 無不立應 故遣使春秋設齋各三日 歲杪兼獻襯衣 用爲恒例 孰云乎去聖愈遠 咸嘆乎旣明且慈 至如無兒婦 稽顙而祈 卽生良亂 失馬翁淪誠以白 還得舊驛 告病苟哀 蟻榻之鬪聲忽息 求官儻切 鷺庭之滯迹俄翔 或乞監而海客炙來 或請帽而京姬製獻 其餘神驗 不可殫論 故我太祖開國之後 歷代之君 皆親瞻禮焉 彼唐有九帝駕幸淸凉山 歸仰文殊菩薩 卽可以同日而語矣 大安六年 宣王駕詣窟修齋 施納寶物 以致敬焉"

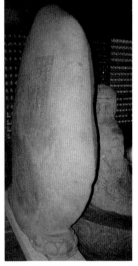

18-4 승가굴의 불상   18-5 명문이 새겨진 광배

해당 구절을 확인할 수 없는 게 아쉬울 따름이다.[43]

　승가굴 불상의 조성 시기를 756년(경덕왕 15)으로 전하는 기록도 남아 있다.[44] 그런데 현재의 승가사 대웅전 윗편에 소재한 석굴에 안치된 僧伽大師像의 光背에는 '太平四年甲子'로 시작하는 명문이 보인다. 이에 따라 불상의 조성 시기를 '太平四年' 즉 1024년(현종 15)으로 지목하여 왔다. 그런데 불상과 광배의 조각 기법에 차이가 나고 있다. 따라서 현재의 승가대사상이 수태가 조성한 승가대사상인지는 알 수 없지만,[45] 연대가 소급될 수 있는 여지를 남겼다. 여하튼 고려 왕들의 삼각산 행차는 1036년(정종 2)부터 시작하였다. 이는 1024년의 승가대사상 조성과 관련 짓는 게 자연스럽다. 이때 승가대사상에 광배가 갖춰졌을 가능성도 상존한다.

　이오가 지은 삼각산 승가굴 중수기에서 宣宗이 행차한 大安 6년은 1090년이다. 실제『고려사』에서 동일한 연도인 "겨울 시월 丙午에 왕이 태후를 모시고 삼각산에 행차했다"[46]는 기사가 보인다. 중수기에 따르면 태조가 개국한 이래 역대 왕들이 삼각산에 행차하여 재를 올렸다고 한다.『고려사』만 보더라도 왕이 삼각산은 물론이고 승가굴이나 장의사에 행차한 기사가 제법 보인다. 다음은 이에

43　李弘稙,「僧伽寺雜考」『鄕土서울』6, 1959 ;『한 史家의 流薰』, 通文館, 1972, 173쪽.

44　李弘稙,「僧伽寺雜考」『한 史家의 流薰』, 通文館, 1972, 174~175쪽.

45　南東信,「北漢山 僧伽大師像과 僧伽信仰」,『서울학연구』14, 서울시립대학교 서울학연구소, 2000, 17쪽.

46　『高麗史』권10, 宣宗 7년 10월 15일 조. "冬十月 丙午 王奉太后 幸三角山"

대한 기록들이다.

    * 戊子에 (왕이) 삼각산에 행차했다.[47]

    * 庚寅에 (왕이) 삼각산에 행차했다.[48]

    * 庚戌에 (왕이) 僧伽窟에 행차하고, 그 길로 藏義寺에 행차하였다.[49]

    * 丁卯에 왕이 왕비 · 元子 · 兩府의 여러 관료 및 祐世 僧統을 데리고 三角山에 행차하였다.[50]

    * 甲戌에 (왕이) 僧伽窟에 행차하여 齋를 열고, 은으로 만든 香椀과 手爐 각 1벌과 金剛子 및 水精念珠 각 1貫, 金帶 1개와 아울러 金花果를 수놓은 깃발[幡] · 茶 · 香 · 衣對 · 金綺를 시주하였다.[51]

    * 庚寅에 詔書를 내려 말하기를 "기묘년에 三角山에 행차하면서 거처간 곳의 名山大川 神號에 각각 仁聖 두 글자를 더하고, 소재하는 州縣에서는 이것을 알리는 제사를 지내도록 하라"고 했다.[52]

    * 丙午에 御駕가 常慈院에 도착하자, 侍御史 崔謂를 보내 御衣 · 茶 · 香을 가지고 三角山 僧伽窟에서 비를 빌게 했다.[53]

    * 癸亥에 왕이 南京을 출발하여 후궁[內中]과 함께 僧伽窟에 행차하여 재를 올리고 속옷[襯]을 바쳤다.[54]

    * 壬午에 (왕이) 僧伽窟에 행차했다.[55]

    * 辛酉에 (왕이) 三角山 藏義寺에 행차하고, 나아가 僧伽窟에도 행차했다.[56]

    * 己巳에 (왕이) 三角山 僧伽 · 文殊 · 藏義 등의 절에 행차했다"[57]

    * 또 (忠烈)王을 권해서 三角山 文殊窟에 행차하게 했다. 새로운 길을 뚫어 일방이 시끄러웠다. 왕이 엄수안이 능력 있다고 하여 3품의 官階를 하사하였다.[58]

47　『高麗史』권6, 靖宗 2년 3월 9일 조. "戊子 幸三角山"

48　『高麗史』권7, 文宗 5년 10월 12일 조. "庚寅 幸三角山"

49　『高麗史』권10, 宣宗 7년 10월 19일 조. "庚戌 幸僧伽窟 遂幸藏義寺"

50　『高麗史』권11, 肅宗 4년 9월 28일 조. "丁卯 王率王妃 · 元子 · 兩府群僚及祐世僧統 幸三角山"

51　『高麗史』권11, 肅宗 4년 윤9월 5일 조. "甲戌 幸僧伽窟 設齋 仍施銀香椀 · 手爐各一事 金剛子 · 水精念珠各一貫 金帶一腰 幷金花果繡幡 · 茶 · 香 · 衣對 · 金綺"

52　『高麗史』권11, 肅宗 6년 3월 29일 조. "庚寅 詔曰 己卯年 幸三角山 所過名山大川神號 各加仁聖二字 令所在州縣祭告"

53　『高麗史』권12, 肅宗 9년 8월 5일 조. "丙午 駕次常慈院 遣侍御史崔謂 賫御衣 · 茶香 禱雨于三角山僧伽窟"

54　『高麗史』권12, 肅宗 9년 8월 22일 조. "癸亥 車駕發南京 與內中 幸僧伽窟 設齋納襯"

55　『高麗史』권12, 睿宗 3년 10월 6일 조. "壬午 幸僧伽窟"

56　『高麗史』권13, 睿宗 5년 윤8월 25일 조. "辛酉 幸三角山藏義寺 遂幸僧伽窟"

57　『高麗史』권18, 毅宗 21년 9월 5일 조. "己巳 幸三角山僧伽 · 文殊 · 藏義等寺"

58　『高麗史』권106, 諸臣, 嚴守安傳. "又勸王幸三角山文殊窟 鑿開新道 一方騷然 王以守安爲能 賜三品階"

1106년에 지은 李顥의 중수기는 1106년(예종 1) 이전에 역대 왕들이 삼각산 승가굴에 행차한 사실을 언급한 것이다. 위에서 인용한『고려사』를 보면 영험이 많은 승가굴 다음으로 행차한 곳이 장의사였다. 그런데 태조가「장의사재문」을 몸소 지었고, '平壤名山'을 언급한 것을 볼 때 삼각산이「도선비기」에서 회자되었기에 그렇게 적었을 것이다. 태조가 고구려 남평양이 설치되어 비중이 지대했고, 명산이었던 삼각산의 장의사에서 후백제 제압을 기원하는 재를 올렸을 수 있지만 가능성은 희박하다. 결과적으로 태조가 후삼국 통일에 성공하였기에「훈요십조」에서 "짐은 三韓 산천의 陰佑에 힘입어 대업을 이루었다"고 한 것도, 삼각산을 비롯한 명산에 誓願했음을 뜻한다고 본다. 직접적인 연유는 승가굴 때문이었겠지만, 태조와 연고가 있거나 名山으로 중시한 까닭에 고려 역대 왕들이 삼각산에 행차했을 것이다.

(3) 화엄사찰 장의사와 개태사

태조가 재문을 지은 天護山(黃山) 개태사와 삼각산 장의사에는 공통점이 보인다. 두 사찰 모두 화엄종 계통이라는 것이다. 개태사 친제문을「개태사화엄법회소」라고 했듯이 화엄법회와 관련되었다.「법인국사보승탑비문」을 보면 장의사에서는 화엄경을 강설했고, 훗날 화엄종주가 된 탄문은 장의사 신엄으로부터 화엄을 수학했다. 그리고 장의사에서 具足戒를 받은 탄문을 일러 '화엄의 큰 그릇(花嚴大器)'이라고 하였다.[59] 따라서 장의사와 개태사는 화엄종 사찰임을 알 수 있다.

18-6 개태사의 철 가마솥.『여지도서』에 따르면 된장을 끓이던 솥이라고 한다.

---

59 한국역사연구회,『譯註 羅末麗初金石文(下)』, 혜안, 1996, 402~403쪽.

태조가 화엄종 사찰과 관련해 재문을 지은 데는 특별한 이유가 있었을 것이다. 화엄사상은 중앙집권적인 지배체제를 뒷받침하기에 적합한 이론이었다고 한다.[60] 그랬기에 태조는 화엄의 사상을 통해 민심을 통일하려고 했던 것 같다. 사실 『華嚴經』 속에서 모든 教法의 근본으로서 一乘, 특히 힘이 가득한 '三寶의 威靈'과 같은 一乘을 발견했기에, 호국을 위한 경전으로 받아 들여졌다. 그랬기에 『화엄경』을 讀誦하고 법회를 열었다고 한다. 문무왕대 義湘이 왕명에 따라 전국에 華嚴十刹을 개창한 사실도 호국 신앙과 연계되어 있다. 신라 寶川 太子가 입적하기 직전에 山寺에서 국가에 도움이 되는 일로서, 『화엄경』과 華嚴神衆 독송과 매년 백일 간 화엄법회를 베풀라고 당부했다. 호국의 방편으로 사찰의 기능을 말한 것이다. 국가에서 사찰을 지원하여 국가를 鎭護하려는 의도로 해석되었다.[61]

개태사가 후백제를 제압한 승전의 현장과 관련 있다면, 장의사는 고구려의 別都 남평양에 소재한 名山 삼각산에 속했다. 장의사는 거국적인 백제 공략과 관련한 신라의 호국사찰이었다. 이와는 달리 태조는 사회 통합 이념으로 화엄의 一乘思想을 적극 활용한 듯하다. 그리고 태조는 대규모 奉佛을 통해 誓願을 하였다. 따라서 태조가 '名山'을 언급한 「장의사재문」에는 三韓山川의 陰佑에 힘입어 민심을 통일하려는 태조의 의도가 담겼을 것이다.

분명한 사실은 삼각산에는 화엄십찰의 하나인 '漢州 負兒山 靑潭寺'가 소재하였다.[62] 그리고 權相老의 手稿 『조선사찰 전서』(奉恩寺 本末誌, 僧伽寺 條)에서 수태가 조성한 승가굴 불상을 관음대사상이라고 했다.[63] 의상의 화엄학에는 관음 신앙이 깃들여 있다고 한다. 그리고 장의사도 화엄종 계통이었다. 게다가 삼각산을 華山이라고도 했는데[64] 華嚴宗과 무관해 보이지 않는다. 그렇다면 태조는 삼각산을 華嚴의 요람으로 인식했을 수 있다.

---

60   李基白, 『新羅思想史研究』, 一潮閣, 1986, 255쪽.

61   石井公成, 『華嚴思想の研究』, 春秋社, 1996 ; 김천학 譯, 『화엄사상의 연구』, 민족사, 2020, 697~732쪽 참조.

62   『崔文昌侯全集』 唐大薦福寺故寺主麟經大德法藏和尙傳. "海東華嚴大學之所 有十山焉 中岳公山美理寺 南岳智異山華嚴寺 北岳浮石寺 康州迦耶山海印寺 普光寺 熊州迦耶峽普願寺 鷄龍山岫寺 括地志所云 鷄藍山是 朔州華山寺 良州金井山梵語寺 琵瑟山玉泉寺 全州母山國神寺 更有如漢州負兒山靑潭寺也 此十餘所"
     청담사 위치에 대해서는 배재훈, 「서울 은평뉴타운 '靑覃寺' 명문 기와 출토 건물지의 성격 검토 - 나말여초 화엄십찰 한주 부아산 '靑潭寺' 특정 문제와 관련하여 - 」 『서울과 역사』 101, 서울역사편찬원, 2019, 7~60쪽에서 잘 짚었다.
     청담사의 성격과 위상에 대해서는 張日圭, 「신라 말 靑潭寺와 화엄 불교계의 동향」 『新羅史學報』 41, 2017, 149-180쪽에 잘 정리되어 있다.

63   李弘稙, 「僧伽寺雜考」 『한 史家의 流薰』, 通文館, 1972, 170쪽.

64   『高麗史』 권71, 樂2, 俗樂. "楊州 卽高麗漢陽府 北據華山 南臨漢水 土地平衍 富庶繁華 非他州比 州人男女 方春好遊 相樂而歌之也"
     『世宗實錄』 地理志, 京畿道 楊州都護府 條. "三角山: 在府南[一名華山] 三峯突兀秀發 高入靑空"

4. 맺음말

고려 태조는 모두 3건의 친제문을 남겼다. 「개태사화엄법회소」와 「진공대사비문」, 그리고 「莊義寺齋文」이다. 모두 佛寺와 佛僧 관련 글이었다. 「진공대사비문」은 진공대사 충담의 탑비에 적힌 비문이다. 반면 「개태사화엄법회소」와 「장의사 재문」은 동질한 성격의 疏文 즉 齋文이었다. 전자는 개태사 낙성법회에서 창건 내력과 佛德을 칭송한 글이다. 장의사는 신라와 백제와의 전쟁에서 순국한 두 명의 충신이 혼령으로 보국하였기에 이를 기리기 위해 창건했다. 개태사는 후백제를 항복 받은 連山 지역에 창건하였다. 「장의사재문」은 기왕에 존재했던 신라의 사찰 관련 齋文이었다. 두 곳 사찰 모두 화엄종 계통이었다. 두 재문 역시 화엄법회와 관련 있었다. 화엄사상이 담고 있는 이념은 국토 통일과 민심의 통합에 유효하였다. 태조에게 화엄의 敎義는 호족 정권을 넘어선 강력한 왕권 구축과 함께 국가 진호에 긴요한 이념이었다.

태조는 장의사 재문에서 '高麗舊壤 平壤名山'이라고 하였다. 장의사는 '삼각산 장의사'였다. 그랬기에 삼각산 즉 名山인 북한산의 유래를 언급했다. 고구려의 舊壤, 그것도 별도인 남평양이었던 사실을 환기시켰다. 태조는 名山과 別都라는 휘황한 由緖를 밝혔다. 徐熙는 遼將 소손녕과의 담판 직전에 삼각산 이북을 고구려 영역으로 언급했다. 고구려 영역의 중요한 지표가 삼각산이었던 것이다. 道詵의 祕記에서는 中京인 개경을 軸으로 북의 서경과 남의 木覓壤 즉 남경의 3京制를 강조하였다. 이러한 풍수지리는 산천을 매개로 한 것인데, 「三角山明堂記」라는 書名에서 보듯이 명산으로서 북한산의 비중은 지대했다.

이러한 현장이 고구려 舊壤이요 名山인 삼각산 일대였다. 옛 고구려 판도의 부활과 그 판도 내에서 남평양의 위상을 재건하려는 의도가 깔린 것이다. 그리고 삼각산 장의사는 신라군과 당군이 합세한 거국적인 백제 진공과 관련된 호국사찰이었다. 이곳에서 태조가 재문을 손수 지은 배경은, 고구려를 계승한 고려가 명산 삼각산의 陰佑를 통해 후백제를 통합하려는 誓願 때문으로 보였다. 그러나 이는 하나의 추정에 불과할 따름이다. 태조가 후삼국을 통일한 직후에 고구려 舊都였던 평양에 西京을 설치한 정도의 비중은 아니지만, 고구려 別都 남평양성이 소재한 장의사의 화엄법회 재문을 지었다는 것은, 고구려의 판도 복원 차원에 입각한 국토 경영 일환으로 보였다. 남경 천도론의 연원도 이러한 맥락에서 찾을 수 있을 듯하다. 여러 논의 가운데 이 점에 방점을 찍고 싶다.

「고려 태조의 莊義寺齋文과 三角山」『한국학논총』54, 국민대학교 한국학연구소, 2020.

고등학교 국사 교과서상 후백제사 서술의 문제점

1. 머리말

제7차 교육과정 개편의 일환으로 출간된 현행 『고등학교 국사』 교과서는 국정이다. 국정인 만큼, 국가의 교육 지도 이념은 물론이고 현재까지의 연구 성과 등이 반영되어 있게 마련이다. 필자는 이와 관련해 「중·고등학교 국사 교과서 서술의 문제점과 백제사 인식」이라는 題下의 글을 발표한 바 있다.[1] 그런데 본고에서는 기존 국사 교과서에서 가장 소홀히 다루어 왔던 후삼국시대 가운데 후백제사에 대한 문제점을 적출해 보고자 하였다.

본고에서 검토하고자 하는 후삼국시대는 시간상으로는 반세기도 안되는 짧은 기간이었다. 그렇지만 후삼국시대는 교과서에서 설정한 고대사회를 청산하고 중세사회로 넘어가는 과도기적인 시대요, 새로운 시대를 예비하고 잉태했던 중요한 기간이기도 했다. 그럼에도 고등학교 국사 교과서에서는 정치사 위주의 서술에서 벗어나지 못했을 뿐 아니라 후삼국시대의 문화 양상과 그것의 특징에 대한 접근은 전혀 보이지 않는 일종의 사각지대로 남아 있다. 본고에서는 『고등학교 국사』 교과서(이후 『교과서』로 약칭한다)에 보이는 후백제사 서술이 얼마나 균형되고 고증에 충실했는가를 검토함으로써 차제에 '교과서' 서술의 한 지표로 삼게 되기를 바라고자 한다. 이와 더불어 부교재격인 고등학교 역사부도 1종에 대한 검토를 시도하였다.

---

1 李道學, 「중·고등학교 국사 교과서 서술의 문제점과 백제사 인식」 『살아 있는 백제 역사를 찾아서』, 전국역사교사모임, 2002. 8. 15.

2. 『교과서』의 내용 검토

『교과서』본문에 수록되어 있는 후백제 관련 내용은 소략하다. 인용하면 다음과 같다.

(1) 10세기로 들어오면서 지방에서 성장하던 견훤과 궁예는 신라 말의 혼란을 이용하여 독자적인 정권을 수립하였다. (2) 이에 따라 신라는 그 지배권이 경주 일대로 축소되어 다시 삼국이 정립하는 후삼국시대가 전개되었다.
견훤은 전라도 지방의 군사력과 호족 세력을 토대로 완산주(전주)에 도읍을 정하고 후백제를 세웠다 (900). 후백제는 차령산맥 이남의 충청도와 전라도 지역을 차지하여, 그 지역의 우세한 경제력을 토대로 군사적 우위를 확보할 수 있었다. 또한 중국과 외교 관계를 맺는 등 국제적 감각도 갖추었다.

그러나 (3) 견훤은 신라에 적대적이었고, (4) 농민에게 지나치게 조세를 수취하였으며, (5) 호족을 포섭하는 데 실패하는 등 한계를 갖고 있었다.[2]

그 밖에『교과서』여백에는 견훤에 대한 설명과 〈읽기 자료〉에서『삼국사기』견훤전의 일부를 인용하여 소개하였다. 그리고『교과서』에는 왕건과 고려를 서술할 때 그 대상으로서 후백제가 언급되어 있다. 그러나 이것은 어디까지나 고려를 설명하기 위한 부차적 서술에 불과하기 때문에 별도로 인용·검토하지 않았다. 앞에서 인용한 바와 같이『교과서』본문에 수록된 내용은 분량면으로는 9줄에 불과한 것이다. 그러면 이제는『교과서』본문의 문제점을 다음과 같이 검토해 본다.

① "10세기로 들어오면서 지방에서 성장하던 견훤과 궁예는 신라 말의 혼란을 이용하여 독자적인 정권을 수립하였다."
견훤이 독자적인 정권을 수립한 시기를 10세기로 설정한 것은 전주 천도(900)를 염두에 둔 서술이다. 견훤 정권은 전주 이전에 이미 무진주에 도읍하고 있었다. 그러므로 그 독자적인 정권의 수립 시점을 10세기로 서술한 것은 온당하지 않다. 이는 다음 기사를 통해 확인된다.

---

2 교육인적자원부,『고등학교 국사』2002, 66쪽.

a. 唐 昭宗 景福 원년(892)은 신라 진성왕 재위 6년인데, 총애하는 자들을 곁에 두고 정권을 멋대로 농락하니 기강이 문란하고 해이해졌다. 이것에 보태져 기근 때문에 백성들이 떠돌아다니고, 뭇 도적들이 벌떼처럼 일어났다. 이에 진훤이 몰래 분수 밖의 일을 넘겨다 보는 마음이 생겨 휘파람 불어 패거리를 모았다. 나가면서 서울 서남 州縣들을 치자 이르는 곳마다 메아리쳤다. 삽시간에 무리가 오천인에 이르렀다. 드디어 무진주를 습격하여 스스로 왕이라고 하였으나 오히려 감히 공공연히 왕을 칭하지는 못했고 스스로 新羅 西面都統指揮兵馬制置持節都督 全武公等 州軍事 行全州刺史兼 御史中丞 上柱國 漢南郡 開國公 食邑二千戶라고 했을 뿐이다.[3]

b. 壬子에 처음으로 光州에 도읍했다(壬子 始都光州).[4]

위의 a와 b는 진성여왕 6년인 892년에 진훤이 舉兵하여 왕 행세를 하였음을 알려준다. 그러나 지금까지의 연구 성과에 따르면 진훤은 889년(진성여왕 3)에 휘하의 병력을 이끌고 서울 서남쪽의 州縣[京西南州縣]을 공략하였다. 그의 대열은 삽시간에 5,000명에 이르는 무리로 불어 났다. 이를 기반으로 진훤은 a에 보이듯이 892년에는 지금의 광주 광역시인 武珍州에 도읍하고 스스로 '왕'이 되었다. 그러나 공공연하게 왕이라 일컫지는 못하고 스스로 '新羅西面都統指揮兵馬制置持節都督全武公等州軍事行全州刺史兼御史中丞上柱國漢南郡開國公食邑二千戶'라고 하였다. 이 호칭은 신라 조정이 진훤의 현실적인 세력을 인정하고서 부여했을 가능성도 있다. 그러나 그의 벼슬 이름에 보이는 전주·무주·공주(웅주)를 이때 진훤이 석권하지는 않았으므로 자칭이라는 해석이 맞다. 요컨대 진훤 정권은 교과서에서처럼 10세기가 아니라 '王(a)'과 '都(b)'에 대한 개념이 등장하는 9세기 말인 892년에는 이미 수립된 것으로 수정해야 마땅하다.

궁예의 경우도 894년(진성여왕 8)에 장군으로 추대되어 양길로부터 독립한 후 강원도 일원과 浿西 지역 호족들을 흡수하였다. 그 직후에 관한 상황을 『삼국사기』는 "선종은 스스로 그 무리가 많고 세력이 커지자 나라를 세우고 임금이라 할 만하다고 여겨(可以開國稱君) 비로소 內外官職을 설치했다. 우리 태조가 송악군으로부터 내투하여 마침내 철원군 태수를 제수 받았다"[5]고 서술하였다. 여기서 내외관직 설치와 지방관에 대한 임명 기사는 사족이 필요 없이 궁예의 독자 정권 수립을 뜻한다. 궁예가 왕건에게 철원군 태수를 제수한 것은 국왕으로서 통치 행위였다. 따라서 10세기에 접어들어서야 진훤과 궁예가 독자적인 정권을 수립했다는 『교과서』 서술은 잘못으로 드러났다.

---

3 『三國史記』권50, 甄萱傳.
4 『三國遺事』권1, 王曆.
5 『三國史記』권50, 弓裔傳.

② "이에 따라 신라는 그 지배권이 경주 일대로 축소되어 다시 삼국이 정립하는 후삼국시대가 전개되었다."

진훤과 궁예가 독자적인 정권을 수립함에 따라 신라는 그 母胎였던 경주 분지의 斯盧國 범위로 영토가 축소되었다는 것이다. 교과서 서술처럼 신라의 지배권이 경주 일대로 축소되었다고 하자. 그러면 '다시 삼국이 정립하는 후삼국시대'라는 서술은 적합하지 않다. 더욱이 '鼎立' 개념과는 전혀 부합하지도 않는다. 이 경우는 차라리 "삼국이 부활하는 후삼국시대가 전개되었다"는 서술이 온당하다.

③ "견훤은 신라에 적대적이었고"

신라에 적대적인 세력은 기실 궁예였다. 궁예는 신라를 '滅都'라 하였고, 신라에서 항복해 온 자들을 가차없이 죽였던[6] 데서 알 수 있듯이 대신라정책은 적대적이었다. 반면 진훤의 경우는 대외적인 관작에서 신라의 신하임을 내세웠듯이[7] 신라의 존재를 인정하는 입장이었다. 이 후 왕건 정권의 등장과 더불어 삼국분할 정립구도 속에서 후삼국은 공존하였다.[8] 그러나 그 틈새를 노린 진훤의 加耶故地 진출과 그로 인한 후백제의 군사적 위협을 직접 느끼게 된 신라 경명왕과 경애왕은 친고려 정책을 택했다. 이로 인해 고려＝신라 간의 결속과 그에 대항하는 후백제 간에 적대 관계가 구축된 것이다.

그럼에도 진훤은 경주 포석정을 습격하여 경애왕을 살해한 927년 직후에도 여전히 신라의 신하임을 내세웠고, '尊王之義'를 언급하였다.[9] 물론 이는 지극히 명분적이고 형식적인 외교 논리에 불과했다. 그렇지만 진훤이 신라에 대해 적대감을 공언하지 않았음을 알려주는 실례가 된다.

④ "농민에게 지나치게 조세를 수취하였으며"

진훤이 농민들에게 과도한 수취를 했다는 기록이 있는지 반문하고 싶다. 진훤의 경우는 收稅에 관한 기록이 전혀 남아 있지 않다. 비록 修辭가 많은 진훤 아들 신검의 교서에 적혀 있는 내용이기는 하지만 "대왕의 神武는 보통 사람보다 빼어나게 뛰어 나셨고, 영특한 지혜는 만고에 으뜸이라, 말세에 태어나서서 스스로 세상을 건질 소임을 지고 三韓 지역을 徇行하시면서 백제라는 나라를 회복하셨고, 진구렁이나 숯불에 떨어진 것과 같은 고통을 쓸어버리니 백성들이 평안하고 화목하게 되어 북을 치고 춤을 추었고, 광풍과 우레처럼 먼데나 가까운데나 준마처럼 달려, 功業이 거의 重興에 이르

---

6 『三國史記』권50, 弓裔傳. "意欲并呑 令國人呼新羅爲滅都 凡自新羅來者 盡誅殺之"
7 申虎澈, 『後百濟 甄萱政權硏究』, 一潮閣, 1993, 144쪽.
8 李道學, 「後百濟의 加耶故地 進出에 관한 檢討」 『白山學報』58, 2001, 46~52쪽.
9 『三國史記』권50, 甄萱傳. 여기서는 '僕義篤尊王'라고 하였다.

렀습니다"[10]라고 하였던 만큼, 농민층의 열렬한 지지를 얻었음은 부인하기 어렵다. 농민층의 지지는 진훤이 국가 창건에 성공하게 된 배경으로서 지역 정서인 백제의 부활과 더불어 그 한 軸을 이루는 요소였다. 여기서 농민층의 지지라는 것은 收稅의 輕減에 있었음은 두 말할 나위 없다. 즉 진훤은 농민들을 과중한 수탈과 질곡에서 해방시켰다. 그는 촌락 공동체를 뛰쳐나와 미아처럼 방황하는 유민들을 수습하여 농토에 묶어두면서 사회 안정과 경제 기반의 확대를 가져왔던 게 분명하다.

진훤의 對民收取에 있어서 비록 신검의 교서에 적혀 있는 글귀이기는 하지만 "진구렁이나 숯불에 떨어진 것과 같은 고통을 쓸어버리니 백성들이 평안하고 화목하게 되어 북을 치고 춤을 추었고"라는 구절은 농민들을 과중한 수탈과 질곡에서 해방시켰고, 그것을 가능하게 할 수 있는 제도적 장치가 마련되었음을 알려준다. 이것을 뒷받침해 주는 것이 屯田制의 시행과 灌漑 시설의 확충이었다. 둔전은 싸우면서 농사 짓는[且戰且耕] 군량 조달 방법이다. 군대 스스로가 식량을 생산함으로써 국가 경비 지출을 줄이는 동시에 보급·병참 문제를 해결하는 방책이었다. 이는 중국의 漢末 曹操가 시행하여 크게 효과를 본 제도였다. 진훤은 둔전이나 관개를 통하여 백성들의 생활 향상을 위한 농업 경제의 증진에 비상하게 심혈을 쏟았다. 이러한 경제적 안목이 그가 웅강한 국가를 만들 수 있었던 배경이었다. 「통진대사비문」에 따르면 진훤이 萬民堰이라는 제방에서 군대를 이끌고 있었다고 했다. 이는 진훤 스스로가 屯田과 灌漑에 힘 쓴 사실을 확인시켜 준다. 아울러 '모든 백성들의 방죽'이라는 뜻의 萬民堰이라는 제방을 통해서도 그가 취한 일련의 시책의 무게 중심이 농민과 관련한 농업 경제의 증진에 두었음을 읽을 수 있게 한다. 합덕방죽과 나주에서의 둔전 관련 전승 또한, 우리나라에서 둔전제를 본격 도입한 진훤의 농업시책을 알려주고 있다. 이는 전쟁 수행 과정에서 현지의 호족들로부터 군량이나 車乘을 차출받았던 왕건의 행태와는 크게 차이가 난다.[11]

⑤ "호족을 포섭하는 데 실패하는 등 한계를 갖고 있었다"

진훤이 호족 포섭에 실패했으면 국가 창건에 성공할 수 있었을까? 국가의 창건은 농민층의 지지만으로는 가능하지 않은 大業인 만큼, 그러한 발상 자체가 잘못되었다. 다만 진훤이 후삼국 통일에 실패한 원인으로써 호족 포섭의 실패를 지적하는 경우는 있다. 그러나 그러한 지적 역시 '한계'라고 할 수는 없다. 진훤 정권의 몰락 원인은 對豪族 시책의 실패에 기인한 것이 아니라 왕위계승 분쟁과 같은 내분 때문이었다.

---

10 『三國史記』 권50, 甄萱傳.
11 李道學, 「後百濟 甄萱의 農民施策에 대한 再檢討」 『白山學報』 62, 2002, 129~137쪽.

⑥ "견훤/ 본래 상주 지방의 호족 집안에서 태어나 신라 서남 지역 방위군의 장군으로 나가 세력을 키웠다. 그의 출신에 대해서는 상주의 농민 출신, 광주의 호족 출신 등 여러 설이 제기되고 있다."

『교과서』66쪽 왼쪽 여백에 적혀 있는 이 기사에 대한 해답은 67쪽 '읽기자료/ 후백제 건국 이야기'에 적혀 있는『삼국사기』진훤전에 대한 해석 그대로라고 보면 된다. 즉 "견훤은 상주 가은현(경북 문경 가은) 사람으로 본래의 성은 이씨였는데 후에 견으로 성씨를 삼았다. 아버지는 아자개이니 농사로 자활하다가 후에 가업을 일으켜 장군이 되었다"고 적혀 있듯이, 진훤은 문경 출신이었다. 그럼에도 상주 지방 출신은 왜 나왔는지 알다가도 모를 일이다. 이는 필시『삼국사기』진훤전의 출신지 '상주 가은현'의 '상주'는 9州의 하나를 가리킨다. 지금의 상주시로 혼동한 것이다. 그리고 진훤이 '호족 집안에서 태어나'라고 한 서술도 잘못이다. 원종과 애노와 같은 농민 봉기의 와중에서 아자개가 호족으로 성장했다고 볼 수는 있다. 그러나 이때는 진훤이 이미 장성하여 신라군에 복무하고 있는 시점이었다. 그러므로 진훤이 '호족 집안' 출신이 될 수는 없다. 이러한 서술은 6차 중·고등학교 국사 교과서에서 "농민의 아들로서"[12]·"농민 출신으로"[13]라고 한 서술보다 오히려 퇴보한 것이다.

그리고 "신라 서남 지역 방위군의 장군으로 나가"라고 서술되었지만, "장성하면서 체격과 용모가 뛰어나게 기이했고, 뜻과 기상이 빼어나서 평범하지 않았다. 서남해로 부임하여 수자리를 지켰는데, 창을 베고 적을 기다렸다. 그 용기가 항상 사졸의 으뜸이 되도록 일하였기에 비장이 되었다"[14]는 기사에서 알 수 있듯이 해적을 소탕한 武功으로 진훤이 神將으로까지 승진한 것이다.『교과서』서술처럼 그가 당초 '從軍'하면서부터 서남 지역에 장군으로 부임한 것은 아니었다. 참고로 진훤이 복무했던 서남 해안 지역은 지금의 순천만 일대였다. 이에 관해서는 필자가 이미 다음과 같이 언급한 바 있다.

진훤의 사위인 무진주 성주 池萱은 지금의 광주 출신 호족이 분명하다. 그리고 지금의 순천 출신인 朴英規는 말할 것도 없고, 진훤의 御駕行次를 맡았던 引駕別監 金摠도 순천 출신이었다. 인가별감은 어거 행차와 관련한 임무를 맡았던 만큼, 경호의 총책임자인 지금의 대통령 경호실장에 해당되는 직책이라고 하겠다. 김총은 죽어서 순천의 城隍神으로 받들여졌고, 그를 제사지내는 사당이 18세기 말까지만 하더라도 進禮山(여수시 상암동)에 존재하였을 정도로 위세 있는 인물이었다. 그는 순천 김씨의 시조이기도 한데, 묘와 사당인 同源齋는 순천시 주암면 주암리 방축동에 남아 있다.

이처럼 진훤의 최측근 인맥이 지금의 광주와 순천쪽이었다고 하는 것은, 그의 초기 세력 기반과 거병

---

12   교육부,『중학교 국사』1997, 92쪽.
13   교육부,『고등학교 국사(상)』1996, 108쪽.
14 『三國史記』권50, 甄萱傳.

지역을 암시해 준다. 892년에 진훤이 역사의 전면에 등장할 때 武州 동남쪽의 郡縣이 일제히 진훤에게 降屬하였다고 한다. 지금의 광주인 무주의 동남쪽은 순천과 여수를 포함한 지역권으로서 그 중심지는 순천이었다. 순천은 해안을 끼고 있는 곳이 아닌가. 이 점 유의하지 않을 수 없다.

이와 관련해 939년에 세워진 大鏡大師碑에 의하면 승려 麗嚴이 당나라에서 신라로 귀국할 때인 909년에 武州의 昇平에 도달했다(此時天祐六年七月 達于武州之昇平)는 기록이 주목된다. 승평은 승주 그러니까 지금의 전라남도 순천을 가리킨다. 이 사실은 기존의 인식과는 달리 南端 내륙 교통의 요충지인 순천 또한 대 중국 항로와 관련한 항구로서 기능하였음을 알려준다.

즉 현재의 순천은 광주로 이어지는 철로와, 여수로 연결되는 철로의 분기점인 동시에 광양→하동→진주→창원→삼랑진으로 뻗어가는 경전선의 시발이요 종착역이었다. 그런 관계로 순천에는 현재 철도국이 설치되어 있을 정도로 교통의 요충지였다. 그러니까 순천은 광주 및 나주·목포 지역과 지금의 경상남도 연안 지역을 연결하는 위치에 있었다. 지금의 광주에서 신라 수도인 경주로 가기 위해서는 통과해야 하는 땅이기도 했다. 그런데다가 順天灣에서 중국 대륙을 왕래하는 선박이 정박한다고 해 보자. 그것을 둘러싼 해적 집단의 횡행과 이들을 제압하기 위한 군대의 주둔을 생각하지 않을 수 없다. 바로 해적소탕 임무를 띠고 주둔했던 진훤의 軍營이 순천 해안가였고, 그러한 가운데서 자연스럽게 그의 초기 세력 인맥이 형성되어진 것으로 보여진다.

진훤의 초기 세력은 예하의 병력에다가 순천 지역 호족과의 혼인 관계를 통한 지역세력의 흡수, 나아가 順天灣을 중심으로 횡행하던 해적 집단의 규합을 통하여 이루어진 것으로 보겠다.[15]

⑦『교과서』66쪽 〈후삼국의 정립〉 지도에 보면 이른바 후고구려의 영역에 대동강과 평양이 포함되지 않았다.

905년에 평양성주 장군 黔用이 항복해 왔다. 甑城(평안남도 강서군 증산)의 赤衣와 黃衣賊 明貴 등도 궁예에게 항복하였다. 즉 "평양성주 장군 검용이 항복하였다. 甑城 赤衣와 黃衣賊 明貴 등이 귀복하였다"[16]고 했다. 그러므로 후고구려 영역에 대동강유역을 포함시키지 않은 『교과서』의 지도가 잘못되었음을 알 수 있다.

---

15 李道學,『진훤이라 불러다오』, 푸른역사, 1998, 86~87쪽 ;「진훤의 출신지와 초기 세력 기반」『후백제 견훤 정권과 全州』, 전북전통문화연구소, 1999, 8~9쪽 ; 同論文, 주류성, 2001, 69~72쪽.
한편 邊東明도 같은 견해를 취하고 있지만(「甄萱의 出身地 再論」『震檀學報』90, 2000, 41쪽), 필자의 논고를 인용하고 있고 논지도 동일하다.

16 『三國史記』 권50, 弓裔傳.

19-1 후삼국의 정립

　⑧『교과서』73쪽 〈고려의 민족 재통일〉 지도에 보면 '강주(진주)'를 신라 영역으로 표시하였다.

　후백제는 901년에 대야성을 처음 공격한 이래로 916년에도 공격했지만 함락시키지 못하고 회군하였다.[17] 대야성에서는 후백제 군대의 침공을 막는 데 일단 성공했지만, 原新羅 지역은 물론이고 加耶故地의 호족들은 위기감을 가졌다.[18] 승려 利嚴이 金海府 知軍府事 蘇律熙의 지원으로 김해에서 駐錫한 지 4년만인 915년에 移錫하면서 "땅이 賊窟과 붙어 있어서 신변의 도모가 안전하지 않았다"[19]고 한 말에서도 엿볼 수 있다. 여기서 '賊窟'은 후백제의 영역을 뜻하는 것이다. 김해 지역 인근에 후백제의 거점이 소재하고 있으면서, 김해 지역을 압박하고 있었음을 의미한다. 920년 10월에 진훤은 다음과 같은 군사 행동을 하였다.

17　『三國史記』권 12, 神德王 5년 조.

18　加耶故地의 호족들이 反新羅的인 입장에서 連帶 관계를 형성했다고 한다(金泰植, 『加耶聯盟史』, 一潮閣, 1993, 73~74쪽). 이 견해는 타당하지 않지만 이들이 집단적 위기감을 느꼈을 것임은 필지의 사실이다.

19　朝鮮總督府, 「廣照寺眞澈大師寶月乘空塔碑」 『朝鮮金石總覽(上)』 1922, 127쪽.

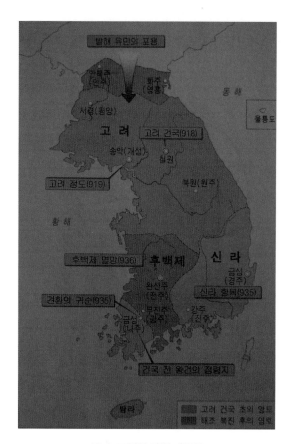

19-2 고려의 민족 재통일

　＊ 10월에 후백제 임금 진훤이 보・기병 1만을 거느리고 와서 대야성을 함락시키고는 進禮城으로 진군
하였다. 金律을 보내어 태조에게 구원을 청했다. 태조가 部將을 명하여 군대를 내어서 구원하니 진훤이
이를 듣고는 철수했다.[20]

　＊ 겨울 10월에 진훤이 신라를 침공하여 大良・仇史 2郡을 탈취하고 進禮郡에 이르렀다. 신라가 아찬
金律을 보내어 구원을 청하였기에 왕이 군사를 보내어 구원하였다. 진훤이 그 소식을 듣고 퇴각하였는
데, 이때부터 그는 우리와 불화하게 되었다.[21]

　위에서 大良은 대야성 곧 합천을 가리킨다. 仇史는 종전에는 초계로 지목하였지만 창원이 타당하

20 『三國史記』 권12, 景明王 4년 조.
21 『高麗史』 권1, 太祖 3년 조.

다. 그리고 진례성도 경상북도 청도 지역이 아니라 김해의 서북 진례면 지역이 온당하다.[22] 그러므로 후백제군은 합천에서부터 신속하게 창원과 김해를 잇는 루트를 따라 진격해 왔음을 알 수 있다.

후백제는 결국 김해 지역을 未久에 장악하였다. 922년 5월에 후백제가 사신 輝喦을 對馬島에 파견한 사실이[23] 그것을 암시한다. 왜냐하면 후백제가 대마도에 사신을 파견하기 위해서는 그 교두보 격인 김해 지역의 장악이 선결되어야만 하기 때문이다. 929년 1월에는 탐라와 海藻를 교역하던 후백제의 상선이 대마도의 下縣郡에 표착하였다. 그러자 對馬島守 坂上經國은 사절을 동반시켜 후백제인들을 金州까지 데리고 왔다.[24] 『扶桑略記』의 '金州'를 '全州'의 誤記로 파악하기도 한다.[25] 그렇지만 통일신라 때 김해를 '金州'라 하였고[26] 924년 7월에 부산 앞바다에 소재한 絶影島의 驄馬를 고려에 선물했을 정도로[27] 후백제는 김해와 부산으로 이어지는 남해 연안 지역과 항로를 장악하고 있었다. 게다가 후당의 登州와 신라의 金州를 연결하는 신라인 연락관이 파견되어 있었을 정도로[28] 경제와 전략적으로 중요한 곳이 김해 지역이었다. 따라서 중국대륙과 한반도 연안 그리고 대마도를 잇는 중요한 기항지가 김해라는 사실이 밝혀졌다.[29] 이러한 요인으로 인해 일본열도와의 교섭을 열망하고 있던 후백제는 920년에 전격적으로 김해 지역의 장악을 시도했다고 하겠다. 922년 이전에 후백제는 지금의 경상남·북도 지역 호족들이 외부세계와 交通할 수 있는 대야성(합천)과 진례성(김

---

22 金侖禹, 「新羅末의 仇史城과 進禮城考」 『史學志』 22, 1989, 155~160쪽.
　　李道學, 『진훤이라 불러다오』, 푸른역사, 1998, 151쪽.

23 『扶桑略記』 권24, 裡書, 延喜 22년 6월 5일 조 ; 『本朝文粹』 권12, 牒, 大宰府荅新羅返牒.

24 『扶桑略記』 권24, 延長 7년 5월 17일 조.
　　이러한 상황은 1049년에 金孝 등 20명이 폭풍을 만나 對馬島로 漂流했다가 對馬島 官人들의 도움을 받아 金州로 귀환한 경우와 동일하다(『高麗史』 권7, 文宗 3). 이 때도 歸還地를 '金州'라고 하였다. 金州는 金海를 가리킨다. 이러한 정황에 비추어 보더라도 『扶桑略記』에서 언급한 金州는 김해가 분명하다.

25 黑板勝美, 『新訂 增補 國史大系 12--扶桑略記』, 吉川弘文館, 1965, 203쪽.
　　申虎澈, 『後百濟 甄萱政權硏究』, 一潮閣, 1993, 141쪽.

26 『三國史記』 권34, 雜志 3, 地理 1과 『世宗實錄』 지리지, 김해도호부 조에 의하면 고려 전기 혹은 995년(고려 성종 14)에 金海를 金州로 행정지명을 고쳤다고 했다. 그러나 『册府元龜』 권976, 外臣部 20, 天成 2년 3월 조에 따르면 '新羅國登州知後官 本國金州司馬李彦謨'에 관한 기사가 보이는데, 여기서 金州는 명백히 金海를 가리킨다(金庠基, 「羅末地方群雄」 『東方史論叢』, 서울대학교 출판부, 1974, 435쪽). 요컨대 927년(天成2)에 김해를 金州로 일컬었던 사실이 확인되는 것이다. 그 밖에 金州를 金海로 지목한 견해로는 中村英孝, 『日鮮關係史의 硏究(上)』, 吉川弘文館, 1965, 132쪽이 대표적이다.

27 신라 귀족들은 섬을 목마장으로 이용했었는데, 절영도의 경우도 예외가 아니었다. 733년(성덕왕 32)에 성덕왕이 김유신의 후손인 김윤중에게 절영도의 馬 1필을 하사했다는 기록이 보이기 때문이다(『三國史記』 권43, 金庚信傳). 물론 이 기사에는 '絶影山'으로 적혀 있지만 동일한 지역을 가리킨다.

28 金庠基, 「羅末地方群雄」 『東方史論叢』, 서울대학교 출판부, 1974, 435쪽.

29 李道學, 「百濟의 交易과 그 性格」 『STRATEGY21』 2-2, 한국해양전략연구소, 1999, 57쪽.

해)이라는 양대 관문을 장악하였다. 928년 5월에는 다음과 같이 후백제군이 고려군을 격파하고 강주장군 有文의 항복을 받아냈다.

> 庚申日에 강주 원보 珍景 등이 古子郡에 양곡을 운반하러 간 사이에 진훤이 몰래 군사를 보내어 강주를 습격하였다. 진경 등이 돌아와 싸웠으나 패배하여 죽은 자가 300명이나 되었고, 장군 有文이 진훤에게 항복하였다.[30]

위의 기사로 볼 때 928년 5월에 후백제가 강주를 지배하게 되었음을 알 수 있다. 진훤의 둘째 아들 良劍이 935년에 진훤을 축출하는 모의에 가담할 때 康州都督이었다.[31] 그러므로 후백제는 그 말기까지 강주 지역을 장악하고 있었음이 분명하다. 진훤의 맏아들 신검은 전주에 거주하였다. 둘째 양검과 셋째 용검은 康州와 武州에 각각 파견되어 있었다. 진훤의 둘째 아들이 통치하던 구역이 강주였다는 것은 그 비중이 무주보다 컸음을 뜻한다.

한편 진주 촉석루 앞의 의암 일대를 시굴 조사한 결과 오월국의 '寶正' 연호가 적힌 명문 기와가 출토되었다.[32] 寶正 연호는 926년~931년간 사용된 연호이다. 이 연호를 진주에서 사용할 수 있던 세력은 후백제를 제외하고는 달리 생각하기 어렵다. 한때 진주를 장악했던 왕봉규는 후당으로부터 관작을 받았을 뿐이고, 고려의 경우는 918년 단 한 차례 오월국에 사신을 파견한 적 밖에는 없다. 그런데 반해 후백제는 오월국과 긴밀한 관계를 지속했다. 후백제는 900년에 오월국에 사신을 파견하였고, 오월국에서 報聘使가 와서 진훤에게 檢校大保를 加授하고, 909년에는 염해현에서 오월국에 가는 선박이 왕건에게 나포된 적도 있었다. 918년에 후백제는 오월국에 사신을 파견하여 말을 바쳤다. 또 오월국에서 보빙사가 와서 中大夫 職을 진훤에게 제수하였다. 927년 11월에는 오월국의 班尙書가 詔書를 지니고 후백제에 왔다.[33] 이러한 정황에 비추어 볼 때 진주성 밖에서 출토된 寶正 銘 기와의 제작 주체는 후백제였다는 결론에 이르게 된다. 따라서 후백제는 928년부터 적어도 935년까지 강주인 지금의 진주 일대를 지배했음을 알 수 있다. 928년 5월 이전에는 고려가 강주를 지배했었다. 어쨌든 강주는 신라 영역은 아니었으므로 후백제 영역으로 표시하는 게 마땅하다.

---

30 『高麗史』권1, 太祖 11년 5월 조.
31 『三國遺事』권2, 紀異, 後百濟甄萱 條.
32 국립중앙박물관, 「국립진주박물관-진주성 촉석루 외곽시굴조사」, 『박물관신문』 353호, 2001. 1.1.
33 후백제의 吳越과의 교섭 사실은 申虎澈, 『後百濟 甄萱政權硏究』, 一潮閣, 1993, 135~136쪽에 정리되어 있다.

3. 『고등학교 역사부도』의 검토

김유철 · 윤희면 · 최병도 · 승용기 · 최재삼, 『고등학교 역사부도』(㈜천재교육, 2002)의 경우 판권에 "교육인적자원부의 위탁을 받아 한국교육과정평가원이 검정 심사를 하였음"라고 적혀 있다. 그런데 본서(이후 '역사부도'로 略稱한다)에는 13쪽의 〈후삼국의 정립〉이라는 지도에 보면 분명히 '궁예 때의 영역'을 명시해 놓았지만, 나주 일원은 후백제 영역으로 표시되어 있다. 그러나 나주 일원은 '궁예 때의 영역'으로 표시해야 한다.

1) 진훤의 외교와 종교에 대한 서술 검토

『역사부도』에서는 궁예 · 왕건 · 진훤을 다음과 같이 도표로 작성하여 설명했다.[34]

	궁 예	왕 건	견 훤
국호	후고구려(901)→마진(904)→태봉(911)	고려	
연호	수덕만세	천수	
출신	왕족 후예→승려(초적)	해상세력을 바탕으로 한 호족세력	무장세력
외교	반신라 정책	후백제 고립, 친신라정책, 중국과 외교 수립	신라에 적개심, 중국 · 일본과의 외교에 적극적
종교	미륵불 자칭	유 · 불 · 선 3교를 포섭	불교에 관용적 태도

위의 도표를 보면 궁예 정권의 최초의 국호를 '후고구려'라고 하였다. 그러나 궁예 정권 최초의 국호는 '高麗'였다. 『삼국유사』 왕력편 後高麗弓裔 條에 보면 "辛酉 稱高麗"라고 하였다. 901년(신유년)에 궁예가 국호를 '高麗'로 칭했음을 알려주고 있다. 이러한 사실은 "왕씨가 궁예를 대신하여 高麗라는 이름을 그대로 사용하였다(王氏代弓裔 仍襲高麗之號)"[35]라고 한 데서도 확인된다. 따라서 궁예 정권의 국호를 본서에서 '후고구려'라고 한 것은 후대의 편의상 호칭을 잘못 사용한 것이다. 그리고 위의 도표에서는 진훤 정권의 국호가 공란으로 처리되어 있다. 이들은 국호도 없는 집단으로 간주한 때문이었을까? 아니면 실수로 누락시킨 것일까? 아무튼 후백제에 대해서만은 이런 저런 이유로 왜곡이 심하다는 인상을 지울 수 없다.

---

34 김유철 · 윤희면 · 최병도 · 승용기 · 최재삼, 『고등학교 역사부도』, ㈜천재교육, 2002, 13쪽.
35 『三峰集』권13, 「朝鮮經國典」 國號 條.

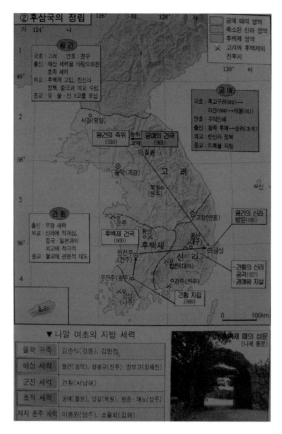

19-3 후삼국의 정립

　연호의 경우 궁예 정권은 수덕만세만 기재하였다. 궁예 정권의 국호는 모두 기재하였음에도 그에 수반되는 연호는 1개만 기재한 이유를 알 수 없다. 국호가 摩震이었을 때는 武泰와 聖册이었고, 泰封이었을 때는 水德萬歲와 政開였다. 보다 유의해야할 사실은 후백제란에는 연호가 기재되지도 않았다는 것이다. '正開'라는 후백제 연호가 누락되어 있다. 신라 말 9산 선문 도량 가운데 하나로서 후백제 영역에 소재했던 남원 실상산파의 實相寺에는 片雲和尙浮屠가 있다. 이 부도에 새겨진 '正開'는 후백제가 전주로 천도한 지 1년 후인 901년에 제정한 연호이다.[36]

　그리고 궁예의 출신을 '왕족 후예'라고 기재하였다. 궁예는 헌안왕 혹은 경문왕의 서자[37]라고 하였으므로 왕의 아들이다. 반대 사료를 제시하지 않은 이상 궁예는 막연한 '왕족 후예'가 아니라 왕자 출

36　金包光,「片雲塔과 後百濟의 年號」『佛敎』제49호, 佛敎社, 1928, 33~35쪽.
37　『三國史記』권50, 弓裔傳.

신으로 적는 게 온당하다. 한편 외교와 관련해 진훤을 '신라에 적개심'이라고 기재하였다. 그러나 '적개심'은 궁예에게 어울리는 표현이다. 다음의 기사가 그것을 말한다.

天復 원년 辛酉에 선종이 스스로 왕을 칭했다. 사람들에게 말하기를 "지난 날 신라가 唐에 군대를 청하여 고구려를 격파한 까닭에 평양 옛 서울은 묵어서 풀만 무성하였다. 내가 반드시 그 원수를 갚겠다"고 했다. 대개 태어났을 때 버림을 받은 원한이 있었던 까닭에 이러한 말을 하였다. 일찍이 남쪽으로 순행하다가 興州 부석사에 이르렀는데, 벽에 신라왕의 초상이 그려져 있는 것을 보고는 칼을 뽑아 이것을 쳤다. 그 칼날 자국이 아직도 있다.… 國人에게 신라를 滅都라고 부르게 하였고, 무릇 신라로부터 온 자는 죄다 죽어 버렸다.[38]

앞에서 언급한 바 있지만 진훤은 신라의 권위와 존재를 인정하는 입장이었다. 반면 위의 기사에서 알 수 있듯이 궁예는 신라에 대한 적개심을 극렬하게 표출하였다. 따라서 『역사부도』의 서술은 잘못임을 알 수 있다.

진훤의 종교에 대한 성향을 "불교에 관용적 태도"라고 하였다. 관용은 "너그럽게 받아들이거나 용서함"을 나타낸다. 진훤은 미륵불을 자처했을 정도로 불교를 정치에 이용하였다. 그리고 화엄종 교단이 남악과 북악으로 각각 나누어졌을 정도로 진훤은 교단 장악에도 비상한 힘을 쏟았다. 그 뿐 아니라 진훤은 禪宗 사원들과도 긴밀한 관련을 맺고 있었다. 이렇듯 진훤은 불교계를 포섭하기 위해 전력을 투구하고 있었으므로, 소극적인 느낌을 주는 "불교에 관용적 태도"라는 인식은 잘못된 것이다. 이와 관련해 진훤의 불교에 대한 관심과 이해를 살필 수 있는 기록이 전라남도 광양군의 玉龍寺에 소재한 洞眞大師寶雲塔碑가 된다. 958년 8월 15일에 건립된 이 비석의 문장에는 통진대사 慶甫가 후백제 영역에 이르고 후백제 교단에 編籍되는 과정을 읽을 수가 있다. 관련 비문의 내용은 다음과 같다.

마침 귀국하는 선박을 만나 동쪽으로 돌아 왔다. 天祐 18년(921) 여름에 전주 臨陂郡(전라북도 군산시 임피면)에 도달했는데, 道가 헛되이 행해지는 때였고 불리한 시절의 초기였다. 州의 都統인 太傅 甄萱이 萬民堰에서 군대를 이끌고 있었다. 태보는 본래 스스로 善根을 가졌고, 장군 집안[將種]에서 태어나서서 바야흐로 壯志를 펴고자 했다. 비록 擒縱之謀를 우선으로 여겼으나, (대사의) 인자한 얼굴을 우러러 뵙고는 첨앙하고 의지하는 뜻이 배나 더해졌다. 이에 탄식하며 말하기를 "우리 스승을 만남이 비록 늦었지만

---

38 『三國史記』권50, 弓裔傳.

제자 됨을 어찌 늦추겠는가"라고 하면서, 자리를 피하기를 진실히 하고 때에 적기를 독실히 했다. 드디어 州 안의 남쪽에 소재한 南福禪院에 거처할 것을 청하자, 대사가 말하기를 "새도 나무를 가리거늘 내가 어찌 꼭지 달린 박과 외처럼 (한 군데만) 얽매여 머물 수 있겠습니까"하였다.

白鷄山 玉龍寺는 돌아가신 스승께서 도를 즐기시던 淸齋로서 禪을 행하기에는 알맞은 형승이라 구름 덮인 시내가 허공에 떠 있는 듯하여 경치가 가장 좋은 곳이었다. 드디어 太傅에게 말하니 이를 허락하여 그곳에 옮겨 거처하였다.

唐에서 귀국하는 선박들은 서남해안을 끼고 있는 후백제의 영역에 소재한 항구로 들어오게 마련이었다. 유학 승려나 학생들은 후백제 땅을 밟게 되면서 자연스럽게 눌러 앉거나 포섭되는 경우가 많았을 것이다. 禪僧이었던 경보의 경우도 예외가 되지는 않았던 것 같다. 그는 道詵이 주석했던 백계산 옥룡사에서 주석하면서 후백제 정권 사상 구축의 한 축을 지탱하는 데 기여한 게 분명하다.

그리고 진훤과 왕건은 서로 유력한 사원의 후원을 입기 위해 각축전을 전개하였다. 화엄종은 당시 남악과 북악으로 분열되어 있었다. 『均如傳』에 의하면 화엄 교단 내부의 분열과 대립·갈등 양상이 다음과 같이 적혀 있다.

師는 北岳의 法孫이다. 옛날 신라 말 가야산 해인사에 2명의 華嚴司宗이 있었다. 한 분은 觀惠公으로 백제 渠魁인 진훤의 福田이었다. 또 한 분은 希朗公으로 우리 태조대왕의 복전이었다. 두 분은 信心을 받아서 香火의 願 맺기를 청하였지만 願이 이미 달랐으니 마음이 어찌 하나이랴. 내려와 그 門徒에 이르러서는 점점 물과 불처럼 되었으니 하물며 法味에서야. 각각 시고 짠 맛을 받았으니 이러한 폐단을 제거하기가 어려웠다. 유래가 이미 오래 되어서 그 때 세상의 사람들이 관혜공의 法門을 남악이라 했고, 희랑공의 법문을 북악이라고 했다. 師께서는 매번 남북의 宗旨가 모순되어 분간하지 못한 것을 탄식하시고 많은 갈래를 막아 한 길로 돌아 오게 하셨다.

위의 기록을 통하여 관혜는 진훤을 지지한데 반하여, 희랑은 왕건을 지지하였음을 알 수 있다. 관혜와 희랑 두 고승이 같은 해인사에 주석하면서 정치적인 지지자의 차이에 따라 갈등과 대립을 하였다. 해인사 안에서 후백제와 고려를 후원하는 두 세력이 생겨나 대립했다는 이야기가 되겠다. 후삼국시대의 화엄종은 진훤을 지지했던 남악과 왕건을 지지했던 북악으로 갈려서 대립했던 것이다. 순전히 정치적인 이유 때문이었다. 이러한 대립과 관련해 943년에 편찬되었다는 『伽倻山海印寺古籍』에 다음과 같은 기록이 남아 있다.

신라 말에 僧統인 希朗이 이 절에 住持하여 華嚴神衆三昧를 얻었다. 그 때 우리 태조가 백제 왕자 月光과 싸웠는데, 월광은 美崇山을 지켰는데 식량이 넉넉하고 군대가 강하였다. 그 敵은 神과 같아서 태조가 힘으로 제압할 수가 없어서 해인사에 들어가 希朗公에게 사사하였다. 師께서 勇敵大軍을 보내어 왕건을 도왔다. 월광은 金甲을 입은 군대가 공중에 그득 찬 것을 보고는, 그것이 神兵임을 알고 두려워서 이내 항복하였다. 태조는 이런 이유로 (희랑을) 敬重奉事하여 田地 500結을 施事하고 옛 寺宇를 거듭 새롭게 하였다.[39]

위의 기록에 보이는 백제 왕자 월광은 대가야국의 월광태자가 부회된 것으로 간주하는 시각이 있다. 해인사 입구에 현재 터만 남아 있는 월광사와도 어떤 관련이 있어 보인다. 그리고 전장인 미숭산(고령군 쌍림면과 합천군 야로면의 경계에 소재)은 고령 읍내의 지산동 대가야 왕릉군을 굽어 보는 옆 산자락인데, 해발 733.5m의 정상에 축조된 둘레가 1,367m의 석축 산성이다.

미숭산성은 산세가 험준하고 주위에서 가장 높은 곳에 위치하고 있어 시야가 넓게 잡히는 천연의 요새였다. 후백제군과 고려군이 합천과 고령 지역을 에워싼 전투에서 격돌했을 때 희랑이 神兵을 보내 왕건이 승리했다는 이야기이다. 후백제와 고려가 합천 일원에서 빈번하게 군사작전을 펼친 것을 생각해 보면

19-4 희랑 조사상(국보 제333호)

허구적인 이야기로만 돌리기는 어렵다. 여하간 이러한 기록은 진훤과 불교 교단과의 관계, 또 그것이 후삼국의 쟁패에 어떠한 영향을 미쳤는가를 시사해 준다. 불교 사상계의 장악이 소백산맥 안의 신라계 호족들의 향배에 지대한 영향을 미칠 수 있었음은 의심할 나위 없다. 여하간 앞서 제시한 자료들은 진훤이 선종과 화엄종 모두에 깊이 관여하였음을 알려준다. 진훤은 兩宗을 모두 포용하려고 했던 것이다.

---

39 韓國美術史學會,「附錄 伽倻山海印寺古籍」『考古美術』117, 1973, 20쪽. "新羅末傳統希朗住持 此寺得華嚴神衆三昧 時我大祖 與百濟王子月光戰 月光保美崇山 食足兵强 其敵如神 大祖力不能制 入於海印寺師事朗公 師遣勇敵大軍助之 月光見金甲滿空 知其神兵 懼而降 太祖由是敬重奉事納田加五百結 重新其舊"

그리고 9산선문 가운데 무려 4개 파가 후백제 영역에 소재하였다. 즉 實相山派(전라북도 남원 實相寺)와 桐裏山派(전라남도 곡성 泰安寺), 그리고 聖住山派(충청남도 보령 聖住寺)와 迦智山派(전라남도 장흥 寶林寺)가 되겠다. 이는 고려 영역에 확실하게 소재한 선문도량이 須彌山派(황해도 해주 廣照寺) 1개밖에 없었던 사실과 크게 비교되는 현상이다.

이러한 선문도량 가운데 경보와 연결된 동리산파를 통해 진훤은 唯識과 풍수지리사상을 포용하였다. 진훤은 또 4개 선문의 檀越로서 그 사회·경제적 후원자 역할을 했었다. 특히 전주와 지리적으로 가장 가까웠던 실상산파의 경우 그 비중이 지대하였으리라고 믿어진다. '正開'라는 후백제의 연호를 사용했던 편운화상을 비롯한 그 제자들과의 관계가 그것을 암시하고도 남는다. 그리고 구례 華嚴寺를 비롯한 지리산 일대의 사찰들도 진훤과 깊은 관련을 맺었음이 분명하다.

진훤은 기근과 수탈로 인해 지칠대로 지쳤고 절망에 빠졌던 농민들을 위무하고, 정국을 빠르게 안정시키는 수단으로써 불교 이데올로기를 이용했다. 특히 진훤의 신국가 건설의 궁극적 지향점으로서 미륵신앙이 한 몫을 하였을 것이다.[40] 실제로 진훤은 922년에 익산 미륵사 開塔 의식을 통해 미륵불의 출현이랄까 부활을 내세우게 되었다. 이때 진훤은 미륵불을 迎禮한 전륜성왕을 자처할만 조건을 갖추고 있었다. 그는 정복전쟁에서 기세를 올리고 있었고, 불교 종단에 대한 영향력 또한 절정을 구가하고 있었기 때문이다.[41] 따라서 진훤이 "불교에 관용적 태도"라고 한 서술은 터무니없음이 드러났다. 진훤은 오히려 불교 이데올로기를 십분활용하였고, 또 그것으로써 정국의 주도권을 잡고자 하였던 것이다.

2) 나말 여초의 지방 세력에 대한 서술 검토

『역사부도』에는 다음과 같이 〈나말 여초의 지방 세력〉이라는 題下의 도표가 있다. 이 도표에 수록된 내용을 검토해 보기로 한다.

몰락 귀족	김순식(강릉), 김헌창
해상 세력	왕건(송악), 왕봉규(진주), 장보고(청해진)
군진 세력	견훤(서남해)
초적 세력	궁예(철원), 양길(북원), 원종·애노(상주)
재지 촌주세력	이총원(성주), 소율희(김해)

---

40 이상의 서술은 李道學, 『진훤이라 불러다오』, 푸른역사, 1998, 156~163쪽에 의한다.
41 李道學, 「後百濟 甄萱 政權의 沒落過程에서 본 그 思想的 動向」 『韓國思想史學』 18, 2002, 283~286쪽.

위의 도표에서 '몰락 귀족'으로 김순식과 김헌창을 소개하고 있다. 그런데 '나말여초'라고 하면 9세기 말~10세기 전반까지를 시간적 범위로 하고 있다. 김헌창은 반란을 일으켰다가 822년(헌덕왕 14)에 사망했으므로, '나말여초' 인물에 해당되지 않는다. 그리고 해상 세력으로 장보고를 수록했지만 그 역시 나말여초의 인물은 아니다. 군진 세력으로 진훤을 포함시켰다. 그러나 그가 복무했던 순천만 일대는 패강진이나 청해진과 같은 군진은 아니었다. 이러한 군진은 당시 지방 호족의 사적 근거지로 변모해 있었지만, 진훤은 신라의 公兵으로서 복무하다가 기회를 보아 자립한 것이다. 진훤은 오랫 동안 반독립적인 세력 기반을 구축한 후에 신라 조정에 叛旗를 든 게 아니었다. 그러므로 진훤을 신라 말의 반독립적인 군진 세력에 포함시키는 것은 마땅하지 않다.

그리고 재지 촌주세력으로 분류해 놓은 '이총원'은 벽진군장군 李悤彦을 잘못 표기한 것이다. 그리고 '소을희'는 「廣照寺眞澈大師寶月乘空塔碑」에 보이는 金海府 知軍府事 蘇律熙를 역시 잘못 기재하였다. 그 밖에 『역사부도』 13쪽 사진 설명에서 '후백제 때의 성문(나제 통문)'이라고 하였다. 이 사진은 김제 금산사 입구로 들어서면 나타나는 이른바 '견훤성문'이라는 석성문이다. 전하는 말에 의하면 진훤이 쌓았다고도 하고 왜구의 침입을 막기 위해 금산사에서 쌓았다고 한다. 이 석성문은 축조 주체가 명확하지 않다. 게다가 이 성문을 '나제통문'이라고 적어 놓았지만 아무런 관련이 없다. 주지하듯이 나제통문은 신라와 백제의 통로였다는 전라북도 무주에 있는 통문이지만, 일제 때 개통한 것으로 삼국시대와는 역시 관련이 없다. 그러한 나제통문을 금산사 입구의 성문과 연관지어 서술한 것은 가당치 않다.

19-5 금산사 초입의 복원한 성문

산성에 부속되지 않은 사찰 입구에 이러한 모양의 성문은 다른 데서 유례가 없다. 진훤의 자식들이 父를 금산사에 유폐한 것은 성문과 성벽 설비가 존재했기 때문일 것이다. 아니면 진훤이 별궁으로 축조한 성벽일 수도 있다.[42]

4. 맺음말

제7차 교육과정『고등학교 국사』교과서에서 후삼국과 후백제가 점하고 있는 지면상의 비중은 그 역사적인 무게와는 달리 소략하기 이를 데 없었다. 게다가 진훤에 대한 서술은 부정 일변도였다. 그 것은 진훤의 행적이 부정적이었던데서 연유한 게 전혀 아니었다. 본고에서 낱낱이 검토한 결과 허 다한 오류가 드러났듯이 전적으로『교과서』필진들의 소양과 자질에 기인한 것이라고 해도 할 말이 없게 되었다. 차제에 고등학교 국사 교과서 편찬 과정의 졸속성과 그 문제점에 대한 냉정한 평가와 더불어 대책 마련이 시급해 졌다. 이와 더불어 후삼국시대의 문화 양상과 그 특징에 대한 서술이 필 요하다고 느꼈다. '통일신라시대의 문화'가 아니라 '후삼국시대의 문화' 혹은 '그 미술'이라는 독립된 章을 설정해서 다룰 필요를 절감하였다.

우연히 손에 잡힌 고등학교『역사부도』1種의 관련 내용에 대한 검토를 시도하였다. 고등학교 국 사 교과서의 부교재격인『역사부도』의 오류는 심각한 수준이었다. 요컨대『고등학교 국사』교과서가 점하고 있는 비중에 비추어 볼 때 그 폐해를 짐작하기는 어렵지 않다. 더욱 심각한 것은 그것을 문제 로 여기지 않는 다는 데 있는 것 같았다. 본고를 작성하게 된 까닭은 여기에 있었다.

「고등학교 국사 교과서상 후백제사 서술의 문제점」『전통문화논총』2, 한국전통문화대학교, 2004.

---

42 今西龍,『百濟史研究』, 近澤書店, 1934, 422쪽.

한국사에서 후백제사의 의미

1. 머리말

후백제는 후삼국시대를 재현하게 한 첫 번째 국가였다. 외형상 과거의 삼국시대를 재현한 양상이었다. 그러나 속성에 있어서는 과거의 백제, 아니 삼국시대와는 판이하게 다른 부분이 보였다. 후백제는 백제를 재건한 단순한 복고풍의 국가는 아니었다. 중국사에서 숱하게 등장한 복고풍의 국가와도 전혀 결이 달랐다. 이러한 점에서 후백제는 백제나 고구려·신라, 나아가 통일신라와는 다른 성격을 지닌 국가였다. 그러니 한국 역사 발전 과정에서 후백제가 지닌 국가적 속성을 검증할 필요가 있었다. 잘 아는 것처럼 비쳤지만 기실은 모르는 바가 지대했던 나라가 후백제였다.

지금까지의 후백제 연구는 현상적인 이해에 불과했다. 金富軾 이래의 후견편파(hindsight bias)인 결과론적 인식에 매몰되고 말았다.[1] 그러나 많은 주민들이 후백제 건국에 참여하였고, 또 지지했음에도 불구하고, 건강한 모습보다는 일그러진 모습을, 그것도 자신들이 만들어서 烙印을 찍었다.[2] 백제를 재건한 목적, 주민 규합에 성공한 배경, 이전의 신라 사회와는 본질적으로 어떤 차이가 있었는지? 후백제 진훤 왕이 꿈꾸었던 정치 구도와 만들고자 한 세상은 어떤 모습이었는지 궁금한 점이 많다. 후백제 역사의 전개 과정은, 의자왕의 宿憤이나 씻는 단순한 복수 과정은 아니었기 때문이다.

본고에서는 후백제사가 지닌 의미를 구체적으로 구명하고자 하였다. 그럼으로써 그 누구도 사실을 토대로 한, 진실에 입각한 의미 부여를 하게 하고자 했다. 후백제사에 대한 기존 고정 관념을 破棄하기 위해 다음 檄書의 한 구절을 제시해 본다. 왜냐하면 일반적으로 후백제는 고려보다 열세였고, 게다가 자체 내분으로 망한 양 戲畫化해 왔었기 때문이다.

> a. 경명왕의 表弟인 헌강왕의 외손을 받들어 왕위에 오르게 하여 위태한 나라를 다시 세우고 잃었던 임금을 다시 얻게 하였는데, 족하는 충고는 자세히 알려 하지 않고 공연히 떠도는 말만을 들어 온갖 술책으로 기회를 엿보며 여러 곳으로 침략을 하여 소란케 했으나 아직도 저의 말 머리도 보지 못하였고, 저의 소털[牛毛] 하나도 뽑지 못하였도다. … 강하고 약함이 이와 같으니 승패는 알만함이니, 기약하는 바는 평양 문루에 활을 걸어두고 패강(대동강)에 말의 목을 축이는 데 있도다.[3]

공산 전투에서 대승을 거둔 직후에 진훤은 왕건에게 위와 같은 글귀가 적힌 檄書를 보냈다. 진훤은, 박씨 경애왕의 自盡 직후 헌강왕의 외손인 金傅 즉 경순왕을 옹립하여 '위태한 나라를 다시 세우고 잃었던 임금을 다시 얻게 하였다'고 자부했다. 사실 927년 진훤의 경주 급습은, 경애왕이 왕건에게 禪讓하려는 시도를 차단하는 데 있었다.[4] 실제 신라 왕실의 선양은 이로부터 8년 후에 현실이 되고 말았다. 그리고 진훤은, 왕건이 침략은 많았지만 시끄럽게만 했을 뿐, 달아나기에만 급급했음을 들추었다. 양자 간 현실적인 힘의 우열을 환기시킨 것이다. 그러면서 진훤 왕은 자신의 포부를

---

1 이에 대해서는 이도학, 「전북 후백제 연구의 쟁점과 지향점」『전북지역 연구의 회고와 새로운 지평(2)』, 전라북도, 2021. 10. 22, 65~66쪽을 참조하기 바란다.

2 이 문제와 관련해 G. Cameron Hurst Ⅲ, "The Good, The Bad And The Ugly": Personalities in the Founding of the Koryo Dynasty Korean Studies Forum, No7, 1981, PP. 1~27을 참고하기 바란다.

3 『三國史記』 권50, 甄萱傳. "遂奉景明王之表弟獻康王之外孫 勸即尊位 再造危邦 喪君有君 扵是乎在 足下勿詳忠告 徒聽流言 百計窺覦 炙方侵擾 尚不能見僕馬首 拔僕牛毛 冬初 都頭索湘 束手於星山陣下 月内 左將金樂曝骸於美理寺前 殺獲居多 追擒不少 強贏若此 勝敗可知 所期者掛弓於平壤之樓 飲馬於浿江之水"

4 이도학, 「후백제 진훤의 受禪 전략」『민족문화논총』78, 영남대학교 민족문화연구소, 2021, 432~436쪽.

'평양 문루에 활을 걸어두고 패강에 말의 목을 축이는 데 있다'고 화통하게 피력하지 않았던가? 성큼 다가온 통일군주에 대한 자신감이 아니고 무엇이랴?

진훤 왕 시대를 극명하게 알려주는 文辭가 있다. 그를 축출한 제2대왕 神劍의 다음 維新 敎書에서이다.

b. 대왕의 神武는 보통 사람보다 빼어나게 뛰어나셨고, 영특한 지혜는 만고에 으뜸이라, 말세에 태어나서 스스로 세상을 건질 소임을 지고 三韓 지역을 徇行하시면서 백제라는 나라를 회복하셨고, 진구렁이나 숯불에 떨어진 것과 같은 고통을 쓸어버리니 백성들이 평안하고 화목하게 되어 북을 치고 춤을 추었고, 광풍과 우레처럼 먼데나 가까운데나 준마처럼 달려, 功業이 거의 重興에 이르렀습니다.[5]

위의 문장에는 진훤 왕 70년 삶과 공적이 약여하게 응결되었다. 걸출한 神武와 특출한 英謀의 진훤 왕은, 백제를 회복했고, 백성들을 잘 살게 하여 和樂한 세상을 만들었고, 통일에 거의 바짝 다가섰음을 설파했다. 사실상 政敵에 의한 진훤 왕 生評이었음에도, 이 名文을 홀시해 왔었다. 이 점을 환기시키지 않을 수 없었다.

본고는 한국사 발전에서 후백제사가 지닌 의미를 온전히 조명해 정당한 평가를 부여하려는 데 목적을 두었다. 반세기에 가까운 후백제사는 全州를 비롯한 호남 지역에 대한 부정적인 인식을 助長한 요체이기도 했다.[6] 그러나 본고는 이러한 편견을 바로잡고 후백제사를 재평가하는 데 목적을 두었다.

2. 후백제는 어떤 나라인가?

1) 후백제의 정체성

후백제의 국호는 '백제'였다. 문경 봉암사 정진대사비에 보면 '백제'로 적혀 있다. 정진대사 兢讓 (878~956)이 입적한 후 9년째인 965년(광종 16)에 세워진 비석에서이다. 이 비문을 보면 '指百濟之狡窟 · 梟巢' 즉 '(태조 왕건이) 백제의 교활한 소굴과 올빼미 둥우리를 가리키며'라고 하여 보인다. 『세

---

5 『三國史記』 권50, 甄萱傳. "恭惟大王神武超倫 英謀冠古 生丁衰季 自任經綸 徇地三韓 復邦百濟 廓淸塗炭 而黎元安集 皷舞風雷 而邇遐駿奔 功業幾於重興"

6 이에 대해서는 이도학, 『진훤이라 불러다오』, 푸른역사, 1998, 301~303쪽에 적시되어 있다.

종실록』에서도 고려군과 후백제군의 전투를 서술하면서 '백제'로 표기하였다.[7] 이러한 사례는 그 밖에도 많다. 『삼국유사』에서는 '前百濟'와 '後百濟'로 각각 표기했다. 이렇듯 '후백제'는 앞의 백제(전백제)와 구분하기 위한 목적에서 후대 史家들이 지어낸 국호였다. 진훤이 부활시킨 당시 국호는 '백제'였던 것이다.

국호의 부활과 재건은 국가의 정체성 확립을 가리킨다. 진훤이 전주에 입성해 반포한 다음과 같은 '전주 선언'을 통해 읽을 수 있다.

c-1. 내가 삼국의 시초를 살펴보니, 마한이 먼저 일어나 누대로 발흥한 까닭에, 진한과 변한이 (마한을) 좇아 흥기했다. 이에 백제는 금마산에서 개국하여 6백여 년이었다.[8]

c-2. 摠章 연간에 唐 高宗이 신라의 청으로 장군 蘇定方을 보내 舡兵 13萬이 바다를 건너고 신라 金庾信이 卷土하여 黃山을 지나 泗沘에 이르러 唐兵과 더불어 合攻하여 이들이 백제를 멸망시켰으니, 지금 나는 감연히 完山에 도읍하여 義慈의 숙분을 씻겠노라![9]

진훤은 유민들을 결집시킬 목적에서 의자왕의 숙분을 씻겠다는 복수 선언을 했다. 이때 진훤은 삼국 중에서 백제가 가장 먼저 건국했고, 600여 년에 이르른 영광스러웠던 과거를 상기시켰다. 그리고 진훤은 영광의 유산과 함께 패망의 고통스러웠던 유산을 반추하였다. 그런데 '함께하는 고통'은 기쁨보다 훨씬 더 사람들을 결집시킨다고 한다. 르낭(Joseph Ernest Renan)은 "민족적인 추억이라는 점에서는 애도가 승리보다 낫습니다. 애도의 기억들은 의무를 부과하며, 공통의 노력을 요구하기 때문입니다. 그러므로 민족은 이미 치러진 희생과 여전히 치를 준비가 되어 있는 희생의 욕구에 의해 구성된 거대한 결속입니다"[10]고 설파했다. 공유된 고통스런 과거를 강조함으로써 유대민족의 경우에서처럼 영광보다는 수난과 회한의 과거에서 민족의 바이탈리티(vitality)는 터져 나온다고 한다. 진훤은 의자왕에 대한 애도 기억을 반추시킴으로써 '공통의 노력'인 복수심 발화에 성공했다.[11]

주지하듯이 통일신라인들은 삼국의 연원을 삼한에서 찾았다. 진훤은 백제의 뿌리인 마한의 역사

---

7 『世宗實錄』세종 19년 10월 19일. "昔王太祖征百濟 得甄萱爲前鋒故得知神劍 龍劍之所在而直擣中軍以致勝戰"

8 李道學, 「後百濟의 全州 遷都와 彌勒寺 開塔」『韓國史研究』165, 2014, 16~17쪽.

9 『三國史記』권50, 甄萱傳. "萱西巡至完山州 州民迎勞 萱喜得人心 謂左右曰 吾原三國之始 馬韓先起 後赫世勃興 故辰卞從之而興 於是 百濟開國金馬山六白餘年 摠章中唐高宗 以新羅之請 遺將軍蘇定方 以舡兵十三萬越海 新羅 金庾信卷土 歷黃山至泗沘 與唐兵合攻 百濟滅之 今予敢不立都扵完山 以雪義慈宿憤乎"

10 에르네스트 르낭 著·신행선 譯, 『민족이란 무엇인가』, 책세상, 2002, 81쪽.

11 李道學, 『분석 고대한국사』, 학연문화사, 2019, 891~892쪽.

가 가장 일렀음을 선포하면서 자랑스러웠던 영광의 역사를 반추했다. 이러한 반추는 단순한 기억이 아니라 '기록'으로 영원히 보장하려는 의도를 지녔던 것 같다. 927년에 후백제군이 신라 수도 경주에서 회군했을 때 가지고 온 서적 중에는 史書가 가장 비중이 컸을 것이다.[12] 이를 토대로 백제 중심의 역사 편찬이 이루어졌을 것으로 판단된다. 지역민들에게 패배의 역사라는 정서적 열패감의 늪에서 벗어나게 하려는 미래 지향적인 사서 편찬을 단행한 것으로 보인다.

진훤은 신라가 당을 끌어들여 挾攻함으로써 백제가 멸망했음을 상기시켰다. 백제 국력의 열세나 의자왕의 부패·무능으로 인한 國亡이 아니었음을 분명히 했다. 신라가 '卷土' 즉 전 국력을 기울이고 당군 13만이 가세해 무너뜨렸다는 것이다. 그러나 이제 백제를 부활시켰으니 먼저 의자왕의 숙분을 씻겠다고 선언했다. 숙분은 "오래전부터 마음속에 쌓인 울분"을 가리킨다. 의자왕의 恨을 풀어주겠다고 선언한 것이다. 얼핏 생각하면 의자왕을 위한 복수 선언으로 비칠 수 있다. 그러나 다시 생각해 보면 의자왕은 한국 역사상 최대의 정복군주였다. 평생 100여 곳의 신라 성을 정복한 정복군주 1위였다.[13] 신라를 압박하여 낙동강을 건너 지금의 경상북도 구미나 성주 방면까지 백제군이 진출하여 무한한 공포심을 심어주었다. 신라를 거의 멸망시킬뻔했지만 이루지 못한 바람에 오히려 역공을 만나 나라가 무너진 것이다. 천추의 한을 남긴 의자왕의 울분을, 자신이 대행하여 반드시 이루겠다는 선언이었다.

2) 후백제의 존속 기간과 평가 문제

후백제의 존속 기간에 대해서는 여러 견해가 제기되었다. 전주에 立都한 900년부터 936년까지 36년 간의 역사로 설정하기도 한다. 그러나 그 이전 광주에 도읍한 기간을 홀시하면 안 될 것 같다. 물론 이때 진훤이 공공연히 왕을 칭하지 못하였기에 국가가 아니라는 주장도 있다. 스스로 왕 행세한 '自王' 단계에 불과했다는 것이다. 그러나 '自王'은, 袁術 같은 '자칭 황제'류와는 속성이 다르다. 진훤은 대왕인 신라 왕의 신하요 지방관 행세를 하였다. 그랬기에 대내적으로는 국가 조직을 갖춘 어엿한 국가였지만, 대외적으로는 '全武公等州軍事·行全州刺史'라는 직함의 신라 지방관이었다.[14] 이렇듯 진훤이 신라의 신하 행세를 한 것은 그의 정국 주도 전략과 관련된 것이다. 진훤은 '大王'을 칭하는 단계에 이르렀지만 여전히 신라 왕의 陪臣임을 자임하였다. 그러므로 '自王'을 '자칭 왕'정도로 간주하며 무

---

12 金允經은 "新羅가 또한 後百濟에게 망하게 되매 그 천년의 實錄은 甄萱의 손에 없어지고 말앗습니다(「朝鮮文字의 역사적 考察(14), 訓民正音의 변천과정」『東光』36, 1932, 46쪽)"고 했지만 후백제 멸망 때 燒失된 것이다.

13 이도학, 『백제 사비성시대 연구』, 일지사, 2010, 175~176쪽.

14 申虎澈, 『後百濟 甄萱政權研究』, 一潮閣, 1993, 144쪽.

시해서는 안 될 것 같다. 진훤 스스로 왕을 칭했다는 자체가 국가의 존재를 전제한 것이다. 조선 태조의 경우도 개국 후 한동안 (高麗)權知國事 단계, 즉 '自王'에 머물러 있었다. 조선은 1392년에 개국했지만 1394년에도 태조는 '權知國事'였고, "감히 왕을 일컫지는 못하였다(不敢稱王)[15]"고 했다.[16] 그렇다고 태조가 고려 왕인 것은 아니요, 또 조선왕조의 개국이 늦춰지는 것도 아니었다. 明의 책봉을 기다리는 臣禮에 따른 것이었다. 마찬 가지로 진훤 스스로 "공공연히 왕을 칭하지 못하고"라고 한 것도, 신라에 대한 신례였을 뿐이다. 『삼국유사』(王曆)에서도 광주를 892년(壬子)의 시점에서 "처음 광주에 도읍했다(始都光州)"고 하였다. 이렇게 보면 후백제사는 892년~936년까지 45년 간이 된다.

그런데 정작 중요한 것은 본인들의 자국사 인식이다. 이미 알려져 있듯이 후백제사 원년은 889년이었다.[17] 후백제인들은 이 시점을 자국 역사의 출발로 잡은 것이다. 889년은 진훤이 순천만에서 거병하여 한반도 서남부 지역을 휩쓸고 다닐 때였다. 진훤은 거병 당시부터 국가 창건을 선언했고, 예하 조직을 국가 체제로 편제했을 수 있다. 물론 이는 확인할 수 없는 사안이지만, 중요한 것은 889년을 후백제사의 기점으로 본인들이 인식했다는 것이다. 그리고 남원 실상사 조계암 터에 소재한 편운화상부도를 통해, 전주 천도 이듬해인 901년이 正開 원년임을 알 수 있었다. 천행으로 부도가 남아 있는 관계로 후백제 연호가 드러난 것이다. 901년 이전에도 후백제 독자 연호의 사용 가능성은 열어 두어야 한다. 어쨌든 889년을 후백제사 원년으로 설정한다면 936년까지, 햇수로 48년이 된다. 물론 짧은 기간으로 생각하는 경향이 많을 것이다. 그러나 한국 역사와 밀접히 연계된 중국사의 경우 王莽의 新(9~23년)은 햇수로 15년에 불과했다. 隋 帝國(581~618)의 경우 햇수로 38년이었다. 물론 수 제국의 역사는 단명한데다가 煬帝로 인한 부정적인 이미지가 넘친다. 그러나 수 문제가 시행한 과거제를 비롯한 '開皇의 治'로 일컫는 볼만한 내정 개혁과, 양제의 대운하 건설 등은 唐 제국 300년 번성의 토대가 되었다.[18]

이처럼 국가의 존속 기간은 長短이 중요한 게 아니었다. 역사 발전에 어떤 의미 있는 치세를 보였는가로 평가받는 것이다. 그럼에도 후백제는 역사의 패자인 관계로 후견편파식 평가를 받았다. 게다가 존속 기간이 짧은 관계로, 만들어진 부정적 이미지와 뒤섞여 존재 자체가 희미해졌다. 따라서 이러한 점을 적극적으로 극복하는 작업이 선결되어야 한다고 본다.

---

15 『太祖實錄』태조 3년 6월 7일 조.

16 이도학, 「後百濟의 全州 遷都와 彌勒寺 開塔」『韓國史研究』165, 2014, 9쪽.

17 李丙燾, 『譯註 三國遺事』, 廣曺出版社, 1976, 275쪽.
    三品彰英, 『三國遺事考證(中)』, 塙書房, 1979, 279쪽.

18 이도학, 「진훤과 후백제의 꿈과 영광」『견훤, 새로운 시대를 열다』국립전주박물관, 2020, 14쪽.

3. 통일신라의 해체 전야

1) 衰落의 端初, 김헌창의 난

건국에는 여러 배경과 요인이 복합적으로 작용하게 마련이다. 후백제 건국은 신라의 失政과 연동되어 있다. 그렇다고 실정만으로는 해답이 될 수는 없다. 누적된 사회적 모순 폭발과 그에 따른 반작용, 건국의 명분과 당위성에 대한 광범위한 공감대 형성 등이 전제되어야 한다. 그 위에 실현 추진체인 군사력을 구비했어야 하는 것이다.

일반적으로 신라의 해체를 김헌창의 난에서부터 찾고 있다. 822년(헌덕왕 14) 3월에 신라 熊川州都督 김헌창이 일으킨 반란은 이전과는 결이 다른 2개의 정권이 공존한 국가적 내전이었다. 김헌창은 국호를 '長安', 연호를 '慶雲'으로 한 국가를 선언했기 때문이다.[19] 언필칭 장안과 신라라는 국가대 국가 간의 대결이었다. 그런데 김헌창 반란의 거점이 웅천주 치소인 지금의 공주라는 점에 착목해, 백제 재건을 염두에 두었다는 견해가 제기되었다. 그러나 김헌창이 세운 국호 長安은 백제와의 연계성이 보이지 않는다. 게다가 그의 세력 판도는 전국적이었다. 만약 그가 백제 재건을 내세웠더라도 커다란 호응을 얻는데는 한계가 있었다. 그로부터 3년 후인 825년에 김헌창의 아들 범문이 高達山賊 壽神과 함께 다시 반란을 일으켰다. 즉 "17년 봄 정월에 憲昌의 아들 梵文이 高達山賊 壽神 등 100여 인과 더불어 함께 모반하여 平壤에 도읍하고자 北漢山州를 공격했다. 都督 聰明이 군대를 이끌고 이들을 붙잡아 죽였다[평양은 지금 楊州이다. 태조가 지은 「莊義寺齋文」에 '高麗舊壤 平壤名山'이라는 구절이 있다]"[20]고 했다. 김부식은 범문 등이 도읍하고자 했던 평양이, 고려 때 양주인 근거로 「장의사 재문」에 '高麗舊壤平壤名山'라고 한 구절을 제시했다. 재문의 '고려'는 '고구려'를 가리킨다. 그리고 '평양'은 지금의 평양이 아니다. 고려 양주 관하의 평양이므로 남평양을 가리킨다.[21] 범문 등은, 고구려 舊土에서 상징성이 큰 舊都 평양과 연계된 남평양성(북한산성)을 거점으로 고구려를 재건하려 한 듯하다.

김헌창과 달리 범문의 경우는 지역 정서에 편승하여 신라와 대척점에 서려고 했을 가능성은 분명

---

19 『三國史記』권10, 헌덕왕 14년 조. "三月 熊川州都督憲昌 以父周元不得爲王反叛 國號長安 建元慶雲元年 脅武珍 · 完山 · 菁 · 沙伐四州都督 國原 · 西原 · 金官仕臣及諸郡縣守令 以爲己屬 菁州都督向榮 脱身走推火郡 漢山 · 牛頭 · 歃良 · 浿江 · 北原等 先知憲昌逆謀 擧兵自守"

20 『三國史記』권10, 헌덕왕 17년 조. "十七年 春正月 憲昌子梵文與高達山賊壽神等百餘人 同謀叛 欲立都於平壤 攻 北漢山州 都督聰明率兵 捕殺之[平壤今楊州也 太祖製莊義寺齋文 有高麗舊壤平壤名山之句]"

21 이도학, 「고려 태조의 莊義寺齋文과 三角山」 『한국학논총』 54, 국민대학교 한국학연구소, 2020, 13~16쪽.

하다. 가령 패서 지역 호족 가운데 황해도 평산의 朴直胤은 신라 시조 박혁거세의 후손이었다. 그럼에도 그는 고구려 장군 이름인 大毛達을 칭하였다.[22] 이는 예성강 서쪽 황해도 지역에 고구려적인 정서가 광범위하고도 짙게 깔려 있었음을 웅변해 준다. 범문 역시 중부 지역 정서를 읽고 고구려 재건을 기획했던 것 같다.

김헌창에 의한 백제 재건 가능성은 없었다고 하자. 그렇더라도, 진훤으로서는 백제 舊都를 헤아려 보았을 것이다. 통일신라인들 기억 속의 한강 이북 즉 삼각산 이북은 고구려, 그 이남은 백제라는 강역 의식이었다. 물론 한반도 최남단 순천만에서 출발한 그가, 백제 한성이 소재했던 지금의 광주 일원까지 진출하기에는 현실적으로 역부족이었다. 게다가 이곳에는 王規와 같은 강력한 호족 세력이 버티고 있었다. 그리고 백제 구도로는 공주와 부여 그리고 익산이 존재했다. 공주는 공주장군 홍기라는 호족이 버티고 있었다. 그런데 공주는 김헌창 반란의 거점으로 逆鄕이었고, 地德이 이미 쇠한 곳이었다. 부여는 의자왕이 처참하게 항복 의식을 치른 滅都였다. 반면 백제 말기 수도를 이루었던 익산은 미래가 남아 있는 국도였고, 연접한 남쪽의 전주까지 확장이 가능했다. 전주 동고산성이나 남고산성에서는 익산 금마산, 지금의 미륵산이 지척처럼 느껴진다.

그리고 진훤은, 김헌창 반란에 가세했던 武珍州(광주 광역시)·完山州(전주)·菁州(진주)·沙伐州(상주) 등 4개 州와 國原京(충주)·西原京(청주)·金官京(김해) 지역을 주목했을 수 있다. 반란 가세로 집단 체벌을 받았을 지역들이었기에 신라 조정에 대한 반감의 골이 깊었을 것이다. 진훤의 백제 재건과 立都에는 여러 요소들이 복합적으로 고려되었다고 본다.

2) 흉년으로 인한 민심 이탈

진성여왕이 즉위한 지 3년째 되던 889년에 농민 봉기가 일어나 전국적으로 파급되었다. 조세 독촉을 계기로 신라는 전국적인 內亂狀態에 빠졌다. 우리나라 역사상 공식적으로 확인된 최초의 조세 저항이었다. 이 사건은 888년 5월에 가뭄이 든 일과[23] 무관하지 않다. 가뭄으로 흉년이 들자 이듬 해인 889년에 租賦가 걷히기 어려웠다.

농민 봉기를 기폭제로 한 내전의 참혹상은, 최치원과 승려 僧訓이 각각 지은 다음의「海印寺妙吉

---

22 金龍善,『高麗墓誌銘集成』, 한림대학교 출판부, 2006, 163쪽.「朴景山 墓誌銘」"朴氏之先鷄林人也 盖新羅始祖赫居世之裔也 新羅之季其孫察山侯積古之子直胤大毛達徙居平州 管八心戶爲邑長 故自直胤而下爲平州人"
23 『三國史記』권11, 진성왕 2년 조. "夏五月 旱"

祥塔記」와「五臺山寺吉祥塔記」에서 보듯이 비참했다.[24]

d-1. … 惡 중의 惡이 없는 곳이 없었고, 굶주려 죽거나 전쟁터에서 죽은 시체는, 들판에 별처럼 늘어졌다(惡中惡者無處無也 餓殍戰骸原野星排粤).

d-2. … 하늘과 땅은 온통 흐리고 어지러워져, 들판은 전쟁터가 되니, 사람들은 일이 되어가는 추세를 잊어버리고, 행동은 짐승을 닮았다. 나라는 기울고 무너짐이 드리웠다(方圓濁亂 原野兵蓬人忘向背 行似狼獷 邦垂傾破).

위의 기사는 888~895년까지의 사정을 배경으로 했다.[25] 도적떼에 관한『삼국사기』기록은 788년 · 815년 · 819년 · 832년에 보인다. 가령 "西邊 州郡에 크게 흉년이 들어 도적이 벌떼처럼 일어나니 군대를 내어 이들을 토벌해 평정했다(815년)"고 했을 정도이다. 현저히 증가한 도적들의 횡행은, 소작농이나 그보다 못한 농민들이 주로 지주층에 대해 적대감과 저항감을 노출시킨 결과였다. 이들은 지도자를 중심으로 조직을 정비하였고, 자신들의 행위를 체계적으로 합리화 · 정당화했다. 그러다 보면 자연히 정치적인 성격을 띠게 마련이었다. 정치적으로 그들은 반정부적이요 반신라적인 태도를 가장 쉽게 가질 수 있는 부류의 사람들이 되어 갔다.[26] 그러면 앞에서 인용한 최치원의 글과 관련해 조선 후기의 유사한 상황을 소개해 본다.

e. 한 길의 눈이 내림. 大抵 일찍이 없었던 일이다. 흉년이 들어 농사가 결딴나고, 큰 흉년이 든 해에 또 큰 눈까지 만나, 도로와 도랑에는 굶어죽은 시체들이 서로 이어지고, 얼어죽은 시체가 끊이지 않았다. 인심이 점점 사나워졌는데, 어떻게 변통할 길이 없었다. 당시 사대부의 딸들조차 집을 떠나 흩어져 정처 없이 헤메어, 떠도는 이가 얼마나 되는지도 알 수 없었다.[27]

위의 인용은 1833년 12월에 문경에서 목격한 처참한 상황이다. 이로부터 대략 1세대 후인 1862년에 전국적인 민란이 일어나게 된다. 문경에서는 '큰 흉년이 든 해에 또 큰 눈까지 만나' 아사자들이 지천으로 깔려 있었다. 심지어 사대부의 딸들마저 광야를 방황하는 비참한 현실이었다. 그럼에

---

24 黃壽永,『(第三版) 韓國金石遺文』, 一志社, 1981, 167~171쪽.

25 李弘稙,『韓國古代史의 研究』, 신구문화사, 1971, 547쪽.

26 洪承基,「後三國의 분열과 王建에 의한 통일」『한국사시민강좌』5, 일조각, 1989, 63쪽.

27 『鑑誡錄』癸巳 12월 7일 조.

도 민심이 국가 권력을 원망하거나 저항을 한 조짐은 보이지 않았다. 신라 말의 경우와 비교하면 현저한 차이가 난다. 1833년의 경우는 餓死 지역의 局地性으로 인해 천재지변 탓으로 돌릴 수 있었다. 신라 말의 경우는 이전부터 내려왔던 流民과 그들의 도적화로 인한 兵亂과 흉년이 가세한 전국적인 상황이었다. 이러한 상황의 기폭제가 된 것은, 조세 저항에서 촉발한 상주 지역 원종과 애노의 봉기였다. 정부군과 농민군의 격돌이 시작된 것이다.

신라 조정은 벼랑 끝에 서게 되었다. 여왕은 府庫를 채우기 위해 모험을 감행했다. 894년(진성여왕 8)에 신라인들의 對馬島 습격 사건이다. 그런데 이 습격은 신라측의 일방적인 참패로 종결되었다. 100척의 선박에 2,500명이 동승하여 대마도에 상륙했다. 이 중 신라인 302명이 사살되었고, 11척의 선박과 더불어 탑재했던 막대한 무기와 사치품 등을 거의 빼앗겼다. 이 때 대마도를 습격한 주체를 신라 호족으로 지목하는 견해가 많다. 그러나 차분하게 살펴 볼 필요가 있다. 대마도에서 유일하게 생포된 신라인 賢春의 다음 진술을 주목해야 한다.

> f. 저희 나라는 해마다 곡식이 영글지 않아서, 인민들이 기근으로 괴로우며, 창고가 다 비었다. 王城도 불안하자, 드디어 왕이 명령하자 곡식과 비단을 취하기 위하여, 빠른 배를 나란히 해서 왔다. 그러나 있는 대소 선박 100척에 乘船한 사람은 2천 5백인이었다. 사살당한 賊은 그 숫자가 몹시 많았다. 그런데 남아 있는 賊 가운데 조용하면서 민첩한 장군이 3명이 있다. 그 가운데는 大唐人이 한 명 있다.[28]

위의 구절 가운데 "사살당한 賊은 그 숫자가 몹시 많았다"는 기록은 그 底本인 『己上日記』 필자의 소견이다. 그 전후한 기록은 현춘의 진술을 담은 게 분명하다. 894년의 시점에서 현춘의 진술은 정황상 부합한다. 즉 "해마다 곡식이 영글지 않아서, 인민들이 기근으로 괴로우며, 창고가 다 비었다"는 기사이다. 이 기사는 "5월에 가뭄이 들었다(888년)"·"나라 안의 여러 州郡에서 貢賦를 나르지 않으니 府庫가 비어버리고 나라의 쓰임이 궁핍해졌다(889년)"는 구절과 부합한다. 그리고 대마도 출병 동기로서 "王城도 불안하자"를 거론했다. 실제 이로부터 2년 후인 896년에는 赤袴賊의 무리가 경주 서부 모량리까지 휩쓸고 갔었다.[29] 그리고 진성여왕대(887~897)에 백제 橫賊이 모량리까지 쳐들어온 바 있었다.[30] 대마도 습격 3년 전인 891년에는 궁예가 맹위를 떨치며 북원과 명주 관내를 습격했

---

28 『扶桑略記』 권22, 寬平 6년 9월 17일 조.

29 『三國史記』 권11, 진성왕 10년 조. "十年 賊起國西南 赤其袴以自異 人謂之赤袴賊 屠害州縣 至京 西部車梁里 劫掠人家而去"

30 『三國遺事』 권5, 孝善, 孫順埋兒 興德王代 條.

다. 893년에는 당에 가던 병부시랑 김희처가 익사함으로써 신라 최후의 보루인 당에서 얻을 수 있는 정치·경제적 지원은 불발로 그쳤다.

이러한 상황들은 진성여왕을 불안하게 하고도 남았다. 사면초가의 벼랑 끝에 선 신라로서는 왕명으로 "곡식과 비단을 취하기 위하여" 대마도 출병을 단행할 수 있었다. 게다가 동원된 대소 선박이 100척이요, 병력 숫자가 2,500명에 이르렀다. 전사한 신라군 302명 가운데 "대장군 3인, 부장군 11인"이나 되었다. 병력 규모도 클 뿐 아니라 대장군과 부장군이라는 고급 장교들로 구성된 군단임을 알 수 있다. 894년의 시점에서 100척 이상의 선박과 2,500명 이상의 병력을 체계적으로 구비한 호족이 존재했을까? 이 무렵 가장 강대한 세력가는 진훤이었다. 그러나 진훤이 대마도 출병을 단행할 이유도 없었고, 이 만한 가용 선박을 구비하지도 못했다. 결국 대마도 출병의 주체는 막다른 골목에 처한 진성여왕의 마지막 도박이었다. 그 이듬 해인 895년 10월에 진성여왕은 조카를 태자로 책봉하여 讓位를 준비하였다. 대마도 원정 실패는 진성여왕의 정치적 파국으로 이어진 것이다.

신라가 해체되는 상황에서 群雄들이 할거하였다. 이러한 조짐을 읽을 수 있는 편린이 산성들이다. 가령 신라는 백제 영역을 접수한 후 기존 백제 성들을 재활용하였다. 그러나 백제 때와는 달리 비중이 현저히 작아진 산성들이 많았다. 사비도성을 구성했던 왕궁 배후성인 부소산성도 백제 때 城 내부에 다시금 축성했다. 관리할 수 있는 만큼 성의 규모를 줄였다. 그런데 부여 가림성의 경우 기존 동쪽 성벽에 붙여 또 한 곳의 성을 새로 축조한 사실이 드러났다. 그리고 성안에 集水井까지 조성되었다. 광양의 마로산성을 비롯해 갑자기 집수정이 조성된 산성들이 늘어났다. 9세기 말~10세기 초, 동란의 시기를 맞아 단순한 통치거점에 불과했던 기존 산성들의 활용도가 급격히 높아졌기 때문이다. 산성에 入保하는 인원이 급증하자 성벽을 덧데어 확충하거나, 집수정을 조성하여 늘어난 인원이 거주할 수 있는 환경을 만든 것이다. 신라가 접수하여 통치 거점으로만 활용되던 산성들이 활기를 찾게 되었다. 이름하여 성주와 장군을 칭하는 시대가 열렸기 때문이다. 이 기간 동안 신라는 명패만 움켜쥔 채 힘겹게 버티다가 결국 국가를 넘겨주었다.[31]

4. 후삼국시대 개막의 서막, 농민 봉기와 擧兵

889년에는 가은현의 아자개가 농사 지으며 생업을 일구던 상주 권역에서는 한 시대를 바꾸는 격

---

31 이상의 서술은 이도학, 『분석고대한국사』, 학연문화사, 2019, 831~834쪽에 의했다.

동적인 봉기가 일어났다. 다음의 기사에 보인다.

> g. 國內 여러 州郡에서 貢賦를 나르지 않자 府庫가 비어서 다하자 國用이 궁핍하였다. 왕이 사자를 보
> 내 독촉하자 이로 말미암아 도적이 봉기하였다. 이에 元宗·哀奴 등이 沙伐州에 웅거하여 반란을 일으
> 켰다. 왕이 나마 令奇에게 명하여 붙잡도록 했으나 영기가 賊壘를 바라보기만 하고 두려워 나가지 않자,
> 村主 祐連이 力戰하다가 죽었다. 王이 조서를 내려 令奇의 목을 베고 祐連의 10여 세 아들로 하여금 뒤를
> 이어 村主가 되게 했다.[32]

원종과 애노 봉기 거점인 沙伐州는 지금의 상주 관내를 가리킨다. 그런데 원종과 애노 봉기의 성
격은 사서에서 확인되지 않았다. 그러나 894년에 대마도 습격 중 유일하게 생포된 신라인 賢春의 진
술에 따르면, "해마다 곡식이 영글지 않아서, 인민들이 기근으로 괴로우며, 창고가 다 비었다"[33]고 했
다. 이는 "5월에 가뭄이 들었다(888년)"[34]는 구절과 부합한다. 게다가 「해인사묘길상탑기」에서도 이
무렵에 흉년과 굶주려서 죽은 처참한 시체가 즐비했다고 적었다.[35] 따라서 현춘의 진술에 보이는 '기
근'이 해답이었다. 기근으로 인해 貢賦가 걷히지 않아 國庫가 비게 되자 신라 조정은 독촉하였다. 이
로 인해 가장 고통을 입은 계층은 농민이었다. 농민들은 국가뿐 아니라 지역 호족에게도 수탈당하
는 2중 수탈에 시달리고 있었다.[36] 그러므로 봉기를 일으킨 계층은 농민일 수밖에 없다. 원종과 애노
는 농민층으로 간주된다.[37] 농민 봉기의 와중에서 아자개는 상주 지역을 석권하고 장군을 칭하는 세
력가로 성장했다.[38]

상주 지역에서 농민 봉기가 발생한 889년은 의미심장한 해였다. 이와 맞물려 한반도 서남부 지역
에서는 잘 정비된 군사력을 갖춘 세력이 집단적으로 叛旗를 들었기 때문이다. 다음 기사에서 확인

---

32 『三國史記』권11, 진성왕 3년 조. "三年國內諸州郡不輸貢賦 府庫虛竭 國用窮乏 王發使督促 由是所在盜賊蜂起
　　於是 元宗·哀奴等 據沙伐州叛 王命奈麻令奇捕捉 令奇望賊壘 畏不能進 村主祐連力戰死之 王下勅 斬令奇 祐連
　　子年十餘歲 嗣爲村主"

33 『扶桑略記』권22, 寬平 6년 9월 17일 조.

34 『三國史記』권11, 진성왕 2년 조.

35 黃壽永, 『韓國金石遺文』, 一志社, 1978, 167쪽.

36 이기백, 『韓國史新論』, 일조각, 1992, 140쪽.

37 손영종 등, 『조선통사(상)』, 사회과학출판사, 2009, 245쪽.

38 아자개가 장군을 칭한 시점에 대해서는 李道學, 「총론—후백제 연구의 쟁점과 과제」 『후백제와 견훤』, 국립전주
　　박물관, 2021, 21~22쪽에서 언급하였다.
　　李道學, 『후삼국시대 전쟁연구』, 주류성, 2015, 23~24쪽.

할 수 있다.

　　h. … 이것에 보태져 기근 때문에 백성들이 떠돌아다니고, 뭇 도적들이 벌떼처럼 일어났다. 이에 진훤
　　이 몰래 분수 밖의 일을 넘겨다 보는 마음이 생겨 휘파람 불어 패거리를 모았다. 나가면서 서울 서남 州
　　縣들을 치자 이르는 곳마다 메아리쳤다. 삽시간에 무리가 오천 인에 이르렀다.[39]

　　擧兵의 주체인 진훤은 "장성하면서 체격과 용모가 뛰어나게 기이했고, 뜻과 기상이 빼어나서 평범
하지 않았다(及壯體貌雄奇 志氣倜儻不凡)"고 한다. 그러한 진훤은 "군대를 따라 왕경에 들어 갔다"고
했다. 국역을 지는 丁男 연령 때였을 것이다. 그리고는 진훤은 "서남해로 부임하여 수자리를 지켰는
데, 창을 베고 적을 기다렸다. 그 용기가 항상 사졸의 으뜸이 되도록 일하였기에 비장이 되었다"[40]고
했다. 여기서 중요한 사실은 진훤의 방수처 확인이다.

　　진훤은 승평항 즉 순천만에서 방수하였다.[41] 승평항은 해적 소탕의 기지였다. 진훤은 그간 순천
해룡산성과 광양 마로산성을 거점으로 당과 일본을 잇는 삼각교역을 통해 경제 기반을 축적했다.
광양의 마로산성에서 출토된 唐의 海獸葡萄方鏡과 越州窯에서 제작된 陶瓷가 말해준다. 진훤은 장
보고 사후 50년만에 해적을 소탕하고 서남해의 강자로 등장하였다.[42]

　　그러면 왜 진훤인가? 그가 신라 정규군을 기반으로 조정에 반기를 들면서 사회 변혁의 신호탄을
쏘았던 이유를 묻는다. 그의 방수처인 승평항은 변경이었다. 변경의 사전적 의미를 말한다면, 국가
의 중심지에서 떨어져 국경에 가까운 땅을 가리킨다. 변경은 영토들 사이의 경계 지역이었고, 서로
다른 법이 적용되는 두 국가 사이의 완충지대였다. 때문에 변경은 군사적 우범 지역이기도 했다. 진
훤은 군사적 우범 지역에서 해적들을 소탕하면서 발군의 전공을 세웠었다. 국제항인 승평항은 關門
이기도 했다. 관문은 '다른 지역으로 나아가는 통로가 되는 지점'을 말한다. 바꿔 말하면 다른 지역
에서 들어오는 入口이기도 했다.

　　진훤은 入出이 일상화한 관문이자 변경에서 신라를 넘어 세상의 변화를 읽었을 것이다. 唐 제국
을 요동치게 한 黃巢의 난이 875년~884까지 이어진 사실을 포착했을 게 자명하다. 당 제국의 속수

39 『三國史記』권50, 甄萱傳. "唐昭宗景福元秊 是新羅真聖王在位六秊 嬖竪在側 竊弄政柄 綱紀紊弛 加之以饑饉百姓
　　流移 羣盜蜂起 於是 萱竊有覬心 嘯聚徒侶 行擊京西南州縣 所至響應 旬月之間 衆至五千人 遂襲武珍州 自王 猶
　　不敢公然稱王"
40 『三國史記』권50, 甄萱傳. "赴西南海防戍 枕戈待敵 其勇氣恒爲士卒先 以勞爲裨将"
41 李道學, 『진훤이라 불러다오』, 푸른역사, 1998, 85~87쪽.
42 李道學, 「新羅末 甄萱의 勢力 基盤과 交易」『新羅文化』28, 2006, 230~231쪽.

무책 무기력한 모습을 확인하였을 것이다. 승평항을 入出하는 유학승이나 유학생, 使行 그리고 상인들을 통해 정세 흐름을 정확하게 꿰뚫었을 것으로 보인다. 변경에서 서서히 변혁의 바람이 불게 된 것이다. 변경은 중앙 권력의 통제로부터 비교적 자유로웠기에 운신의 폭이 넓은 편이었다. 진훤은 이러한 환경을 십분 활용해 때를 기다리며 변혁을 준비했던 것이다.

5. 후백제와 신라, 어떻게 다른가?

1) 정권의 주도층 비교

후백제 건국이 복고풍의 舊國 재건이라면 역사적 의미는 그리 크지 않다. 천년에 이르는 노대국은 통치력 한계와 자체 모순 폭발로 서서히 해체되고 있었다. 신라는 스스로 감당할 힘을 상실하였다. 이를 뚫고 솟아오른 후백제 건국에는 여러 분야의 많은 이들이 동참했다. 사상계만하더라도 화엄종문의 해인사 觀惠, 통진대사 慶甫, 선문도량 가운데 가장 먼저 일어났던 실상산파의 편운화상을 비롯해 즐비하게 나타난다. 신라 말과 고려 초의 3崔 가운데 한 명인 崔承祐 같은 유학자요 문장가를 비롯해 숱한 인걸들이 동참했다. 후백제 정권에 참여했던 이들이 필시 바라던, 또 만들고자 한 세상이 있었을 것이다. 그러면 이들의 꿈과 대척점에 있었던 신라 사회에 대해 살펴 보도록 한다.

신라는 능력이 아니라 혈통에 의해 권좌를 독식하는 사회였다. 이른바 진골 귀족의 사회였던 것이다. 6두품 이하 귀족들의 정치 참여에는 냉혹한 한계가 그어져 있었다. 신라 말 대표적인 6두품 귀족인 "최치원은 자신이 중국에서 공부하여 얻은 바가 많았기에 돌아와서 자신의 뜻을 펼치려고 했으나, 말세라서 의심과 시기가 많았기에 용납되지 못했고, 나아가 태산군 태수가 되었다"[43]고 하지 않았던가. 진골 김씨 귀족에 이어 금관가야계의 新金氏 정도가 권력의 변두리에 겨우 설 수 있었다. 반면 6두품 이하 귀족들은 좌절과 열패감으로 살았던 것이다.

후백제 정권 구성과 관련해 건국자인 진훤은 농민 출신이었다. 이에 대해서는 이견이 있기에 조금 상세하게 해명을 하려고 한다. 다음은 『삼국사기』 진훤전이다.

    i. 진훤은 尙州 加恩縣 사람이다. 본래 姓은 李인데, 뒤에 甄으로 氏를 삼았다. 父인 阿慈介는 농사 지으

---

43 『三國史記』권46, 崔致遠傳. "致遠自以西學多所得 及來將行己志 而衰季多疑忌 不能容 出爲太山郡大守"

며 자기 힘으로 살아가다가 뒤에 집안을 일으켜 將軍이 되었다. 처음에 진훤이 태어나 젖먹이로 포대기에 있을 때 父가 들에서 농사를 짓자 母가 남편에게 음식을 보내려고 아이를 수풀 밑에 두자 호랑이가 와서 그에게 젖을 먹여 주었다. 마을 사람들이 듣고는 기이해 하였다.[44]

위에서 인용한 진훤의 출신지는 통일신라의 9州 가운데 하나인 尙州의 가은현이다. 현재 경상북도 문경시 가은읍을 가리킨다.[45] 그랬기에『신증동국여지승람』에서도 가은현 출신인 아자개를 문경조의 '인물'에 넣었다.[46]

아자개의 신분과 관련해 '以農自活'과 '耕于野' 기사는 농민이었다는 구체적인 증거이다. 혹자는 아자개의 성씨가 이씨였다는 점을 호족인 근거로 제시하였다. 그러나 이는 장군을 칭한 호족이 된 후의 일이었다. 즉 아자개의 이름 앞 글자인 '아'와 음이 닮은 기존의 성씨 가운데 李氏를 모칭한 데 불과했다. 왕건 정권의 개국공신 중에도 기존 성씨를 모칭하여 得姓한 경우가 많았다.[47] 더욱이 924년에 세워진 문경 가은읍 봉암사 지증대사비의 단월 가운데 소판 阿叱彌는, 아자개와의 연관성이 보이지만 여전히 성씨는 없었다. 아자개는 장군을 칭하게 된 시점에 稱姓한 것으로 보인다. 반면 從軍하여 복무하게 된 진훤은 건국 후 이름 앞 글자를 성으로 사용했다. 父子間에 전혀 소통이 없었던 데서 성씨가 相異해진 연유를 찾을 수 있다. 따라서 아자개는 농민 출신이 맞다.

후백제 건국자는 농민 출신이었다. 그가 신라군의 비장까지 승진했을 때 예하의 將卒들이 정권의 일각을 맡았을 것이다. 이들 중 인가별감이었던 김총이 대표적이다. 순천 김씨 시조이기도 한 김총의 가문 배경은 알려진 바 없다. 진훤의 사위였던 박영규의 경우는 순천 지역 토호로 알려져 있다. 진훤의 사위인 무진주 도독 지훤 역시 토호 출신으로 짐작된다. 진훤의 참모들 가운데는 羅末麗初라는 시대적 전환기에 崔彦撝(崔仁渷)와 더불어 이른바 3崔로 일컫는 최씨 성을 가진 최고의 인텔리켄챠 가운데 하나인 崔承祐가 있었다. 즉 "소위 1代 3崔가 金牓에 이름을 걸고 돌아왔으니, 최치원

---

44 『三國史記』권50, 甄萱傳. "甄萱 尙州加恩縣人也 本姓李 後以甄爲氏 父阿慈介 以農自活 後起家爲將軍 初萱生孺褓時 父耕于野 母餉之 以兒置于林下 虎來乳之 鄕黨聞者異焉"

45 '상주 가은현' 용례는, 통일신라 말 慧昭의 출신지를 "全州金馬人也(「眞鑑禪師碑文」)" 즉 9주의 하나인 전주의 金馬, 즉 지금의 전주가 아니라 익산이라고 한 사례와 동일하다. 그리고 "全州南原人也(「淨土寺法鏡大師碑文」)"라는 구절도 동일한 사례이다. 그 밖에 "尙州公山三郞寺(「元宗大師碑文」)"에 보이는 '公山'은 현재의 상주가 아니라 대구의 팔공산을 가리킨다.

46 『新增東國輿地勝覽』권29, 慶尙道 聞慶縣, 人物 條.

47 李樹健,『韓國中世社會史硏究』, 一潮閣, 1984, 125쪽. 鄭淸柱,『新羅末 高麗初 豪族硏究』, 一潮閣, 1996, 123쪽 註53. 金甲童,『羅末麗初의 豪族과 社會變動硏究』, 高大 民族文化硏究所, 1990, 201쪽 註70.

이요, 최인연이요, 최승우라고 한다"[48]고 했다. 이 중 최승우는 공산 승전 직후 왕건에게 보낼 檄書를 작성한 당대 최고 문사였다. 이 격서는 雄文으로 평가받고 있다.[49] 그는 신라가 기울어 가는 890년(진성여왕 4)에 唐에 유학 가서 893년에 시랑 楊涉의 문하에서 3년만에 빈공과에 급제하였다. 또 그는 자신이 서문을 쓴『餬本集』이라는 4·6병려체 문장의 문집 5권을 남겼다. 그는 교유하던 걸출한 시인 曹松이 901년에 진사가 된 것을 보고 시를 읊었으니 그 때까지는 당에 체류한 것이다. 이후 어느 때 그는 신라로 귀국하였다. 『동사강목』에는 "최승우가 당으로부터 돌아오니 나라가 이미 어지러워졌으므로 드디어 진훤에게 의탁하여…"라는 글귀가 보인다. 최승우는 자신의 이상을 구현할 수 있는 주군으로 진훤을 택했던 것이다.

『동문선』에는 최승우가 당에 체류할 때 지은 칠언율시 10首가 전하고 있다. 이 시들은 정치적인 포부가 강하게 배어 있다는 평을 받는다. 개인적인 명리보다는 天子의 인정을 받아 자신의 정치적 이상을 실현하려는 열망이 표출되어 있다는 것이다. 가령 중국 절강성에 소재한 鑑湖의 별칭인 鏡湖를 노래한 시에서, 湖水 관련 고사를 통해 자신의 雄志를 펼쳤다. 유달리 빈번하게 典故와 疊語를 사용해 자신의 詩意를 드러낸 이유도 그러한 열망 때문이라고 한다.

그러면 최승우 詩 한 수를 소개하고자 한다. 다음은 '새로 중서사인에 제수된 이 아무개에게 주는 시(獻新除中書李舍人)'라는 제목의 칠언율시이다.

j. 오색의 선대가 자미궁에 들어서니	五色仙臺入紫薇
새로운 공업으로 화락함을 돕는 도다	好將新業助雍熙
현경석 위에서 늘 조서를 초잡으니	玄卿石上長批詔
임부의 인재틈서 이미 시를 지었다오	林府枝間已作詩
은촉불 꽃 자르니 붉은 떨기 뚝뚝지고	銀燭剪花紅滴滴
동대의 시간은 더디 더디 흐르도다	銅臺輪刻漏遲遲
자수 그대 등용되어 간 뒤로부터	自從子壽登庸後
맑은 풍도 이을 사람 다시 뉘 있으랴(鄭珉 譯)	繼得清風更有誰

최치원이나 박인범은 獻詩에서 발탁되지 못한 자신의 처지를 궁핍하게 묘사하였다. 그런데 반해

48 한국역사연구회,『譯註 羅末麗初金石文(上)』, 혜안, 1996, 215쪽, 太子寺郎空大師碑. "所謂一代三崔金牓題迴 日崔致遠 日崔仁渷 日崔承祐"
49 壽春學人,「國際的으로 알려진 朝鮮 人物」『別乾坤』제12·13호, 1928, 166쪽.

최승우의 여타 시에는 당당한 자신감을 가지고 자신의 포부를 시 문면에서 언술하였다고 한다. 이러한 점에서 양자는 커다란 차이를 보이고 있다는 것이다. 그러니까 최승우는 시인이면서도 장대한 정치적인 이상을 품고 있던 인물이었다. 또 그러하였기에 귀국과 더불어 진훤을 보좌해 통일국가를 완성하려는 험난한 정치판에 투신했음을 어렵지 않게 짐작할 수 있다. 진훤의 대신라 정책과 왕건과의 관계 등은 최승우의 구상에서 나왔을 가능성이 높다.[50]

진훤 정권은 신라가 버린 6두품 출신을 과감히 기용하였고, 또 지역 호족들과 연계하여 그들이 중앙에 진출할 수 있는 길을 열었다. 그리고 신라군 출신의 장졸들을 국왕의 御駕行次를 비롯한 引駕 분야 전반과 軍 요직에 포진시켰을 것이다. 진훤은, 혈연과 지연에 기반한 신라 사회와는 달리 지배층의 범위를 경주에서 전국으로 확장시켰다. 그 결과 소수 진골 귀족 사회에서 벗어나, 다수가 참여하는, 기회와 참여 폭을 확대시킨 사회를 만들었다. 진골 귀족만의 독점 체제에서 多極 체제로 넘어간 것이다.

진훤의 건국은 지역주의를 뛰어넘었다는 점에서 의미 부여를 할 수 있다. 그는 신라인으로서 백제 재건에 성공했다. 또 백제 유민들로부터 열렬한 지지를 받았다. 지역주의 파기에 성공한 최초의, 아니 先導的 사례로 기억될 것이다.

2) 농업 경영과 收取 시책

신라 멸망의 직접적인 요인은 여러 측면에서 찾을 수 있겠지만 직접적인 사안은 경제 파탄이었다. 오랜 기간에 걸친 흉년으로 인한 飢餓와 稅收의 절대 감소로 인한 재정 타격과 국정 운영의 위기에서 찾을 수 있다. 889년 상주 지역 농민 봉기와 더불어 동시다발적으로 순천만에서 정규군의 반란이 발생했다. 그것도 신라가 거의 유일하게 행정력이 미치는 對唐 통로인 승평항(순천만)에서였다.

진훤은 擧兵 직전까지 혼돈과 혼란 속에서 신라 통치의 한계를 느끼고 읽었다. 이때 진훤은 승평항을 거점으로 唐과 일본을 잇는 삼각 교역을 통한 경제적 富를 축적하였다. 그리고 그는 해적 소탕을 통해 실전 경험이 풍부한 잘 훈련된 군사력을 보유하고 있었다. 이를 기반으로 그는 신라 원심력에서 이탈하였다. 건국 후 그는 무엇보다도 농민 생활 증진에 박차를 가했다.

농민에 대한 收取와 관련해 진훤과 왕건을 비교해 보는 게 좋다. 진훤의 경우는 收稅에 관한 기록이 전혀 남아 있지 않으므로 판단하기 어렵다. 다만 비록 修辭가 많은 진훤 아들 神劍의 敎書에 적혀

---

50 이도학, 『후백제 진훤대왕』, 주류성, 2015, 480~483쪽.

있는 내용이지만 "진구렁이나 숯불에 떨어진 것과 같은 고통을 쓸어버리니 백성들이 평안하고 화목하게 되어 북을 치고 춤을 추었고"[51]라고 하였다. 농민층의 열렬한 지지를 받았음은 부인하기 어렵다. 농민층의 지지는 진훤이 국가 창건에 성공하게 된 배경이었다. 이는 지역 정서인 백제의 부활과 더불어 그 한 軸을 이루는 요소였다. 여기서 농민층의 지지라는 것은 收稅의 輕減에 있었음은 말할 나위 없다. 즉 그는 농민들을 과중한 수탈과 질곡에서 해방시켰다. 진훤은 촌락 공동체를 뛰쳐나와 미아처럼 방황하는 유민들을 수습하여 농토에 묶어두면서 사회 안정과 경제 기반의 확대를 가져왔던 게 분명하다.

그럼에도 진훤과 농민의 관계에 대한 기존의 시각은 부정 일변도였다. 禾穀과 人戶를 약탈하거나 糧穀 운송을 습격한다든지 城을 불태운 사례들을 열거하면서 그의 존재는 약탈자로 집중 거론된 바 있다. 그런데 진훤이 농작물을 베어 간 것은 벽진군(성주군 벽진면)과 그 주변 지역에서만 나타난 현상이었다. 그러므로 단순 약탈로 간주할 수 없는 측면이 많다. 그 배경은 후백제의 신라계 호족 포섭을 방해하고 있던 이곳의 친고려계 호족 이총언의 존립 원천인 資糧의 소멸이라는 차원에서 기인한 바였다. 즉 이총언의 지원으로 지금의 경상도 방면에서 활동하는 고려군의 兵站源을 파괴하는 전략에서였다. 그러므로 일반 농민에 대한 약탈과는 그 성격이 전혀 다른 것이었다. 양곡 수송 습격도 "양곡을 운송하는 것을 습격한" 데 목적을 두지 않았다. 그 틈을 놓치지 않고 허를 찔러 康州를 습격한 것이었다. 그리고 人戶의 약탈이나 城을 불태운 것은 古今의 일상적인 전쟁 양상이었으므로, 진훤만 결부지어 그 성격을 악의적으로 단정할 수는 없다.

진훤의 對民收取에 있어서 屯田制 시행과 灌漑 시설 확충은 주목된다. 「통진대사비문」에 따르면 진훤이 萬民堰이라는 제방에서 군대를 이끌고 있었다.[52] 이는 진훤 스스로가 둔전과 관개에 힘 쓴 사실을 확인시켜 준다. 아울러 '모든 백성들의 방죽'이라는 뜻의 萬民堰이라는 제방을 통해서도 그가 취한 일련의 시책의 무게 중심이 농민과 관련한 농업경제 증진에 두었음을 읽을 수 있다. 합덕방죽과 나주에서의 둔전에 관한 전승 또한, 우리나라에서 둔전제를 본격 도입한 진훤의 농업시책을 알려준다.

후백제의 군대 수는 고려군 보다 갑절이나 많았다.[53] 그러한 군대를 운용하기 위해서는 경제적 기반인 군량 확보와 그 조달이 중요한 관건이었다. 진훤은 둔전이나 灌漑를 통해 백성들의 생활 향상을 위한 농업경제의 증진에 비상하게 심혈을 쏟았다. 이러한 경제적 안목과 조치는 그가 웅강한 국

---

51 『三國史記』권50, 甄萱傳.
52 만민언은 항구인 지금의 군산시 임피면에서 전주로 이어지는 통로상에 소재했을 것으로 보인다.
53 『三國遺事』권2, 紀異, 後百濟甄萱 條.

가를 만든 배경이었다. 전쟁 수행 과정에서 현지의 호족들로부터 군량이나 車乘을 차출받았던 왕건의 행태와는 크게 차이가 났다.

진훤의 둔전제 시행과 관련해 꼽을 수 있는 대표적인 유적이 충청남도 당진시에 소재했던 합덕방죽[合德池]이다. 합덕방죽은 당진시 합덕읍 대합덕리와 성동리에 걸쳐 자리잡고 있으면서 예당평야에 물을 대었다. 조선 후기만 하더라도 "호서의 합덕방죽은 실로 국내 제일의 큰 제방이다"[54]는 평가를 받았다. 『세종실록』지리지에 의하면 그 제방 둘레는 3,060尺으로서 130結의 논에 관개했던 제방이라고 한다.[55] 蓮湖 혹은 蓮池 또는 合湖라는 이름이 붙은 합덕방죽의 기원은 진훤이 왕건 군대와 전투하기 위한 軍馬用으로 못을 팠다는 데서 비롯된다.

전승을 다시금 부연해 보면 진훤이 이곳에 둔전을 개간하여 군대와 말을 주둔시켰다고 한다. 합덕방죽 부근인 성동산에 소재한 둘레 450m의 土尾山城도 진훤이 축조했다고 한다.[56] 이 성을 근거지로 진훤은 지금의 예산군 신암과 용산에 주둔 중이던 왕건 군대와 대치했다는 것이다. 소들강문(예당평야)을 놓고 후백제군은 고려군과 큰 싸움을 벌였으나, 진훤이 합덕들에 많은 둔병을 두었기에 승리했다고 한다.[57]

합덕방죽이 軍馬의 飮用水 기능밖에 없었다면 진훤의 존재가 이 지역에서 오랫 동안 회자될 수는 없었을 것이다. 1930년대까지만 하더라도 진훤을 위한 감사제전이 매년 음력 7월 辰日에 합덕방죽 수혜민들에 의해 거행[58]되었다.[59]

진훤은 기아와 질곡의 경제 상황을 과감히 벗어던지고 福樂의 시대를 열었다. 분명히 신라보다 더 나은 사회로 진일보한 것이다. 더 보태고 뺄 것도 없이 "진구렁이나 숯불에 떨어진 것과 같은 고통을 쓸어버리니 백성들이 평안하고 화목하게 되어 북을 치고 춤을 추었고(b)"라고 하지 않았던가?

---

54 『日省錄』정조 21년(1797), 執義沈奎魯陳疏賜批. "湖西之合德防築實是國內第一巨堤堰"

55 『世宗實錄』地理志, 洪州牧, 蓮池 條.

56 土尾山城 내부에서 9세기대의 주름무늬 小瓶片이 출토된 데서도 후삼국기 사용을 짐작할 수 있다(忠南大學校 博物館,『整備 復元을 위한 唐津 合德堤 2次試掘照査報告書』1998, 12쪽).

57 金漢重,『唐津誌』, 故鄕文化社, 1990, 145쪽.
    당진군지 편찬위원회,『唐津郡誌(上)』1997, 244쪽.
    한국정신문화연구원,『韓國口碑文學大系 4-1(당진군 편)』1980, 316쪽 참조.
    洪思俊이 현지에서 직접 채록한 전승에 따르면 합덕방죽 주변에는 후백제 보병 9천 명과 軍馬 6천 頭가 주둔했었다고 한다(洪思俊,「三國時代의 灌漑用池에 對하여」『考古美術』136・137합집, 1978, 18쪽).

58 金漢重,『唐津誌』, 故鄕文化社, 1990, 146쪽.
    그 祭文에 '甄萱將軍'이라는 내용이 있었다고 한다(洪奭杓,「合德 방죽에 對한 綜合的 考察」『唐津鄕土史의 照明』, 학남 홍석표선생 정년기념문집 간행위원회, 1999, 85쪽).

59 이상의 서술은 이도학,「後百濟 甄萱의 農民 施策에 관한 再檢討」『白山學報』62, 2002, 129~139쪽에 의하였다.

3) 외교 방식과 미술품의 특징

후백제의 대외 교섭은 唐 일변도의 신라 방식에서 벗어났다. 동란의 시대에, 그것도 상대인 고려를 견제하려는 의도가 전제되었겠지만 다변성을 지녔다. 건국 이전부터 교류를 가졌던 오월국과는 가장 긴밀한 관계를 맺었고, 또 이를 통해 오월국 청자 기술이 후백제에 전래되었다.[60] 신검 정변 직후 금강 왕자 계열의 인사들이 집단으로 망명한 곳도 오월국이었다. 후백제는 그 밖에 거란을 비롯해 후당과도 교류하였고, 일본과는 일찍부터 교류를 시도했었다.

후백제의 대외 교섭에는 명운을 건 절박함이 스며 있었다. 일례로 대마도에서는 후백제와의 교섭을 거절했다. 그러자 후백제 사신 수석은 진훤 왕이 거듭 사신을 보내는 노력을 기울였음을 환기시켰다. 그러면서 성과 없이 중간에 되돌아오면 "身命을 보존하기 어렵다"고 호소했다.[61]

반세기 역사 후백제는, 획일성에서 다양성으로의 전기를 마련했다. 일례로 후백제 건국의 苗床인 광양 마로산성의 숫막새기와에서는, 기존의 연화문에서 벗어나 바람개비 · 마름모 · 구름무늬 등 무려 33종의 다양한 문양이 나타난다.[62] 신라의 변방에서부터 획일을 극복한 시대 분위기를 반영한 증좌였다. 이후 제작된 후백제 기와의 특징은 "제작 기법은 기존의 전통을 유지하되, 문양은 독창적인 것을 사용하는 것으로 볼 수 있다"[63]고 한다. 후백제 문화는 '전통 속의 변화와 다양성'을 말하고 있다.

이와 더불어 후백제 正開 연호가 새겨진 남원 실상사 조계암 터 편운화상부도를 주목해 본다. 편운화상부도는 "한국이나 중국에서 모두 찾아보기 어려운 형식"[64]이라는 평가를 받았다. 그렇다면 후백제 양식이라는 말을 해도 지나치지 않을 것 같다. 실제 통일신라의 八角堂形과는 달리 "片雲和尙 浮屠의 전체적인 구조와 외관은 香垸을 거의 그대로 飜案하였다고 볼 수 있을 만큼 동일하다. … 香垸을 浮屠로 성공적으로 飜案했음을 알 수 있다. … 기발한 착상과 창의성을 엿볼 수 있게 한다"[65]는 평가를 받았다. 가장 확실하고 분명한 후백제 미술품인 편운화상부도에 대한 평가는 확실히 주목된다. 후백제 문화의 특징인 '전통 속의 변화와 다양성' 그리고 창의성에 부합하기 때문이다.

---

60 郭長根, 「진안고원 초기청자의 등장배경 연구」 『全北史學』 42, 2014, 107~132쪽.
61 『扶桑略記』 권24, 延長 7년 5월 17일 조. "… 空從中途歸法 身命難爲存"
62 김왕국, 「도록」 『견훤, 새로운 시대를 열다』, 국립전주박물관, 2020, 90쪽.
63 차인국, 「후백제 기와의 특징과 사용 방식」 『견훤, 새로운 시대를 열다』 국립전주박물관, 2020, 336쪽.
64 주경미, 「吳越國과 韓半島의 佛敎文化 交流 新論」 『역사와 경계』 106, 2018, 228쪽.
65 엄기표, 「實相寺 片雲和尙 浮屠의 銘文과 樣式에 대한 고찰」 『전북사학』 49, 2016, 47~53쪽.

6. 진훤의 통일 전략

1) 평화적 정권 引受 방안

일반적으로 진훤의 이미지는 폭력적으로 인상 지어졌다. 반면 왕건은 포용력 있고 자애로운 군주의 모습으로 설정되었다. 왕건은 仁政을 베풀었고, 후백제 멸망 후 후백제 주민들로부터 열렬한 환영과 인심을 얻은 것처럼 비친다. 그러나 진훤은 폭력적인 인물이 아니었고, 왕건은 결단코 자비로운 인물은 아니었다. 가령 "진훤이 勁卒을 뽑아 烏於谷城을 공격하여 빼앗고 戍卒 1천 명을 죽였다. 장군 楊志·明式 등 6인이 나와서 항복하자, 왕은 諸軍을 毬庭에 집결시키고 6인의 妻子를 모든 군사들 앞에서 조리돌리고 棄市했다"[66]고 한 냉혹한 인물이었다.

구체적으로 살피면 왕건은 세간의 이미지와는 달리 후삼국 통일 과정에서 '제압하기 어려웠던 사람들의 후손들'이나 '逆命者' 혹은 왕건에 끝까지 대적했던 이들은 賤役이나 고된 役에 종사시켰다. 여기서 '逆命者'는 통일전쟁 중 왕건에 반대했던 세력을 가리킨다. 이들에게는 통일 후 무거운 징벌이 가해졌다.[67] 왕건은 자신에 거역한 세력들에게는 畜姓까지 붙였다.[68] 그랬기에 육당 최남선은 왕건을 딱 잘라 '千古의 陰謀家'로 규정하였다.[69] 천고에는 '오랜세월을 통하여 유례가 없을 정도로 드묾'이라는 의미가 포함되었다. 음모가는 '흉악한 음모를 꾸미는 것을 일삼는 자'라는 뜻만 남아 있다.[70]

그리고 진훤은 신라에 대한 복수심에 불탔던 것으로 비칠 수 있다. 신라인들에게 진훤은 공포스러운 파괴자였을 것으로 상상하고는 한다. 그러나 그는 시종 신라 조정의 지방관 행세를 했다. 그럼에도 자의적으로 裁斷하여 평가하는 일이 다반사였다.

순천만에서 복무하던 진훤은 892년에 무진주에 입성한 후 백제를 재건했다. 900년에 진훤은 전주로 천도하였다. 이 시점에서 후백제와 신라 2개 國이 대치한 상황이 되었다. 旭日昇天 기세의 진훤은 종국에 무너질 신라에 대한 처리 문제에 고심했다. 무력을 통한 신라의 강제 병합은 민심 이반을

---

66 『高麗史』권1, 태조 11년 11월 조. "甄萱選勁卒 攻拔烏於谷城 殺戍卒一千 將軍楊志·明式等六人出降 王命集諸軍于毬庭 以六人妻子 徇諸軍棄市"

67 박종기, 『고려의 부곡인, 〈경계인〉으로 살다』, 푸른역사, 2012, 74~75쪽.

68 『新增東國輿地勝覽』권16, 忠淸道 木川縣, 姓氏. "本縣:牛·馬·象·豚·場·沈·申·王[諺傳高麗太祖開國 以木州人屢叛嫉之 賜其邑姓 皆以畜獸 後改牛爲于 改象爲尙 改豚爲頓 改場爲張"

69 崔南善, 『尋春巡禮』, 白雲社, 1926 ;『六堂崔南善全集 6』, 玄岩社, 1973, 274쪽.

70 이상의 서술은 이도학, 「전북 후백제 연구의 쟁점과 지향점」『전북지역 연구의 회고와 새로운 지평(2)』, 전라북도, 2021. 10. 22, 67쪽에 의했다.

초래할 뿐 아니라 거센 저항에 직면할 수 있다는 사실을 깨닫고 있었다. 신라를 포위하여 枯死시킴으로써 자연스럽게 禪讓받으려는 전략을 구사하였다. 822년에 반란을 일으킨 김헌창은 국호와 연호를 선포했다. 김헌창은 5小京 가운데 3소경을 장악했을 뿐 아니라 9주 가운데도 거의 절반을 지배하였다. 신라를 반분한 상황이라고 판단했기에 新國을 세울 수 있었던 것이다.

진훤도 상징성이 지대한 소경 장악을 추진하였다. 전주 천도를 통해 남원경(남원)을 장악했다. 그리고 대야성을 통한 금관경(김해)으로의 진출을 시도하였다. 이와 더불어 진훤은 일찍부터 북원경(원주)의 양길을 끌어당김으로써 양길 예하의 중원경(충주)과 서원경(청주) 세력까지 포괄할 수 있다고 판단했다. 이렇게 되면 진훤은 5소경의 장악이 가능해진다. 천년왕국의 권위를 지닌 신라에 절대적 우위를 점유하게 되는 것이다. 그러면 정치적 위상의 역전이 가능해진다.

그런데 변수가 발생했다. 비뇌성 전투에서 양길의 호족 연합군이 궁예에게 大破되었기 때문이다. 반면 양길을 축출하고 궁예가 중부 지역의 패자로 등장했다. 901년에 궁예는 고구려를 재건하였다. 예전의 삼국이 부활한 것이다. 그럼에 따라 진훤의 전략도 수정이 불가피해졌다. 신라와 대등함을 상정했던 兩大 세력 관계에서 진훤은 백제 계승자로서 의자왕의 숙분을 씻겠다고 宣言하였었다. 그러나 이제는 고구려가 재건된 삼각 구도였다. 진훤으로서는 雄强한 궁예를 제압하는 일이 시급했다.

궁예는 나주 세력과 연계하여 서남해의 제해권을 장악하고자 했다. 그럼으로써 후백제를 포위하여 고립시키는 전략을 구사한 것이다. 후백제로서는 사활이 걸린 문제였기에 격돌하지 않을 수 없었다. 이 상황에서 진훤은 신라에 대한 복수심이 끓던 궁예와 대척되는 입장을 보였다. 신라 출신인 진훤은 신라의 보호자 역을 분명히 하였다. 그럼으로써 궁예의 돌풍에 휘둘리며 트라우마를 지닌 신라 호족들을 포섭하고자 했다. 후백제의 관등이 신라와 동일한 것은, 신라 유산의 계승자임을 표방한 것이다. 신라 속의 백제 정권임을 자임한 근거였다.

그런데 918년에 정변이 발생해 왕건이 고려를 건국하였다. 왕건은 궁예와는 달리 신라에 대한 유화책으로 나왔다. 그는 궁예 체제의 관등을 신라 것으로 환원하였다. 이 사실은 왕건이 고구려 계승자임을 자처했지만, 기존 신라의 전통과 질서를 존중한다는 의미였다. 그랬기에 왕건 역시 신라의 보호자를 자처하였다. 왕건이 경순왕으로부터 진평왕의 천사옥대를 받은 것도 신라 계승자임을 웅변한다.

진훤이나 왕건 모두 선양의 형식을 통해 신라로부터의 왕조 교체를 단행하려고 했다. 진훤의 경우 魏의 曹操 사례를 주목했을 수 있다. 조조가 처음 거병했을 때 병력은 5천 명이었다. 이 숫자는 진훤이 처음 거병하여 민심을 규합했을 때 숫자와 동일하였다. 물론 이러한 수치는 우연의 일치에 불과하기에 특별히 의미를 찾기는 어렵다. 그렇지만 진훤은 曹操의 사례에 힘 입었다고 본다. 그리고 진훤의 참모로서 唐 유학 경험의 최승우나 慶甫 등이 周文王 役을 자임하도록 조언했을 수 있다.

후백제와 고려는 스스로 신라의 보호자요 계승자로서 적합도를 경쟁하는 관계였다. 927년 후백제군의 경주 급습도 이와 관련한 사건이었다. 신라 경애왕 정권이 시종 의지했던 고려와 그 이상의 관계로 발전하는 것을 차단할 목적으로 경주를 급습했다. 그 일환으로 국왕까지 교체한 것이다. 그렇지만 自盡 형식을 빈 경애왕의 처단과 후백제군의 거친 행태는 민심 이반을 초래하였다. 후백제군이 고창(안동) 전투에서 패한 것도 신라 호족들의 이반에 따른 결과였다. 신라의 보호자요, 계승자역을 자임했던 2정권 간의 경쟁은 927년을 분기점으로 고려로 급속히 기울게 되었다.

이에 고무된 왕건은 신라 경순왕과 회동한 931년 이후부터는 더 이상 신라의 陪臣이 아니었다. 이제는 신라가 고려의 배신이 되었다. 그랬기에 몇 년 후 신라가 고려로 넘어가는 데 대한 신라인들의 반발은 심하지 않았다.

후백제의 실패는 927년 경주에서 더 이상 신라의 보호자가 아니라는 사실을 보여줌으로써 야기되었다. 그 직후 왕건은 신라 호족들이 자신에게 쏠리자 대세가 결정된 것으로 판단했다. 이는 왕건이 재암성 장군 선필을 尙父로 일컬었던 데서도 짐작할 수 있다. '尙父'는 殷을 받들었던 周文王과는 달리 殷을 멸망시킨 周武王이, 功臣인 呂尙에게 부여한 尊稱이었다. 그러므로 왕건 자신이 주무왕이 되었음을 선포한 행위로 해석되었다. 왕건의 신라 접수는 시간 문제라는 자신감도 배어 있었다. 이렇듯 후백제와 고려의 경쟁과 갈등은 신라 후계자로서의 기나긴 적합성 분별 과정이기도 했다.[71]

2) 대통합을 위한 용단

후백제와 고려의 대결은 쉽게 승부가 나지 않았다. 전하는 기록과는 달리 후백제는 여전히 강성하였다. 신검의 교서에서 "功業이 거의 重興에 이르렀습니다"고 하였고, 진훤의 사위 박영규는 "대왕께서 힘을 들여 부지런히 일한지 40여 년에 공업이 거의 이루어지려 했는데 하루 아침에 집안의 禍로 나라를 잃고"라고 했다. 후백제가 멸망 시점까지도 강성했음과 더불어 정국의 주도권 장악을 뜻한다. 그럼에도 진훤은 다음과 같은 중대 결단을 내린다.

k. 병신년 정월에 진훤이 아들에게 말하기를, "내가 신라 말에 백제 이름으로 뒤를 이은 지 지금에 이르

---

71 이상의 서술은 이도학, 「후백제 진훤의 受禪 전략」『민족문화논총』78, 영남대학교 민족문화연구소, 2021, 437~438쪽에 의했다.

기까지 여러 해가 되었다. 군대는 北軍보다 갑절인데도 하물며 불리하니, 반드시 하늘이 고려를 위하여 손을 빌려 준 것 같으니, 어찌 북왕에게 귀순하여 목숨을 보전하지 않으리요!" 그 아들 신검 · 용검 · 양검 등 3인은 모두 응하지 않았다.[72]

위의 기사는 936년 정월에 진훤이 아들에게 한 말이지만, 그 시점은 935년 乙未로 앞 당겨야 맞다. 진훤의 발언은 고려 중심으로 윤색된 게 분명하다. 그러나 진훤 발언의 본질은 압도적 우세에도 불구하고 승부가 나지 않으니 끝없는 소모전을 청산하고 대통합을 위해 小我를 버리겠다는 선언이었다. 그랬기에 진훤은 자국의 불리함을 애써, 그것도 과장하여 강조한 것이다. 진훤의 이 같은 폭탄 선언은 돌출 발언이 아니었다. 오랜 기간 고심한 결론으로 보인다. 이와 관련해 미국 남북전쟁기에 남부연합 총사령관 로버트 에드워드 리(Robert Edward Lee) 장군이 하달한 '일반명령서 9호'를 살펴본다.

l. … 내가 이 결과(항복)를 받아들인 것은 병사들을 믿지 못해서가 아니라 … 그들의 동포들에게 사랑받았고, 과거에 공로가 있던 이들에 대해 나는 쓸모 없는 희생을 피하려고 결심했습니다.[73]

로버트 리 장군은 항복을 거부하고 산악에서 게릴라전을 펼치자는 諸將들의 견해를 따르지 않았다. 그가 항복을 택한 이유는 '쓸모 없는 희생을 피하려고'였다. 진훤의 경우도 이와 동일하였다고 본다. 애꿎은 병사들의 더 이상 살상을 중단하고 대통합을 이루는 길은, 자신이 가진 모든 것을 포기하는 데 있다고 결단했던 것 같다.

당시 진훤에게는 두 가지 현안이 있었다. 첫째 자신이 주도한 국토의 통일, 둘째 걸출한 능력을 지닌 넷째 금강 왕자에게 왕위를 넘겨주는 일이다. 그러나 모두 어려운 현실에 봉착했지만 난제를 한꺼번에 해결할 수 있는 차선책이 없지는 않았다. 진훤 자신이 고려에 들어감으로써 더 이상의 살육 없이 국토의 통일이 가능해지고, 골육상쟁도 피할 수 있다고 판단했다. 실제 936년 최후의 결전장인 일리천 전투에서 진훤이 왕건과 나란히 고려군 진영에 있었기에 후백제군은 일거에 무너졌다. 진훤의 삶과 공적은 자신을 축출한 아들 신검의 교서(b)에 잘 응결되어 있다.

---

72 『三國遺事』권2, 紀異, 後百濟甄萱 條. "丙申正月萱謂子曰 老夫新羅之季立後百濟名 有年于今矣 兵倍於北軍尚爾不利 殆天假手為高麗 盖歸順於北王保首領矣 其子神劍 · 龍劍 · 良劍等三人皆不應"

73 Douglas Soutball Freeman, Lee, Touchstone, 1997, pp. 496-497. "… that I have consented to this result from no distrust of them … I determined to avoid the useless sacrifice of those whose past services have endeared them to their countrymen."

후백제의 갑작스런 몰락은 엄청난 역사 손실을 가져온 일대 재앙이었다. 즉 "신라 말에 甄萱이 完山에 웅거하여 三國의 남아 있는 서적을 실어와 두었는데, 그가 패하자 쓸어 없어져 불타 재가 되었으니, 이것이 3千年 이래 두 번의 큰 재앙이다"[74]고 하였다. 927년에 경주에서 실어온 역사서 들이 전소된 것이다. 계승되지 못한 역사로 인해 역사의 극심한 빈곤을 초래했다. 현재 전하는 『삼국사기』가 소략한 이유였다.[75]

후백제 멸망 직후 진훤은 70세를 일기로 지금의 논산 관내 사찰에서 영욕이 교차하는 파란만장한 생애를 접었다. 그의 능은 논산시 연무읍 금곡리의 야트막한 산에 소재하였다. 현지에서는 '王墓'로 전해 왔다. 이제 승부에 승부를 거듭하는 전쟁으로 숨도 돌릴 수 없는 난세를 헤쳐가면서, 한 시대의 종지부를 찍어 역사의 일대 전환점을 마련한 혁명가 진훤 왕은 재평가되고 있다. 아자개와 진훤, 이들 부자에 의해 한 시대는 종언을 고했고, 참여의 폭과 기회가 일층 확대된 사회로 넘어갔다.[76]

7. '후삼국시대'를 어떻게 이름해야할까?

'후삼국시대'라는 용어는 교과서에 등장할 정도이니 익숙해져 있다. 앞의 삼국시대가 200여 년 후에 고스란히 재현되었으니 후삼국시대로의 호칭은 자연스럽다. 그렇지만 이러한 용어는 이해는 쉽지만 어디까지나 현상적인 데 불과하다. 시대 속성을 가리키는 용어로서는 적합한 것만이 아니었다. 관련한 고심을 일단 토로해 본다.

후삼국 이전의 '前三國'은 간단없이 수백년 간에 걸쳐 상대를 통합하기 위한 전쟁을 지속적으로 벌였다. 그런데 반해 신라와 발해는 서로를 통합의 대상으로 여기지도 않았다. 신라는 어디까지나 당의 요청으로 발해를 공격한 적은 있었다. 그렇지만 양국이 자국의 의지로 충돌한 적은 없었다. 물론 신라는 서북에 장성을 축조하거나 동북에 관문을 설치한 적은 있었다. 즉 826년(흥덕왕 1)에 300리에 걸친 패강장성과 경덕왕대의 炭項關門 축조였다. 그렇지만 이는 발해의 위협보다는 界線으로서의 성격이 강했다. 통합에 대한 의지 대신 상호불가침 형태로 각자도생의 병존을 희구했음을 읽을 수 있다. 그럼에도 통합 의지가 없었던 양국을 대등하게 놓고 '남북국시대'를 설정한 것은 '만들어진

---

74 『雅亭遺稿』권3, 紀年兒覽, 序.

75 李道學, 「권력과 기록」『東아시아古代學』48, 2017, 40쪽.

76 이상의 서술은 이도학, 「진훤과 후백제의 꿈과 영광」『견훤, 새로운 시대를 열다』국립전주박물관, 2020, 25~26쪽에 의했다.

인식'에 불과했다.

군이 남북국시대를 설정한다면 신라와 발해가 아니라 후백제와 고려 사이에는 가능할 수 있다. 양국은 동일한 하나의 국가 영역에서 성립해 상대를 통합의 대상으로 간주했기 때문이다. 고려 왕건은 후백제 진훤 왕에게 보낸 국서에서 "이것은 곧 내가 南人들에게 큰 덕을 베푼 것이었다(此即我有大德於南人也)"고 했듯이 후백제인들을 '남인'으로 호칭했다. 진훤 왕은 "군대는 북군보다 갑절이나 되면서도 오히려 이기지 못하니(兵倍於北軍尚爾不利)"라고 하여, 고려군을 '북군'으로 일컬었다. 진훤 왕은 그러면서 "어찌 北王에게 귀순해서 목숨을 보전해야 되지 않겠는가(盖歸順於北王保首領矣)"고 하면서 고려 왕을 '북왕'이라고 했다. 발해가 신라를 '남국'으로 일컬었는지는 확인되지 않았다. 그렇지만 후백제와 고려는 서로를 '남인', '북군', '북왕'으로 불러 '남북국'의 대치를 상정할 수 있다.

후백제와 고려의 대치 기간을 남북국시대로 설정해도 지나치지 않는다. 물론 신라의 존재를 제시하겠지만 진훤과 왕건이 주고받은 국서에서 공히 신라와 周를 등가치로 거론했다. 진훤은 "저의 뜻은 왕실을 높이는데 돈독하고(僕義篤尊王)"라고 하여 '존왕' 곧 신라의 신하임을 자처했다. 왕건은 "의리를 지켜 周를 높임에 있어(仗義尊周)"라고 했듯이 신라를 周室에 견주었다. 이는 익히 두루 알려진 사실이다. 중국 춘추시대의 周室은, 상징성만 있었듯이 당시 신라도 이와 동일했다. 형식상 周室이 엄존했지만 춘추시대로 일컫고 있다. 중국의 삼국시대도 엄연히 漢室이 존재했지만 魏·蜀·吳 삼국의 역사로 간주하였다. 따라서 우리나라의 경우도 周처럼 상징성만 지닌 신라를 제끼고 후백제와 고려가 대치한 남북국시대로 설정해도 하등 부자연스럽지 않다. 현재 남한과 북한이 대치한 시대를 훗날 남북국시대로 설정한다고 해도 전혀 억지스럽지는 않을 것이다.[77]

8. 맺음말

일반적으로 후삼국시대로 일컬어지는 기간은, 논자에 따라 차이가 있지만 889년~936년까지, 햇수로 48년 간을 설정할 수 있다. 거의 반세기에 가까운 기간이 후삼국시대라는 動亂期였다. 이 기간에는 대동강 이남 신라 전역은 戰場化 상황이었다. 북군과 남군, 아니 남군과 북군 간의 대결이었고, 상대 왕을 '北王'으로 호칭했다. 기록에는 남아 있지 않지만 후백제 왕은 '南王'이었을 것이다. 이 사실은 서로가 통합해야 할 대상으로 간주했음을 알려준다. 양자 간에 동질성이 전제되었음을 뜻한

---

77 이상의 서술은 이도학, 『분석고대한국사』, 학연문화사, 2019, 856~859쪽에 의했다.

다. 200여 년 전의 삼국 통합 이후 동질성이 구축되었음을 알려주는 증좌였다.

신라가 걷잡을 수 없는 나락으로 떨어진 시점은, 농민 봉기와 군사 반란이 동시 다발적으로 터진 889년부터였다. 상주 지역 농민 봉기와는 달리 승평항(순천만)을 거점으로 한 진훤의 擧兵은, 잘 준비된 상황에서 발생했다. 국제항이기도 한 승평항은 변경이자 入出의 關門이었다. 그는 搖動 치는 唐 帝國의 정세를 꿰뚫고 있었고, 또 그러하였기에 變革의 흐름을 탈 수 있었다. 변혁의 시험대 위에서 후삼국시대가 열린 것이다.

진훤에 의한, 국가로서 백제의 부활은 신라와 대등한 2개 국가의 공존을 뜻했다. 진훤은 상징성이 큰 5小京을 영향권에 둔 후 신라로부터 평화적으로 선양받으려는 구상을 가졌다. 통치 능력을 상실한 신라에 대한 대안으로 후백제가 솟아난 것이다. 그런데 연고지를 기반으로 한 백제의 부활은, 궁예에 의한 고구려 재건을 촉발시켰다. 그로 인해 200여 년 전의 삼국시대가 재현되고 말았다. 신라를 사이에 놓고 후백제와 궁예의 고려(마진·태봉)는 격돌했다. 궁예에 이어 왕건의 고려가 등장한 후 양국은 7~8년 간에 걸친 공존 기간을 지녔다.[78] 후백제와 고려 모두 통일신라 영역에서 舊國을 재건했기 때문이었다. 그러나 양국은 신라의 대안을 자처하면서 상대를 통합 대상으로 간주했기에 격렬하게 충돌했다. 패강인 대동강까지 이른 통일신라 영역 내의 통합이 양국의 숙원이었기 때문이다. 이러한 정서는, 삼한 의식과 맞물려 동질적인 공동체의 疆域을 대동강 이남으로 확정하게 하였다.

후삼국시대, 아니 남북국시대를 선도했던 후백제는, 신라 군인 출신을 首班으로 하고, 백제 유민들을 기층으로 한 국가였다. 6두품 출신들의 가세와 더불어, 다양한 세력이 정권에 참여하였다. 주민 통합과 융합이 이루어진 것이다. 정권 주도층의 범위는 경주 중심에서 전국으로 확장되었다. 소수 진골 귀족 중심의 폐쇄적 사회에서, 많은 이들에게 기회와 참여 폭이 넓은 사회로 넘어가게 하였다. 禪宗山門들과 더불어 사상계도 경주를 벗어나 재편되는 양상을 띠었다. 그럼에 따라 획일적인 의식과 통제에서 벗어났을 뿐 아니라, 침울하고도 가라앉은 사회 분위기에 활력을 불어넣어 주었다. 다양성을 추구하게 되었는데, 외교와 문화 분야에서도 두드러지게 포착된다. 창의성과 더불어, 활기 넘친 약동하는 사회 면면이 후백제가 선도한 후삼국시대 기풍으로 평가되어진다.

아자개에 의한 농민 봉기와 진훤의 거병으로 인해 노쇠한 사회는 서서히 막을 내리고 활기찬 시대로 넘어갈 수 있었다. 지역주의를 뛰어넘고, 전통적인 폐쇄 질서를 무너뜨리고, 기회와 참여의 폭이 넓어진 사회로 넘어가게 한 시대가 후삼국시대였다. 반복해서 언급하지만 이를 선도한 국가가 후백제였다. 이러한 점에서 한국고대사, 아니 한국사에서 후백제사가 지닌 위상과 의미를 부여할 수 있

---

78 李道學, 「後百濟의 加耶故地 進出에 관한 檢討」 『白山學報』 58, 2001, 46~52쪽.

다. 진정한 의미의 '남북국시대'였기 때문이다.

후백제는, '남북국시대'가 終焉을 고하고 20여년 후인 958년(광종 9)에 과거제를 통해 중세로 넘어가는 橋梁 役을 했다.[79] 과거제 시행으로써, 그 전까지 이어져 왔던 전통적인 지배세력의 권력 계승은 차단되었다. 혈연과 지연을 청산한 능력 본위의 시대로 한 걸음 다가선 것이다. 후백제는 승려들에 대한 科擧인 選佛場을 시행했었다. 후백제 選佛場은 공개 토론에 의한 선발로 추측이 되며, 훗날 고려 승과의 실시 방법과 상통하고 있다.[80] 후백제 승과 시행은, 승려 선발 과거제를 넘어 인재 등용과 관련한 국가 조직 전반의 체계화를 뜻한다. 진훤 왕 주도의 과거제 실시를 상정할 수 있다. 이 점은 우리 모두 의미심장하게 받아들여야 할 것 같다. 시대를 先導했던 진훤 왕과 후백제사를 새롭게 조명할 수 있는 動因이기 때문이다.

진훤 왕은 강고한 신분의 철옹성을 부수고, 모두가 들어오게끔 반듯하게 열어 명실상부한 '正開'의 역사를 열었다.

---

79 李道學, 「新羅史의 時代區分과 '中代'--中世로의 轉換 時點에 대한 接近」 『新羅文化』 25, 2005, 41~42쪽.
80 許興植, 『高麗佛敎史硏究』, 一潮閣, 1986, 586쪽.

善人, 惡人 그리고 醜人--고려 왕조 창건 속의 인물들

G. 케머론 허스트 3세*

(G. Cameron Hurst III)

머리말

한국에서 왕조 창건은 관련된 모든 사람들에게는 대단히 어려운 시도였다. 그것은 분명히 건국자 자신들에게 단순히 군사적 혹은 정치적인 업적만을 의미하지는 않았다. 한국 역사상 단지 세번만 한반도의 대부분이 하나의 왕조 체계 속에 통합된 적이 있었다.

왕조의 창건은 그 이전의 왕조나 초기 왕조의 '정확한' 기록을 편찬하는 의무를 짊어진 史官들에게 사뭇 어려운 작업이었다. 한국이 중국의 修史 용어는 물론이고 그 이념을 아주 일찍 수용했기 때문이다. 한국의 역사가들은 중국식으로 자신들의 왕조의 발전에 관한 설명을 하였으며 이러한 현상은 필연적으로 당대의 정치 · 사회적 현실을 왜곡시켰다.

중국식 사회 또는 유교식 사회는 군주에 대한 충성에 큰 비중을 부여하였으므로, 왕위 찬탈에 대한 모든 시도는 가장 극악한 범죄였다. 역설적으로, 하늘의 命을 받았다는 天命 개념은 철학적으로

---

* 필자는 캔자스 대학의 역사 교수이며 동아시아 언어 · 문화 연구소 공동 소장이다. 고려 역사에 대한 연구 시작의 후원은 사회과학연구 위원회 산하 한국연구위원회 · 보건교육 복지성 · 풀브라이트 해외문제연구 교수단과 캔자스 대학의 충분한 지원에 의해서였다.

※ 본 논문은 미국 Kansas 대학의 G. Cameron Hurst III 교수의 "The Good, The Bad And The Ugly": Personalities in the Founding of the Koryo Dynasty"(Korean Studies Forum, No7, 1981, 1~27쪽)을 번역한 것이다. 본 논문의 제목은, 우리나라에서도 상영되었던 '석양의 무법자(1966)' 원 제목이다.

씨는 한때 일본에 유학한 인연으로 한국 고대사에 관해서도 조예를 보였는데, 이 논문이 그의 대표적인 논고로 생각된다. 본 논문은 우리가 알고 있는 왕건과 궁예와 진훤에 관한 기존 통념을 뛰어 넘는 새로운 시각을 제시해 주었다. 이 점이 본 논문의 생명이라고 보겠다. 그와 더불어 씨 논고에서 공감 가는 부분이 적지 않게 나타나고 있어 매우 흥미를 끈다.

한국 역사에 대한 외국 학자의 참신한 시각과 방법론으로써 재해석된 역사 논문을 통해 우리나라 학자들에게는 분발과 자극이 되기를 바라마지 않는다. 그리고 본 논문에서의 한국 원전 인용문은, 영문 번역이 아니라 한국 원전에 의해 새로 작성하였다.

빠져나갈 구멍을 마련해 주었는데, 새로운 왕조의 창건을 가져온 성공적인 왕위 찬탈은 하나의 위대한 덕목이 되었다. 따라서 왕위를 바꾸는 것은 찬탈자뿐만 아니라 사관들에게도 지극히 위험한 일이었다. 누구나 왕위 찬탈을 언급하고 치루어야 할 대가를 기억해 내기 위해서는 燕山君時代 金宗直의 운명을 상기할 필요가 있다.[1]

천명이나 '褒貶' 식의 교훈주의와 같은 典型들을 도입하면서 유교식 역사 편찬 과정은 학자들로 하여금 통치자들을 어떤 틀 속에 배정하게 했다. 가장 전형적인 양식이었던 두 유형은 '악한 마지막 왕'과 '선한 왕조 창건자'였다. 한 왕조의 마지막 통치자들은 통상 국가를 통치하는데 도덕상의 권리인 천명을 상실한 폭군들로 묘사되어진 반면에 새로운 왕조의 창건자는 하늘이 천명을 부여해 준 것을 보장해줄 만큼 충분히 성스럽고 신성한 존재여야만 했다. 따라서 많은 왕조들의 등장과 몰락은 절대권자인 군주의 도덕성에 탓을 돌렸다. 정치·경제·사회·기타 제반 요소들은 통치자인 왕의 도덕성의 부수적인 것으로 경시되거나 간주되었다.

그 결과, 왕조 창건 과정상의 가장 어려운 부분은 역사학적으로 정형화되어 짜여진 직물에서 진실된 역사를 재구성하려는 시도인데, 훗날 역사학자들의 과제가 될 것이다. 이러한 점에서 좋은 예는 10세기 한국에서 신라의 몰락과 고려의 등장이었다.

史料

여러 가지 사건들을 재구성히는데 있어서 학자를 도와줄 1차적 사료는 전혀 없다. 세 가지 중요한 사료들은 국가에 의해서 공식적으로 인정된 유교적 설명이거나 또는 그 사건이 일어난 후에 잘 쓰여진 중국의 영향을 많이 받은 글들이다. 모든 이 사료들이 '선한 왕조 창건자'인 王建을 옹호하는 피할 수 없는 편견을 포함하고 있는데, 그 후예들이 한국을 거의 5세기 동안 통치해 왔으며 또한 이러한 사료들이 편찬되는 시점에 在位하였다.

그 사료들은 『삼국사기』·『삼국유사』·『고려사』이다. 『삼국사기』는 1145년에 정치가이며 유학자인 金富軾이 고려 제17대 국왕인 仁宗의 命을 받고 편찬하였다.[2] 『삼국유사』는 승려 一然에 의해 13세기 후반 어느 시점에서 쓰여졌다. 비록 『삼국유사』는 공식적인 역사서는 아니며 『삼국사기』 보다

---

1 1498년의 격한 논쟁에서 朝臣들은 世祖에 대한 비방이 金宗直으로부터 비롯된 것이라고 주장했다. 피의 숙청이 진행되는 동안에 6년 전에 이미 사망한 김종직은 자신의 '죄 때문에' 斧棺斬屍되었다.
2 李丙燾 編, 『三國史記』, 서울, 乙酉文化社, 1977.

"The Good, The Bad And The Ugly": Personalities in the Founding of the Koryŏ Dynasty

G. Cameron Hurst III

INTRODUCTION

Founding a Korean dynasty was a difficult endeavor for everyone involved. It was certainly no mean military or political feat for the founders themselves. Indeed, only three times in Korean history was most of the peninsula incorporated within a dynastic structure.

Dynastic founding was no less difficult for historians charged with compiling "correct" records of previous dynasties or earlier reigns. This was because Korea adopted quite early the ideology as well as the vocabulary of Chinese historiography. Korean historians cast the accounts of their own dynastic developments in the Chinese fashion, which inevitably distorted the political and social realities of the contemporary period.

Since Chinese (Confucian) society placed great emphasis upon loyalty to the sovereign, attempts at usurpation were the most heinous of crimes. Paradoxically, the concept of the Mandate of Heaven provided a philosophical loophole, and successful usurpation resulting in the founding of a new dynasty became a great virtue. Tampering with the Imperial dignity was thus extremely risky, not only for the would-be usurper but for the historian as well. One only need recall the fate of Kim Chongjik 金宗直 in the reign of the Yŏn-san'gun 燕山君 to the reminded of the price one could pay for mentioning usurpation.[1]

Incorporating such ideas as the Mandate of Heaven and "praise and blame" didacticism, the Confucian historiographical process forced scholars to cast rulers in stereotype. Two of the most common stereotypes were the "bad last king" and the "good dynastic

21-1 허스트 논문의 첫 쪽

덜 유교적이기는 하지만, 일연도 중국식 역사편찬의 일반적인 원칙에 따랐을 뿐 아니라, 그는 많은 자료를 김부식의 著作에 의존했다.[3] 『고려사』는 고려시대의 공식적인 왕조사이며, 그를 계승한 조선왕조 기간인 1451년에 간행되었다. 왕조 창건을 포괄적으로 다루고 있는 부분, 太祖世家에서 태조는 왕건 死後의 이름이다. 태조세가는 설치한 史館의 修撰官이었던 黃周亮에 의해 靖宗(1034~1046) 재위 기간에 편찬되었다. 황주량은 완전히 파괴된 태조시대의 기록과 더불어 1011년 거란의 침입 때 소실된 實錄을 복구하는 일을 맡고 있었다.[4] 그러나 이러한 실록들은 『고려사』가 간행되기 이전에 여러 차례 다시금 편찬되었다.[5]

---

3 崔南善 編, 『三國遺事』, 서울, 民衆書館, 1958.

4 『高麗史』, 서울, 연세대학교 출판부, 1976, 95:20a-b

5 金庠基, 『高麗時代史』, 서울, 東國文化社, 1961, 853~4쪽.

따라서 왕건의 왕조 창건에 관한 難點은 엄밀한 의미에서 확실한 사실들이 없다는 것이다. 그 이후에도 확실하게 뒷받침해줄 1차적 사료가 없었다. 더욱이 우리는 김부식이나 일연과 황주량이 이용했던 사료의 성격을 전혀 모르고 있다는 점이다.[6] 비록 황주량에 의한 원래의 역사편찬은 문제가 되는 여러 가지 사건들이 일어난 지 약 1세기 가량 지난 후에 이루어졌지만, 가장 이른 시기의 사료들은 200년이 지날 때까지 간행되지 않았다. 재판에 대한 기록은 말할 것도 없고, 당시 사건에 관련된 사람들이 직접 집필한 책이나, 어떤 신문이나 잡지에서도 언급이 없는 상황에서, 오직 닉슨의 추종자들에 의해 2175년과 2300년 그리고 2500년에 작성된 단지 세 가지 간단한 기록만을 이용해 워터 게이트(Water-gate) 음모와 배경을 앞으로 1000년이 지난 후에 종합 분석해 보려고 시도한다고 상상을 해 보자. 한 왕조가 다른 왕조에 의해 정복될 때는 정치적 · 사회적 · 경제적 요인들의 상호 작용과, 아마 50년의 세월을 포함하는 하나의 그 과정은, 그러한 계략들이 아무리 그 당시에는 해괴하게 보였더라도 그러한 정치적인 추악한 음모로 연출되었던 투쟁 이상으로 복잡한 것이었음에 틀림없다.

이러한 모든 사료는 후대의 산물일 뿐 아니라, 역시 고의적인 조작과 선택적인 편집을 보여이는 등, 심하게 편향되었다. 이 세 권의 역사책들은 왕건이 창건한 고려 왕조에 충성스러운 인사들에 의해 저술 · 편찬되었다. 이 세 사람의 편찬자는 중국식 역사 편찬 방식을 수용하였고, 신라 왕조를 唐帝國의 한국식 복제판으로 투사했고, 그리고 가장 중요한 것은 신라를 고려의 직접적이고도 단 하나뿐인 문화와 정치의 先祖로 서술할 수 있도록 의식적인 동기를 마련해 주었다.[7]

신라의 쇠퇴와 몰락, 그리고 고려가 실권을 쥐게 되는 그 과정에 대한 이러한 사료들 속에 나타난 설명은 기만적일 정도로 간단하다. 물론 이 모든 사료들이 정상적인 보통의 중국식 전형들의 일부를 포함하고 있기는 하지만 편찬자의 편견, 특히 김부식의 편견 때문에 로저스(Rogers) 교수가 소위 '신라 계승자'로 언급하고 있을 정도로 편견을 받고 있기 때문에[8] 다소간 왜곡되어 있다. 실제로 신라에 관한 자료는 이들의 설명 속에 대단히 빈약한 편이며 소위 이 드라마에 등장하는 세 사람의 주연 배우들인 선인 · 악인 · 추인은 반신라인들이다. 그 전체 구성은 다음과 같다.[9]

---

6 『三國遺事』14~26쪽.
　　이 부분은 최남선의 序文이다. 여기서 그는 사료들의 성격을 開陳하고 있다. K. J. H Gardiner, 『고대 한국사』 호놀룰루, 하와이대학교 출판부, 1969, 65~68쪽과 Ellen Salem Unruh, 「신라 몰락에 관한 고찰」『한국저널』 15-5, 1975-5, 58쪽을 참조하기 바란다.
7 金富軾의 신라 중심주의를 탁발하게 논의한 것으로는 Michael G. Rogers, 「長城을 넘어선 확장에 있어서 중국의 세계 질서: 秦과 高麗의 사례」『한국학 포럼』 4, 1978, 봄 · 여름호, 1~22쪽에 게재되어 있으므로 참조 바란다.
8 같은 책, 3쪽.
9 그 사건의 중심 이야기는 『삼국사기』 119~128쪽, 451~461쪽과 『삼국유사』 99~108쪽. 그리고 『고려사』 1:1-27, 2:1-9b에서 찾아 볼 수 있다.

특별히 신라 말기에 있어서 진성여왕(887~897)의 통치 기간 동안, 여왕은 도덕적인 지도력을 상실하였으며, 도적떼들이 왕국 주변에 '벌떼처럼 몰려 들었다'. 북부에서는 弓裔[醜]시라는 이름의 몰락한 신라 귀족이 현재의 강원도 지역을 정복하고 스스로 후고구려의 왕으로 자리잡았다.[10] 남서쪽에서는 과거 신라 군인이었던 甄萱[惡]이 스스로를 후백제 왕으로 자처했다. 예전의 삼국시대를 연상시켜주는 상황이 야기되었다.

王建[善]은 궁예를 받드는 젊은 장군인데, 그의 상관인 궁예의 영토를 확장시켰으며, 그 왕국은 명목상 여러번 이름이 바뀌게 된다. 후에 궁예는 전제군주가 되며 이루 말할 수 없는 악행들을 저지르게 되었을 때, 그의 부하들이 그를 쫓아내고 왕건을 통치자로 받들었다. 왕건과 진훤은 한반도에서 두개의 주요한 세력이 되었으며, 그리고 신라가 끊임없이 기울어 갈 즈음에 그 둘 사이에서 격렬한 전투가 전개되었다. 927년에 진훤이 경주를 공격하여 신라의 왕을 살해하고는 그 자리를 경순왕으로 바꾸었다. 마침내 진훤은 그 자신의 아들들에 의해 전복되어졌고 은신하기 위해 왕건에게 도망을 갔다. 같은 해인 935년에 경순왕은 신라를 왕건에게 넘겨주었으며, 936년에 왕건은 후백제를 멸망시키고, 한반도를 사실상 그의 통치하에 두었다.

이러한 전체적인 개요는 사건들의 실질적인 줄거리를 대충 포함하고 있을지 모르겠지만, 그러나 사회 · 정치 · 경제적인 세부 사항들은 너무나 도식화된 틀 속에서 설명 · 열거되기 때문에 심도 있게 왕조의 변화를 이해하기는 어렵다. 뿐만 아니라 교훈주의가 너무 심각하게 들어가 있기 때문에 독자들은 선인 · 악인 · 추인이라는 그러한 개념들을 인식하지 않을 수 없다.

眞聖女王

이 드라마에서 또 다른 중요한 인물은 진성여왕인데, 세 명의 주연들의 등장을 위한 사회적 배경을 제공해 준 것이 곧 그녀의 失政이었기 때문이다. 선택된 사료 속에 신라의 왕위 찬탈은 엄밀히 말하면 없었기 때문에, 부적당하고 천명을 받은 도덕적 지도력이 부족한 것으로 기술하는 것 외에 특별히 악한 존재들로 마지막 신라 왕을 묘사할 필요는 그다지 없었다. 그러나 이 여성은 그 뒤의 다른

---

10   오직 『삼국유사』만이 후고구려라는 명칭을 언급하고 있다. 『삼국사기』와 『고려사』는 궁예가 摩震이라는 국호를 채택할 때까지 그 왕국의 명칭을 언급하지 않았다.

신라 왕들보다 엄청난 혹평에 시달렸다. 비록 신라 왕조가 몰락하기 이전에 그녀의 뒤에 즉위하는 여섯 명의 왕들이 있었지만, 진성여왕이 신라의 '악한 마지막 왕'의 하나의 전형이 되었다. 진성여왕에 대한 이러한 비난의 대부분은 아마도 유교식 역사 편찬의 性的偏見에 기인했을 것이다. 건실한 중국이나 한국의 어떤 왕조도 처음부터 여성 군주를 선택하지는 않았다.[11]

어쨌든 신라가 그녀 즉위 이전부터 오랜 동안 쇠퇴기에 접어들고 있었지만, 진성여왕의 통치는 특별한 관심을 끌면서 사료 속에서 골라내졌다. 심지어 일연은 진성여왕을 그녀의 오빠 憲康王과 다음과 같이 대조시키고 있다.

제49대 헌강대왕시대(875~886)에는 서울로부터 海內에 이르기까지 집과 담장이 연접하였고 한 채의 草家도 없었으며, 풍악과 노래가 길에서 끊이지 않고 風雨는 사철 순조로웠다.

제51대 진성여왕은 임금이 된지 몇 해만에 乳母인 鳧好夫人과 그녀의 남편 魏弘 匝干 등 34 寵臣이 더불어 권력을 오로지하며 政事를 휘두르니 도적이 벌떼와 같이 일어났다. 國人이 근심하여 陁羅尼의 隱語로 지은 글을 길 위에 던졌다.

그녀의 통치 기간 동안에 여왕에게는 많은 연인과 총애하는 신하들이 있었는데 바로 그들이 그녀의 왕권을 찬탈하고 또 그 권한을 악용했다. 그들 스스로 많은 재산을 축적하며 또한 국민들을 억압하였다. 수천의 농민들이 고향을 떠나 각 지역을 흘러 다녔으며 노상강도들이 백주에 출몰하기까지 하였다. 국가는 여왕의 실정의 결과로 인해 극심한 혼란에 빠져 있었다(이 문장은 『삼국유사』에 수록되어 있지 않은 진성여왕대에 관한 사회상 일반론이다.: 역자).[12]

비슷한 어조로 『삼국사기』 역시 동일한 災難들을 언급하고 있는데, 총애하는 사람들에 의한 권력 강탈, 無法, 이탈하는 농민들, 그리고 도적떼의 횡행과 굶주린 백성들은 물론이고, 여왕의 讓位 연설 속에 바로 그러한 재난들을 왕 자신이 두 번씩이나 스스로 언급하고 있다.[13]

여왕을 계승한 남성 임금들 치하에서 비록 상황은 더욱 악화되었지만(실제 왕조가 몰락해 갔지만) 그 남성 왕들은 그들의 실정에 대한 어떤 비판도 여왕에 대한 비판의 정도에는 미치지 못했다. 동아

---

11 통치자로서의 그녀(진성여왕)가 적합했는지에 대한 논쟁이 있었던 것처럼 보이고 한편 그녀는 그녀의 오빠(헌강왕)가 즉위한 지 12개월만에 사망하자 왕위에 오른다.

12 여기의 인용은 하태홍과 Grafton Mintz의 『삼국유사』 英譯版이 典據이다(서울, 연세대학교 출판부, 1972, 126~128쪽 146쪽. 88~89쪽. 100쪽).

13 『삼국사기』 119쪽(진성여왕 2년). : 120쪽(진성여왕 11년·6년).

시아의 역사는 여성들 때문에 스스로 자기 자신들을 우스운 꼴로 만들고 있는 왕들의 예로써 가득차 있다. 반면에 역사가들은 여왕들을 잘 이용할 수 있는 그러한 영리한 남성들에게 여성 통치자들이 손쉬운 희생물이 되었기 때문에 여왕들에 대해 지대한 관심을 표명하고 있는 듯하다. 사람들은 8세기 일본의 여왕인 고켄[孝謙]을 기억한다. 그녀는 조언자이자 유명한 호색가인 도우키요우[道鏡]라는 승려에게 너무나 잘 속아 넘어갔다. 때문에 그녀는 그에게 국가를 넘겨야 할 지경에까지 이르렀다. 바로 이러한 이유 때문에 일본인들이 향후 천년 동안 天皇位에 여성에 대한 고려를 거부했다는 사실을 우리는 알고 있다.

그렇다면 그 시대 세 명의 巨人들, 즉 궁예와 진훤과 왕건에 대해서는 어떠했을까? 사료들은 그들에 대해 우리에게 무엇을 말해 주고 있을까? 단지 왕건은 얼마나 '선'하였고, 진훤은 얼마나 '악'하였고, 궁예는 얼마나 '추잡'하였는가를 말해 주고 있는가?

弓裔

궁예는 사료에 나타나는 세 사람 중 최초의 인물이다. 『삼국사기』에 의하면 891년에 도적떼의 두령인 梁吉을 추종하고 있는 그를 언급하고 있다.[14] 궁예는 두 명의 신라 왕 즉, 憲安王이나 景文王과 후궁 사이에서 출생한 아들이었다.[15] 그는 불길한 날에 궁궐 밖에서 태어났다. 이상한 불빛이 마치 기다란 무지개같이 그가 태어난 집 지붕 너머로 비쳤다. 그리고 입에는 齒牙가 모두 나 있었다. 이처럼 대단히 희귀한 조짐은(분명히 예언적이지만) 이 애가 국가에 재앙 외에는 그 어떤 것도 가져올 수 없다는 사실을 예언하였고 결국 궁예를 살해하라는 명령이 내려졌다.

비록 그는 왕의 使者에 의해 다락에서 세차게 던져졌으나, 궁예는 죽지 않았고, 유모에 의해 받아져 그녀와 함께 안전한 곳으로 도피했다. 불행하게, 서둘러 도피하는 과정에서 유모가 궁예의 한쪽 눈을 찔렀다. 이 유모는 궁예가 10대의 연령이 될 때까지 길렀으며, 그 때에 그녀는 궁예를 한 사찰으로 보냈고, 이곳에서 그는 善宗이라는 이름으로 알려졌다. 하지만 승려 생활은 젊은이에게 맞지 않았기에, 궁예는 달아나서 도적떼의 두령인 箕萱의 陣營에 합류하였다. 궁예는 이곳에서 대우를 받지 못했으므로, 그는 다시 한 번 도망하여 양길에게로 갔는데, 양길은 그의 재능을 인정해 주었고

---

14 『삼국사기』120쪽.
15 『삼국사기』451쪽.

21-2 경주 삼화령 미륵불상

직책을 주었다.

궁예는 즉각 강원도 鐵圓 지역에서 독자적인 두령이 되었다. 895년에 그는 松嶽(開城)으로 옮겨 갔다. 거기서 그는 막 20세 된 왕건과 만나게 되었다. 901년 경 그는 후고구려의 왕이라는 국호를 내세울 정도로 강력해졌다.[16] 그의 수도인 철원으로부터 궁예는 신라와 진훤의 후백제를 희생시키며 자신의 왕국의 영토를 확장하는데 17년 간의 세월을 보냈다. 그는 왕국의 이름을 첫번째 국호인 摩震에서 泰封으로 바꾸었다(궁예 왕국의 첫 번째 국호는 고려였다: 譯者). 진훤에 대적하여 한반도의 중부 및 남부의 통치에 대한 각축이 특별히 격렬했으며, 궁예의 성공 이면의 가장 중요한 힘은 젊은 장군 왕건이었는데, 그는 또한 궁예의 大臣들 중에 首席의 지위까지 오르게 되었다.

그러나 어느 시점에서 궁예는 악한 인물로 바뀌게 되었다. 그는 방종과 잔인함과 전제적 통치 및 그를 모든 시대의 '악한 최후의 통치자'의 후보 자격을 부여하기에 족한 여러 가지 악행을 저지르는 일에 부심하였다.[17] 그는 신라로부터 투항해 온 사람들을 처형했고, 그의 조상인 신라 왕들의 초상화를 찢었으며, 신라 왕국의 타도를 큰 소리로 외쳤다. 스스로를 生佛로 자처한 궁예는 方袍를 걸치고 황금 왕관을 썼으며, 그의 아들들은 보살처럼 옷을 입고 그를 수행하였다. 그 밖의 흉칙한 행동 가운데 궁예는 그의 아내를 부정한 여자로 비난하면서 벌겋게 달군 쇠막대를 그녀의 음부에 쑤셔넣

---

16 『삼국사기』452쪽에서 궁예는 단지 나당연합군에 의한 고구려의 멸망에 복수하겠다고 말한 것으로 전한다.

17 궁예에 대해서 언급된 잔인한 그의 행동들은--이것들은 물론 그가 정신적으로 장애가 있었음을 암시한다--그가 국호를 태봉으로 바꾼 해인 911년 이후로 그 시기가 추정된다.

21-3 고려 태조 왕건의 유택인 顯陵

어 그녀를 살해하였다. 이어서 그의 아들들까지 살해하였지만, 우리에게 세부적인 기록은 남아 있지 않다.[18] 또 다른 경우 그는 반란을 모의했다는 이유로 왕건을 불러들였다. 동정심 많은 신하에게 미리 경고받은, 왕건은 자신의 반역을 자백했고 그리고 이러한 정직함이 궁예의 마음을 사게 되어 왕건은 용서를 받았다.[19]

그러나 마침내 그의 신하들로부터 백성에 이르기까지 모든 사람들이 광란에 떠는 미친 暴君으로 인해 너무나 비참해졌기 때문에 일련의 관리 집단이 몰래 왕건을 찾아와 그에게 즉위를 요청했다. 918년 6월의 『삼국사기』 신라본기는 이러한 시점에서 왕건을 사실상 처음으로 언급하면서 "궁예 휘하의 인심이 갑자기 바뀌어 太祖를 추대하자 궁예가 달아나다가 아랫사람들에게 살해되었다. 태조가 즉위하고 연호를 정했다"[20]고 했다. 이리하여 약 20년 간에 걸친 도적의 두령이자 왕으로서의 궁예는 생을 마쳤다.

---

18 『삼국사기』 453쪽.
19 『고려사』 1:5b.
20 『삼국사기』 120쪽.

甄萱

사료들은 진훤을 비판하는데 덜 가혹했는데, 그는 단지 '악인'으로 묘사되어졌을 뿐이다. 원래 李氏 집안에 태어났던 그는, 나중에 진훤이라는 다른 이름을 가지게 되었다.[21] 비록 그가 농민의 아들로 태어나기는 했지만 신라 군대에 입대하게 되고 성공적인 지휘관이 되었다. 아마도 대단히 엄청난 신체적·정신적 힘을 소유한 사람으로 생각되어지는 진훤은 호랑이의 용모와 호랑이의 기개를 지니고 있었다. 물론 이 말은 어느 날 그의 어머니가 그를 한 나무 밑에 허놓았을 때 호랑이 한 마리가 따라와 그에게 젖을 먹였기 때문에 그 이후 그럴듯한 이야기가 되었다.[22]

892년 진성여왕 통치 기간 동안의 정치는 엄청난 부도덕으로 인해 휘청거렸다. 농민들은 도망을 가고, 도적떼들이 들끓었고, 기근이 전국을 휩쓸고 있을 때 진훤은 반란을 일으켰다. 약 5천 명의 군대로써 武珍州를 공격하고 그곳에 사령부를 설치하였다. 외견상 그는 왕을 칭할 정도로 강력하다고 느끼지는 않았지만, 진훤은 '남서부 신라 군대의 사령관'으로 시작이 되는 거창한 칭호를 사용하였다.[23] 물론 660년 唐과 신라의 연합군에 의해 패망했던 과거 백제 왕국의 영광을 회복하기 위해 그 지방 주민들에게 호소했던 진훤은 대중적인 인기를 얻게 되었고 完山을 수도로 하는 후백제 왕을 자처하게 되었다.[24]

비록 신라와 그가 치른 전투에 대해서도 세부적인 내용이 나오기는 하지만 진훤에 관한 『삼국사기』와 『삼국유사』에 나오는 대부분의 자료는 왕건에 대항하는 그의 여러 전투를 다루고 있다. 진훤은 아주 우수한 장군으로 묘사되어졌는데, 그의 군대는 늘 왕건과 격렬한 전투를 벌였다. 927년에 진훤은 그의 적들을 결정적으로 격파하였다.[25] 진훤은 또한 왕건이 907년에 海路를 봉쇄시킴에 따라 교류 관계가 차단될 때까지 중국 대륙과도 상호 왕래하는 관계였는데 海路로 사신들을 보내고는 하였다.[26] 그는 또한 後唐에 의해서 조차도 백제의 왕으로 인정되어졌으며 정식으로 그러한 관직을 부여받았다.[27] 진훤은 외교적 수완을 왕건에게도 구사하여 924년에 서로 인질을 교환하고 잠시 휴

---

21 『삼국유사』 99~100쪽 ; 『삼국사기』 454쪽.
22 『삼국사기』 454쪽.
23 『삼국사기』 455쪽.
24 『삼국사기』 454쪽 ; 『삼국사기』 100쪽.
25 『삼국사기』 456쪽.
26 『고려사』 1:2b-4b ; 『삼국사기』 122쪽.
27 『삼국사기』 455~456쪽 ; 『삼국유사』 101쪽.

전을 가졌다.[28]

　진훤을 악인으로 기술하도록 못박아 두는 여러 가지 행위들 가운데 분명히 천명을 받은 신라 왕조에 대항하여 반란을 일으킨 분명히 '나쁜' 始初는 927년에 발생했다. 그해 10월에 진훤과 그의 군사들은 신라의 수도인 경주를 침공하였는데, 그때 왕과 신하들은 경주 외곽에 있는 鮑石亭에서 향연을 벌이고 있었다. 진훤은 경애왕을 살해하였고 또한 왕비를 강간했으며 다수의 중요한 요인들을 사로잡았고, 또한 珍寶와 匠人과 젊은 궁녀들을 자신의 수도로 끌고 갔다. 그리고 나서 진훤은 경애왕의 일족의 한 사람인 金傅를 경순왕으로 즉위시켰다. 신라는 일찍이 왕건에게 구원을 요청했었지만 그의 군대가 너무 늦게 도착하여 '경주의 약탈'을 막을 수 없었다. 그들은 추격을 했지만 八公山의 치열한 전투에서 그들은 참패했으며 왕건 자신도 겨우 죽음을 면하였다.[29]

　두 명의 군인 왕 예하의 文官인 박식한 학자들에 의해 쓰여진 것으로 짐작되는 서신이 교환되었고 수년 동안의 평화가 계속된(이 구절은 타당하지 않음: 譯者) 후에[30] 진훤은 그의 통치의 마지막 종말에 이르게 되었을 때, 그 자신의 넷째 아들인 金剛을 그의 확실한 후계자로서 즉위시키려고 시도하였다. 이러한 사건의 추이에 격분한 진훤의 세 명의 연만한 아들들[금강의 異腹兄들]은 여러 대신들과 함께 모의를 했다. 그들이 진훤을 감금하고 금강을 살해한 후에 長兄인 神劍이 스스로 왕이 되었

21-4 진훤이 급습한 경주 포석정 현장

28　앞의 책.

29　『삼국사기』 456쪽 ;『삼국유사』 102쪽 ;『고려사』 1:20a-21a.

30　『삼국사기』 456~458쪽 :『삼국유사』 102~103쪽 :『고려사』 1:21a-24b. 일연은 왕건의 서신을 최치원이 작성한 것으로 기록하였으나 이 설은『삼국유사』를 연구하는 대부분의 학자들로부터 인정을 받지 못했다.

다.[31] 진훤은 간신히 탈출하여 그의 숙적이었던 왕건을 피난처로 삼아 도피하였다. 관대하게도 왕건은 그의 망명을 받아들였을 뿐 아니라 심지어 그에게 높은 敍位까지 수여했다.

이듬해 936년 왕건은 후백제의 군대를 궤멸시켰다. 그러나 왕건이 그의 배반에도 불구하고 신검을 살해하지 않고 오히려 그를 고위직에 임명하자 진훤은 매우 낙담하여 어느 절간에 물러나있다가 그 절간에서 오래지 않아 곧 서거했는데, 그가 반란을 일으킨 이후 대략 45년만이었다.

王建

마지막에 가서 최종적인 승리자로 등장하고, 그리고 또한 모든 전해 내려오는 사료들의 편찬자들을 충직한 신하로 하면서 왕조를 창건했기 때문에 왕건은 모든 사료 속에서 절대적으로 '선한 왕조의 창건자'로 나타나는 것은 결코 놀라운 일이 아니었다. 그들 자신의 역사를 기록하는 것이 바로 승리자들의 특권이지만, 그러나 이러한 역사가들이 왕건의 성자다운 면모를 어느 정도까지 과장을 했는지는 현대의 연구자들에게 왠만한 정도의 懷疑 이상의 의문을 제기 해 준다.

877년 吉日에 태어난 왕건은 처음부터 위대한 행동을 하도록 운명지어졌다. 사실 미래 통치자로서의 그의 탄생은 道詵에 의해 예언이 되었는데, 도선은 그 당시 풍미하던 풍수지리설의 宗家였다.[32] 또한 왕건이 탄생할 때 그의 집에 神異한 불빛이 비치기도 했다. 그는 龍의 이마에 장방형의 각이 진 턱을 가지고 있었다. 아주 어린 나이임에도 대단한 총명함과, 강직하고 사려 깊은 성품을 보여 주었으며 또한 말은 우렁찼다.[33]

『고려사』의 편찬자들은 왕건의 신분을 높이기 위해 신라의 고위 귀족층과 중국 唐 출신을 先祖로 둔 것으로 만들려고 노력하였다. 얼마간의 관심이 그의 조부인 作帝建의 경력에, 그리고 그의 아버지 龍建(후의 이름은 隆)의 경력에 부여되었다. 용건은 松嶽(왕건의 출생지)과 임진강과 예성강유역의 연안 평야로부터 남서부의 강화도에 이르는 지역에 이르기까지 세력을 뻗쳤을 정도로 대단히 활동적이었던 것으로 보인다. 이러한 사실은 훗날의 증거와 더불어 대부분의 학자들로 하여금 왕건과 그의 가계가 해상무역에 종사하였다는 결론을 내리게끔 하였다.[34]

---

31 『삼국사기』 456쪽 ; 『삼국유사』 105~106쪽 ; 『고려사』 2:8a-b.

32 『고려사』 高麗世系 : 7a-8a,9b.

33 『고려사』 1: 1a-b.

34 참조 姜喜雄의 '945년의 1차 왕위계승 분쟁 ; 재해석판' 아시아연구저널, 제 36권 3호(1977년 5월호) 411~428쪽

21-5 연천 숭의전의 왕건 영정   21-6 개성박물관에 전시된 왕건 영정   21-7 개성 현릉 부근에서 출토된 왕건 상

왕건은 처음 궁예가 송악 지방으로 옮겨 갔던 895년의 사료에 나타난다. 거기서 그의 아버지는 궁예에게 투항을 하고 궁예 또한 그의 아들의 재능을 활용하려고 발탁하였다. 왕건이 임명받은 지위에 대해서는 다소간 의견의 차이가 있지만[35] 이때 그는 궁예를 섬기는 副官으로서 나타난다. 곧이어 그는 궁예의 영토를 오늘날의 경기도와 충청도 지역으로 확장시켜 유능한 장군으로서 두각을 나타내며 官階가 올라갔다. 오늘날 경상도 지역으로까지도 이동하여 쳐들어가서 그는 906년 상주에서 진훤에 대적하여 중요한 승리를 거두었다.

왕건은 전라도 지역에서 그의 재능의 또 다른 면을 과시했는데, 그곳에서의 활동 중심지는 전라남도 羅州였다. 왕건이 두각을 나타낸 것은 장군으로서 보다는 오히려 이곳에서는 해군전략가로서였다. 궁예 왕국(그 당시 摩震으로 불리었다)을 위한 작전 기지를 나주에 건설하는 것은, 진훤이 마진에 대항하여 이중전선 방어체계를 채택할 수밖에 없다는 것을 의미해 준다. 또한 진훤이 대륙과 교섭하는 것을 차단시켜 버렸다. 궁예 휘하의 지휘관으로서 왕건은 나주에서 상당 기간을 보냈던 것 같으며, 궁예가 점점 불안정해지고 전제화되어 갈 때마다 그 자신은 자주 수도를 떠나고는 하였다.[36]

이 모든 그의 대단히 성공적인 전투로 인해 왕건은 궁예의 관료들 중 최고위직인 侍中의 지위로 승진되었다. 이리하여 그는 야전 사령관이자 수도 내에서 관료 중의 으뜸가는 관료였기에, 말하자

에 기록 ; 특히 414쪽의 주석 참조.
35 『삼국사기』452쪽,『고려사』1:1b는 궁예가 어떠한 직위에 왕건을 임명하였는지에 대해 상이한 기술을 하고 있다.
36 『고려사』1:2a, 4b.

면 충성스러운 문관·무관으로서의 완벽한 組合이었다.[37] 그렇지만 궁예의 행동은 분명히 왕건을 포함하여 그를 받들고 있는 많은 사람들을 혼란스럽게 만들기 시작했기에 왕건은 궁정을 떠나 많은 시간을 보냈다. 이제는 변화해야 할 때가 무르익었다.

궁예의 몰락과 왕건의 대두를 예언해 주는 가장 명백한 징조는 오래된 거울[古鏡]의 등장이었다.[38] 그 거울은 중국 상인 王昌瑾에 의해 918년 3월 철원 시장에서 한 낯선 노인으로부터 구입했다.[39] 왕창근은 그 거울을 시장 담벼락 위에 걸어 놓았는데, 한 줄기 햇빛이 그 거울에 비쳤을 때 그는 거울 표면에 어떤 명문이 새겨져 있는 것을 알아챘다. 왕창근은 그 거울을 궁예에게 선물하자 그 거울을 일군의 학자들에게 해독하도록 하였다. 거울에는 11줄의 2행 聯句로 된 일련의 詩로서 모두 145字로 기록되어 있었는데,[40] 그들은 곧 궁예가 향후 120년 간 12세대 동안 지속될 왕조를 세우는 왕건에 의해 교체된다는 예언임을 깨달았다. 그러나 학자들은 궁예가 만일 그 명문의 진실을 알게 된다면 왕건이 위험에 빠질 것이며 자신들의 생명까지도 아마 위협받으리라는 사실을 깨달았다. 그래서 그들은 왕에게는 예언이 의미하는 진실을 숨기는 한편 거짓말을 하였다.

왕건의 성공이 현실화되기 이전에는 神의 섭리로 더 많은 讖言들이 필요하였다. 같은 해 918년 6월에 궁예의 장군들 중 네 명이 몰래 왕건의 거처로 찾아가 그에게 폭군을 축출하고 왕위에 오르기를 간청했다.[41] 이들은 洪儒·裵玄慶·申崇謙 그리고 卜智謙 등인데 나중에 일등 功臣 포상을 받게 되었는데, 왕건의 지지자들 가운데 그러한 포상을 받은 사람은 이 네 명뿐이었다.[42] 『고려사』와 『삼국사기』에 의하면 그들은 아주 강직하고 변함없이 왕건에게 중국 역사를 인용함으로써 악한 군주를 축출하는 것이 합당하다는 사실을 설득시키려고 애썼다. 그러나 왕건은 한결같이 유교적 영향을 받아 반대하는 입장을 유창하게 설파하면서, 왕에 대한 충성심을 거두기를 거부하였다. 심지어 거울에 대해서, 또 거울 속에 나타난 예언에 대해서도 그들이 언급했지만 그의 마음을 움직이지 못했다.

---

37 왕건의 이중적인 역할은 다소 김부식 자신의 그것을 상기시킨다. 김부식은 그가 비록 당대 중국의 사상을 지닌 높은 지위에 있는 학자에 가까웠다 할지라도 김부식은 12세기 중엽에 궁중에서 국사와 군대를 통솔하는 일을 겸했다. Rogers의 앞의 책 12쪽 인용.

38 『삼국사기』 453~454쪽은 거울에 관한 설화를 간략하게 언급하고 있다. 전체 명문은 『고려사』 1:6a-7b를 참조하기 바란다.

39 『삼국사기』와 『고려사』는 중국 상인의 성씨를 王으로 기록하고 있으나 후대 자료인 『동국사략』은 張으로 기록하였다. 李丙燾, 『한국사(중세편)』, 서울, 乙酉文化社, 1962, 27쪽 참조.

40 『고려사』의 그 명문 전문은 거울에 147 글자가 있음을 주장하고 있으나 실제로는 145자이다.

41 『고려사』 1:76-8a, 『삼국사기』 454쪽은 약간 더 긴 서술을 하고 있고 왕위찬탈의 덕목과 해악에 대한 유교적 논쟁을 보여준다.

42 『고려사』 1:12b-13a. 이 네 인물의 전기는 『고려사』 92:1a-3b에 부연되어 있다.

마침내 그의 아내인 柳氏 부인은 "자비로써 잔인함을 격퇴해야 한다"고 외치면서 왕건에게 갑옷을 입히고 그로 하여금 서둘러 궁궐로 가게끔 재촉을 하였다. 왕건과 그를 보호하는 장군들의 행렬은 연변에 많은 군중을 끌어 모이게 했으며 그들은 큰 소리로 "왕건 임금이 의로운 깃발을 치켜 들었다"고 외쳤다.[43] 왕건이 바로 궁궐 문으로 들어가자, 궁예는 갑작스런 사건의 추이에 깜짝 놀라 도망을 하였으나 곧 사로잡혀 살해되었다. 왕건은 정식으로 왕위에 올랐으며 그는 자신의 왕국을 高麗로 이름 짓고, 수도를 자신의 고향인 송도에 건설했다. 이 수도는 開京 또는 松都로 불리어졌다(오늘날의 開城). 또한 연호도 아주 적절하게 '하늘로부터 부여 받았다[天授]'로 바꾸었다.[44]

왕으로서 왕건은, 민중의 주권에 그가 초점을 맞추도록 만들어져 자신의 개인적인 덕성을 지속적으로 보여주었다. 그는 주로 국민들이 익숙해져 있는 신라의 정부 형태로 되돌아갔으며, 불교의 보호를 끌어내기 위해 많은 사원을 건립했으며, 국민들에게 과다한 세금을 부과하지 않도록 경고했으며, 926년 거란에게 멸망했던 渤海의 많은 유민들을 받아들였으며, 평양을 西京으로 삼았고 개경에 버금가는 수준의 관료들을 그곳에 포진시켰다. 그러나 주로 왕건은 향후 18년 동안 그의 모든 힘을 진훤의 후백제 왕국을 정복하는데 소모했던 것 같다.

사료들은 후삼국을 통일시키려는 그의 군사적인 활동에 초점을 맞추고 있다. 그러나 구체적인 내용이 결여되어 있으며 더구나 묘한 상황이 대두하고 있다. 전투는 후백제와 신라·고려 연합 사이의 두 軸을 중심으로 발생하였다. 그 연합은 2명의 왕들에 의해 상대방의 수도를 외교적으로 교환 방문함으로써 공식화되어진다. 그리고 왕건은 신라의 보호자 역할을 분명히 배역받아 여러 차례에 걸쳐 진훤의 침공에서 신라를 구하려고 한다. 신라 군대는 이 드라마에서 거의 아무런 역할도 하지 않은 것처럼 보인다. 고려는 결코 신라와 전쟁하지 않았으며 대부분의 전쟁은 왕건과 진훤 사이에서 발생했다.

935년에 모든 주요 신료들에 의해 장시간의 토론이 끝난 후 신라의 마지막 왕인 경순왕은 국가를 왕건에게 넘겨주는데, 신라의 관리들은 천명에 따른 것으로 간주하였다.[45] 그 다음 해 자기 아들의 반란으로 진훤은 왕건에게 망명할 수밖에 없었고, 즉각 왕건은 후백제를 격파하고, 신라의 지배하에 있던 지역을 실질적으로 지배하게 되었다

이 때부터 왕건은 많은 시간을 政爭 시 그의 추종자들을 보다 더 조직화된 관료로 전환시키는데 전념했다. 그는 더 나아가 북쪽에 있는 옛 고구려의 영토를 수복하는 데도 지대한 관심을 보였다. 일찍

43 『삼국사기』 454쪽.
44 『고려사』 1:8b.
45 『삼국사기』 127쪽 참조. 『삼국유사』의 英譯版을 보려면 Ha와 Mintz의 앞의 책을 참조하기 바란다.

이 그는 庾黔弼 장군을 북동쪽의 기지를 확보하기 위해 파견했었다. 현재 그는 평양에 강력한 기지를 건설하는 일과 옛 고구려 국가의 진정한 계승자로서 북쪽으로 팽창해 나가는데 관심을 나타냈다.

그러나 그의 힘은 한반도에서의 주도권 쟁탈을 위한 장기간에 걸친 전투 속에서 크게 확대되어 나갔으며, 왕건이 삼국을 재통일시킨 군주로서의 기간은 단 7년에 불과했다. 943년에 그는 왕조를 통치하는데 있어 후손들에게 도움을 주기 위해 10개의 훈령으로 구성된 「訓要十條」를 작성하였다. 그는 그 이후 얼마 안 있어 66세를 일기로 서거했다.[46]

사료 속에 제시되어 있는 왕건의 중요한 장점을 요약한다면 다음과 같이 지적할 수 있다. (1) 충성심이다. 먼저 자신의 임금인 궁예의 명백한 잔인함과 전제성에도 불구하고 궁예에 대한 충성심이었고, 그 두 번째로는 천명의 합당한 소유자인 신라 왕들에 대한 충성심이다. (2) 관대함이다. 자신의 가혹한 적들에 대해서 조차도 자비롭게 용서해주는 성품이었기에, 양팔을 벌리며 적들을 맞이해 주었고, 폭력의 시대에 자비심과 평화의 典型으로서 나타나고 있다. (3) 군사적인 용기이다. 육지와 해상에서 나타난 능력, 공격을 계획하고 병사를 지휘하며 승전을 이루는 능력, 비록 왕건이 유혈 전쟁 없이 지냈다고 하지만, 그는 분명히 궁예의 사망 후에도 자신의 병사들을 계속 지휘한 군인 왕이었다. (4) 德治이다. 이러한 점에서 그는 유교적 정치술을 이해하였던 것으로 간주되는데, 중국의 正朔을 따르고, 儒學者들을 임용했으며, 농민들의 열악한 상태에 관심을 보여주었으며, 불교의 여러 제도나 관습에 지나치게 탐닉하지 않고 그에 내포된 護國佛教 사상을 지지하였을 뿐이었다. 왕건 '선인'은 궁예가 不忠하고 동정심이 결여되어 있으며, 사실 공공연하게 잔인한 면이 있었으며, 또한 그다지 큰 군사적인 능력도 없으며, 또 덕

21-8 「훈요십조」 제8조
후백제인에 대한 차별 내용이 적혀 있다.

---

46 『고려사』 2:14b-13a. 왕건은 아마 왕국의 군사 방위와 차기 왕의 후견인 임무를 맡은 박술희에게 「훈요십조」를 보냈을 것이다.

치를 실천하는데 있어서도 심히 결점이 많은 인물이었던 '추인' 궁예와는 정반대되는 인물로 보여질 수 있었다.

史料에 대한 熟考

신라 왕조의 쇠퇴와 몰락에 따른 고려의 흥기와 관련한 이야기는 주로 왕건 · 진훤 · 궁예라는 세 명의 개성 있는 인물들이 드라마에서 부여한 역할을 수행하기 위해 다양한 모험적인 일과 결합시켰다. 틀에 박힌 역할을 하는 이러한 틀에 박힌 사람들을 넘어 역사가들이 이용할 수 있는 확실하고 입증할 수 있는 사실은 거의 없다. 그러나 사료 중 특히 『삼국사기』는 (一然에게 대단히 영향을 미친 책이며 또한 『고려사』의 최종 편집자들에게도 이용되었다) 아마도 변경 불가능하게 이들과 그들의 시대에 대한 우리의 견해에 영향을 미치고 있지만, 이 책은 분명히 역사 편찬상의 편견을 안고 있다.

첫째, 김부식은 왕조의 정통성 개념이 한반도에서 잘 확립 되었다고 여겨지는 때의 유학자이자 관료였다.[47] 그리고 그는 왕건을 고려 왕조 창건자로 '올바르게' 보는 입장에 비상한 관심을 가지고 있었다. 둘째, 『삼국사기』는 실제 신라 지향적인 역사서였다. 김부식은 비록 그 반대가 사실임에도 고구려의 건국 연대보다 신라가 앞서는 것으로 왜곡함으로써 신라를 고구려보다 유구한 왕조로 만들었다.[48] 그러나 그것은 아마 아주 부정확한 것은 아닐 것이다. 더 나아가 심지어는 고구려와 백제의 멸망과 신라의 통일 후까지도 김부식은 향후 약 260년 동안 삼국의 역사에 대한 그의 서술을 이어갔다.[49] 사실 통일 이후의 신라가 보다 중요하게 자리잡고 있다. 그는 한반도의 남북 역사를 보다 논리적이고 조직된 구조로 만드는데 효과적인, 옛 고구려 영토의 대부분을 점유하고 있던 발해 왕국을 고려하는데 실패했다. 사실 김부식은 이러한 점 때문에 후대 왕조에서 비판을 받았다.[50]

마지막으로 개성에 있던 신라 계승론자 집단의 한 일원으로서 김부식은 『삼국사기』를 그가 편찬할 때 애초부터 경쟁적인 왕조인 '고구려의 계승론자'들을 반박하면서 신라와 고려의 연결을 직접적으로 강조할 동기를 지니고 있었던 것으로 보인다. 그러하였을 가능성은 일찍부터 고구려 지향적인

---

47 Kenneth Gardiner의 『『삼국사기』와 그 사료들』 『극동 역사에 대한 논문』, 캔버라, 1970-9, 11쪽 참조.
48 앞의 책, 16쪽 註8은 Suematsu와 Yasukazu를 인용하였다.
49 『삼국사기』의 처음 5권은 기원전 57년부터 668년 통일까지의 신라를 다루고 있다. 나머지 7권은 그 이후 250년 간을 서술하였다.
50 Rogers, 앞의 책, 14쪽과 21쪽의 註42.

역사가 존재하였다는 사실에 있다. 실제 김부식의 시대에 그러한 견해에 찬성하는 강력한 분위기가 있었다. 이는 김부식 자신이 『삼국사기』 편찬 몇 년 전에 평정시킨 적이 있는 妙淸의 난에서 분명하게 표출되었다.[51]

따라서 『삼국사기』의 현저한 특징(그리고 또한 『삼국유사』와 『고려사』도 그러함)은 저자나 역사 편찬자가 신라와 고려 사이를 적대적이기 보다는 동질적이고 계승론적인 관계로 만들어 내고 있다는 점이다. 먼저 거기에서 왕건에 대한 논지는 신라의 친구이며 보호자로서였다. 실제 궁예를 대신한 왕건의 초기 활동이 신라가 지배하고 있는 영토에 대해 엄밀히 따지면 대항한 것은 사실이었지만, 이러한 점에 대해서는 거의 언급이 되어 있지 않고, 궁예의 마진·태봉에게 반신라적인 정서에 전적인 책임을 지게끔 기록하였다. 훗날 왕건이 왕이 되었을 때 신라에 직접 대항한 어떠한 전투도 없었던 반면에 진훤에게만 대적한 것으로 되어 있다. 진훤은 신라 영토를 삼켜버리려는 인물로 배역이 주어졌다.

왕건과 진훤 사이에 주고 받은 편지는 이러한 신라 보호주의자로서의 역할에 완벽한 본보기를 제공해준다. 『삼국유사』에 인용된 것처럼 왕건은, 최치원이 쓴 것으로 알려진 편지를, 진훤에게 전달하였다.

왕의 至尊으로서 몸을 굽혀 족하에게 아들[子]이라고 일컫게 했으니, 尊卑가 차례를 잃으니 상하가 다 같이 근심하여 현명한 재상[元輔]의 忠純함이 아니면 어찌 다시 社稷을 편안하게 할 수 있으리요. 나는 마음에 惡한 것을 숨겨 둠이 없고 뜻은 왕실을 높이는데 간절하므로 장차 조정을 도와서 나라의 위태로움을 붙들고자 했는데, 족하는 터럭만한 적은 이익을 보고 天地와 같은 후한 은혜를 잊고 君王을 죽이고 궁궐을 불사르고 대신들을 학살하고 사민(士民)들을 도륙하였으며, 궁중의 미녀들을 빼앗아 수레에 같이 타고 진귀한 보물들을 약탈하여 가득히 싣고 갔으니, 그 흉악함은 桀紂보다 더하고 不仁함은 올빼미[獍梟]보다 심하였으니, 나는 하늘이 무너진[崩]데 대한 원한이 깊었기에, 해를 돌이키려는 정성으로 매[鷹]가 참새[鸇]를 쫓듯이 하여 犬馬의 수고를 다 하려 하여 다시 군대를 일으킨 지 이미 두 해를 지났다.[52]

이러한 편지, 외교적인 상호 방문, 신라와 고려의 연합, 그리고 신라를 '경주의 약탈'로부터 구원하려고 했던 왕건의 시도, 이 모든 것들은 신라 계승주의라고 하는 거대한 쇠사슬의 모든 연결 고리들이다. 사실 반신라적인 제반 활동과 모든 정서는 궁예와 진훤의 책임으로 돌려져 있었으며, 왕건은 모든 사료에서 한 점 흠 없이 신라에 충성심을 나타내는 전형으로 나타나고 있다.

51　앞의 책, 3~4쪽, 11~12쪽. 20쪽 註34. 李佑成, 「三國史記의 구성과 高麗王朝의 정통의식」『震檀學報』38, 1974-10, 204~205쪽 참조.
52　Ha와 Mintz, 앞의 책, 151~152쪽.

거기에는 신라가 왕건에게 자진해서 항복했다고 하는 문제가 있는데, 왕건은 신라의 몰락 때 전혀 폭력적인 역할을 사용하지 않았다고 하는 사실이다. 사실 신라는 전혀 종말을 맞이하지 아니한 채 스스로 새 왕조의 주류 속으로 융합되어 들어갔다. 그리고 김부식 시절, 신라는 명목상은 아니지만 정신적으로는 살아 있었다. 왕건과 경순왕 사이에는 혼인을 통한 왕녀들의 교환이 있었던 관계로, 정치적인 융합에 혈연적인 결합을 더하여 주었다. 김부식은 이러한 혈연적 관계를 단순히 보고된 사실로 내버려 두기를 원하지 않았다. 대신『삼국사기』신라본기 맨 끝 부분에서, 그는 고려의 제8대 왕인 顯宗은 신라 왕실과 혈연 관계에 있었으며, 이 왕의 후손들이 향후 고려를 계속 통치하게 되었는데, 마지막 신라 왕의 陰德이라는 점을 짚었다.[53] 『고려사』는 신라와의 인연의 또 다른 쪽 끝을 주목했다. 분명히 김부식의 동의를 받았을지도 모를 그러한 주장인데, 이 책의 서문에서 金寬毅는 고위직의 신라 귀족 한 사람을 왕건 조상의 한 사람으로 제공했다.[54]

따라서 왕건은 오직 한 때의 왕위 찬탈자에 불과했지만, 폭정과 잔혹함으로 궁예의 인기가 떨어져 있었기 때문에 찬탈은 정당화되었고 훨씬 강력하게 요구되었다. 그 뿐 아니라, 사실상 왕건은 지지자들에 의하여 들리고, 발길에 차여 비명을 지르며, 왕궁으로 들어가야만 했다. 그리고 신라는 정복되어 멸망한 게 아니라 신라의 대신들과 국왕이 승낙하는 회의를 통해 재가를 받아 흡수된 것이다. 실제로는 진훤에 의해 즉위된 신라의 마지막 왕이며 스스로 합당하지 않은 천명을 소유하고 있다고 생각한 이 마지막 왕은 적어도 왕건의 덕성을 알아 볼 수 있는 지혜를 가졌으므로 천명을 양도한다. 따라서 자진해서 그리고 평화적으로 두 왕국 사이의 틈을 메워주었다. 이것이 역사서들이 경순왕을 칭송하는 유일한 행위였다.[55]

김부식과 같은 신라계승론자들의 관점이 그 시대의 역사 편찬을 지배하였다.『삼국유사』가 여러 면에서 아주 다른 책이기는 하지만 이러한 점에서 일연은 김부식의 先導를 따르고 있다. 그리고『고려사』는 보다 더 풍부하고 균형 잡힌 설명을 가하고 있지만, 마찬가지로 신라 계승론적인 전통하의 유교적인 역사가들에 의해 편찬되었다. 우리의 思考는 거의 회복 불가능할 정도로 왜곡되었다.

이 시기의 한국 역사에 비추어진 사료들을 나 자신이 미리 살펴 본 바에 의하면 비록 주어진 사료의 성격으로 보아 아마 내가 그것들을 느낌이라고 부르게 될지는 모르겠지만, 나는 다음과 같은 잠정적인 결론에 이르게 된다.

(1) '통일신라'는 과거 역사가들에 의해서든 오늘날 출판된 대부분의 일반적인 서적 속에서든 우리가

---

53 『삼국사기』127~128쪽.

54 『고려사』高麗世系:8b-12b.

55 경순왕의 통치에 관한 설명은『삼국사기』125~128쪽 참조.

통상 믿게끔 되어 있는 것 보다는 훨씬 덜 통합된 개체였다. 고구려와 백제 지역의 문화와 전통, 어쩌면 심지어 언어까지도 강하게 남아 있었던 관계로 사실상 남서쪽에서 진훤의 시위 운동 역량에 크게 기여했으며, 북쪽에서는 궁예와 왕건에게 지역주의적 성향을 가지고 오랫 동안 계속된 강력한 국가를 세우고 유지하게끔 하는데 기여했을 것이다.[56] '통일신라' 관점을 지닌 사료들의 편견에도 불구하고, 궁예와 진훤 두 명 모두 그들의 왕국을 창건했을 때 주민들의 지역과 원주민 감성에 호소했던 것으로 기록되어 있고, 그 자체는 이전 시기와의 역사적 유사성에서 단순히 이름 지어진 것은 결코 아니었다.[57]

(2) 왕건은 한 인간이었지 聖人은 아니었으며, 역사서에서 우리로 하여금 믿게끔 하는 것보다 그렇게 '선한' 존재는 아니었다. 그는 귀족이나 농민 모두로부터 사랑받는 충성스럽고 자비롭고 폭력을 싫어하는 인물이었을 리가 없다. 유교적인 지방호족像이 아니라 지방의 한 장군으로서 왕건은 強壯한 敵에 대하여 승리를 거두기 위해 살해하고 파괴하는 여러 가지 기술에 정통해 있었음이 틀림없다. 사료들이 한반도를 통일하는데 필요한 실제적인 전투에 관하여 소중한 구체적 사실들을 제시해 주지 않기 때문에, 우리는 결코 流血의 정도를 알지 못할 뿐이다. 그러나 그가 왕이 된 후에 조차도 개인적으로 직접 군대를 계속해서 지휘하고 있었기 때문에, 왕건의 손이 피로써 상당히 더럽혀지지 않았다고 믿을 하등의 이유가 없다.

(3) 궁예는 대조적으로 사료에 묘사되는 것 만큼 아마 그렇게 '추악'하지는 않았을 것이다. 비록 김부식과 다른 역사가들이 왕건의 신라 접수 과정을 묘사하기 위해 전체적으로 중국식 형식을 따르지 않을 수가 없기는 하지만, 그들은 왕건이 전국적인 천명을 성취하기 전 자신의 왕국에 대한 찬탈자였다고 하는 현실에 직면하게 되었다. 그래서 궁예는 '마지막 악한 왕'으로서 효과적으로 이용되었다. 그러나 궁예는 왕건이 종결지은 일을 시작했던 분명 큰 야심과 정치적인 식견이 있었고 개인적인 권위도 있는 인물이었음에 틀림없다.

그의 출생과 관련있는 사람들에 의해 내버려져 종교적인 생활에 투신하지만 그의 성격과는 양립할 수 없었기에 궁예는 도적들에게로 도망을 쳤고 곧 지방 세력의 최고위직까지 이르게 되었다. 심지어 그에 대해 나쁘게 서술된 역사서들도 그가 주민들의 지지를 받은 것으로 믿고 있다.[58] 비록 그러한 서술들이 궁예의 장점을 나타내주려고 하는 것 보다는 신라의 몰락을 보여 줄 의도로 행해진 이야기임은 사실이다. 적어도 궁예는 20세된 왕건을 임용한 것으로 보아 사람의 능력을 잘 판단할 줄 아는 인물이었다. 또한 궁예 왕국의 모든 군사 및 행정적인 업적들이 왕건의 탁월한 덕성의 결과

---

56 Unruh, 앞의 책, 58~62쪽에서 산견됨.
57 『삼국사기』 452쪽(궁예). 455쪽(진훤).
58 『삼국사기』 452쪽.

였다라고 믿을 하등의 이유도 없다. 종국에 가서 결국 궁예 탓이 된 여러 가지 행동들은 분명 왕건의 왕위 찬탈을 정당화시킬 목적으로 과장되었다.

(4) 마찬가지로 진훤 역시 그가 '악인'이라는 이미지로부터 상당한 회복을 필요로 한다.[59] 그는 쇠퇴하는 힘에 대항하여 맹렬히 공격한 한반도의 남서부 지역 인물이었으나, 아직도 천명을 소유하고 있는 신라 왕조와 함께 상당한 군사적·도덕적 힘을 지니고 있던 백제인이었는데, 진훤의 왕국은 거의 반세기 동안이나 존재했으며 실제로 번성했었다. 다만 지지한 사람들과 그 이유는 분명하지 않지만, 그러나 나는 그도 역시 상당한 지도력과 군사적인 자질을 소유하고 있던 인물이었음은 틀림없다고 생각하는데, 물론 사료들의 보편화된 방법론에도 불구하고 분명하게 남아 있는 강경한 백제 민족주의에 그가 굳게 의지하고 있었다고 추측된다. 즉 왕건의 「훈요십조」 중의 한 조목이 특별히 구체적으로 남서부 지역 출신의 기용에 대해 경고를 보내고 있다는 사실은, 백제 회복관념이 상당한 정도로 남아 있었다는 증거인 한편, 왕건과 진훤의 후백제 사이의 장기간에 걸친 경쟁 관계의 산물 이상으로 고려되어야 한다.[60]

(5) 왕건은 사료들이 암시해 주는 바처럼 신라에 대해서 우호적이지 않았다. 그의 가까운 추종자들은 대부분이 쇠퇴해 가는 신라 왕권에 대해 순종하지 않았던 북서부 지방 출신의 城主들이었으며 또한 임진강과 예성강유역의 연안 지방으로부터 온 지방 호족들이었다. 후에 그는 정치적·군사적인 동맹체를 결성하게 되는데, 실제로 모두 비신라적인 지역을 근거지로 하고 있던 많은 지방의 호

21-9 전주 동고산성 출토 '전주성' 명문 기와

---

59   Unruh , 앞의 책, 56~57쪽 또한 진훤의 이미지가 격상될 필요가 있다고 주장한다.
60   『고려사』 2:16b, Unruh의 앞의 책에서는 이것이 왕건의 「훈요십조」 중 제8조가 반영된 것으로 보고 있다.

족들과의 무수한 혼인을 통해 강화되었다. 왕건의 궁극적인 의도가 수도 지역으로 신라를 고립시켜 포위함으로써 신라를 패퇴시키려고 했던 것이 아니었다고 한다면 왜 그처럼 의도적으로 비신라적인 인물들이 그를 추종하게끔 만들었을까?

비록 사료들이 그러한 점에 대해서 전혀 암시를 하고 있지 않지만, 나는 분명히 신라와 고려 사이에는 적지 않은 전투가 있었음이 분명하다고 믿는다. 만일 그렇지 않았다면 진훤이 어떻게 그처럼 오랜 기간 동안 번영할 수 있었는지 이해하기 어렵다. 단지 우리는 신라와 고려 그리고 후백제 사이의 보다 더 균형 잡힌 삼국 간의 투쟁을 우리가 가정할 경우에만(진훤에 대한 우리의 평가를 좀 높여서 신라와 고려 사이에 엄청난 적대감이 존재했으리라 가정할 경우) 사료 속의 왕건이 승리하는 것처럼 군사적으로 숙달되고 개인적으로 덕성 있는 그러한 사람이 필요했었다는 사실을 우리는 이해할 수 있다.

(6) 왕건 자신에 관해 사료 속에 제시된 배경에 대한 여러 모로 의심스러운 점들이 있다. 그는 분명히 임진강과 예성강유역으로부터 강화도에 이르는 지역에서 군사와 해상 무역에 대한 배경이 있는 豪族 가문 출신이었다는[61] 그 이상으로 우리는 말할 수 없다. 분명히 자기 자신의 이름과 그의 직계 선조들의 이름은 의심이 간다. 왕건은 '왕조의 창건자'라는 뜻을 갖는데, 그가 왕위에 오르기 전에는 그 당시 흔히 그랬듯이 姓이 없었고, 단순히 왕위 찬탈 후에 단순히 王이라는 이름을 성씨로 택했었다.[62] 그의 아버지의 이름인 龍建은 '용 창건자'라는 의미를 갖는데, 龍은 물론 왕위에 대한 가장 흔한 중국식 호칭의 하나였다. 그의 조부의 이름은 帝王을 만든다'라는 의미가 있는 作帝建으로 되어 있는데, 사실 아주 희귀한 이름이었다. 실제로 이들 이름의 의미는 너무나 분명한 것이어서 단순히 우연의 일치로만 볼 수는 없다. 어쨌든 이 세 명의 이름이 정확하다고 한다면, 3대에 걸친 그 이름들은 분명 집안에서 불린 실제 이름이었을 가능성은 거의 없는 것으로 보인다. 아마도 모두 왕건의 통일 이후 배경을 높여주기 위해 만들어졌을 것이다.

왕건은 『삼국사기』나 또 다른 모든 사료들이 나타내 주는 것보다는 아마도 상당한 정도로 지지를 받지 못하고 있었다. 거울에 나타난 예언, 도선의 예언, 그리고 장군들이 왕건으로 하여금 왕위를 찬탈하도록 간절히 청했다는 점, 가족들의 유별난 이름, 환상적인 혈통, 그리고 자신이 바다로부터 높이 솟아 있는 9층 金塔에 올라갔다고 하는 그가 서른 살에 꾸었다는 꿈[63]들은 전체적으로 종합해 볼

---

61 註34 참조.

62 William Henthorn , 『한국역사』, 뉴욕, 자유출판사, 1971, 82쪽에서는 그 이름에 대해 의문을 갖는다. 1978년 12월 14일자 「코리어헤럴드」는 譜學者인 申奭鎬 박사가 왕건이 즉위할 때까지 姓을 가지고 있지 않았다고 말한 것으로 인용했다.

63 『고려사』 1:61.

때 도저히 받아들이기 어렵다. 이 모든 것들이 아마도 꾸며낸 이야기들인 것 같다. 예를 들면 그 거울이 언제 만들어졌는가? 왕건의 즉위 때였는가 혹은 즉위 후였는가에 대한 논쟁이 있었다.[64] 그 어느 경우든 왕건의 왕위 찬탈을 정당화하기 위한 의도가 깃들어 있음이 분명하다. 만일 그것이 당대에 꾸며진 이야기였다면, 이러한 사실은 왕건의 지지도가 약했다는 사실을 강력하게 암시해 주며, 그 거울 또한 왕건(원문은 '궁예'로 적혀 있지만 문맥상 왕건의 誤記로 보인다. : 역자) 추종자들의 마음 속에 그를 보다 더 부각시키고자 하는 하나의 수단이었다.

왕건이 권력을 장악한 직후 적어도 그에 반대하는 최소 4 차례의 반란이 있었는데(이 사실에 관해 비록 김부식이나 일연은 언급하지 않았지만) 이는 그의 왕위 찬탈이 만장일치로 받아들여진 것이 아니라는 점을 나타낸다. 왕건과 뒷날 일등 공신직에 임명되었던 네 명의 장군들은 함께 궁예를 살해하고 왕위를 탈취하는 음모를 꾸몄다. 그러나 궁예의 추종자들 중에도 그들 우두머리의 지위를 탐냈던 또 다른 인물들이 존재했을지도 모른다. 불행하게도 즉위 이전의 사료들은 왕건에 필적했을지도 모르는 지위를 지닌 군인들에 대해 충분한 정보를 제공해주지 않았다. 그런데 네 차례의 반란은 궁예에 대한 상당한 정도의 충성심이 있었거나, 혹은 『삼국사기』나 『삼국유사』를 통하여 우리가 믿고 있는 것 보다도, 왕으로서 왕건의 지위를 한결같이 받아들이지 않았을 것 같다는 사실을 나타내준다.[65]

고려 역사의 대부분은 왕건을 아주 빈틈없는 정치가로 기술했다. 그는 지역적 성향은 말할 것도 없고 다양한 사회적·정치적 배경을 가진 세력들 사이에서 자신이 운신할 수 있는 세력 균형을 함께 엮었으니 분명히 위대한 개인적인 카리스마와 지도자로서 갖추어야할 자질을 소유했음에 틀림없다. 가장 기본이 되는 집단은 왕건 자신과 같이 벼락 출세한 북부 지역의 將軍型과 과거 신라의 지배 엘리트들이었던 것으로 보인다. 왕조가 시작될 당시에 이들 각자의 태도 결정은 앞에서 언급된 왕조 후기에서의 '고구려 계승론자'와 '신라 계승론자' 집단들과 밀접하게 관련되었다.[66]

궁극적으로 그에게 29명의 아내가 부여되었던 믿기 어려울 정도의 광범위한 혼인관계에 의해서 강화되어진 결속을 구축하는데, 그 자신의 개인적인 카리스마와 정치적 수완에도 불구하고 왕건은 카리스마를 제도화하는 데 대부분의 왕조 창건자들보다 더 이상 성공적이지 못했다. 아마도 초기 고려 왕조에서 가장 의미심장한 사건은 왕건 사후 2년째 되는 해에 발생했다. 이것은 소위 945년의

---

64 거울에 대한 논쟁을 보려면 李丙燾, 앞의 책, 27~32쪽 참조: 또한 그의 『高麗時代의 硏究』, 서울, 乙酉文化社, 1948, 6~12쪽 참조.

65 그 반란에 대해서는 『고려사』 1:9a-14b 참조. 『고려사』 127:1a-3b에 수록된 그 반란자들의 전기에 더 상세한 내용이 있다. 그 반란자들은 桓宣吉·李昕巖·林春吉·陳瑄과 宣長 형제였다.

66 Rogers, 앞의 책, 3~4쪽. 11~12쪽. 20쪽 註34.

王位繼承政爭이었는데, 얼핏 보아도 개성과 평양에 있던 관리들 절반이나 죽음을 불러왔던 피의 숙청이었다. 『고려사』에서는 관리들 중 40명 만이 949년에 즉위하는 고려의 5대 왕인 景宗의 즉위식에 참석했다고 역설했다.[67] 물론 이 사건의 다양한 해석들을 깊이 탐구하는 것은 이 논문의 범위를 넘어선 것이다.[68] 그러나 그것은 왕건 자신이 만들어 놓은 불안정한 연합을 제도화하는데 무능했던 결과였음은 전혀 의심의 여지가 없다.

실제로, 그 자신의 행위로 인해 왕조의 불안정성을 초래했을 가능성을 보여준다. 갈등은 늘 왕위와 같은 고위직의 변동에 수반되는데, 잠재적인 후보자들의 숫자가 많으면 많을수록 갈등은 더욱 더 격렬해지는 경향이 있었다. 그런데 왕건은 왕위계승의 잠재적인 이해관계를 가지고 있는 거대한 姻戚 집단을 만들어 놓았던 것이다. 왕실의 다양한 파벌들 사이에 왕위에 대한 투쟁이 신라 말기에 들어 전염병처럼 만연되었기 때문에 사람들은 왕건이 왜 그처럼 많은 아내와 인척들을 만드는데 열중했는가 하는 점에 의아스럽게 생각하지 않을 수 없다.

왕건은 왕위계승 문제를 다루기 위한 확고한 지침을 마련해주려고 시도했던 것으로 보인다. 「훈요십조」에서 그는 長子 直系相續制를 확립하는 지침을 포함시켰다. 그러나 다른 아들(차남)들이 왕위를 계승할 수 있는 예가 있다는 설명을 덧붙임으로써 이것이 왕건 사후 왕위계승의 부당한 변경이 야기되게끔 하는 일을 불가피하게 만들었다.[69] 나는 이 점을 애써 비난하기를 원하지 않지만, 그렇다고 왕건의 정치적인 행위 모두가 절대적인 완벽성을 나타내주고 있다는 것을 말하고자하는 것은 결코 아니다.

맺음말

이렇게 하여 신라 왕조 말기의 세 명의 위대한 전형적인 인물들, '선인과 악인 그리고 추인', 이들

---

67 『고려사』 93:10a-b.

68 아마 그 계승정쟁에 대해 최근에 나온 가장 체계적인 관점을 지닌 기술은 姜喜雄의 「945년의 고려의 1차 왕위계승정쟁 : 재해석판」 『아시아연구저널』 제36권 3호, 1977-5월, 411~428쪽이다. 완전하게 설득력이 있는 것은 아니어서 분명하게 따라가기는 어렵지만, 姜은 이 사건이 왕위를 획득하기 위한 단순한 투쟁이나 정권 지향의 쿠데타 이상임을 좋은 사례로서 설명하고 있다. 그가 고려 초기 지배 엘리트들에서 본 주요한 분열은, 신정권을 자신들에게 유리하게 바꾸려고 하는 구신라 귀족들과 신왕조가 어떤 형태를 취해야하는 지에 대한 그들 자신의 생각을 지녔던 대부분 북부 지역 무장들인 왕건의 신진 추종자들 사이에 있었다는 것이다.

69 『고려사』 2:15b, 「훈요십조」 제3조.

은 사료들 속에서 심히 왜곡된 것으로 보였고, 그들 중 어느 누구도 기록된 것처럼 성스럽거나 악하지도 않았다. 그들은 모두 사전에 결정된 역사적 대본에서 꼭 필요한 배우들이었으며, 역사 편찬자들이 특정 정치적 목표를 달성하기 위한 시점에서 부여된 역할을 맡았다. 이 점에 있어서 김부식과 다른 사람들도 별반 차이가 없다. 모든 시대에 있어, 심지어 우리 시대에서 조차도(아마 특별히 우리 자신) 역사는 과거에 대한 공평무사한 기록으로서 존재한다기 보다는 오히려 정치와 민족주의의 요구에 부응하기 위해 사용했다.

영광스러운 민족적 유산이라고 하는 것이 남한에서 분명하게 일어나고 있는 강력한 국가 건설 흐름의 큰 부분이다. 따라서 신라를 옹호하기 위한 김부식의 편견과 왜곡이 명백하다치더라도, 일부의 역사가들과 정부 그리고 대중 매체들은 계속해서 국가적인 목적 때문에 그러한 편견들을 그대로 활용하고 있다. 어떤 외국 학자가 다음과 같이 잘 표현하고 있듯이, 아마도 가장 신랄한 아이러니는 바로 한국을 분명하고 통일된 문화적 실체로서 신라까지 거슬러 갈 수 있다는 사실을 보여주기를 원하는 민족주의자나 또는 현대의 역사가들은 그들의 주장을 뒷받침 해주기 위해서 중국인들이 기록해 놓은 증거를 사용하고 있는 지경이 되었다고 하는 점이다.[70] 분명히 통일된 한국은 왕건 이후 시대의 산물이었다. 그러나 이와 마찬가지로 정부와 대중 매체들은 신라나 고구려나 백제에 관한 김부식의 건국 연대를 마치 그것이 믿을 수 없는 전통이라기보다는 역사적인 사실인양 그대로 줄곧 사용하고 있다.

특히 왕건을, 또 그보다는 좀 덜 하지만 궁예나 진훤 역시 이들을 정형화된 양식으로 지속적으로 나타내는 것은, 영웅에 대한 한국의 민족주의적 욕구가 아무리 강렬하다 하더라도 불필요해 보인다. 오늘날 많은 한국 가정들의 書架를 장식하고 있는 아주 유명한 한국의 그림 역사책 한 권은 해방자로서의 위대한 장군 왕건의 도착을 환호하는 어느 촌락 농민들의 모습을 보여 주고 있다. 나는 그 그림을 보고 마치 어린시절의 영웅인 로빈 훗이 생각나는데, 악인들이 두려워하고 착한 사람들에게 사랑받는 로빈 훗, 그는 또한 감동적이고 카리스마를 지닌 영웅이기는 했지만 또한 지나친 상상력의 산물이기도 했다.

후삼국시대의 세 명의 지도적인 인물들이 한 왕조의 몰락과 다른 왕조의 창건에 포함된 여러 가지 사회·정치·경제적인 요인들을 왜소화시키면서 실제보다 더 과장되고 도식화된 인물들로 사료 속에 비치고 있다는 것은 이해할 만하다. 현대의 연구자들은 李丙燾나 李基白 또는 金哲埈과 邊太燮 그리고 여타 다른 교수들이 그러했던 것처럼, 이러한 요소들의 일부를 밝히기 위해 창의적으로 사료

---

70 Unruh, 앞의 책, 59쪽.

를 이용했다. 그러나 신라계승주의자로 된 왕건 관련 사료를 돌파하기는 어렵다.

　내가 보기에는 왕건 자신 보다는 역사 편찬자들의 태도를 잘 반영해 주고 있는 통치에 대한 '진보적'인 유교적 접근법을 왕건의 功으로 돌리면서, 현재의 기본적인 해석 역시 아직까지는 사료 속의 '선인 · 악인 · 추인'이라는 고정 관념을 너무나 字句 그대로 받아들이는 것 같다. 김철준 교수는 다음과 같은 주장을 했다.

　… 신분이 낮은 궁예세력으로서는 당연한 주장이라고 하겠으나, 그 세력의 기본구성이 群盗 출신이었다는 점은 지방지배에 있어서나 백성에 대한 收取 방법에 있어서 고대적인 수취방법에 벗어날 수 없게 만들었다. 이와 반대로 오랫동안 신라 중앙정부의 과도한 수취에 반항하면서 성장한 호족세력을 기반으로 한 왕건은, 즉위하면서 곧 '取民有度'를 표방하는 정치의식으로써 고대적 수취에 반대하는 중세적 성격을 가질 수 있었고, 그 면에서 우선 약탈적이고 파괴적인 궁예나, 무력적으로 지방세력을 脅從시키는 데 그친 진훤과는 다른 정치적 체질에서 출발한 것이라고 볼 수 있다. 그는 고대적인 족제 원리를 폐기한 궁예에서 한 걸음 더 나아가 고대적인 수취제도의 止揚까지도 내세우면서 지방호족의 통합에 힘쓰고 유교정치를 표방하는 조서라든지 외교문서 등은 최치원 계통이라고 생각되는 최언휘 등이 제작하였을 것이나, 그러한 정치를 내세우는 기조는 왕건의 정치체질에서, 다시 말하면 지방호족세력의 체질에 기반을 두면서 골품제도 아닌 새로운 지배체제 원리를 찾는 기조에서 나타난 것이라고 이해해야 할 것이다.[71]

　이러한 식의 설명들은 올바른 방향을 지향하고 있지만, 왕건의 「훈요십조」와 그의 것으로 알려진 여타 문서들 속에 나타나는 것처럼 왕건을 근본적으로 '유교적' 통치자로서 연출되어진 사료들을 혹신하고 있는 것처럼 보인다. 근본적인 질문(아마도 결코 만족스럽게 답변되어질 수 없는)은 여전히 남아 있다.[72] 만약 기본이 되는 사료들이 어떤 부분에서 편파적이고 왜곡되어 있다면 다른 부분에서는 어떻게 정확하겠는가? 우리가 믿을 수 있는 내용은 어느 정도인가? 요컨대 우리가 실제로 수용할 수 있는 것과 편찬자들의 편견으로 간주할 수 있는 것 사이의 경계를 어디로 잡을 것인가?

71　金哲埈, 「羅末麗初의 社會轉換과 中世知性」『社會科學新聞』6권, 1976-7, 41~42쪽 참조. 이 기사는 김교수의 「羅末麗初의 社會轉換과 中世知性」의 英譯版이며『창작과 비평』겨울호에 처음 게재되었으며, 그의 몇 개 저서에 재수록되었다.

72　이「훈요십조」는 조작의 냄새가 풍긴다. 일본 학자인 수西龍은 예전에 이 훈요들이 조작되었다고 주장했다. 한국 학자들은 열렬하게 그것의 역사성을 옹호하고 있으나 그「훈요십조」의 진실성에 대한 어떤 의문도 존재하지 않는다고 말할 수 없다. 李丙燾의『高麗時代硏究』23~48쪽에 수西龍에 대한 비판과 이 훈요들의 내용 연구가 기술되어 있으므로 참조하기 바란다.

사실 우리의 소견을 과감하게 바꾸기에는 신뢰할만한 다른 사료가 없으며, 또 다른 사료를 우리가 발견할 것 같지도 않다. 이들 사료들을 무시하자거나 역할을 뒤집어 왕건을 반역한 찬탈자로, 궁예나 진훤을 위대한 영웅으로 만들자는 것이 나의 제안은 아니다. 그러나 신라 지배에 대해 거역했던 그들의 배경, 그들의 정책 능력과 이상이 왕건 이후의 사료들이 보여주는 것 보다 훨씬 더 유사했을 것으로 보인다. 운명의 뒤틀림이 없었다면, 10세기의 한국은 진훤에 의해 통일되었을 것이다. 옛 백제의 중심 지역으로부터 한반도를 통치하는 새 왕조는 정복을 합법화시키기 위해 '백제 계승자'로서의 역사를 선전했을 왕조가 생겨났을 수 있었다.

본 小考를 작성한 나의 목적은 오늘날 우리가 이용할 수 있는 사료를 통해 고려 왕조의 창건을 이해하는 데 있어서의 몇 가지 난점들을 간단히 보여주려는 것이었다. 내가 왕건과 진훤 그리고 궁예의 성품을 '선인·악인 그리고 추인'으로 고른 제목은, 적어도 나에게는 사료들 속에 나타난 이야기의 흐름이 우리가 바랄 수 있는 것보다도 더 흔한 영화 대본 같았다는 것을 말하고자 했다.

[참고문헌]

1. 사료

『三國史記』『均如傳』『三國遺事』『帝王韻紀』『東國李相國集』『櫟翁稗說』『東人之文四六』『朝鮮經國典』『太祖實錄』『高麗史』『高麗史節要』『世宗實錄』『稼亭集』『東文選』『新增東國輿地勝覽』『海東繹史』『崔文昌侯全集』『江漢集』『日省錄』『鑑誡錄』『雅亭遺稿』『眉叟記言』『東史綱目』『林下筆記』『輿地志』『大東地志』『金馬志』『完山誌』『東史會綱』『增補文獻備考』『史記』『三國志』『曹操集』『晋書』『舊唐書』『資治通鑑』『御製宋金元明四朝詩』『日本書紀』『扶桑略記』『本朝文粹』

2. 저서

국립공주박물관,『天下大安』2014.

국립전주박물관,『진안 도통리 청자』2014.

국립전주박물관,『당송 전환기의 吳越』2015.

國立晉州博物館 · 晉州市,『晉州城 矗石樓 外廓 試掘調査 報告書』2002.

공주대학교박물관 · 논산시,『開泰寺址』2000.

權鍾湳,『皇龍寺九層塔』, 미술문화, 2006.

과학백과사전 종합출판사,『조선전사 3(고구려사)』1991.

곽장근,『전북고대문화 역동성』, 서경문화사, 2021.

金甲童,『羅末麗初의 豪族과 社會變動研究』, 高大 民族文化研究所, 1990.

김갑동,『고려의 후삼국 통일과 후백제』, 서경문화사, 2010.

金杜珍,『신라하대 선종사상사 연구』, 一潮閣, 2007.

金庠基,『東方史論叢(改訂版)』, 서울대학교 출판부, 1984.

金善基,『益山 金馬渚의 百濟文化』, 서경문화사, 2012.

金龍善,『高麗墓誌銘集成』, 한림대학교 출판부, 2006.

김유철 · 윤희면 · 최병도 · 승용기 · 최재삼,『고등학교 역사부도』, ㈜천재교육, 2002.

金漢重,『唐津誌』, 故鄕文化社, 1990.

노중국 外 편역,『개정 증보 역주 삼국사기(2)』, 한국학중앙연구원 출판부, 2012.

논산시사편찬위원회,『논산시지 2』2005.

단국대학교 동양학연구소,『漢韓大辭典 8』2005.

당진군지 편찬위원회,『唐津郡誌(上)』, 1997.

류영철,『高麗의 後三國 統一過程研究』, 경인문화사, 2004.

리창언,『고려 유적연구』, 사회과학출판사, 2002.

文暻鉉,『高麗 太祖의 後三國統一研究』, 螢雪出版社, 1987.

文暻鉉,『高麗史研究』, 慶北大學校 出版部, 2000.

문안식 · 이대석,『한국고대의 지방사회』, 혜안, 2004.

문안식,『후백제 전쟁사 연구』, 혜안, 2008.

문화재관리국,『文化遺蹟總覽(下卷)』1977.

민족문화추진회,『국역 신증동국여지승람(Ⅳ)』1978.

朴龍雲,『高麗時代史(上)』, 一志社, 1985.

박종기,『고려의 부곡인, 〈경계인〉으로 살다』, 푸른역사, 2012.

백제연구소,『후백제와 견훤』, 서경문화사, 2000.

變太燮,『韓國史通論』, 三英社, 1986.

사회과학원 고전연구실,『삼국사기 (상 · 하)』, 아름출판공사, 1958. 1959.

順天大學校博物館,『光陽 馬老山城 Ⅰ : 建物址 Ⅰ』2005.

손영종 등,『조선통사(상)』, 사회과학출판사, 2009

신기철 · 신용철,『새 우리말 큰사전(하)』, 三省出版社, 1975.

申虎澈,『後百濟 甄萱政權研究』, 一潮閣, 1993.

신호철,『후삼국사』, 개신, 2008.

윤명철,『한민족의 해양 활동과 동아지중해』, 학연문화사, 2002.

李基白,『新羅思想史研究』, 일조각, 1986.

이기백,『韓國史新論』, 一潮閣, 1979 · 1992.

李基白,『韓國史新論(新修版)』, 일조각, 1995.

李能和 主幹,『朝鮮佛敎叢報』, 三十本山聯合事務所, 1917.

이도학,『백제고대국가연구』, 一志社, 1995.

李道學, 『진훤이라 불러다오』, 푸른역사, 1998.

李道學, 『궁예 진훤 왕건과 열정의 시대』, 김영사, 2000.

이도학, 『백제 사비성시대 연구』, 일지사, 2010.

李道學, 『후백제 진훤대왕』, 주류성, 2015.

李道學, 『후삼국시대 전쟁연구』, 주류성, 2015.

이도학, 『백제도성연구』, 서경문화사, 2018.

李道學, 『분석고대한국사』, 학연문화사, 2019.

李文鉉, 「高麗 太祖의 農民政策」 『高麗 太祖의 國家經營』, 서울대학교 출판부, 1996.

李丙燾, 『韓國史(古代篇)』, 乙酉文化社, 1959.

李丙燾, 『韓國史(中世篇)』, 乙酉文化社, 1961.

李丙燾, 『譯註 三國遺事』, 廣曺出版社, 1976.

李丙燾, 『國譯 三國史記』, 乙酉文化社, 1977.

李丙燾, 『譯註·原文 三國遺事』, 明文堂, 1986.

李秉延, 『朝鮮寰輿勝覽』, 普文社, 1933.

李樹健, 『韓國中世社會史研究』, 一潮閣, 1984.

이숭녕 監修, 『현대국어대사전』, 한서출판사, 1974.

이재호 譯, 『삼국사기』, 솔, 1977.

이종철, 『黃方에 올라 完山을 보다』, 서경문화사, 2021.

李弘稙, 『韓國古代史의 研究』, 신구문화사, 1971.

李弘稙, 『한 史家의 流薰』, 通文館, 1972.

朝鮮總督府, 『朝鮮金石總覽(上)』 1922.

전북전통문화연구소, 『후백제 견훤정권과 전주』, 주류성, 2001.

전영래, 『전주, 동고산성(1·2차)발굴보고서』, 전주시·원광대학교 마한백제문화연구소, 1997.

전주시·전주부사국역편찬위원회, 『국역 全州府史』 2009.

정성권, 『태봉과 고려 - 석조미술로 보는 역사』, 학연문화사, 2015.

鄭淸柱, 『新羅末 高麗初 豪族研究』, 一潮閣, 1996.

崔南善, 『尋春巡禮』, 白雲社, 1926.

崔南善, 『故事通』, 三中堂書店, 1943.

崔南善, 『六堂崔南善全集 6』, 玄岩社, 1973.

忠南大學校 博物館,『整備 復元을 위한 唐津 合德堤 2次試掘照查報告書』1998.

충청남도역사문화연구원 · 금산군,『錦山 栢嶺山城 - 1 · 2次 發掘調查報告書』2007.

河炫綱,『韓國中世史研究』, 一潮閣, 1988.

한국고대사회연구소,『譯註 韓國古代金石文 Ⅰ』, 駕洛史蹟開發研究院, 1992.

한국역사연구회,『譯註 羅末麗初金石文(上 · 下)』, 혜안, 1996.

한국정신문화연구원,『韓國口碑文學大系 4-1(당진군 편)』1980.

한국정신문화연구원,『韓國口碑文學大系 7-9(안동시 편)』1982.

한국정신문화연구원,『역주 삼국유사 Ⅱ』, 이회문화사, 2002.

韓佑劤,『韓國史通史』, 乙酉文化社, 1970.

후백제문화사업회,『후백제의 대외교류와 문화』, 신아출판사, 2004.

黃壽永,『(第三版) 韓國金石遺文』, 一志社, 1981.

許興植,『高麗佛敎史研究』, 一潮閣, 1986.

Douglas Soutball Freeman, Lee, Touchstone, 1997.

조지 오웰 著 · 정성희 譯,『1984』, 민음사, 2016.

盧弼 集解,『三國志集解(壹)』, 上海古籍出版社, 2013.

譚其驤 主編,『簡明中國歷史地圖集』, 中國地圖出版社, 1996.

王偉,『法門寺文物圖飾』, 文物出版社, 2009.

冉万里,『中國古代舍利瘞埋制度研究』, 文物出版社, 2013.

宮崎市定 著 · 조병한 譯,『중국사』, 역민사, 1983.

두노메 조후 · 구리하라 마쓰오 外 著 · 임대희 譯,『중국의 역사─수당오대』, 혜안, 2001.

旗田巍,『朝鮮中世社會史の研究』, 法政大學出版局, 1972.

三品彰英,『三國遺事考證(中)』, 塙書房, 1979.

中村英孝,『日鮮關係史の研究(上)』, 吉川弘文館, 1965.

石井公成,『華嚴思想の研究』, 春秋社, 1996 ; 김천학 譯,『화엄사상의 연구』, 민족사, 2020.

小田省吾,『朝鮮史大系』, 朝鮮史學會, 1927.

朝鮮總督府,『朝鮮金石總覽(上)』1922.

池內宏,『滿鮮史研究(中世篇-2)』1937.

村山智順,『朝鮮の風水』, 朝鮮總督府, 1931.

3. 논문

강원종, 「전주 동고산성」 『후백제 왕도 전주』, 전주역사박물관, 2013.

郭長根, 「운봉고원의 제철유적과 그 역동성」 『百濟文化』 52, 2013.

郭長根, 「진안고원 초기청자의 등장배경 연구」 『全北史學』 42, 2014.

郭長根, 「진안 도통리 초기청자 요지와 후백제」 『진안 도통리 청자』, 국립전주박물관, 2014.

郭長根, 「장수군 제철유적의 분포양상과 그 의미」 『湖南考古學報』 57, 2017.

곽장근, 「호남 동부지역 가야문화유산 현황」 『경남발전』 138, 경남발전연구원, 2017.

곽장근, 「전북 동부지역 제철유적 현황과 그 시론」 『건지인문학』 27, 2020.

金庠基, 「甄萱의 家鄕에 對하여」 『가람 李秉岐博士頌壽紀念論文集』 1966.

金庠基, 「羅末地方群雄」 『東方史論叢』, 서울대학교출판부, 1974.

金壽泰, 「後百濟 甄萱政權의 成立과 農民」 『百濟研究』 29, 1999.

金壽泰, 「전주 천도기 견훤정권의 변화」 『후백제 견훤정권과 전주』, 주류성, 2001.

김용선, 「崔弘宰 金尹覺 墓誌銘」 『한국중세사연구』 41, 2015.

金允經, 「朝鮮文字의 역사적 考察(14), 訓民正音의 변천과정」 『東光』 36, 1932.

김왕국, 「도록」 『견훤, 새로운 시대를 열다』, 국립전주박물관, 2020.

金在滿, 「五代와 後三國・高麗 初期의 關係史」 『大東文化研究』 17, 1983.

김주성, 「견훤의 전주 천도와 왕궁 위치」 『후백제 왕도 전주』, 전주역사박물관, 2013.

김주성, 「후백제의 왕궁 위치와 도성 규모」 『한국고대사연구』 74, 2014.

南東信, 「北漢山 僧伽大師像과 僧伽信仰」 『서울학연구』 14, 서울시립대학교 서울학연구소, 2000.

盧向前, 「吳越國과 後百濟의 關係에 대한 檢討」 『후백제의 대외교류와 문화』, 후백제문화사업회, 2004.

박찬흥, 「莊義寺의 창건 배경과 장춘랑파랑설화」 『서울과 역사』 96, 서울역사편찬원, 2017.

박한설, 「후삼국의 성립」 『한국사 3』, 국사편찬위원회, 1977.

배재훈, 「서울 은평뉴타운 '靑覃寺' 명문 기와 출토 건물지의 성격 검토 - 나말여초 화엄 십찰 한주 부아산 '靑潭寺' 특정 문제와 관련하여 - 」 『서울과 역사』 101, 서울역사편찬원, 2019.

백승호, 「후백제와 오월국의 해상교통로」 『국제학술심포지엄 吳越과 後百濟』, 국립전주박물관, 2015.

邊東明, 「甄萱의 出身地再論」 『震檀學報』 90, 2000.

변동명,「後百濟의 海外活動과 對外關係」『한국고대사탐구』19, 2015.

서유리,「우리나라 초기 청자 등장에 대하여」『견훤, 새로운 시대를 열다』, 국립전주박물관, 2020.

신호철,「弓裔의 對外政策과 對外認識」『湖西史學』45, 2006.

壽春學人,「國際的으로 알려진 朝鮮 人物」『別乾坤』제12·13호, 1928.

안병찬,「새로 발굴한 고구려의 다리」『력사과학』1982-3.

梁銀容,「高麗太祖 親製 '開泰寺華嚴法會疏'의 硏究」『韓國佛敎文化思想史(卷上)』1992.

尹熙勉,「新羅下代의 城主·將軍」『韓國史硏究』39, 1982.

엄기표,「實相寺 片雲和尙 浮屠의 銘文과 樣式에 대한 고찰」『전북사학』49, 2016.

이경찬,「전주의 도시 형성과 고대·중세의 도시 형태」『지도로 찾아가는 도시의 역사』, 전주역사박
        물관, 2004.

이경찬,「천년 전주 도시 형태의 기원과 발달」『전주의 땅과 인간―제8기 박물관아카데미 전주학시
        민강좌』, 전주역사박물관, 2009.

李基東,「羅末麗初 南中國 여러 나라와의 交涉」『역사학보』155, 1997.

李道學,「진훤의 출신지와 그 초기 세력 기반」『후백제 견훤정권과 전주』, 전북전통문화연구소,
        1999; 주류성, 2001.

李道學,「後百濟의 加耶故地 進出에 관한 檢討」『白山學報』58, 2001.

李道學,「後百濟 甄萱의 農民 施策에 대한 再檢討」『白山學報』62, 2002.

李道學,「後百濟 甄萱 政權의 沒落過程에서 본 그 思想的 動向」『韓國思想史學』18, 2002.

李道學,「弓裔와 甄萱의 比較檢討」『弓裔와 泰封의 역사적 재조명』, 제3회 태봉학술제, 철원군·철원
        문화원, 2003.

李道學,「고등학교 국사 교과서상 후백제사 서술의 문제점」『전통문화논총』2, 한국전통문화대학교,
        2004.

李道學,「百濟 武王代 益山 遷都說의 再解釋」『馬韓·百濟文化』16, 2004.

李道學,「新羅史의 時代區分과 '中代'--中世로의 轉換 時點에 대한 接近」『新羅文化』25, 2005.

李道學,「新羅末 甄萱의 勢力 形成과 交易」『新羅文化』28, 2006.

李道學,「궁예의 북원경 점령과 그 意義」『東國史學』43, 동국사학회, 2007.

李道學,「新羅末 後百濟 甄萱勢力의 成長과 南中國 交涉」『第9屆 한국전통문화국제학술연토회논문
        집(中)』, 浙江大學校 韓國硏究所, 2008.

李道學,「谷那鐵山과 百濟」『東아시아 古代學』25, 2011.

李道學,「百濟 泗沘都城과 '定林寺'」『白山學報』94, 2012.

李道學,「後百濟의 全州 遷都와 彌勒寺 開塔」『韓國史研究』165, 2014.

李道學,「後百濟와 吳越國 交流」『21世紀 中韓文化交流史 研究의 方向性 摸索』(화중사범대학 한국
　　　문화연구소 제3회학술세미나, 2015.6.26 ;「후백제와 오월국 교류에서의 신지견」『百濟文化』
　　　53, 2015.

李道學,「기조강연: 後百濟와 高麗의 吳越國 交流 研究의 現段階」『국제학술심포지엄 오월과 후백
　　　제』, 국립전주박물관, 2015.11.27 ;「後百濟와 高麗의 吳越國 交流 研究와 爭點」『韓國古代史
　　　探究』22, 2016.

李道學,「後百濟의 降服 動線과 馬城」『동아시아문화연구』65, 한양대학교 동아시아문화연구소,
　　　2016.

李道學,「권력과 기록」『東아시아古代學』48, 2017.

李道學,「고려시대 문경의 인물」『문경문화연구총서 제16집─고려시대의 문경』, 문경시, 2019.

李道學,「고려시대 문경의 격전지」『고려시대의 문경』, 문경시, 2019.

李道學,「가야와 백제 그리고 후백제 역사 속의 長水郡」『장수 침령산성 성격과 가치』, 후백제학회
　　　학술세미나, 2020.6.26.

이도학,「고려 태조의 莊義寺齋文과 三角山」『한국학논총』54, 국민대학교 한국학연구소, 2020.

이도학,「진훤과 후백제의 꿈과 영광」『견훤, 새로운 시대를 열다』, 국립전주박물관, 2020.

李道學,「총론─후백제 연구의 쟁점과 과제」『후백제와 견훤』, 국립전주박물관, 2021.

이도학,「후백제 진훤의 受禪 전략」『민족문화논총』78, 영남대학교 민족문화연구소, 2021.

이도학,「전북 후백제 연구의 쟁점과 지향점」『전북지역 연구의 회고와 새로운 지평(2)』, 전라북도,
　　　2021.10.22.

이성규,「역사 서술의 권력, 권력의 서술」『歷史學報』224, 2014.

李弘稙,「僧伽寺雜考」『鄕土서울』6, 1959.

이희관,「甄萱의 後百濟 建國過程上의 몇 가지 問題」『후백제와 견훤』, 서경문화사, 2000.

張日圭,「신라 말 靑潭寺와 화엄 불교계의 동향」『新羅史學報』41, 신라사학회, 2017.

鄭寅普,「五千年間 朝鮮의 '얼' (95)」『東亞日報』1935.7.9.

鄭淸柱,「甄萱과 豪族勢力」『후백제 견훤정권과 전주』, 주류성, 2001.

주경미,「吳越國과 韓半島의 佛敎文化 交流 新論」『역사와 경계』106, 2018.

조범환,「후백제 견훤정권과 선종」『후백제 견훤정권과 전주』, 주류성, 2011.

全榮來, 「後百濟와 全州」『후백제 견훤정권과 전주』, 주류성, 2001.

趙法鍾, 「南北國時代와 後百濟」『전북의 역사와 문화』, 서경문화사, 1999.

조법종, 「後百濟 全州의 都城구성에 나타난 四靈체계」『한국고대사연구』29, 2003.

曺永祿, 「法眼宗과 海洋佛國吳越-고려 불교 교류와 관련하여」『佛敎研究』41, 2014.

趙仁成, 「弓裔의 勢力形成과 建國」『震檀學報』75, 1993.

趙仁成, 「태봉」『한국사 11』, 국사편찬위원회, 1996.

진정환, 「후백제 불교미술의 특징과 성격」『동악미술사학』11, 2010.

진정환, 「익산에 꽃피운 백제의 불교미술」『益山』, 국립전주박물관, 2013.

陳政煥, 「후백제와 오월의 불교 조각 교류」『후백제와 오월』, 국립전주박물관, 2016.

차인국, 「후백제 기와의 특징과 사용 방식」『견훤, 새로운 시대를 열다』, 국립전주박물관, 2020.

崔應天, 「中國 阿育王塔 舍利器의 特性과 受用에 관한 고찰--東國大學校 所藏 石造 阿育王塔을 中心
　　　　으로--」『東岳美術史學』12, 2011.

최흥선, 「古土城으로 본 後百濟 全州都城 一考察」『후백제와 견훤』, 서경문화사, 2021.

崔南善, 「三道古蹟巡禮 - 扶餘篇」『每日新報』1938, 9.7~9.8.

崔聖銀, 「後百濟地域 佛敎彫刻 研究」『美術史學研究』204, 1994.

崔永俊, 「조선시대의 영남로 연구-서울~상주의 경우」『지리학』11, 1975.

黃壽永, 「崇巖山 聖住寺事蹟」『考古美術』98, 1968 ; 合輯本 下卷, 1979.

許仁旭, 「고려 초 남중국 국가와의 교류」『국학연구』24, 2014.

洪思俊, 「三國時代의 灌漑用池에 對하여」『考古美術』136 · 137합집, 1978.

洪承基, 「後三國의 분열과 王建에 의한 통일」『한국사시민강좌』5, 일조각, 1989.

洪㼒杓, 「合德 방죽에 對한 綜合的 考察」『唐津鄕土史의 照明』, 학남 홍석표선생 정년기념문집 간행
　　　　위원회, 1999.

G.Cameron Hurst Ⅲ, "The Good, The Bad And The Ugly": Personalities in the Founding of the
　　　　Koryo Dynasty Korean Studies Forum, No7, 1981.

大曲美太郎, 「全州出土の古瓦を眺めて」『朝鮮』1930-5月號.

梅原末治, 「吳越王 錢弘俶 八萬四千塔」『考古美術』8-4, 1967.

池內宏, 「高麗太祖の經略」『滿鮮地理歷史研究報告 7』1920.

ㄱ